고등학교

문학
자습서

정재찬 교과서편

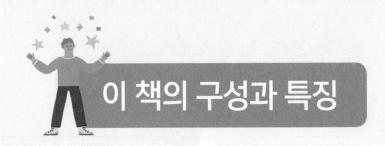

이 책의 구성과 특징

· 교과서 **핵심 내용**은 쏙쏙, **친절한 해설**은 기본!
· 문학 **학습의 방향**을 잡아 주는 필수적인 자기 주도 학습서

1
대단원 도입

· **단원 학습을 통해 :** 대단원 학습 목표를 제시하였습니다.

· **대단원 길잡이＋돌아보기 :** 이 단원에서 학습할 주요 내용을 한눈에 파악할 수 있도록 하였습니다.

2
소단원 도입

· **소단원 이론 정리 :** 교과서의 각 소단원에서 제시한 이론을 상세히 설명하고, 바로 확인할 수 있도록 문제를 제시하여 개념과 방향을 확실하게 잡을 수 있도록 하였습니다.

· **탐구로 생각 열기 :** 소단원을 들어가기 전 교과서에서 제시하고 있는 활동의 의도를 파악하여 배경지식을 활성화할 수 있도록 활동의 예시 답안을 충실하게 제시하였습니다.

· **소단원 작품 미리보기 :** 읽기만 해도 작품의 윤곽을 파악할 수 있도록 작품 해제를 제시하였습니다. 본문 학습 전, 배운 내용을 상기하고 핵심 내용을 점검하는 데 효과적입니다.

3

소단원 학습

- **교과서 전 지문 수록** : 내신의 기본인 교과서 지문에 대한 상세한 행간주로 혼자서도 어려움 없이 지문을 완벽하게 해석할 수 있도록 하였습니다.

- **핵심 쏙쏙** : 시험에 나오는 핵심 내용을 압축적으로 정리하여 자습서를 꼼꼼히 보았을 때의 방만함을 잡아 주도록 하였습니다.

- **확인 문제** : 제시된 지문 내에서 확인할 수 있는 문제들을 학습 활동 응용, 서술형, 수능형 문제 등 유형별로 다양하게 구현하여 시험에 대비할 수 있도록 구성하였습니다.

- **학습 활동** : 교과서 내용 중 시험에 가장 많이 활용되는 학습 활동의 예시 답과 활동 방향을 제시함으로써 교과서 활동을 스스로 이해하고 점검할 수 있도록 하였습니다. 특히 활용된 지문의 예시 답안과 관련 자료를 충실하게 학습하면 복합 지문 문제 대비에 만전을 기할 수 있을 것입니다.

- **작품 한눈에 보기** : 작품의 내용을 꼼꼼하게 분석하고 핵심 내용을 도식화하여 알아보기 쉽고, 기억에 오래 남을 수 있도록 구성하였습니다. 시험 직전에 활용할 수 있도록 핵심 내용을 콕 짚어 놓았습니다.

4

대단원 점검

- **대단원 마무리** : 단원의 마무리 활동에 대한 예시 답을 제시하여 교과서 학습을 마무리합니다.

- **창의 융합** : 배운 내용을 바탕으로 한 창의융합 활동의 답을 충실하게 제시하였습니다.

5

대단원 시험 예상 문제

- 학교 시험에 꼭 나오는 문제로 실력을 다지고 평가해 볼 수 있도록 출제하였습니다.
- 대단원의 내용을 종합적으로 이해할 수 있도록 구성하였습니다.
- 소단원 작품과 학습 활동, 교과서 외 지문을 두루 활용하되, 학교 시험에 자주 나오는 지문을 선별하였습니다.

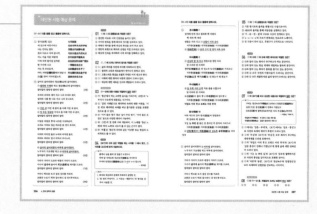

이 책의 차례

1

문학의
본질과 가치

우리는 왜 문학 작품을 읽어야 할까?

문학은 인간의 가치 있는 경험을 다룬다. 그
<u>문학의 내용</u>
래서 우리는 <u>문학을 통해 인간과 세계에 관한</u>
<u>문학 작품을 읽는 이유 ①-문학의 인식적, 윤리적 가치</u>
<u>새로운 인식과 발견을 얻고, 삶의 의미를 깨닫</u>
<u>게 되곤 한다.</u> 하지만 문학은 그것을 말과 글로
<u>문학의 표현 수단</u>
표현하는 예술이다. 그래서 우리는 <u>문학을 통</u>
<u>해 정서를 고양하고 심미적 경험까지 하게 되</u>
<u>문학 작품을 읽는 이유 ②-문학의 정서적, 심미적 가치</u>
<u>는 것이다.</u>   ▶ 문학의 본질

오랜 세월 동안 인간은 이러한 인지적·정의
적·심미적 활동으로서의 문학 작품을 수용하며
생산해 왔다. 우리는 <u>문학 작품의 수용과 생산을 통해 자아를 성찰하고, 타자의 삶을</u>
<u>문학 작품을 읽는 이유 ③-문학 작품의 수용과 생산의 가치</u>
<u>이해하며, 자신의 문학적 체험을 표현하게 된다.</u> 나아가 <u>문학 활동을 생활화함으로써</u>
<u>공동체 구성원과 정서적으로 교류하며 상호 소통하는 태도를 지니게 된다.</u>
<u>문학 작품을 읽는 이유 ④-문학 활동 생활화의 가치</u>   ▶ 문학 작품의 가치 ①
더구나 인공 지능 시대를 눈앞에 둔 오늘날은 그 어느 때보다도 인성과 창의성이
요구되는 시대이다. <u>인성과 윤리 의식을 고양하게 해 준다는 점에서 문학은 그 교육</u>
<u>문학 작품을 읽는 이유 ⑤- 교육적 가치①</u>
<u>적 가치가 늘 인정되어 왔다.</u> 또한 <u>문학은 무엇보다도 창조력의 기반이 되는 상상력</u>
<u>문학 작품을 읽는 이유 ⑥-문학의 교육적 가치 ②</u>
<u>과 감수성을 길러 준다.</u>   ▶ 문학 작품의 가치 ②

이 단원의 학습을 통해 여러분은 <u>문학의 본질을 깨닫고, 문학을 통해 자아를 성찰</u>
<u>하고 타자를 이해하며, 삶의 다양성을 수용할 수 있게 될 것이다.</u> 또한 <u>문학 활동을</u>
<u>문학의 본질과 가치의 이해</u>
<u>생활화하여 인성과 창의력을 갖춘, 인간다운 삶을 가꾸고 공동체의 문화 발전에 기</u>
<u>여하는 주체가 될 수 있을 것이다.</u>
<u>문학 활동 생활화를 통한 삶의 고양과 공동체 문화 발전에의 기여</u>
                              ▶ 이 단원에서 학습할 내용

돌아보기

이 단원의 학습과 관련된 나의 경험을 떠올려 보자.

> 문학의 본질
문학 작품을 읽고 감동을 받은 경험을 소개해 보자.

| 예시 답안 | 초등학교 때 권정생의 소설 「강아지똥」을 읽었는데, 이를 통해 세상에 존재하는 모든 것이 나름의 가치를 지니고 있다는 점을 깨닫고 감동했던 적이 있다.

> 문학의 가치
문학 작품을 읽고 자신을 돌아보았거나 타자를 깊이 이해할 수 있었던 경험이 있었는지 생각해 보자.

| 예시 답안 | 중학교 때 좋아했던 친구와 헤어져 힘들었던 적이 있었는데, 고재종의 시 「첫사랑」을 읽고, 헤어짐이 오히려 성숙의 계기가 될 수 있음을 깨닫고 혼란스러웠던 마음을 가라앉힐 수 있었다. 또한, 친구의 마음도 이해할 수 있었다.

> 문학 활동의 생활화
실생활에서 비평문을 쓴다거나 백일장에 참여하는 등의 문학 활동을 했던 경험을 소개해 보자.

| 예시 답안 | 고등학교에 올라와 문학 토론을 하는 자율 동아리를 만들어 한 달에 한 번씩 모여 읽은 책에 대해 논제를 정해 토론한 후, 서평을 써 보는 활동을 하고 있다.

단원 학습을 통해

- 문학이 인간과 세계에 관한 이해를 돕고, 삶의 의미를 깨닫게 하며, 정서적·미적으로 삶을 고양함을 이해할 수 있다.
- 문학을 통하여 자아를 성찰하고, 타자를 이해하며 상호 소통하는 태도를 지닐 수 있다.
- 문학 활동을 생활화하여 인간다운 삶을 가꾸고, 공동체의 문화 발전에 기여하는 태도를 지닐 수 있다.

[1] 문학의 본질

이 단원에서는 문학의 다양한 기능과 가치를 인식하고 문학의 수용과 생산 활동에 참여하도록 한다. 이를 통해 문학의 인식적·윤리적·미적 기능을 이해하고 이러한 문학의 기능과 가치에 대한 이해를 통해 자발적으로 문학을 향유할 수 있도록 한다.

문학은 왜 읽는가?

문학 작품을 읽는 까닭에 관해 흔히들 두 가지로 답한다. 하나는 문학이 우리에게 <u>인생의 진실을 깨닫게 해 주기 때문</u>이고, 다른 하나는 문학을 읽으면 <u>감동적이고 즐겁기</u>
<small>문학 작품을 읽는 일반적 이유 ①</small>   <small>문학 작품을 읽는 일반적 이유 ②</small>
<u>때문</u>이라는 것이다. 이처럼 문학은 교훈을 쾌감 속에 담아 전해 준다.
       ▶ 문학 작품을 읽는 일반적 이유

하지만 문학의 효용은 그보다 더 풍부하다. <u>문학을 통해 독자는 언어 사용 능력은 물론 정서의 순화 및 상상력과 감수성의 신장을 경험</u>하게 된다. 또한 <u>문학을 통해 타자와</u>
       <small>문학 작품을 읽는 이유 ③</small>   <small>문학 작품을 읽는 이유 ④</small>
<u>공동체의 다양한 가치를 이해하고 탐색하며 궁극적으로 자신이 원하는 올바른 삶의 가치를 추구</u>하게 된다.
       <small>문학 작품을 읽는 이유 ⑤</small>   ▶ 문학의 가치

문학의 본질은 무엇인가?

문학은 말과 글을 수단으로 삼는 언어 예술이다. 하지만 설명이나 분석 같은 추상적인 언어와 달리 문학의 언어는 <u>경험의 구체적이고 총체적인 형상화를 추구</u>한다. 그래서 문
       <small>문학의 본질 ①</small>
학을 통해 얻게 되는 인식은 삶과 현실에 관한 풍부하고 생동감 있는 인식에 가깝다. 그 과정에서 우리는 <u>일상의 삶과 세계에 관해 의문을 제기하고, 나아가 우리의 삶을 성찰하고 더 현명하고 가치 있는 삶의 방식을 생각</u>할 수 있게 된다.
       <small>문학 감상의 효과 ①</small>   ▶ 문학의 본질 ①

또한 문학의 언어는 <u>인간의 다양한 감정이나 정서를 일상 언어와 달리 심미적으로 형상화한 것</u>이다. 그래서 독자는 문학 작품을 통해 <u>정서적 고양을 느끼고, 문학의 형식미</u>
       <small>문학의 본질 ②</small>   <small>문학 감상의 효과 ②</small>
<u>를 맛보는가 하면, 우아한 것, 숭고한 것, 비장한 것, 해학적인 것 등 다양한 심미적 감상을 할 수 있게 된다.</u>
       ▶ 문학의 본질 ②

✔ 바로 확인 문제

1 문학 작품을 읽는 까닭은 문학 작품이 독자에게 □□□와/과 □□을/를 주기 때문이다.

2 다음 설명이 맞으면 ○, 틀리면 X를 하시오.
(1) 문학을 통해 얻게 되는 인식을 통해 우리의 삶을 성찰할 수 있다.   (○, ×)
(2) 문학 작품을 감상하면 작품의 형식이 지닌 아름다움을 느끼고 심미적 체험을 할 수 있다.   (○, ×)

|정답 | 1. 깨달음, 감동   2. (1) ○ (2) ○

다음 대상을 보고, 하나의 사물이 우리에게 주는 다양한 가치에 관해 생각해 보자.

| 예시 답안 | 등대는 어두운 밤에 배를 안전한 곳으로 안내해 주는 역할을 한다. 동시에 아름다운 풍경이 되어 우리에게 아름다움을 선사하기도 한다. 문학도 그러하다. 하나의 작품이 독자로 하여금 인간과 세계에 대해 이해하게 하기도 하고, 삶의 의미에 대한 깨달음을 주기도 하며 아름다움을 통해 정서적·미적으로 고양시키기도 하는 것이다.

≫ 어두운 밤, 등대는 칠흑 같은 바다를 환히 비추어 배에게 안전한 길을 인도해 준다. 그런가 하면, 파란 하늘과 푸른 바다가 맞닿은 수평선을 배경으로, 혹은 붉게 타오르는 바다를 배경으로 서 있는 등대는 우리에게 아름다운 풍경을 선사하기도 한다. 우리가 가야 할 길을 알려 주고, 아름다움을 전해 준다는 점에서 보면, 문학도 바로 우리 인생의 등대 같은 것이 아닐까?

01 그 복숭아나무 곁으로
나희덕

해제

이 작품은 타인에 대한 편견과 선입견에서 벗어나 대상이 지닌 참모습을 발견하고 타인에 대한 진정한 이해에 도달하는 과정을 그리고 있다. 이 작품에서 '복숭아나무'는 우리가 일상에서 흔히 만나고 접하는 대상(타자)를 비유한 것으로, 복숭아나무에 대한 화자의 인식 변화를 통해 타자와의 진정한 관계 형성 과정을 비유적으로 형상화하고 있다. 화자는 처음에는 대상에 대해 심리적 거리감을 느꼈으나 시간이 흐른 후에 그 대상을 진정으로 이해하게 되면서 비로소 대상과의 거리감이 사라진 시간 속에서 대상과 조화를 이루고 교감하게 된다. 작가는 자연과 인간의 관계를 통해 선입견에 사로잡혀서는 대상의 진정한 모습을 발견하기 어렵고, 대상과의 바람직한 관계 형성이 어렵다는 것을 깨닫게 하고 있다. 이처럼 이 작품은 문학이 대상에 대한 새로운 인식을 바탕으로 인간과 세계를 이해하게 하고, 삶의 의미를 깨닫게 한다는 점을 전달한다.

주제 의식

화자는 복숭아나무가 '흰꽃과 분홍꽃'으로만 이루어져 있다는 선입견에 사로잡혀 '사람이 앉지 못할 그늘'을 가졌다고 판단한다. 이 때문에 복숭아나무를 '멀리로만 지나쳤다'. 그러나 복숭아나무가 '수천의 빛깔'을 지녔음을 깨닫게 되고, 이로 인해 화자는 자기중심적인 생각에서 벗어나 복숭아나무를 있는 그대로 이해하려는 태도를 지닌다. 그리고 화자는 복숭아나무의 '그늘'에서 '저녁'이 오는 소리를 가만히 듣는다. 이 행위에는 대상을 진정으로 이해하고 교감하려는 태도가 담겨 있다. 이처럼 이 작품은 타자를 자신의 관점으로만 판단하려는 태도의 부당함을 지적하고, 타인과의 바람직한 관계 형성의 중요성을 드러내고 있다.

핵심 정리

(1) 갈래: 자유시, 서정시
(2) 성격: 고백적, 성찰적, 비유적
(3) 제재: 복숭아나무
(4) 주제: 다른 대상(타인)의 진정한 모습을 발견하고 이해하는 것의 어려움과 보람
(5) 특징: ① 복숭아나무를 의인화하여 주제 의식을 부각함.
         ② 시간의 흐름에 따라 인식의 변화를 드러냄.
         ③ 도치법을 사용하여 여운을 형성함.
(6) 구성

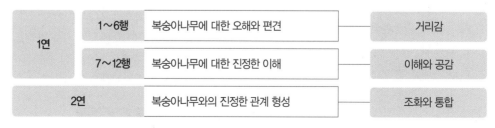

1연	1~6행	복숭아나무에 대한 오해와 편견	거리감
	7~12행	복숭아나무에 대한 진정한 이해	이해와 공감
2연		복숭아나무와의 진정한 관계 형성	조화와 통합

어휘·어구 풀이

❶그 복숭아나무 그늘에서~저녁이 오는 소리를　복숭아나무 그늘은 화자와 대상 사이의 진정한 이해와 화해가 이루어지는 공간으로, 화자와 대상이 조화롭게 어울리고 있는 모습을 통해 진정한 관계 형성의 의미를 드러내고 있다. 특히 도치법을 통해 주제를 강조하고 시적 여운을 형성하고 있다.

핵심 쏙쏙

◉ 화자의 인식과 태도 변화

복숭아나무에 대한 오해와 편견
↓
복숭아나무에 대한 재인식·깨달음
↓
복숭아나무에 대한 이해·공감

『너무도 여러 겹의 마음을 가진
　대상이 지닌 복잡한 내면 → 대상에 대한 이해 부족
그 복숭아나무』 곁으로
『 』: 타인, 대상의 의인화
『나는 왠지 가까이 가고 싶지 않았습니다
　　　　　　대상과의 거리감
『흰꽃과 분홍꽃을 나란히 피우고 서 있는 그 나무는 아마
　　　　　　　　　　　　'그'의 반복 → 중심 소재로 초점을 모으는 기능
ⓐ 사람이 앉지 못할 그늘을 가졌을 거라고』
『 』: 타인에 대한 선입견(편견)
멀리로 멀리로만 지나쳤을 뿐입니다　　　　　　　▶ 복숭아나무에 대한 선입견과 거리감
대상과의 심리적 거리감을 드러내는 행위 → 대상에 대한 편견의 결과
흰꽃과 분홍꽃 사이에 수천의 빛깔이 있다는 것을
　　　　　　여러 겹의 마음 → 대상의 본질 인식(타인의 진정한 모습)
나는 그 나무를 보고 멀리서 알았습니다
　　　　대상에 관한 이해의 시작
눈부셔 눈부셔 알았습니다
대상과 세계에 대한 인식 → 화자의 질적 성숙
피우고 싶은 꽃빛이 너무 많은 그 나무는
　　　　수천의 빛깔을 가진 이유
그래서 외로웠을 것이지만 외로운 줄도 몰랐을 것입니다
　　　　　　　　대상에 관한 이해의 심화
그 여러 겹의 마음을 읽는 데 참 오래 걸렸습니다　▶ 복숭아나무의 진정한 모습 발견
　　대상에 대해 진정으로 이해하는 데

흩어진 꽃잎들 어디 먼 데 닿았을 무렵
조금은 심심한 얼굴을 하고 있는 ⓑ 그 복숭아나무 그늘에서
가만히 들었습니다 저녁이 오는 소리를❶　　　　　▶ 복숭아나무와 화자와의 진정한 관계 형성
대상과의 거리감이 사라진 어울림의 시간

학습 문제
📋 정답과 해설 321쪽

1. 위 시에 대한 설명으로 적절하지 않은 것은?
① 시간의 흐름에 따라 변화하는 화자의 인식을 나타내고 있다.
② 독백적 어조를 통해 화자의 깨달음을 진솔하게 드러내고 있다.
③ 동일한 지시어를 반복 사용하여 중심 소재로 초점을 모으고 있다.
④ 도치법을 사용하여 시적 여운을 형성하며 시상을 마무리하고 있다.
⑤ 대구의 방법을 사용하여 시적 운율을 형성하고 주제를 강조하고 있다.

2. ⓐ와 ⓑ에 대한 이해로 적절한 것은?
① ⓐ와 ⓑ 모두 대상과의 조화를 추구했던 공간이다.
② ⓐ는 ⓑ와 달리 화자가 가고 싶었던 이상적 공간이다.
③ ⓐ는 ⓑ와 달리 화자가 자신의 삶을 성찰했던 공간이다.
④ ⓑ는 ⓐ와 달리 화자가 자신의 처지에 비애감을 느끼는 공간이다.
⑤ ⓑ는 ⓐ와 달리 대상에 대해 화자가 긍정적으로 인식하는 공간이다.

학습 활동 응용
3. 〈보기〉를 바탕으로 위 시의 시어 및 시구를 감상한 내용으로 적절하지 않은 것은?

| 보기 |
이 작품은 자연물과 자연 현상을 소재로 삼고 있지만, 이를 통해 형상화하려는 것은 인간과 자연의 관계가 아니라 인간과 인간의 관계라고 할 수 있다.

① '복숭아나무'는 우리가 일상에서 만날 수 있는 타인을 의미하는군.
② '여러 겹의 마음'은 화자가 타인에게 접근하지 못한 이유에 해당하는군.
③ '수천의 빛깔'은 화자가 가진 선입견만으로 판단한 타자의 모습이로군.
④ '피우고 싶은 꽃빛이 너무 많은'은 화자가 타인의 진정한 모습을 인식한 결과로군.
⑤ '저녁'은 타인과의 거리감이 사라지고 조화롭게 어울리는 시간을 뜻하는군.

서술형 학습 활동 응용
4. 위 시에서 '복숭아나무'에 대한 화자의 태도가 어떻게 변했는지 서술하시오. (단, 화자의 행위를 근거로 제시할 것.)

• '복숭아나무'에 대한 화자의 인식과 태도 변화

시상 전개	인식	태도
복숭아나무에 대한 오해와 ❶⬜⬜	• 너무도 여러 겹의 마음을 가지고 있음. • 사람이 앉지 못할 그늘을 가졌을 거라고 생각함.	• 왠지 가까이 가고 싶지 않았음. • 멀리로 멀리로만 지나치며 거리를 둠.
복숭아나무에 대한 재인식·깨달음	• 흰꽃과 분홍꽃 사이에 수천의 빛깔이 있다는 것을 멀리서 알게 됨. • 피우고 싶은 꽃빛이 너무 많아 외로웠을 것이지만 외로운 줄도 몰랐을 것이라고 생각함.	• 여러 겹의 마음을 읽는 데 오랜 시간이 걸렸으나 그를 이해하게 됨.
복숭아나무에 대한 ❷⬜⬜와 공감	• 조금은 심심한 얼굴을 하고 있음.	• 복숭아나무 그늘에서 저녁이 오는 소리를 가만히 들으며 그를 이해하고 공감하는 태도를 가짐.

• 표현상의 특징

시구	표현상의 특징
~습니다 / ~입니다	경어체와 ❸⬜⬜적 어조를 통해 대상에 대한 자신의 생각을 차분히 고백함.
그 복숭아나무, 그 나무	'그'라는 지시어를 반복적으로 사용하여 중심 소재로 초점화함.
너무나 여러 겹의 마음을 가진 복숭아나무	대상을 ❹⬜⬜⬜하여 주제를 효과적으로 전달함.
조금은 심심한 ~가만히 들었습니다 저녁이 오는 소리를	❺⬜⬜⬜을 활용하여 시적 여운을 남기며 시상을 마무리함.

• 시구의 함축적 의미

시구	함축적 의미
복숭아나무	우리가 일상에서 만날 수 있는 대상(타인)
흰꽃과 분홍꽃	피상적으로 드러난 대상의 모습
사람이 앉지 못할 그늘	선입견과 편견의 시선으로 바라본 대상의 ❻⬜⬜⬜ 모습
수천의 빛깔	여러 겹의 마음, 대상이 지닌 진정한 모습
❼⬜⬜	대상과의 거리감이 사라진 시간, 대상과 바람직한 관계가 형성된 시간

|정답| ❶ 편견(선입견) ❷ 이해 ❸ 독백 ❹ 의인화 ❺ 도치법 ❻ 부정적 ❼ 저녁

작품 속으로

1. 이 작품을 감상하고, 화자가 '복숭아나무'에 관해 인식한 내용을 정리해 보자.

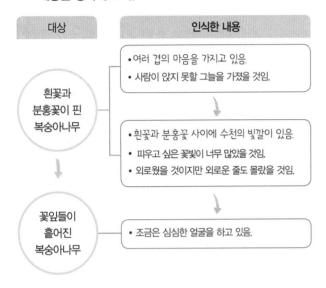

대상	인식한 내용
흰꽃과 분홍꽃이 핀 복숭아나무	• 여러 겹의 마음을 가지고 있음. • 사람이 앉지 못할 그늘을 가졌을 것임.
	• 흰꽃과 분홍꽃 사이에 수천의 빛깔이 있음. • 피우고 싶은 꽃빛이 너무 많았을 것임. • 외로웠을 것이지만 외로운 줄도 몰랐을 것임.
꽃잎들이 흩어진 복숭아나무	• 조금은 심심한 얼굴을 하고 있음.

2. 이 작품의 화자가 대상을 관찰하여 얻은 깨달음에 주목하여 아래 활동을 해 보자.

(1) 이 작품은 자연물에 빗대어 인생의 체험을 노래하였다. 이를 바탕으로 다음 시구의 함축적 의미를 밝혀 보자.

시구	함축적 의미
흰꽃과 분홍꽃	피상적으로 본 대상의 모습
사람이 앉지 못할 그늘	선입견으로 판단한 대상의 부정적인 모습
수천의 빛깔	대상이 지닌 진정한 모습

(2) 이 작품의 화자가 체험을 통해 깨달은 점을 파악하고, 이를 자신의 삶에 어떻게 적용할지 생각해 보자.

화자가 깨달은 점	선입견을 지니고 대상(타인)을 판단하지 말고, 대상의 진정한 모습을 발견하기 위해 노력해야 한다. 그리고 그 대상을 있는 그대로 이해하고 사랑하기 위해 노력해야 한다.
자신의 삶에의 적용	예전에 나의 아버지는 늘 엄하셔서 가까이하지 못할 만큼 무서웠기에 나는 아버지가 어떤 마음으로 살고 계시는지 이해를 하려고 하지도, 관심을 가지려 하지도 않았다. 그런데 어느 순간, 아버지의 이마에 새겨진 깊은 주름을 보며 아버지가 그동안 자식을 위해 얼마나 헌신적으로 사셨는지 깨닫게 되었다. 늘 거리감이 느껴졌던 아버지가 이제는 나의 든든한 울타리로 느껴진다. 앞으로는 아버지를 더 이해하고, 사랑하고 싶다.

작품 너머로

3. 다음 작품을 「그 복숭아나무 곁으로」와 비교하며 읽고, 아래 활동을 해 보자.

> 피상적 관찰
> 숲을 멀리서 바라보고 있을 때는 몰랐다
> 사람들이 관계를 이루며 살아가는 세상
> 나무와 나무가 모여
>
> 어깨와 어깨를 대고 / 숲을 이루는 줄 알았다
> 서로 간에 거리감 없이 친밀함만으로 살아가는 줄
> 나무와 나무 사이
>
> 넓거나 좁은 간격이 있다는 걸
> 사람과 사람 사이에는 필요한 간격이 있다는 것을
> 생각하지 못했다   ▶ 숲에 대한 기존의 인식
>
> 『벌어질 대로 최대한 벌어진,
> 『 』: 간격의 중요성
> 한데 붙으면 도저히 안 되는,
>
> 기어이 떨어져 서 있어야 하는,』
>
> 나무와 나무 사이 / 그 간격과 간격이 모여   숲에 관한 새로운 인식
>
> 울울창창(鬱鬱蒼蒼) 숲을 이룬다는 것을
> 공동체
> 산불이 휩쓸고 지나간
> 시련과 위기
> 숲에 들어가 보고서야 알았다
>   ▶ 산불이 지나간 숲에 들어가 보고 얻은 깨달음
>   – 안도현, 「간격」

작품 연구 안도현, 「간격」

• **갈래**: 자유시, 서정시   • **성격**: 성찰적, 상징적
• **어조**: 독백적 어조, 성찰적 어조   • **제재**: 숲
• **주제**: 적당한 간격의 소중함에 대한 깨달음
• **특징**: ① 나무를 인격화하여 인간의 삶과 관련된 의미를 부여함.
      ② 시간의 흐름, 공간의 이동을 대비하여 새로운 깨달음을 부각함.

(1) 위 작품의 화자가 '숲'에 관해 인식한 내용을 정리해 보자.

숲을 멀리서 보았을 때	숲에 들어가 보았을 때
나무와 나무가 모여 어깨와 어깨를 대고 숲을 이룬다.	나무와 나무 사이, 즉 간격과 간격이 모여 숲을 이룬다.

(2) 위 작품의 화자와 「그 복숭아나무 곁으로」의 화자가 대상의 진정한 모습을 발견한 방식의 차이점을 발표해 보자.

| 예시 답안 | 「그 복숭아나무 곁으로」는 시간의 흐름에 따른 화자의 인식 변화를 드러내고 있다. 즉 '그 복숭아나무'를 피상적으로 보았을 때에는 부정적으로 인식해 멀리하려 하나 시간이 흐르면서 화자는 '그 복숭아나무'의 진정한 모습을 발견하고 이해할 수 있게 된다. 「간격」은 시간의 경과, 공간의 이동에 따른 화자의 인식 변화를 드러내고 있다. 숲을 멀리서만 보았을 때에는 나무들이 빽빽하게 모여 숲을 이루는 것이라 인식했지만, 산불이 휩쓸고 지나간 후 숲에 들어가 보고서야 나무와 나무 사이의 그 간격이 모여 숲을 이루는 것임을 인식하게 된다.

02 두근두근 내 인생 김애란

· 인간과 세계의 이해   · 삶의 의미 성찰   · 정서적·미적 고양

해제

이 작품은 조로증을 앓고 있는 열일곱 살 소년의 이야기를 담은 소설로, 한 소년의 삶과 그로부터 얻은 깨달음을 주제로 한 소설이다. 주인공 아름의 인생은 짧지만 인간이 긴 세월 동안 겪어야 하는 희로애락을 집약적으로 보여 주고 있다. 제목의 '두근두근'은 주인공이 일생 동안 중요한 사건을 겪을 때의 심리를 단적으로 표현한 것이다. 이 작품은 비극적 상황 속에 놓인 한 소년이 자신의 삶을 수용하고, 심지어 타인을 배려하는 모습을 통해 독자에게 깊은 감동을 준다. 특히 재치 있는 표현과 다양한 수사법을 효과적으로 사용하여 비극적 상황을 긍정적으로 인식하는 주인공의 모습을 형상화함으로써 감동을 더하고 있다.

전체 줄거리

태권도 특기생으로 체육고등학교에 다니던 '대수'와 당찬 성격의 고등학생 '미라'는 열일곱의 나이에 아이를 갖게 된다. 어리고 생활 능력도 없는 엄마와 아빠지만 '나'(아름)의 부모는 '나'가 크는 것을 보며 행복해한다. 그러나 '나'는 빠른 속도로 늙어 가는 병인 조로증에 걸려 노인의 몸이 되어 가고, 이로 인해 병원에서 살다시피 한다. 우연히 출연한 방송에 '나'의 사연이 소개되자 서하라는 소녀가 메일을 보내오고, '나'는 서하와 메일을 주고받으며 사랑의 감정을 키워 가지만 서하가 시나리오 작가 지망생이 취재를 위해 만들어 낸 가공의 인물이었음을 알고 크게 실망한다. 그 사건이 있은 후, '나'의 건강이 점점 나빠지고 부모님이 지켜보는 병상에서 죽음을 맞이한다.

핵심 정리

(1) 갈래: 장편 소설, 성장 소설   (2) 성격: 자기 고백적, 성찰적

(3) 시점: 1인칭 주인공 시점   (4) 배경: 시간적 – 현대, 공간적 – 주로 병원과 집

(5) 주제: 죽음을 앞둔 소년이 겪은 삶에 대한 소망과 가족 간의 사랑

(6) 특징: ① 난치병을 앓는 소년의 삶을 유쾌한 시각으로 그려 냄으로써 삶의 가치와 가족의 의미를 생각해 보게 함.

② 부모보다 늙은 아들, 아들보다 젊은 부모라는 독특한 설정을 통해 인생의 의미를 성찰함.

③ 다양한 표현을 사용하여 주인공의 심리를 참신하게 드러내고 있음.

(7) 구성

발단	미라와 대수가 사랑하여 '나'를 낳고, 가난하지만 행복하게 생활함.
전개	'나'는 조로증에 걸리고 이로 인해 집과 병원을 오가는 생활을 함.
위기	'나'는 서하라는 소녀와 메일을 주고받으며 사랑의 감정을 키워감.
절정	'나'는 서하가 작가 지망생이 꾸며 낸 인물임을 알고 절망함.
결말	'나'는 부모님에 대한 소설을 쓰고, 부모님이 지켜보는 병상에서 죽음을 맞이함.

어휘·어구 풀이

● **여진** 큰 지진이 일어난 다음에 얼마 동안 잇따라 일어나는 작은 지진.

● **삐라** 전단(傳單). 선전이나 광고 또는 선동하는 글이 담긴 종이쪽. '알림 쪽지'로 순화.

● **선동적** 남을 부추겨 어떤 일이나 행동을 하게 하는. 또는 그런 것.

❶ **그때마다 나는~기분도 들었다** 어머니 뱃속에서 들은 낯선 소리에 두렵기도 했지만 호기심을 느끼기도 했음을 나타내고 있다.

▶ **교과서 날개 질문**

'쿵 짝짝……'의 표현에 담긴 의미를 말해 보자.

| 예시 답안 | 어머니가 내는 심박 소리인 '쿵'과 '나'가 내는 심박 소리인 '짝'이 겹쳐져 음악처럼 들린다고 했다. 따라서 이 소리는 태아인 '나'와 어머니가 교감하고 있음을 드러내는 것이다.

어머니의 심장 소리를 '비트(bit)'와 '비트(beat)'라고 한 까닭은 무엇일까?

| 예시 답안 | 어머니가 내는 소리를 '비트(bit)'라고 표현한 것은 비트 분량의 단순한 정보를 담고 있음을 의미하고, '비트(beat)'라고 표현한 것은 어머니가 음악에 쓰이는 비트처럼 일정한 리듬에 중요한 메시지를 담아 '나'에게 전달하고 있음을 의미한다.

[앞부분 줄거리] 태권도 특기생으로 체육고등학교에 다니던 '대수'와 당찬 성격의 '미라'는 열일곱의 나이에 아이를 갖게 된다.

가 그 뒤로도 어머니는 쉽게 마음을 정하지 못했다. 하루에도 몇 번씩 긍정과 부정 사이를 오가며 어쩔 줄 몰라 했다. 시간은 계속 흐르고…… 축축하고 어두운 공간 속에서 내 몸은 자꾸 자라났다. 주위에선 쉴 새 없이 쿵 – 쿵 – 하는 소리가 들렸다. 『나는 그 소리를 귀가 아닌 온몸으로 들었다. 그리고 지하 벙커에서 모스 부호 해독에 열중하는 병사처럼 내 주위를 감싸는 그 '떨림'의 실체를 파악하려 애썼다. 그리고 그 암호는 다음과 같았다.』

'두근두근…… 두근두근…… 두근두근……'

쿵쿵 – 혹은 둥둥 – 이라도 좋았다. 먼 북소리 같기도 하고, 큰 발소리 같기도 한 무엇. 거대한 몸집을 가진 누군가가 나를 향해 성큼성큼 다가오는 듯한 울림이었다. 그때마다 나는 여진(餘震)에 민감한 순록처럼 도망칠 준비를 했다. 하지만 동시에 춤추고 싶은 기분도 들었다. ㉠어머니의 심박과 내 것이 겹쳐 가끔은 음악처럼 들려왔던 까닭이다.

'쿵 짝짝…… 쿵 짝짝…… 쿵쿵 짝…… 쿵 짝……' / 쿵은 어머니 것, 짝은 내 것이었다. 쿵은 센소리, 짝은 여린소리였다. 나는 긴 탯줄에 매달려 그 소리에 집중했다. 어머니의 심장은 오동통한 달처럼 내 머리 위에 떠, 나무가 초록을 퍼트리듯 방울방울 사방에 비트를 퍼트렸다. 그것은 정보량의 최소 기본 단위를 말하는 비트(bit)이기도 하고, 가수들이 음악을 만들 때 쓰는 비트(beat)이기도 했다. 이 비트(bit)와 저 비트(beat)는 몸 곳곳에 중요한 메시지를 보내며 삐라처럼 흩날렸다. 듣다 보니 뭔가 '되고 싶어지는' 게 누가 들어도 참으로 선동적이라 하지 않을 수 없는 리듬이었다. 명령어를 전달받은 세포들은 곧장 행동에 돌입했다. 하늘에서 쏟아지는 비트를 맞고, 기관들이 움트며 기지개를 편 거였다. 간이 부풀고 콩팥이 여물며 우둑우둑 뼈가 돋아났다. 나는 무럭무럭 자랐다. 그리고 종종 내 꿈속에서, 어머니가 꾸는 꿈과 만나 두서없는 대화를 했다.

[A] '엄마……' / '응?' / '엄마……' / '그래.' / '나 자꾸 가슴이 떨려요…… 가슴이 아프도록 뛰어요…… 숨이 넘어갈 것 같은데, 이러다 죽을 것만 같은데…… 도무지 멈출 수가 없어요.' / '아가야.' / '네?' / '나도, 나도 그래. 가슴이 자꾸 뛰어. 가슴이 저리도록 뛰는데 멈출 수가 없어……'

▶ 태아 시절에 들었던 소리와 '나'와 어머니의 대화에 관한 상상

학습 문제

📖 정답과 해설 321쪽

1. 윗글의 서술상 특징으로 가장 적절한 것은?

① 인물 간의 갈등을 통해 주제를 제시하고 있다.
② 1인칭 주인공이 상상한 체험의 내용을 서술하고 있다.
③ 역순행적 구성을 통해 사건에 담긴 의미를 밝히고 있다.
④ 외양 묘사를 통해 인물의 성격을 간접적으로 드러내고 있다.
⑤ 동일한 사건을 여러 인물의 관점에서 다양하게 해석하고 있다.

[서술형]

2. [A]에서 알 수 있는 '나'와 '어머니'의 공통된 심리를 쓰시오.

3. ㉠에 대한 이해로 적절하지 않은 것은?

① 단순한 정보를 담은 리듬감 있는 소리였다.
② '나'에게 신체를 키우라는 명령을 하고 있다.
③ 흥겨움으로 춤추고 싶은 기분이 들게도 했다.
④ '나'에 대한 어머니의 미안한 마음이 담겨 있다.
⑤ '나'에게 두려움과 호기심을 동시에 느끼게 했다.

[중략 부분 줄거리] 어리고 생활 능력도 없었지만 '나'의 부모는 '나'가 크는 것을 보며 행복해한다. 그러나 '나'
는 빠른 속도로 신체 나이가 늙어 가는 조로증에 걸려 병원에 다니게 된다. 우연히 '나'의 사연이 방송에 소개되
면서 많은 이들의 관심을 받고, 암 투병 중이라는 '서하'라는 소녀에게서 한 통의 메일을 받는다.
_{갈등 발생의 원인}　　　　　　　　　　　　　　　_{'나'가 '서하'에게 관심을 갖게 된 이유(동병상련)}

(나) 사실 이곳까지 굳이 산책을 나온 건, 그 애에게 건넬 말을 궁리하기 위해서였다. 메일
　　　　　　　　　　　_{서하에게 보낼 편지의 내용}
을 받은 지 일주일이 지났지만, 아직 답신을 보내지 않은 상태였다. 일단 회신을 해야겠
다고 마음먹기까지의 시간이 오래 걸렸고, 쓴다 해도 뭐라 하나 몰라서였다. 물론 답장을
　　　　　　　　　　　_{쉽사리 서하에게 답신하지 못한 이유}
쓰지 못한 보다 근본적인 이유는 따로 있었다. 그리고 나는 그 까닭을 잘 알고 있었다. 그
건, 내가 그 편지를 '잘 쓰려' 한다는 거였다. / '하지만 표가 나서는 안 돼······' ❶

나는 그 애에게 때 이른 만족을 주고 싶지 않았다. 끄덕이고 안도한 뒤 자족해 돌아서
　　_{나이에 비해 성숙한 '나'. 서하가 '나'를 쉬운 상대로 인식하지 않았으면 하는 마음을 가짐.}
버리게 하고 싶지 않았다. 하지만 동시에 그 애가 바란 것 이상으로 그 애를 기쁘게 해 주
고 싶었다. 만족이 임계점을 넘으면 만족이 아니라 감탄이 되니까. '아!' 하는 순간의 탄
　　　　　　　_{만족감을 넘어 감탄을 불러일으킬 수 있는 편지를 쓰고 싶음.}
성이 만들어 내는 반향을 타고, 그 반향이 일으키는 가을 물결을 타고, 그 애가 내게 쓸려
_{어떤 사건이나 발표 따위가 세상에 영향을 미치어 일어나는 반응}
오길 바랐다. / '하지만 어떻게?'
　　_{서하에게 감탄을 일으키기 위해서는 어떻게 써야 할까?}

그러자 지금까지 쓴 형편없는 메모들이 떠올랐다. 힘이 잔뜩 들어간 게 생각만 해도 얼
굴이 홧홧해지는 내용들이었다. 관념적이고 현학적인 데다 도통 무슨 말인지 알아들을
수 없는. 종종 인터넷 커뮤니티에서 발견하고, 보는 즉시 '어우' 손사래 쳤던 글들을 내가
　　　　　　　　　　　　　　_{과한 표현이어서 부끄럽게 느껴졌던 글들}
쓰고 있었다. 그것도 문제가 제각각인 게 어느 것은 도도한 초등학생이 쓴 산문 같고, 또
　　　　　　　　　　　　　　　_{유치한 글}
어떤 것은 인문대 복학생이 쓴 잡문 같았다. 이건 뭐 공작도 아니고, ㉠ 수컷들 깃털 자랑
하듯 구애하는 모양새라니. / 가장 평범한 소년이 되어 가장 평범한 고민을 하고 있는 스
　_{현학적인 글}
스로가 낯설고 불편했다. ❷ / '역시······ 연애를 글로 배워서 그런가?'
▶ 자신이 쓰려는 답신이 마음에 들지 않는 '나'

어휘·어구 풀이
● **임계점** 물질의 구조와 성질
이 다른 상태로 바뀔 때의 온
도와 압력. 평형 상태의 두 물
질이 하나의 상(相)을 이룰 때
나 두 액체가 완전히 일체화
할 때의 온도와 압력을 이름.
● **홧홧** 달듯이 뜨거운 기운이
이는 모양.
● **현학적** 학식이 있음을 자랑
하는. 또는 그런 것.
● **도통** 도무지.
❶그건, 내가 ~한다는 거였다.
편지를 잘 쓰기 위해 쉽게 답
장하지 못하는 것으로 보아
'나'가 매우 신중한 성격의 소
유자임을 짐작할 수 있다.
❷가장 평범한 ~ 낯설고 불편했
다. 자신의 또래가 할 법한
고민을 하게 되는 자신이 낯
설고 불편하다는 점으로 볼
때, 그동안 '나'가 병으로 인해
자신을 평범한 소년으로 인식
하지 않았음을 알 수 있다.

핵심 쏙쏙
● '나'의 고민

소망: 답신을 잘 쓰고 싶어 함.
↕
현실: 관념적, 현학적이며 알
수 없는 내용임.

4. 윗글의 '나'에 대한 설명으로 적절하지 <u>않은</u> 것은?

① 이전까지 제대로 된 연애를 해 본 적이 없다.

② 앞으로 계속 서하와 연락을 주고받고 싶어 한다.

③ 그동안 자신이 평범한 소년과는 다르다고 여겼다.

④ 서하에게 쓰려는 답신이 마음에 들지 않아 고민한다.

⑤ 서하에게 자신이 글을 잘 쓰기 위해 애쓴 사실을 드러
내고 싶어 한다.

5. '나'가 '서하'에게 쓰려는 답신의 내용을 〈보기〉에서 골라 바르
게 묶은 것은?

　　┌─│ 보기 │───────────────
　　│ ㄱ. 자신이 무척 지적인 사람임을 호소하는 내용
　　│ ㄴ. 자신에 대해 지속적인 관심을 유발할 수 있는 내용
　　│ ㄷ. 자신이 인터넷 커뮤니티에서 유명함을 알리는 내용
　　│ ㄹ. 상대에게 만족을 뛰어넘어 감탄을 불러일으키는 내용
　　└──────────────────────

① ㄱ, ㄴ　　　　② ㄴ, ㄹ　　　　③ ㄷ, ㄹ

④ ㄱ, ㄴ, ㄹ　　⑤ ㄴ, ㄷ, ㄹ

6. ㉠에 담긴 '나'의 심리로 가장 적절한 것은?

① 글쓰기를 통해 자신의 정체가 드러날 것 같아 두렵다.

② 글쓰기를 매력을 뽐내는 수단으로 삼는 것 같아 부끄
럽다.

③ 글쓰기에 자신의 삶이 반영될 수 없다는 사실에 화가
난다.

④ 글쓰기만이 나의 여러 모습을 보여 줄 수 있어 매우
신이 난다.

⑤ 글쓰기로 서하를 즐겁게 해 줄 수 있을 것이라 생각
하니 기분이 좋다.

어휘·어구 풀이

● **생뚱맞은** 하는 행동이나 말이 상황에 맞지 아니하고 매우 엉뚱한.

● **풍판** 박공집으로 지은 전각이나 신당(神堂)의 두 쪽 박공 아래에, 바람과 비를 막으려고 길이로 잇대는 널빤지.

핵심 쏙쏙

◉ '나'의 심리 변화를 표현하기 위해 사용한 표현 방법

· 쩌렁쩌렁 적막이 울려 퍼졌다.: 역설적 표현으로 '나'에게 서하가 큰 의미로 다가옴을 나타냄.

· 세상에서 가장 멀리 가는 동그라미: 은유적 표현으로 서하가 자신의 삶에서 의미 있는 존재가 되었음을 나타냄.

▷ 교과서 날개 질문

'나'가 현재 고민하는 것은 무엇인지 생각해 보자.

| 예시 답안 | '이서하'라는 소녀에게 관심이 있음을 전달하는 글을 쓰고 싶은데, 어떻게 써야 할지 몰라 고민하고 있다.

'풍향계가 움직이기 시작……'이라는 문장을 통해 '나'의 심리가 어떤 상태인지 짐작해 보자.

| 예시 답안 | '나'가 어떻게 글을 시작해야 할지 몰라 고민하다 허공에 '이서하'란 이름을 쓰자 '풍향계' 돌아가는 소리가 들리기 시작했다는 것은 편지의 첫 문장이 불현듯 떠올라 '나'가 본격적으로 글을 쓰기 시작하려고 마음먹음을 나타낸다.

다 누군가 일본 애니메이션을 보고 일본어를 독학한 친구에게 "네 말 속엔 노인과 야쿠자와 여고생의 말투가 다 섞여 있다."라고 촌평한 걸 듣고 깔깔댔었는데, 지금 내 모습이 딱 그거 같았다. <u>그것은 다시 말해, 내 안에 여러 가지 욕망이 섞여 있다는 뜻이기도 했다.</u> 하지만 그러지 않고, 그걸 다 빼고, 어떻게 나를 설명한단 말인가? ㉠ <u>그래도 정말 괜찮단 말인가? 나처럼 괜찮은 아이가?</u> 나는 수심에 잠겨 먼 곳을 바라봤다. 그리고 그 수심이 마음에 든 나머지 놓아주려 하지 않았다.
> '나'의 내면이 그와 같음.

"이서하……"

<u>사물의 이름을 처음 배우듯 발음하는 세 글자였다.</u> 그러자 한밤중 아무도 모르게, 소나무 가지에 얹혀 있다 제 무게를 이기지 못하고 툭─ 떨어지는 눈덩이처럼 가슴속에 조용한 기척이 일었다. 고요라는 이름의 바람이 따로 있기나 한 듯. ⓐ <u>쩌렁쩌렁 적막이 울려 퍼졌다.</u> 그래서 이번에는 바람의 열세 계급 중 0계급에 속한다는 '고요'라는 단어를 읊어 보았다. 그것은 곧 세상에서 가장 <u>조용한 기척</u>이 되어, <u>세상에서 가장 멀리 가는 동그라미</u>를 만들어 냈다. 신기한 일이었다. 0계급은 아무것도 할 수 없는 줄 알았는데, 0계급이 무언가 하고 있었다.
> 매우 신중한 태도로 '이서하'라는 이름을 발음함.
> 조용하지만 의미 있는 존재가 됨.
> 세상에서 가장 영향력이 있는 존재

'일단 첫 문장을 써야 해, 첫 문장을…… 그런 뒤 무슨 일이 벌어지는지 두고 보자고.'
> ▶ 어떻게 답신을 쓸지 고민하다가 어떻게든 답신을 시작해야겠다고 다짐하는 '나'

라 나는 허공에다 대고 '안녕'이란 말을 써 보았다. 하지만 왠지 마음에 들지 않아 소매 끝으로 쓱쓱 지웠다. '잘 지내니'라는 말도, '반가워'라는 말도 마찬가지였다. <u>한 소년의 팔십 먹은 폐와 심장, 혈관을 타고 바깥으로 흘러나온 한숨이 대기를 흐렸다.</u> 나는 김 서린 창문에 대고 글씨를 쓰듯, 뿌옇게 변한 찰나의 공기 속에 다시 그 애 이름을 적어 넣었다. 그러자 하늘 위로 생뚱맞은 문장이 영화 자막처럼 돋아났다.
> 조로증을 앓고 있는 '나'의 처지가 드러남.

'풍향계가 움직이기 시작……'
> 바람이 불기 시작함.

㉡ <u>어디선가 삐걱 하고 낡은 풍판(風板)이 돌아가는 소리가 났다.</u> 나는 머리 위로 지나가는 활자를 한 자 한 자 따라 읽었다.
> ▶ 본격적으로 답신을 쓰기 시작하는 '나'

학습 문제

7. ㉠에 대한 이해로 가장 적절한 것은?

① 답신에 자신의 본모습이 담기지 않을까 봐 걱정하고 있다.

② 상대가 자신의 사랑 고백을 거절할까 두려워하고 있다.

③ 상대에 대한 자신의 마음이 진실된 것인지 성찰하고 있다.

④ 애니메이션을 보고 일본어를 익힌 것을 부끄러워하고 있다.

⑤ 자신의 여러 욕망이 담긴 답신을 그대로 써도 될지 고민하고 있다.

8. ⓐ에 쓰인 표현 방법이 쓰인 것은?

① 구름에 달 가듯이 가는 나그네

② 산에서도 오히려 산을 그리며

③ 청솔은 또 한바탕 노엽게 운다

④ 가난하다고 해서 사랑을 모르겠는가

⑤ 지금도 내 눈시울을 뜨겁게 하는 / 그 시절, 내 유년의 윗목

서술형

9. ㉡을 통해 표현하려는 '나'의 태도 변화를 서술하시오.

[중략 부분 줄거리] '나'는 '서하'가 암에 걸린 소녀가 아니라 서른이 넘은 무명 시나리오 작가임을 알게 되고, 그 후로 '나'의 병세는 급격히 악화된다.

마 "아빠?" / "그래, 아름아."

"저, 눈이 멀고 나서야 평소에 내가 아빠 얼굴 보는 걸 얼마나 좋아했는지 알았어요."
_{병세가 악화되면서 아버지를 사랑하는 자신의 마음을 더욱 잘 알게 된 '나'}
아버지가 손으로 내 머리를 만졌다. 나는 아버지의 커다란 손바닥 안에 내 이마가 폭 안기는 느낌이 좋다고 생각했다. / "아빠?"

나는 호흡이 달려 한동안 다음 말을 잇지 못했다. 아버지가 내 손을 잡았다.

"그래, 아름아." / "나 좀 무서워요." / "……"
_{말줄임표를 통해 더할 수 없이 큰 아버지의 슬픔을 나타냄.}
아버지는 상체를 숙여 나를 안았다.

"지금 그러시면 안 돼요."

[A]
아버지는 간호사의 만류 따위 아랑곳 않고 나를 힘껏 안았다. 그러곤 깃털처럼 가
_{붙들고 못 하게 말림.} ❶
벼운 자식 앞에서 잠시 휘청댔다. 마치 세상 모든 것 중 병든 아이만큼 무거운 존재는
_{육체적으로는 가볍지만 정신적으로는 무겁게 인식됨.}
없다는 듯. 힘에 부쳐 바들바들 손을 떨었다. 잠시 후 내 가슴께로 펄떡이는 아버지의
심장 박동이 전해졌다.

'쿵…… 쾅…… 쿵…… 쾅……'

약하고 희미하지만 분명 거기 있는 소리였다. ㉠우리는 말없이 서로의 파동 안에 머물
렀다. 그 자장* 끝 맨 나중에 그려지는 동심원이 토성 주위의 고리처럼 우리를 오목하게
_{같은 중심을 가지며 반지름이 다른 두 개 이상의 원}
감쌌다. 아주 오래전, 어머니의 뱃속에서 만난 그런 박자를, 누군가와 온전하게 합쳐지는
_{어머니의 심장 박동 소리}   _{누군가와 완전히 교감(사랑)하고 있다는 느낌.}
느낌을 다시는 경험할 수 없을 줄 알았는데, 그것과 비슷한 느낌을 줄 수 있는 방법 하나
를 비로소 알아낸 기분이었다. 그건 누군가를 힘껏 안아 서로의 박동을 느낄 만큼 심장을
가까이 포개는 거였다. 순간 눈물이 날 것 같았지만 ㉡나는 아버지를 안은 팔에 힘을 주
었다. 그러곤 다시 자리에 누워 어머니를 찾았다.   ▶ 죽음을 앞두고 아버지의 사랑을 느끼는 '나'

어휘·어구 풀이
● 자장 자기장 자석의 주위, 전류의 주위, 지구의 표면 따위와 같이 자기의 작용이 미치는 공간.
❶ 그러곤~휘청댔다. 죽음을 앞둔 자식의 몸은 병으로 인해 가벼워져 있지만, 가벼워진 몸의 자식을 안고 있는 아버지의 마음은 괴롭고 무겁기만 하다는 것을 표현하고 있다.

핵심 쏙쏙

◉ '나'가 부모님의 심장 박동 소리를 들은 순간

어머니의 뱃속	아버지의 품속
태어나서 처음 들은 소리로, 두렵지만 따뜻하고 포근하게 느껴졌음.	죽음의 순간 마지막으로 들은 소리로, 아버지의 사랑을 느낄 수 있었음.

교과서 날개 질문 ◀
'우리는 말없이 서로의 파동 안에 머물렀다.'에 담긴 의미는 무엇일까?
| 예시 답안 | 서로의 심장 박동 소리를 느끼며 아버지와 '나'가 감정을 공유하는 상태, 즉 서로에 대한 사랑으로 하나가 된 상태임을 의미하고 있다.

학습 활동 응용
10. [A]에 대한 설명으로 적절한 것은?
① 대조의 방법을 통해 자식과 아버지의 괴리감을 구체적으로 형상화하고 있다.
② 설의적 표현을 사용하여 자식을 떠나보내는 아버지의 슬픔을 강조하고 있다.
③ 반어적 표현을 활용하여 병든 자식보다 아버지가 더 괴로워하고 있음을 형상화하고 있다.
④ 은유법을 사용하여 병든 자식을 돌보아야 하는 아버지의 무거운 책임감을 드러내고 있다.
⑤ 역설적 표현을 통해 병들어 가벼워진 자식을 안는 아버지의 안타까운 심리를 나타내고 있다.

11. ㉠의 의미로 가장 적절한 것은?
① 아버지와 '나'는 동일한 공간에 머물고 있다.
② 아버지와 '나'는 정서적으로 깊게 교감하고 있다.
③ 아버지와 '나'는 서로에게 미안한 마음을 갖고 있다.
④ 아버지와 '나'는 홀로 남겨질 어머니를 걱정하고 있다.
⑤ 아버지와 '나'는 병을 이기기 위해 같이 노력하고 있다.

서술형
12. '나'가 ㉡의 행동을 한 이유를 서술하시오.

어휘·어구 풀이

● **엽산** 폴산. 헤모글로빈 형성에 관여하는 비타민 B(비) 복합체. 태아의 신경과 혈관 발달에 중요하기 때문에 임신 전과 임신 초기의 임신부에게 권장되기도 함.

● **아둔하게** 슬기롭지 못하고 머리가 둔하게.

❶ **"가끔 궁금했어요 ~ 않았을까."** 병든 '나'를 돌보는 것이 힘들어져 나를 미워했던 순간도 있었으리라 짐작하며 한 말이다. '나'가 어머니의 삶을 공감하며 던진 질문으로, 그동안 힘들었을 어머니를 위로하기 위한 의도가 담겨 있다.

❷ **이제 그런 것은 ~ 중요할 리 없었다.** '나'가 죽음의 순간에 원망의 마음보다 사랑의 마음이 더 중요하다는 점을 깨달았음을 알 수 있다.

⠇⠇⠇
(핵심 쏙쏙)

◉ 말과 행동에 나타난 '나'의 성격

• 어머니의 임신 사실을 알고도 원망하지 않음.
• 죽어 가면서도 태어날 동생을 축복하고 있음.

↓

어린 나이임에도 자신의 죽음을 받아들이며 남겨질 부모님을 배려하는 모습을 보임.

🔵 "엄마?" / "응?"

"뭐 하나 물어봐도 돼요?" / "응, 다 물어봐."

"혹시 나 무섭지 않았어요?" / 어머니의 목소리가 가늘게 떨렸다.

"그게 무슨 말이야, 이 녀석아."

"가끔 궁금했어요. 엄마랑 아빠랑…… 내가 병들어서 무서운 게 아니라, 그런 나를 사랑하지 못할까 봐 두려우시진 않았을까.❶"

어머니는 아무 말도 하지 않으셨다. 어쩌면 간신히 울음을 참고 계신지도 몰랐다.

"엄마?" / 어머니가 갈라지는 목소리를 냈다. / "응."

"배 한번 만져 봐도 돼요?" / 어머니는 당황했다. / "왜?"
<u>어머니가 동생을 가졌다는 사실을 알고 있는 '나'</u>
"그냥요." / "알고…… 있었니?"
<u>동생을 가졌다는 사실을 '나'에게 알리지 않은 어머니</u>
어머니의 목소리가 파르르 떨려 왔다.

"응, 한참 전에. 엄마 먹는 그 약, 엽산 맞죠? 걱정돼서 찾아봤어요."

"…… 일부러 숨긴 거는 아니야."
<u>'나'에 대한 미안함</u>
"응, 알아요. 그러니까 엄마, 언젠가 이 아이가 태어나면 제 머리에 형 손바닥이 한번 올라온 적이 있었다고 말해 주세요."

왜 지금이냐고, 조금만 참다 갖지 그러셨느냐고, 그런 말은 하지 않았다. 오래전, 아무
<u>아픈 자신을 두고 동생을 임신한 부모님에 대해 가졌던 원망</u>
도 모르게 원망하고 서운해했던 기억도 굳이 헤집어 내지 않았다. 이제 그런 것은 하나도 중요하지 않았다. 정말이지 하나도 중요할 리 없었다.❷ 어머니는 대답 대신 내 손을 꼭 잡았다. 나는 잠에 취한 사람처럼 느리고 아둔하게 말했다.
<u>점점 더 위독한 상태가 되어 감.</u>

『"아빠." / "응?"
『 』: 죽음에 이르는 과정을 대화만으로 담담하게 표현함.
"그리고 엄마." / "그래."

그러곤 남아 있는 힘을 가까스로 짜내 말했다.

"보고 싶을 거예요."』

▶ 끝까지 가족을 배려하며 죽음을 맞이하는 '나'

학습 문제

13. 윗글에 대한 설명으로 가장 적절한 것은?

① 서술자가 자신의 이야기를 중심으로 사건을 전개하고 있다.
② 서술자가 작중 상황과 사건을 전지적 시점으로 전달하고 있다.
③ 서술자의 논평을 통해 인물의 성격 변화 양상을 드러내고 있다.
④ 서술자가 작품 밖에서 특정 인물의 입장에서 관찰한 바를 서술하고 있다.
⑤ 서술자가 과거와 현재를 반복적으로 교차하여 사건에 입체감을 부여하고 있다.

14. 윗글의 내용과 일치하지 않는 것은?

① '나'는 어머니가 '나' 때문에 괴로웠던 적이 있으리라 생각했다.
② '나'는 태어날 동생이 자신의 존재를 알면 좋겠다고 생각했다.
③ '나'는 어머니가 먹는 엽산을 보고 어머니가 임신했음을 알아챘다.
④ '나'는 어머니가 동생을 임신한 것이 '나' 때문임을 숨겼다고 여겼다.
⑤ '나'는 어머니의 임신 사실을 알고 어머니를 원망했던 적이 있었다.

- 제목 '두근두근 내 인생'에 담긴 상징적 의미

'나'가 '두근두근'하는 심정을 느꼈던 순간		
태아일 때	**첫사랑을 느낄 때**	**죽음을 맞이할 때**
어머니의 뱃속에서 '두근두근'하는 어머니의 심장 박동 소리를 들음.	'이서하'라고 이름을 불렀을 때 가슴속에 조용한 '기척'이 일어남.	아버지의 품에서 '쿵…… 쾅…… 쿵…… 쾅……' 소리를 들음.
낯선 세상에 대한 ❶▢▢▢과 기대감을 느낌.	첫사랑에 대한 설렘과 두근거림을 느낌.	아버지의 두려움과 '나'에 대한 진실한 ❷▢▢을 느낌.

⬇

'두근두근 내 인생'이라는 제목은 비록 짧은 삶이지만, '나'에게도 벅찬 감정을 느낀 의미 있던 순간들이 있었다는 것, '나'의 삶이 사랑과 기쁨을 느끼며 산 의미 있는 삶이었다는 것을 의미함.

- 작품에 쓰인 표현 방법과 문학 언어의 특성

직유법	• '그때마다 나는 여진에 민감한 순록처럼 도망칠 준비를 했다.': 직유법을 통해 '나'가 세상을 처음 접했을 때 느꼈던 두려움을 표현함. • '어머니의 심장은 오동통한 달처럼 내 머리 위에 떠, 나무가 초록을 퍼트리듯 방울방울 사방에 비트를 퍼트렸다.': 직유법을 사용하여 어머니의 심장 박동 소리가 포근하고 싱그럽게 태아인 '나'의 주변을 감싸고 있음을 표현함.
❸▢▢▢ 표현	'가슴속에 조용한 기척이 일었다. 고요라는 이름의 바람이 따로 있기나 한 듯. 쩌렁쩌렁 적막이 울려 퍼졌다.': 역설적 표현으로, 잔잔하기만 했던 '나'의 일상에 '이서하'가 큰 의미로 다가왔음을 강조함.
은유법	'방울방울 사방에 비트를 퍼트렸다.', '하늘에서 쏟아지는 비트를 맞고': 은유법을 통해 어머니의 ❹▢▢ ▢▢ 소리에 대한 '나'의 인식을 제시함.
도치법	'깃털처럼 가벼운 자식 앞에서 잠시 휘청댔다. 마치 세상 모든 것 중 병든 아이만큼 무거운 존재는 없다는 듯.': 직유법과 도치법을 통해 병으로 인해 '나'의 몸은 가벼워졌지만, 그런 '나'에 대한 아버지의 슬픔과 사랑, 책임감은 더 커졌음을 표현함.

⬇

문학 언어의 특성	참신한 발상과 독창적 표현 방법을 활용하여 풍부하고 심층적인 의미를 전달하며, 언어 자체가 지닌 ❺▢▢▢▢을 극대화하여 보여 줌.

- 서사적 중층 구조

'조로증'을 소재로 한 이 작품은 청춘과 노년의 삶을 동시적으로 보여 주는 아이러니한 서사적 중층 구조를 통해 삶의 의미를 새롭게 사유하도록 하고 있으며, 젊음의 감각과 죽음에 도달하는 생명의 변화에 대해 깊이 생각하게 한다. 열일곱 나이에 '조로증'을 감내하는 아픈 청춘을 서사의 전면에 내세우고 있지만, 이 주인공은 자신의 고통을 내면화한 채 오히려 세상을 조롱하기도 하고 위로하기도 한다. 이 특이한 아이러니가 이 소설의 새로운 매력이 되고 있다.

|정답| ❶ 두려움 ❷ 사랑 ❸ 역설적 ❹ 심장 박동 ❺ 아름다움

학습 활동

작품 속으로

1. 다음 활동을 통해 이 작품의 제목이 갖는 의미를 알아보자.

> **태아일 때 '두근두근' 소리를 듣고 '나'는 어떤 생각을 하였는가?**

'두근두근'은 태아일 때 어머니의 뱃속에서 듣던 어머니의 심장 박동 소리로, '나'는 그 소리를 듣고 도망치고 싶은 생각이 들기도 하고, 동시에 춤추고 싶다는 기분이 들기도 하였다.

> **"이서하……"라고 이름을 불렀을 때, '나'의 가슴속에 일었던 '기척'의 의미는 무엇인가?**

'나'의 가슴속에 '이서하'라는 존재를 느끼게 해 주는 것으로, '이서하'라는 존재가 고요했던 '나'의 삶에 갑자기 큰 의미로 다가왔음을 의미한다.

> **아버지의 품에서 '쿵…… 쾅…… 쿵…… 쾅……' 소리를 듣고 '나'는 어떤 느낌을 받았는가?**

'쿵…… 쾅…… 쿵…… 쾅……'은 아버지의 심장 박동 소리로, '나'는 그 소리를 통해, 아버지가 '나'를 사랑한다는 느낌과 '나'의 죽음을 두려워한다는 느낌을 받았다.

⬇

> **이를 바탕으로 이 작품의 제목에 담긴 상징적 의미를 설명해 보자.**

'두근두근'은 '나'에게 새로운 세상과 처음 만나는 순간의 두려움과 설렘의 소리이고, '기척'에는 새로운 만남으로 인한 설렘과 기대감이 담겨 있다. 또 '쿵…… 쾅…… 쿵…… 쾅'은 '나'에 대한 아버지의 사랑을 확인할 수 있는 소리이다. 이러한 소리들은 모두 '두근두근'으로 표현될 수 있다. 따라서 '두근두근 내 인생'이라는 이 작품의 제목은 비록 짧은 삶이었지만, '나'에게도 벅찬 감정을 느낀 의미가 있는 순간들이 있었다는 것, '나'의 삶이 사랑과 기쁨을 느끼며 산 의미 있는 삶이었다는 것을 의미한다.

2. 다음 문장들의 의미와 표현상 특징을 파악하고, 문학 언어의 특성을 탐구해 보자.

> **가** 어머니의 심장은 오동통한 달처럼 내 머리 위에 떠, 나무가 초록을 퍼트리듯 방울방울 사방에 비트를 퍼트렸다.
>
> **나** 고요라는 이름의 바람이 따로 있기나 한 듯. 쩌렁쩌렁 적막이 울려 퍼졌다.
>
> **다** 깃털처럼 가벼운 자식 앞에서 잠시 휘청댔다. 마치 세상 모든 것 중 병든 아이만큼 무거운 존재는 없다는 듯.

의미 및 표현상 특징	문학 언어의 특성
가 직유법을 사용하여, 어머니의 심장 박동 소리가 포근하고 싱그럽게 태아인 '나'의 주변을 감싸고 있음을 표현하고 있다.	참신한 발상과 독창적 표현 방법이 쓰인 문학 언어는 풍부하고 심층적인 의미를 지녀 전달 효과를 높이며, 언어 자체가 지닌 아름다움을 극대화하여 보여 준다.
나 역설적 표현을 사용하여, '이서하'라는 존재가 그동안 잔잔하기만 했던 '나'의 삶에 큰 의미로 다가왔음을 강조하고 있다.	
다 직유법과 도치법을 사용하여, 병으로 인해 '나'의 몸은 가벼워졌지만, 그런 '나'에 대한 아버지의 슬픔과 사랑, 책임감은 더 커졌음을 표현하고 있다.	

3. 다음 글은 문학의 정서적 체험과 관련한 글이다. 이를 바탕으로 아래 활동을 해 보자.

> 문학은 우리가 소위 감동이라는 말로 간략하게 요약하는 심리적 반응을 불러일으킨다. 감동이나 혼의 울림은 한 인간이 대상을 자기의 온몸을 통해 직관적으로 판단하는 행위이다. ⊙ 인간은 문학을 통해, 그것에서 얻은 감동을 통해, 자기와 다른 형태의 인간의 기쁨과 슬픔과 고통을 확인하고 그것이 자기의 것일 수도 있다는 것을 느낀다. 문학은 억압 없는 쾌락을 우리에게 느끼게 해 준다. 그러면서 그것을 읽는 사람들을 반성하게 하고, 그들에게 인간을 억압하는 것과 싸울 것을 요구한다.
>
> – 김현, 「한국 문학의 위상 / 문학사회학」에서

(1) 이 작품을 읽으며 '감동'을 받았던 장면을 찾아보자.

| 예시 답안 | • 아름이가 고심 끝에 '이서하'에게 쓸 말을 떠올리는 장면이 감동적이었어. 누군가를 정말로 소중히 여기는 아름이의 순수한 마음이 고귀하게 느껴졌기 때문이야.

• 아름이에게 동생을 가졌다는 사실을 알리지 않았지만 아름이가 이를 이해하고 동생에게 자신의 말을 전해 달라고 하는 장면이 감동적이었어. 아름이가 혹여 마음 아파할까 봐 그 기쁜 소식을 알리지 못했을 부모님의 아픔과 이를 모두 이해한 아름이의 성숙함이 느껴졌기 때문이야.

(2) 이 작품을 감상하고 위 글의 ⊙과 관련하여 가졌던 느낌이나 생각을 친구들과 이야기해 보자.

| 예시 답안 | 아버지가 간호사의 만류를 뿌리치고 '나'를 힘껏 안는 장면에서 '깃털처럼 가벼운 자식 앞에서 잠시 휘청댔다. 마치 세상 모든 것 중 병든 아이만큼 무거운 존재는 없다는 듯.'이라는 부분에서 감동을 받았다. 아픈 아들인 '나'의 가벼운 몸을 안으면서 '휘청댔다'라는 표현을 통해 아버지의 깊은 슬픔과 아픔을 절묘하게 드러냄으로써 아버지의 그 아픔이 고스란히 전해지는 것 같았기 때문이다. 아들에 대한 아버지의 사랑, 슬픔, 책임감에 가슴이 뭉클했고 가족의 사랑이 진하게 느껴졌다.

4. 이 작품에 나타난 아름이의 '사랑'과 '가족'에 관한 생각을 정리하고, 이를 자기 생각과 비교하여 보자.

	사랑	가족
아름이의 생각	진실한 마음으로 신중하게 상대에게 다가가야 함.	남겨진 가족까지도 배려할 수 있어야 함.
나의 생각	신중하지만 과감할 때는 과감하게 다가가야 함.	죽을 때까지 서로 의지하고 싶은 대상이어야 함.

작품 너머로

5. 다음 작품을 읽고, 윤리적 체험과 관련하여 아래 활동을 해 보자.

[앞부분 줄거리] 수남은 시골에서 상경하여 가게 점원으로 일하고 있는 열여섯 살 소년으로, 성실하게 일하여 주인에게 인정을 받고 있다. 그러던 어느 날, 수남의 자전거가 바람에 넘어지면서 남의 자동차에 흠집을 낸다. 자동차 주인은 큰돈을 요구하며 수남의 자전거에 자물쇠를 채운다. 갈등하던 수남은 자물쇠가 채워진 자전거를 들고 도망쳐 가게로 돌아온다.

가게 문을 닫고 주인댁에서 날라 온 저녁밥을 먹고 나면 비로소 수남이 혼자만의 시간이다. 꿀 같은 시간이었다. 책을 펴 놓고 영어 단어를 찾고, <u>수학 문제를 풀어</u> 보고, 턱을 괴 고 소년답게 감미로운 공상에 잠길 수 있는 그런 시간이었다.
공부를 할 수 있는 시간

그러나 오늘 수남이는 그게 되지를 않았다. 책을 집어 던졌다.
자신이 한 행동에 대한 갈등 때문

낮에 내가 한 짓은 옳은 짓이었을까? 옳을 것도 없지 만 나쁠 것은 또 뭔가. 자 가용까지 있는 주제에 나 같은 아이에게 오천 원을 우려내려고 그렇게 간악하게 굴던 자기 합리화 신사를 그 정도 골려 준 것이 뭐가 나쁜가? 그런데도 왜 무섭고 떨렸던가. 그때의 내 꼴이 어땠으면, 주인 영감 님까지 "네놈 꼴이 꼭 도둑놈 꼴이다."라고 하였을까.

그럼 내가 한 짓은 도둑질이었단 말인가. 그럼 <u>나는 도둑질을 하면서 그렇게 기쁨을 느꼈더란 말인가.</u>
수남이의 내적 갈등

수남이는 몸을 부르르 떨면서 낮에 자전거를 갖고 달리면서 맛본 공포와 함께 그 까닭 모를 쾌감을 회상한다. 마치 참았던 오줌을 내깔길 때처럼 무거운 억압이 갑자기 풀리면서 전신이 날아갈 듯이 가벼워지는 그 상 쾌한 해방감 — 한번 맛보면 도저히 잊혀질 것 같지 않 은 그 짙은 쾌감, 아아 도둑질하면서도 나는 죄책감보다

는 쾌감을 더 짙게 느꼈던 것이다.

<u>혹시 내 핏속에 도둑놈의 피가 흐르고 있기 때문이 아 닐까.</u> 순간 수남이는 방바닥에서 송곳이라도 치솟은 듯 수남이의 불안한 내면 심리 이 후닥닥 일어서서 안절부절을 못하고 좁은 방 안을 헤 맸다.

— 박완서, 「자전거 도둑」에서

📖 **작품 연구** 박완서, 「자전거 도둑」

- 갈래: 현대 소설, 단편 소설, 성장 소설 　• 성격: 교훈적, 성찰적
- 시점: 전지적 작가 시점 　• 배경: 시간적-1970년대, 공간적-서울
- 주제: 물질적 이익만을 추구하는 현대인의 부도덕성에 대한 비판
- 특징: ① 주인공 수남의 생각과 심리를 섬세하게 서술하고 있음.
　　　② 순수한 소년의 눈에 비친 비정한 어른들의 세계를 그리고 있음.

---

(1) '수남'이 낮에 느꼈던 '공포'와 '쾌감'을 떠올리고, '안절부절 을 못하고' 있는 까닭을 말해 보자.

| 예시 답안 | '수남'은 낮에 자전거를 끌고 오면서 도둑질을 했다는 공포와 자신을 괴롭힌 이에게 복수를 했다는 쾌감을 동시에 느낀다. 하지만 밤에 자신의 행위를 반성해 보니 죄책감보다 쾌감이 더 컸음을 깨닫고, 자신이 윤리적으로 타락한 인물 이 된 것이 아닐까 걱정하며 안절부절못하고 있다.

(2) '수남'과 비슷한 느낌을 경험했던 상황을 떠올려 보고, '수 남'의 선택이 윤리적으로 바람직한지 이야기해 보자.

| 예시 답안 | • 신사가 먼저 잘못했으니까 자전거를 가져온 '수남'의 행위는 정당한 것이야. • 이유야 어쨌든 말없이 자전거를 가져온 '수남'의 행위는 잘못된 것이야.

보충 자료 문학의 역할

　사람의 정신적인 삶은 세계를 미적으로 통찰함으로써 더욱 높은 차원으로 올라설 수 있다. 우리는 문학 작품을 읽음으로써 작품 속에 형상화된 인간의 삶과 세상의 모습 을 간접적으로 체험하게 된다. 이 과정에서 문학은 우리가 알지 못했던 세계를 알게 해 주고, 삶에 대한 비판적 인식 을 심화해 주며, 새로운 감정 세계를 창조하게 해 준다.

　예를 들어, 조지 오웰의 장편 소설 「1984년」은 외부의 적을 빌미로 삼아 독재 체제를 영속적으로 유지해 나가고 자 하는 한 가공의 나라에서 살아가는 삶에 대해 이야기 한다. 이 작품의 주인공인 '윈스턴 스미스'가 겪어 나가는 모든 일을 통해, 우리는 자유와 사랑의 가치를 깨닫게 되 고, 독재 체제가 얼마나 비인간적인지 알게 되며, 그의 고 통으로부터 슬픔과 분노와 연민의 감정을 느끼게 된다.

　이렇듯 문학을 통해서 우리는 인간과 세계를 이해하고, 삶의 의미를 깨닫게 된다. 그리고 이를 통해 우리들의 감 정이 정화되고, 정신적 삶이 고양된다.

— 『고등학교 문학』 (지학사, 2013)

[2] 문학의 가치

이 단원에서는 문학 작품을 통해 자아를 성찰하고, 이를 통해 지적·정서적·윤리적 정서를 고양할 수 있도록 한다. 또한 문학 작품을 통해 타자를 이해하며, 나아가 상호 소통하는 태도로 살아가는 방법을 익히도록 한다.

문학은 자아 성찰에 어떤 도움을 줄까?

작가는 저마다 다양한 가치관을 갖고 있는 인물들을 창조하여 그들 삶의 모습을 작품 속에 담아낸다. 독자는 그 작품을 읽는 과정에서 <u>작품 속 인물과 자신을 동일시하기도</u>
└ 문학 작품 속에 형상화된 것
<u>하고, 비교하거나 비판하기도 하며, 그들의 모습에 비추어 자신의 삶을 되돌아보게 된다.</u>
└ 문학 작품의 다양한 감상 방법
이처럼 우리가 문학을 통해 자아를 성찰하고 삶의 의미에 관한 근본적인 질문을 던지게
될 때 문학은 <u>각 개인에게 지적·정서적·윤리적 성숙의 자양분을 제공해 주는 것이다.</u>
└ 정신의 성장이나 발전에 도움을 주는 정보, 지식, 사상 따위를 비유적으로 이르는 말
문학의 가치   ▶ 문학을 통한 자아 성찰과 성숙

문학을 통한 소통은 어떻게 가능할까?

문학은 공동체 차원의 언어 예술적 소통 행위라 할 수 있다. 문학은 <u>개인만이 아니라 우리 공동체가 과연 어떤 세계를 추구해야 바람직한 것인지 질문한다.</u> 이 과정에서 작가
└ 문학 작품의 창작 의도
들은,『서로 추구하는 가치가 다른 인물이나 집단 사이의 갈등을 통해 현실 세계의 한계
『 』: 문학 작품에 나타난 가치관의 형상화 양상
를 드러내기도 하고, 다양한 삶과 인물의 지향을 통해 지배적 가치나 이념과는 다른 새로운 가치의 추구가 가능함을 보여 주기도 한다.』그런 인물들의 삶을 총체적으로 인식하면서 자연스럽게 우리는 <u>다양한 가치관을 지닌 타자를 이해하고 포용하게 되며, 삶의 다</u>
└ 문학을 통한 소통의 가치
<u>양성을 받아들이는 과정에서 옳고 그름을 판단하는 가치관도 가질 수 있게 된다.</u> 이처럼 문학은 우리로 하여금 타인의 삶을 이해하고, 상호 소통하는 태도를 가지게 하며, 나아가 공동체적 조화를 이루며 살아가게 하는 역할을 한다.
└ 문학의 역할과 가치   ▶ 문학을 통한 타자의 이해와 소통

탐구로 생각 열기

영화 「컨택트」에서 한 언어학자는 지구를 방문한 외계 생명체와 소통하려 한다. 이 언어학자가 외계 생명체와 진정한 소통을 하기 위해 어떻게 하였을지 생각해 보자.

▲ 외계 생명체가 지구에 온 목적을 파악하기 위해 외계 생명체의 언어를 해독하려는 언어학자

▲ 외계 생명체에게 인류의 언어를 가르치는 언어학자

| 예시 답안 | 지구에 갑자기 외계 생명체가 나타나자 지구인들은 그들이 왜 지구에 왔는지 알고자 한다. 그러나 인간과 외계 생명체는 각각 다른 언어를 사용하고 서로를 접한 경험도 없어서 서로의 언어를 이해할 수 없다. 이에 지구의 언어학자와 외계 생명체는 서로의 언어를 이해하기 위해 관심을 갖고 노력함으로써 서로의 언어와 사고 체계를 이해하게 되고 마침내 소통이라는 목적을 이룬다. 또한 인간이 궁금해하던, 외계 생명체가 지구로 온 까닭을 알 수 있게 된다.

≫ 외계 생명체와 소통하기 위해서 지구의 언어학자는 인류의 언어와 외계 생명체의 언어를 분석하여 그들의 언어를 익히려 한다. 그러나 진정한 소통은 단순히 언어를 익히는 데 그치지 않고 서로의 생각과 정서를 이해하고 공감해야만 가능한 것이다. 그렇다면 타인과의 진정한 소통도 문학을 매개로 할 때 가능하지 않을까?

✓ 바로 확인 문제

1 문학은 □□을/를 성찰하고 □□을/를 이해하는 역할을 한다.

2 다음 설명이 맞으면 ○, 틀리면 X를 하시오.
　(1) 문학 작품을 읽을 때에는 작품 속 인물의 가치관에 무조건 공감하려는 태도를 지녀야 한다.　(○, ×)
　(2) 작가는 문학 작품을 통해 현실 세계의 문제점을 드러내기도 한다.　(○, ×)

|정답 | 1. 자아, 타자　2. (1) × (2) ○

01 흰 바람벽이 있어 _{백석}

• 문학을 통한 자아 성찰, 타자 이해   • 문학을 통한 상호 소통

해제

이 작품은 백석이 1941년에 발표한 시이다. 흰 바람벽에 비친 내면 풍경을 통해 자신의 타지에서의 삶과 그리운 대상들을 떠올려 본 화자는 어려운 현실의 삶을 운명적으로 수용하리라는 생각과 나아가 이를 극복하려는 의지를 드러내고 있다. 이 작품에서 '흰 바람벽'은 그것을 바라보는 사람의 내면을 비춰 주는 성찰의 매개체 역할을 하며, 흰 바람벽에 비친 대상은 현재 화자의 쓸쓸하고 외로운 내면을 보여 줄 뿐 아니라 사색과 성찰을 통해 자신의 삶의 의미를 되돌아보게 하고, 앞으로의 삶의 자세까지 제시하는 기능을 한다.

주제 의식

이 작품은 화자의 현실 인식과 화자가 지향하는 삶의 자세를 기승전결(起承轉結)의 구성 방식으로 전개하고 있다. 기(起)에 해당하는 도입 부분에는 타지에서의 가난하고 고독한 삶을 화자가 머물고 있는 공간과 흰 바람벽에 비친 사물을 통해 드러내고 있다. 승(承)에 해당하는 부분에서는 흰 바람벽에 비친 그리운 사람들의 모습을 통해 그의 고독으로 인한 쓸쓸한 정서가 심화되고 있음을 보여 준다. 전(轉)과 결(結)에 해당하는 부분에서는 흰 바람벽에 자신의 내면 의식을 담은 글자가 나타나는데, 이를 통해 자신의 처지를 운명으로 인식하지만, 이 운명을 긍정적으로 수용하고 나아가 현재의 처지를 극복하고자 하는 의지를 드러내며 시상을 마무리하고 있다.

핵심 정리

(1) 갈래: 자유시, 서정시
(2) 성격: 회고적, 의지적
(3) 제재: 흰 바람벽
(4) 주제: 고단한 삶 속에서도 고결함을 잃지 않으려는 삶의 자세
(5) 특징: ① 화자의 내면 풍경과 삶에 대한 성찰 과정을 흰 바람벽을 매개로 형상화하고 있음.
　　　　② 감각적 이미지의 시어를 사용하여 화자의 정서를 선명하게 제시함.
　　　　③ 유사한 성격의 소재를 열거하여 주제 의식을 강조하고 있음.
(6) 구성

1~6행	흰 바람벽에 비친 애처로운 삶의 단면과 오고 가는 외로운 생각들	쓸쓸함, 외로움
7~16행	흰 바람벽에 비친 그리운 사람들	그리움, 쓸쓸함
17~23행	흰 바람벽에 비친 화자의 내면 의식과 운명론적 생각	운명에의 순응
24~29행	자기 운명에 대한 긍정적 수용과 극복 의지	고결한 삶에 대한 다짐

어휘 · 어구 풀이

- **바람벽** 방이나 칸살의 옆을 둘러막은 둘레의 벽.
- **때글은** 때에 절어 검어진.
- **앞대** 어떤 지방에서 그 남쪽의 지방을 이르는 말.
- **개포** '개'의 평북 방언. 강이나 내에 바닷물이 드나드는 곳.
- ❶ **오늘 저녁~오고 간다** 화자가 추억한 것들로, 현재의 외로운 처지와 대비되어 화자에게 쓸쓸한 느낌을 불러 일으킨다.
- ❷ **시퍼러둥둥하니 추운 날인데** 푸른색 이미지를 활용하여 추운 날씨를 표현한 것으로, 촉각을 시각화한 공감각적 심상에 해당한다.
- ❸ **그의 지아비와~저녁을 먹는다** 사랑했던 사람이 다른 남자와 혼인하여 단란하게 사는 모습을 떠올린 것으로, 화자의 비참한 처지가 부각되고 있다.

핵심 쏙쏙

◎ **흰 바람벽에 비친 대상**

· 십오 촉 전등 · 낡은 무명샤쓰	· 늙은 어머니 · 사랑하는 사람
↓	↓
가난한 화자의 처지를 드러냄.	화자의 쓸쓸한 처지를 심화함.

오늘 저녁 이 좁다란 방의 흰 바람벽에
　　　시간적 배경　　공간적 배경　　화자의 내면을 비추는 도구. 성찰의 공간
어쩐지 쓸쓸한 것만이 오고 간다❶
　　　이 시의 주된 정서
이 흰 바람벽에

희미한 십오 촉(十五燭) 전등이 지치운 불빛을 내어던지고
　　　화자의 가난한 처지　　　　　　　　　　　　　　화자의 쓸쓸한 심정을 시각적으로 표현함.
때글은 다 낡은 무명샤쓰가 어두운 그림자를 쉬이고
　　　화자의 가난한 처지
그리고 또 달디단 따끈한 감주나 한잔 먹고 싶다고 생각하는 내 가지가지 외로운 생각
　　　　　　　　과거의 추억과 관련된 소재　　　　　　　　　　　　　　　　화자의 외로운 내면 상태
이 헤매인다　　　　　　　　　　　　　　　　　　　　　　　▶ 흰 바람벽을 보며 느낀 쓸쓸함과 외로움

그런데 이것은 또 어인 일인가
　　　시상 전환
이 흰 바람벽에

내 가난한 늙은 어머니가 있다
　　　그리움의 대상 ①
내 가난한 늙은 어머니가

이렇게 시퍼러둥둥하니 추운 날인데❷ 차디찬 물에 손은 담그고 무이며 배추를 씻고 있다
　　　　　촉각의 시각화(공감각적 심상)　　　　　고생하고 있는 어머니에 대한 안쓰러움
또 내 사랑하는 사람이 있다
　　　그리움의 대상 ②
내 사랑하는 어여쁜 사람이

어늬 먼 앞대 조용한 개포가의 나즈막한 집에서
　　　　　　　　　　　　소박한 살림집
그의 지아비와 마주앉어 대굿국을 끓여 놓고 저녁을 먹는다❸
　　　그리움을 불러일으키는 소재(향토성)
벌써 어린것도 생겨서 옆에 끼고 저녁을 먹는다　　　▶ 흰 바람벽을 보며 떠올린 그리운 사람들

학습 문제

📖 정답과 해설 322쪽

1. 위 시에 대한 설명으로 적절하지 <u>않은</u> 것은?

① 토속적 소재를 사용해 향토적 정감을 불러일으키고 있다.

② 회상의 내용을 바탕으로 그리움의 정서를 구체화하고 있다.

③ 대비되는 성격의 공간을 통해 이상향에 대한 동경을 드러내고 있다.

④ 현재형 시제를 사용해 화자 자신의 처지를 진솔하게 드러내고 있다.

⑤ 공감각적 심상을 사용해 시적 대상에 대한 안쓰러움을 표현하고 있다.

2. 위 시 전체의 감상을 바탕으로 한 화자에 대한 이해로 적절하지 <u>않은</u> 것은?

① 화자는 현재 좁은 방에 머물며 외로워하고 있다.

② 화자는 어머니가 힘들게 지낼 것이라고 생각하고 있다.

③ 화자는 자신이 처한 현실을 운명으로 받아들이려 하고 있다.

④ 화자는 사랑했던 사람이 단란한 가정을 꾸리며 살고 있을 것이라고 여겼다.

⑤ 화자는 절대자가 부정적인 것은 주지 않고 긍정적인 것만 주셨다고 판단하고 있다.

서술형

3. 위 시 전체의 시상 전개 과정상의 특징을 쓰시오.

그런데 또 이즈막하야 어느 사이엔가
<u>시상 전환</u>　　　얼마 전부터 이제까지에 이르는 가까운 때

이 흰 바람벽엔

내 쓸쓸한 얼굴을 쳐다보며
　　　　　　자아 성찰
이러한 글자들이 지나간다
화자의 내면 의식을 직접 드러내는 글자들

　— 나는 이 세상에서 가난하고 외롭고 높고 쓸쓸하니 살어가도록 태어났다[1]
　　　　　　화자가 인식한 자신의 운명

　　그리고 이 세상을 살어가는데

　　내 가슴은 너무도 많이 뜨거운 것으로 호젓한 것으로 사랑으로 슬픔으로 가득찬다
　　　　　　　　　　　　　　　　　　　▶ 자신의 운명에 대한 순응

그리고 이번에는 나를 위로하는 듯이 나를 울력하는 듯이
　　　　　　　　　　　　여럿의 힘을 합하여 억누르는 듯이
눈질을 하며 주먹질을 하며 이런 글자들이 지나간다
화자의 의지를 북돋는 행위로 볼 수 있음.

　—『하늘이 이 세상을 내일 적에 그가 가장 귀해하고 사랑하는 것들은 모두 가난하고 외
　　　　　　　　　　　화자 스스로 이에 해당한다고 여김.
롭고 높고 쓸쓸하니 그리고 언제나 넘치는 사랑과 슬픔 속에 살도록 만드신 것이다』[2]
　　초생달과 바구지꽃과 짝새와 당나귀가 그러하듯이
　　　여리고 순한 속성을 지닌 존재-화자가 동일시하려는 대상
　　그리고 또 '프랑시쓰 쨈'과 도연명(陶淵明)과 '라이넬 마리아 릴케'가 그러하듯이[3]
　　　　　　　　　▶ 자기 운명에 대한 긍정적 수용과 자신의 처지에 대한 극복 의지

『 』: 자기 위로와 극복의 의지-가난하지만 정신적 고결함을 잃지 않으려는 화자의 태도

화자 자신의 운명에 대한 인식과
운명론적 체념이 드러남.

▶ 자기 운명에 대한 긍정적 수용과 자신의 처지에 대한 극복 의지

어휘·어구 풀이

● **호젓한** 매우 홀가분하여 쓸쓸하고 외로운.
● **눈질** 눈으로 흘끔 보는 짓.
● **바구지꽃** 박꽃.
● **짝새** 뱁새.
❶ **나는 이 세상에서~태어났다** 흰 바람벽에 지나가는 글자이지만, 화자의 내면 심리를 보여 주는 것으로, 자신의 삶을 숙명으로 여겨 받아들이려는 태도가 담겨 있다.
❷ **하늘이 이 세상을~만드신 것이다** 자신이 하늘의 은총을 받은 존재이므로 하늘이 정해 준 운명을 긍정적으로 수용하겠다고 밝히고 있다. 즉 자신에 대한 자긍심으로 현재의 처지를 극복하겠다는 의지를 표현한 것이다.
❸ **'프랑시쓰 쨈'과~그러하듯이** 외롭고 고결하게 살았던 시인들로, 화자는 이들과 같은 삶을 살겠다는 의지를 드러내고 있다.

핵심 쏙쏙

◉ '흰 바람벽'의 기능

영상	글자
화자의 외롭고 쓸쓸한 처지를 나타냄.	화자의 운명관과 현실 극복 의지를 나타냄.

↓

화자의 내면을 비추는 매개체

학습 활동 응용

4. 위 시 전체의 감상을 바탕으로 한 시구에 대한 이해로 적절하지 <u>않은</u> 것은?

① '지치운 불빛'은 화자의 외롭고 쓸쓸한 심정을 시각적으로 형상화한 것이다.
② '다 낡은 무명샤쓰'는 화자가 가난하게 살고 있음을 짐작하게 한다.
③ '따끈한 감주'는 괴로운 화자에게 잠시나마 위안을 줄 수 있는 향토적 소재이다.
④ '차디찬 물'은 어머니에 대해 화자가 안타까움을 느끼는 이유이다.
⑤ '나즈막한 집'은 '사랑하는 사람'이 자신과 비슷한 처지일 것이라고 여긴 화자의 인식을 나타내고 있다.

5. '흰 바람벽'에 대한 설명으로 적절하지 <u>않은</u> 것은?

① 화자의 내면 의식을 비추는 매개체이다.
② 추억의 인물의 모습이 그려지는 공간이다.
③ 화자의 현실 극복 의지를 드러내는 기능을 한다.
④ 화자의 쓸쓸하고 괴로운 처지를 환기하는 공간이다.
⑤ 화자가 꿈꾸는 밝은 미래를 영상화하는 역할을 한다.

서술형　학습 활동 응용

6. 위 시의 마지막 행에 나열된 인물들의 공통점을 쓰고, 이를 통해 화자가 말하고자 하는 바를 서술하시오.

• 화자의 내면 의식의 변화

흰 바람벽에 비친 대상	내면 의식

| • 희미한 십오 촉 전등의 지치운 불빛
• 때글은 다 낡은 무명샤쓰의 어두운 그림자
• 가지가지 외로운 생각 | 쓸쓸함, ❶◻◻◻ |

⬇ ⬇

| • 내 가난한 늙은 어머니
• 내 사랑하는 어여쁜 사람 | 부재하는 존재에 대한 ❷◻◻◻ |

⬇ ⬇

| 첫 번째 글자들
(나는 이 세상에서 ~ 가득 찬다) | 자신의 삶을 숙명으로 여기고 받아들이는
체념적 태도 |

⬇ ⬇

| 두 번째 글자들
(하늘이 이 세상을 ~ 그러하듯이) | 운명을 긍정적으로 수용하고 자긍심을 느끼면서
고단한 삶 속에서도 ❸◻◻◻을 잃지 않겠다고 다짐함. |

• '흰 바람벽'의 의미와 기능

| 흰 바람벽 | ➡ | 가난하고 늙은 어머니, 사랑하는 어여쁜 사람, 글자들을 통해 드러나는 삶에 대한 인식 | ➡ | • 화자의 쓸쓸하고 외로운 처지를 환기하는 공간
• 부재하는 대상에 대한 그리움을 환기하는 매개체
• 화자의 내면을 비추고 ❹◻◻하는 매개체
• 사색과 성찰을 통해 삶의 의미를 되돌아보는 계기가 되는 수단 |

• 28~29행에 나열된 소재의 의미

초생달, 바구지꽃 짝새, 당나귀	프랑시쓰 쨈, 도연명, 라이넬 마리아 릴케

⬇ ⬇

| 여리고 순수한 속성의 자연물로
고결한 이미지를 떠올리게 함. | 모두 외롭고 쓸쓸하게 살았지만 그런 상황에서도
독특한 시 세계를 구축한 시인들 |

⬇

외롭고 쓸쓸하지만 고결한 삶을 살겠다는 의지를 밝히고 있는 화자와 유사한 속성을 지닌 존재 → 화자가 ❺◻◻◻하는 대상

|정답| ❶ 외로움 ❷ 그리움 ❸ 고결함 ❹ 성찰 ❺ 동일시

학습 활동

작품 속으로

1. 이 작품을 감상하고, '흰 바람벽'에 비친 대상을 중심으로 아래 활동을 해 보자.

(1) 흰 바람벽에 비친 다음 대상에 관한 화자의 정서를 파악해 보자.

대상	화자의 정서
• 십오 촉 전등의 지치운 불빛 • 낡은 무명샤쯔의 어두운 그림자	'십오 촉 전등의 지치운 불빛'은 지친 육신의 피로감을 조명하고 있는 소재이며, '낡은 무명샤쯔의 어두운 그림자'는 화자의 가난한 생활상을 나타내는 소재이다. 따라서 이들을 바라보는 화자의 심리는 외롭고 쓸쓸한 것이다.
• 내 가난한 늙은 어머니 • 내 사랑하는 어여쁜 사람	'내 가난한 늙은 어머니'와 '내 사랑하는 어여쁜 사람'은 현재 부재하는 존재들로, 화자는 이들을 떠올리며 간절히 그리워하고 있다.

(2) 흰 바람벽에 비친 '글자들'에 반영된 화자의 내면 의식을 알아보자.

글자들	내면 의식
나는 이 세상에서~가득 찬다	자신의 삶을 숙명으로 여기고 받아들이려는 삶의 태도를 보인다.
하늘이 이 세상을~만드신 것이다	자신의 운명을 긍정적으로 수용하고 자긍심을 느끼면서, 고단한 삶 속에서도 고결함을 잃지 않겠다는 다짐을 하고 있다.

2. 이 작품의 마지막 부분에 나열된 시어들의 공통점을 파악하고, 이를 바탕으로 화자가 추구하려는 삶의 자세를 말해 보자.

> 초생달과 바구지꽃과 짝새와 당나귀가 그러하듯이
> 그리고 또 '프랑시쓰 쨈'과 도연명(陶淵明)과 '라이넬 마리아 릴케'가 그러하듯이

| 예시 답안 | • 시어들의 공통점: '초생달, 바구지꽃, 짝새, 당나귀'는 여리고 순한 속성을 지닌 사물, 고결한 이미지의 사물이다. 또한 '프랑시쓰 쨈, 도연명, 라이넬 마리아 릴케' 세 사람은 모두 외롭고 쓸쓸한 삶을 살았지만, 그런 상황에서도 자신만의 독특한 시 세계를 구축하며 고결한 삶을 살았던 인물들이다. 이들은 모두 '하늘이 가장 귀해하고 사랑하는 것들'로 외롭고 순수한 영혼을 지닌 존재이며, 화자가 좋아하는 대상이자 자신과 동일시하는 대상이다.
• 화자가 추구하려는 삶의 자세: 화자는 외롭고 쓸쓸한 삶을 살지만, 제시된 소재들처럼 순수하고 높은 이상을 추구하며 살고자 한다.

작품 너머로

3. 다음 글을 「흰 바람벽이 있어」와 비교하며 읽고, 아래 활동을 해 보자.

> 내 얼굴에서 굳이 결점을 잡아내자면 양미간이 좁고 찌뿌러져서 보는 이는 속이 <u>빽빽</u>하다 하겠으나 기실은 내 속이 <u>빽빽</u>한 것이 아니요 미간의 좁은 내 심저(心底)에 깊이 숨은 우울이 나타난 것이다.
> <small>글쓴이가 묘사한 자신의 외모 / 자신의 외모는 내면의 우울 때문임.</small>
>
> 그러나 나는 이 우울이 나로 하여금 그림을 그리게 하고 글을 읽게 하며 부단히 내 불량심을 바로잡아 주는 것이 아닌가 한다.
> <small>내면의 우울이 글쓴이에게 미치는 영향</small>
>
> 나는 어느 좌석에서 희한하게도 통쾌한 호(號) 하나를 얻었으니 왈 선부(善夫)라.
> <small>'선부(善夫)'라는 호를 얻게 됨.</small>
>
> 『평생에 소원이 어찌하였으면 선량하게 살아 볼까 하는 것이었는데, 그러면서 늘 나는 양심에 거리끼는 일을 가끔 저지르고 그러고는 곧 참회하곤 하였다.』하다못해 이름 하나만이라도 선(善) 자를 넣어 볼까 하던 차에 별안간 선부란 이름이 튀어나왔다.
> <small>『 』: 평상시의 글쓴이의 태도─선하게 살고자 하였으나 그러지 못할 때는 참회함.</small>
>
> 그러나 막상 '선부' 하고 부르고 보니 내가 과연 선 자를 놓을 만한 잽이가 되는가 싶어서 마음이 움츠러진다.
> <small>'선부(善夫)'라는 호칭을 얻은 것에 관한 글쓴이의 성찰</small>
>
> ■**선부** 김용준의 호.　■**잽이** '재비'. 국악에서, 악기를 연주하거나 노래를 부르거나 춤을 추는 기능자를 이르는 말.
>
> – 김용준, 「선부 자화상」에서

(1) 위 글에 나타난 글쓴이의 자아 성찰의 태도를 「흰 바람벽이 있어」의 화자와 비교하여 설명해 보자.

| 예시 답안 | 「선부 자화상」의 글쓴이는 자신을 돌아보며 '선부'로 불릴 만한지에 관해 성찰하고 있다. 「흰 바람벽이 있어」의 화자는 자신의 외롭고 쓸쓸한 삶을 숙명으로 받아들이고 앞으로 정신적 고결함을 잃지 않으며 극복하겠다는 의지를 밝히고 있다.

(2) 자신의 특성에 어울리는 호를 만들어, '○○ 자화상'이라는 제목으로 간단한 그림을 그리고 자신을 성찰하는 짧은 글을 써 보자. | 예시 답안 | 제목: 대수 자화상(그림 생략)

나는 우리 반에서 두 번째로 키가 작다. 꼭 우리 집 어항 속 거북이 같은 속도로 조금씩 자라는 것이다. 나는 내 작은 키 때문에 한동안 무척이나 상심하였다. 친구들은 양호실에 갈 때마다 키가 얼마나 컸는지 재 보았고, 그때마다 나는 부러운 마음과 함께 도망치고 싶은 마음이 들고는 했다.

그러던 어느 날, 체육 시간에 옆 반과 축구 시합이 있었다. 키가 작은 나를 끼워 주지 않아 시합을 구경만 하고 있었는데, 그날따라 우리 반 골키퍼가 갑자기 부상을 당하여 대신 할 사람이 필요해졌고, 한 친구가 나를 추천해 주어 얼떨결에 골키퍼를 맡게 되었다. 그날 나는 작은 몸이지만 최선을 다하여 몸을 날렸고, 한 골도 허용하지 않아 우리 반을 승리로 이끈 주역이 되었다. 키는 작아도 손은 크다는 의미로 친구들은 내게 대수(大手)라는 호를 지어 주었다. 그날 이후로 나는 축구뿐만 아니라 다른 일에도 최선을 다한다. 키는 작아도 열심히 하는 것만큼 멋진 것은 없으므로.

02 비 오는 날이면 가리봉동에 가야 한다

양귀자

· 문학을 통한 자아 성찰, 타자 이해　　· 문학을 통한 상호 소통

해제

이 작품은 서울의 변두리에 위치한 원미동이라는 공간을 배경으로 1980년대 소시민의 삶을 그린 연작 소설『원미동 사람들』11편 중 하나이다. 이 작품에서 '그'는 서울에서 직장 생활을 하면서 어렵사리 원미동에 집을 장만한 소시민이다. '그'는 욕실 수리를 맡은 임 씨가 원래 연탄장수임을 알고 그의 수리 실력을 믿지 못한다. 하지만 예상과 달리 욕실뿐 아니라 옥상까지 말끔히 수리하고, 수리비도 적게 받자 공연히 임 씨를 불신했던 자신을 부끄러워한다. 그리고 임 씨와의 술자리에서 떼인 연탄값을 받기 위해 비 오는 날에는 가리봉동에 가야 한다는 임 씨의 말에 그 아픔을 가슴 깊이 공감하게 된다.

전체 줄거리

서울에서 회사를 다니는 '그'는 서울 인근의 원미동에 처음으로 내 집을 장만하여 이사한다. 그런데 목욕탕 파이프가 고장 나 아랫집 천장에 물이 새자 지물포 주인의 소개로 임 씨에게 목욕탕 공사를 맡긴다. '그'는 젊은 인부와 함께 공사를 하러 온 임 씨의 본업이 연탄장수라는 사실을 알고 임 씨를 부른 것을 후회한다. '그'와 '그'의 아내는 임 씨가 공사비만 많이 받고 일은 대충 하지 않을까 걱정한다. 하지만 임 씨는 빠르게 목욕탕 공사를 끝내고 힘든 옥상 공사까지 깔끔하게 끝낸다. 일을 끝낸 임 씨는 자신이 일한 만큼만 받겠다며 원래의 견적서에 적힌 금액에서 크게 깎인 공사비를 청구한다. '그'와 '그'의 아내는 성실하고 진실된 임 씨를 보며 그를 의심했던 것을 부끄러워한다. 임 씨와 술을 한잔 더 하게 된 '그'는 임 씨가 비 오는 날이면 떼인 연탄값을 받기 위해 가리봉동에 간다는 이야기를 들으며 가난한 도시 빈민인 임 씨에 대해 깊은 연민을 느낀다.

핵심 정리

(1) 갈래: 연작 소설, 세태 소설　　　(2) 성격: 사실적, 현실 비판적

(3) 시점: 전지적 작가 시점

(4) 배경: 시간적 – 1980년대, 공간적 – 서울 주변 소도시의 한 동네(부천 원미동)

(5) 주제: 소시민 사이에서 벌어지는 일상의 갈등과 화해

(6) 특징: ① 등장인물의 대화와 행동을 통해 사건을 전개함.

　　　　　② 등장인물인 '그'의 생각을 직접 제시하여 공감을 유도함.

　　　　　③ 실제 공간을 배경으로 소시민의 삶을 사실적으로 그림.

　　　　　④ 비속어와 방언 등 구어적 표현을 통해 현장감을 높임.

(7) 구성

발단	'그'가 이사 온 집의 목욕탕에 문제가 생김.
전개	'그'는 목욕탕 공사를 맡긴 임 씨가 제대로 공사하지 못할까 봐 걱정함.
위기	'그'는 성실한 임 씨에게 감사하면서도 임 씨가 공사비를 높게 부를까 봐 걱정함.
절정	'그'는 임 씨가 예상보다 낮은 공사비를 제시하자 부끄러워함.
결말	임 씨의 사연을 듣게 된 '그'는 임 씨에게 연민을 느낌.

[앞부분 줄거리] '그'의 가족은 원미동에 처음으로 자신의 집을 장만하여 이사한다. 그런데 목욕탕 배수관에 문제가 생겨 지물포 주인의 소개로 임 씨에게 수리 공사를 맡긴다. 임 씨는 원래 연탄장수로, 연탄이 팔리지 않는 여름에만 이런 공사를 한다는 말을 듣고 그는 임 씨에게 목욕탕 공사를 맡긴 것을 후회한다.

가 몇 번씩이나 옥상에 얼굴을 디밀고 일의 진척 상황을 살피던 아내도 마침내 질렸다는
_{임 씨가 일을 잘하고 있는지 감시하기 위해서}
듯 입을 열었다.

"대강 해 두세요. 날도 어두워졌는데 어서들 내려오시라구요."
_{임 씨가 자신의 일에 최선을 다하는 사람임을 알게 됨.}
"다 되어 갑니다, 사모님. 하던 일이니 깨끗이 손봐 드려야지요."
_{맡은 바 일에 최선을 다하려는 임 씨의 투철한 직업관}
다시 방수액을 부어 완벽을 기하고 이음새 부분은 손가락으로 몇 번씩 문대어 보고 나
서야 임 씨는 허리를 일으켰다. 임 씨가 일에 몰두해 있는 동안 그는 숨소리조차 내지 않
고 일하는 양을 지켜보았다. 저 열 손가락에 박힌 공이의 대가가 기껏 지하실 단칸방만큼
의 생활뿐이라면 좀 너무하지 않나 하는 안타까움이 솟아오르기도 했다. 목욕탕 일도 그
_{열심히 일하지만 가난을 벗어나지 못하는 임 씨에 대한 연민}   _{임 씨에게 처음 맡겼던 일}
러했지만 이 사람의 손은 특별한 데가 있다는 느낌이었다. 자신이 주무르고 있는 일감에
한 치의 틈도 없이 밀착되어 날렵하게 움직이고 있는 임 씨의 열 손가락은 손가락 이상의
그 무엇이었다. ❶ 처음에는 이 사내가 견적대로의 돈을 다 받기가 민망하여 우정 지어내 보
이는 열정이라고 여겼었다. 옥상 일의 중간에 잠시 집에 내려갔을 때 아내도 그런 뜻을
_{열심히 일하는 임 씨에 대한 '그'의 오해}
표했다.

"예상외로 옥상 일이 힘드나 보죠? 저 사람도 이제 세상에 공돈은 없다는 사실을 깨달
았을 거예요."
_{임 씨에 대한 아내의 오해(소시민적 근성)}
하지만 우정 지어낸 열정으로 단정한다면 당한 쪽은 되려 그들이었다. 밤 여덟 시가 지
_{오해로 인한 단정 때문에 혹독한 대가를 치른 쪽}
나도록 잡역부 노릇에 시달린 그도 고생이었고, 부러 만들어 시킨 일로 심적 부담을 느끼
기 시작한 그의 아내 역시 안절부절못했으니까. ❷
_{옥상 공사}
▶ 열심히 일한 임 씨를 오해했던 '그'와 '그'의 아내

어휘·어구 풀이
● **문대어** 여기저기 마구 문질러.
● **공이** '옹이'의 방언. 굳은 살을 비유적으로 이르는 말.
● **우정** '일부러'의 방언.
● **되려** '도리어'의 방언.

❶ **자신이 주무르고~그 무엇이었다.** '그'가 임 씨가 자신의 일에 최선을 다하고 있음을 깨닫고, 임 씨에 대해 존경하는 마음까지 생겼음을 알 수 있다.

❷ **하지만 우정 지어낸~안절부절못했으니까.** '그'와 '그'의 아내는 임 씨가 열심히 일하는 것을 부부에게 일부러 보여 주기 위해서 그런 것이라고 오해했다. 그러나 임 씨가 밤늦게까지 성실하게 일하자 '그'는 육체적으로, 아내는 정신적으로 고통을 당하게 되던 것이다.

핵심 쏙쏙

◉ **인물의 성격**
• **임 씨**: 자신의 맡은 바 일에 최선을 다함. 성실하고 책임감이 강함.
• **'그'와 '그'의 아내**: 착하기는 하지만 상대방을 쉽게 오해함. 이해타산적인 소시민적 특성을 지님.

학습 문제

📗 정답과 해설 323쪽

1. **가**의 서술상 특징으로 가장 적절한 것은?

① 같은 시간에 벌어진 두 사건을 병렬적으로 전개한다.
② 작품 밖 서술자가 객관적 입장에서 사건을 전달한다.
③ 빈번한 장면 전환으로 사건의 긴박한 분위기를 그린다.
④ 작품 속 서술자가 특정 인물의 시각에서 사건을 서술한다.
⑤ 3인칭 서술자가 인물의 행동과 심리를 전지적 관점에서 서술한다.

2. **가**에 대한 이해로 적절하지 <u>않은</u> 것은?

① '그'의 아내는 가난한 임 씨에게 연민을 느꼈다.
② 임 씨는 자신에게 주어진 일에 최선을 다하려 했다.
③ '그'는 임 씨의 손가락을 보고 그에게 존경심을 느꼈다.
④ '그'와 '그'의 아내는 임 씨의 성실함으로 인해 부담을 느꼈다.
⑤ '그'의 아내는 처음에 임 씨의 열정을 일부러 그러는 것이라고 오해했다.

어휘·어구 풀이

● **노고** 힘들여 수고하고 애씀.

● **치하** 남이 한 일에 대하여 고마움이나 칭찬의 뜻을 표시함.

● **앵꼽아서** '아니꼬워서'의 방언.

● **목울대** 울대뼈나 목청을 이르는 말.

❶ **"내사 예수 믿는~좀 쉬었다 가소."** 노모가 공사를 열심히 해 준 임 씨에게 감사를 표하는 말로, 임 씨가 얼마나 성의 있고 꼼꼼하게 일했는지 짐작할 수 있다.

❷ **그렇게 말은 했어도~지울 수가 없었다.** 나이가 많은 임 씨가 힘들게 일하면서도 가난에서 벗어나지 못한 것에 대한 '그'의 안타까운 심정이 드러나 있다.

교과서 날개 질문

'그'가 임 씨에게 동갑이라고 한 까닭을 생각해 보자.

| 예시 답안 | ① 고용인과 피고용인인 '그'와 '임 씨'와의 관계가 나이로 인해 무시될 수 있기 때문에

② '임 씨'가 자신보다 나이가 어린 사람에게 고용되었다는 것을 알면 비참한 마음이 들까 봐 걱정되기 때문에

나 아내는 기다리는 동안 술상을 보아 놓고 있었다. 손발을 씻고 계단에 나가 옷의 먼지를 털고 들어온 임 씨는 여덟 시가 넘어선 시간을 보고 <u>오히려 그들 부부에게 미안해하였다.</u>
〔고생한 임 씨에 대한 보답의 의미로〕

"시간이 벌써 이리 되었남요? 우리 사모님 오늘 너무 늦게까지 이거 고생이 많으십니다. 사장님이야 더 말할 것도 없구, 참 죄송하게 되었습니다." 〔임 씨의 순박한 성격〕
〔옥상 공사가 늦어진 것을 사과함.〕

안방에서 아이들을 보고 있던 노모가 대신 임 씨의 노고를 치하해 주었다.

"젊은 사람이 일도 엄청 잘하네. 늦으문 낼 하고 쉬었다 하모 좋을 끼고만 일 무서븐 줄 모르는 걸 보이 앞으로는 잘살 끼요." 〔성실하고 열정적으로 일한 임 씨에 대한 칭찬〕

ⓐ <u>노모의 덕담을 임 씨는 무릎을 꿇고 두 손을 짚은 채 들었다.</u>

"내사 예수 믿는 사람이라 남자들 술 마시는 꼴은 앵꼽아서 못 보지만 그렇기 일하고는 안 마실 수 없겠구마는. 나는 고마 들어가 있을 테이 좀 쉬었다 가소.❶"

노모가 방문을 닫고 들어가자 임 씨는 그가 부어 주는 술을 두 손으로 황감히 받쳐 들고 조심스레 목울대로 넘겼다.
〔자신에게 일감을 준 집주인에 대해 공손하고 예를 차리는 태도〕

"이거 왜 이러십니까. 편히 드십시다. 나이도 서로 엇비슷할 텐데 말이오."

그렇게 말은 했어도 그는 임 씨의 나이가 그보다 훨씬 많으면 왠지 괴롭겠다는 기분을 지울 수가 없었다.❷ 찬바람이 불면 다시 온몸에 검댕 칠을 하는 <u>연탄배달</u>에 나서야 하고 여름이 오면 정식으로 간판 달고 일하는 <u>설비집</u> 동료들이 손이 딸려야만 넘겨주는 일감에 매달려 〔임 씨의 부업〕 ⓑ <u>하루 벌어 하루 먹고사는 저 사내의 앞날이 창창하다는 게 위안이 될는지 그 것도 모를 일이긴 했다.</u>
〔임 씨의 본업〕

"사장님은 금년 몇이시지요? 저는 토끼띠, 서른여섯 아닙니까?"

임 씨가 서른여섯에 토끼띠라면 그는 서른다섯의 용띠였다. 옆에 앉아서 ⓒ <u>지갑을 열었다 닫았다 하던 아내가 얼른 "이 양반은……." 하고 나서는 것을 그가 가로챘다.</u>
〔자신의 본 나이를 말하지 못하게 함.〕

학습 문제

3. **나**를 통해 알 수 있는 내용이 **아닌** 것은?

① 임 씨는 자신의 삶이 고됨을 우회적으로 드러내고 있다.

② 아내는 '그'가 토끼띠로 나이를 속인 것을 불안해하고 있다.

③ '그'는 임 씨의 품삯을 깎으려는 아내를 부끄러워하고 있다.

④ 분홍색 편지지는 이 공사가 임 씨의 본업이 아님을 알려주고 있다.

⑤ '그'와 '그'의 아내는 임 씨가 공사비를 깎아줄 것임을 짐작하고 있다.

4. '노인'의 서사적 역할로 가장 적절한 것은?

① 임 씨의 가난한 처지를 드러낸다.

② 임 씨의 성실한 성격을 부각한다.

③ 자식 부부와 임 씨의 갈등을 유발한다.

④ 자식 부부가 삶의 지혜가 없음을 나타낸다.

⑤ 임 씨에 대한 자식 부부의 오해를 촉발한다.

어휘·어구 풀이
❶ 아내가 기가 막히다는~넘치도록 부었다. '그'가 동갑 기념이라고 속이고 임 씨의 술잔에 술을 넘치게 붓는 것은 '그'와 임 씨와의 심리적 거리가 가까워졌음을 짐작하게 한다.
❷ "돈 드려야지요. 그런데 ……." 임 씨가 밤까지 열심히 목욕탕 뿐 아니라 옥상까지 공사했음에도 공사비를 더 깎으려는 아내의 속물적 태도가 담겨 있다.
❸ 임 씨의 머릿속에서~정말이지 역겨웠다. 한편으로는 성실하게 일한 임 씨를 높게 평가하면서도 또 한편으로 임 씨가 높은 금액을 청구할까 걱정하는 자신에 대해 실망하고 있다.

"그래요? 나도 토끼띠지요. ㉮ 서로 동갑이군요."

아내가 기가 막히다는 표정으로 그를 쳐다보았지만 그는 아랑곳하지 않고 동갑 기념이
_{남편이 나이를 속였기 때문에}
라고 또 한 잔의 술을 그의 잔에 넘치도록 부었다.❶ ⓓ 한 살 정도만 보태는 것으로 거짓말의 양을 줄일 수 있는 것이 몹시 다행스러웠다.

"토끼띠 남자들이 원래 팔자가 드센 편 아닙니까요? 여자 토끼띠는 잘사는데 요상하게 우리 나이 토끼띠 남자들은 신수가 고단터라 이 말씀입니다. 헌데 사장님은 용케 따시
_{자신의 삶이 고단하다고 생각함.}
게 사시니 복이 많으십니다." / 저런. ⓔ 그는 속으로 머쓱했다.
▶ 임 씨를 배려하기 위해 나이를 속인 '그'

토끼띠가 어쩌고 해 쌓는 게 아무래도 아슬아슬했던지, 아니면 준비한 술이 바닥나는
_{남편이 나이를 속인 것 때문에}
게 보였던지 아내가 단호하게 지갑을 열었다. / "돈 드려야지요. 그런데……."❷

아내는 뒷말을 못 잇고 그의 얼굴을 말끄러미 올려다보았다. 그는 술잔을 들어올리며
_{품삯을 깎으려는 아내가 부끄러워서}
짐짓 아내를 못 본 척했다. 역시 여자는 할 수 없어. 옥상 일까지 시켜 놓고 돈을 다 내주
_{추가로 시킨 일}
기가 아깝다는 뜻이렷다. 그는 아내가 제발 딴소리 없이 이십만 원에서 이만 원이 모자라
_{처음 임 씨가 제시한 견적비(18만 원)를 깎으려는 아내에 대한 불만}
는 견적 금액을 다 내놓기를 대신 빌었다. 그때 임 씨가 먼저 손을 휘휘 내젓고 나섰다.

"사모님. 내 뽑아 드린 견적서 좀 줘 보세요. 돈이 좀 틀려질 겁니다."

아내가 손에 쥐고 있던 견적서를 내밀었다. 인쇄된 정식 견적 용지가 아닌, 분홍 밑그
_{이번 공사가 임 씨의 본업이 아님을 알 수 있음.}
림이 아른아른 내비치는 유치한 편지지를 사용한 그것을 임 씨가 한참씩이나 들여다보았다. 그와 그의 아내는 임 씨의 입에서 나올 말에 주목하여 잠깐 긴장하였다.
_{임 씨가 공사비를 올릴까 봐 걱정하는 부부}

"술을 마셨더니 눈으로는 계산이 잘 안 되네요."

임 씨는 분홍 편지지 위에 엎드려 아라비아 숫자를 더하고 빼고, 또는 줄을 긋고 하였다.

㉯ 그는 빈 술병을 흔들어 겨우 반 잔을 채우고는 서둘러 잔을 비웠다. 임 씨의 머릿속
_{긴장감을 억누르기 위해서}
에서 굴러다니고 있을 숫자들에 잔뜩 애를 태우고 있는 스스로가 정말이지 역겨웠다.❸
▶ 공사가 끝나자 임 씨가 공사비를 올릴까 봐 걱정하는 부부

교과서 날개 질문
'그'가 자신을 역겹다고 생각한 까닭은 무엇일까?
| 예시 답안 | 임 씨가 견적보다 높은 비용을 청구할까 애를 태우고 걱정하는 자기 자신이 속물적으로 느껴져서

---

5. ㉯의 ⓐ~ⓔ에 대한 이해로 적절하지 않은 것은?

① ⓐ: 임 씨가 웃어른을 공경할 줄 아는 예의 바른 인물임이 드러나고 있다.

② ⓑ: 성실한 임 씨에게 앞으로 좋은 일만 있을 것이라고 예상하고 있다.

③ ⓒ: 아내는 임 씨가 공사비를 높게 부를까 봐 걱정하고 있다.

④ ⓓ: '그'는 임 씨와 나이 차이가 많이 나지 않는 것을 다행스러워하고 있다.

⑤ ⓔ: '그'는 나이를 속인 것도 모르고 임 씨가 자신을 칭찬하자 무안해하고 있다.

서술형

6. '그'가 ㉮와 같이 말한 의도를 이기적인 입장과 이타적인 입장에서 각각 서술하시오.

서술형

7. ㉯가 '그'의 내적 갈등이 드러난 행위라고 할 때, 갈등의 원인을 서술하시오.

어휘·어구 풀이

❶ 뭔가 단단히~짓누르고 있을 뿐이었다. 예상과 달리 공사비를 지나치게 낮게 청구하자 임 씨에 대한 미안함으로 괴로워하고 있다.

핵심 쏙쏙

◉ 임 씨가 수정한 '견적서'의 기능

· '그'가 견적서를 고치는 임 씨를 보며 긴장함.: '그'의 속물적인 소시민성을 부각함.

· 임 씨가 꼼꼼히 따져 가며 견적서의 금액을 낮춤.: 임 씨의 착하고 정직한 성품을 드러냄.

▶ **교과서 날개 질문**

'임 씨'를 바라보는 아내의 태도가 어떻게 바뀌었는지 생각해 보자.

| 예시 답안 | 아내는 처음에 임 씨에 대해 편견을 가지고 자기중심적인 태도로 판단하였으며 그를 존중하지 않았지만 그가 계획에 없던 옥상 일까지 성의껏 해 주고 정직하게 공사비를 청구하여 예상보다 훨씬 적게 나오자 오히려 미안해하는 태도로 바뀌게 된다.

다 "됐습니다, 사장님. 이게 말입니다. 처음엔 파이프가 어디서 새는지 모르니 전체를 뜯을 작정으로 견적을 뽑았지요. 아까도 말씀드렸지만 일이 썩 간단하게 되었다 이 말씀입니다. 그래서 노임에서 사 만 원이 빠지고 시멘트도 이게 다 안 들었고, 모래도 그렇고, 에, 쓰레기 치울 용달차도 빠지게 되죠. 방수액도 타일도 반도 못 썼으니 여기서도 요게 빠지고 또……."

_{'노동 임금'을 줄여 이르는 말. '품삯'으로 순화} _{공사비가 줄어든 이유}

임 씨가 볼펜 심으로 쿡쿡 찔러 가며 조목조목 남는 것들을 설명해 갔지만 그의 귀에는 제대로 들리지 않았다. 뭔가 단단히 잘못되었다는 기분, 이게 아닌데, 하는 느낌이 어깨의 뻐근함과 함께 그를 짓누르고 있을 뿐이었다.❶

_{임 씨가 자신의 예상과 달리 공사비를 낮추려 하기 때문에}

_{임 씨를 오해했던 데 대한 미안함 때문에}

"그렇게 해서 모두 칠만 원이면 되겠습니다요."

선언하듯 임 씨가 ㉠분홍 편지지를 아내에게 내밀었다. 놀란 것은 그보다 아내 쪽이 더 심했다. 그녀는 분명 칠만 원이란 소리가 믿기지 않는 모양이었다.

_{견적서} _{원래 견적비보다 공사비가 크게 낮아졌기 때문에}

"칠만 원요? 그럼 옥상은……."

"옥상에 들어간 재료비도 여기에 다 들어 있습니다. 그거야 뭐 몇 푼 되나요."

"그럼 우리가 너무 미안해서……."

아내가 이번에는 호소하는 눈빛으로 그를 쳐다보았다. 할 수 없이 그가 끼어들었다.

_{아내는 임 씨에게 옥상 공사까지 시켰음에도 예상보다 훨씬 적게 공사비를 청구하자 임 씨에게 미안해하고 있음.}

"계산을 다시 해 봐요. 처음에는 십팔만 원이라고 했지 않소?"

_{임 씨를 의심했던 것에 대한 미안함의 표현}

"이거 돈을 더 내시겠다 이 말씀입니까? 에이, 사장님도. 제가 어디 공일 해 줬나요. 조목조목 다 계산에 넣었습니다요. 옥상 일한 품값은 지가 서비스로다가……."

_{보수를 받지 않고 거저 하는 일}

"서비스?"

그는 아연해서 임 씨의 말을 되받았다.

"그럼요. ㉡저도 서비스할 때는 서비스도 하지요."

㉮그는 입을 다물어 버렸다. 뭐라 대꾸할 말이 없었다.

학습 문제

학습 활동 응용

8. ㉮에 나타난 '그'의 감정으로 적절한 것만을 〈보기〉에서 고르시오.

| 보기 |
ㄱ. 속물적인 자신의 태도에 대한 부끄러움
ㄴ. 생각지 못한 임 씨의 반응으로 인한 놀람
ㄷ. 옥상 공사비를 받지 않은 것에 대한 고마움
ㄹ. 가난한 처지에 배려를 베푼 것에 대한 어이없음

9. ㉠의 기능을 인물들의 심리 변화와 관련하여 한 문장으로 쓰시오.

서술형

10. ㉡을 통해 알 수 있는 '임 씨'의 성품을 서술하시오.

[A]

"토끼띠이면서도 사장님이 왜 잘사는가 했더니 역시 그렇구만요. 다른 집에서는 노임 한 푼이라도 더 깎아 보려고 온갖 트집을 다 잡는데 말입니다. 제가요, 이 무식한 노가
노가다 막일꾼. 막일을 하는 것을 직업으로 하는 사람
다가 한 말씀 드리자면요, 앞으로 이 세상 사시려면 그렇게 마음이 물러서는 안 됩니다
이해타산적인 부부에 대한 임 씨의 순박한 충고
요. 저는요, 받을 것 다 받은 거니까 이따 겨울 돌아오면 우리 연탄이나 갈아 주세요.❶"

임 씨는 아내가 내민 칠만 원을 주머니에 쑤셔 넣고 자리에서 일어섰다.
▶ 처음 견적서보다 액수를 낮추어 공사비를 청구한 임 씨

라 그는 일 층 현관까지 내려가 임 씨를 배웅하기로 했다. 어두워진 계단을 앞서거니 뒤
서거니 내려가며 임 씨는 연장 가방을 몇 번이나 난간에 부딪혔다. 시원한 밤공기가 현
관 앞을 나서는 두 사람을 감쌌고 그는 무슨 말로 이 사내를 배웅할 것인가를 궁리해 보
았다. 수고했다는 말도, 고맙다는 말도 이 사내의 그 '서비스'에 대면 너무 초라하지 않
정직한 임 씨를 보며 자신의 속물근성을 반성함(부끄러움).
을까. 그때 임 씨가 돌연 그의 팔목을 꽉 움켜잡았다.

"사장님요, 기분도 그렇지 않은데 제가 맥주 한잔 살게요. 가십시다."

임 씨는 백열구로 밝혀 놓은 형제 슈퍼의 노천 의자를 가리키고 있었다.
새로운 공간으로의 이동
"맥주는 내가 사지요." / "아니오. 제가 삽니다."

"좋소. 누가 사든 가 봅시다." / 그들은 형제 슈퍼의 김 반장에게 맥주 세 병을 시켰다.

"워따메, 두 분이 어디서 그러코롬 일 차를 하셨당가요." / 전라도 부안이 고향이라는
김 반장은 기분이 좋았다 하면 진짜 토박이말로 사람을 어르는 재주가 있었다.

"맥주도 좋소만, 임 씨 아저씨 우리 외상값부텀 갚아 주셔야 쓰것당게." / 임 씨는 두말
임 씨의 가난한 처지와 김 반장의 약삭빠른 성격을 드러냄.
없이 외상값 천삼백 원을 갚아 주고는 기세 좋게 쥐포 세 마리 구워 오라고 이른다.

"사장님요. 뭐 다른 안주도 시키십쇼." / 임 씨가 그를 보았다.

"어따, 동갑끼리 사장은 무슨 사장님. 오늘 종일 그 말 듣느라고 혼났어요. 말 놓으십
임 씨와 가까워지려는 의도
시다." / 그가 거품이 넘치는 잔을 내밀며 큰소리를 쳤다. 임 씨가 잠시 아연한 눈길로 그
를 바라보았다. / "좋수다, 형씨. 한잔 하십시다."

임 씨가 호기를 부리며 소리 나게 잔을 부딪쳤다.
꺼득거리는 기운
"그렇지, 그렇지. 다 같은 토끼 새끼 주제에 무슨 얼어 죽을 사장이야!❷" / 그의 허세도
동질감 강조   실속이 없이 겉으로만 드러나 보이는 기세
임 씨 못지않았으므로 이윽고 두 사람은 주거니 받거니 술잔을 비우기 시작하였다.
▶ 임 씨에게 술을 한잔 사는 '그'

어휘·어구 풀이

● **아연한** 너무 놀라거나 어이가 없어서 또는 기가 막혀서 입을 딱 벌리고 말을 못하는 상태인.

❶ **"토끼띠이면서도~갈아 주세요."** 임 씨의 공사비를 더 깎으려 했던 '그'와 아내의 속물근성과 임 씨의 정직한 성품이 대비되는 부분이다. 또한 부부가 임 씨에게 더욱 미안함을 느끼는 계기가 된다.

❷ **"그렇지, 그렇지~사장이야!"** 임 씨보다 한 살 나이가 어림에도 임 씨와 같은 토끼띠라며 동질감을 강조함으로써 그와 자신의 처지가 다르다는 임 씨의 인식을 바꾸려 하고 있다.

교과서 날개 질문

'그'가 임 씨에게 맥주를 사겠다고 한 이유를 말해 보자.

| 예시 답안 | 속물 근성을 보이는 '아내'나 '나'와는 달리 정직하게 일하고 인정을 베푸는 임 씨에게 면목이 없다고 느꼈기 때문이다.

학습 활동 응용

11. [A]에 대한 이해로 적절하지 <u>않은</u> 것은?

① 임 씨는 부부가 공사비를 낮추려던 것을 몰랐군.

② 임 씨는 물질보다 정신을 더 중시하는 사람이군.

③ 임 씨는 지금 세상이 각박하다고 여기고 있군.

④ 임 씨의 정직한 모습은 부부의 속물근성과 대비되는군.

⑤ 부부가 했던 생각을 모른 채 부부를 걱정하는 임 씨의 순박한 성품이 나타나는군.

12. **라**의 등장인물들에 대한 설명으로 적절하지 <u>않은</u> 것은?

① '그'는 임 씨의 인정에 면목 없음을 느끼고 있다.

② '그'는 임 씨와 친밀감을 형성하기 위해 노력하고 있다.

③ 김 반장은 가난한 이를 위해 자신의 이익을 포기하고 있다.

④ 임 씨는 동질감을 강조하는 '그'에게 점차 거리감을 좁히고 있다.

⑤ '그'는 임 씨의 정직한 모습을 보고 자신의 속물근성을 반성하고 있다.

어휘·어구 풀이

● **성깔** 거친 성질을 부리는 버릇이나 태도, 또는 그 성질.
● **상판** 상판대기. '얼굴'을 속되게 이르는 말.
❶ **근데 형씨, ~차렸지 뭡니까.** 성실하고 정직하게 일하는 임 씨를 속여 돈을 떼어먹은 사람이 잘사는 모순된 세태에 대한 작가의 비판 의식이 담겨 있다.

┈┈┈

핵심 쏙쏙

◉ **공간의 변화와 '그'의 심리 변화**

'그'의 집
임 씨를 오해했지만, 임 씨의 본심을 알고 미안함과 부끄러움을 느낌.

↓

형제 슈퍼
임 씨의 사연을 듣고 임 씨에게 연민의 정을 느낌.

▶ **교과서 날개 질문**

'그'가 그려 본 '스웨터 공장 사장'의 모습으로 미루어 볼 때, '그'가 '임 씨'를 어떻게 여기고 있을지 추측해 보자.

| 예시 답안 | '그'는 임 씨에게 연탄값을 주지 않는 스웨터 공장 사장을 욕하며 빤질빤질한 상판에 배가 불거진 그의 모습을 떠올린다. 이를 통해 '그'가 '임 씨'의 처지에 공감하며 연민을 느끼고 있음을 알 수 있다.

마 "내가 이래 봬도 자식 농사는 꽤 지었지요."
_{임 씨가 '그'에게 개인적 사정을 털어 놓음.–'그'를 편안하게 여기기 시작함.}

임 씨는 자신의 아들딸이 네 명이란 것, 큰놈은 국민학교 4학년인데 공부를 썩 잘하고 둘째 딸년은 학교 대표 농구 선수인데 박찬숙 못지않을 재주꾼이라고 자랑했다.

"그놈들 곰국 한번 못 먹인 게 한이오, 형씨. 내 이번에 가리봉동에 가면 그녀석 멱살
_{자식을 사랑하는 마음이 담긴 소재}　　　　　　　　　　　_{1980년대의 대표적인 공장 밀집 지역}
을 휘어잡아야지."

임 씨가 이빨 사이로 침을 찍 뱉었다. 뭐 맛있는 거나 되는 줄 알고 김 반장의 발발이 새끼가 쪼르르 달려왔다.

㉠ "가리봉동에 가면 곰국이 나와요?"

임 씨가 따라 주는 잔을 받으면서 그는 온몸을 휘감는 술기운에 문득 머리를 내둘렀다. 아까부터 비 오는 날에는 가리봉동에 간다는 임 씨의 말이 술기운과 더불어 떠올랐다.
_{제목–비가 오면 일이 없으므로 때인 연탄값을 받기 위해 감.}
『곰국만 나오나. 큰놈 자전거도 나오고 우리 농구 선수 운동화도 나오지요. 마누라 빠
_{『　』: 비 오는 날이면 가리봉동에 가야 하는 이유를 밝힘.}　　　　_{둘째 딸}
마값도 쑥 빠집니다요. 자그마치 팔십만 원이오, 팔십만 원. 제기랄. 쉐타 공장 하던 놈한테 일 년 내 연탄을 대 줬더니 이놈이 연탄값 떼어먹고 야반도주했어요. 공장이 망
　　　　　　　　　　　　　　　　　　　_{남의 눈을 피하여 한밤중에 도망함.}
했다고 엄살을 까길래, 내 마음인들 좋았겠소. 근데 형씨. 아, 그놈이 가리봉동에 가서
_{착하고 여린 성품의 임 씨}　　　　　　　　　　　　　　　　_{배신감, 허탈함}
더 크게 공장을 차렸지 뭡니까.❶우리네 노가다들, 출신이 다양해서 그런 소식이야 제꺼덕 들어오지, 뭐."

"그럼 받아야지, 암. 받아야 하구말구."

그는 딸꾹질을 시작했다. 임 씨에게 술을 붓는 손도 정처 없이 흔들렸다. 그에 비하면
_{술이 몹시 취함.}
임 씨의 기세 좋은 입만큼은 아직 든든하다.

『누군 받기 싫어 못 받수. 줘야 받지. 형씨, 돈 있는 놈은 죄다 도둑놈이오. 쫓아가면
_{『　』: 방귀 뀐 놈이 성낸다. 가난한 이를 착취해 부를 축적하는 악덕 자본가의 행태로, 불평등하고 부조리한 당대의 부정적 모습을 보여 줌.}
지가 먼저 울상이네. ㉡ 여공들 노임도 밀렸다, 부도가 나서 그거 메우느라 마누라 목걸이까지 팔았다고 지가 먼저 성깔 내.』

"쥑일 놈."

그는 스웨터 공장 사장을 눈앞에 그려 본다. 빤질빤질한 상판에 배는 툭 불거져 나왔겠지.
　　　　　　　　　　　　　　　　　　_{그가 생각하는 악덕 자본가의 모습}
"그게 작년 일인데, 형씨, 올 여름에 비가 오죽 많았소. 비만 오면 가리봉동에 갔지요."
　　　　　　　　　　　　　　　　　　　　_{일을 하지 못하는 날이면}

학습 문제

13. ㉠의 서사적 기능에 대한 설명으로 적절한 것은?

① 임 씨가 지닌 문제점을 조명하고 있다.
② 임 씨에게 닥칠 불행을 암시하고 있다.
③ 임 씨와 김 반장의 원한을 드러내고 있다.
④ 임 씨와 '그'의 갈등 해소를 유도하고 있다.
⑤ 임 씨의 숨겨진 사연을 이끌어 내고 있다.

14. ㉡의 상황을 나타낼 말로 가장 적절한 것은?

① 감탄고토(甘呑苦吐)　② 좌충우돌(左衝右突)
③ 적반하장(賊反荷杖)　④ 파죽지세(破竹之勢)
⑤ 허장성세(虛張聲勢)

서술형
15. 임 씨가 비 오는 날이면 가리봉동에 가려는 이유를 서술하시오.

비만 오면 갔단 말이오."

"아따, 일 년 삼백육십오 일 비 오는 날은 쌔고 쌨는디 머시 그리 걱정이당가요?"

김 반장이 맥주를 새로 가져오며 임 씨를 놀려 먹었다.

"시끄러, 임마. 비가 와야 가리봉동에 가지, 비가 와야……."

"해 뜨는 날은 돈 벌어서 좋고, 비 오는 날은 돈 받아서 좋고, 조오타!" ❶

김 반장이 젓가락으로 장단까지 맞추자 임 씨는 김 반장 엉덩이를 찰싹 갈긴다.

"형씨, 형씨는 집이 있으니 걱정할 것 없소. 토끼띠면 어쩔 거여. 집이 있는데, 어디 집 값이 내리겠소?"

"저런 것도 집 축에 끼나……."

이번엔 또 무슨 까탈을 일으킬 것인지, 시도 때도 없이 돈을 삼키는 허술한 집이라고
_{자꾸 수리할 일이 생기는 낡고 허름한 집}
대꾸하려다가 임 씨의 말에 가로채여서 그는 입을 다물었다.

㉮ "난 말요, 이 토끼띠 사내는 말요, 보증금 백오십만 원에 월세 삼만 원짜리 지하실 방
에서 여섯 식구가 살고 있소. 가리봉동 그 새끼는 곧 죽어도 맨션아파트요, 맨션아파트!"

임 씨는 주먹을 흔들며 맨션아파트라고 외쳤는데 그의 귀에는 꼭 맨손아파트처럼 들렸다.

"돈 받으러 갈 시간도 없다구. 마누라는 마누라대로 벽돌 찍는 공장에 나댕기지, 나는
_{열심히 살아도 가난을 벗어날 수 없는 잘못된 세상에 대한 원망}
나대로 이 짓 해서 벌어야지. 그래도 달걀 후라이 한 개 마음 놓고 못 먹는 세상!"

임 씨의 목소리가 거칠어졌다. 술이 너무 과하지 않나 해서 그는 선뜻 임 씨에게 잔을
돌리지 못하고 있었다.
_{임 씨를 염려하는 마음}

▶ 임 씨의 사연을 듣고 임 씨에게 연민을 느끼는 '그'

어휘·어구 풀이
● **머시** '무엇이'가 줄어든 말.
● **까탈** '가탈'의 센말. 일이 순
조롭게 나아가는 것을 방해하
는 조건.
❶ **"해 뜨는 날은 돈 벌어서~좋
고, 조오타!"** 해 뜨는 날은
힘들게 노동해야 하고, 비 오
는 날에도 쉬지 못하고 떼인
돈을 받으러 가야하는 임 씨
의 괴로운 처지를 반어적으로
표현한 것이다.

핵심 쏙쏙

◉ **공간의 상징성**

임 씨의 지하실 방		사장의 맨션아파트
열심히 살아도 가난을 벗어 날 수 없는 도시 빈민층 의 삶.	↔	노동자를 착취하여 부 를 축적한 자본가의 삶.

◉ **작품의 배경 – '원미동'의 의미**
'원미동'은 '멀고 아름다운 동네'
라는 의미로, 1980년대 생활상을
보여 주는 상징적·보편적인 공
간이다. 이때 '멀고 아름다운 동
네'라는 것은 경제적인 부유함과
는 거리가 멀지만, 아름다운 삶
의 이야기들이 가득 찬 곳이라는
뜻을 담고 있다.

---

16. ㉮에 대한 이해로 적절하지 <u>않은</u> 것은?

① 구체적 배경을 제시해 사실성을 높이고 있다.

② 반복을 통해 말하고자 하는 바를 강조하고 있다.

③ 반어적 표현으로 부조리한 세태를 풍자하고 있다.

④ 대비되는 공간을 제시해 사회 모순을 드러내고 있다.

⑤ 당대 도시 빈민층의 삶을 구체적으로 보여 주고 있다.

서술형 학습 활동 응용

17. 〈보기〉를 참조하여, 이 작품의 공간적 배경을 '원미동'으로 설
정한 이유를 서술하시오.

| 보기 |
　'원미동'은 경기도 부천시에 있는 실제 지명으로, 경제
적 어려움으로 서울에 정착할 수 없는 이들이 밀려와 살
던 곳이다. 서울의 '가리봉동'은 대표적인 공단 밀집 지
역으로, 자본주의로 인해 부를 누리던 사람과 자본주의
의 밑바닥 삶을 사는 공장 노동자들의 생활 공간이다.

• 등장인물의 성격과 작가 의식

	성격	작가 의식
'그'	소심하지만 부끄러움을 아는 이성적 인물. 임 씨의 입장을 고려하여 그와 동갑이라고 속이는 것에서 알 수 있듯이 사려 깊고 타인을 배려할 줄 아는 인물	• 타인에 대한 ❶◯◯와 존중의 중요성 • 소외된 계층의 인물에 대한 연민
아내	인색할 정도로 알뜰한 주부. 임 씨를 의심하며 견적서보다 적은 공사비를 지급하려는 데서 알 수 있듯 계산적이며 금전적 문제에 민감한 현실적 인물	• 편견에 사로잡혀 남을 믿지 않고 이해타산적으로 사는 현대인의 세태 ❷◯◯ • 현대인의 각박한 삶의 모습 형상화
임 씨	전형적인 도시 빈민 노동자. 옥상 공사를 꼼꼼히 수행하고 견적서보다 적은 공사비를 청구하는 것에서 알 수 있듯이 꼼꼼하고 책임감이 강하며, 정직하고 성실한 인물	가난하지만 정직하고 성실하게 살아가고자 노력하는 소시민들의 건강한 삶 형상화
스웨터 공장 사장	경제적인 부를 누리면서도 연탄값을 지불하지 않는 것에서 알 수 있듯이 부도덕하고 탐욕스러운 인물	세속적이고 탐욕스러운 현대인들의 ❸◯◯ 촉구

• 시간의 경과에 따라 달라지는 '그'의 심리

| 임 씨가 옥상을 공사하는 모습을 보았을 때 | 견적서대로 공사비를 받기 위해 일부러 열심히 일하는 척하는 것은 아닌지, 공사비를 부풀려 받으려 하는 것은 아닌지 의심하고 경계함. | 의심과 ❹◯◯ |

↓

| 임 씨가 수리비를 수정하여 내놓았을 때 | 임 씨의 순박하고 정직한 모습에 놀라며 그를 의심했던 자신의 모습에 대해 부끄러워하며 반성함. | 화해와 공존 |

↓

| 슈퍼에서 임 씨의 사연을 들었을 때 | 임 씨의 슬픔에 ❺◯◯하며 그에게 연민을 느낌. | |

• 공간적 배경의 의미

원미동	가리봉동	
• 도시의 변두리에 위치 • 경제적 어려움 때문에 서울에 편입되지 못한 소시민들이 밀려와 살던 곳 • 임 씨의 삶의 터전	• 도심에 위치한 공장 밀집 지역 • 공장 주인이 노동자들을 착취하는 곳 • 공장 노동자들의 생활 공간	• 가난한 사람들의 진솔한 삶의 모습을 보여 주는 공간 • 부조리와 모순에 가득 찬 1980년대 한국 사회의 모습을 대변하는 공간

• 제목에 담긴 의미

표면적 의미	임 씨가 일을 할 수 없는 날에는 떼인 돈을 받기 위해 가리봉동에 가야 한다는 의미를 드러냄.
상징적 의미	임 씨의 고단한 삶을 나타내는데, 결국 이를 통해 당대 도시 빈민층이 겪는 ❻◯◯을 상징적으로 드러내고 있음.

작품 속으로

1. 이 작품을 감상하고, 다음에 제시된 등장인물의 행위를 근거로 그들의 성격을 파악해 보자.

	행위	성격
그	• 임 씨의 일한 대가를 아내가 덜 지급할까 우려함. • 임 씨의 입장을 고려하여 그와 동갑이라고 속임.	사려 깊고 타인을 배려할 줄 앎.
아내	• 임 씨가 열심히 일하는 의도가 돈 때문일 것이라고 의심함. • 견적서보다 적게 공사비를 지급하려고 함.	손해를 보지 않으려하고 계산적임.
임 씨	• 날이 어두워졌지만 옥상 공사를 꼼꼼히 수행함. • 공사가 예상보다 간단히 끝나자 견적서보다 적게 공사비를 청구함.	맡은 일을 성실히 수행하며 순박하고 정직함.

2. 시간의 경과에 따라 '임 씨'의 행동을 바라보는 '그'의 생각이 어떻게 바뀌었는지 정리해 보자.

임 씨가 옥상을 공사하는 모습을 보았을 때	임 씨가 견적서대로 돈을 받기 위해 일부러 열심히 일하는 시늉을 한다고 의심함.
임 씨가 수리비를 수정하여 내놓았을 때	임 씨의 순박하고 정직한 모습에 놀라며 고마워하고, 그를 의심한 것을 미안하게 생각함.
슈퍼에서 임 씨의 사연을 들었을 때	임 씨의 슬픔에 공감하며, 그에게 연민을 느낌.

3. 이 작품에 나오는 다음 공간의 상징적 의미를 말해 보자.

임 씨의 지하실 방		스웨터 공장 사장의 맨션아파트
정직하게 일한 노동자가 여전히 가난하게 사는 현실, 도시 빈민의 궁핍한 삶	↔	부당하게 부를 축적한 사람들이 여전히 잘사는 현실, 노동자를 착취한 결과로 경제적 부를 이룬 자본가의 삶

4. 이 작품은 1980년대에 발표된 소설집 『원미동 사람들』의 연작 중 하나이다. 다음에 제시된 작가의 말을 바탕으로 아래 활동을 해 보자.

> 처음으로 **원미동**을 찾던 날은 진눈깨비가 흩날리던 어느 겨울의 하오였다. 나는 만삭이었고, 이사 날짜는 매우 촉박해 있었다. 현실이 이러했을 때는 집에 대한 낭만적인 몽상 따위는 눈곱만큼도 남아 있지 않았었다. [중략] 그럼에도 낯선 동네는 그 이름으로 내게 큰 위안을 주었다. 멀고 아름다운 동네, 그 이름은 현실에 배반당한 모든 이들에게 불씨 같은 희망을 안겨 주려고 일부러 조립한 어휘처럼 내게 읽혔고, 나는 짐짓 그 희망을 받아들이자고 마음먹었다. 그리고 원미동에서만 두서너 번 이사를 다니면서 나는 비로소 깨달았다. 왜 아름답지만 멀어야 하는지를, 혹은 **멀지만 아름다운**지를.
>
> 그 깨달음의 보고서로 쓰여진 것이 『원미동 사람들』이었다.
>
> － 『경향신문』, 1992. 10. 11.

(1) 이 작품이 창작된 당시의 시대적 배경을 조사해 보고, 작가가 '원미동'이나 '가리봉동'을 공간적 배경으로 선택한 까닭을 말해 보자.

| 예시 답안 | '원미동'은 경기도 부천시에 있는 실제 지명으로, 1980년대에 경제적 어려움 때문에 서울에 정착할 수 없었던 이들이 밀려와 살던 곳이었다. 서울의 '가리봉동'은 당시 대표적인 공단 밀집 지역으로, 자본주의의 밑바닥 삶을 사는 공장 노동자들의 생활 공간이었다. 작가가 이러한 곳을 공간적 배경으로 설정한 것은 부조리와 모순으로 가득 찬 1980년대를 살아가는 가난한 소시민과 도시 빈민의 삶에서 진솔한 인간의 모습을 구현할 수 있다고 생각했기 때문이다.

(2) 위 글을 바탕으로 '원미동'과 '멀지만 아름다운'의 의미를 알아보자.

'원미동'의 의미	'멀고 아름다운 동네'라는 의미로, 경제적 어려움 때문에 서울에 편입되지 못한 소시민들이 밀려와 살던 곳을 상징한다. 1980년대 생활상을 보여 주는 상징적이고 보편적인 공간이다.
'멀지만 아름다운'의 의미	삶의 중심부에서 밀려난 소시민들이 사는 공간이므로, 멀지만 그곳은 가난한 사람들의 진솔한 삶의 모습이 아름답게 펼쳐지는 공간이라는 의미이다.

(3) 이 작품의 주제 의식을 바탕으로 문학의 가치에 대해 발표해 보자.

| 예시 답안 | 이 작품은 1980년대, 서울의 변두리에 위치한 원미동을 배경으로 하여 다른 사람에 대한 불신이 이해와 공감으로 변화하는 과정, 즉 소시민들 사이에서 벌어지는 일상의 갈등과 그 화해를 그려 내고 있다. 이렇듯 문학은 타인의 삶을 이해하고 상호 소통하는 태도를 가지게 하여 공동체적으로 조화를 이루며 살아야 함을 깨닫게 하는 가치가 있다.

5. 다음 작품을 「비 오는 날이면 가리봉동에 가야 한다」와 비교하여 읽고, 아래 활동을 해 보자.

[앞부분 줄거리] 가난한 시골 여인인 '나'는 도시에서 온 유식하고 세련된 남자를 헌신적으로 사랑한다. 하지만 시골 여인에게 싫증을 느낀 그에게 버림받는다. 절망에 빠져 돌아오던 '나'는 어두운 밤길에서 남자들이 오는 소리를 듣고 급하게 정미소로 몸을 숨긴다.

깐쭈가 노래를 부르기 시작했다.
_{깐쭈의 노래가 '나'의 심정을 대신 표현해 줌.}
사랑했나 봐 잊을 수 없나 봐 자꾸 생각나 견딜 수가 없어 후회하나 봐 널 기다리나 봐……
_{대중가요 「사랑했나 봐」의 일부}

나는 어둠 속에 몸을 숨긴 채로 그러나 나도 모르게 입을 달싹여 남자들이 부르는 노래를 따라 불렀다.
_{노래 가사가 '나'의 현재 상황과 유사함.}
바보인가 봐 한마디 못 하는 잘 지내냐는 그 쉬운 인사도 행복한가 봐 여전한 미소는 자꾸만 날 작아지게 만들어……

남자들이 노래를 뚝 멈추었다. 나도 입을 다물었다. 빗소리는 점점 더 거세졌다.

"싸부딘, 사장이 너무 불쌍해."
_{밀린 임금을 받기 위해 사장의 집에 갔으나 돈을 받지 못하고 돌아옴.}
"난 사장 죽도록 미웠어. 깐쭈, 너 때문에 오늘 일 다 망친 거야."

"난 사장님, 돈 줘 소리 못 하겠어. 사장 돈 없어, 몸 아파, 어머니 아파, 사장 슬퍼."
_{사장에게 임금을 착취당했음을 알 수 있음.}

"그래도 사장한테 말을 해야 했어."

"나는 사장님 돈 줘, 소리 못 해. 왜냐, 사장 돈 없어."
_{사장의 말을 믿는 깐쭈}

"깐쭈, 언제 떠나?"
_{고된 한국에서의 삶에 절망하고 고향인 네팔로 돌아가는 깐쭈}
"모레. 오늘 밤, 내일 밤 자고 모레. 내일은 시내 가서 음악 시디하고 고무장갑하고 소주하고 옷하고 신발하고 여러 가지를 살 거야."

"깐쭈, 넌 너희 나라 가면 뭐할 거야?"

"모르겠어. 가면, 엄마 아버지 누나 여동생 사촌들 만나고 산에 올라 달을 볼 거야. 우리나라 네팔 달 볼 거야. 내가 뭘 할 건지, 달한테 물어볼 거야. 싸부딘은?"
_{희망의 상징}

『"여동생이 한국 사람과 결혼했어. 시골이야. 동생이 남편한테 맞았어. 동생 많이 슬퍼. 형이 한국 여자랑 결혼했어. 형 여자 도망갔어. 조카 있어. 형이랑 조카 많이 슬퍼. 부모님 돌아가셨어. 우리나라 방글라데시
_{『 』: 한국에 살고 있는 이주민들의 고달픈 삶이 드러남.}

가도 나는 아무도 없어. 한국에 다 있어. 난 갈 수 없어. 형 다쳤어. 손가락 잘렸어. 조카 살려야 해."』

"싸부딘, 난 한국에서 슬플 때 노래했어. 한국 발라드야. 사장이 막 욕해. 나 여기, 심장 막 뛰어. 손가락 막 떨려. 눈물 막 흘러. 그럼 노래했어. 사랑 못 했어. 억울했어. 그러면 또 노래했어. 그러면 잠이 왔어. 그러면 꿈 속에서 달을 봤어. 크고 아름다운 네팔 달이야."
_{한국 생활로 인해 고단하고 슬픈 깐쭈에게 위안을 줌.}
_{위안과 위로를 줌.}
깐쭈가 다시 노래한다.

가을 우체국 앞에서 그대를 기다리다 노오란 은행잎
_{대중가요 「가을 우체국 앞에서」의 일부}
들이 바람에 날려 가고 지나는 사람들같이 저 멀리 가는 걸 보네……

　　　　　나는 어둠 속에 몸을 숨긴 채 또다시 따라 했다.

　　　　　　　　　　　　　– 공선옥, 「명랑한 밤길」에서

　작품 연구　공선옥, 「명랑한 밤길」

• **갈래**: 다문화 소설, 단편 소설
• **성격**: 사실적, 비판적
• **시점**: 1인칭 주인공 시점
• **배경**: 시간적─현대, 공간적─어느 농촌 마을
• **주제**: 이별의 상처로 괴로워하는 가난한 농촌 여성이 이주 노동자에게 느끼는 동질감
• **특징**: ① 날씨의 상태를 통해 인물의 심리를 간접적으로 드러냄.
　　　　② 인물의 대화와 행동을 통해 인물의 성격과 처지가 드러남.

---

(1) 위 작품에 나타난 '나'와 '남자들'이 처한 상황을 비교하여, 그 공통점을 파악해 보자.

인물들이 처한 상황	
나	가난한 농촌 여성으로, 도시에서 온 유식하고 세련된 남자에게 상처를 받음.
남자들	외국에서 온 이주 노동자로, 한국에서 밀린 임금을 받지 못한 데다가 한국 사람들에게 상처까지 받음.

공통점
누군가에게 상처를 받은 사회적 약자임.

(2) (1)의 활동을 바탕으로 위 작품의 창작 의도를 추론해 보자.

| 예시 답안 | • 소외된 사람들의 현실에 대한 따뜻한 연민과 건강한 극복 의지의 가능성을 보여 주고자 하였다.
• 밤길 같은 위태로운 현실 속에서 살아가는 사회적 약자들에게 내일의 희망을 간직하며 명랑하게 살아가자는 의도를 전달하기 위해 창작된 작품이라고 할 수 있다.

[3] 문학 활동의 생활화

이 단원에서는 문학 작품 읽기를 생활화하여 자신의 삶을 성찰하고, 타인의 삶을 이해하며, 공동체 구성원과의 유대감을 기를 수 있도록 한다. 이를 위해 스스로 독서를 생활화하는 방법을 익혀 실천할 수 있도록 한다.

문학 활동을 생활화해야 하는 까닭은 무엇일까?

　문학 활동의 생활화란 일상생활에서 문학 작품을 수용하고 생산하는 활동을 지속하
'문학 활동의 생활화'의 개념
는 것을 말한다. 문학 활동을 생활화하면 자신을 성찰하고, 삶의 본질을 이해할 수 있을
문학 활동 생활화의 의의 ①
뿐 아니라, 자아와 세계의 관계 속에서 인생의 가치도 파악할 수 있다. 또한 다양한 층위
의 공동체와 자신의 관계를 원만하게 유지하는 삶을 찾아볼 수도 있다. 나아가 공동체
문학 활동 생활화의 의의 ②
구성원과 더불어 할 수 있는 문학 활동이 이루어지면 공동체 구성원 사이의 정서적 교류
문학 활동 생활화의 의의 ③
가 가능하고, 상호 존중감과 유대감을 가질 수 있다. 이처럼 지속적이고 자발적으로 문학
문학 활동 생활화의 의의 ④
활동을 실천하면 스스로 자존감을 높이고 상생과 존중의 문화를 발전시킬 수 있게 된다.
지속적이고 자발적으로 문학 작품을 수용하고 생산하며 소통하는 태도를 지녀야 하는 이유　▶ 문학 활동 생활화의 개념과 효과

문학 활동을 생활화하는 방법은 무엇일까?

　문학 활동의 생활화 방법 중 가장 대표적인 것은 문학 작품을 즐겨 읽는 것이다. 또한
문학 활동의 생활화는 예술로서의 문학을 수용하고 생산하는 일을 일상생활의 차원에
서 지속해서 실천하는 것이다. 도서관에 가서 책을 선정하여 읽는 습관이나 문학 작품을
문학 활동 생활화의 방법 ①
감상하고 생산하는 활동이 이에 속한다. 문학 작품을 읽을 때는 읽는 과정에서 드는 생
문학 활동 생활화의 방법 ②
각, 질문, 감상을 메모하며 읽는다. 만약 매일 일정량을 읽는다면 메모한 내용을 독서 일
문학 활동 생활화의 방법 ③
지에 간단히 정리해 두는 것이 바람직하다. 문학 작품을 읽은 후에 책과 관련한 내용을
문학 활동 생활화의 방법 ④
나누는 과정도 문학 작품을 생활화하는 좋은 방법이다. 대화하기, 설명하기, 토의하기,
문학 작품에 관한 내용을 나누는 방법 ①
토론하기 등을 하며 읽은 내용에 관해 생각을 나누면 작품을 읽을 때 미처 알지 못했던
문학 활동 생활화의 효과
사실, 깨닫지 못했던 감동을 새롭게 얻을 수 있다. 또 서평 쓰기, 감상문 쓰기, 비평문 쓰
문학 작품에 관한 내용을 나누는 방법 ②
기, 인터뷰 기사 쓰기 등의 활동을 통해 읽은 작품을 자신의 관점으로 정리할 수 있다.
이런 활동을 바탕으로 자신만의 개성을 담아 작품을 생산해 낸다면 살아 있는 문학 활
문학 활동 생활화의 효과
동을 경험할 수 있을 것이다.　　　　　　　　　　　　　　　　　▶ 문학 활동 생활화의 방법

✔ 바로 확인 문제

1 문학 활동의 생활화란 지속적으로 문학 작품을 □□하고 □□하는 활동을 하는 것이다.

2 다음 설명이 맞으면 ○, 틀리면 X를 하시오.
　(1) 책 읽고 토의하기는 읽기 중 활동에 해당한다. 　　　　　　　　　　　(○, X)
　(2) 서평 쓰기에는 읽은 작품에 대한 자신의 관점이 반영되어 있다. 　　　(○, X)

|정답 | 1. 수용, 생산　　2. (1) X　(2) ○

탐구로 생각 열기

다음 상황을 보며, 평소 자신이 어떤 문학 활동을 하는지 생각해 보자.

| 예시 답안 | 나는 평소 학기가 시작하기 전에 한 학기에 읽을 책의 목록을 만들고, 시간을 정해 책을 읽는다. 그리고 책을 읽은 후에는 독서 일지를 반드시 작성한다. 또 학급 친구들과 독서 토론 동아리를 꾸려 한 달에 한 번 같은 책을 읽고 주제를 정해 진지하게 독서 토론을 한다. 이 활동을 하면 혼자 읽을 때 미처 생각지 못했던 것까지 깨닫게 되는 즐거움을 느낄 수 있다.

≫ 평소 우리는 다양한 문학 활동을 한다. 혼자 문학 작품을 읽기도 하고, 읽은 작품을 친구들과 토론하기도 하며, 직접 문학 작품을 창작하여 발표하기도 한다. 그렇다면 이런 문학 작품의 수용과 생산 활동이 우리 삶과 공동체 문화에 미치는 영향은 무엇일까?

한 권 읽기

쟁점이 있는 문학 독서 토론

우리는 문학 작품을 읽으면서 세상에는 다양한 가치가 존재하고, 또 각자 지향하는 가치가 다르기에 갈등이 발생한다는 것을 알게 된다. '쟁점이 있는 문학 독서 토론'은 이러한 가치관의 차이를 다룬 책을 읽은 후, 다른 사람들과 토론을 하여 자기 생각을 정리하도록 하는 활동이다. 공동체 구성원들은 이를 통해 다양한 생각의 차이를 이해하고, 다른 사람의 독서 결과를 공유하여 작품에 관한 이해의 폭과 깊이를 심화하게 된다.

자신의 문학 독서 습관을 점검한 후, 모둠별로 쟁점이 있는 문학 독서 토론을 하여 문학 활동을 생활화해 보자.

◉ 문학 독서 토론을 성공적으로 진행하기 위해서는 우선 읽을 책을 선정하는 것이 중요하다. 평소 자신이 책을 고르는 방식을 생각해 보고, 이를 친구들과 공유해 보자.

나의 책 선정 방식	
추천 목록 참조	학년별 추천 도서 목록을 참조하거나 각각의 학생들로부터 추천을 받아 다수결로 정하는 게 좋겠어.
토론의 주제	토론할 만한 내용을 담고 있는 책을 고르는 것이 중요해.
쟁점의 유무	찬성 측과 반대 측으로 나누어 토론하게 되는 쟁점이 있는가가 중요해.

친구들의 책 선정 방식	도움이 될 만한 책 선정 방식
|예시 답안| • 표지, 제목, 글쓴이, 목차, 추천사 등을 보고 선정한다. • 나의 수준에 맞는 책을 선정한다. • 좋은 평가를 받은 책을 선정한다. • 추천 도서 목록에 있는 책을 선정한다. • 토론할 만한 내용이 있으면서 찬성 측과 반대 측으로 나누어 토론하게 되는 쟁점이 있는 책을 선정한다.	|예시 답안| • 쟁점이 있는 문학 독서 토론을 위해서는 토론할 만한 내용을 가지고 있으면서, 토론의 쟁점을 뽑아낼 수 있는 논제 설정이 가능한 책을 선정한다.

문학 작품 선정하기

◉ 친구들과 모둠을 지어 함께 읽고, 이야기를 나누고 싶은 문학 작품을 선정해 보자.

(1) 친구들과 모둠을 만들고, 모둠의 특성에 어울리는 이름을 지어 보자.

(2) 다음을 참고하여 어떤 문학 작품을 함께 읽을지 모둠원끼리 이야기해 보자.

> **김지은**: 나는 요즘 어떻게 사는 게 잘 사는 것인지, 어떤 사회가 좋은 사회인지에 관해
> 고민하고 있어.
> **이상민**: 그렇구나. 많은 문학 작품에서 네가 하는 고민을 주제로 삼고 있어.
> **강소리**: 그러면 지은이가 이야기한 그런 주제를 다룬 문학 작품을 읽어 보자. 각자 감상한
> 내용이 다를 수 있으니 작품을 읽고 내용에 관해 토론을 해 보는 건 어떨까?
> **조나연**: 그래. 토론한 후에는 우리가 읽은 문학 작품을 소개하는 서평도 써 보자. 그러면
> 다른 모둠의 친구들과 이 작품에 관해 더 깊은 이야기를 나눌 수 있을 거야.
> **김지은, 이상민, 강소리**: 좋아, 그렇게 하자!

(3) 각자 도서관에 가거나 인터넷 서점에서 읽고 싶은 문학 작품을 찾아보고, 같이 읽어 보고 싶은 까닭을 정리해 보자.

책 제목	지은이	출판사	읽고 싶은 까닭
광장	최인훈	문학과 ○○	6·25 전쟁 당시 전쟁 포로였던 주인공이 석방될 때 남한도 북한도 아닌 중립국을 선택한 까닭을 알고 싶어.
아홉 켤레의 구두로 남은 사내	윤흥길	문학과 ○○	현대 사회에서 사회적 약자를 대하는 바람직한 태도에 대해 함께 이야기 나누고 싶어.

※ 빈칸을 채우고, 독서 토론 활동을 위한 책 선정 작업을 해 보자.

(4) 각자 찾아온 작품 중, 다음을 고려하여 모둠원이 함께 읽고 이야기를 나눌 문학 작품을 결정해 보자.

> ● 모둠원의 수준에 알맞은 문학 작품인가?
> ● 모둠원의 관심과 흥미를 불러일으킬 수 있는 작품인가?
> ● 쟁점이 있는 문학 작품인가?

이 외에 책 선정시 고려할 점
• 책의 분량이 읽기에 적절한가?
• 책의 내용이나 어휘가 읽기에 적절한가?
• 책의 내용이 학생들의 삶(현재의 삶뿐만 아니라 미래의 삶)과 관련이 있는가?

| 예시 답안 | 윤흥길의 「아홉 켤레의 구두로 남은 사내」는 1970년대 우리나라를 배경으로 하는 소설이므로 충분히 우리 모둠원이 읽을 만한 수준의 작품이라 판단된다. 또 사회적 약자에 대한 문제를 담고 있고 실제 사건을 소재로 삼고 있다는 점에서 우리 모둠원이 관심을 갖고 흥미 있게 읽을 수 있는 작품이라 생각된다. 그리고 주인공 '나'의 행위가 정당했는지를 쟁점으로 하여 논의할 만한 가치가 있으므로 독서 토론을 하기에 적절한 문학 작품이다. 이러한 점들을 모두 고려해 「아홉 켤레의 구두로 남은 사내」를 우리 모둠에서 읽을 문학 작품으로 결정하였다.

문학 작품 읽기

● 중요하거나 인상에 남는 내용, 느낌 등을 메모하며 책을 읽는다.

광장

최인훈

[전체 줄거리] 해방 후 평범한 대학생이었던 명준은 월북한 아버지 때문에 기관에 끌려가 고초를 받는다. 부패한 자본주의와 방탕한 자유만 존재하는 남한 사회에 환멸을 느낀 명준은 이상적인 삶을 찾아 월북한다. 그러나 북한은 이념에 의해 인간다운 삶이 억압되고 자유가 철저히 말살된 곳이었다. 6·25 전쟁이 일어나자 명준은 인민군 장교로 참전하여 낙동강 전선에서 은혜를 극적으로 만나지만, 그녀는 비극적인 죽음을 맞이하고 명준도 포로가 된다. 명준은 포로수용소에서 석방될 때 남한과 북한을 모두 거부하고 중립국으로 가겠다고 결정한다. 하지만 중립국으로 향하는 배에서 명준은 바다에 투신한다.

"중립국."

중국 대표가, 날카롭게 무어라 외쳤다. 설득하던 장교는, 증오에 찬 눈초리로 명준을 노려보면서, 내뱉았다.

"좋아."

눈길을, 방금 도어를 열고 들어서는 다음 포로에게 옮겨 버렸다.

다음은, 맞은편에 자리 잡은, 유엔 측 테이블로 걸어간다. 그는 아까처럼, 우뚝, 섰다.

"자넨 어디 출신인가?"

"……"

"흠, 서울이군."

설득자는, 앞에 놓인 서류를 뒤적이면서,

"중립국이라지만 막연한 얘기요. 제 나라보다 나은 데가 어디 있겠어요. 외국에 가 본 사람들이 한결같이 하는 얘기지만, 밖에 나가 봐야 조국이 소중하다는 걸 안다구 하잖아요? 당신이 지금 가슴에 품은 울분은 나도 압니다. 『대한민국이 과도기적인 여러 가지 모순을 가지고 있는 걸 누가 부인합니까?』 그러나 대한민국엔 자유가 있습니다. 인간은 무엇보다도 자유가 소중한 것입니다. 당신은 북한 생활과 포로 생활을 통해서 이중으로 그걸 느꼈을 겁니다. 인간은……"

"중립국."

[본문 주석]

한 상태에서 다른 상태로 옮아가거나 바뀌어 가는 도중의 시기 (과도기적)

남한 정부에 대한 실망감

『 』: 새로운 사회를 만들어 가는 과정에서 사회적 모순을 안고 있다는 것을 부인하지 않는다는 말

명준이 '중립국'이라는 말만 되풀이하는 의도는 무엇일까?

작품 연구

• 갈래: 장편 소설, 관념 소설, 분단 소설
• 성격: 회고적, 독백적, 관념적, 철학적
• 시점: 전지적 작가 시점
• 배경: 시간적−해방 직후부터 6·25 전쟁, 공간적−남한과 북한, 인도양
• 주제: 분단 이데올로기의 갈등 속에서 이상적인 삶의 방식을 추구하는 인간의 모습
• 특징: ① 과거를 회상하는 방식으로 서술함.
② 부분적으로 의식의 흐름 기법을 활용함.

핵심 쏙쏙

● '광장'과 '밀실'의 상징적 의미

광장	사회 구성원들이 공동의 이념을 추구하면서 바람직한 사회 건설을 위해 토론하고 실천하는 공간
밀실	개인이 삶의 행복을 추구하고 사랑을 나누며 자신의 역량을 키워 나가는 공간

➜ 주인공 이명준은 '광장'과 '밀실'이 조화를 이룬 삶을 추구하지만, 극단의 이념이 지배하는 남북에서는 그러한 바람이 성취될 수 없음을 깨달음.

『"허허허, 강요하는 것이 아닙니다. 다만 내 나라 내 민족의 한 사람이, 타향 만 리 이국 땅에 가겠다고 나서니, 동족으로서 어찌 한마디 참고 되는 이야길 안 할 수 있겠습니까? 우리는 이곳에 남한 2천만 동포의 부탁을 받고 온 것입니다. 한 사람이라도 더 건져서, 조국의 품으로 데려오라는……."』

_{「 」: 같은 민족으로서 지니는 민족애를 들어 호소함.}

"중립국."

"당신은 고등 교육까지 받은 지식인입니다. 조국은 지금 당신을 요구하고 있습니다. 당신은 위기에 처한 조국을 버리고 떠나 버리렵니까?"

_{조국은 과도기적 상황이기에 새로운 사회를 만들기 위해서는 명준과 같은 지식인이 필요한 상황이라는 말}

"중립국."

"지식인일수록 불만이 많은 법입니다. 그러나, 그렇다고 제 몸을 없애버리겠습니까? 종기가 났다고 말이지요. 당신 한 사람을 잃는 건, 무식한 사람 열을 잃는 것보다 더 큰 민족의 손실입니다. 당신은 아직 젊습니다. 우리 사회에는 할 일이 태산 같습니다. 나는 당신보다 나이를 약간 더 먹었다는 의미에서, 친구로서 충고하고 싶습니다. 조국의 품으로 돌아와서, 조국을 재건하는 일꾼이 돼 주십시오. 낯설은 땅에 가서 고생하느니, 그쪽이 당신 개인으로서도 행복이라는 걸 믿어 의심치 않습니다. 나는 당신을 처음 보았을 때, 대단히 인상이 마음에 들었습니다. 뭐 어떻게 생각지 마십시오. 나는 동생처럼 여겨졌다는 말입니다. 만일 남한에 오는 경우에, 개인적인 조력을 제공할 용의가 있습니다. 어떻습니까?"

명준은 고개를 쳐들고, 반듯하게 된 천막 천정을 올려다보았다. 한층 가락을 낮춘 목소리로 혼잣말 외듯 나직이 말했다.

"중립국."

설득자는, 손에 들었던 연필 꼭지로, 테이블을 툭 치면서, 곁에 앉은 미군을 돌아보았다. 미군은, 어깨를 추스르며, 눈을 찡긋하고 웃었다. ▶ 명준을 설득하는 것을 포기하는 남한 측 설득자들

나오는 문 앞에서, 서기의 책상 위에 놓인 명부에 이름을 적고 천막을 나서자, 그는 마치 재채기를 참았던 사람처럼 몸을 벌떡 뒤로 젖히면서, 마음껏 웃음을 터뜨렸다. 눈물이 찔끔찔끔 번지고, 침이 걸려서 캑캑거리면서도 그의 웃음은 멎지 않았다. ▶ 중립국행을 선택한 후 웃음을 터뜨리는 명준

핵심 쏙쏙

◉ 남한 측 설득자의 회유 방식

사회의 모순을 직시하고 이상적인 사회에 대한 동경이 큰 지식인일수록 현재의 사회 현실에 불만이 많을 수밖에 없지만 이런 이유로 현실 자체를 송두리째 부정하는 것은, 마치 종기가 났다고 제 몸을 없애 버리려는 것처럼 어리석은 일이라고 설득한다.

◉ 이명준이 중립국행을 선택한 이유

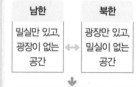

남한	북한
밀실만 있고, 광장이 없는 공간	광장만 있고, 밀실이 없는 공간

남북 어디에서도 진정한 삶을 누릴 수 없다고 판단하여 중립국행을 선택함.

◉ 「광장」의 문학사적 의의

이 작품은 1950년대 이후 본격적으로 이념적 문제를 인간의 근원적 삶의 문제와 결부시켜 철학적으로 해명하려 한, 최인훈의 대표작이다. 분단 현실과 이념을 표면적으로 문제화하는 것을 금기시했던 당시 시대적 상황에서, 이 작품은 분단과 이념 문제를 본격적으로 다룬 최초의 소설이라는 점에서 문학사적 의의를 지닌다.

독서 일지 작성하기

예시 활동

독서 일지

책 읽기: 35분　　**독서 일지 쓰기: 15분**

책 제목	광장	읽은 날짜	20○○. 3. 11.
글쓴이	최인훈	읽은 쪽	159쪽 ～ 202쪽

중심 내용	6·25 전쟁 중 인민군 장교로 참전하게 된 이명준은 낙동강 전선에서 사랑하던 은혜를 극적으로 만난다. 그러나 그녀는 비극적으로 죽고, 명준은 포로가 된다. 포로수용소에서 석방될 때, 명준은 남한과 북한을 모두 거부하고 중립국을 선택한다. 하지만 중립국으로 향하는 배에서 명준은 바다에 투신한다.
인상에 남는 부분	전쟁 포로인 명준이 남과 북을 거부하고 중립국을 선택한 후 크게 웃던 장면
인상에 남는 부분과 관련한 내 생각과 경험	이명준이 단순히 기뻐서 웃는 것이 아니라고 느꼈다. 그의 웃음에는 자신의 결정을 끝내 지켰다는 통쾌함도 담겨 있지만, 어쩔 수 없이 중립국을 선택할 수밖에 없었던 허탈과 비애도 담겨 있다고 생각했다. 나도 이명준처럼 어쩔 수 없는 선택을 하고 난 후 그 선택의 결과를 마냥 기뻐하지 못했던 경험이 있다.
궁금한 점	이명준이 포로수용소에서 풀려날 때 남한도 북한도 아닌 중립국을 선택한 것은 정당한 것일까?
더 하고 싶은 말	내가 이명준과 비슷한 처지라면 어떤 선택을 했을까? 그가 한 선택이 정당한가의 문제를 친구들과 토론하고 싶다.
선생님 의견	주인공의 심리를 명확히 파악하였고, 작품을 능동적, 주체적으로 읽으려 했군요. 이명준의 선택을 찬성하는지, 반대하는지를 놓고 토론하면 재미있는 토론이 될 것 같군요.

◉ 〈예시 활동〉을 참조하여 모둠에서 선정한 책을 읽고, 독서 일지를 써 보자.

적용 활동

독서 일지

책 읽기: 35분　　　**독서 일지 쓰기: 15분**

책 제목	아홉 켤레의 구두로 남은 사내	읽은 날짜	20○○. ○. ○.
글쓴이	윤흥길	읽은 쪽	207쪽~220쪽

중심 내용	'나'의 집 문간방에 세 들어 사는 권 씨는 우연찮게 시위 주동자가 되어 징역을 산 후, 직장을 잃고 가난하게 살고 있다. 그런 권 씨가 셋째 아이의 출산이 임박해지자 집주인인 '나'에게 병원비를 부탁하지만 '나'는 거절한다. 뒤늦게 잘못했다는 생각이 든 '나'는 어렵게 돈을 마련하여 권 씨 아내의 병원비를 대 준다. 그날 밤, '나'의 집에 강도가 들었는데, 그는 다름 아닌 권 씨였다. 권 씨는 '나'가 병원비를 대 준 사실을 모른 채 강도로 침입한 것이었다. 권 씨는 '나'에게 정체를 들키지만, '나'는 그를 배려하는 마음으로 끝까지 강도로 대우한다. 하지만 권 씨는 '나'의 그런 배려에 자존심이 상했는지 아홉 켤레의 구두를 남긴 채 집을 나가 버린다.
인상에 남는 부분	강도로 위장한 권 씨가 자신이 강도로 변장한 사실을 잊고 엉겁결에 자신이 세 들어 살고 있는 문간방으로 들어가려다, '나'가 대문 방향을 알려 주자 '나 대학까지 나온 사람이오.'라고 말하는 장면
인상에 남는 부분과 관련한 내 생각과 경험	나에게는 남들은 모른다고 생각한 나만의 비밀이 있었다. 그런데 정말 친한 나의 친구가 이미 그 비밀을 알고 있었는데도 내가 민망할까 봐 일부러 모른 척해 주었다. 나중에 그 사실을 알게 된 나는 매우 부끄러워서 말을 못했고, 그다음엔 그 사실에 대해 말할 기회를 찾지 못하여 그 친구와 완전히 멀어져 버렸다. 그래서 나는 그 친구가 차라리 처음부터 그 비밀에 대해 알고 있다고 말해 주었으면 더 좋았을 것이라고 생각했다.
궁금한 점	'나'가 끝까지 권 씨를 강도로 대한 행위는 바람직한 것이었을까?
더 하고 싶은 말	'나'는 권 씨를 배려하는 마음에서 그를 강도로 대해 주었지만, 결국 권 씨는 집을 나가고 말았다. 내가 작중 인물인 '나'의 입장이라면 어떻게 행동할지에 대해 친구들과 의견을 나누고 싶다.
선생님 의견	'궁금한 점'의 내용은 좋은 쟁점이 될 만한 사안입니다. 이를 바탕으로 사회적 약자를 대하는 태도에 대해 많은 의견을 나누었으면 좋겠어요.

독서 토론하기

 ● 모둠에서 선정한 책에서 토론할 만한 논제를 정해 토론 개요서를 작성하고, 이를 바탕으로 독서 토론을 한다.

1. 각자 책을 읽으며 모둠원과 토론하고 싶은 쟁점을 정리하고, 그중 하나를 선택해 보자.

이름	토론하고 싶은 쟁점	까닭
김지은	이명준의 중립국 선택은 정당한가?	조국을 등지고 낯선 중립국에서 살겠다는 이명준의 선택이 정당했는지에 관한 친구들의 생각을 알고 싶어서

2. 모둠에서 정한 논제로 토론 개요서를 작성하고, 이를 바탕으로 독서 토론을 해 보자.

찬반 토론 개요서

모둠원	김지은, 이상민, 강소리, 조나연
논제	이명준의 중립국 선택은 정당하다.
주장	이명준의 선택은 정당하지 않다.
근거	당시 남한과 북한은 바람직한 사회가 아니었다. 남한은 자유롭지만 방탕했고, 북한은 개성적 삶이 무시되고 자유가 말살된 곳이었다. 이러한 상황이라면 이명준은 어느 쪽이든 선택해 그 사회를 바로잡기 위해 노력했어야 했다. 자신이 속한 사회가 싫다고 하여 떠나 버리면 조국의 미래는 어떻게 될 것인가. 따라서 자신의 안위만을 위해 조국을 버린 그의 행위는 정당하다고 볼 수 없다.
예상되는 반론	그의 중립국 선택은 최고의 선택은 아니지만, 최선의 선택이었다. 그동안 조국은 그에게 상처만 주었다. 그리고 그는 전쟁으로 인해 사랑하는 사람마저 잃었다. 그러나 그가 선택한 중립국은 외롭지만 나름대로 누구에게도 간섭받지 않는 자유로운 세계라 할 수 있다. 따라서 그의 선택은 정당하다고 볼 수 있다.
나의 재반론	중립국은 이명준이 진정으로 추구한 세계가 아니다. 괴로운 현실에서 잠시나마 벗어나기 위한 도피처에 불과하다. 사랑하는 사람이 없는 그곳에서의 삶이 행복할 리 없다. 그도 이런 사실을 알기에 중립국으로 가는 배에서 투신한 것이다. 따라서 그의 선택은 정당하지 않다.
토론 소감 및 평가	이명준의 상황에 처해 보지 않아서 내가 그의 입장이 될 때 어떤 선택을 할지 잘 모르겠다. 하지만 어떤 선택을 해도 만족스럽지는 않을 것이다. 이명준처럼 죽을 수도 살 수도 없게 만드는 전쟁의 비극이 다시는 이 땅에서 일어나지 않았으면 좋겠다는 생각을 했다.

적용 활동

◉ 모둠별로 읽은 작품을 바탕으로, 실제 독서 토론을 해 보자.

옆의 예시를 잘 살펴보았죠. 이제 우리도 모둠을 만들어 읽은 책의 내용에서 쟁점을 정리하여 토론 개요서를 작성해 보아요.

1. 각자 책을 읽으며 모둠원과 토론하고 싶은 쟁점을 정리하고, 그중 하나를 선택해 보자.

이름	토론하고 싶은 쟁점	까닭
김병찬	권 씨를 강도로 대했던 '나'의 행동은 바람직한가?	타인을 진정으로 배려하는 자세에 대해 토론해 보고 싶어서
박가영	아내의 병원비 때문에 강도가 된 권 씨의 행위는 정당하다고 할 수 있는가?	권 씨와 같은 상황에 처했을 때 어떤 선택을 하는 것이 바람직할지에 대해 토론해 보고 싶어서

찬반 토론 준비 활동
· 토론은 주장의 근거가 무엇인지를 구체적으로 제시하는 논리적 말하기 과정임.
· 내 주장의 근거를 찾아서 정리하고 상대방의 근거에 대해서 어떻게 반박할 것인지 준비하는 과정이 필요함.

논제를 정하는 기준
· 구성원들의 흥미와 관심이 반영되어야 함.
· 찬반 토론이 가능하게 쟁점이 명확하게 드러나야 함.

2. 모둠에서 정한 논제로 토론 개요서를 작성하고, 이를 바탕으로 독서 토론을 해 보자.

찬반 토론 개요서

모둠원	김병찬, 박기현, 장미소, 성유빈, 전진한, 민아영
논제	권 씨를 끝까지 강도로 대한 '나'의 행위는 바람직하다.
주장	'나'의 행위는 바람직하지 않다.
근거	'나'는 강도가 권 씨임을 알고도 그를 강도로 대했다. 어쩔 수 없이 강도가 될 수밖에 없었던 권 씨의 처지를 이해하며 그의 자존심을 지켜주기 위해서이다. 그러나 결과적으로 이런 행동은 권 씨의 자존심을 더 상하게 만들었고 결국 권 씨는 가족들이 있는 집을 떠나게 된다. '나'가 처음부터 강도가 권 씨임을 알아챘음을 밝히고, 문제 해결을 위한 대화를 나누었다면 권 씨가 가족을 떠나는 일까지는 발생하지 않았을 것이다. 따라서 '나'의 행위는 바람직하지 않다.
예상되는 반론	권 씨는 자존심이 매우 강한 사람이다. 이런 권 씨가 강도가 된 것은 아내와 태어날 아기를 지키기 위한 어쩔 수 없는 선택이었다. 따라서 권 씨가 자신의 정체를 '나'에게 들켰다고 생각했더라도 '나'가 그의 정체를 알고 있다는 사실을 밝힐 필요는 없다. 만약 그때 '나'가 강도의 복면을 벗게 만들었다면 권 씨는 마지막 남은 자존심마저 무너져 내렸을 것이고, 영원히 집에 돌아오지 않을 것이다.
나의 재반론	권 씨가 자존심이 강한 사람이라는 것은 인정한다. 다만 그의 자존심을 지켜 주는 방식이 잘못되었다는 것이다. 그의 정체를 밝히지 않음으로써 권 씨는 강도 행위를 뉘우칠 기회를 얻지 못하게 되었다. 잘못은 누구나 저지를 수 있지만 그 잘못을 반성하고 새로운 삶을 살도록 계도하는 것이 권 씨에 대한 진정한 배려라고 생각한다.
토론 소감 및 평가	타인을 배려하는 행위를 할 때 신중해야 한다는 점을 깨닫게 되었다. 특히 권 씨처럼 절박한 상황에 놓인 사회적 약자를 대할 때는 더 신중해야 할 것이다. 앞으로 타인을 배려할 때 나의 관점이 아니라 그 사람의 관점에서 생각한 후 행동해야겠다고 다짐했다.

사 회 자

서평 쓰기

● 독서 토론을 마친 후, 읽은 작품에 관하여 풍성하게 이해할 수 있었을 것이다. 이를 바탕으로 읽은 작품을 소개하는 서평을 써 보자.

1. 모둠원끼리 「광장」을 소개하기 위한 서평을 작성해 보자.

| 초고 |

우리가 서 있어야 할 자리

– 최인훈의 「광장」을 읽고

우리는 살아가면서 무수히 많은 삶의 갈림길에 서게 되고, 그 선택의 순간에서 갈등한다. 어떤 선택이 바람직한 것일지에 관한 답을 찾기 위해 이 책을 읽게 되었다. 이 작품을 읽고 깨달은 것은 인간이라면 누구나 '어떻게 살아야 할 것인가'에 관한 고민을 갖고 산다는 것이다.

이 작품에서 가장 중요한 단어는 '광장'과 '밀실'이다. 광장은 사회 구성원들이 공동의 이념을 추구하며 실천하는 사회적 공간이다. 반면에 밀실은 개인적 사고와 행동이 자유로운 개인의 내밀한 삶의 공간이다. 해방 후 남북으로 갈라진 상황에서 많은 지식인들은 남한과 북한 중 어느 한쪽을 선택했어야 했다. 그런데 남한은 광장은 없고 밀실만 있었으며, 북한은 밀실은 없었고 광장만 존재했다. 그 어느 곳에도 정착하지 못한 이명준이 선택한 것은 바로 사랑이었다. 그러나 남과 북의 전쟁은 그가 선택한 최고의 안식처마저 파괴하였다.

이야기의 끝에 가서 포로가 된 이명준은 중립국을 택한다. 중립국을 선택한 명준의 행동은 비극적 종말을 예고한 것이다. 남과 북에서 진실한 삶을 찾고자 하였으나 어느 곳에도 진실을 발견하지 못한 그는 결국 극단적 종말을 선택한 것이다.

개인의 삶은 시대를 빼고는 이야기할 수 없다. 명준의 삶 역시 그러했다. 이 작품을 읽고, 내가 살고 있는 시대를 다시 한번 생각해 보게 되었다.

2. 모둠원끼리 초고를 읽어 본 후, 다음의 기준에 따라 평가하여 수정, 보완해 보자.

책의 핵심적인 내용을 제대로 파악하였는가?	☆☆☆☆☆
자신들의 경험과 생각을 책의 내용과 잘 연결하였는가?	☆☆☆☆☆
자기 생각을 구체적인 근거로 뒷받침하였는가?	☆☆☆☆☆
글의 구성에 짜임새가 있고 흐름이 자연스러운가?	☆☆☆☆☆

3. 각 모둠의 완성된 서평을 서로 교환하여 읽어 보자.

적용 활동

◉ 모둠에서 읽고 독서 토론을 한 작품을 소개하기 위한 서평을 쓰고, 이를 반 친구들과 공유하여 보자.

1. 모둠별로 토론한 내용을 바탕으로, 모둠에서 읽은 작품의 서평을 작성해 보자.

서평 쓰기는 읽은 작품을 자신의 관점으로 정리하는 활동이야. 자신만의 개성을 담아 작품을 생산해 보자.

| 예시 답안 |

누구에게나 지키고 싶은 마지막 자존심이 있다

– 윤흥길의 「아홉 켤레의 구두로 남은 사내」를 읽고

인간은 존엄한 존재이고, 인간의 존엄은 성별, 종교, 인종, 재산, 계급을 초월한다. 인간의 존엄 의식은 자존심을 지키는 행위로 드러난다. 물리적 억압, 육체적 고통보다 인간을 더 괴롭히는 것은 정신, 즉 자존심을 무너뜨리는 것이다. 이 작품은 극한의 상황에서도 자존심을 지키려는 한 인간의 간절함을 보여 주고 있다.

이 작품의 시대적 배경이 되는 1970년대는 산업화·도시화 과정에서 가난한 이들이 사회의 폭력적 구조로 인해 억압당하던 시절이다. 작품 속 권 씨는 그 폭압에 맞서 보지만 결국 범법자가 되고, 아내의 출산 비용마저 마련하지 못하는 무능력한 존재로 전락한다. 그럼에도 그가 끝까지 지키고자 했던 것은 자존심이다. 자신이 안동 권 씨로 대학교를 나왔다고 강변하고, 막노동으로 하루하루를 연명하면서도 반짝이는 아홉 켤레의 구두를 소유한 것은 권 씨가 얼마나 자존심을 중시하는지를 말해 준다.

누구에게나 지키고 싶은 자존심이 있다. 같은 사회에 속한 구성원이라면 타인이 지닌 자존심을 존중해 주어야 한다. 하지만 존중의 방식을 선택할 때에는 신중해야 한다. '나'는 권 씨의 처지를 이해하고 배려하는 마음에서 강도가 권 씨라는 것을 알면서도 모르는 척하지만 결국 그의 마음을 더 다치게 한다. 이는 상대방을 고려하지 않는 배려가 독이 될 수도 있음을 보여 주고 있다.

2. 자신이 쓴 초고를 읽어 본 후, 다음의 기준에 따라 평가하여 수정, 보완해 보자.
| 예시 답안 | 생략

책의 핵심적인 내용을 제대로 파악하였는가?	☆☆☆☆☆
자신들의 경험과 생각을 책의 내용과 잘 연결하였는가?	☆☆☆☆☆
자기 생각을 구체적인 근거로 뒷받침하였는가?	☆☆☆☆☆
글의 구성에 짜임새가 있고 흐름이 자연스러운가?	☆☆☆☆☆

3. 완성된 서평을 발표하고, 서로 교환하여 읽어 보자.
| 예시 답안 | 생략

> **보충 자료** 「아홉 켤레의 구두로 남은 사내」의 시대적 상황과 주제
>
> 이 작품은 1970년대 성남 택지 개발을 둘러싼 당시 정부의 불합리한 정책과 그로 인해 희생된 소외 계층의 반발이라는 갈등을 형상화한 소설이다. 1970년대에는 급속한 산업화, 도시화와 함께 지식인 계층의 사회 부적응이 중요한 문제로 부각되기 시작했다. 이러한 문제는 특히 소시민들 사이에 팽배했는데, 권 씨는 당시의 이런 상황을 잘 보여 준다. 그리하여 이 소설은 산업화·도시화로 인한 새로운 사회 변화에 따라 파생되는 갈등 유형을 보여 준다. 사회에서 소외된 가난한 이의 애처로운 삶과 자존심을 소재로 하여 산업화의 흐름에서 소외된 계층의 삶에 대한 연민과 현실을 고발하고 있는 것이다.

1 문학의 본질과 가치

[1] 문학의 본질

01 「그 복숭아나무 곁으로」   문학이 독자 자신과 자신을 둘러싼 세계를 새롭게 ❶□□할 수 있게 한다는 점을 배웠다. 나아가 이런 체험을 통해 깨닫게 된 점을 자신의 삶에 적용하여 대상에 관한 진정한 ❷□□를 인식하는 태도를 생각해 볼 수 있었다.

02 「두근두근 내 인생」   문학이 독자에게 주는 감동과 문학 언어의 아름다움을 학습하였다. 또 문학은 어떻게 사는 것이 바람직한 삶인지를 생각해 보게 하는 ❸□□□ 기능도 있음을 알게 되었다.

문학이 인간과 세계에 관한 이해를 돕고, 삶의 의미를 깨닫게 하며, 정서적·미적으로 삶을 고양함을 이해하였는가?

| 1 | 2 | 3 | 4 | 5 |

|정답| ❶ 인식 ❷ 가치 ❸ 윤리적

[2] 문학의 가치

01 「흰 바람벽이 있어」   문학이 독자 자신의 삶을 ❶□□할 수 있는 계기를 마련해 준다는 점을 알게 되었다. 그리고 자기 성찰에서 깨닫게 된 점을 바탕으로 자신의 삶에 관한 문제를 제기하고 그 해결 방안을 모색함으로써 자아를 성장시킬 수 있음을 배웠다.

02 「비 오는 날이면 가리봉동에 가야 한다」   문학이 가치관이나 삶의 배경이 다른 타자의 삶을 이해할 수 있게 한다는 점을 알게 되었다. 또 문학을 통해 타인과 ❷□□하는 태도를 익히고, 나아가 문학이 바람직한 공동체 사회를 이루어 나가는 중요한 역할을 할 수 있다는 점을 배웠다.

문학 작품을 감상함으로써 자아를 성찰하고 타자를 이해하며 상호 소통하는 태도를 지닐 수 있다는 점을 알게 되었는가?

| 1 | 2 | 3 | 4 | 5 |

|정답| ❶ 성찰 ❷ 소통

[3] 문학 활동의 생활화

01 쟁점이 있는 문학 독서 토론 「광장」   문학 작품을 생활화하는 다양한 방법을 익혔다. 또한 이를 바탕으로 자아와 세계의 관계 속에서 인생의 가치를 발견하고 ❶□□□ 문화를 발전시킬 수 있는 방안을 생각할 수 있게 되었다.

문학 활동을 생활화하면 인간다운 삶을 가꾸고 공동체의 문화 발전에 기여하는 태도를 지닐 수 있다는 점을 알게 되었는가?

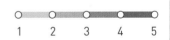

| 1 | 2 | 3 | 4 | 5 |

|정답| ❶ 공동체

핵심 질문 되돌아보기

- 문학의 본질은 인간과 세계를 이해하고, 삶의 의미를 깨닫게 하며, 정서적·미적으로 삶을 고양하는 데 있다.

- 우리는 문학 작품을 읽음으로써 자아를 성찰하고, 타자를 이해하며 상호 소통하는 태도를 지닐 수 있다.

- 지속적이고 자발적으로 문학 활동을 생활화하면 인간다운 삶을 가꾸고, 공동체의 문화 발전에 기여하는 태도를 지닐 수 있다.

창의·융합

영화 「죽은 시인의 사회」와 가장 잘 어울리는 '환상의 짝꿍'을 찾아 주려고 합니다. 이 영화와 가장 잘 어울리는 짝꿍을 선정해 주세요.

1 시

『세상에서 가장 어려운 일은
「　」: 강아지를 용서하지 못하는 자신의 모습을 성찰함.
사람의 마음을 얻는 일이라는데

나는 한 마리 강아지의 마음도 얻지 못하고

어떻게 사람의 마음을 얻을 수 있을까』

진실로 사랑하기를 원한다면

용서하는 법을 배워야 한다고

윤동주 시인은 늘 내게 말씀하시는데
화자의 삶에 지침이 되는 인물
나는 밥만 많이 먹고 강아지도 용서하지 못하면서
　　　윤동주 시인의 말을 떠올리며 자신의 태도를 반성함.
어떻게 인생의 순례자가 될 수 있을까

강아지는 이미 의자 밑으로 들어가 보이지 않는다
화자는 구두에 오줌을 싼 강아지를 용서하지 못하고 구두를 던졌음.
오늘도 강아지가 먼저 나를 용서할까 봐 두려워라

　　　　　　－ 정호승, 「윤동주 시집이 든 가방을 들고」에서

사랑과 용서의 소중함을 알면서도 강아지도 용서하지 못한 화자의 옹졸함을 되돌아보게 한 시인 윤동주. 자아 성찰을 가능하게 하며 문학의 가치를 알려 주는 「윤동주 시집이 든 가방을 들고」는 「죽은 시인의 사회」와 환상의 짝꿍!

2 소설

''아몬드'라 불리는 편도체 이상으로 감정 표현 불능증에 걸린 17세 소년 윤재. 윤재는 할머니와 어머니가 강도의 칼에 찔릴 때에도 공포나 두려움을 느끼지 못하고, 눈물조차 흘리지 못한다. 주위 사람들에게 괴물 취급을 받던 윤재는 깊이 있는 독서와 주변 어른들의 조언, 그리고 문제아로 낙인찍혔던 친구 곤이와의 소통을 통해 서서히 감정을 느낄 수 있게 되는데……

　　　　　　－ 손원평, 「아몬드」

감정을 느끼지 못했던 윤재는 「호밀밭의 파수꾼」을 반복하여 읽으며 '감정'이라는 것을 이해하려 한다. 문학 작품을 읽으면서 공감의 정서를 키워 가는 윤재, 우리와 비슷한 나이의 청소년이 주인공인 소설 「아몬드」는 「죽은 시인의 사회」와 환상의 짝꿍!

3 노래

어린 왕자가 내게 말했어 / 사람이 사람의 맘을 얻는 일이라는 게 / 가장 어렵다고 그렇다며 내게 다가와 / 어린 왕자가 내게 말했어 / 지금은 슬프겠지만 / 우린 서로 떨어질 수 없게 된다고 / 나와 함께 웃고 싶을 거라고 / 너에게 길들여져 누구도 볼 수가 없어 / 그렇게 오늘도 나 / 널 그리며 눈물이 흘러

　　　　　　－ 려욱, 「어린 왕자」에서

생텍쥐페리의 소설 「어린 왕자」의 내용을 사랑하는 이와 이별한 자신의 상황에 담아 노래한 「어린 왕자」. 문학 작품을 소재로 하여 사랑과 삶을 형상화하고 있는 노래 「어린 왕자」는 「죽은 시인의 사회」와 환상의 짝꿍!

1. 여러분이 뽑은 '환상의 짝꿍'은 무엇인가요? 그 까닭을 말해 보세요.

| 예시 답안 | 「죽은 시인의 사회」의 키팅 선생님은 문학과 삶에 관해 학생들에게 가르침을 준다. 이후 학생들은 자신의 삶을 스스로 성찰하고 변화해 나가는 모습을 보인다. 정호승의 「윤동주 시집이 든 가방을 들고」의 화자 또한 윤동주의 시집을 통해 자신의 삶을 성찰하고 변화하고자 하는 의지를 보이고 있다. 따라서 「죽은 시인의 사회」의 환상의 짝꿍이라고 생각한다.

2. 여러분도 「죽은 시인의 사회」와 '환상의 짝꿍'이 될 만한 후보를 추천해 보세요.

| 예시 답안 | 법정, 「무소유」. 난초에 얽힌 경험을 통해 얻은 깨달음에 관한 수필로, 무소유의 자세를 갖게 될 때 진정한 행복을 느낄 수 있다는 깨달음을 전하고 있다. 작가의 인생관과 가치관을 통해 인식적 가치를 담아내고 있는 「무소유」를 환상의 짝꿍으로 추천한다.

[01~04] 다음 시를 읽고, 물음에 답하시오.

가 너무도 여러 겹의 마음을 가진
　그 복숭아나무 곁으로
　나는 왠지 가까이 가고 싶지 않았습니다
　흰꽃과 분홍꽃을 나란히 피우고 서 있는 그 나무는 아마
　사람이 앉지 못할 그늘을 가졌을 거라고
　멀리로 멀리로만 지나쳤을 뿐입니다
　흰꽃과 분홍꽃 사이에 수천의 빛깔이 있다는 것을
　나는 그 나무를 보고 멀리서 알았습니다
　눈부셔 눈부셔 알았습니다
　피우고 싶은 꽃빛이 너무 많은 그 나무는
　그래서 외로웠을 것이지만 외로운 줄도 몰랐을 것입니다
　그 **여러 겹의 마음을 읽**는 데 참 오래 걸렸습니다

　흩어진 꽃잎들 어디 먼 데 닿았을 무렵
　조금은 심심한 얼굴을 하고 있는 그 ㉠ 복숭아나무 그늘
에서
　가만히 들었습니다 저녁이 오는 소리를

나 숲을 멀리서 바라보고 있을 때는 몰랐다
　나무와 나무가 모여
　어깨와 어깨를 대고
　숲을 이루는 줄 알았다
　나무와 나무 사이
　넓거나 좁은 간격이 있다는 걸
　생각하지 못했다
　벌어질 대로 최대한 벌어진,
　한데 붙으면 도저히 안 되는,
　기어이 떨어져 서 있어야 하는,
　나무와 나무 사이
　그 **간격과 간격이 모여**
　울울창창(鬱鬱蒼蒼) 숲을 이룬다는 것을
　산불이 휩쓸고 지나간
　㉡ 숲에 들어가 보고서야 알았다

---

01 **가**와 **나**에 대한 설명으로 적절하지 <u>않은</u> 것은?

① **가**는 지시어를 사용하여 특정 대상에 주목하게 하고 있다.
② **가**는 도치법으로 시상을 마무리하여 시적 여운을 주고 있다.
③ **나**는 유사한 형태의 시구를 반복하여 운율을 형성하고 있다.
④ **가**와 **나** 모두 경어체를 사용해 대상에 대한 깨달음을 드러내고 있다.
⑤ **가**와 **나** 모두 시간의 흐름에 따른 화자의 인식 변화가 드러나고 있다.

〔학습 활동 응용〕
02 **가**와 **나**에 대한 감상으로 적절하지 <u>않은</u> 것은?

① **가**: '사람이 앉지 못할 그늘을 가졌을 거'라는 생각은 화자가 복숭아나무를 가까이하고 싶지 않은 이유에 해당하는군.
② **가**: '흰꽃과 분홍꽃 사이에 수천의 빛깔'은 화자가 피상적으로 본 복숭아나무의 모습을 묘사한 것이군.
③ **가**: '여러 겹의 마음을 읽'을 수 있다는 것은 화자가 복숭아나무의 진정한 모습을 발견했음을 의미하는군.
④ **나**: '어깨와 어깨를 대고 숲을 이루는 줄 알았'던 것은 깨달음을 얻기 전의 화자의 인식을 드러낸 것이군.
⑤ **나**: '간격과 간격이 모여 울울창창 숲을 이룬' 모습은 화자가 바람직하게 여기는 공동체의 모습에 해당하는군.

03 ㉠과 ㉡에 대한 이해로 가장 적절한 것은?

① ㉠은 ㉡과 달리 나눔과 배려의 공동체 문화가 형성되어 있는 공간이다.
② ㉡은 ㉠과 달리 화자의 불행한 처지를 환기하는 공간이다.
③ ㉡은 ㉠과 달리 화자에게 현실 극복 의지를 불러일으키는 공간이다.
④ ㉠은 화자가 미래에 대한 희망을 품는 공간, ㉡은 화자가 과거를 추억하는 공간이다.
⑤ ㉠은 깨달음을 얻은 화자가 대상과 공감을 나누는 공간, ㉡은 화자가 새로운 깨달음을 얻은 공간이다.

〔서술형〕
04 **가**와 **나**의 작가가 작품을 통해 궁극적으로 말하고자 하는 '바람직한 인간관계'에 대해 서술하시오.

그 뒤로도 어머니는 쉽게 마음을 정하지 못했다. 하루에도 몇 번씩 긍정과 부정 사이를 오가며 어쩔 줄 몰라 했다. 시간은 계속 흐르고…… 축축하고 어두운 공간 속에서 내 몸은 자꾸 자라났다. 주위에선 쉴 새 없이 쿵- 쿵- 하는 소리가 들렸다. 나는 그 소리를 귀가 아닌 온몸으로 들었다. 그리고 ㉠지하 벙커에서 모스 부호 해독에 열중하는 병사처럼 내 주위를 감싸는 그 '떨림'의 실체를 파악하려 애썼다. 그리고 그 암호는 다음과 같았다.

'두근두근…… 두근두근…… 두근두근……'

쿵쿵- 혹은 둥둥- 이라도 좋았다. 먼 북소리 같기도 하고, 큰 발소리 같기도 한 무엇. 거대한 몸집을 가진 누군가가 나를 향해 성큼성큼 다가오는 듯한 울림이었다. 그때마다 나는 여진(餘震)에 민감한 ㉡순록처럼 도망칠 준비를 했다. 하지만 동시에 춤추고 싶은 기분도 들었다. 어머니의 심박과 내 것이 겹쳐 가끔은 음악처럼 들려왔던 까닭이다.

㉮'쿵 짝짝…… 쿵 짝짝…… 쿵쿵 짝…… 쿵 짝……'

쿵은 어머니 것, 짝은 내 것이었다. 쿵은 센소리, 짝은 여린 소리였다. 나는 긴 탯줄에 매달려 그 소리에 집중했다. ㉯어머니의 심장은 오동통한 달처럼 내 머리 위에 떠, 나무가 초록을 퍼트리듯 방울방울 사방에 비트를 퍼트렸다. 그것은 정보량의 최소 기본 단위를 말하는 ㉢비트(bit)이기도 하고, 가수들이 음악을 만들 때 쓰는 ㉣비트(beat)이기도 했다. 이 비트(bit)와 저 비트(beat)는 몸 곳곳에 중요한 메시지를 보내며 ㉤삐라처럼 흩날렸다. 듣다 보니 뭔가 '되고 싶어지는' 게 누가 들어도 참으로 선동적이라 하지 않을 수 없는 리듬이었다. 명령어를 전달받은 세포들은 곧장 행동에 돌입했다. 하늘에서 쏟아지는 비트를 맞고, 기관들이 움트며 기지개를 편 거였다. 간이 부풀고 콩팥이 여물며 우둑우둑 뼈가 돋아났다. 나는 무럭무럭 자랐다. 그리고 종종 내 꿈속에서, 어머니가 꾸는 꿈과 만나 두서없는 대화를 했다.

'엄마……' / '응?'
'엄마……' / '그래.'
'나 자꾸 가슴이 떨려요…… 가슴이 아프도록 뛰어요…… 숨이 넘어갈 것 같은데, 이러다 죽을 것만 같은데…… 도무지 멈출 수가 없어요.'
'아가야.' / '네?'
'나도, 나도 그래. 가슴이 자꾸 뛰어. 가슴이 저리도록 뛰는데 멈출 수가 없어……'

05 윗글의 서술상 특징으로 가장 적절한 것은?
① 서술자가 개입하여 사건에 대한 평을 하고 있다.
② 서술자를 어리숙한 인물로 내세워 진술의 해학성을 강화하고 있다.
③ 서술자가 회상을 통해 외부 이야기에서 내부 이야기로 이동하고 있다.
④ 서술자가 상상한 자신의 과거 이야기를 중심으로 사건을 전개하고 있다.
⑤ 서술자가 관찰자 입장에서 사건을 전달함으로써 객관성을 높이고 있다.

06 ㉮에 대한 설명으로 가장 적절한 것은?
① 어머니와 '나'의 심장 소리가 조화를 이루고 있다.
② 어머니의 심장 소리에 '나'는 반응하지 않고 있다.
③ 어머니는 '나'의 심장 소리를 음악처럼 여기고 있다.
④ '나'의 심장 소리에 어머니가 삶의 활력을 찾고 있다.
⑤ 어머니보다 '나'의 심장 소리가 더 힘차게 들리고 있다.

학습 활동 응용
07 ㉯에 대한 이해로 가장 적절한 것은?
① 자연물을 의인화하여 '나'의 탄생이 자연 현상의 일환임을 드러내고 있다.
② 설의적 표현을 사용하여 '나'의 심장 박동 모습을 생동감 넘치게 묘사하고 있다.
③ 어머니의 심장을 달에 직접 빗대어 어머니와 '나'의 심리적 거리감을 나타내고 있다.
④ 음성 상징어를 활용하여 어머니의 심장 소리에 반응하는 '나'의 모습을 형상화하고 있다.
⑤ 은유법을 사용하여 어머니의 심장 소리가 '나'에게 미치는 긍정적 영향을 드러내고 있다.

08 ㉠~㉤에 대한 이해로 적절하지 않은 것은?
① ㉠: '나'가 머물고 있는 어머니의 뱃속을 빗댄 것이다.
② ㉡: 어머니의 심장 소리를 듣고 두려워하는 '나'를 빗댄 것이다.
③ ㉢: 어머니의 심장 소리가 최소한의 정보를 담고 있음을 빗댄 것이다.
④ ㉣: 어머니의 심장 소리가 음악처럼 리듬감 있게 들림을 빗댄 것이다.
⑤ ㉤: '나'가 어머니의 심장 소리에 담긴 의미를 파악하지 못하고 있음을 빗댄 것이다.

가 ⓐ'역시…… 연애를 글로 배워서 그런가?'

누군가 일본 애니메이션을 보고 일본어를 독학한 친구에게 "네 말 속엔 노인과 야쿠자와 여고생의 말투가 다 섞여 있다."라고 촌평한 걸 듣고 깔깔댔는데, 지금 내 모습이 딱 그거 같았다. 그것은 다시 말해, 내 안에 여러 가지 욕망이 섞여 있다는 뜻이기도 했다. 하지만 그러지 않고, 그걸 다 빼고, 어떻게 나를 설명한단 말인가? 그래도 정말 괜찮단 말인가? 나처럼 괜찮은 아이가? 나는 수심에 잠겨 먼 곳을 바라봤다. 그리고 그 수심이 마음에 든 나머지 놓아주려 하지 않았다.

"이서하……"

ⓑ사물의 이름을 처음 배우듯 발음하는 세 글자였다. 그러자 한밤중 아무도 모르게, 소나무 가지에 얹혀 있다 제 무게를 이기지 못하고 ㉠툭— 떨어지는 눈덩이처럼 가슴속에 조용한 기적이 일었다. 고요라는 이름의 바람이 따로 있기나 한 듯. 쩌렁쩌렁 적막이 울려 퍼졌다. 그래서 이번에는 바람의 열세 계급 중 0계급에 속한다는 '고요'라는 단어를 읊어 보았다. ⓒ그것은 곧 세상에서 가장 조용한 기적이 되어, 세상에서 가장 멀리 가는 동그라미를 만들어 냈다. 신기한 일이었다. 0계급은 아무것도 할 수 없는 줄 알았는데, 0계급이 무언가 하고 있었다.

나 "아빠?" / 나는 호흡이 달려 한동안 다음 말을 잇지 못했다. 아버지가 내 손을 잡았다.

"그래, 아름아." / "나 좀 무서워요."

"……" / 아버지는 상체를 숙여 나를 안았다.

"지금 그러시면 안 돼요."

아버지는 간호사의 만류 따위 아랑곳 않고 나를 힘껏 안았다. 그러곤 ⓓ깃털처럼 가벼운 자식 앞에서 잠시 휘청댔다. 마치 세상 모든 것 중 병든 아이만큼 무거운 존재는 없다는 듯. 힘에 부쳐 바들바들 손을 떨었다. 잠시 후 내 가슴께로 펄떡이는 아버지의 심장 박동이 전해졌다.

㉡'쿵…… 쾅…… 쿵…… 쾅……'

약하고 희미하지만 분명 거기 있는 소리였다. ⓔ우리는 말없이 서로의 파동 안에 머물렀다. 그 자장 끝 맨 나중에 그려지는 동심원이 토성 주위의 고리처럼 우리를 오목하게 감쌌다. 아주 오래전, 어머니의 뱃속에서 만난 그런 박자를, 누군가와 온전하게 합쳐지는 느낌을 다시는 경험할 수 없을 줄 알았는데, 그것과 비슷한 느낌을 줄 수 있는 방법 하나를 비로소 알아낸 기분이었다. 그건 누군가를 힘껏 안아 서로의 박동을 느낄 만큼 심장을 가까이 포개는 거였다. 순간 눈물이 날 것 같았지만 나는 아버지를 안은 팔에 힘을 주었다.

09 윗글에 대한 설명으로 가장 적절한 것은?

① 동시에 일어나는 두 사건을 병치하여 긴장감을 조성하고 있다.

② 역설적 표현을 사용하여 인물의 심리나 처지를 강조하고 있다.

③ 현재 상황을 과거의 상황과 대비하여 인물의 처지를 부각하고 있다.

④ 인물의 행적을 요약적으로 진술하여 갈등의 해결 방안을 제시하고 있다.

⑤ 다른 사람의 체험을 듣고 독자에게 전해 주는 액자식 구성을 취하고 있다.

10 **가**와 **나**를 통해 알 수 있는 내용이 <u>아닌</u> 것은?

① **가**: '나'는 이서하에게 자신을 어떻게 설명할지에 대해 고민했다.

② **가**: '나'는 다양한 욕망이 섞여 있는 자신에 대해 만족스러워했다.

③ **나**: '나'는 병세가 악화되어 매우 힘들어했다.

④ **나**: 아버지는 병든 아들에게 약한 모습을 보이지 않으려 했다.

⑤ **나**: '나'는 아버지와 온전히 합쳐지는 느낌을 받기 위해 아버지를 꽉 안으려 했다.

11 ⓐ~ⓔ에 대한 이해로 적절하지 <u>않은</u> 것은?

① ⓐ: '나'가 지금껏 제대로 된 연애를 해 보지 못했음을 알 수 있다.

② ⓑ: '이서하'를 매우 의미 있는 존재로 인식하고 있음을 알 수 있다.

③ ⓒ: '나'가 가장 고요한 순간에 진정한 자아를 발견했음을 알 수 있다.

④ ⓓ: 아버지가 심리적으로 매우 힘들어하고 있음을 알 수 있다.

⑤ ⓔ: 아버지와 '나'가 서로의 심장 박동을 느끼고 있음을 알 수 있다.

서술형
12 ㉠과 ㉡의 함축적 의미를 각각 서술하시오.

[13~16] 다음 시를 읽고, 물음에 답하시오.

오늘 저녁 이 좁다란 방의 흰 바람벽에
어쩐지 쓸쓸한 것만이 오고 간다
이 흰 바람벽에
희미한 십오 촉(十五燭) 전등이 지치운 불빛을 내어던지고
때글은 다 낡은 무명샤쓰가 어두운 그림자를 쉬이고
그리고 또 달디단 따끈한 감주나 한잔 먹고 싶다고 생각
하는 내 가지가지 외로운 생각이 헤매인다
그런데 이것은 또 어인 일인가
이 흰 바람벽에
내 가난한 늙은 어머니가 있다
내 가난한 늙은 어머니가
이렇게 시퍼러둥둥하니 추운 날인데 **차디찬 물에 손은 담
그고 무이며 배추를 씻고** 있다
또 내 사랑하는 사람이 있다
내 사랑하는 어여쁜 사람이
어늬 먼 앞대 조용한 개포가의 나즈막한 집에서
그의 지아비와 마주앉아 **대굿국을 끓여 놓고 저녁을 먹는**다
벌써 어린것도 생겨서 옆에 끼고 저녁을 먹는다
그런데 또 이즈막하야 어느 사이엔가
이 흰 바람벽엔
내 **쓸쓸한 얼굴을 처다보**며
이러한 글자들이 지나간다
　　— 나는 이 세상에서 가난하고 외롭고 높고 쓸쓸하니
　살어가도록 태어났다
　　　그리고 이 세상을 살어가는데
　　　내 가슴은 너무도 많이 뜨거운 것으로 호젓한 것으
　로 사랑으로 슬픔으로 가득찬다
그리고 이번에는 나를 위로하는 듯이 나를 울력하는 듯이
눈질을 하며 주먹질을 하며 이런 글자들이 지나간다
　　— 하늘이 이 세상을 내일 적에 그가 가장 귀해하고 사
　랑하는 것들은 모두
　　　가난하고 외롭고 높고 쓸쓸하니 그리고 언제나 넘치
　는 사랑과 슬픔 속에 살도록 만드신 것이다
　　　초생달과 바구지꽃과 짝새와 당나귀가 그러하듯이
　　　그리고 또 '프랑시쓰 쨈'과 도연명(陶淵明)과 '라이
　넬 마리아 릴케'가 그러하듯이

13 위 시의 표현상 특징으로 적절하지 <u>않은</u> 것은?

① 토속어를 사용하여 향토적 느낌을 주고 있다.
② 열거법을 사용하여 주제 의식을 강조하고 있다.
③ 감각적 이미지를 통해 정서를 효과적으로 드러내고 있다.
④ 수미 상관의 구조를 통해 구조적 안정감을 부여하고 있다.
⑤ 현재형 시어를 사용하여 화자의 처지를 진솔하게 표현하
고 있다.

수능형

14 다음에 제시된 위 시의 구성을 바탕으로 감상할 때, 그 내
용으로 적절하지 <u>않은</u> 것은?

기(起) 1~6행	→	승(承) 7~16행	→	전(轉) 17~23행	→	결(結) 24~29행

① '기'에는 화자의 쓸쓸함과 외로운 정서가 형상화되어 있다.
② '승'에는 화자가 그리워하는 대상의 모습이 묘사되어 있다.
③ '전'에는 외로움과 슬픔 속에서 살 수밖에 없는 화자의 운
명이 드러나 있다.
④ '전'에는 화자가 자신의 운명에 순응하려는 태도가 나타
나 있다.
⑤ '결'에는 화자 자신의 비참한 삶과는 대조적인 상황의 대
상들이 제시되어 있다.

15 위 시에 쓰인 시어에 대한 이해로 적절하지 <u>않은</u> 것은?

① '희미한 십오 촉 전등'과 '때글은 다 낡은 무명샤쓰'는 화
자가 곤궁한 상황에 놓여 있음을 짐작하게 하는군.
② '차디찬 물에 손은 담그고 무이며 배추를 씻'는 것은 가난
하고 힘겨운 어머니의 삶을 나타내는군.
③ '대굿국을 끓여 놓고 저녁을 먹는' 모습은 화자가 과거에
행복했던 자신의 모습을 회상한 것이겠군.
④ '쓸쓸한 얼굴을 처다보'는 것은 자신의 현재 처지를 인식
하게 된 과정에 이르는 화자의 성찰을 드러낸 것이겠군.
⑤ '눈질을 하며 주먹질을 하며'는 화자의 내면 의지를 북돋
우는 행위로 볼 수 있겠군.

서술형　학습 활동 응용

16 '흰 바람벽'에 비친 글자의 내용을 바탕으로, 시적 화자의
내면 의식이 어떻게 변화했는지 파악하여 서술하시오.

㉮ 임 씨가 일에 몰두해 있는 동안 그는 숨소리조차 내지 않고 일하는 양을 지켜보았다. ㉠저 열 손가락에 박힌 공이의 대가가 기껏 지하실 단칸방만큼의 생활뿐이라면 좀 너무하지 않나 하는 안타까움이 솟아오르기도 했다. 목욕탕 일도 그랬지만 이 사람의 손은 특별한 데가 있다는 느낌이었다. 자신이 주무르고 있는 일감에 한 치의 틈도 없이 밀착되어 날렵하게 움직이고 있는 임 씨의 열 손가락은 손가락 이상의 그 무엇이었다. ㉡처음에는 이 사내가 견적대로의 돈을 다 받기가 민망하여 우정 지어내 보이는 열정이라고 여겼었다. 옥상 일의 중간에 잠시 집에 내려갔을 때 아내도 그런 뜻을 표했다.

"예상외로 옥상 일이 힘드나 보죠? 저 사람도 이제 세상에 공돈은 없다는 사실을 깨달았을 거예요."

하지만 우정 지어낸 열정으로 단정한다면 ㉮당한 쪽은 되려 그들이었다. 밤 여덟 시가 지나도록 잡역부 노릇에 시달린 그도 고생이었고, 부러 만들어 시킨 일로 심적 부담을 느끼기 시작한 그의 아내 역시 안절부절못했으니까.

㉯ 그는 임 씨의 나이가 그보다 훨씬 많으면 왠지 괴롭겠다는 기분을 지울 수가 없었다. 찬바람이 불면 다시 온몸에 검댕 칠을 하는 연탄배달에 나서야 하고 여름이 오면 정식으로 간판 달고 일하는 설비집 동료들이 손이 딸려야만 넘겨주는 일감에 매달려 하루 벌어 하루 먹고사는 저 사내의 앞날이 창창하다는 게 위안이 되는지 그것도 모를 일이긴 했다.

"사장님은 금년 몇이시지요? 저는 토끼띠, 서른여섯 아닙니까?"

임 씨가 서른여섯에 토끼띠라면 그는 서른다섯의 용띠였다. ㉢옆에 앉아서 지갑을 열었다 닫았다 하던 아내가 얼른 "이 양반은⋯⋯." 하고 나서는 것을 그가 가로챘다.

"그래요? 나도 토끼띠지요. 서로 동갑이군요."

아내가 기가 막히다는 표정으로 그를 쳐다보았지만 그는 ㉣아랑곳하지 않고 동갑 기념이라고 또 한 잔의 술을 그의 잔에 넘치도록 부었다. 한 살 정도만 보태는 것으로 거짓말의 양을 줄일 수 있는 것이 몹시 다행스러웠다.

"토끼띠 남자들이 원래 팔자가 드센 편 아닙니까? 여자 토끼띠는 잘사는데 요상하게 우리 나이 토끼띠 남자들은 신수가 고단터라 이 말씀입니다. 헌데 사장님은 용케 따시게 사시니 복이 많으십니다."

저런. 그는 속으로 머쓱했다.

토끼띠가 어쩌고 해 쌓는 게 아무래도 아슬아슬했던지, 아니면 준비한 술이 바닥나는 게 보였던지 아내가 단호하게 지갑을 열었다.

"돈 드려야지요. 그런데⋯⋯."

㉤아내는 뒷말을 못 잇고 그의 얼굴을 말끄러미 올려다보았다. 그는 술잔을 들어올리며 짐짓 아내를 못 본 척했다. 역시 여자는 할 수 없어. 옥상 일까지 시켜 놓고 돈을 다 내주기가 아깝다는 뜻이렷다. 그는 아내가 제발 딴소리 없이 이십만 원에서 이만 원이 모자라는 견적 금액을 다 내놓기를 대신 빌었다.

17 윗글의 서술상 특징으로 가장 적절한 것은?
① 공간적 배경을 묘사하여 주제를 암시하고 있다.
② 특정 인물의 내면에 초점을 맞추어 서술하고 있다.
③ 인물의 과장된 행동을 통해 해학적 효과를 얻고 있다.
④ 서술자가 개입하여 자신의 생각을 직접 제시하고 있다.
⑤ 자기 경험을 직접 서술하여 사건의 전모를 드러내고 있다.

18 윗글의 인물에 대한 이해로 적절하지 <u>않은</u> 것은?
① '그'는 임 씨가 열정적으로 일하는 모습에 감탄했다.
② '그'가 임 씨를 배려하기 위해 자신이 토끼띠임을 거짓말을 했다.
③ '그'의 아내는 '그'가 말하기 전부터 '그'가 토끼띠임을 알고 있었다.
④ 임 씨는 같은 토끼띠임에도 신수가 고단하지 않은 '그'를 부러워했다.
⑤ '그'의 아내는 임 씨가 열심히 일하는 것을 공사비 때문이라고 보았다.

19 ㉠~㉤에 대한 설명으로 적절하지 <u>않은</u> 것은?
① ㉠: '그'는 임 씨에게 연민의 정을 느끼고 있다.
② ㉡: '그'는 처음에 임 씨를 부정적으로 인식했었다.
③ ㉢: 아내는 임 씨에게 줄 돈 때문에 초조해하고 있다.
④ ㉣: '그'는 임 씨에게 친밀감을 표현하려 하고 있다.
⑤ ㉤: 아내는 '그'가 임 씨에게 줄 돈을 깎을까 걱정하고 있다.

서술형
20 ㉮에서 '당한 쪽'이 누구이고, 당했다고 판단한 이유는 무엇인지 서술하시오.

가 임 씨가 볼펜 심으로 쿡쿡 찔러 가며 조목조목 남는 것들을 설명해 갔지만 그의 귀에는 제대로 들리지 않았다. 뭔가 단단히 잘못되었다는 기분, ㉠ 이게 아닌데, 하는 느낌이 어깨의 뻐근함과 함께 그를 짓누르고 있을 뿐이었다.

"그렇게 해서 모두 칠만 원이면 되겠습니다요."

선언하듯 임 씨가 분홍 편지지를 아내에게 내밀었다. 놀란 것은 그보다 아내 쪽이 더 심했다. 그녀는 분명 칠만 원이란 소리가 믿기지 않는 모양이었다.

"칠만 원요? 그럼 옥상은……."

"옥상에 들어간 재료비도 여기에 다 들어 있습니다. 그거야 뭐 몇 푼 되나요."

"그럼 우리가 너무 미안해서……."

㉡ 아내가 이번에는 호소하는 눈빛으로 그를 쳐다보았다. 할 수 없이 그가 끼어들었다.

"계산을 다시 해 봐요. 처음에는 ⓐ 십팔만 원이라고 했지 않소?"

"이거 돈을 더 내시겠다 이 말씀입니까? 에이, 사장님도. 제가 어디 공일 해 줬나요. 조목조목 다 계산에 넣었습니다요. 옥상 일한 품값은 지가 서비스로다가……."

"서비스?" / ㉢ 그는 아연해서 임 씨의 말을 되받았다.

나 임 씨가 이빨 사이로 침을 찍 뱉었다. 뭐 맛있는 거나 되는 줄 알고 김 반장의 ⓑ 발발이 새끼가 쪼르르 달려왔다.

"가리봉동에 가면 곰국이 나와요?"

임 씨가 따라 주는 잔을 받으면서 그는 온몸을 휘감는 술기운에 문득 머리를 내둘렀다. 아까부터 ㉮ 비 오는 날에는 가리봉동에 간다는 임 씨의 말이 술기운과 더불어 떠올랐다.

"ⓒ 곰국만 나오나. 큰놈 자전거도 나오고 우리 농구 선수 운동화도 나오지요. 마누라 빠마값도 쏙 빠집니다요. 자그마치 팔십만 원이오, 팔십만 원. 제기랄. ⓓ 쉐타 공장 하던 놈한테 일 년 내 연탄을 대 줬더니 이놈이 연탄값 떼어먹고 야반도주했어요. 공장이 망했다고 엄살을 까길래, 내 마음인들 좋았겠소. 근데 형씨. 아, 그놈이 가리봉동에 가서 더 크게 공장을 차렸지 뭡니까. 우리네 노가다들, 출신이 다양해서 그런 소식이야 제꺼덕 들어오지, 뭐."

㉣ "그럼 받아야지, 암. 받아야 하구말구."

그는 딸꾹질을 시작했다. 임 씨에게 술을 붓는 손도 정처 없이 흔들렸다. 그에 비하면 임 씨의 기세 좋은 입만큼은 아직 든든하다.

"누군 받기 싫어 못 받수. 줘야 받지. 형씨, 돈 있는 놈은 죄다 도둑놈이오. 쫓아가면 지가 먼저 울상이네. 여공들 노임도 밀렸다, 부도가 나서 그거 메우느라 ⓔ 마누라 목걸이

까지 팔았다고 지가 먼저 성깔 내."

"쥑일 놈."

㉤ 그는 스웨터 공장 사장을 눈앞에 그려 본다. 빤질빤질한 상판에 배는 툭 불거져 나왔겠지.

---

21 윗글에 대한 설명으로 가장 적절한 것은?

① 개인과 집단 간의 갈등이 심화되고 있다.

② 의식의 흐름에 따라 사건을 진술하고 있다.

③ 빈번한 장면 전환으로 긴장감을 고조하고 있다.

④ 대화를 통해 인물에 얽힌 사연이 드러나고 있다.

⑤ 상상의 공간을 배경 삼아 허구성을 강화하고 있다.

[학습 활동 응용]

22 ㉠~㉤에 대한 이해로 적절하지 않은 것은?

① ㉠: 그는 예상보다 낮은 공사비에 당황해하고 있다.

② ㉡: 아내는 '그'에게 공사비를 조정하고 싶다는 마음을 보이고 있다.

③ ㉢: '그'는 가난하지만 넉넉한 마음을 지닌 임 씨의 태도에 놀라고 있다.

④ ㉣: '그'가 임 씨의 처지에 적극적으로 공감하고 있다.

⑤ ㉤: '그'는 자신이 사장과 같은 사람이 아닌지 성찰하고 있다.

23 ⓐ~ⓔ에 대한 설명으로 가장 적절한 것은?

① ⓐ: 임 씨가 공사 시작 전 견적을 낸 금액이다.

② ⓑ: 김 반장이 연민의 정을 느끼는 존재이다.

③ ⓒ: 임 씨가 앞으로 부자가 되면 꼭 먹으려는 음식이다.

④ ⓓ: 도망친 사장이 가리봉동에 차리겠다고 한 공장이다.

⑤ ⓔ: 임 씨에게 돈을 갚기 위해 사장이 판 물건이다.

[서술형]

24 ㉮의 이유를 밝히고, 이와 같은 설정을 통해 작가가 궁극적으로 전달하고자 하는 바를 두 가지 서술하시오.

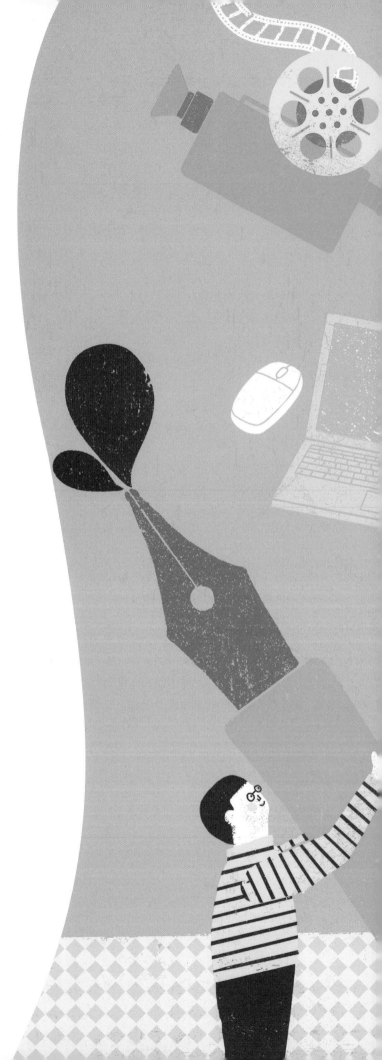

2

문학의
소통

[1] 문학 작품의 구조와 맥락

[2] 문학 작품의 수용과 생산

[3] 문학의 확장

창의·융합 활동

문학의 소통은 어떻게 이루어질까?

본격적인 의미에서 <u>문학 작품의 수용과 생산</u>은 <u>작품의 내용과 형식 사이의 유기적인 연관성을 고</u>_{문학 작품의 수용과 생산 방법}<u>려하여 이루어져야 한다.</u>『문학 작품 속에서 내용은 주제 의식으로 구현되고 형식은 작품의 구체적인 _{『 』: 작품의 내용과 형식의 유기적 관계를 고려해야 하는 까닭} 형상화에 기여하기 때문』이다. 아울러 문학 작품은 그를 둘러싼『사회·문화적 맥락, 문학사적 맥락, 상 _{『 』: 문학 작품의 다양한 맥락을 고려해야 하는 까닭} 호 텍스트적 맥락과 연계』되어 있다. 일상 언어도 맥락을 모르면 소통이 되지 않듯이 <u>문학 작품은 여</u> _{문학 작품의 수용 방법} <u>러 맥락을 두루 고려하면서 이해하고 감상하고 평가해야 한다.</u>

▶ 내용과 형식의 유기적인 연관성, 다양한 맥락을 고려한 문학 작품 감상

다만 문학 작품을 수용할 때에는 작가의 생각을 그대로 받아들이는 것이 아니라 <u>자신의 가치관과 관점에 따라 공감적, 비판적, 창의적으로 해석하고 평가해야 한다.</u> _{문학 작품의 수용 방법} <u>작품을 재구성하거나 창작할 때에도 자신의 관점과 방법에 따라 적절한 내용, 형식,</u> _{문학 작품의 생산 방법} <u>표현, 맥락, 매체 등을 선택하여 생산할 수 있어야 한다.</u>

▶ 문학 작품의 공감적, 비판적, 창의적 수용과 재구성 및 창작

문학은 홀로 존재하는 것이 아 니 라, 문학을 둘러싼 다양한 인접 영역과 더불어 존재한다. <u>음악, 미술, 무용, 영화 같은 인접 예술과 인문학, 사회 과학, 자연 과학, 매</u> _{문학을 둘러싼 다양한 인접 분야} <u>체 등과 같은 인접 문화들</u>은 문학과 서로 영향을 주고받는다. 이러한 점들을 고려하 며 문학을 수용하고 생산하면 더욱 풍부하고 창의적인 경험을 할 수 있을 것이다.
_{문학의 인접 분야와의 관련성을 고려하는 까닭}   ▶ 문학과 인접 분야의 관계를 고려한 문학의 수용과 생산

이 단원에서는 문학을 올바르게 수용하고 생산하는 능력을 기르는 한편, 다른 인 접 예술과 문화의 관계에서 문학을 살펴보는 활동을 할 것이다. 이를 통해 여러분은 문학을 적극적으로 수용하고 생산하는 수준 높은 문화인으로 성장할 수 있을 것이다.

▶ 이 단원에서 학습할 내용

단원 학습을 통해

- 문학 작품은 내용과 형식이 긴밀하게 연관되어 이루어짐을 이해할 수 있다.
- 작품을 작가, 사회·문화적 배경, 상호 텍스트성 등 다양한 맥락에서 이해하고 감상할 수 있다.
- 작품을 공감적, 비판적, 창의적으로 수용하고 그 결과를 바탕으로 상호 소통할 수 있다.
- 작품을 읽고 다양한 시각에서 재구성하거나 주체적 관점에서 창작할 수 있다.
- 문학과 인접 분야의 관계를 바탕으로 작품을 이해하고 감상하며 평가할 수 있다.
- 다양한 매체로 구현된 작품의 창의적 표현 방법과 심미적 가치를 문학적 관점에서 수용·소통할 수 있다.

돌아보기

이 단원의 학습과 관련된 나의 경험을 떠올려 보자.

> 문학 작품의 구조와 맥락
문학 작품을 읽으면서 작품이 생산된 시점의 사회·문화적 배경을 살펴본 적이 있었는지 생각해 보자.

| 예시 답안 | 윤동주의 「서시」를 읽으면서 그 작품이 창작된 일제 강점기의 시대적 상황과 사회·문화적 상황을 찾아보고 시에 담긴 의미를 생각해 본 적이 있었다.

> 문학 작품의 수용과 생산
문학 작품의 내용이나 형식을 바꾸어 작품을 새로 쓰고 싶었던 적은 없었는지 생각해 보자.

| 예시 답안 | 박완서의 소설인 「엄마의 말뚝 2」를 읽으면서 이 작품을 드라마 대본으로 각색하면 재미있을 것 같다는 생각을 해 본 적이 있었다.

> 문학의 확장
다른 매체를 통해 문학 작품을 수용했던 경험을 소개해 보자.

| 예시 답안 | 이청준의 「병신과 머저리」를 책을 읽어 주는 팟캐스트 방송을 통해 감상한 적이 있었다.

[1] 문학 작품의 구조와 맥락

이 단원에서는 작품의 내용과 형식이 유기적으로 결합하여 문학 작품의 구조를 형성하며, 작품에는 여러 맥락이 작용함을 이해하도록 한다. 이를 통해 문학 작품을 수용할 때 내용과 형식의 유기적 관계와 작가적 맥락, 사회·문화적 맥락, 상호 텍스트적 맥락 등 작품을 둘러싼 다양한 맥락을 고려하며 작품을 심도 있게 이해할 수 있도록 한다.

문학 작품의 내용과 형식은 어떤 관계를 맺고 있을까?

문학은 인간의 삶에 관한 탐구에서 비롯된 가치 있는 경험이나 생각을 주된 내용으로 다룬다. 그리고 이 내용은 문화적·관습적으로 형성된 언어문화 형식을 바탕으로 작가가 _{문학 작품의 주된 내용}
그에 덧입힌 개성적이고 창조적인 형식을 통해 표현된다. 이때 형식이란 겉으로 드러나는 작품의 형태는 물론 내밀한 언어의 조직, 표현 기교 등을 모두 포괄하는 뜻으로 쓰인다. _{'형식'의 개념 정의}
다른 예술과 마찬가지로 문학 또한 이러한 내용과 형식이 유기적으로 결합하여 작품마다 특유의 구조를 형성한다. 그러므로 문학 작품을 읽을 때는 내용과 형식 간의 긴밀한 유기적 연관성을 고려하며 감상해야만 그 작품의 독특한 미적 가치를 발견할 수 있다. _{문학 작품의 구조를 이루는 요소들을 중심으로 감상하는 방법} _{내용과 형식의 관계를 고려하여 감상하는 까닭}

▶ 내용과 형식의 유기적 연관성을 토대로 한 작품 수용

맥락을 이해하는 것은 문학 작품의 감상에 어떤 도움이 될까?

문학 작품은 진공 속에 존재하지 않는다. 문학 작품이 탄생하기 위해서는 그 작품을 둘러싼 시간과 공간 등 여러 맥락이 작용하기 때문이다. 이때 다양한 맥락이란, 작품을 _{문학 작품과 깊이 관련을 맺는 여러 가지 맥락}
창작한 작가의 삶이나 문학적 경향, 창작 당시의 사회적 상황과 문화적 배경, 다른 작품 _{작가적 맥락} _{사회·문화적 맥락}
들과의 관계, 해당 작품이나 갈래가 문학사에서 차지하는 위상 등을 말한다. 이러한 맥 _{상호 텍스트적 맥락} _{문학사적 맥락}
락을 고려하여 작품을 수용하면 더욱 깊은 이해와 수준 높은 감상에 도달할 수 있다. _{맥락을 고려하여 작품을 수용할 때의 장점} ▶ 다양한 맥락을 고려한 작품 수용

✔ 바로 확인 문제

1 문학은 □□와/과 □□이/가 긴밀하게 결합하여 하나의 구조를 이루고 있다.

2 다음 설명이 맞으면 ○, 틀리면 X를 하시오.
　(1) 문학 작품이 탄생하기 위해서는 그 작품을 둘러싼 여러 맥락이 작용하게 된다. 　　　(○, ×)
　(2) 문학 작품이 다른 문학 작품들과 맺고 있는 관계를 문학사적 맥락이라고 한다. 　　　(○, ×)

|정답| 1. 내용, 형식　2. (1) ○　(2) ×

01 산도화 박목월

해제

이 작품은 봄을 맞이하여 산도화가 피기 시작한 석산의 아름답고 평화로운 모습을 절제된 언어로 표현한 시이다. 실제의 산이 아닌 가공의 이상적 세계인 구강산은 신비한 보랏빛 석산으로 그려져 신비로움을 더한다. 산도화가 두어 송이 피어나는 이른 봄, 정적이 흐르는 가운데 발을 씻는 암사슴의 모습은 탈속적인 공간의 이미지를 만들어 주며, 정중동(靜中動)의 동양적 세계관을 보여 준다. 감정을 절제한 압축적 표현과 몇 개의 중심 소재에 초점을 둔 묘사를 통해 여백의 미의식을 구현한 작품이라고 할 수 있다.

주제 의식

이 작품은 이상화된 상상의 세계 속에 존재하는 아름다운 자연의 풍경과 평화로운 분위기를 잘 그려내고 있다. '구강산'은 실제로 존재하는 산이 아니지만, 산도화, 시냇물, 암사슴 등에 초점을 맞춘 산 속의 봄 풍경이 마치 한 폭의 동양화처럼 아름답고 신비롭게 펼쳐진다. 청록파의 한 사람으로 활동하던 박목월 초기 시의 전형적인 주제와 분위기를 잘 보여 주고 있다.

핵심 정리

(1) 갈래: 자유시, 서정시
(2) 성격: 관조적, 탈속적, 회화적
(3) 제재: 산도화
(4) 주제: 봄을 맞이하여 산도화가 피기 시작한 산의 평화롭고 아름다운 풍경
(5) 특징: ① 감정을 절제한 압축적 표현과 간결한 형식미를 추구함.
　　　　　② 원경에서 근경으로 시선을 이동하면서 시상을 전개함.
　　　　　③ 묘사 대상이 정적인 대상에서 동적인 대상으로 변화됨.
　　　　　④ 전체적으로 3음보 율격 속에 감정을 절제한 압축적 표현을 구사함.
(6) 구성

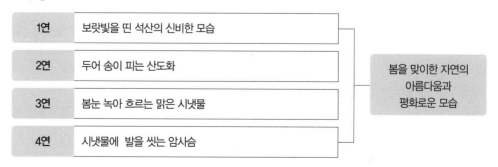

1연	보랏빛을 띤 석산의 신비한 모습	
2연	두어 송이 피는 산도화	봄을 맞이한 자연의 아름다움과 평화로운 모습
3연	봄눈 녹아 흐르는 맑은 시냇물	
4연	시냇물에 발을 씻는 암사슴	

어휘·어구 풀이

❶산도화 / 두어 송이 / 송이 버는데　고요했던 구강산이 봄을 맞아 생기를 회복하는 모습이 드러난다. 산도화가 흐드러지게 피어 있는 것이 아니라, '두어 송이' 피어나는 것에서 여백의 미를 느낄 수 있다.

❷발을 씻는다.　발을 씻는 행위를 통해 암사슴의 순결성을 강조하고 있으며, 생명체인 암사슴과 봄을 맞은 자연이 합일하는 모습을 보여 준다.

핵심 쏙쏙

◉ 시어의 상징적 의미

구강산: 현실에 존재하지 않는 가상의 공간, 탈속적 공간
↓
산도화: 생명 탄생의 순수함과 아름다움
↓
암사슴: 고결하고 순결한 존재

산은

㉠ 구강산(九江山)
현실에 존재하지 않는 가상의 공간, 탈속적 공간

보랏빛 석산(石山)
구강산의 신비로운 이미지

원경 – 정적인 이미지

▶ 보랏빛 석산의 신비로운 모습

㉡ 산도화
무릉도원의 이상 세계를 연상시킴.

두어 송이

송이 버는데,❶
산도화의 신비하고 아름다운 생명력 강조

▶ 봄을 맞아 피어나는 산도화

봄눈 녹아 흐르는
계절적 배경 제시 – 이른 봄

옥 같은
맑고 깨끗한 이미지 부각

물에

근경 – 동적인 이미지

▶ 봄눈 녹아 흐르는 옥 같은 시냇물

㉢ 사슴은

암사슴
평화롭고 순수한 존재, 생동하는 생명체의 모습

발을 씻는다.❷
자연과 합일을 이루고 있는 모습

▶ 시냇물에 발을 씻는 암사슴

학습 문제

📑 정답과 해설 327쪽

1. 위 시에 대한 설명으로 적절하지 <u>않은</u> 것은?

① 특정 음운을 반복하여 운율감을 부여하고 있다.
② 색채 이미지를 활용하여 대상의 특징을 부각하고 있다.
③ 선경 후정의 시상 전개를 통해 정서를 표출하고 있다.
④ 원경에서 근경으로 시선을 이동하며 시상을 전개하고 있다.
⑤ 간결하고 압축적인 표현으로 여백의 미를 드러내고 있다.

2. ㉠～㉢에 대한 설명으로 적절하지 <u>않은</u> 것은?

① ㉠은 '보랏빛'과 연결되어 신비로운 분위기를 형성하고 있군.
② ㉡은 이상 세계를 연상시키는 소재로 '구강산'을 구체화하고 있군.
③ ㉢은 '발을 씻는' 행위를 통해 자연과 합일된 모습을 보여 주고 있군.
④ ㉡은 ㉠과 달리 화자의 과거 경험을 연상시키고 있군.
⑤ ㉢은 ㉠과 달리 동적인 이미지로 묘사되고 있군.

3. 〈보기〉를 바탕으로 위 시의 시어 및 시구를 이해한 것으로 적절하지 <u>않은</u> 것은?

[학습 활동 응용]

보기
「산도화」는 대조적인 성격의 이미지가 묘하게 어울려 있다. 이 대조적인 성격의 이미지는 서로 대립하는 것이 아니라 함께 어울려 신비한 생명력이 감도는 배경과 분위기를 만들어 낸다.

① '석산'의 견고한 이미지는 '산도화'의 부드러운 조화를 이루며 공간적 배경을 형성하고 있다.
② '산'과 같은 원경의 정적 이미지와 '송이 버는데'와 같은 근경의 동적 이미지가 어울려 신비한 생명력을 부각하고 있다.
③ '구강산'과 같이 정적인 이미지에 '발을 씻는다'와 같은 동적인 이미지가 겹쳐지면서 생명력 있는 분위기를 연출하고 있다.
④ '봄눈'의 차가운 이미지가 '녹아 흐르는'과 같은 따뜻한 이미지와 연결되면서 봄을 맞이하는 산속의 분위기를 드러내고 있다.
⑤ '보랏빛 석산'의 따뜻하고 생동감 있는 이미지와 흐르는 물에 발을 씻는 '사슴'의 차고 정지된 이미지를 통해 신비로운 분위기를 만들고 있다.

· 시선의 이동에 따른 시상 전개

1연	보랏빛 석산의 신비로운 모습	원경
2연	봄을 맞아 피기 시작한 산도화	
3연	봄눈 녹아 흐르는 옥 같은 시냇물	근경
4연	시냇물에 발을 씻는 암사슴	

↓

· 고요한 가운데 생동감 있는 봄의 분위기를 느낄 수 있음.
· 독자들의 시선을 한 곳에 집중시킬 수 있음.

· 이 작품의 운율과 그 효과

· '산', '산도화', '송이', '사슴'에서 'ㅅ' 음운이 반복됨.	⇒	❶□□□을 형성함.
· 각 연 3행으로 구성되어 형식적 통일성을 보임. · 1, 2, 4연은 모두 첫 행이 가장 짧고 행의 길이가 점점 길어지는 점층 구조로 되어 있음.	⇒	· 안정된 운율감을 형성함. · 구강산의 정적인 모습과 잘 어울려 시적 분위기를 형성함.
· 3연은 첫 행이 가장 길고 행의 길이가 점점 짧아지는 점강 구조를 취하고 있어 변화가 나타남. · '봄눈'이 녹아 흐르는 빠른 움직임을 형상화함.	⇒	호흡의 의도적인 변화를 가미함.

· 묘사 대상

| 정적인 상태의 산을 배경으로 '송이 버는데', '봄눈 녹아 흐르는 옥 같은 물', '암사슴 발을 씻는다' 등을 통해 ❷□□인 형상을 묘사함. | ⇒ | 은근하면서도 ❸□□□ 있는 봄의 분위기를 형성함. |

· 시어의 상징적 의미

구강산	산도화	❺□□□
· 시인의 가슴속에 있는 이상향 속의 산 · 인간 세계로부터 떨어진 ❹□□적 공간	· 무릉도원의 이상적 세계 · 신비하고 아름다운 생명력이 있는 존재	· 고결하고 순수한 존재 · 생동감 있는 생명체의 모습

· 여백의 함축

| · 자연의 풍경을 인상적인 몇 장면으로 구현함.
· 절제된 언어로 표현함.
· 감정의 표출을 자제하고 대상과 객관적인 거리를 유지함. | ⇒ | 동양적인 ❻□□의 미를 살림. |

|정답| ❶ 운율감 ❷ 동적 ❸ 생동감 ❹ 탈속 ❺ 암사슴 ❻ 여백

학습 활동

작품 속으로

1. 이 작품을 감상하고, 시상 전개와 분위기에 주목하여 아래 활동을 해 보자.

(1) 각 연이 묘사하고 있는 중심 대상을 정리해 보자.

중심 대상	1연	보랏빛을 띤 석산
	2연	두어 송이 피는 산도화
	3연	봄눈 녹아 흐르는 물
	4연	발을 씻는 암사슴

(2) 이 작품의 계절적 배경과 관련 있는 시어들을 찾아보자.

| 예시 답안 | 산도화, 봄눈

2. 다음 글을 참고하여 이 작품의 이미지에 관해 탐구해 보자.

> 이 시에는 대조적인 두 가지 성격의 이미지가 묘하게 어울려 있다. 하나는 ㉠ 차고, 견고하고, 정지되어 있는 이미지이고, 다른 하나는 ㉡ 따뜻하고, 부드럽고, 움직이는 이미지이다. 그러나 이 두 가지 이미지는 서로 대립하는 것이 아니라 신비한 생명력의 기운이 미세하게 감도는 공간을 함께 만들어 낸다.
> 또한 이러한 공간은 보랏빛과 잘 어울리는 공간이다. 보랏빛은 모호하고 신비한 느낌을 준다. 그런가 하면 정지된 느낌과 움직이는 느낌, 차가운 느낌과 따뜻한 느낌을 동시에 준다. 보랏빛은 죽음과 삶의 경계에 있는 색깔이며, 비현실적인 색깔이다.
> – 이남호, 『이 쓸쓸한 뜰에 저 어지러운 구름 그림자』에서

(1) 이 작품에서 ㉠, ㉡에 해당하는 소재들을 찾아 써 보자.

㉠	㉡
석산, 봄눈	산도화, 물, 암사슴

(2) 1연 3행의 '보랏빛'을 '연둣빛'으로 바꿔 읽어 보고, 작품의 분위기가 어떻게 달라지는지 말해 보자.

| 예시 답안 | '보랏빛'을 '연둣빛'으로 바꾸면 봄의 생명력이 좀 더 강하게 표현될 수 있지만 구강산의 신비로운 분위기가 사라진다.

3. 이 작품의 운율과 그 효과에 관해 생각해 보자.

(1) 동일한 음운을 포함한 시어의 반복을 찾아보고, 그 효과를 설명해 보자.

| 예시 답안 | '산', '송이', '사슴'에서 'ㅅ' 음운이 반복되어 운율감을 형성하고 있다.

(2) 다음은 각 연을 이루는 행의 길이에 관한 설명이다. 잘 읽고 빈칸을 채워 보자.

> 이 시의 1, 2, 4연은 모두 첫 행이 가장 짧고, 행의 길이가 대체로 점점 길어진다. 그런데 3연만 첫 행이 가장 길고, 행의 길이가 점점 짧아진다. 이를 통해 전체적으로는 ___반복___ (으)로 인한 안정감을 주면서, 중간에 호흡의 의도적인 ___변화___ 을/를 가미하여 이른 봄의 생동감을 환기하는 효과가 있다.

4. 다음 글에서 언급한 '여백의 함축'을 매개로 이 작품의 내용과 형식의 관계를 설명해 보자.

> 나는 이 작품에서 첫 두 연을 좋아했다. 보랏빛 석산과 가지만 앙상하게 빳빳한 산도화의 담담(淡淡)한 풍경에 홍백의 꽃송이를 두어 점 띄워 동양화적인 정취를 풍기려 했으며, 이 **여백의 함축**은 내 시의 본질적인 일면이다.
> – 박목월, 「보랏빛 소묘」에서

| 예시 답안 | 시에서 그리고 있는 풍경은 석산에 막 피어나기 시작하는 산도화 두어 송이, 눈 녹은 물, 그 물에 발을 담가 보는 사슴 한 마리가 전부이다. 즉 많은 것을 그리기보다 여백을 통해 정취를 자아낸다는 점에서 한 폭의 동양화와 같은 느낌을 준다. 이러한 여백의 미는 극도로 절제된 시어의 사용으로 간결한 시행을 구성한 이 시의 형식적 측면에도 반영되어 있다. 즉 여백의 함축을 지향하는 내용이 간결하고 압축적인 형식을 통해 더욱 효과적으로 뒷받침되고 있는 것이다.

보충 자료 「산도화」와 공통적인 소재를 다룬 작품

두류산(頭流山) 兩端水(양단수)를 예 듣고 이제 보니
도화(桃花) 뜬 물은 물에 산영(山影)조차 줌겻세라.
아히야 무릉(武陵)이 어디오 나는 옌가 ᄒ노라.

「산도화」의 '도화'는 꽃이 피기 힘든 석산에 피어난 존재로 생명의 신비와 아름다움을 의미하고, 「두류산 양단수를 ~」의 화자는 '도화'를 보면서 무릉도원을 떠올리고 있다. 따라서 두 작품의 공통적인 소재는 '도화'이며, 이는 현실을 초월한 이상적 공간인 무릉도원을 의미한다.

작품 너머로

5. 다음 작품을 읽고, 아래 활동을 해 보자.

山
절망의산,
대가리를밀어버
린, 민둥산, 벌거숭이산
분노의산, 사랑의산, 침묵의
산, 함성의산, 증인의산, 죽음의산,
부활의산, 영생하는산, 생의산, 회생의
산, 숨가쁜산, 치밀어오르는산, 갈망하는
산, 꿈꾸는산, 꿈의산, 그러나 현실의산, 피의산,
피투성이산, 종교적인산, 아아너무나너무나 폭발적인
산, 힘든산, 힘센산, 일어나는산, 눈뜬산, 눈뜨는산, 새벽
의산, 희망의산, 모두모두절정을이루는평등의산, 평등한산, 대
지의산, 우리를감싸주는, 격하게, 넉넉하게, 우리를감싸주는어머니
– 황지우, 「무등(無等)」

작품 연구   황지우, 「무등(無等)」

- **갈래**: 자유시, 서정시   • **성격**: 실험적, 현실 비판적
- **제재**: 무등산
- **주제**: 역사적 공간으로서의 무등산과 무등산을 통해 바라보는 밝은 미래
- **특징**: ① 시행의 의도적 배열을 통해 산의 모습을 시각적으로 형상화함.
  ② 열거법을 활용하여 대상이 지닌 의미와 가치를 제시함.
  ③ 전체적으로 볼 때 부정적 속성에서 긍정적 속성 중심으로 내용이 점차 변화함.

---

(1) 형식적 측면에서 볼 때, 위 작품이 '산'의 모습을 형상화한 방법은 무엇인지 설명해 보자.

| 예시 답안 | 아래로 내려올수록 행의 길이가 길어지도록 시행을 배열하여, 시의 형태 자체가 산의 모양을 닮도록 구성하였다.

(2) 다음은 위 작품에 관한 설명들이다. 이를 바탕으로, 위 작품의 내용과 형식이 지닌 유기적 연관성을 발표해 보자.

- 이 시는 시상이 전개됨에 따라 산의 속성에 관한 진술이 점차 변화하고 있다.
- 이 시의 제목인 '무등'은 실제로 존재하는 산의 이름이기도 하지만, 등급이나 차별이 없음을 뜻하는 명사이기도 하다.

| 예시 답안 | 이 시는 시각적으로 산의 형태를 취하고 있기 때문에 시상이 전개되는 과정은 하산의 과정에 대응된다고 할 수 있다. 산의 속성에 관한 진술들이 '절망', '분노' 등 부정적인 속성의 것에서 시작하여 점차 '희망', '평등' 같은 긍정적 속성의 진술들로 변화하고 있는데, 이는 수직의 위태로움으로부터 점차 수평적 안정을 회복해 가는 하산의 과정에 대응된다. 또한 작품의 제목인 '무등' 역시 시의 끝부분에 등장하는 평등의 가치, 어머니의 차별 없는 사랑 같은 내용과 조화를 이루고 있다고 할 수 있다.

> **보충 자료** **여백의 미적 의의**
>
> 여백은 동양 정신의 미적 실현이라는 의의를 지닌다. 여백은 본래 다면을 경계로 동양의 철학과 예술 정신의 반영으로, 다분히 형이상학적이고 미학적인 추구가 내장된 공간이다. 박목월은 이러한 동양의 전통 정신 즉 '언불진의(言不盡意)'의 실현 공간으로서의 여백을 탄력적으로 보여 준다. 언어에 대한 염결성과 무/유의 경계에 대한 추구가 미학적 구조를 획득하는 것이다. 그 구조에서 언어의 그림자처럼 거느리는 잔상이나 여운 등은 시의 내부로 침투하면서 단형의 형태나 구조를 효과적으로 확장한다. 이 과정에서 여백은 시의 기조를 이루는 적막한 심상과 호응하며 정제된 동양화적 구도를 구축한다. 또한 그 구도가 지닌 정신적 폭과 깊이는 독자에게 심리적 안정을 가져다준다. 동양화가 대상을 반조(返照)함으로써 예술 형태를 완성하듯, 감격의 정지화(停止化) 속에서 점차로 나타나는 불가사의한 커다란 공백 즉 적막이 형성하는 영원성을 얻기 때문이다. 이러한 여백 속에 구현한 동양화적 구도는 박목월 시의 한 미학적 전형을 이루는 의미가 있다. [중략]
>
> 또한 여백이 시의 완성도를 높이는 의의가 있다. 박목월은 시의 빈 공간을 포섭해 들이며 시에서 구현된 의미의 자장이 여백의 자리에까지 미치게 하는 효과를 탁월하게 보여 준다. 여백은 시행의 의미 전달을 전략적으로 지연하는 특성이 있는데, 지연이 거듭될수록 시의 의미는 다양하게 확산된다. 시의 도처에 있는 틈을 메우는 동안, 시 속의 시간은 느리게 진행되면서 주어진 공간을 확장해 나간다. 이때 독자는 시인의 의도와 자신의 경험 사이를 오가며, 여백에 숨겨진 의미를 여러 각도에서 탐색하게 된다. 이러한 자극과 추동의 과정 자체가 열린 공간으로서의 여백에 독자적 존재 의미를 부여한다. '무언'이라는 정적인 공간이 다양하고 역동적인 의미 생성의 공간으로 변하는 것이다. 때문에 여백을 의도적으로 설정한 시에서는 여백의 미적 성취 여부가 시의 성패를 좌우할 수도 있다. 여백이 시의 확장에 효과적으로 기여하지 못 하는 경우, 그 공간은 무의미한 빈 자리일 뿐이기 때문이다. 이런 측면에서 보면, 박목월의 여백은 시의 완성도를 높이는 데 매우 효과적이다.
>
> – 정수자, 「박목월 시에 나타난 여백의 양상」(한중인문학회, 2004)

02 흥보가

작자 미상 / 김연수 바디

해제

「흥보가」는 조선 후기를 배경으로 한 판소리이다. 욕심 많고 심술궂은 형 놀보와 마음씨 착하고 우애 있는 아우 흥보 사이의 갈등이 주된 내용을 이루면서 형제간의 우애와 권선징악을 주제로 삼고 있으며, 과장에 의한 익살성과 해학성이 뛰어나다. 한쪽은 악하고 다른 한쪽은 착한 심성을 가진 형제가 등장하는 '선악 형제담', 동물이 사람에게 은혜를 입고서 보답한다는 '동물 보은담', 신기한 능력을 지닌 물건에서 한없이 재화가 쏟아진다는 '무한 재보담' 등의 설화가 복합된 양상을 띠고 있다. 또한 향토적 정서가 짙게 배어 있는 작품이며 서민들의 삶과 정서에 밀착되어 있는 내용들이 많다. 그래서 판소리 마당 가운데서도 가장 민속성이 강한 작품으로 평가된다.

전체 줄거리

옛날에 심술 사나운 형 놀보와 착하고 순한 아우 흥보가 살았다. 놀보가 부모의 재산을 독차지하고 흥보를 내쫓자, 아내와 여러 자식을 거느린 흥보는 온갖 어려운 일을 다 하며 가난하게 살게 된다. 어느 해 봄, 흥보집에 살던 제비 새끼 한 마리가 땅에 떨어져 다리가 부러지고, 마음씨 착한 흥보가 제비 다리를 고쳐 준다. 이에 제비는 이듬해 봄에 박씨 하나를 물어다 주고 흥보가 그 박씨를 심어 그해 가을 타 보니 그 속에서 금은보화가 나와 큰 부자가 된다. 이 소식을 들은 놀보가 일부러 제비 다리를 부러뜨려서 박씨를 얻어 심어 가을에 박을 타니, 그 속에서 온갖 몹쓸 것이 나와 집안이 망해버린다. 흥보가 재물을 나누어 주어 다시 잘살게 하자 놀보가 자신의 잘못을 깨닫고 다시 형제가 화목하게 살았다.

핵심 정리

(1) 갈래: 판소리 사설 (2) 성격: 해학적, 풍자적, 교훈적

(3) 시점: 전지적 작가 시점 (4) 배경: 조선 후기

(5) 주제: 형제간의 우애와 권선징악, 빈부 간의 갈등

(6) 특징: ① 산문적 진술과 운문 투의 리듬감 있는 서술이 혼재함.

② 생생한 구어, 사투리, 비속어, 한문 투의 표현 등 중층적 성격의 언어가 사용됨.

③ 창과 아니리를 교차하면서 서사를 진행시킴.

④ 해학적 표현이 두드러짐.

(7) 구성

발단	놀보가 부모의 유산을 독차지하고 동생인 흥보를 내쫓음.
전개	흥보가 놀보의 집에 쌀을 구하러 갔다 매만 맞고 돌아오고, 생계를 위해 품팔이와 매품팔이를 함.
위기	흥보가 다리가 부러진 제비를 치료해 주자, 제비가 박씨를 물어 옴.
절정	박 속에서 금은보화가 나와 흥보는 부자가 되고, 이를 따라 한 놀보는 패가망신함.
결말	흥보가 놀보에게 재물을 나누어 주고, 형제가 화목하게 삶.

✺ 가난타령

— 아니리의 성격과 역할
• 판소리 사설에서 창을 하는 중간중간에 가락을 붙이지 않고 이야기하듯 엮어 나가는 부분으로, 사건의 전개를 요약적으로 서술하거나 논평하고 인물의 심리나 인물 간의 대화를 전달함.
• 청중의 긴장을 완화시키고, 창자가 호흡을 조정하면서 다음 창을 준비할 수 있게 해 줌.

[아니리] 그때는 어느 땐고 팔월 추석 가절이라.『다른 집에서는 술을 거른다, 떡을
<u>스스로 묻고 답하는 서술 방식 사용</u>
친다, 지지고 볶느라고 피 피 – 이놈의 냄새가 코 난간을 무너내는데, 홍보집은 냉랭허
<u>자극적인 냄새가 구미를 돋움. – 해학적 표현</u>
여 곤신풍이 디리부는지라.』자식들은 밥을 달라, 떡을 달라. 홍보는 가슴이 미어질 듯,
『 』: 이웃집에서 풍겨 오는 추석 음식 냄새가 코를 찌르는데, 가난한 홍보집은 음식 준비는커녕 찬바람만 부는 상황을 묘사함.
마음 달랠 길 없어 어디론지 나가버리고, 홍보 마누라는 졸고 앉았다가 설움이 복받치어

신세 자탄 울음을 우는데, 이것이 가난타령이 되었것다.

가장 느린 장단
[진양조] 『"가난이야, 가난이야. 원수녀르 가난이야. 복이라 하는 것은 어이하면 잘
<u>4음보, 4·4조의 운율감, AABA 구조</u>
타는고. 북두칠성님이 복 마련을 하셨는가. 삼신제왕님이 짚자리에 떨어칠 제 명과
[A] 수복을 점지하느냐. 어떤 사람 팔자 좋아 부귀영화로 잘 사는데, 이년의 팔자는 어이
<u>가난을 자신의 팔자 탓으로 돌리고 있음.</u>
하여 이 지경이 웬일이냐. 몹쓸 년의 팔자로다.』
▶ 홍보 마누라의 가난타령
『 』: 비장한 대목으로, 홍보 마누라가 가난으로 인해 느끼는 슬픔을 진양조를 통해 부각함.

✺ 홍보 아들 수모

[아니리] 이렇듯 울고 있을 적에, 홍보 열일곱째 아들놈이 유혈이 낭자해 가지고
울고 들어오며, "어머니! 나 송편 세 개만 해 주시오." "아
<u>아들의 요구 사항</u>
니, 이놈아. 어째서 하필 떡을 세 개만 해 달라고 그러느
냐?" "동리로 놀러갔다가 애들이 송편을 먹기에 내가
좀 달랬더니, 가래 속으로 기어 나오면 송편을 주마
기에, 송편 언어먹을 욕심으로,"
▶ 홍보 아들이 수모를 당하게 된 사연

어휘·어구 풀이
● **가절** 좋은 시절이나 계절. 좋은 명절.
● **곤신풍** 곤방(坤方)이나 신방(申方)에서 불어오는 바람이라는 뜻으로, '서남풍'을 이르는 말.

핵심 쏙쏙

◉ **작품의 문체상 특징**

비속한 표현	• 원수녀르 가난이야. • 몹쓸 년의 팔자로다.
전아한 표현	• 팔월 추석 가절이라. • 북두칠성님이 복 마련을 하셨는가. ~제 명과 수복을 점지하느냐.

➜ 서민 계층과 양반 계층이 향유했던 문체가 공존함.

교과서 날개 질문

홍보 마누라는 자신이 가난한 까닭이 무엇이라고 생각하는가?
| 예시 답안 | 홍보 마누라는 자신이 부귀영화를 누리는 이들과 달리 팔자가 사나워서 이러한 가난을 겪는다고 생각하고 있다.

학습 문제

📖 정답과 해설 328쪽

1 윗글에 대한 설명으로 적절하지 <u>않은</u> 것은?

① 비속어와 한자어가 뒤섞여 쓰이고 있다.
② 운문체와 산문체가 혼합되어 쓰이고 있다.
③ 고통스러운 상황을 해학적으로 드러내고 있다.
④ 공간 이동을 통해 갈등의 양상이 전환되고 있다.
⑤ 창과 아니리를 교차하면서 서사를 진행시켜 긴장–이완 구조를 보이고 있다.

2 윗글의 내용과 일치하지 <u>않는</u> 것은?

① 홍보네 이웃에서는 명절 음식 준비에 분주하다.
② 홍보 열일곱째 아들이 밖에서 피를 흘리며 들어왔다.
③ 홍보 마누라는 자신의 신세를 한탄하는 노래를 하고 있다.
④ 홍보는 가장이 져야 할 책임을 아내에게 떠넘기고 있다.
⑤ 홍보는 밥을 보채는 자식들의 성화에 마음이 아파 집을 나갔다.

3 [A]에 사용한 표현 방법을 이해한 내용으로 적절하지 <u>않은</u> 것은?

① AABA의 구조를 활용하여 운율감을 주고 있군.
② 상황의 대비를 통해 인물의 처지를 부각하고 있군.
③ 세밀한 묘사를 통해 대상의 특징을 드러내고 있군.
④ 비속어의 사용으로 민중적인 정서를 드러내고 있군.
⑤ 의문을 제기하는 방식을 활용하여 의미를 강조하고 있군.

서술형
4 '가난타령'으로 미루어 볼 때, 홍보 마누라는 자신이 가난한 까닭을 무엇이라고 생각하는지 쓰시오.

어휘·어구 풀이

● **일촌간장** 한 토막의 간과 창자라는 뜻으로, 애달프거나 애가 타는 마음을 이르는 말.
● **권속** 한집에 거느리고 사는 식구. 권솔.
● **보명** 목숨을 보전함.
❶ **부인이 울어서~울음을 운단 말이오?** 흥보가 울고 있는 부인을 보고 한 말이다. 우는 것이 배고픔을 면하는 데 도움이 된다면 집안 식구들 모두 앉아 울어 볼 것이지만, 아무런 도움도 안 되는 울음을 울어 동네에 창피만 당하게 되었음을 나무라고 있다. 남의 시선과 체면을 중시하는 흥보의 성격을 엿볼 수 있다.

[중모리] 『엎져 기어 나갈 적에 뒤엣 놈 떨어져 앞에 와 서고, 그 뒤엣 놈 떨어져 앞에 와 서고, 담 담 놈 떨어져 앞에 와 서서, 한정 없이 기어가자 하니, 무릎이 모두 해지고 유혈이 낭자하였기로 내가 욕설을 좀 하였더니, 송편일랑 고사하고 뺨만 죽게 때려 주니,』『송편 세 개만 하여 주면, 한 개는 입에 물고, 두 개는 양손에 갈러 쥐고 조롱하여 가면서 먹을라요.』 흥보 마누라 기가 막혀, 목이 메어 하는 말이, ㉮"내 자식아. 쯔쯔쯔쯔쯔. 무엇하러 나갔더냐? 천하 몹쓸 애들이지. 못 먹이는 이 어미는 일촌간장이 다 녹는데, 굶어 죽게 생긴 자식을 그리 몹시 하드란 말이냐. 우지 마라, 우지 마라, 불쌍한 내 새끼야, 우지를 마라."』 ▶ 수모를 당한 흥보의 아들

『 』: 아들의 사연 – 송편을 얻어먹기 위해 굴욕적인 상황을 견디었으나 매만 맞고 돌아옴.
『 』: 송편 세 개만 해 달라는 이유
야박한 인심을 보여 줌.
흥보 아내의 기막힌 심정을 보여 주는 음성 상징어
『 』: 아들의 이야기를 듣고 애통한 심정을 느끼는 흥보 마누라

✿ 흥보 첫째 박을 탐

[아니리] 이때 흥보는 친구 덕분에 술이 얼근히 취해 가지고, 집 안을 들어와 보니 자기 마누라가 울거늘, "여보, 이게 웬일이오? 배고픈 걸 한을 해 가지고 이렇듯 울음을 우니, 부인이 울어서 우리 집안 식구가 배가 부를 지경이면, 권속대로 늘어앉어, 한평생허고라도 울어 보지마는, 아, 남 보기 챙피만 하고, 또 동네 사람들이 보면 어찌 흥볼 울음을 운단 말이오?❶ 울지 말고 우리는 있는 박이니, 박이나 타서 박속은 끓여 먹고, 바가지는 부잣집에 팔아다가 목숨 보명해 살아갑시다." 흥보 내외 박을 한 통을 따다 놓고, 톱 빌려다 박을 탈 제,

[A] 표시 (아니리 부분)
밖에 나갔다가 들어온 흥보
체면을 중시하는 흥보의 성격이 드러남.
박을 타는 이유

▶ 교과서 날개 질문

흥보 마누라는 아들의 이야기를 듣고서 어떤 감정을 느끼고 있는가?

| 예시 답안 | 가난하다는 이유로 놀림과 모욕을 당한 아들을 제대로 먹이지 못한 데 대한 애달픔과 연민, 불쌍함을 느끼고 있다.

학습 문제

5. 윗글을 시나리오로 각색할 때 포함될 수 있는 내용으로 적절하지 않은 것은?

① 울고 있는 아들을 나무라는 흥보
② 박을 사이에 두고 마주 앉은 흥보 부부
③ 자신이 당한 수모를 설명하는 흥보 아들
④ 아들의 사연에 마음 아파하는 흥보 마누라
⑤ 흥보 마누라에게 울음을 그칠 것을 종용하는 흥보

6. 윗글에 나타난 '흥보'의 생각으로 적절하지 않은 것은?

① 이 상황에서 울어 보았자 아무 실속이 없다.
② 동네 사람들이 흥볼 짓은 하지 않는 게 좋다.
③ 바가지를 부잣집에 내어 팔면 도움이 되겠다.
④ 박을 타면 박속으로 허기를 면할 수는 있겠다.
⑤ 아내를 위로하려면 아깝지만 박을 타는 것이 좋겠다.

학습 활동 응용

7. [A]의 '아니리'의 기능으로 가장 적절한 것은?

① 갈등을 심화하여 극적 효과를 높인다.
② 긴장을 이완시켜 작품의 호흡을 조절한다.
③ 갈등을 전환하여 새로운 흥미를 유발한다.
④ 극의 전개 속도를 높여 긴장감을 고조한다.
⑤ 해결의 실마리를 제공하고 사건에 대한 논평을 제시한다.

서술형

8. ㉮에 담긴 '흥보 마누라'의 심정을 두 가지로 요약하여 쓰시오.

[진양조] "시르렁 실건, 톱질이야. 어여루, 톱질이로고나. ㉠ 몹쓸 놈의 팔자로구
나. 원수놈의 가난이로구나. 어떤 사람 팔자 좋아 일대 영화 부귀헌데, 이놈의 팔자는 어
이하여 박을 타서 먹고 사느냐. 에여루, 당거 주소. 이 박을 타거들랑 ㉡ 아무것도 나오
지를 말고, 밥 한 통만 나오너라. 평생에 밥이 포한이로구나. 시르렁 시르렁, 당거 주소,
톱질이야. 으흐어어어 시르렁 실근, 당거 주소, 톱질이야. 여보소, 마누라. 톱 소리를 맞
어 주소." "톱 소리를 내가 맞자 해도 배가 고파서 못 맞겄소." "배가 정 고프거든 허리띠
를 졸라매고, 어여루, 당거 주소. 시르르르르르르르 시르르르르르르렁 시르렁 시르렁 실
건 시르렁 실건 당그여라, 톱질이야. 큰자식은 저리 가고, 작은 자식은 이리 오너라. 우리
가 ㉢ 이 박을 타서 박속일랑 끓여 먹고, 바가지는 부잣집에 가 팔아다가 목숨 보명허여
볼거나. 에여루, 톱질이로고나."

톱질을 시작함.
박 타는 소리를 이어받으려는 요청
소박한 기대감

[ⓐ] 『"실건 실건, 당기어라. 시르렁 실건, 톱질이야. 실근 실근 실근 실근 실근
실근 실근 실근 실근 실근 실근 실근 실건 뚝따."』

『　』: 다양한 의성어를 활용하여 박을 타는 장면을 실감 나게 표현함. 긴장감과 기대감 조성
▶ 첫 번째 박을 타는 흥보 부부

✽ 쌀과 돈이 든 궤짝이 나옴

[아니리] 박을 딱 타 노니, 박속이 텅 비었거던. 흥보 기가 막혀, ㉣ "허, 복 없는 놈은
계란에도 유골이라더니, 어떤 놈이 박속은 싹 긁어다 먹고, 아 여, 남의 조상궤 훔쳐다 넣어 놨
구나, 여. ❶흥보 마누라 보더니, "아이고, 영감. 궤 뚜껑 위에가 뭔 글씨가 쓰여 있소, 예." 흥보
보더니, "음? '박흥보 씨 개탁'이라. 날 보고 열어 보라는 말인디." "아, 그러면 한번 열어 보시
오." ⓑ "열어 봤다가 좋은 것이 들었으면 몰라도, 만일 궂은 것이 들었으면 어쩔 것인가?" "영
감, 우리가 시방 이 팔자보다 더 궂게야 되겠소? 근개 그냥 한번 열어 버리시오.❷" "그러면 열어
볼까?" 흥보가 한 궤를 가만히 열고 보니, 아, 쌀이 하나 수북이 들고, 또 한 궤를 딱 열고 본께,
거기는 그냥 돈이 하나 가득 들었는데, 궤 뚜껑 속에다가, 쌀은 평생을 두고 퍼내 먹어도 줄지
않는 '취지무궁지미'라 씌었으며, 또 돈궤에도, 이 돈은 평생을 두고 꺼내서 써도 줄지 않는
'용지불갈지전'이라 하였거늘, ㉤ 흥보가 좋아라고 궤 두 짝을 떨어 붓기 시작을 하는데,

기대했던 것과는 다름.
매우 재수가 없음을 나타내는 말
쓸모 없는 낡은 궤짝

어휘·어구 풀이

● **포한** 한을 품음. 또는 그런 한.

● **계란에도 유골** 계란유골(鷄卵有骨). 달걀에도 뼈가 있다는 뜻으로, 운수가 나쁜 사람은 모처럼 좋은 기회를 만나도 역시 일이 잘 안됨을 이르는 말.

● **궤** 물건을 넣도록 나무로 네모나게 만든 그릇.

● **개탁** 봉한 편지나 서류 따위를 뜯어보라는 뜻으로, 주로 손아랫사람에게 보내는 편지의 겉봉에 쓰는 말.

❶ **흥보 기가 막혀, ~ 넣어 놨구나, 여.** 흥보는 비어 보이는 박을 보고 자신이 재수가 없어 누군가 쓸모없는 빈 궤짝을 박 속에 넣어 두었다고 한탄하는 것이다.

❷ **"영감, 우리가 시방 ~ 한번 열어 버리시오."** 궤짝 여는 것을 머뭇거리는 흥보에게 흥보 마누라가 지금보다 더 나빠질 것도 없으니 어서 궤짝을 열어 볼 것을 권하고 있다. 소심하고 걱정이 많은 흥보와 대비되는 흥보 마누라의 대담하고 적극적인 성격이 드러난다.

---

9. ㉠~㉤에 대한 설명으로 적절하지 **않은** 것은?

① ㉠: 자신의 가난을 기구한 팔자 탓으로 생각하는 인물의 심리를 엿볼 수 있다.

② ㉡: 밥에 대한 소망이 무엇보다 간절함을 알 수 있다.

③ ㉢: 박을 통해 얻을 수 있는 것에 대한 인물의 기대감을 알 수 있다.

④ ㉣: 기대한 것을 얻지 못한 인물의 실망감을 엿볼 수 있다.

⑤ ㉤: 새로 획득한 위세를 뽐내는 인물의 태도를 짐작할 수 있다.

10. 〈보기〉의 ⓐ에 대한 설명을 참고할 때, ⓐ에 해당하는 장단은?

| 보기 |
- 가장 빠른 장단이며, 내용의 전개에 긴박감을 부여한다.
- 긴장감을 주어 흥미를 고조시킨다.

① 진양조　　② 중모리　　③ 중중모리
④ 자진모리　　⑤ 휘모리

서술형
11. ⓑ를 통해 알 수 있는 두 인물의 상반된 성격을 쓰시오.

어휘·어구 풀이

● **철환** 처란(엽총 따위에 쓰는, 잘게 만든 총알.)의 원말.

● **조백 없이** 조백(옳음과 그름을 비유적으로 이르는 말.)을 가리지 않고 무턱대고.

● **노담** 성나서 하는 말.

핵심 쏙쏙

◉ **박을 타기 전과 후에 나타난 흥보 내외의 심리 비교**

박을 타기 전	박속이라도 끓여 먹어 허기를 잊고 바가지를 팔아 푼돈이라도 마련해 보려는 절박한 심정임.
박을 탄 후	박에서 쌀과 돈이 무한정 쏟아지자 크게 기뻐하면서 밥을 꾸짖는 우스개를 할 정도로 심리적으로 여유가 생기고 흥에 겨움.

▶ 교과서 날개 질문

상황에 관한 과장된 묘사의 효과를 생각해 보자.

| 예시 답안 | 본래 비현실적인 성격을 지닌 상황과 사건을 더욱 과장되게 묘사하여 해당 장면의 흥을 고조시키고 해학성을 극대화한다.

[휘모리] 『흥보가 좋아라고, 흥보가 좋아라고, 궤 두 짝을 떨어 붓고 닫쳐 놨다 열고 보면, 도로 하나 가득하고, 쌀과 돈을 떨어 붓고 닫쳐 놨다 열고 보면, 도로 하나 가득하고, 툭툭 떨고 돌아섰다, 돌아보면 도로 하나 가득하고, 떨어 붓고 나면 도로 수북, 떨어 붓고 나면 도로 가득. "아이고, 좋아 죽것다. 일년 삼백육십일을 그저 꾸역꾸역 나오너라!"』

『 』: 흥보의 심정 – 줄지 않는 쌀과 돈이 나와 기쁨.

▶ 첫 번째 탄 박에서 쌀과 돈이 든 궤짝이 나옴.

⊛ **흥보 밥타령**

섬. 한 말의 열 곱절

[아니리] 어찌 떨어 부어 놨던지 돈이 일만 구만 냥이요, 쌀이 일만 구만 석이

과장된 표현, 언어유희적 표현 – 현장감과 흥을 고조시킴.

나 되던가 보더라. "자, 우리가 쌀 본 김에 밥부터 좀 해 먹고 궤짝을 떨어 붓든지 박을 타든지 해 봅시다. 우리 권속이 모두 몇이냐? 자식놈들 스물아홉, 우리 내외 도통

도합. 모두 합친 셈

합이 서른한 명이로구나. 『우리가 그렇게 굶주리다가 한 앞에 쌀 한 섬씩 덜 먹겠냐?

『 』: 그동안 굶었던 자식들에게 배부르게 밥을 먹이고 굶주렸던 한을 풀고 싶은 흥보의 마음이 과장된 쌀의 양을 통해 드러나고 있음.

쌀 서른 섬만 밥을 지어라.』 동네 가마솥 있는 집을 찾아다니며, 밥을 꼬두밥 찌듯

쪄서 삯꾼을 사다 져다 붓고, 붓고 한 것이, 밥 더미가 거짓말 좀 보태면 남산 더미만

과장된 표현

하던 것이었다. 흥보가 밥 먹으라는 영을 내리는데, "네 이놈들, 체할라. 조심해 먹으

렷다. 자, 먹어라!" 해 노니, 이놈들이 '우ㅡ' 하더니, 온 데 간 데가 없지. 『"아이고, 이

[A] 놈들 다 어디 갔느냐?" 흥보 내외 자식들을 찾느라고 야단이 났는데, 조금 있다가 본

『 』: 해학성이 드러나는 장면 – 과장된 표현으로 늘 굶주리며 지내다 많은 밥을 보고 흥분한 흥보 자식들의 모습을 해학적으로 표현함.

깨, 이놈들이 모두 밥 속에서 튕기쳐 나오는데, 어찌하여 밥 속에서 나오는고 허니,

어떻게 밥에 환장이 되었던지 밥 속에 가 총 철환 박히듯 콱 박혀 가지고, 당창 벌거

벌레

지 콧속 파먹듯 저 속에서 밥을 파먹고 나오던 것이었다.』 흥보는 자식들같이 그렇게

조백 없이 밥을 먹을 수가 없어, ㉮ 밥 보고 인사를 하는데, 노담부터 나오던 것이었

다. 『"밥님, 너 참 본 지 오래다. 네 소행을 생각하면은 대면도 하기 싫지마는, 그래도

『 』: 그동안 밥에 쌓인 한이 많음을 보여 줌.

그럴 수가 없어 대면은 하거니와, 원 세상에 사람을 그렇게 괄시한단 말이냐? 에이

손. 섭섭타. 섭섭혀!"』

▶ 박에서 나온 쌀로 밥을 배부르게 해 먹은 흥보네

손아랫사람을 '사람'보다는 낮추고 '자'보다는 좀 대접하여 이르는 말.

학습 문제

12. 윗글에 대한 설명으로 적절하지 <u>않은</u> 것은?

① 비현실적 요소를 가미하여 흥미를 더하고 있다.

② 동일한 구절을 반복하여 의미를 강조하고 있다.

③ 비유적 표현을 사용하여 해학성을 높이고 있다.

④ 일부 장면을 극대화하여 전달 효과를 높이고 있다.

⑤ 유사한 소재를 나열하여 과거 상황을 환기하고 있다.

서술형

13. ㉮의 이유를 추론하여 쓰시오.

14. [A]의 '아니리'에 대해 이해한 내용으로 적절하지 <u>않은</u> 것은?

① 게걸스럽게 밥을 먹는 자식들의 모습을 묘사하고 있다.

② 흥보가 박 속에서 나온 쌀을 보고 좋아하며 늘어놓는 사설이다.

③ 그동안 자신을 멀리해 온 밥에 대한 섭섭함을 드러내고 있다.

④ 가족들이 배부르게 먹을 수 있도록 밥을 지으라는 내용을 포함하고 있다.

⑤ 자신이 맞이한 상황의 변화에 대해 미심쩍어하는 흥보의 심리가 드러나 있다.

[자진모리] 『"세상 인심 간사하여 추세를 한다 한들, 너같이 심할쏘냐? ㉠ 세돗집 부
『 』: 각박한 세상 인심에 대한 우회적 비판
잣집만 기어코 찾아가서 먹다 먹다 못다 먹으면, 돼야지, 개를 주고, 떼 거위 학두루미와

심지어 오리 떼를 모두 다 먹이고도, 그래도 많이 남아 쉬네 썩네 하지 않더냐?』『날과 무
나와
삼 원수로서 사흘 나흘 예사 굶겨, 뱃가죽이 등에 붙고, 갈빗대가 따로 나서, 두 눈이 캄

캄하고, 두 귀가 멍멍하여, 누웠다 일어나면 정신이 아찔아찔, 앉았다 일어서면 두 다리

가 벌렁벌렁, 말라 죽게 되었으되 찾는 일 전혀 없고, 냄새도 안 맡으니, 그럴 수가 있단
❶
말이냐? 에라, 이 괘씸한 손, 그런 법이 없느니라!』 한참 이리 준책터니 도로 슬쩍 달래는
『 』: 그동안 굶주림 때문에 겪은 고통
굶주림에 시달렸던 과거 일을 떠올리며 하는 원망   준엄하게 꾸짖음.
데, 『"히히히, 그것 참. 내가 이리 했다 해서 노여워 아니 오랴느냐? 어여뻐 한 말이지, 미
홍보의 쌀(밥)에 대한 이중적인 심리를 드러냄.
워 한 말 아니로다. 친구가 조만 없어 정지후박에 매였으니, 하상견지만만야오, 떨어져

살지 말자. 애개개, 내 밥이야. 옥을 준들 널 바꾸며, 금을 준들 널 바꿀쏘냐. 애개개, 내
밥에 대한 반가움과 소중함 표현
밥이야. 제발 덕분에 다정히 살자!"』새 정이 붙게 하느라 이런 야단이 없었구나.
『 』: 끼니를 잇지 못한 옛일을 떠올리며 밥에 대한 원망을 드러내다 보니 밥이 다시 자신을 찾지 않을까 걱정스러운 마음이 들어 다시 애정 어
린 말로 앞으로 다정히 살자고 밥을 달라고 있음.

▶ 홍보가 밥에 대한 원망과 애정을 표현함.

어휘·어구 풀이

● 친구가 조만 없어 친구는 일
찍 사귀었는가 늦게 사귀었는
가가 중요하지 않아.

● 정지후박 정다운 처지의 두
터움과 얕음.

● 하상견지만만야 서로 만나
는 것이 어찌 이리 늦었는가.

❶"세상 인심 간사하여~그런
법이 없느니라!" 홍보가 가
난으로 인해 오랫동안 끼니를
제대로 잇지 못하는 삶을 살
다 보니 밥 앞에서 밥이 자신
을 찾지 않은 것에 대한 원망
의 마음을 드러낸 것이다.

교과서 날개 질문

홍보가 밥에 관해 상반된 두 가
지 태도를 보인 까닭을 생각해
보자.

| 예시 답안 | 홍보는 가난으로 인
해 끼니를 제대로 잇지 못하는 삶
을 살다 보니 밥이 자신을 찾지
않은 것을 원망하는 마음이 들기
도 하는 한편, 꾸짖어 내쫓을 수
없을 만큼 간절히 원하기도 하므
로 꾸짖으며 원망하기도 하고 애
정 어린 말로 달래기도 하는 두
가지 상반된 태도를 보이는 것이
다.

15. 윗글에 대한 설명으로 적절하지 않은 것은?

① 빠른 장단에 맞춰 전개되는 장면이다.

② 홍보의 목소리를 통해 홍보의 심리가 전달된다.

③ 다양한 음성 상징어가 사용되어 구체성을 부여한다.

④ 대상에 대한 인물의 태도가 변화되는 양상을 드러낸다.

⑤ 대상에 대한 객관적인 진술을 통해 대상의 특성을 부
각한다.

16. 윗글의 갈래에 대한 설명으로 적절하지 않은 것은?

① 적층성과 유동성이 강한 문학이다.

② 근원 설화를 바탕으로 하여 형성되었다.

③ 창, 아니리, 발림의 요소로 구성되어 있다.

④ 조선 후기 서민의 생활상이 반영되어 있다.

⑤ 긴밀한 인과 관계에 의한 서사 구조를 갖고 있다.

17. 작가가 ㉠을 통해 풍자하고자 한 시대 상황으로 가장 적절
한 것은?

① 몰락한 양반의 무능력함과 몰염치함

② 신분제에 얽매여 실리를 좇지 못하는 허위의식

③ 허황된 인간의 욕심과 물질적 탐욕을 좇는 세태

④ 백성들을 굶주림 속에 내몰고 있는 집권층의 무능함

⑤ 사람을 가축보다도 못하게 여기는 각박한 사회와 세
상 인심

서술형
18. '밥'에 대한 '홍보'의 이중적인 태도를 정리하여 쓰시오.

• 「흥보가」의 표면적 주제와 이면적 주제

표면적 주제		이면적 주제
• 권선징악(勸善懲惡) • 개과천선(改過遷善)	• 인과응보(因果應報) • 형제간의 우애	• 몰락한 양반 계층과 신흥 부유층 간의 빈부 갈등 • 평민 의식의 성장과 양반 사회의 쇠퇴

• 창과 아니리로 인한 효과

창	아니리
'창'은 곡조가 있는 노래로, 인물의 고양된 정서를 음악의 가락으로 표현하여 정서적 긴장과 감흥을 유발함.	• 판소리 사설에서 창의 중간중간에 가락을 붙이지 않고 이야기하듯 엮어 나가는 부분. • 사건의 전개를 요약적으로 서술하거나 논평하고 인물의 심리나 인물 간의 대화를 전달함. • 청중의 긴장을 ❶□□시키고, 창자가 호흡을 조정하면서 다음 창을 준비하게 함.

창과 아니리를 교체, 반복하여 긴장과 이완을 주고 예술적 효과를 가져옴.

• 창에 사용된 장단의 효과

부분	장단	장단의 사용 효과
〈가난타령〉	진양조	가장 느린 진양조를 사용하여 흥보 마누라가 가난으로 인해 느끼는 ❷□□을 부각해 줌.
〈흥보 아들 수모〉	중모리	조금 느린 중모리를 사용하여 흥보 아들이 수모를 겪은 사연을 서술함.
〈흥보 첫째 박을 탐〉	진양조	가장 느린 진양조를 사용하여 흥보의 신세 한탄과 배고픔을 애절하게 표현함.
	휘모리	가장 빠른 장단인 휘모리를 사용하여 박을 빠르게 타는 상황을 ❸□□□ 있게 드러냄.
〈쌀과 돈이 든 궤짝이 나옴〉	휘모리	가장 빠른 장단인 휘모리를 사용하여 예상치 못했던 쌀과 돈이 박에서 계속 나오는 기쁜 상황에서 흥보가 느끼는 흥분을 생생하게 전달함.
〈흥보 밥타령〉	자진모리	빠른 장단인 자진모리를 사용하여 밥에 대한 원망과 애정을 명랑하게 표현함.

• 판소리 장단의 종류

판소리의 장단은 인물의 상황과 처지, 심정을 상황에 맞게 드러내는 데 효과적이다.

❹□□□	가장 느린 장단. 극적 전개가 느슨하고 애절한 대목에 쓰임.
중모리	조금 느린 장단. 사연을 서술하는 대목이나 서정적 대목에 쓰임.
중중모리	중모리 장단보다 조금 빠른 장단. 흥겨운 대목에 주로 쓰임.
자진모리	빠른 장단. 연이어 벌어지는 사건을 서술하는 대목에 쓰임.
휘모리	가장 빠른 장단. 극적이거나 긴박한 대목에 쓰임.
엇모리	빠른 3박과 2박의 평조음. 특수한 인물을 소개하는 대목에 쓰임.

|정답| ❶ 이완(완화) ❷ 슬픔 ❸ 긴박감 ❹ 진양조

학습 활동

작품 속으로

1. 흥보네 식구가 가난의 비참함을 더욱 절실히 느끼게 되는 계기는 무엇인지 말해 보자.

| 예시 답안 | 명절이 돌아와도 먹을 것이 없는 상황에서 열일곱째 아들이 동네 아이들에게 송편을 얻어먹으려다가 수모를 당하고 들어온 일.

2. 박을 타기 전과 비교할 때, 박을 탄 후 흥보 내외의 심리가 어떻게 달라졌는지 설명해 보자.

박을 타기 전	박을 탄 후
가난한 팔자를 탓하던 흥보 내외는 박속이라도 끓여 먹어 허기를 잊고 바가지를 팔아 푼돈이라도 마련해 보려는 절박한 심정임.	박에서 쌀과 돈이 무한정 쏟아지자 크게 기뻐하면서 밥을 꾸짖는 우스개를 할 정도로 심리적으로 여유가 생기고 흥에 겨움.

3. 다음을 참고하여 「흥보가」를 읽고, 아래 활동을 해 보자.

> 판소리 사설은 '창'과 '아니리'가 연속적으로 교체되며 이야기의 긴장과 이완을 반복한다. '창'은 심화된 정서와 의미를 다양한 음률에 실어 노래하는 운문으로, 대개 청중의 정서적 몰입을 유발한다. 창에는 가장 느린 진양조부터 가장 빠른 휘모리까지 다양한 장단(長短)이 있어 내용 전개나 정서적 변화에 조응한다. 진양조는 슬픈 느낌을 주고, 중모리는 태연한 맛과 안정감을 주며, 중중모리는 흥취를 돋우고 우아한 맛이 있다. 자진모리는 명랑하고 상쾌한 느낌을 주고, 휘모리는 흥분과 긴박감을 준다.
>
> 한편 대체로 평범한 일상어로 구성되는 산문인 '아니리'는 주로 사건의 전개를 요약적으로 서술하고 장면의 상황 설정을 제시하는 기능을 하는데, 한동안 지속되던 청중의 긴장을 완화시키고 창자가 호흡을 조정하면서 다음 창을 준비할 수 있게 해 준다.
>
> 가창 형식에서 발견되는 이러한 '긴장 – 이완'의 구조는 내용 면에서도 유사하게 나타난다. 비장한 대목에서 청중의 정서적 일치를 유도하다가 해학적인 대목에서 정서적 거리를 확보하며 긴장을 해소하는 것이다. 그래서 판소리의 특징을 지적할 때 흔히 청중을 '울리고 웃기고' 한다는 말을 쓰는 것이다.
>
> – 조동일, 김흥규 편, 『판소리의 이해』에서

> 📗 **제재 연구** 조동일, 김흥규 편, 『판소리의 이해』
>
> • 갈래: 설명문
> • 성격: 해설적, 설명적
> • 주제: 판소리에서 '창'과 '아니리'의 기능과 '긴장–이완' 구조의 효과

(1) '창'으로 부르는 다음 부분에서 해당 장단을 사용함으로써 얻을 수 있는 효과를, 작품의 내용 전개와 관련하여 설명해 보자.

'창'으로 부르는 부분	해당 장단의 사용 효과
〈가난타령〉의 [진양조] 부분	흥보 마누라가 가난으로 인해 느끼는 슬픔을 부각해 줌.
〈쌀과 돈이 든 궤짝이 나옴〉의 [휘모리] 부분	예상치 못했던 쌀과 돈이 박에서 계속 나오는 기쁜 상황에서 흥보가 느끼는 흥분을 생생하게 전달함.

(2) 이 작품의 내용 전개를 고려할 때, 다음 '아니리'에 해당하는 부분들이 어떤 기능을 하는지 정리해 보자.

'아니리'의 일부분	기능
흥보 마누라는 졸고 앉았다가 설움이 복받치어 신세 자탄 울음을 우는데, 이것이 가난타령이 되었것다.	명절에도 먹을 것이 없어 흥보 마누라가 가난의 설움을 탄식하게 되는 장면의 상황 설정을 제시함.
동네 가마솥 있는 집을 찾아다니며, 밥을 꼬두밥 찌듯 쪄서 삯꾼을 사다 져다 붓고, 붓고 한 것이, 밥 더미가 거짓말 좀 보태면 남산 더미만 하던 것이었다.	박 속에서 쌀이 계속 쏟아져 나오자 흥보네 가족이 신이 나서 밥을 잔뜩 해대는 사건의 전개를 요약적으로 서술함.

(3) 이 작품에서 비장한 대목과 해학적인 대목을 각각 하나씩 찾아, 그 대목을 들을 때 청중이 느낄 긴장의 강도가 변화하게 되는 이유를 추론해 보자.

	해당 대목	청중이 느낄 긴장의 강도 변화	긴장의 강도가 변화하는 이유
비장한 대목	〈가난타령〉의 "가난이야, 가난이야. ~ 몹쓸 년의 팔자로다."	청중의 긴장이 고조됨.	흥보 마누라가 느끼는 가난의 설움에 청중이 정서적으로 몰입하게 되므로
해학적인 대목	〈흥보 밥타령〉의 "자, 우리가 쌀 본 김에 ~ 에이 손. 섭섭타. 섭섭혀!"	청중의 긴장이 해소됨.	과장된 상황 묘사가 웃음을 유발하므로

4. 다음 작품을 「흥보가」와 비교하며 읽고, 아래 활동을 해 보자.

> 흥부 부부가 박 덩이를 사이하고
> 정신적 행복을 추구하는 인간상
> 가르기 전에 건넨 웃음살을 헤아려 보라.
>
> 금이 문제리, / 황금 벼 이삭이 문제리, —부부 사이의 사랑과
> 물질적 풍요   신뢰가 더 중요함.
> 웃음의 물살이 반짝이며 정갈하던
> 물질적 빈곤함을 이겨 나가는 힘
> 그것이 확실히 문제다.   ▶ 욕심 없는 흥부 부부의 웃음
> 가난하지만 소박한 삶의 태도가 중요함.
>
> 없는 떡방아 소리도 / 있는 듯이 들어내고 —낙천적인 삶
>
> 손발 닳은 처지끼리
> 서로 같이 힘든 상황에 놓여 있음.
> 같이 웃어 비추던 거울 면(面)들아.
> 서로에 대한 이해와 사랑을ㄱ ▶ 가난하지만 서로를 잘 이해하는 부부
> 거울에 비유함.
>
> 웃다가 서로 불쌍해 / 서로 구슬을 나누었으리.
> 비창한 현실 상황 인식   연민의 눈물
> 그러다 금시
>
> 절로 면(面)에 온 구슬까지를 서로 부끄리며
> 눈물 흘리는 것조차 부끄러워하는 흥부 부부의 사랑에 가득찬 모습
> 먼 물살이 가다가 소스라쳐 반짝이듯
>
> 서로 소스라쳐
>
> 본(本)웃음 물살을 지었다고 헤아려 보라.
>
> 그것은 확실히 문제다.   ▶ 흥부 부부의 진정 어린 눈물과 웃음
>
> — 박재삼, 「흥부 부부상」

┌─ **작품 연구** 박재삼, 「흥부 부부상」

• **갈래**: 자유시, 서정시
• **성격**: 전통적, 회상적
• **제재**: 흥부 부부의 박 타기
• **주제**: 가난한 삶의 고달픔과 소박한 행복, 가난을 사랑과 웃음으로 극복하는 삶의 자세
• **특징**: ① 고전 작품에서 소재를 취하여 주제를 형상화함.
　　　　② 독자에게 말을 건네는 듯한 형식을 취함.
└─

(1) 위 작품과 「흥보가」의 인물들이 자신들의 가난한 처지에 관해 보이는 태도에 어떤 차이가 있는지 설명해 보자.

| 예시 답안 | 「흥보가」에서는 박을 타기 전에 흥보와 흥보 마누라가 가난한 자신의 신세를 한탄하고 있는데, 「흥부 부부상」에서 흥부 부부는 연민이나 사랑 같은 정신적 가치를 물질보다 중시하며, 서로에 대한 이해와 사랑으로 가난으로 인한 삶의 애환을 극복해 나가는 긍정적인 삶의 태도를 보인다.

(2) 만약 자신이 판소리 창자가 되어 위 작품을 '창'으로 부른다면 어떤 장단으로 부를지 생각해 보고, 그 장단을 고른 까닭을 말해 보자.

| 예시 답안 | • 우아한 맛이 있는 중중모리 장단으로 부를 것이다. 왜냐하면 박을 타기 전에 부부가 느낄 흥취와, 정신적 가치를 중시하는 우아함이 느껴지기 때문이다.
• 안정감을 주는 중모리 장단으로 부를 것이다. 왜냐하면 이 시에서는 가난 속에서도 의연한 태도를 보이는 인물들의 삶이 안정감을 환기하기 때문이다.

┌─ **보충 자료**

판소리의 개념

　　직업적 소리꾼이 관중들 앞에서 고수의 북장단에 맞추어 긴 이야기를 말(아니리)과 노래(창)로 엮고 몸짓(발림)을 곁들여 가며 구연하는 한국의 전통 구비 서사시이다.

「흥보가」에서 해학적 표현의 성격과 그 속에 담긴 삶의 태도

해학적인 표현	例 어찌 떨어 부어 놨던지 돈이 일만 구만 냥이요, 쌀이 일만 구만 석이나 되던가 보더라. → 이치에 맞지 않고 현실성 없는 표현으로, 많다는 것을 드러내기 위한 과장된 표현이자 흥분 상태를 드러내기 위한 말장난으로 볼 수 있음. 현장감과 흥을 고조시킴. 例 흥보 내외 자식들을 찾느라고 야단이 났는데, ~ 어떻게 밥에 환장이 되었던지 밥 속에가 총 철환 박히듯 꽉 박혀 가지고, 당창 벌거지 콧속 파먹듯 저 속에서 밥을 파먹고 나오던 것이었다. → 밥 더미가 산만큼 커서 흥보 자식들이 그 속에 박혀 먹는다는 과장된 표현으로, 늘 굶주리며 지내다 많은 밥을 보고 흥분한 흥보 자식들의 모습을 해학적으로 표현함.
당대 사람들 의 삶의 태도	이 작품은 빈곤이라는 심각하고 절망스러운 현실을 해학적으로 표현하고 있는데, 이는 어렵고 힘든 현실을 웃음으로 극복하려던 당대 서민들의 의식과 태도의 발현이라고 볼 수 있음.

「흥보가」에 나타난 당대 사회상과 소망

　　「흥보가」는 세속적, 물질적 가치관이 팽배해지고 화폐 경제가 자리 잡아 가던 조선 후기의 사회상을 배경으로 한다. "가난이야, 가난이야 원수녀르 가난이야. ~ 어떤 사람 팔자 좋아 부귀영화로 잘 사는데, 이년의 팔자는 어이하여 이 지경이 웬일이냐.", "세상 인심 간사하여 추세를 한다 한들, 너같이 심할쏘냐? 세돗집 부잣집만 기어코 찾아가서 ~"와 같은 흥보 마누라와 흥보의 신세 한탄에서는 기본적인 의식주조차 해결하기 어려웠던 당대 서민들의 비참한 현실과 빈부 갈등을 엿볼 수 있다. 또한 흥보 부부가 탄 박 속에서 돈궤와 쌀궤가 나오는 설정은 이러한 현실에서 벗어나 부자가 되기를 바라는 서민들의 소망을 상상 속에서나마 실현시킨 것이라 할 수 있다.

03 소설가 구보 씨의 일일 박태원

해제

「소설가 구보 씨의 일일」은 자전적 소설로 소설가 구보가 하루 동안 서울 거리를 배회하며 느끼는 내면 의식의 변화를 잘 보여 주고 있다. 일반적인 갈등 구조 대신 주인공의 의식의 흐름에 따라 이야기가 전개되는데, 주인공 구보가 하루 동안 경성 시내를 배회하며 관찰한 거리의 모습과 사람들의 다양한 모습이 중심을 이룬다. 주인공 구보는 1930년대 경성의 이곳저곳을 돌아다니며 고현학적인 태도로 마치 풍속도를 그리듯 당시의 사람들과 거리의 풍경을 스케치한다. 그러면서 구보는 세속화된 사람들에게 거리감을 갖게 되며 이들과 화합할 수 없는 자신을 생각하며 고독감을 느낀다. 이러한 의식은 식민지 시대를 살아 가는 지식인으로서 갖는 무기력함과 고뇌에서 비롯된 것이라고 할 수 있다. 1934년 8월 1일부터 9월 19일까지 『조선중앙일보』에 연재되어 큰 반향을 불러일으킨 작품이다.

전체 줄거리

특별한 직업이 없는 스물여섯 살의 '구보'는 정오에 집을 나와 광교, 종로를 걸으며 자신의 신체에 대한 불안감을 느낀다. 목적지도 정하지 않고 동대문행 전차를 타고 가던 중에 전차 안에서 전에 선을 본 여자를 발견한다. 일부러 모른 체하고 있다가 그녀가 전차에서 내리고 난 후 이내 후회한다. 고독을 피하려고 경성역 삼등 대합실로 가지만, 오히려 온정을 찾을 수 없는 냉정한 눈길들에 슬픔을 느낀다. 개찰구 앞에서 우연히 중학 시절 동창을 만나고 그와 동행한 여자를 보며 물질에 약한 여자의 허영심에 대해 생각한다. 다시 다방에서 만난, 시인이며 사회부 기자인 친구가 돈 때문에 매일 살인 강도와 방화 범인의 기사를 써야 한다는 사실을 애달파하고, 즐겁게 차를 마시는 연인들을 바라보면서 질투와 고독을 느끼기도 한다. 다방을 나온 '구보'는 여급이 있는 종로 술집에서 친구와 술을 마시며 세상 사람들을 모두 정신병자로 간주하고 싶은 충동을 느끼기도 한다. 새벽 두 시의 종로 네거리, '구보'는 제 자신의 행복보다 어머니의 행복을 생각하고 이제는 어머니가 권하는 대로 결혼을 하여 생활도 갖고 창작도 하리라 다짐하며 집으로 향한다.

핵심 정리

(1) 갈래: 중편 소설, 심리 소설, 세태 소설
(2) 성격: 관찰적, 심리적, 사색적
(3) 시점: 전지적 작가 시점
(4) 배경: 시간적 – 1930년대 어느 하루, 공간적 – 경성(서울)의 거리
(5) 주제: 소설가의 눈으로 바라본 1930년대 도시의 일상사, 예술가로서의 갈등과 일상적 삶에 대한 소망
(6) 특징: ① 당대 서울의 모습과 세태를 구체적으로 보여 줌.
　　　　② 몽타주 기법의 활용, 잦은 쉼표의 사용 등 다양한 실험성을 가미함.
　　　　③ 한 인물의 의식의 흐름에 따라 서사가 진행됨.
(7) 구성

집	천변길 → 화신 상회 → 전차 안 → 다방	경성역 대합실	여로형 구성, 원점 회귀형 구성을 취함.
	종로 네거리 ← 술집 ← 서울 거리 ← 다방		

어휘·어구 풀이

● **바른발** 오른발.
● **맹점(盲點)** 시신경(視神經)이 망막으로 들어오는 곳에 있는, 희고 둥근 부분. 시세포가 없어서 빛을 분간하지 못함. 맹반(盲斑).
● **안과 재래(眼科再來)** 안과 치료를 받은 적이 있는 환자의 진료 기록부를 모아 두는 곳을 말한다.
❶ **구보는 종로 네거리에 아무런 사무도 갖지 않는다.** 종로 네거리에 볼일이 아무것도 없다는 뜻으로, 정처 없이 길을 나선 구보의 현 상태를 보여 준다.
❷ **처음에 그가 아무렇게나~쏠렸기 때문에 지나지 않는다.** 여정이 논리적이거나 인과적 관계가 있는 것이 아니라, 구보의 발길이 닿는 대로 우연적으로 전개됨을 알 수 있다.

▶ **교과서 날개 질문**

구보가 종로 네거리로 향하는 이유로 볼 때, 지금 구보가 집을 나서 거리를 걷는 데 어떤 목적이 있는지 생각해 보자.
| 예시 답안 | 종로 네거리에 '아무런 사무도 갖지 않는' 구보가 그리로 향하는 것은 '아무렇게나 내어 놓았던 바른발이 공교롭게도 왼편으로 쏠렸기 때문'이다. 따라서 집을 나서 거리를 걷는 데에도 아무런 목적이 없음을 알 수 있다.

[앞부분 줄거리] 스물여섯 살의 소설가 구보는 동경 유학까지 다녀왔지만, 일정한 직업도 없고 아직 결혼도 하지 않았다. 구보는 어머니의 걱정을 뒤로한 채 무작정 집을 나서 길을 걷는다.

┌ 단락의 첫어절을 끊어 소제목으로 삼음. 내용의 전환을 알려 주는 기능을 통해 독자의 주의를 환기함.
가 구보는
　　박태원의 호(號)이자 필명
갑자기 걸음을 걷기로 한다. 그렇게 우두커니 다리 곁에 가 서 있는 것의 무의미함을
　　무료함과 무의미함에서 벗어나기 위한 행동
새삼스러이 깨달은 까닭이다. 그는 종로 네거리를 바라보고 걷는다. 구보는 종로 네거리에 아무런 사무도 갖지 않는다.❶ 처음에 그가 아무렇게나 내어놓았던 바른발이 공교롭게도 왼편으로 쏠렸기 때문에 지나지 않는다.❷

　갑자기 한 사람이 나타나 그의 앞을 가로질러 지난다. 구보는 그 사내와 ㉠마주칠 것 같은 착각을 느끼고, 위태롭게 걸음을 멈춘다.

　그리고 다음 순간, 구보는, 이렇게 대낮에도 조금의 자신을 가질 수 없는 자기의 시력을 저주한다. 그의 코 위에 걸려 있는 ㉡이십사 도의 안경은 그의 근시를 도와주었으나,
　　　　　　　　　자신의 신체적 허약함에 대한 원망
그의 망막에 나타나 있는 무수한 맹점을 제거하는 재주는 없었다. 총독부 병원 시대의 구보의 ㉢시력 검사표는 그저 그 우울한 '안과 재래(眼科再來)'의 책상 서랍 속에 들어 있을지도 모른다.

R, 4 　　　　 L, 3
구보의 오른쪽 눈 시력 　　구보의 왼쪽 눈 시력

　구보 는, 이 주일간 열병을 앓은 끝에, 갑자기 쇠약해진 시력을 호소하러 처음으로 안과의와 대하였을 때의, 그 조그만 테이블 위에 놓여 있던 '시야 측정기'를 지금 기억하고 있다. 제 자신 ㉣강도(强度)의 안경을 쓰고 있던 의사는, 백묵을 가져, 그 위에 용서 없
　　　　　　　　높은 도수의 안경
이 ㉤무수한 맹점을 찾아내었었다.
　　　　　　　아이러니한 상황
▶ 종로 네거리를 향하며 자신의 약해진 시력을 못마땅해하는 구보

학습 문제

정답과 해설 330쪽

1. 윗글에 대한 설명으로 가장 적절한 것은?
　① 인과적 사건을 중심으로 이야기가 전개되고 있다.
　② 역전적인 시간 구성에 의해 사건이 전개되고 있다.
　③ 인물 간의 갈등을 중심으로 사건이 진행되고 있다.
　④ 두 장소에서 일어난 사건이 병렬적으로 제시되고 있다.
　⑤ 인물의 의식이 흘러가는 방향으로 이야기가 전개되고 있다.

2. ㉠~㉤에 대한 설명으로 적절하지 않은 것은?
　① ㉠은 구보의 나쁜 시력 때문에 일어난 것이겠군.
　② ㉡이 구보의 나쁜 시력을 근본적으로 해결해 주지는 못했군.
　③ ㉢은 구보에게 우울한 감정을 유발했겠군.
　④ ㉣은 구보가 열등감을 갖도록 한 것이겠군.
　⑤ ㉤은 구보의 신체적 결함의 일부를 보여 주는 것이겠군.

나 그래도, 구보는, ⓐ 약간 자신이 있는 듯싶은 걸음걸이로 전차 선로를 두 번 횡단하여

화신 상회 앞으로 간다. 그리고 저도 모를 사이에 ⓑ 그의 발은 백화점 안으로 들어서기

우리나라 최초의 근대식 백화점

조차 하였다.

젊은 내외가, 너덧 살 되어 보이는 아이를 데리고 그곳에 가 승강기를 기다리고 있었

관찰의 대상   점심 식사

다. 이제 그들은 식당으로 가서 그들의 오찬을 즐길 것이다.『흘낏 구보를 본 그들 내외의

구보의 상상

눈에는 자기네들의 행복을 자랑하고 싶어 하는 마음이 엿보였는지도 모른다.』『구보는, 그

『 』: 구보의 양면적인 사고 방식이 드러남.

들을 업신여겨 볼까 하다가, 문득 생각을 고쳐, 그들을 축복해 주려 하였다.』사실, 사오

젊은 부부를 보고 처음 든 생각

년 이상을 같이 살아왔으면서도, 오히려 새로운 기쁨을 가져 이렇게 거리로 나온 젊은 부

부는 구보에게 좀 다른 의미로서의 부러움을 느끼게 하였는지도 모른다. 그들은 분명히

젊은 부부를 보고 나중에 든 생각 – 일상적 행복을 누리는 모습 때문

가정을 가졌고, 그리고 그들은 그곳에서 당연히 그들의 행복을 찾을 게다.

승강기가 내려와 서고, 문이 열리고, 닫히고, 그리고 젊은 내외는 수남(壽男)이나 복동

누구인지 알 필요가 없으므로 흔한 이름을 임의로 붙인 것임.

(福童)이와 더불어 구보의 시야를 벗어났다.

▶ 화신 상회에서 본 젊은 부부에 관한 생각

다 구보는 다시 밖으로 나오며, ⓒ 자기는 어디 가 행복을 찾을까 생각한다. 발 가는 대로,

전차 승하차장   짧은 지팡이

그는 어느 틈엔가 안전지대에 가 서서, 자기의 두 손을 내려다보았다. ⓓ 한 손의 단장과

관찰한 것을 메모함. 소설가로서의 면모

또 한 손의 공책과❶ ── 물론 구보는 거기에서 행복을 찾을 수는 없다.

안전지대 위에, 사람들은 서서 전차를 기다린다. 그들에게, 행복은 알 수 없다. 그러나

구보의 갈등

목적지가 분명한 사람들(구보와 대조적인 상황)

그들은 분명히, 갈 곳만은 가지고 있었다.

전차를 기다리는 사람들이 행복한지 알 수는 없지만 그들이 자신과는 다르게 가야 할 목적지가 뚜렷한 것만은 분명해 보인다는 뜻임.

전차가 왔다. 사람들은 내리고 또 탔다. ⓔ 구보는 잠깐 멍하니 그곳에 서 있었다. 그러

나 자기와 더불어 그곳에 있던 온갖 사람들이 모두 저 차에 오른다 보았을 때, 그는 저 혼

자 그곳에 남아 있는 것에, 외로움과 애달픔을 맛본다. 구보는, 움직인 전차에 뛰어올랐다.

다른 사람들과 달리 목적지가 없는 구보의 심정

▶ 외로움과 애달픔을 느끼며 전차에 오른 구보

---

3. '구보'에 대한 설명으로 적절하지 않은 것은?

① 혼자 남아 외로움을 맛보며 전차에 뛰어올랐다.

② 행복한 가족의 모습을 보고 부러움을 느끼고 있다.

③ 목적지를 정하지 않은 채 거리를 돌아다니고 있다.

④ 관찰자의 시선으로 사람들의 모습을 살펴보고 있다.

⑤ 사람들과 다른 자신의 모습에 자부심을 느끼고 있다.

서술형

4. 〈보기〉에 나타난 사회·문화적 배경을 참고할 때, '구보'가 젊은 부부를 보고 처음에 업신여기는 마음을 갖게 된 이유가 무엇인지 쓰시오.

| 보기 |

'화신 상회'는 1930년대라는 당대 조선의 현실과 다소 괴리된 서양식 고급 백화점이었다. 따라서 아무나 출입할 수 없는 곳이었다.

5. ⓐ~ⓔ 중 〈보기〉의 내용을 뒷받침할 수 있는 것으로 가장 적절한 것은?

| 보기 |

고현학적(考現學的) 창작 기법이란 현대인의 일상생활의 세세한 풍속을 조사·기록하여 탐구하고 창작하는 기법이다. 이 작품에서 '구보'는 고현학적인 태도로 현대인들의 일상을 세밀하게 관찰하고 기록해 간다.

① ⓐ   ② ⓑ   ③ ⓒ   ④ ⓓ   ⑤ ⓔ

어휘·어구 풀이

● **융** 표면이 부드럽고 보들보들한 옷감의 하나.

❶ **일찍이 그는 ~ 무서워하였는지도 모른다.** 구보가 선택한 소설가로서의 삶은 세속화된 일상을 거부한 '고독'을 전제로 하므로 구보는 세속화된 사람들과 화합하지 못하고 고독감을 느낀다. 식민지 현실에서 소설을 쓰는 일 외에 구보가 할 수 있는 일이 없었기 때문에 그 일을 사랑한다고 말하였지만, 한편으로는 자신을 억누르는 고독을 피하고 세상과 화해하고 싶은 마음이 드는 것이다.

❷ **표, 찍읍쇼─차장이 그의 앞으로 왔다.** 전차를 타면 차장이 표를 확인하던 당시의 시대 상황을 알 수 있다.

핵심 쏙쏙

◉ **구보의 내적 갈등**
구보는 지식인으로서의 고독과 일상인으로서의 행복 사이에서 내적 갈등을 겪고 있다. 따라서 구보의 '외출'은 자신이 행복에 도달할 수 있는 방법이 없는지 끊임없이 모색하는 과정의 일부라고 볼 수도 있다.

라 전차 안에서

구보는, 우선, 제자리를 찾지 못한다. 하나 남았던 좌석은 그보다 바로 한 걸음 먼저
　　　　　　　　　　　　　방황하는 구보　　　　　　　　　　　　　　　　　좌석을 빼앗김.
차에 오른 젊은 여인에게 점령당했다. 구보는, 차장대(車掌臺) 가까운 한구석에 가 서서,

자기는 대체, 이 동대문행 차를 어디까지 타고 가야 할 것인가를, 대체 어느 곳에 행복은
　　　　　　　　　　　　　행선지는 물론 삶의 방향성도 찾지 못하고 있는 구보
자기를 기다리고 있을 것인가를 생각해 본다.

이제 이 차는 동대문을 돌아 경성 운동장 앞으로 해서…… 구보는, 차장대, 운전대로
　　　　　　　　　　　　　　　　　　　전차의 경로
향한, 안으로 파란 융을 받쳐 댄 창을 본다. 전차과(電車課)에서는 그곳에 '뉴스'를 게시
　　　　　　　　　　　　　　　　　　　　　　　　　전차 관리과
한다. 그러나 사람들은 요사이 축구도 야구도 하지 않는 모양이었다.
　　　　　　　　　　　　　뉴스가 게시되지 않고 있음.
장충단으로. 청량리로. 혹은 성북동으로……. 그러나 ㉮ 요사이 구보는 교외를 즐기지

않는다. 그곳에는, 하여튼 자연이 있었고, 한적(閑寂)이 있었다. 그리고 고독조차 그곳에
　　　　　　　　　　　　　　　　　　　　　　　한가하고 고요함.
는, 준비되어 있었다. 요사이, 구보는 고독을 두려워한다.

일찍이 그는 고독을 사랑한 일이 있었다. 그러나 고독을 사랑한다는 것은 그의 심경의
　　　　　　　　　　　　구보의 성격─사람들과 소통하며 적극적으로 사는 것과 거리가 있음.
바른 표현이 못 될 게다. 『그는 결코 고독을 사랑하지 않았는지도 모른다. 아니 도리어 그

는 그것을 그지없이 무서워하였는지도 모른다.❶ 그러나 그는 고독과 힘을 겨루어, 결코 그

것을 이겨 내지 못하였다. 그런 때, 구보는 차라리 고독에게 몸을 떠맡겨 버리고, 그리
『 』: 고독을 사랑했던 것은 고독에 대한 두려움에서 온 자기 위안임.
고, 스스로 자기는 고독을 사랑하고 있는 것이라고 꾸며 왔었는지도 모를 일이다……』

표, 찍읍쇼 ─ 차장이 그의 앞으로 왔다.❷ 구보는 단장을 왼팔에 걸고, 바지 주머니에

손을 넣었다. 그러나 그가 그 속에서 다섯 닢의 동전을 골라내었을 때, 차는 종묘 앞에 서

고, 그리고 차장은 제자리로 돌아갔다.

구보는 눈을 떨어뜨려, 손바닥 위의 다섯 닢 동전을 본다. 그것들은 공교롭게도 모두가

뒤집혀 있었다. 대정(大正) 12년. 11년. 11년. 8년. 12년. 대정 54년─, 『구보는 그 숫자에
　　　　　　　　　　　일본 왕의 연호(시대적 배경)　　　　　　　　　동전 다섯 닢의 발행 연도를 모두 더한 숫자
서 어떤 한 개의 의미를 찾아내려 들었다. 그러나 그것은 부질없는 일이었고, 그리고 또

설혹 그것이 무슨 의미를 가지고 있었다 하더라도, 그것은 적어도 '행복'은 아니었을 게다.』
『 』: 자신의 행동에 의미를 찾지 못하는 구보

학습 문제

6. 라의 내용과 일치하는 것은?

① 구보는 자신의 자리를 어떤 여인에게 양보하였다.

② 구보는 자신이 내려야 할 역을 정하지 못하고 있다.

③ 구보는 자주 교외를 찾지 못하는 것을 안타까워했다.

④ 구보는 뉴스가 전해 주는 세상 소식에 관심을 잃었다.

⑤ 구보는 자신이 지닌 동전들 속에 숨겨진 의미를 발견했다.

서술형

7. 단락의 소제목을 단락의 첫 어절로 하여 얻은 효과를 쓰시오.

학습 활동 응용

8. ㉮의 이유로 가장 적절한 것은?

① 고독을 피하고 싶었기 때문에

② 자연에 싫증을 느꼈기 때문에

③ 전차를 너무 오래 타야 하기 때문에

④ 도시의 생활에 적응해야 하기 때문에

⑤ 교외를 즐길 마음의 여유가 없기 때문에

9. 구보가 자신의 삶에서 추구하고 있는 것을 라에서 찾아 한 단어로 쓰시오.

차장이 다시 그의 옆으로 왔다. ㉠ <u>어디를 가십니까.</u> 구보는 전차가 향해 가는 곳을 바라보며 문득 창경원에라도 갈까, 하고 생각한다. 그러나 ㉡ <u>그는 차장에게 아무런 사인도 하지 않았다.</u> 갈 곳을 갖지 않은 사람이, 한번, 차에 몸을 의탁하였을 때, 그는 어디서든 섣불리 내릴 수 없다.❶

차는 서고, 또 움직였다. 구보는 창밖을 내다보며, ㉢ <u>문득, 대학병원에라도 들를 것을 그랬나 해 본다.</u> 연구실에서, 벗은, 정신병을 공부하고 있었다. 그를 찾아가, 좀 다른 세상을 구경하는 것은, 행복은 아니어도, 어떻든 한 개의 일일 수 있다…….

구보가 머리를 돌렸을 때, 그는 그곳에, 지금 막 차에 오른 듯싶은 한 여성을 보고, 그리고 신기하게 놀랐다. 집에 돌아가, 어머니에게 오늘 전차에서 '그 색시'를 만났죠 하면, 어머니는 응당 반색을 하고, 그리고, ㉣ <u>"그래서 그래서,"</u> 뒤를 캐어물을 게다. 그가 만약, 오직 그뿐이라고라도 말한다면, 어머니는 실망하고, 그리고 그를 주변머리 없다고 책할지도 모른다. 그러나 누가 그 일을 알고, 그리고 아들을 졸(拙)하다고라도 말한다면, 어머니는, ㉤ <u>내 아들은 원체 얌전해서…… 그렇게 변호할 게다.</u>❷

구보는 여자와 시선이 마주칠까 겁(怯)하여, ⓐ <u>얼토당토않은 곳을 보며,</u> 저 여자는 내가 여기 있는 것을 보았을까, 하고 생각한다.

▶ 전차 안에서 고독을 느끼는 구보

[중략 부분 줄거리] 여자와의 단 한 번 만남에 관해 회상하는 동안 여자가 시야에서 멀어지자, 구보는 여자에게 알은체하지 않은 것을 뒤늦게 후회한다. 예전에 자신이 좋아했던 어떤 여자를 떠올리며 행복에 관한 상념에 잠겼던 구보는 다방에서 차를 마시고 벗을 찾아가기로 한다. 거리를 걷던 구보는 우연히 마주친 옛 벗에게 용기를 내어 인사하지만 냉랭하게 외면을 당하고 울 것 같은 감정을 느낀다.

지문 주석(본문 밑줄 설명):
- 아직도 목적지를 정하지 못하고 있음.
- 무료한 일상에서 벗어나고 싶은 욕망을 엿볼 수 있음.
- 사고의 흐름이 전환되는 계기
- 전에 선을 보았던 여자
- 겁이 나서
- 주변이 없고 생각이 좁아 옹졸하다.

어휘·어구 풀이

❶ 갈 곳을 갖지 않은~내릴 수 없다. 특별한 목적지를 정하지 못한 구보는 내려야 할 곳 역시 얼른 정할 수가 없다. 이러한 모습은 삶의 방향성을 상실한 근대적 인간의 모습이자, 자신의 삶을 결단하지 못하는 나약한 지식인의 모습이 투영된 것이라고 할 수 있다.

❷ 내 아들은 원체~변호할 게다. 아들에게 실망하고 주변머리가 없다는 생각이 들었을지라도 아들을 옹호한다고 하면 아들의 단점을 숨겨 주고 싶었을 것이라는 의미이다.

교과서 날개 질문

전차 안의 풍경을 묘사하고 있는 까닭을 생각해 보자.
| 예시 답안 | 일종의 '산책자'로서 세상의 모습을 구경하는 구보에게 전차 안의 풍경 역시 관찰과 묘사의 대상이기 때문이다.

구보가 한 여성을 보고 신기하게 놀란 까닭은 무엇일까?
| 예시 답안 | 어머니에게 '그 색시'를 만났다고 말하면 어머니가 반색을 하며 뒤를 캐어물을 거라고 상상하는 것으로 볼 때, 그 여성은 어머니가 자기 며느리로 삼았으면 좋겠다고 바랄 듯한, 구보와 예전에 만난 적이 있는 여성일 것이다. 그런 여성을 우연히 마주치게 된 것이므로 신기하게 놀란 것이다.

---

10. ㉣의 서술상 특징으로 가장 적절한 것은?

① 소설 속 인물의 목소리를 통해 사건을 전달하고 있다.
② 서술자를 교체하여 장면을 입체적으로 제시하고 있다.
③ 간접 제시의 방식을 사용해 객관적으로 서술하고 있다.
④ 전지적 서술자가 주인공의 시선을 빌려 사건을 서술하고 있다.
⑤ 작품 안 서술자가 객관적인 입장에서 모든 인물을 관찰한 내용을 그리고 있다.

서술형
11. 구보가 ⓐ와 같이 행동한 이유와 이를 통해 알 수 있는 구보의 성격을 쓰시오.

12. ㉠~㉤에 대한 설명으로 적절하지 않은 것은?

① ㉠은 직접 인용 부호를 사용할 수 있는 부분이다.
② ㉡은 구보가 아직도 행선지를 정하지 못했음을 보여 준다.
③ ㉢은 구보가 무료한 일상에서 벗어나고 싶어 한다는 것을 알 수 있게 해 준다.
④ ㉣은 어머니가 구보의 결혼에 대해 관심이 많다는 것을 보여 준다.
⑤ ㉤은 어머니가 세상 사람들과는 달리 아들을 긍정적으로 평가하고 있음을 나타낸다.

어휘·어구 풀이

❶ 그러나 오히려 고독은 ~ 부탁하는 일조차 없었다. 구보는 고독에서 벗어나기 위해 약동하는 경성역 삼등 대합실을 찾았지만, 대화도 없이 오직 자신들의 사무에만 열중하며 신뢰를 잃은 사람들의 모습을 목격한다. 이로 인해 구보는 인간 본래의 온정을 찾을 수 없는 이곳에서 오히려 더 고독해졌다는 의미이다.

핵심 쏙쏙

◉ 구보에게 경성역의 의미
• 경성(서울) 사람들의 삶을 확인할 수 있는 공간
• 고독을 피할 수 있으리라는 기대감을 가진 공간
• 사람들의 이기적인 세태를 확인하게 된 공간

▶ **교과서 날개 질문**
구보가 경성역 안으로 들어가 보기로 한 까닭을 생각해 보자.
| 예시 답안 | 남대문에서 지게꾼들의 맥없는 모양을 보고 고독을 느꼈기 때문에, 약동하는 무리들이 있는 곳인 경성역에 가서 고독을 피하고 싶었을 것이다.

마 조그만

한 개의 기쁨을 찾아, 구보는 ㉮남대문을 안으로 밖으로 나가 보기로 한다. 그러나 그곳에는 불어 드는 바람도 없이 양옆에 웅숭그리고 앉아 있는 서너 명의 지게꾼들의 그 모양이 맥없다.
_{기운이 없다.} _{기대와 달리 별다른 기쁨을 느끼지 못하는 구보}

구보는 고독을 느끼고, 사람들 있는 곳으로, ㉠약동하는 무리들이 있는 곳으로, 가고 싶다 생각한다. 그는 눈앞에 ㉯경성역을 본다. ㉡그곳에는 마땅히 인생이 있을 게다. 이
_{생기 있고 활발하게 움직임.} _{생동감과 활력이 넘치고 온정이 느껴지는 곳}
낡은 서울의 호흡과 또 감정이 있을 게다. 도회의 소설가는 모름지기 이 도회의 항구와
_{근대 문명의 상징인 기차가 있는 공간}
친해야 한다. 그러나 물론 그러한 직업의식은 어떻든 좋았다. 다만 구보는 고독을 삼등
_{수많은 사람들이 오고 가는 곳. 기차가 드나드는 경성역을 비유한 표현}
대합실 군중 속에 피할 수 있으면 그만이다.
_{구보가 경성역을 찾은 이유}

『그러나 오히려 고독은 그곳에 있었다. 구보가 한옆에 끼어 앉을 수도 없게시리 사람들은 그곳에 빽빽하게 모여 있어도, 그들의 누구에게서도 인간 본래의 온정을 찾을 수는 없
_{구보가 추구하는 가치}
었다. ㉢그네들은 거의 옆의 사람에게 한마디 말을 건네는 일도 없이, 오직 자기네들 사

무에 바빴고, 그리고 간혹 말을 건네도, 그것은 자기네가 타고 갈 열차의 시각이나 그러한 것에 지나지 않았다. ㉣그네들의 동료가 아닌 사람에게 그네들은 변소에 다녀올 동안의 그네들 짐을 부탁하는 일조차 없었다.❶ 남을 결코 믿지 않는 ㉤그네들의 눈은 보기에 딱하고 또 가엾
_{인간미를 잃은 사람들에 대한 연민과 안타까움}
었다.』 『 』: 따뜻한 인간미를 상실하고 인간관계가 단절된 모습

학습 문제

13. ㉮와 ㉯에 대한 설명으로 적절하지 <u>않은</u> 것은?

① 구보는 ㉮에서 새로운 경험을 하며 기쁨을 맛보았다.
② 구보는 ㉮ 주변에 맥없이 앉아 있는 사람들의 모습을 보았다.
③ 구보는 ㉯에 모인 군중들 속에서 인간의 온정을 느끼지 못하였다.
④ 구보는 자신의 직업상 ㉯에 자주 와서 이곳의·사람들을 잘 관찰해야 한다고 생각한다.
⑤ 구보는 ㉮와 ㉯ 모두 자신의 기대와는 달라 실망감을 느꼈다.

14. 마에서 '경성역'을 비유한 표현을 찾아 쓰시오.

학습 활동 응용

15. ㉠~㉤에 대한 설명으로 적절하지 <u>않은</u> 것은?

① ㉠: 고독에서 벗어나고 싶은 구보의 마음을 엿볼 수 있다.
② ㉡: '경성역'은 수많은 사람들이 모이는 곳임을 알 수 있다.
③ ㉢: 인간 본래의 온정을 잃은 사람들의 모습에 해당한다.
④ ㉣: 사람들 사이에 불신감이 만연해 있음을 알 수 있다.
⑤ ㉤: 세상을 따뜻한 눈으로 바라볼 수 있게 된 구보의 태도 변화를 드러낸다.

16. '경성역'으로 발걸음을 옮긴 이유와 관련하여 자신을 스스로 무엇이라고 지칭하였는지 마에서 찾아 쓰시오.

구보는 한구석에 가 서서, 그의 앞에 앉아 있는 노파를 본다.❶ ⓐ『그는 뉘 집에 드난을
살다가 이제 늙고 또 쇠잔한 몸을 이끌어, 결코 넉넉하지 못한 어느 시골, 딸네 집이라도
찾아가는지 모른다.』 ⓑ『이미 굳어 버린 그의 안면 근육은 어떠한 다행한 일에도 펴질 턱

<small>관찰의 대상</small>

<small>『 』: 노파에 대한 추측과 상상</small>

없고, 그리고 그의 몽롱한 두 눈은 비록 그의 딸의 그지없는 효양(孝養)을 가지고도 감동
시킬 수 없을지 모른다.』 [A] 노파 옆에 앉은 중년의 시골 신사는 그의 시골서 조그만 백화

<small>『 』: 외양 묘사를 통해 인물의 고단한 삶을 표현함.</small> <small>비판의 대상</small>

점을 경영하고 있을 게다. 그의 점포에는 마땅히 주단포목도 있고, 일용 잡화도 있고, 또

<small>명주, 비단, 베, 무명 따위의 온갖 직물류</small>

흔히 쓰이는 약품도 갖추어 있을 게다. 그는 이제 그의 옆에 놓인 물품을 들고 자랑스러
이 차에 오를 게다. 구보는 그 시골 신사가 노파와 사이에 되도록 간격을 가지려고 노력
하는 것을 발견하고, ⓒ 그리고 그를 업신여겼다.❷『만약 그에게 얕은 지혜와 또 약간의 용

<small>『 』: 중년 신사의 거만함에 대한 냉소적 비판</small>

기를 주면 그는 삼등 승차권을 주머니 속에 간수하고, 일, 이등 대합실에 오만하게 자리
잡고 앉을 게다.』

『문득 구보는 그의 얼굴에 부종(浮腫)을 발견하고 그의 앞을 떠났다. 신장염. 그뿐 아니

<small>『 』: 의식의 흐름에 따르는 서술</small> <small>몸이 붓는 현상</small>

라, 구보는 자기 자신의 만성 위 확장을 새삼스러이 생각해 내지 않으면 안 되었다. 그러
나 구보가 매점 옆에까지 갔을 때, ⓓ 그는 그곳에서도 역시 병자를 보지 않으면 안 되

<small>경성 곳곳에 있는 병자들의 모습을 통해 당대 사람들이 육체적·정신적으로 병들어 있음을 보여 줌.</small>

었다. 사십여 세의 노동자. 전경부(前頸部)의 광범한 팽륭(澎隆). 돌출한 안구. 또 손의

<small>목의 앞부분</small> <small>크게 부어오름.</small> <small>눈알</small>

경미한 진동. 분명히 '바세도우'씨병. 그것은 누구에게든 결코 깨끗한 느낌을 주지는 못한

<small>눈알이 튀어나오며 갑상샘종을 유발함.</small>

다. 『그의 좌우에는 좌석이 비어 있어도 사람들은 그곳에 앉으려 들지 않는다. 뿐만 아니

<small>『 』: 병에 걸린 사람을 피하고 꺼리는 현대인의 비인간적인 모습 – 인간성 상실과 이기적으로 변해 버린 세태 비판</small>

라, 그에게서 두 칸 통 떨어진 곳에 있던 아이 업은 젊은 아낙네가 그의 바스켓 속에서 꺼
내다 잘못하여 시멘트 바닥에 떨어뜨린 한 개의 복숭아가, 굴러 병자의 발 앞에까지 왔을
때, 여인은 그것을 쫓아와 집기를 단념하기조차 하였다.』 / 구보는 이 조그만 사건에 문

<small>나쁜 병이라도 옮을까 봐</small>

득, 흥미를 느끼고, 그리고 ⓔ 그의 '대학 노트'를 펴 들었다. 그러나 그가 문 옆에 기대어
섰는 캡 쓰고 린네르 쓰메에리 양복 입은 사내의, 그 온갖 사람에게 의혹을 갖는 두 눈을

<small>타인을 의심하고 불신하는 사람들의 모습</small>

발견하였을 때, 구보는 또다시 우울 속에 그곳을 떠나지 않으면 안 된다.

▶ 경성역 대합실에서도 고독을 느끼고 우울해진 구보

어휘·어구 풀이

● 드난 임시로 남의 집 행랑에
붙어 지내며 그 집의 일을 도
와줌. 또는 그런 사람.

● 효양 효도하고 봉양함.

❶ 구보는 한구석에 가 서서,~
노파를 본다. 구보는 경성역
삼등 대합실에서 노파를 관찰
하는 것을 시작으로 여러 사
람들을 보고 다양한 상상을
한다. 이는 영화의 촬영 기법
으로 따로따로 촬영한 화면을
적절하게 떼어 붙여서 하나의
긴밀하고도 새로운 장면으로
만드는 몽타주 기법인데, 이러
한 기법은 이 작품의 두드러
진 특징이라고 할 수 있다.

❷ 구보는 그 시골 신사가~그를
업신여겼다. 우월감에 빠져
늙은 노파와의 사이를 벌림으
로써 늙은 노파와 자신을 구
별 짓고 자신을 특별히 보이
고 싶어 하는 시골 신사의 태
도를 비판하고 있다.

교과서 날개 질문

**구보가 '대학 노트'를 편 목적은
무엇일지 생각해 보자.**

| 예시 답안 | 이기적이고 몰인정
한 사람들의 모습에 흥미를 느끼
고 이를 대학 노트에 기록하고자
한 것이다. 이는 눈앞의 장면을 기
록하고 그것을 소설화하려는 소설
가로서의 본능과도 같은 행동으
로, 이 작품의 고현학적 창작 기법
과도 관련이 깊다.

---

17. ⓐ~ⓔ에 대한 설명으로 적절하지 <u>않은</u> 것은?

① ⓐ는 구보가 노파에 대해 상상한 내용이다.

② ⓑ는 오랜 풍상 속에서 표정마저 굳어진 노파의 모습을
보여 준다.

③ ⓒ는 시골 신사의 속내를 간파한 구보의 심리를 드러
낸다.

④ ⓓ는 구보가 환자를 불쾌한 감정으로 바라보고 있음
을 보여 준다.

⑤ ⓔ는 구보가 '이 조그만 사건'을 의미 있게 받아들이
고 있음을 보여 준다.

18. 〈보기〉를 참고할 때, [A]에 활용된 서술 방식이 영화의 어떤
기법과 유사한지 쓰시오.

| 보기 |

구보는 대합실에서 우연히 보게 된 시골 신사를 관찰
하면서 그의 신상과 관련된 다양한 장면을 상상한다. 이
것은 따로따로 촬영된 화면을 효과적으로 떼어 붙여서
하나의 새로운 장면이나 내용을 만드는, 영화나 사진의
편집 구성의 한 수법과 매우 유사하다고 할 수 있다.

어휘·어구 풀이

● **광구** 광물의 채굴·시굴을 허가한 구역. 광물을 채굴할 수 있는 구역.

❶ **그것은 적어도, 한 손에~진실한 인생이었을지도 모른다.** 황금을 찾아 돌아다니는 무직자들도 허황되기는 하지만 현실적인 세계와 단절된 채 목적도 없이 고독한 방황을 계속하는 자신보다는 낫다고 생각하고 있다. 구보 자신의 처지에 대한 자조 섞인 자책과 탄식이 드러나 있다.

❷ **구보는 그래도~가장 엉성하게 잡았다.** 구보가 중학 동창과의 만남을 달가워하지 않는다는 것이 드러나는 부분이다.

핵심 쏙쏙

◉ **구보의 양면적 시선**

당시 세대
물질적인 욕망을 좇아 살고 있음. (황금광 시대)

↓

비판적·냉소적

↕

구보의 삶
목적의식 없이 무의미한 시간을 보내고 있음.

↓

자조적 태도

바 개찰구 앞에

두 명의 사내가 서 있었다. 낡은 파나마에 모시 두루마기 노랑 구두를 신고, 그리고 손 〔관찰의 대상. 금광 중개인으로 보이는 인물〕 〔파나마모자. 파나마모자풀의 잎을 잘게 쪼개어서 만든 여름 모자〕 에 조그만 보따리 하나도 들지 않은 그들을, 구보는, 확신을 가져 무직자라고 단정한다. 그리고 이 시대의 무직자들은, 거의 다 ㉠금광 중개상에 틀림없었다. 구보는 새삼스러이 대합실 안팎을 둘러본다. 그러한 인물들은, 이곳에도 저곳에도 눈에 띄었다.

황금광 시대(黃金狂時代). 〔황금에 미쳐 있는 시대 – 1930년대의 시대상〕 저도 모를 사이에 구보의 입술은 무거운 한숨이 새어 나왔다. 황금을 찾아, 황금을 찾 아, 그것도 역시 숨김없는 인생의, 분명히, 일면이다. 〔황금을 좇는 사람들에 대한 구보의 비판적 시선이 드러남.〕 그것은 적어도, 한 손에 단장과 또 〔쉼표의 잦은 사용 – 인물의 내면 의식 표현. 서술의 속도감을 높이는 효과〕 한 손에 공책을 들고, 목적 없이 거리로 나온 자기보다는 좀 더 진실한 인생이었을지도 〔광업에 관한 서류를 대신 써 주던 사무소〕 모른다.❶ 시내에 산재한 ㉡무수한 광무소(鑛務所). 인지대 백 원. 열람비 오 원. 수수료 십 원. 지도대 십팔 전…… ㉢출원 등록된 광구, 조선 전토(全土)의 칠 할. 시시각각으로 사람들은 ㉣졸부가 되고, 또 몰락해 갔다. 황금광 시대. 그들 중에는 평론가와 시인, 이 러한 문인들조차 끼어 있었다. 〔정신적 가치를 중시해야 할 문인들조차 금광에 매달리는 세태에 대한 비판적 의식〕 구보는 일찍이 창작을 위해 그의 벗의 광산에 가 보고 싶 다 생각하였다. 사람들의 사행심, 황금의 매력, 그러한 것들을 구보는 보고, 느끼고, 하 〔요행을 바라는 마음〕 고 싶었다. 그러나, 고도의 금광열은, 오히려, 총독부 청사, 동측 최고층, 광무과 열람실 〔도심에까지 광범위하게 퍼져 있는 금광열〕 에서 볼 수 있었다……. ▶ 개찰구 앞에서 금광 중개상들을 관찰하는 구보

사 문득, 한 사내가 둥글넓적한, 그리고 또 비속한 얼굴에 웃음을 띠고, 구보 앞에 그의 〔구보의 중학 동창생〕 모양 없는 손을 내민다. 그도 벗이라면 벗이었다. 중학 시대의 열등생. 구보는 그래도 약 간 웃음에 가까운 표정을 지어 보이고, 그리고, ㉮단장 든 손을 그대로 내밀어 그의 손을 가장 엉성하게 잡았다.❷ 이거 얼마 만이야. 어디, 가나. 응, 자네는 —. 〔서술과 대화를 구분하지 않음.〕 구보는 친하지 않은 사람에게 '자네' 소리를 들으면 언제든 불쾌하였다. '해라'는, 해라 〔가식적인 말투에 대한 반감〕 는 오히려 나았다. 그 사내는 주머니에서 ㉯금시계를 꺼내 보고, 다음에 구보의 얼굴을 〔재력의 과시〕

학습 문제

19. **바**~**사**에 나타난 구보의 속마음과 거리가 <u>먼</u> 것은?

① 문인들까지 황금을 좇고 있으니 큰일이군.

② '자네'라는 호칭이 몹시 불쾌하게 느껴지는군.

③ 세상이 온통 금광의 열기에 빠져 정신이 없군.

④ 벗의 광산에 가서 나도 황금광 시대에 동참해 보고 싶군.

⑤ 열등생이었던 친구가 잘난 척하는 모습이 눈에 거슬리는군.

20. 구보가 '자네' 소리를 불쾌하게 여기고 있는 이유를 쓰시오.

21. ㉮의 이유로 가장 적절한 것은?

① 친구와의 만남이 별로 달갑지 않기 때문에

② 잘난 척하는 친구 앞에서 주눅이 들었기 때문에

③ 고독감으로 인해 매사에 흥미를 잃고 있었기 때문에

④ 자신의 불쾌한 속마음을 들키고 싶지 않았기 때문에

⑤ 경성에 만연한 병이라도 옮을까 걱정이 되었기 때문에

학습 활동 응용

22. ㉠~㉯ 중 '황금광 시대'와 거리가 <u>먼</u> 것은?

① ㉠　　② ㉡　　③ ㉢　　④ ㉣　　⑤ ㉯

쳐다보며, 저기 가서 차라도 안 먹으려나. 전당포 집의 둘째 아들. 구보는 그러한 사내와 자리를 같이해 차를 마실 생각은 없었다. 그러나, 그러한 경우에 한 개의 구실을 지어, <u>그 호의를 사절할 수 있도록 구보는 용감하지 못하다.</u> 그 사내는 앞장을 섰다. ⓐ <u>자아 그럼</u>
결국 거절하지 못함. 구보의 우유부단한 성격을 알 수 있음.
<u>저리로 가지.</u> 그러나 그것은 구보에게만 한 말이 아니었다.

구보는 자기 뒤를 따라오는 한 여성을 보았다. 그는 한번 흘낏 보기에도, 한 사내의 애
동창의 애인
인 된 티가 있었다. ⓑ <u>어느 틈엔가 이런 자도 연애를 하는 시대가 왔다.</u> 새삼스러이 그
재력만 있으면 무엇이든 할 수 있는 시대에 대한 냉소적·경멸적·비판적 태도 ❶
천한 얼굴이 쳐다보였으나, 그러나 서정 시인조차 황금광으로 나서는 때다.
물질주의에 물든 세태에 대한 비판적·냉소적 태도

의자에 가 가장 자신 있이 앉아, 그는 주문 들으러 온 소녀에게, ⓒ <u>나는 가루삐스.</u> 그리고 구보를 향해, ⓓ <u>자네두 그걸루 하지.</u> 그러나 구보는 거의 황급하게 고개를 흔들고,
강한 거부감이 든 구보
ⓔ <u>나는 홍차나 커피로 하지.</u>

음료 칼피스를, 구보는, 좋아하지 않는다. 그것은 외설한 색채를 갖는다. 또, 그 맛은 결코 그의 미각에 맞지 않았다. 구보는 차를 마시며, 문득, 끽다점(喫茶店)에서 사람들이
찻집
취하는 음료를 가져, 그들의 성격, 교양, 취미를 어느 정도까지 알 수 있을 것이 아닌가, 하고 생각하여 본다. 그리고 그것은 동시에, 그네들의 그때, 그때의 기분조차 표현하고 있을 게다.
❷

구보는 맞은편에 앉은 사내의, 그 교양 없는 이야기에 건성 맞장구를 치며, 언제든 ㉳ <u>그러한 것을 연구해 보리라 생각한다.</u>

▶ 중학 동창을 만나 함께 찻집에 간 구보

[뒷부분 줄거리] 역에서 나온 구보는, 시인이면서 생계를 위해 신문 기자로 일하는 벗을 다방으로 불러내어 문학에 관한 얘기를 나누지만 권태를 느끼고 헤어진다. 다른 벗과 저녁을 먹고 다시 혼자가 된 구보는 거리를 배회하며 유학 시절의 짧았던 연애를 회상하고, 벗을 기다리던 다방에서 중학 선배인 성가신 사내와 불쾌한 대화를 나눈다. 늦은 밤 구보는 벗과 술을 마시러 가고, 술집 여급과 공허한 대화를 나누며 세상 사람 모두를 정신병자로 취급하고픈 충동을 느낀다. 새벽 두 시에 술집을 나온 구보는 어머니의 행복을 위해 정상적인 생활을 하고 소설도 쓰겠다고 다짐하며 집으로 돌아온다.

어휘·어구 풀이

❶ 그러나 서정 시인조차 황금광으로 나서는 때다. 순수 예술을 추구해야 할 서정 시인조차 황금광으로 나설 만큼 황금만능주의에 물들어 있는 세태를 비판한 것이다.

❷ 구보는 차를 마시며,~표현하고 있을 게다. 구보는 사람들이 즐겨 마시는 차에서 그 사람의 성향이나 교양을 어느 정도 파악할 수 있다고 여기고 있다. 중학 동창이 고른 '칼피스'를 외설적이고 천박하다 생각하는 것에서 구보가 동창의 취향과 교양을 낮게 평가하고 있음을 알 수 있다.

교과서 날개 질문

구보가 당시의 세태에 관해 어떤 반응을 보이고 있는지 생각해 보자.

| 예시 답안 | 구보는 당시가 '서정 시인조차 황금광으로 나서는' 황금광 시대이자, 속물근성으로 가득한 중학 동창도 연애를 하는 시대라는 생각을 하고 있다. 이는 구보가 당시의 물질주의적 세태에 관해 냉소적이고 비판적인 반응을 보이는 것이라고 할 수 있다.

---

23. 윗글을 소개하는 광고 문구로 가장 적절한 것은?

① 이상을 찾아 떠난 소설가의 희망 일기
② 우리가 미처 몰랐던 일제의 추악한 실상
③ 작가의 시선이 머무는 곳에 싹트는 추억
④ 물질을 좇는 사람들의 진솔한 이야기 속으로
⑤ 한 소설가의 눈에 비친 일제 시대 경성의 모습

24. ⓐ~ⓔ 중 직접 인용 부호를 사용하기에 적절하지 않은 것은?

① ⓐ ② ⓑ ③ ⓒ ④ ⓓ ⑤ ⓔ

25. ㉳의 문맥적 의미로 가장 적절한 것은?

① 사람들의 성격과 인격의 상호 관계
② 사람들의 말 속에 담긴 성격과 인품
③ 교양의 수준과 의사소통 능력의 상관성
④ 음식에 대한 선호와 관련된 사회적 지위
⑤ 사람들이 선호하는 음료와 개인 성향과의 관계

서술형
26. 윗글의 시점에 나타난 특징을 서술하시오.

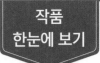

- **서술 시점의 특징(제한적 전지적 작가 시점)**

서술자는 구보의 내면 심리를 ❶☐☐☐으로 서술하는 반면, 나머지 등장인물들은 주로 ❷☐☐의 시선이나 의식을 통해 간접적으로 서술하고 있다.

- **작품에 사용된 창작 기법**

의식의 흐름 기법	의식의 흐름은 미국의 심리학자 윌리엄 제임스가 1890년에 사람의 정신 속에서 생각과 의식이 끊어지지 않고 연속된다는 것을 말하면서 처음 쓴 말이다. 현대 소설, 특히 심리주의 소설의 창작 기법인 의식의 흐름은 소설 속 인물의 파편적이고 무질서하며 잡다한 의식 세계를 자유로운 연상 작용을 통해 가감 없이 그려 내는 방법을 말한다.
몽타주 기법	한 시점 동안 여러 곳의 상황을 동시에 겹쳐 기술하는 기법으로, 영화 등 다양한 예술 갈래에 걸쳐 사용되고 있다. 소설에서는 내용을 이미지화하여 제시함으로써 선명한 인상을 떠올리게 하는 기법을 말한다.
❸☐☐☐적 창작 기법	현대인의 일상생활의 세세한 풍속을 조사·기록하여 탐구하고 창작하는 기법으로, 작가의 창작 방식을 직접적으로 드러내는 효과가 있다. 「소설가 구보 씨의 일일」에서 구보가 단장을 짚고 산책하며 세상의 모습을 공책에 기록하는 행위를 통해 소설을 창작하는 방법이 여기에 해당된다.

- **구보의 인물 유형**

26세의 소설가. 작가의 분신. 일본 유학을 다녀온 근대적 지식인임에도 무위도식하는 무기력한 자신에게 부끄러움을 느끼는 한편, 소설가로서의 자부심이 강해 일반인을 속물로 치부하는 인물이다. 예술가로서의 삶과 일상적인 삶의 행복 사이에서 갈등하며 고독감을 느끼는 무기력한 ❹☐☐☐ ☐☐☐의 전형이다.

- **구보의 '병'을 바라보는 시선**

이 작품에서 구보를 비롯한 많은 인물들은 육체적인 질병을 앓고 있다. 그런데 이러한 질병은 단순히 육체적 고통에서 끝나는 것이 아니라 타인과의 단절과 소외를 더욱 견고하게 한다. 따라서 병을 바라보는 구보의 시선은 당대 사람들이 육체적·정신적으로 병들어 있으며 이로 인해 고통받고 있음을 효과적으로 보여 준다.

- **'황금광 시대'에 관한 작가의 생각**

구보가 바라본 1930년대의 세태는 그야말로 '황금광 시대'이다. 1930년대는 일본이 대륙 침략에 필요한 자금을 조달하기 위해 금광 채굴을 장려하여 이것이 급격히 성행하였는데, 구보는 일확천금의 허황된 꿈을 좇아 사람들이 금광 채굴에 몰두하는 당대 식민지의 이상 열풍을 '황금광 시대'에 빗댄 것이다. 이는 도시의 일상적 삶 속에 숨겨져 있는 자본주의 문화의 속성을 파악한 것이며, 작가는 서서히 도시를 지배하기 시작한 자본주의적 속성을 드러낼 수 있는 가장 좋은 소재로 황금 열기를 택한 것이다. 시인마저 황금광으로 나서는 황금광 시대는 물질이 모든 것을 지배하는 사회로의 변모를 단적으로 보여 준다. 이러한 시대에 대해 작가는 쓸쓸한 시선으로 자조적 문체를 사용하여 서술할 수밖에 없었던 것이다.

- **구보의 공간 이동에 따른 ❺☐☐☐ 구성**

| 화신 상회 | ➡ | ❻☐☐ | ➡ | 경성역
(대합실, 매점, 개찰구) | ➡ | 끽다점 |

학습 활동

작품 속으로

1. 다음은 이 작품이 발표되었던 당시의 전차 노선을 그린 것이다. 여정에 따라 구보가 관찰한 대상을 찾고, 그 대상에 관한 구보의 생각과 느낌을 정리해 보자.

	구보가 관찰한 대상	대상에 관한 구보의 생각과 느낌
①	젊은 내외와 아이	업신여기려다가 부러움을 느낌.
②	그 색시	시선을 마주칠까 겁을 내며 소극적으로 대처함. 시야에서 멀어지자 알은체하지 않은 것을 뒤늦게 후회함.
③	노파와 시골 신사	늙고 쇠잔한 노파의 굳어버린 표정과 몽롱한 눈에 대해 생각함. 경제적 여유가 있어 보이는 신사가 노파를 무시하고 거리를 두려는 모습을 보고 그를 속물이라 생각하고 업신여김.
③	바세도우씨병 환자와 근처의 사람들	병을 앓고 있어 불결한 느낌을 주고, 주변 사람들은 그를 가까이하기를 꺼린다고 느낌.
③	양복 입은 사내	온갖 사람에게 의혹을 갖는 모습을 보고 우울해짐.
③	개찰구 앞에 서 있는 두 사내	무직자로, 금광 중개상일 것이라고 확신함.
③	중학 시절의 벗과 그의 애인	중학 시절 열등생이었던 벗이 자신의 부를 과시하고 싶어 한다고 생각함. 불쾌감과 무시하고픈 마음이 들었음. 그의 뒤를 따르는 여인은 속물적인 벗의 재력 때문에 만나는 것일 거라고 생각함.
③	음료 칼피스	외설한 색채를 가지고 있다고 생각하고, 사람들이 마시는 음료를 통해 음료를 마시는 사람들의 성격, 교양, 취미 등을 알 수 있을 것이라는 점, 음료가 그들의 기분을 표현한 것이라는 점 등을 생각함.

2. 구보가 교외에 나가는 것을 즐기지 않는다고 한 까닭을, 고독에 관한 그의 태도와 관련지어 설명해 보자.

| 예시 답안 | 교외에는 구보가 요사이 두려워하는 고독이 준비되어 있기 때문이다. 한때 구보는 고독을 사랑한다고 생각했지만, 실상 그것은 한없이 무서운 고독에게 굴복하고서 고독을 사랑한다고 스스로를 속여 온 것일 뿐으로, 구보는 고독이 두려워 교외를 즐기지 않는 것이다.

3. 다음 글을 바탕으로, 이 작품의 특성을 이해해 보자.

> 박태원은 이태준, 김기림, 정지용 등이 주도한 구인회(九人會)에 이상과 함께 가입하면서 본격적인 작품 활동을 시작하였는데, 1934년 「소설가 구보 씨의 일일」을 발표하며 당대 모더니즘 소설을 대표하는 작가로 떠오른다. 옆구리에 대학 노트를 끼고 근대화가 진행 중인 경성 도심의 거리를 할 일 없이 떠돌다가 밤늦게 집으로 돌아오는 것으로 끝나는 이 하루 동안의 얘기는 작가 박태원의 일기이자, 당대에 살던 무력한 지식인들의 일일 보고서이다. ㉠ 일반적이지 않은 이 소설의 전개 방식은 독특한 근대성을 구성하는 요소로 작용한다. 무료하게 이리저리 기웃거리며 작가가 스케치하는 풍경을 따라가다 보면 근대 문명이 가져온 야릇한 새로움과 함께, 그 이면에 스치는 ㉡ 현대인의 소외된 심리를 만나게 되는 것이다.
> – 장석주, 「나는 문학이다」에서

제재 연구 작가 박태원과 「소설가 구보 씨의 일일」의 특성에 관한 글

- **갈래:** 설명문
- **성격:** 설명적, 해설적
- **주제:** 박태원이라는 작가적 맥락과 문학사적 맥락을 고려한 「소설가 구보 씨의 일일」 감상

(1) 우리가 지금까지 배운 대부분의 소설들과 비교하면서 ㉠에 관해 설명해 보자.

| 예시 답안 | 뚜렷한 사건의 인과적 배열을 전개의 기본 원리로 삼는 일반적인 소설들과 달리, 이 소설은 그저 도시를 산책하듯 배회하는 주인공이 흘러가는 시간 속에서 관찰하고 생각한 것들에 관해 한 컷 한 컷 삽화처럼 나열하듯 제시하고 있다.

(2) 이 작품에서 ㉡이 어떻게 드러나 있는지 파악해 보자.

| 예시 답안 | 이 소설에 그려진 화려하고 근대화된 서울 풍경의 한쪽에는 어디에 가서 행복을 찾아야 할지 몰라 헤매면서 도시의 여기저기를 무작정 배회하는 구보의 모습이 대조적으로 그려져 있다. 이를 통해 작가는 지식인의 고독과 무력감, 현대인의 소외감을 나타내고 있다.

4. 다음은 이 작품의 사회·문화적 배경과 관련된 자료이다. 이를 참고하여, 경성역 개찰구 앞에서 구보가 자기도 모르게 '무거운 한숨'을 쉰 까닭을 추측해 보자.

> 역사적 관점에서 '황금광 시대'의 황금 열기가 일제의 금 수탈 정책으로 조작된 것임을 부정할 수 없다. 삼림이든 논이든 콩밭이든 조선의 땅은 금을 찾기 위해 여지없이 파헤쳐졌고, 그렇게 발견된 금들은 대부분 일본 은행 금 비축고로 갔다. 그리고 1930년대 대규모 금광들은 대부분 일본 재벌의 소유였고, 헐벗고 굶주린 대다수의 광부들은 평생 일확천금을 꿈꾸다 늙어 갔다.
>
> 금광 주변의 수많은 인간 군상 중에는 금광 중개 상인들도 있었다. 사람 사이를 매개하는 직업적 특성 때문에 주로 가난한 지식인이었던 그들은 연장을 잡고 광맥을 파는 대신, 금광 산업에 종사하는 사람과 사람 사이를 파 들어간 사람들이다. 그들의 존재 의미를 일방적으로 폄하할 수만은 없지만, 그들이 다루는 것은 '금'이 아니라 '사람'이었기 때문에 정도 일탈의 유혹이 많았고, 또 그 유혹에 쉽게 넘어갔다.
>
> — 전봉관, 『1930년대 금광 풍경과 '황금광 시대'의 문학』에서

📑 **제재 연구** 1930년대 금광 개발 열풍과 조선인들에 관한 글

- **갈래**: 설명문
- **성격**: 설명적, 해설적
- **주제**: 일제의 금 수탈 정책에 속아 착취당하거나 금광 개발에 뛰어든 조선인들

| 예시 답안 | 대합실 안팎을 둘러보자 여기저기에 금광 브로커들이 눈에 띄는 것을 보며 구보는 조선 국토의 칠 할이 금광인 현실을 떠올린다. 순수 학문을 하는 문인들까지 달려든 황금광 시대는 물질이 모든 것을 지배하는 사회로의 변모를 단적으로 보여 준다. 그런데 그와 같은 '황금광 시대'는 일본 정부의 조작에 의한 것이었고 대다수 조선인들은 희생양에 불과했으며 금광 브로커들은 정도를 벗어나는 일도 잦았다. 이처럼 부정적인 민족의 현실을 생각하며 구보는 씁쓸하고 안타까운 마음에 자기도 모르게 무거운 한숨을 내쉰 것이다.

작품 너머로

5. 다음은 「소설가 구보 씨의 일일」과 비슷한 시기에 쓰인 이상의 소설 「날개」의 일부이다. 작품의 소재와 배경, 세계에 대한 인물의 태도 등의 측면에서 두 작품 사이의 유사성을 설명해 보자.

> 여러 번 자동차에 치일 뻔하면서 나는 그대로 경성역을 찾아갔다. 빈자리와 마주 앉아서 이 쓰디쓴 입맛을 거두기 위하여 무엇으로나 입가심을 하고 싶었다.
>
> 커피 — 좋다. 그러나 경성역 홀에 한 걸음을 들여놓았을 때 나는 내 주머니에는 돈이 한 푼도 없는 것을, 그

것을 깜빡 잊었던 것을 깨달았다. 또 아뜩하였다. 나는 어디선가 그저 맥없이 머뭇머뭇하면서 어쩔 줄을 모를 뿐이었다. 얼빠진 사람처럼 그저 이리 갔다 저리 갔다 하면서……. / 나는 어디로 어디로 들입다 쏘다녔는지 하나도 모른다. 다만 몇 시간 후에 내가 미쓰코시 옥상에 있는 것을 깨달았을 때는 거의 대낮이었다.
> _{'나'가 지난 삶을 되돌아보는 공간}
>
> 나는 거기 아무 데나 주저앉아서 내 자라 온 스물여섯 해를 회고하여 보았다. 몽롱한 기억 속에서는 이렇다는 아무 제목도 불거져 나오지 않았다.
>
> 나는 또 내 자신에게 물어보았다. 너는 인생에 무슨 욕심이 있느냐고. 그러나 있다고도 없다고도, 그런 대답은 하기가 싫었다. 나는 거의 나 자신의 존재를 인식하기조차도 어려웠다.
> _{의식이 거의 없다시피 한 '나'}　▶ 지난 삶을 되돌아보는 '나'
>
> 허리를 굽혀서 나는 그저 금붕어나 들여다보고 있었다. 금붕어는 참 잘들 생겼다. 작은 놈은 작은 놈대로 큰 놈은 큰 놈대로 다 싱싱하니 보기 좋았다. 내리비치는 오월 햇살에 금붕어들은 그릇 바탕에 그림자를 내려뜨렸다. 지느러미는 하늘하늘 손수건을 흔드는 흉내를 낸다. _{지느러미의 움직임은 '나'의 의식의 꿈틀거림을 의미함 또는 '나'의 의식을 깨우는 역할을 함.} 나는 이 지느러미 수효를 헤아려 보기도 하면서 굽힌 허리를 좀처럼 펴지 않았다. 등어리가 따뜻하다.
>
> 나는 또 회탁의 거리를 내려다보았다. 거기서는 피곤한 생활이 똑 금붕어 지느러미처럼 흐늑흐늑 허비적거렸다. 눈에 보이지 않는 끈적끈적한 줄에 엉켜서 헤어나지들을 못한다. 나는 피로와 공복 때문에 무너져 들어가는 몸뚱이를 끌고 그 회탁의 거리 속으로 섞여 들어가지 않는 수도 없다 생각하였다. — 이상, 「날개」에서
> ▶ 금붕어처럼 흐느적거리는 '나'의 의식
> ■ **미쓰코시** 일제 강점기에 경성 시내에서 일본 상인이 경영하던 백화점의 이름.

📑 **작품 연구** 이상, 「날개」

- **갈래**: 현대 소설, 모더니즘 소설
- **성격**: 고백적, 상징적
- **주제**: 무기력한 삶에서 벗어나 본래의 자아를 회복하려는 의지
- **특징**: 의식의 흐름 기법을 사용해 인물의 내면세계를 드러냄.

소재와 배경	두 작품 모두 1930년대 일제 강점기 근대 경성의 풍경을 그리고 있다. 전차나 자동차, 커피 같은 소재가 활용되었고 경성역이나 백화점 같은 공간이 배경으로 등장한다.
세계에 관한 인물의 태도	두 작품에 등장하는 인물의 성격에서도 유사성을 발견할 수 있다. 구보처럼 「날개」의 '나'도 뚜렷한 목적지 없이 방황하면서 고독과 무기력을 느끼고 도시와 도시인의 모습을 관조하는 듯한 태도를 보인다.

[2] 문학 작품의 수용과 생산

이 단원에서는 자신의 가치관과 주체적 관점에 따라 문학 작품을 공감적, 비판적, 창의적으로 수용하고 그 결과를 바탕으로 다른 사람들과 적극적으로 소통하는 태도를 기르도록 한다. 또한 작품의 수용에서 그치지 않고 자신만의 새롭고 다양한 시각에서 문학 작품을 재구성하거나 창작하는 방법을 알 수 있도록 한다.

우리는 문학 작품을 어떻게 수용해야 할까?

우리는 문학 작품을 감상하며 즐거움을 얻고 다양한 가치를 발견한다. 그런데 문학 작품을 수용한다는 것은 작가의 생각을 수동적으로 받아들이는 것이 아니라 자신의 가치관을 바탕으로 작품의 의미와 가치를 해석하고 평가하면서 공감적, 비판적, 창의적으로 수용하는 것을 의미한다. 이는 형식에서도 마찬가지이다. 그러므로 문학을 수용한다는 것은 독자가 의미, 가치, 형식 등을 능동적으로 이해하고 비판하는 것으로 볼 수 있다. 이러한 과정을 통해 독자는 개성 있는 안목을 갖게 되고, 미적 가치를 찾아내는 능력을 기를 수 있다. 이때 자기 생각 안에 갇히지 않도록 다른 사람들과 적극적으로 의견을 교환하고 소통하는 과정을 통해 타자에 대한 포용적이고 개방적인 자세를 갖추도록 한다.

▶ 문학 작품의 공감적, 비판적, 창의적 수용과 소통

작품을 다양한 시각에서 재구성하고 창작할 수 있는 방법은 무엇인가?

문학 작품을 수동적으로 이해하는 데서 그치지 않고, 자신의 가치관과 개성을 담아 그것을 창조적으로 재구성하면, 문학 활동도 훨씬 더 값진 경험으로 남을 수 있다. 문학 작품을 새로운 시각에서 재구성하는 활동은 문학 작품을 수용하는 과정의 하나이면서 새로운 문학 창작의 방법이 되기도 한다. 문학 작품을 수용하는 것처럼 재구성이나 창작도 자신이 상상하거나 체험한 내용 중에서 가치가 있다고 판단되는 내용을 선별하고, 이를 자기만의 관점과 방법으로 새롭게 만들어 내는 과정으로 이루어진다. 『재구성 활동을 위해서는 기존의 작품을 읽으면서 자신의 상상을 통해 작품의 내용과 표현을 바꾸어 보고, 형식, 맥락, 매체 등을 적절하게 선택하여 기존의 작품을 재구성하여야 한다.』 이때의 재구성은 단지 원작의 일부를 변형하는 데서 그치는 것이 아니라 그러한 변형을 통해 또 다른 유기적 결합체를 창조해 내는 것이라는 점을 고려해야 한다.

▶ 문학 작품의 재구성 및 창작 활동

✓ 바로 확인 문제

1 문학을 수용할 때에는 수동적인 자세에서 벗어나 공감적, ☐☐적, ☐☐적으로 수용하는 태도를 가져야 한다.

2 다음 설명이 맞으면 ○, 틀리면 X를 하시오.

　(1) 기존의 문학 작품을 새로운 시각에서 재구성하는 것도 창작의 한 과정이다.　(○ , ×)

　(2) 문학 작품의 재구성 활동은 기존 작품의 내용은 그대로 유지하면서 형식, 맥락, 매체 등을 바꾸는 것이다. (○ , ×)

| 정답 | 1. 비판, 창의　2. (1) ○　(2) ×

탐구로 생각 열기

다음은 동화 「백설 공주」를 재구성한 영화 「백설 공주」의 한 장면이다. 동화의 줄거리가 영화에서 어떻게 재구성되었을지 상상해 보자.

▲ 영화 「백설 공주」(2012). 백설 공주가 난쟁이들에게 칼싸움을 배우는 장면

| 예시 답안 |

• 백설 공주가 칼을 들고 싸우는 모습으로 보아, 원작에 비해 백설 공주가 훨씬 능동적이고 적극적인 인물로 구현되도록 재구성하였을 것이다.

• 원작에서는 백설 공주의 운명이 주변 사람들에 의해 좌우되었다면, 이 영화에서는 백설 공주가 자신의 운명을 스스로 개척해 가는 주체적인 인물로 구현되도록 재구성하였을 것이다.

≫ 이 영화에서는 주인공 '백설 공주'가 원작 동화와는 달리 왕비의 흉계에 맞서 칼싸움도 서슴지 않는 적극적이고 능동적인 인물로 그려지고 있다. 이는 이 영화가 원작의 내용을 비판적으로 수용하고 새로운 시각에서 재구성하였음을 보여 주는 것이다. 이처럼 기존의 작품을 공감적, 비판적, 창의적으로 수용하는 한편, 새롭고 다양한 시각에서 재구성하거나 창작하려면 어떻게 해야 할까?

01 즐거운 편지 _{황동규}

01 즐거운 편지 황동규

해제

이 작품은 전 2연으로 이루어진 자유시로 '사랑과 기다림'을 제재로 하여 '그대'에 관한 순수하고 아름다운 사랑을 노래하고 있다. 이루지 못할 사랑으로 인한 젊은 날의 그리움과 안타까움을 때 묻지 않은 시각과 담담하면서도 투명한 어조로 형상화하고 있다. '사소함'이라는 표현을 통해 사랑의 소중함을 더욱 절실하게 전달하면서도, 사랑을 기다림으로 바꾸어 버렸다는 발상의 참신함으로 인해 널리 애송되고 있는 작품이다. 제목에서 알 수 있듯이 이 시는 화자인 '내'가 '그대'에게 보내는 편지처럼 사적이고 진솔한 고백을 담고 있기 때문에 독자에게 더욱 큰 공감을 준다.

주제 의식

이 작품은 황동규의 첫 시집 『어떤 개인 날』에 수록되어 있는 작품으로, 작가가 고등학교 3학년인 18세 때 사모했던 연상의 여성을 향한 애틋한 마음을 노래한 연애시로 잘 알려져 있다. 화자는 '그대'에게 자신의 사랑이 비록 '사소함'으로 받아들여진다고 하더라도, '그대가 한없이 괴로움 속을 헤매일 때'에도 나의 사랑은 그 사소함으로 변함없을 것이라는 다짐을 통해 자신의 사랑이 지닌 가치를 부각한다. 또한 자신의 사랑을 기다림으로 바꾸어 놓음으로써 자신의 사랑은 계절이 수없이 바뀌어 순환되더라도 결코 변하지 않을 것임을 다짐한다. 이로써 화자는 '그대'를 향한 그리움과 변함없는 사랑을 더욱 효과적으로 전달하고 있다.

핵심 정리

(1) 갈래: 산문시, 서정시
(2) 성격: 서정적, 고백적, 사색적
(3) 제재: 사랑과 기다림
(4) 주제: 사랑의 간절함과 불변성에 대한 고백
(5) 특징: ① 반어적 표현을 통해 사랑의 간절함을 표현함.
      ② 사랑의 감정을 자연 현상에 빗대어 표현함.
      ③ 간절한 사랑의 마음을 담담하게 표현함.
(6) 구성

1연	내가 그대를 사랑하는 것은 사소한 일임.	변함없는 사랑
2연	그대를 향한 사랑을 기다림으로 바꿈.	기다림으로 승화된 사랑

1

내 그대를 생각함은 항상 그대가 앉아 있는 배경에서 해가 지고 바람이 부는 일처럼 사
_{일상적이고 특별하지 않은 일. 그대를 향한 사랑이 '소중한 일'임을 반어적으로 표현함.}
소한 일일 것이나 언젠가 그대가 한없이 괴로움 속을 헤매일 때에 오랫동안 전해 오던 그
_{사소한 사랑 속에 담긴 가치. 오랜 시간 변하지 않은 사랑} ▶ 그대를 향한 변함없는 사랑
사소함으로 그대를 불러보리라.❶

2

진실로 진실로 내가 그대를 사랑하는 까닭은 내 나의 사랑을 한없이 잇닿은 그 기다림
_{반복을 통한 의미 강조} _{기다림으로 승화한 사랑}
으로 바꾸어 버린 데 있었다.❷ 밤이 들면서 골짜기엔 눈이 퍼붓기 시작했다. 내 사랑도 어
_{언젠가 그치게 될 사랑}
디쯤에선 반드시 그칠 것을 믿는다. 다만 그때 내 기다림의 자세를 생각하는 것뿐이다.
그 동안에 눈이 그치고 꽃이 피어나고 낙엽이 떨어지고 또 눈이 퍼붓고 할 것을 믿는다.❸
_{계절의 순환: 변하지 않는 자연의 섭리 – 그대를 향한 사랑도 영원할 것임.}
▶ 기다림으로 승화된 사랑

어휘·어구 풀이

❶ **내 그대를 생각함은~그대를 불러보리라.** 시적 화자는 자신이 '그대'를 생각하는 것이 '사소한 일'이라고 말하고 있으나 그 '사소함'이라는 것은 늘 반복되면서도 변하지 않는 것이기에 이는 결코 사소한 것이 아닌 소중한 것임을 알 수 있다.

❷ **진실로 진실로~바꾸어 버린 데 있었다.** 시적 화자는 '그대'를 진정으로 사랑하는 까닭이 사랑의 감정을 기다림으로 바꾸어 놓은 데 있다고 고백하고 있다. 즉, '기다림'은 더 커다랗고 포용력 있는 '사랑'의 다른 모습이라고 본 것이다.

❸ **밤이 들면서~퍼붓고 할 것을 믿는다.** 화자는 자신의 사랑도 언젠가는 끝날 것이라고 말하고 있다. 하지만 이어서 '그동안에 눈이 그치고~또 눈이 퍼붓고 할 것을 믿는다.'라고 함으로써 순환되는 자연의 섭리와 같이 '그대'를 향한 사랑도 변함없이 영원할 것임을 말하고 있다.

학습 문제
정답과 해설 332쪽

1. 위 시에 대한 감상으로 가장 적절한 것은?

① '항상'과 '오랫동안'은 '사소함'과 대비되어 '그대를 생각'하는 화자의 사랑이 이중적인 속성을 지니고 있음을 보여 주는군.
② '그대가 앉아 있는 배경'은 '내' 사랑을 받아들이지 못하고 괴로움 속을 헤매었던 '그대'의 지난날을 환기하는 것이겠군.
③ '그대'가 느끼게 될 '괴로움'은 '그대를 불러보리라'에서 비롯된 것이라고 볼 수 있겠군.
④ '그칠 것을 믿는다'는 '그대'를 향한 마음이 영원히 변치 않을 것이라는 믿음이 투영된 것이겠군.
⑤ '내 기다림의 자세'는 '한없이 잇닿은'과 연결되어 '그대'를 진실로 사랑할 수 있는 까닭으로 작용하겠군.

2. 위 시의 표현상 특징으로 적절하지 않은 것은?

① 반어적 표현을 사용하여 사랑의 가치를 부각하고 있다.
② 동일한 시어를 반복하여 사랑의 진정성을 강조하고 있다.
③ 동일한 시구를 반복하여 두 연을 인과적으로 결합하고 있다.
④ 자연 현상에 빗대어 자신의 사랑이 지닌 속성을 구체화하고 있다.
⑤ 행의 구분 없이 시상을 전개하여 산문체의 어조를 구사하고 있다.

3. 위 시의 화자가 자신의 진실하고 영원한 사랑을 표현한 핵심적인 시어 두 개를 찾아 쓰시오.

• 제목 '즐거운 편지'의 의미

❶☐☐로 볼 때	반어로 보지 않을 때
'그대'에게 화자의 사랑이 받아들여지지 않은 고통스러운 상황에서 쓴 편지로, '즐겁지 않은 상황'이나 반어적 표현의 제목을 통해 기다림의 고통을 수용하는 태도를 보여 줌으로써 '그대'를 향한 변함없는 사랑을 표현함.	'그대'를 기약 없이 기다려야 하는 고통스러운 상황에서 이루기 어려운 사랑의 고통을 '그대'를 위해 한없이 잇닿은 기다림으로 승화시켜 놓음으로써, '그대'에 대한 고통스러운 사랑마저도 '즐거운' 것으로 바꾸어 놓을 수 있음.

• '사랑'에 관한 화자의 인식

화자의 인식

내가 그대를 사랑하는 것은 '해가 지고 바람이 부는 일처럼 ❷☐☐한 일'임.	• '내 사랑도 어디쯤에선 반드시 그칠 것'임. • '눈이 그치고 꽃이 피어나고 낙엽이 떨어지고 또 눈이 퍼붓고 할 것'임.
• 사소하지만 중요하고 변함없는 자연 현상처럼 '그대'를 오랫동안 사랑해 옴. • '그대'를 향한 사랑이 소중한 것임을 강조하기 위한 반어적 표현임.	• 기다림의 자세를 생각할 것이며, 기다림으로 승화된 사랑이 계절의 순환처럼 지속될 것임. • 끊임없이 반복되는 계절의 순환에 빗대어 자신의 사랑이 ❸☐☐할 것임을 강조함.

'그대'를 향한 소중하고 영원한 사랑에 관한 다짐

• 표현상 특징

음악성	'그대' 등의 시어와 '~을 믿는다.'와 같은 문장 구조의 반복으로 ❹☐☐을 형성함.
반어	'사소한 일' 등 반어적 표현을 통해 사랑의 진실함을 표현함.
비유	'해가 지고 바람이 부는 일처럼' 등에서 ❺☐☐ 현상에 자신의 사랑을 빗대어 표현함.

• '눈', '꽃', '낙엽'의 순환성의 의미

'내 사랑도 어디쯤에선 반드시 그칠 것'이지만, ❻☐☐이 순환하며 지속되는 것처럼 '내 사랑'도 영원히 지속될 것임을 말하고자 함.

❶ 반어 ❷ 사소 ❸ 영원 ❹ 운율 ❺ 자연 ❻ 계절

학습 활동

작품 속으로

1. 이 작품을 감상하고, 시구 '사소한 일'과 관련하여 다음 내용을 정리해 보자.

'사소한 일'의 의미	'해가 지고 바람이 부는 일'은 일상적으로 반복되기에 별 것 아닌 것처럼 보이지만, 실상 이것보다 더 근원적이고 오래된 것은 없을 것이다. 따라서 여기서 말하는 '사소한 일'은 흔하고 매일같이 반복되지만 반어적으로 무엇보다 영속적이고 중요한 일이라고 할 수 있다.
화자가 자신의 사랑을 '사소한 일'이라고 한 까닭	화자는 자신의 사랑을 '해가 지고 바람이 부는 일'처럼 사소하다고 말한다. 하지만 이것은 사랑의 보잘것없음을 말하고자 한 것이 아니라 자신의 사랑이 오랫동안 변함없이 지속될 것임을 말하고자 한 것이다.

2. 이 작품의 화자가 말하고 있는 '기다림의 자세'에 관한 자기 생각을, 그 까닭과 함께 말해 보자.

나는 공감할 수 있어. 그 까닭은	나는 공감하기 어려워. 그 까닭은
많은 사람들이 기다림의 고통을 견디지 못해 사랑을 버리는 시대에 화자가 말하는 기다림의 자세는 포용력을 지닌 성숙한 사랑의 모습을 보여 준다고 생각하기 때문이야. 사랑을 순간적으로 소비되는 감정으로 생각하지 않겠다는 것이므로, 사랑의 진정한 가치를 보여 준다고 할 수 있어.	화자가 보여 주는 기다림의 자세는 너무나 소극적이고 수동적이라는 생각이 들어. 진정한 사랑을 얻기 위해서는 그저 기다림의 자세를 유지하는 데 만족해서는 안 되지 않을까? 더 적극적이고 실천적인 노력을 통해 자신이 바라는 사랑을 성취하는 것이 더 바람직하다고 생각해.

3. 이 작품의 제목을 반어로 보았을 때와 반어로 보지 않았을 때, 작품 수용상 차이점이 있다면 무엇인지 말해 보자.

반어로 보았을 때	'즐거운 편지'는 '그대'에게 화자의 사랑이 받아들여지지 않은 채, 기약 없이 기다려야 하는 고통스러운 상황에서 쓴 편지라고 할 수 있다. 그렇기에 이 편지는 '즐겁지 않은 편지'였을 것이다. 그러나 시인은 '즐거운 편지'라는 반어적 표현의 제목을 통해 기다림의 고통을 반어적으로 수용하는 모습을 보여 줌으로써 '그대'를 향한 변함없는 사랑을 표현하고 있다고 볼 수 있다.
반어로 보지 않았을 때	'즐거운 편지'는 이루기 어려운 사랑의 고통을 '한없이 잇닿은 그 기다림'으로 승화시켜 이루기 어려운 사랑마저 즐거운 마음으로 수용하고 있는 화자의 정서와 태도를 표현한 것이라고 할 수 있다.

4. 다음은 이 작품을 쓴 시인과의 인터뷰 내용이다. 읽고, 아래 활동을 해 보자.

> ### 서정의 세계를 노래하는 시인, 황동규
>
> 「즐거운 편지」는 고등학교 졸업 때 교지에 실린 작품입니다. 짝사랑하던 연상의 여인을 대상으로 썼죠. [중략] 이건 그때까지 우리나라에 없던 연애시입니다. 남녀가 일생 동안 서로 사랑할 수 있죠. 하지만 그 사랑은 늘 새롭게 만들어 가야 하는 것이지 한번 주어진 사랑의 본질 때문에 일생을 가는 것은 아니라고 생각했습니다. 이게 「즐거운 편지」의 초점입니다. 첫 마디는 역설이고 반어법이지만, 넓은 의미에서 볼 때 '가시난 닷 도셔 오쇼셔.'에서 멀지 않습니다. 그런데 둘째 마디에 가서 '내 사랑도 어디쯤에선 반드시 그칠 것을 믿는다. 다만 그때 내 기다림의 자세를 생각하는 것뿐이다.'라는 깨달음이 나타납니다. 자신의 사랑이 끝났다고 해서 세상이 끝나는 것은 아니라는 사실을 인정하고, 우리의 사랑도 언젠가 끝날 수 있다는 조건 속에서 사랑할 수밖에 없다는 것을 이야기하고자 한 겁니다. 그런데 제 짝사랑의 대상이었던 여인은 「즐거운 편지」를 좋아하지 않았습니다.

(1) 시인이 이 시를 고등학생 때 썼다는 점을 고려할 때, 같은 고등학생으로서 공감되는 바가 있다면 무엇인지 친구들과 이야기해 보자.

| 예시 답안 | 고등학생 때에는 학업에 열중해야 하기 때문에 연애를 하기 힘들고, 마음속으로만 짝사랑을 간직하는 경우도 많다. 따라서 시인이 했던 말처럼 '내 사랑도 어디쯤에선 반드시 그칠 것을 믿으면서도 사랑을 하게 되는 것이다. 그래서 시인이 말하는 '기다림의 자세를 생각하는' 사랑에 나 역시 깊이 공감할 수 있었다.

(2) 이 작품의 일부 시구를 다음과 같이 바꾼다면 감동이 어떻게 달라지는지 말해 보자.

> 내 사랑도 어디쯤에선 반드시 그칠 것을 믿는다.

> 내 사랑은 언제나 영원할 것을 믿는다.

| 예시 답안 | • 세상에 영원한 것은 없기에 '내 사랑은 언제나 영원할 것을 믿는다.'라는 말은 다소 허황된 말처럼 들린다. 오히려 '내 사랑도 어디쯤에선 반드시 그칠 것을 믿는다. 그럼에도 '그대'를 변함없이 기다릴 것이다.'라는 표현이 사랑하는 마음을 더욱 진실하게 전달할 수 있다고 생각한다.
• 화자가 하는 사랑은 그 어떠한 확신도 없는 짝사랑이기에 언젠가 어디쯤에서 그치게 될 가능성이 높았을 것이다. 하지만 그럼에도 불구하고 사랑에 대한 인내를 보여 주는 화자의 태도를 반영하여 '내 사랑은 언제나 영원할 것을 믿는다.'라고 바꾸어 쓰면 사랑에 관한 화자의 확신과 소망이 더 잘 전달될 수 있을 것이다.

5. 다음은 첫사랑에 관해 노래한 시이다. 「즐거운 편지」와 비교하며 읽고, 아래 활동을 해 보자.

> 흔들리는 나뭇가지에 꽃 한번 피우려고
> <small>사랑을 이루고자 하는 대상 눈꽃－사랑</small>
> 눈은 얼마나 많은 도전을 멈추지 않았으랴 → 의인법, 설의법
> <small>사랑을 이루려는 주체</small>　　　　　▶ 눈꽃을 피우기 위한 눈의 도전
>
> 싸그락 싸그락 두드려 보았겠지
>
> 난분분 난분분 춤추었겠지
>
> 미끄러지고 미끄러지길 수백 번,
> 　　　　　　　　　　▶ 눈꽃을 피우기 위한 눈의 시련
>
> 바람 한 자락 불면 휙 날아갈 사랑을 위하여
> <small>이루기 쉽지 않은 사랑</small>
> 햇솜 같은 마음을 다 퍼부어 준 다음에야
> <small>직유법, 사랑의 대상(나뭇가지)을 향한 정성과 헌신</small>
> 마침내 피워 낸 저 황홀 보아라
> <small>은유법, 눈꽃(첫사랑)</small>　▶ 도전 끝에 피운 눈꽃에 대한 예찬
>
> 봄이면 가지는 그 한 번 덴 자리에
> <small>눈꽃이 피었던 자리, 첫사랑의 아픈 경험</small>
> 세상에서 가장 아름다운 상처를 터뜨린다
> <small>나무가 피우는 봄꽃(역설적 표현) ▶ 눈꽃이 진 후 봄에 피어난 꽃의 아름다움</small>
> 　　　　　　　　　　　　　　　 － 고재종, 「첫사랑」

작품 연구　고재종, 「첫사랑」

- **갈래**: 자유시, 서정시
- **성격**: 낭만적, 시각적, 비유적, 역설적
- **어조**: 대상을 향한 경탄과 예찬의 어조
- **제재**: 한겨울 나뭇가지에 쌓인 눈
- **주제**: 아름다운 사랑의 결실을 위한 시련과 고난, 헌신의 의미
- **특징**: ① 시간의 흐름에 따라 시상을 전개함.
　　　　② 자연 현상에서 사랑의 의미를 발견함.
　　　　③ 역설적 표현을 통해 주제를 효과적으로 드러냄.
- **구성**
　－ 1연: 눈꽃을 피우기 위한 눈의 도전
　－ 2연: 눈꽃을 피우기 위한 눈의 시련(도전의 구체적 모습)
　－ 3연: 도전 끝에 피운 눈꽃에 대한 예찬
　－ 4연: 눈꽃이 진 후 봄에 피어난 꽃의 아름다움

---

(1) '사랑'과 관련하여 위 작품과 「즐거운 편지」에 나타난 화자의 태도를 비교해 보자.

| 예시 답안 | 「즐거운 편지」의 화자는 오랜 기다림을 다짐함으로써 자신의 사랑을 인내를 통해 완성하고자 하고 있다. 반면 「첫사랑」의 '눈'은 자신의 첫사랑을 위해 그저 기다림에 만족하는 것이 아니라, '싸그락 싸그락' 두드려 보고, '난분분 난분분' 춤도 추고, 미끄러지기도 하며 그렇게 '햇솜 같은 마음'을 다 퍼부어 준다. 이러한 점에서 두 시에 나타난 '사랑'을 대하는 태도에는 차이점이 있다고 할 수 있다.

(2) '첫사랑'에 관한 자기 생각을 담아, 위 작품의 3연을 자유롭게 바꾸어 써 보자.

> 바람 한 자락 불면 휙 날아갈 사랑을 위하여
> _____
> 마침내 피워 낸 저 황홀 보아라

| 예시 답안 | 온 겨울 다 지나도록 기다린 다음에야

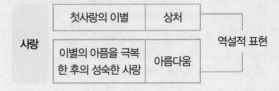

보충 자료　고재종, 「첫사랑」

작품 감상

　이 작품은 한겨울 눈꽃이 핀 나뭇가지에 봄이 되면 다시 꽃이 피거나 새순이 돋는 자연 현상에서 사랑의 의미를 발견하고 있는 시이다. 바람이 불면 나뭇가지에 앉은 눈이 금방 사라져 버리는 모습을 바라보며 화자는 사랑이라는 것이 이루기가 참으로 어려운 일임을 아프게 실감한다. 그러면서도 '햇솜 같은 마음을 다 퍼부'으며 수백 번 시도 끝에 비로소 눈꽃을 피우는 모습에서 시련과 고난, 그리고 끝없는 정성과 헌신 끝에 도달한 첫사랑의 황홀함을 발견한다. 그리고 봄이 되어 눈꽃이 녹아 없어진 자리에 피어난 꽃에서는 아픈 시련을 통해 얻은 성숙한 사랑의 아름다움을 발견한다.

역설적 표현－아름다운 상처

　여기서 '상처'는 첫사랑의 비유인 '눈꽃'이 녹아 없어진 자리에 피어난 '봄꽃'을 의미한다. '눈꽃'이 녹아 없어졌다는 것은 곧 첫사랑이 결실을 맺지 못하고 아픈 이별을 경험했음을 의미한다. 시인은 이러한 첫사랑의 아픈 경험을 '상처'로 표현하고 있다. 그러나 그 '상처'는 더욱 성숙한 '봄꽃'으로 피어났기에 '아름다운 상처'로 승화된 것이다. 시인은 이러한 모순 형용, 즉 역설을 통해 성숙한 사랑의 아름다움을 효과적으로 형상화하고 있다.

	첫사랑의 이별	상처	
사랑			역설적 표현
	이별의 아픔을 극복한 후의 성숙한 사랑	아름다움	

02 로디지아발 기차

네이딘 고디머

해제

「로디지아발 기차」는 남아프리카의 현실에 대해 깊이 고민해 온 작가 네이딘 고디머의 문제의식이 잘 반영된 소설이다. 식민지 상황에서 벗어났으나 여전히 궁핍하게 살아가는 아프리카인들의 삶을 작은 시골 역의 일상적인 주변 풍경을 통해 잘 보여 주고 있다. 인물들 사이에서 거래된 사자 조각상에 담긴 의미를 통해 어느 민족에게나 소중하게 존중받아야 할 전통과 문화가 있음을 되새겨 볼 수 있도록 한다. 또한 아프리카인들의 문화와 전통을 물질적인 가치로만 환산하려는 백인들의 물질 중심적이고 자기중심적인 사고를 그들 내부의 비판적 목소리를 통해 되돌아보게 함으로써 서구 중심적 세계관의 성찰을 유도하였다.

전체 줄거리

시골 역사로 들어온 기차 둘레에 가난한 상인들이 모여들어 자신들이 갖고 있는 물건들을 팔기 위해 애를 쓴다. 기차에 타고 있던 여자와 그녀의 남편은 한 노인이 들고 있던 사자상에 관심을 보인다. 여자는 사자상이 마음에 쏙 들었으나 가격 흥정을 하다가 결국은 사자상 사는 것을 포기한다. 기차가 출발하면서 물건값이 떨어지자 남편은 그녀 몰래 사자상을 사 와서 그녀에게 선물한다. 그러나 아내는 상품의 가치를 따지지 않고 약삭빠르게 행동해 터무니없이 싼 가격에 사자상을 사 온 남편에게 화를 내며 사자상을 내동댕이친다. 기차는 다시 역을 빠져 나가고, 분노를 가라앉히고 평상심을 회복한 여자는 까닭 모를 공허함만 느낀다.

핵심 정리

(1) 갈래: 현대 소설, 단편 소설
(2) 성격: 사실적, 현실 비판적
(3) 시점: 전지적 작가 시점
(4) 배경: 시간적 – 저녁 무렵, 공간적 – 아프리카의 어느 조그만 시골 역
(5) 주제: 아프리카인들의 힘겨운 삶과 서양인들의 자기중심적 가치관에 대한 비판
(6) 특징: ① 배경과 인물들의 행동을 세밀하게 묘사함.
　　　　② 인물 간의 갈등을 통해 현실에 대한 비판 의식을 드러냄.
　　　　③ 아프리카인들의 혼과 전통을 '사자상'을 통해 상징적으로 드러냄.
(7) 구성

발단	시골 역사에 도착한 로디지아발 기차
전개	기차 둘레에 상인들이 모여들고, 여자와 그녀의 남편은 사자상에 관심을 보였으나 구입하지 않음.
위기	기차가 출발하면서 물건값이 떨어지자 남편이 헐값에 사자상을 구입하여 여자에게 선물함.
절정·결말	상품의 가치를 따지지 않고 사자상을 헐값에 구입한 남편에게 여자가 화를 내고, 공허함을 느낌.

어휘·어구 풀이

● 로디지아(Rhodesia) 아프리카 중남부에 있는 '짐바브웨'의 전 이름.

● 역사(驛舍) 역으로 쓰는 건물.

❶ 망연히 놀란 표정을~바싹 쫓고 있었다. 사자상의 망연한 표정은 앞으로 전개될 사건을 암시하는 것이다. 또한 굶주린 동물들이 먹이를 찾기 위해 아이들의 뒤를 쫓는 모습은 이 마을의 경제적 상황이 매우 열악함을 드러낸다.

❷ "지금 내가 가고 있어요…… 내가 간다구요." 기차를 의인화한 표현으로 작품의 마지막 부분에서도 나타난다.

핵심 쏙쏙

◎ 작품의 배경
· 시간적 배경: 노을이 질 무렵
· 공간적 배경: 아프리카 시골의 작은 역

▶ 교과서 날개 질문

작품의 배경에서 느껴지는 분위기는 어떠한가?
| 예시 답안 | 저녁 무렵, 궁벽한 아프리카의 어느 조그만 시골 역 주변의 초라한 생활상과 황량한 분위기, 그러면서도 생계를 위해 물건을 팔고자 하는 상인들의 분주한 분위기가 함께 느껴진다.

발단 **가** 기차는 붉은 지평선을 뒤로하고 직단선 선로를 따라 빠른 속도로 달려오고 있었다. 자그마한 벽돌로 지어진 역사(驛舍)는 뾰족한 스위스 풍의 지붕을 얹고 있었다. 역사 안에서는 주름이 반듯한 제복을 차려입은 역장이 기차를 맞을 채비를 차리고 있었고, 역사 밖에서는 먼지를 뒤집어쓰고 앉아 있던 원주민 상인들이 물건 팔 준비를 하느라 한바탕 소란이 일었다. 망연히 놀란 표정을 하고 있는 사자 목각상이 한 원주민의 자루 밖으로 얼굴을 쑥 내밀었다. 역장의 아이들은 맨발로 이곳저곳을 뛰어다녔다. 너저분한 지붕을 머리에 얹은 한 토담집에서 뛰쳐나온 닭들과 앙상한 뼈만 남은 개들이 선로를 따라 늘어선 흑인 원주민 아이들의 뒤를 바싹 쫓고 있었다.❶ 붉게 물든 노을은 역사와 '잡화점'이라는 간판을 단 양철 창고, 그리고 사방으로 울타리가 쳐진 오두막과 역장의 양철집뿐만 아니라 모래 위의 모든 것을 휘감으며 하늘 저 너머로 열기가 식은 빛을 반사하고 있었다. 희미하게 남아 있는 복사열 속에서 모래벌판은 바다처럼 울렁거리기도 했다. 어느새 노을은 흑인 원주민 아이들의 새까만 발 가까이까지 와 있었다.

역장의 아내는 베란다에 쳐진 망사 뒤에 앉아 있었고 그녀의 머리 위에 매달린 양고기 한 덩이가 바람에 살랑대고 있었다.

그들은 기다렸다.

기차는 다가오며 하늘을 향해 우렁찬 울음을 울었다.

"지금 내가 가고 있어요…… 내가 간다구요."❷

기차는 갈수록 작아지는 몸체를 흔들며 뜨거운 화염을 후끈하게 내뿜었다. 선로는 뜨겁게 달아오르고 있었다.

삐꺽거리는 소리 뒤로 급격한 요동이 한 번 치더니 기차는 헐떡이는 숨을 들이마시며 마침내 역전 안에 정차했다.

▶ 역사 주변의 모습과 역에 도착한 로지디아발 기차

학습 문제

정답과 해설 333쪽

1. **가**에 대한 설명으로 가장 적절한 것은?

① 대화를 중심으로 인물 간의 갈등을 보여 주고 있다.
② 인물의 외양 묘사를 통해 인물의 성격을 드러내고 있다.
③ 인물의 행동 변화를 통해 인물의 심리 변화를 보여 주고 있다.
④ 묘사를 통해 시간적·공간적 배경을 감각적으로 드러내고 있다.
⑤ 긴박한 사건 전개를 통해 갈등이 심화되는 양상을 드러내고 있다.

2. **가**를 읽은 독자의 반응으로 적절하지 않은 것은?

① 역사는 유럽풍으로 지어진 건물이로군.
② 원주민들은 기차의 승객들에게 물건을 팔 생각을 하고 있군.
③ 기차가 다가오자 역에서는 소란스러운 분위기가 연출되고 있군.
④ 앙상한 모습을 한 개들이 원주민 아이들의 뒤를 따라다니고 있군.
⑤ 역에 모인 원주민들은 가난하면서도 느긋하고 평화로운 모습을 보여 주는군.

3. 사물을 활유적으로 표현하여 생동감을 부여하고 있는 부분을 두 군데 찾아 쓰시오.

전개 **나** 열차의 창문이 일제히 열렸다. / "마님!"

한 소년이 손에 들고 있는 물건을 보이며 한 여자 승객을 향해 미소를 지었다. 소년의
손에는 잘 짜인 바구니가 들려 있었다. 소년은 '마님! 사세요?' 하고 묻듯 바구니를 그녀
를 향해 들어 올렸다. / "아니, 됐어요."

그 여자는 옆에 앉아 있는 남자를 향해 몸을 돌렸다. 그러고는 선로 밖의 일행과는 다
소 떨어진 곳에 누더기를 걸치고 있는 한 촌로를 가리켰다. / "바로 저거예요."

그녀가 길고 흰 손가락으로 가리킨 것은 스펀지처럼 부드러운 건조 목에 새겨 만든 사
자상이었다. 검고 흰 문장이 있는 인상적인 조각상이었다.

사자상을 들고 있던 노인은 그녀를 향해 미소를 지으며 물건을 들어 보였다. 떡 벌어진
입 밖으로 우렁찬 포효 소리가 들릴 듯했다. 그리고 뾰족한 이빨 사이로는 검은 혀가 언
뜻언뜻 내비쳤다. / "아주 멋진데!"

사자상의 목 주변에 진짜 갈기처럼 붙어 있는 털을 보며 남편이 말했다.

"아주 심혈을 기울여서 만들었구먼." ▶ 여자와 남편이 사자상에 관심을 보임.

먼지를 뒤집어쓴 상인들은 기차를 따라 위아래로 늘어서 있었다. 그들은 마치 공연 중
인 동물들처럼 구부정하게 일어서서 기차 안을 향해 이것저것 그럴듯한 물건들을 쳐들었
다. 화들짝 놀라 희고 검은 동공을 크게 열어 놓은 수사슴을 비롯해 꼿꼿하게 곤추서서
무언가를 강렬하게 제압한 듯한 사자상들이 눈에 띄었다. 쭉 째진 눈으로 단단히 창을 잡
아 쥔 채 두려움 없이 서 있는 기다란 전사상들도 보였다.

"얼마요?" / 열린 차창으로 여기저기에서 흥정이 붙었다.

"한 푼만 줍쇼."

아무것도 팔지 않고 구걸하는 아이들도 있었다. 개들은 양파에 절인 고기 냄새를 풍기
는 식당차 아래에서 진을 치고 있었다. ▶ 역사 주변의 상황

- 백인
- 물건을 팔려는 의도
- 시골에 사는 노인
- 백인
- 사나운 짐승이 울부짖음. 또는 그 울부짖는 소리
- 예술적으로 훌륭한 조각상
- 『: 사자상이 아주 정교하면서도 사실적으로 제작되었음을 보여 줌. 백인 여자가 사자 상에 관심을 갖는 계기가 됨.
- 물건을 팔려고 애쓰는 모습들
- 『: 아프리카의 자연과 삶을 표현한 공예품들
- 『: 역사의 주변 상황을 보여 주는 것으로 마을의 경제적 상황이 어려움을 짐작할 수 있음. 여행객들에게 구걸을 하는 아이들과 고기 냄새를 맡고 모여드는 개들을 통해 그들이 힘겨운 생활을 이어가고 있음을 엿볼 수 있음.
- 가난하고 열악한 처지를 드러냄.
- 원주민들의 처지를 상징적으로 보여 줌.

핵심 쏙쏙

◉ 대비되는 인물들의 처지

기차 안 승객	원주민
풍요로운 생활을 즐기며 여유로운 시선으로 아프리카를 바라봄.	가난한 생활 속에서 생계를 위해 기차의 승객들에게 물건을 팔거나 구걸함.

교과서 날개 질문

여자와 남편은 사자상을 보고 어떤 느낌을 받았을까?

| 예시 답안 | 여자는 사자의 떡 벌어진 입 밖으로 우렁차게 포효하는 소리가 들리는 것 같은 느낌을 받았으며 정교하고 사실적으로 조각되어 있어 아주 멋진 예술품이라고 생각했다. 남편 역시 사자상이 '아주 심혈을 기울여서 만들'었음을 인정하였다.

원주민 아이들의 모습을 통해 그들의 처지가 어떠한지 생각해 보자.

| 예시 답안 | 원주민 아이들은 맨발로 이곳저곳을 뛰어다니거나 아무것도 팔지 않고 여행객들에게 구걸하기도 한다. 이를 통해 그들이 경제적으로 매우 어려운 처지에 놓여 있으며 그들의 행동이 생계를 위한 절박한 것임을 알 수 있다.

---

4. **나**를 시나리오로 각색하려고 할 때 떠올린 생각으로 가장 적절한 것은?

① 저녁노을에 물든 기차역과 주변 풍경을 아름답게 그려 내야겠어.

② 기차의 승객들과 원주민들 사이에 형성된 갈등을 부각해야겠어.

③ 승객들에게 구걸하는 아이들의 복잡한 내면 심리를 잘 묘사해야겠어.

④ 사자상을 사이에 두고 여자와 남편 사이에 벌어진 의견 대립을 잘 제시해야겠어.

⑤ 기차의 승객들에게 물건을 팔기 위해 분주해진 기차역의 분위기를 잘 전달해야겠어.

5. **나**에 대한 설명으로 적절하지 않은 것은?

① 원주민 상인들은 조각상을 팔아 살아가고 있다.

② 여자는 노인이 들고 있는 사자상에 관심을 보이고 있다.

③ 여자의 남편은 사자상이 잘 만들어졌음을 인정하고 있다.

④ 여자는 사자상을 팔고 있는 상인에게 오만한 태도를 취하고 있다.

⑤ 사자상을 들고 있는 노인은 그녀가 사자상을 구입해 줄 것을 원하고 있다.

서술형

6. 원주민들이 팔고 있는 물건들을 **나**에서 찾아 쓰고, 이것들에 나타나는 공통점을 쓰시오.

어휘·어구 풀이

❶좀 비싼데요~물리면서 말했다. 여자는 사자상의 예술적 가치를 인정하고 원주민과 자신이 서로 만족할 만한 금액을 논의하다가 결국 구매를 포기한다. 이는 뒷부분에서 사자상을 단지 거래 물품으로 여기고 원주민의 절박한 처지를 악용하여 헐값에 구매한 남편의 태도와 대조된다.

핵심 쏙쏙

◉ '사자상'에 관한 인식 차이

백인 여자	• 아프리카인들의 혼이 담긴 예술품 • 비싼 가격이 부담스럽지만 함부로 흥정하고 싶지 않은 예술품
남편	• 물질적 가치로 환산할 수 있는 것 • 흥정을 통해 더 싸게 사고 싶은 물건
원주민	• 고유의 전통문화이자 예술품 • 생계 유지의 수단

다 한 철도원이 돈과 조각상들이 교환되느라 ㉠얽혀 있는 검은 팔과 흰 팔들의 아치를(원주민 / 백인) 뚫고 지나가고 있었다. 그는 식당차 밑에 얌전히 앉아 있는 개들을 지나, ㉡한결같은 모양의 꽃병을 사이에 두고 삼삼오오 마주 앉아 맥주잔을 들이켜는 식당 칸의 사람들을 창 너머로 보았다. 역장의 아이들은 어머니가 건네준 두 덩어리의 빵을 가지고 사라지는 철도원의 뒤를 따라 방금 들어온 기차에 대해 이런저런 이야기를 나누고 있는 역장과 기관사가 서 있는 쪽을 향해 갔다.

철도원이 뒤따라오는 아이들에게 무언가 큰 소리로 농담을 하자 아이들은 돌아보고 웃으며 한 손에 빵 조각을 움켜쥔 채 황량한 들판 쪽으로 내달렸다. 열차 객실은 돈을 가지러 오가는 사람들로 분주했다.(역사 주변 환경) 열차 안에 남아 있는 사람들은 흡사 갇혀 있고 단절된 것 같았다. / "저 친구들이 좋아할 만한 오렌지가 있었는데……" ┌㉢ 어린 소녀가 던진 초콜릿은 기차 안의 사람들에게는 남아도는 흔한 것이지만 기차 밖의 원주민이나 굶주린 동 "그 초콜릿은 어쨌지?" / "그거 별로야." 물들에게는 서로 차지하려고 다투어야 할 대상임. 고달프고 궁핍한 원주민의 처지와 풍요롭게 여행을 즐기는 백인들의 처지가 대비됨. ┌㉢ 한 어린 소녀가 초콜릿을 한 움큼 움켜쥐더니 식당 칸 옆의 개들에게 던져 주었다. 그러나 초콜릿이 개들의 입에 닿기도 전 닭들이 달려와 빠르고 정교한 동작으로 그것들을 낚아챘다. 황당한 개들은 어리숙한 표정으로 그 상황을 담담하게 지켜보고만 있었다.┘ "안 돼. 내버려 둬. 너희들은 저리 가." / 소녀가 외쳤다.

▶ 기차 주변에 모여든 상인들과 아이들의 궁핍한 모습

㉣"좀 비싼데요." / 사자상을 두고 흥정을 하던 백인 여자는 그 조각품을 물리면서 말했다. 원주민 상인이 그 물건을 다시 들어 보이며 살 것을 권유했지만, 그녀의 결심은 굳은 듯했다. / "삼 실링 육 펜스요?" / 옆에 있던 남편이 과장된 표정으로 크게 되물었다. '이런 것이 그렇게나 비싸냐'는 반응. 남편은 사자상의 정신적인 가치를 보지 않고 물질적인 가치로만 여기고 있음. "예, 나리." / 그가 웃으며 대답했다.

㉤"삼 실링 육 펜스라!" / 남편은 못 믿겠다는 표정이었다.

㉮"다음에 사요." / 여자가 채근했다. / "당신이 그렇게 갖고 싶어 하던 거잖아." 어떻게 행동하기를 따지어 독촉함. 여자가 사자상 구입을 포기하는 이유를 이해하지 못하는 남편

학습 문제

[학습 활동 응용]

7. ㉠~㉤에 대한 설명으로 적절하지 않은 것은?

① ㉠: 승객과 원주민들 사이에서 거래가 이루어지고 있음을 보여 준다.

② ㉡: 기차 밖의 모습과 대비되는 기차 안의 상황을 부각해서 보여 준다.

③ ㉢: 궁핍한 원주민들과 달리 풍요롭게 여행을 즐기는 백인들의 처지가 드러나고 있다.

④ ㉣: 원주민 상인과 금액을 논의하다가 서로 만족하는 금액을 찾지 못해 구입을 포기하고 있다.

⑤ ㉤: 가격으로 흥정할 수 없는 가치 있는 물건이라는 남편의 생각을 엿볼 수 있다.

8. 문맥상 ㉮ 다음에 생략된 여자의 말로 가장 적절한 것은?

① 다음에 오면 같은 물건을 더 싸게 살 수 있을 것 같아요.

② 가격 흥정을 하면서 여행의 즐거운 기분을 망치고 싶지 않아요.

③ 저들의 태도로 보아 가격 흥정은 아무런 도움이 되지 않을 거예요.

④ 더 이상 저들의 혼이 담긴 물건을 놓고 가격 흥정을 하고 싶지는 않아요.

⑤ 저들의 물건이 훌륭한 건 인정하지만 돈을 주고 살 만한 가치가 있진 않아요.

[서술형] [학습 활동 응용]

9. 승객과 원주민들 사이에서 이루어지고 있는 거래가 이들에게 각각 어떤 의미를 갖는지 쓰시오.

남편은 의아하다는 듯 말했다.

"아니에요. 다음에 살래요."
<small>멋진 예술품을 두고 더 이상 가격 흥정을 하고 싶지는 않아 사는 것을 포기함.</small>
여자가 마지막 결정을 내리자 원주민 상인은 사자상을 들고 머리를 갸우뚱한 채로 그들을 올려다보았다.

"삼 실링 육 펜스라!"

여전히 남편은 나이 든 노인처럼 혼잣말로 중얼거렸다.

▶ 사자상을 사려던 생각을 포기한 여자

위기 **라** 여자는 머리를 차창 안으로 집어넣고 열차 뒤쪽에 가서 앉았다. 반대편 차창으로는 아무것도 보이지 않았다. 모래 들판과 덤불 그리고 가시가 돋은 관목들뿐이었다.❶ 남편이 앉은 뒤편으로는 마지막 객차의 출입구가 있었다. 그 출입구의 문을 열면 역전의 모
<small>사자상을 살 수 있는 마지막 기회를 의미함.</small>
습과 춤추듯 흔들거리는 동물 조각상들의 모습이 한눈에 보였고, 원주민들의 웅성거리는 소리도 들렸다. 여자의 눈은 역사의 지붕을 소용돌이치듯 휘감은 나무에 고정되어 있었다. 그러다가 문득 사자상이 생각났는지 미소를 머금었다. 특히 목 부분의 갈기를 떠올리
<small>사지 않은 사자상에 대한 미련</small>
고 있는 것 같았다.❷

『이미 여자가 타고 있는 객차의 선반에는 사자상은 물론이고 수사슴이며 하마 그리고
<small>『 』: 여자가 느끼고 있는 문제의식</small>
코끼리상 등이 넘쳐나고 있었다. 이 조각상들을 집에 모셔 두는 것이 무슨 의미가 있는
<small>조각상은 다른 곳으로 옮겨지는 것보다 원래 있던 자리에 있는 것이 더 나을 수도 있다고 생각함.</small>
가? 원래 있어야 할 장소를 떠나 다른 곳으로 옮겨진다는 것은 무엇을 뜻할까? 지난 몇 주 동안 보았던 ⓐ 비현실로부터 ⓑ 현실 속으로 옮겨진다면 말이다.』여자에게 지난 몇 주 동안 보았던 풍경들은 익숙한 현실의 일부가 아니었다. 그것은 비현실 그 자체였다. 그러나 밖에 있는 남편은 비현실의 일부가 아니었다. 참으로 이상했다. 언제부턴가 남편이, 아니 그와 함께 있는 모든 것들이 생전 처음 와 보는 어떤 곳에서 만나는 휴가의 일부처럼 느껴졌다.

▶ 사자상으로 인해 상념에 잠긴 여자

어휘·어구 풀이

● 관목 나무의 키가 작고, 원줄기와 가지의 구별이 분명하지 아니하며 밑동에서 가지를 많이 치는 나무.

❶ 반대편 차창으로는~가시가 돋은 관목들뿐이었다. 물건을 팔고 사기 위해 한바탕 소란스러웠던 분위기와 대조적이다. 결국 이 역을 지나면 조각품을 사기 어려울 것이라는 여자의 생각이 배경에 투영되어 있다.

❷ 그러다가 문득~떠올리고 있는 것 같았다. 여자가 구입하지 못한 사자상에 대한 미련을 버리지 못하고 마음속으로 정교하게 조각된 사자상의 모습을 떠올리는 부분이다.

교과서 날개 질문 ◀

여자가 느낀 '비현실'과 '현실'은 무엇을 의미하는지 생각해 보자.
| 예시 답안 | 여자는 지난 몇 주 동안 남편과 휴가를 보낸 것으로 보인다. 관광지에서 만난 것들은 사자상, 코끼리상 등과 같은 찬란한 아프리카의 문화일 것이다. 그러나 현실의 아프리카는 준비되지 않은 상태에서 밀려들어 오는 '문명'의 힘에 혼을 잃고 방황하며 가난하고 힘든 상황을 겪고 있으므로 여자는 그 사이에서 괴리감을 느끼고 있는 것이라 짐작할 수 있다.

---

10. **다**~**라**에 나타난 서술상 특징으로 가장 적절한 것은?

① 작품 안의 서술자가 독백의 형식으로 내면을 서술하고 있다.

② 작품 안의 서술자가 자신이 겪고 있는 사건을 서술하고 있다.

③ 작품 밖의 서술자가 전지적인 입장에서 사건의 의미를 해설하고 있다.

④ 작품 밖의 서술자가 특정 인물의 시각에서 인물의 내면 위주로 서술하고 있다.

⑤ 작품 밖의 서술자가 관찰한 내용을 중심으로 사건을 객관적으로 전달하고 있다.

11. ⓐ와 ⓑ가 상징하는 바로 가장 적절한 것은?

	ⓐ	ⓑ
①	휴가지에서 느낀 즐거움	일상생활의 번거로움
②	휴가지에서 느낀 즐거움	남편과의 갈등과 대립
③	휴가지에서 체험한 아프리카의 문화	가난하고 힘든 아프리카의 실상
④	휴가지에서 체험한 아프리카의 문화	전통과 문명이 조화된 아름다움
⑤	휴가지에서 느낀 서구 문명의 우월함	가난하고 힘든 아프리카의 실상

어휘·어구 풀이

● **샬레(chalet)** 스위스의 높은 산에 있는, 통나무로 벽을 치고 돌로 지붕을 인 집.

❶ **기차를 따라 달리는~튀어 올랐다 사라졌다.** 기차가 떠나려고 하자 물건을 팔 기회를 잃을 것을 우려하여 싼값에라도 물건을 팔려는 원주민 상인들의 절박한 심정이 드러난다.

❷ **늙은 원주민은~놓여 있었다.** 생계를 위해 기차가 출발하기 직전에 조각상을 헐값에 판 원주민 상인의 모습이 드러난 부분이다. 구걸하다시피 사정하여 판매에 성공하였지만 겨우 '일 실링 육 펜스'를 손에 쥐고 안도감과 허탈감을 느끼는 원주민 상인의 심정을 짐작할 수 있다.

〔핵심 쏙쏙〕

◉ **사자상의 가격이 떨어진 이유**

［기차의 출발］
↓
［다급해진 원주민］
↓
［절반도 안 되는 가격에 거래됨.］

마 『밖에서 종소리가 들렸다. 역장이 말려 있는 녹색 깃발을 들고 기차 끝에 기대서 있었다. 다리를 폈다 접었다 가볍게 몸을 푼 사람들이 기차 위로 다시 뛰어올랐다. 사람들은 철제 계단에 서 있거나 난간을 붙잡고 있었고 심지어 플랫폼에 매달려 있기도 하였다.』
〔『 』: 기차의 출발이 임박한 상황〕

덜컹거리는 소리가 나더니 기차가 한 차례 요동을 쳤다. 맥주를 마시던 사람들은 하나같이 창밖을 내다보았다. 막사 뒤 역장의 아내는 기차를 등지고 거무칙칙한 고깃덩어리 밑에 앉아 있었다.

고함 소리가 들리고 깃발이 날렸다. 열차가 선열에 잘 맞춰져 있지 않는지 몸체들끼리 부딪히는 소리를 냈다. 기차가 마침내 움직이기 시작했다. 서서히 샬레 풍의 역사 지붕이 움직였다.
〔열차 출발을 알리는 신호〕 〔기차가 움직이기 시작함.〕
㉮ 기차를 따라 달리는 원주민들의 고함 소리가 가팔라졌다. 물건값이 뚝 떨어지고 있었다. 나무 조각상 얼굴들이 마지막으로 승객들의 구매 의향을 묻는 듯 차창 너머로 튀어 올랐다 사라졌다.❶

"일 실링 육 펜스에 가져가세요, 나리!"
〔처음 제시한 가격의 절반도 안 되는 가격. 원주민의 절박한 상황을 보여 줌.〕
흡사 날아오는 공을 잡듯 사람들의 손이 바빠졌다. 한 남자가 황급히 주머니를 뒤져 일
〔거래를 성사시키기 위해 바삐 움직이는 사람들의 모습〕
실링 육 펜스를 꺼내 던졌다. 따라오던 한 늙은 원주민이 숨을 헐떡거리며 마른 발가락으로 모랫바닥을 세차게 차 내면서 사자상을 던져 주었다.

『흑인 아이들이 손을 흔들어 주었다. 개들도 떠나는 기차를 배웅하듯 꼬리를 살살 흔들었다. 토담집의 한 여자가 허리에 손을 얹고 떠나는 기차를 바라보았고 역장은 서서히 샬레 지붕의 역사 안으로 들어갔다.』
〔『 』: 떠나는 기차를 배웅하는 역의 모습〕

늙은 원주민은 갈빗대 사이로 가쁜 숨을 몰아쉬며 서 있었다. 모래 속에서 불안한 균형을 잡은 채 미소를 지으며 머리를 흔들고 있었다. 무언가를 받는 자세로 떠받쳐진 손바닥에는 조각품의 값으로 받은 일 실링 육 펜스가 놓여 있었다.❷
〔백인 여자의 남편이 사자상 값으로 치른 금액〕
이제는 어찌해 볼 도리도 없이 기차는 꼬리를 흔들거리며 역 밖으로 빠져나가고 있었다.

▶ 열차의 출발과 사자상을 헐값에 산 남편

학습 문제

12. 마를 읽고 독자가 보인 반응으로 가장 적절한 것은?

① 남자는 사자상의 가치를 알아보고 사자상을 파는 원주민들을 대하고 있군.

② 다급함에 사자상을 헐값에 팔아버릴 수밖에 없었던 원주민들의 처지가 안타깝군.

③ 사자상에 담긴 정성에 비해 너무 헐값에 산 것에 대해 남자는 미안함을 느꼈겠군.

④ 구매 의향이 있다는 것을 알고 끝까지 포기하지 않는 원주민들의 정신을 본받을 만하군.

⑤ 비록 헐값에 팔았지만 자신들의 예술품을 알아주는 사람에게 사자상을 넘길 수 있어서 원주민은 보람을 느꼈겠군.

13. ㉮에 담긴 원주민들의 심리로 가장 적절한 것은?

① 자신이 팔고 있는 조각상에 대한 자부심

② 한 푼이라도 더 높은 가격을 받고 싶은 간절함

③ 어떻게든 물건을 팔아 생계를 해결해야 한다는 절박함

④ 가족들과 즐거운 저녁을 보낼 수 있을 것이라는 기대감

⑤ 서양 사람들 앞에서 비굴한 모습을 보여야 하는 부끄러움

절정·결말 **바** 남편이 숨을 몰아쉬며 객실로 돌아왔다. 그는 의기양양해 있었다.

㉠ "자, 이걸 보시라." / 그가 사자상을 흔들며 말했다.

"일 실링 육 펜스에 샀어." / ㉡ <u>"뭐라구요?"</u>

그녀가 어이가 없는 듯 말했다.

_{갈등의 원인}

ⓐ <u>"장난삼아 마지막으로 값을 흥정했지. 그랬더니 기차가 막 떠나려고 할 때 그 노인</u>
<u>이 기차를 따라오며 일 실링 육 펜스에 가져가라고 하더군."</u>

_{생계를 위해 절박한 원주민 상인과 대조되는 태도 – 비판의 대상}

그가 만면에 희색●을 띠며 말했다. / ㉢ "자, 이거 당신 선물이야."

_{자신의 행동에 대한 자랑스러움}

여자는 조각상을 받아들었다. 떡 벌어진 입, 뾰족한 이빨, 검은 혀 그리고 섬세한 갈
기! 『여자는 마치 다른 어떤 것을 생각하듯 초점을 잃은 두 눈으로 조각상을 바라보았다.
생각대로 일이 잘되어 가지 않을 때 아이들이 짓는 표정처럼 여자는 얼굴을 찡그리고 있
었다. 눈썹은 위로 치켜 올라가 있었고 입 가장자리는 신경질적으로 기울어져 있었다. 아
주 천천히 그리고 조심스럽게 여자는 손가락을 들어 올려 사자의 갈기를 어루만졌다.

"당신, 어떻게 그럴 수가 있죠?"

_{『 』: 여자는 조각상의 가치가 폄하되어 겨우 일 실링 육 펜스에 지나지}
_{않음에 분노하고 있으며, 원주민과 그들의 문화와 전통의 가치를 경시}
_{하는 남편의 태도를 못마땅하게 여기고 있음.}

ⓑ <u>여자의 얼굴에 분노의 빛이 역력했다.</u>』

㉣ "뭐가. 도대체 왜 그래?" / 당황한 남편이 물었다.

"이걸 그렇게 사고 싶었으면⋯⋯."

흥분한 여자의 목소리가 날카롭게 갈라졌다.

"왜 처음부터 사지 않고 그렇게 뜸을 들였죠? 왜 기차가 떠날 때까지 기다렸다 샀냔 말
이에요. 그것도 일 실링 육 펜스에 말이죠."

_{사자상을 싼값에 사는 것에만 관심을 갖는 남편에 대한 분노}

여자는 사자상을 남편에게 떠다밀었다.

"이거 당신이 갖고 싶어 했던 것 아니야? 무척 맘에 들어 했잖아."

_{아내의 반응을 이해하지 못하는 남편}

㉤ "물론이에요. 그렇지만 이건 아주 훌륭한 조각품이라구요.●"

여자는 마치 조각품을 보호하려는 것처럼 맹렬하게 말했다.

▶ 사자상을 헐값에 사 온 남편에게 화가 난 여자

어휘·어구 풀이

● **희색** 기뻐하는 얼굴빛.

❶ **"물론이에요~조각품이라구
요."** 여자는 사자상이 아프
리카인들의 혼과 전통을 담은
예술품이므로, 결코 적은 돈
몇 푼으로 값을 매겨서는 안
된다는 자신의 생각을 강조하
고 있다.

교과서 날개 질문 ◀

**원주민들이 파는 물건값이 뚝 떨
어진 이유는 무엇일까?**

| 예시 답안 | 기차가 떠나가면 물
건을 팔 기회가 사라지므로 원주
민들이 다급히 싸게 내놓았기 때
문이다.

**여자가 남편에게 화를 낸 까닭을
생각해 보자.**

| 예시 답안 | 사자상에 담긴 예술
품으로서의 가치를 제대로 보지
못하고, 불평등한 관계에서 절박
한 원주민의 처지를 이용해 사자
상을 헐값에 구입함으로써 그들의
정신적 가치를 폄하하고는 좋아하
는 남편의 태도에 화가 났기 때문
이다.

---

14. **바**에 대한 설명으로 가장 적절한 것은?

① 대화를 통해 인물 간의 갈등이 드러나고 있다.

② 배경 묘사를 통해 당시의 시대상이 부각되고 있다.

③ 내적 독백을 통해 인물의 내적 갈등이 드러나고 있다.

④ 두 장소에서 벌어진 사건이 병렬적으로 제시되고 있다.

⑤ 상징적인 소재를 통해 앞으로 전개될 사건이 암시되
고 있다.

서술형 **학습 활동 응용**

15. ⓐ를 통해 알 수 있는 '남편'의 사자상에 대한 생각을 쓰시오.

16. **바**를 시나리오로 각색할 때, ㉠~㉤에 넣을 수 있는 지시
문으로 적절하지 않은 것은?

① ㉠: (뜻한 바를 이루어 만족한 얼굴로)

② ㉡: (너무나 싼 가격을 듣고 어처구니가 없는 표정으로)

③ ㉢: (기뻐할 아내를 생각하며 즐거운 표정으로)

④ ㉣: (아내가 보인 뜻밖의 반응에 놀라면서)

⑤ ㉤: (남편을 안쓰러워하며 조용한 목소리로)

서술형

17. ⓑ의 이유를 한 문장으로 쓰시오.

어휘·어구 풀이

● **망연자실(茫然自失)** 멍하니 정신을 잃음.

● **무념무상** 무아(無我)의 경지에 이르러 일체의 상념이 없음.

❶ **일 실링 육 펜스라! ～얻는 데 일 실링 육 펜스라!** 반복적인 표현을 통해 여자의 분노가 얼마나 큰지를 나타내고 있다. 또한 사자상은 단순한 상품이 아니라 아프리카인의 전통문화가 형상화된 것임을 암시하고 있다. 여자는 이러한 조각품이 제 가치를 인정받지 못하고 헐값에 팔린 것에 대한 분노와 안타까움을 다시 한 번 드러내고 있다.

핵심 쏙쏙

◎ **작가의 비판 의식**
· 서양인들의 자기중심적인 가치관
· 모든 것을 물질적 가치로 평가하려는 세태

(사) "당신이 이 조각품이 아주 맘에 드는데 너무 비싸다고 혼잣말로 중얼거리는 소리를 들었다구." / "이봐요."

여자가 참을 수 없다는 듯이 격하게 말을 내뱉었다.

"당신……." / 여자는 사자상을 바닥에 내동댕이쳐 버렸다.
_{감정의 고조}
남편은 망연자실 여자를 바라보고 서 있을 뿐이었다.

여자는 모퉁이에 앉아 두 손으로 얼굴을 감싸 쥔 채 창밖을 무표정하게 응시했다. 갖가지 생각들이 그녀의 머릿속에서 교차하는 것 같았다. ㉠ 일 실링 육 펜스라! 나뭇조각과 다리의 근육과 채찍 같은 꼬리를 사는 데 일 실링 육 펜스라! 그렇게 늠름하게 벌려져 있는 입과 파도처럼 말려 있는 검은 혀에 그토록 정교한 목의 갈기까지 얻는 데 일 실링 육 펜스라! 분노로 인한 열기가 여자의 다리를 타고 목까지 올라와 귀에 모래를 쓸어 내는 소리를 쏟아부었다. 그 소리는 한동안 계속되었다. 여자는 속이 메스꺼워짐을 느꼈다. 피로와 무기력함과 불현듯 찾아든 공허감이 여자의 사지로 퍼져 나갔다. 여자의 육신에서 소중한 그 무언가가 빠져나가는 듯했다. 여자는 그것이 오랫동안 지속된 외부와의 단절감 때문이라고 생각했다.

여자는 다시 평상심을 회복했다.

여자는 자신의 감정을 다시 요동치게 할지도 모를 물건과 말 그리고 풍경을 보지도 듣지도 않으려는 듯 입을 꼭 다문 채 무념무상한 상태로 앉아 있었다. 차창 밖에서 검은 잿가루가 날아와 여자의 손등에 내려앉았다. 여자는 다리를 쭉 뻗은 채 손을 늘어뜨리고 앉아 있는 남편과 구석 한 편에 모로 쓰러져 있는 사자상을 등 뒤로 한 채 돌아앉아 있었다.

기차는 허물을 벗듯 역을 빠져나갔다. 그러고는 하늘을 향해 큰 소리로 외쳤다.

"자, 갑니다. 내가 간다구요."
_{작품의 처음 부분에 사용된 표현 반복}
언제나 그랬듯이 아무런 응답도 없었다.

▶ 남편이 헐값에 사 온 사자상으로 인해 속이 상한 여자

학습 문제

18. 윗글의 주제를 고려할 때, 작품의 창작 의도로 적절하지 <u>않은</u> 것은?

① 백인들의 왜곡된 가치관 비판
② 아프리카인들의 비참한 현실에 대한 고발
③ 아프리카인들의 전통문화에 대한 열정 피력
④ 아프리카인들에 대한 백인들의 자기중심적인 사고방식 비판
⑤ 모든 것을 물질적인 가치로만 판단하는 물질만능주의적 사고 비판

서술형 **학습 활동 응용**

19. 〈보기〉를 참고하여, 남편의 사자상 거래를 비판적으로 평가해 보자.

| 보기 |
공정 무역은 개발 도상국 생산자의 경제적 자립과 지속 가능한 발전을 위해 생산자에게 더 유리한 무역 조건을 제공하는 무역을 말한다.

서술형 **학습 활동 응용**

20. ㉠에 나타난 여자의 심리를 쓰시오.

• 작품에 드러나는 주제 의식

현실에 대한 비판 의식

• 기차역 주변의 황량한 풍경 • 가난한 아프리카 원주민들의 모습	• 원주민 상인과 백인 여행객 사이에 이루어 진 ❶ ◻◻◻ 한 거래

⬇ ⬇

식민지 상황에서 벗어났지만 여전히 궁핍하게 살아가는 아프리카인들의 비참한 모습	아프리카인들의 문화와 전통의 가치에 대한 백인들의 그릇된 이해와 자기중심적 가치관

• 사자상에 대한 인식과 인물들의 성격

	아내	남편
사자상에 대한 인식	• 사자상의 예술적 가치를 인정함. • 사자상의 정신적 가치를 인정함.	• 사자상의 ❷◻◻적 가치만을 생각함. • 사자상의 정신적 가치를 고려하지 않음.
인물의 성격	• 사물을 보는 눈이 정확함. • 예술적 안목이 있음. • 다른 나라의 ❸◻◻◻◻를 이해하고 존중함.	• 현실적인 면에 민감하여 계산이 빠름. • 속물근성을 지닌 현대인의 전형 • 자기중심적인 가치관을 지님.

• 작품에 나타난 갈등의 양상

– 표면적 갈등: 사자상 구매 과정에서 나타난 아내와 남편의 갈등

아내		남편
• 사자상을 아프리카의 전통문화를 담고 있는 ❹◻◻◻으로 인식함. • 자신의 유리한 위치를 이용하여 예술품을 늙은 원주민에게서 헐값에 구입한 남편의 행동에 분노함.	↔	• 사자상을 '물건'으로 인식하고, 절박한 원주민의 처지를 이용하여 불평등한 관계에서 사자상을 헐값에 구입함. • 헐값에 사자상을 산 것을 흡족해하며, 아내가 분노하는 이유를 알지 못함.

– 이면적 갈등: 서양인들의 자기중심적 시각으로 인해 정당한 대가를 받지 못하는 아프리카인들과 그들의 문화

아프리카 원주민		백인
• 과거 강대국의 식민 지배에서 벗어나 독립했지만, 여전히 백인들에게 착취를 당함. • 생활고로 생존의 위협을 느낌.	↔	• 과거에 이어 오늘날까지 아프리카 원주민들을 착취함. • 아프리카인들의 전통문화를 폄하함. • ❺◻◻◻◻적인 가치관을 지님.

|정답| ❶ 불공정 ❷ 물질 ❸ 전통문화 ❹ 예술품 ❺ 자기중심

학습 활동

작품 속으로

1. 이 작품의 다음 부분을 읽고, 기차역의 원주민들과 기차 안 승객들의 처지를 비교해 보자.

> • 아무것도 팔지 않고 구걸하는 아이들도 있었다. 개들은 양파에 절인 고기 냄새를 풍기는 식당차 아래에서 진을 치고 있었다.
> • 한 어린 소녀가 초콜릿을 한 움큼 움켜쥐더니 식당 칸 옆의 개들에게 던져 주었다. 그러나 초콜릿이 개들의 입에 닿기도 전 닭들이 달려와 빠르고 정교한 동작으로 그것들을 낚아채었다.

| 예시 답안 | 원주민들은 몹시 가난하여 승객들에게 물건을 팔거나 구걸이라도 해야 할만큼 절박한 처지이다. 이에 비해 기차를 타고 있는 승객들은 기차 여행을 다닐 정도로 풍족하고 여유가 있으며, 초콜릿을 아무렇지 않게 개들에게 던져 줄 정도로 넉넉하다. 원주민들의 물건을 사는 일도 기차 안 승객들의 입장에서는 단지 여행의 즐거움을 위한 행위일 뿐이다.

2. 인물들이 한 말을 통해 각 인물이 '사자상'을 어떻게 생각하는지 파악해 보자.

	인물들의 말	'사자상'에 대한 생각
늙은 원주민	"일 실링 육 펜스에 가져가세요, 나리!"	자신들의 혼이 담긴 전통적인 공예품이지만 생계를 위해서는 어쩔 수 없이 헐값에라도 팔아야 한다고 생각함.
남편	"장난삼아 마지막으로 값을 흥정했지. 그랬더니 기차가 막 떠나려고 할 때 그 노인이 기차를 따라오며 일 실링 육 펜스에 가져가라고 하더군."	사자상의 정신적, 예술적 가치는 알아보지 못하고, 흥정의 대상, 화폐와 교환 가능한 '물건'으로 인식함.
아내	"왜 처음부터 사지 않고 그렇게 뜸을 들였죠? 왜 기차가 떠날 때까지 기다렸다 샀냔 말이에요. 그것도 일 실링 육 펜스에 말이죠."	사자상에 담긴 예술적, 정신적 가치를 알아보고, 아프리카 원주민들의 전통과 혼이 담긴 예술품이 흥정의 대상이 되는 것을 안타까워함.

3. 다음에 제시된 '공정 무역'에 관한 글을 읽고, 이 작품을 비판적으로 수용해 보자.

> 공정 무역은 개발 도상국 생산자의 경제적 자립과 지속 가능한 발전을 위해 생산자에게 더 유리한 무역 조건을 제공하는 무역 형태를 말한다. 공정 무역은 공정한 가격에 거래하고, 생산자를 배려하며, 환경 보호를 위해 노력하고, 여성과 아동의 인권을 지켜야 한다는 지침에 따라 이루어진다.

(1) 공정 무역의 관점에서 남편의 '사자상' 거래를 비판적으로 평가해 보자.

| 예시 답안 |
• 원주민들이 공들여 만든 예술품의 가치를 제대로 인정하지 않고 원주민의 절박한 처지를 이용해 너무 싼 가격에 사자상을 구입한 것은 공정 무역으로 보기 어렵다.
• 사자상의 생산자인 원주민들의 어려운 처지를 충분히 배려하였다면 소비자로서의 자신의 이익만을 생각하는 거래를 하려고 하지 않았을 것이다.
• 공예품을 팔던 원주민들이 대부분 여성, 아동, 노인들이었다는 점에서, 이들의 인권을 존중해 주고자 하는 인식을 바탕으로 한 거래가 이루어졌다면 더 좋았을 것이다.

(2) 공정 무역을 권장하는 포스터를 만들려고 한다. 아래 포스터에 '로디지아'의 역사(驛舍)에 어울릴 만한 문구를 넣어 완성한 뒤, 교실 게시판에 게시하고 친구들과 의견을 나누어 보자.

우리는 공정 무역을 원해요.

로디지아에서 시작합니다.

| 예시 답안 |
• 공정 나눔으로 함께 만드는 지구 마을
• 착한 나눔으로 공정한 세상을 만들어요

> **보충 자료** 네이딘 고디머(Nadine Godimer, 1923~2014)
> 1923년 남아프리카 공화국 요하네스버그에서 출생하였다. 섬세한 감수성, 선명한 이미지, 암시에 넘치는 문제가 특징이다. 인종 차별 문제를 다룬 작품이 많은데, 정면으로 항의하지 않고 인종 간의 협조와 이해를 촉구하고 있다. 심리 묘사에 뛰어난 서정적 사실주의 문학으로서 예술성이 높다.
> – 「두산 백과」

4. 다음 작품을 「로디지아발 기차」와 비교하며 읽고, 아래 활동을 해 보자.

나는 이제 너에게도 슬픔을 주겠다.
　　　　소외된 이웃의 고통에 대한 관심
사랑보다 소중한 슬픔을 주겠다.
　　타인의 아픔을 보듬는 것이 더 소중함.
겨울밤 거리에서 귤 몇 개 놓고
　　　　　　　　소외된 현실적 약자
살아온 추위와 떨고 있는 할머니에게
　　　　　　　　　이기적인 존재
귤값을 깎으면서 기뻐하던 너를 위하여
　소외된 자의 아픔을 모른 채 자신의 이익만 탐한
나는 슬픔의 평등한 얼굴을 보여 주겠다.
　　　슬픔도 기쁨만큼 소중함
내가 어둠 속에서 너를 부를 때
　　　　　　　　도움을 요청할 때
『단 한 번도 평등하게 웃어 주질 않은

가마니에 덮인 동사자(凍死者)가 다시 얼어 죽을 때

가마니 한 장조차 덮어 주지 않은 『　』: 타인의 아픔에

무관심한 너의 사랑을 위해　　　무관심한 태도

흘릴 줄 모르는 너의 눈물을 위해
　타인의 아픔에 연민을 보낼 줄 모르는 이기적인 너의 마음
나는 이제 너에게도 기다림을 주겠다.
이 세상에 내리던 함박눈을 멈추겠다.
가진 자만이 누리던 기쁨으로 소외된 이웃에게는 고통이 됨.
보리밭에 내리던 봄눈들을 데리고
　　　　　　　　행복과 따뜻함
『추워 떠는 사람들의 슬픔에게 다녀와서

눈 그친 눈길을 너와 함께 걷겠다.』　『　』: 소외된 자의 고통을 이
　　　진정한 화합과 조화의 삶 지향　　해하게 하고 참다운 사랑의
슬픔의 힘에 대한 이야길 하며　　　　　의미를 깨닫게 하겠다는 의미
　진정한 사랑을 깨닫게하는 힘
기다림의 슬픔까지 걸어가겠다.　▶ 진정한 사랑과 화합을 위해
　소외된 이웃의 슬픔이 극복될 때까지　'너'와 함께하고자 함.

　　　　　　　　　　　　－ 정호승, 「슬픔이 기쁨에게」

▶ 소외된 이들의 아픔을 외면하는 사람들에게 슬픔을 주고자 함.

▶ 가난한 이에 대해 무관심한 사람들에게 기다림을 주고자 함.

📑 **작품 연구** 　정호승, 「슬픔이 기쁨에게」

- **갈래**: 자유시, 서정시
- **성격**: 의지적, 상징적
- **어조**: 의지적 어조
- **제재**: 소외된 이웃들의 슬픔, 타인의 고통에 무관심한 이기적인 삶
- **주제**: 소외된 이웃에 관한 사랑과 관심 촉구, 이기적인 삶에 관한 반성 및 더불어 살아가는 삶의 추구
- **특징**: ① '슬픔'을 시적 화자로 설정하여 청자인 '기쁨'에게 말하는 형식을 취하고 있음.
　　　　② '−겠다'를 반복하여 운율을 형성하고, 화자의 의지적인 자세를 드러냄.

---

(1) 위 작품을 통해 화자가 비판하고자 한 세태를 말해 보자.

| **예시 답안** | 상대방이 처한 상황의 어려움이나 고통은 고려하지 않고 자신의 이익만을 위해 행동하며, 타인에게 연민을 느끼지 않고 무관심한 사람들이 많은 이기적인 사회를 비판하고 있다.

---

(2) 위 작품의 화자가 「로디지아발 기차」의 남편에게 해 줄 수 있는 말을 생각하여 말해 보자.

| **예시 답안** | 기차역에서 생계를 위해 조각상을 팔려는 원주민들의 절박한 심정을 이해하지 못하고 조각상의 값을 깎았다고 좋아하는 당신에게 그들이 느꼈을 슬픔과 상실감을 생각해 보게 해 주고 싶군요.

(3) (2)의 활동을 통해 남편의 태도가 달라졌다고 가정할 때, 달라진 남편의 태도가 잘 드러나도록 본문 활동 4-(3) 의 뒷부분을 고쳐 써 보자.

　고함 소리가 들리고 깃발이 날렸다. 열차가 선열에 잘 맞춰져 있지 않았는지 몸체들끼리 부딪히는 소리를 냈다. 기차가 마침내 움직이기 시작했다. 서서히 샬레 풍의 역사 지붕이 움직였다. 기차를 따라 달리는 원주민들의 고함 소리가 가팔라졌다. 물건값이 뚝 떨어지고 있었다. 나무 조각상 얼굴들이 마지막으로 승객들의 구매 의향을 묻는 듯 차창 너머로 튀어 올랐다 사라졌다.
　"일 실링 육 펜스에 가져가세요, 나리!"
　남편은 　| **예시 답안** | 남편은 중얼거렸다.
　"일 실링 육 펜스라?"
　남편은 깜짝 놀란 표정을 짓더니,
　"흠, 그건 너무 싸군요. 이 조각상을 만들기 위해 들인 당신의 시간과 정성과 노력은 그것의 곱절은 될 테니까요. 게다가 이 조각상을 판 돈으로 빵을 사서 가족들과 행복한 저녁 시간을 보내고 싶었던 당신의 소박한 소망에는 한참 미치지 못하는 돈이니까요. 그리고 이 조각상에는 당신 부족의 오랜 전통과 문화가 고스란히 스며들어 있으니 이 정도 값은 받아야 마땅하겠는걸요."
　남편은 얼른 원주민의 손에 몇 장의 지폐를 쥐어 주고는 조각상을 받아 들었다. 그리고 막 움직이기 시작한 기차 안으로 이내 사라져 버렸다. 원주민의 손에는 일 실링 육 펜스의 세 배가 넘는 오 실링이 들려 있었다.

03 허생전 박지원

학습 요소
• 작품의 재구성과 창작

해제

「허생전」은 '허생'이라는 비범한 풍모와 영웅적 면모를 지닌 인물을 통해 당대 사회의 경제적·사회적 제도의 모순과 지배 계층의 무능과 허위의식을 풍자한 소설이다. 허생은 매점매석을 통해 많은 돈을 버는데, 이러한 상행위를 통해 당시의 취약한 경제 구조와 허례허식에 치우친 양반들을 풍자하고 있다. 또한 허생은 군도를 이끌고 빈 섬으로 들어가 여러 가지를 실험하는데, 이를 통해 선량한 양민이 도둑이 될 수밖에 없는 사회 현실을 드러내면서, 빈민을 구제하기 위한 이용후생(利用厚生)의 실천을 강조하고 있다. 그리고 허생이 이완 대장에게 시사삼책을 제시하지만, 이완은 그것을 받아들이지 못 하는 것을 통해 작가는 의미 없는 북벌론만을 내세우는 무능한 양반 계층과 허위의식에 가득 찬 조선 사회를 신랄하게 비판하고 있다.

전체 줄거리

허생은 남산 밑 묵적골에 사는 가난한 선비로, 글 읽기에 열중하던 중 생활고를 견디지 못한 아내의 질 책에 십 년을 작정했던 공부를 포기하고 집을 나선다. 허생은 장안의 갑부인 변 씨를 찾아가 만 냥을 꾸어 과일과 말총을 매점매석하여 큰돈을 번 다음, 빈 섬에 이상국을 건설하고 나라의 빈민을 구제한 뒤 십만 냥을 변 씨에게 갚는다. 하루는 변 씨의 소개로 이완 대장이 찾아와, 허생이 북벌을 위한 세 가지 계책을 제시했으나 이완은 모두 받아들이지 못한다. 허생은 이완을 크게 꾸짖고 이튿날 자취를 감춰 버린다.

핵심 정리

(1) 갈래: 한문 소설, 풍자 소설

(2) 성격: 풍자적, 비판적

(3) 시점: 전지적 작가 시점

(4) 배경: 시간적 – 조선 효종 때(17세기), 공간적 – 서울, 안성, 변산 등의 국내와 장기도, 빈 섬 등의 국외

(5) 주제: 지배층인 사대부의 무능과 허위의식 비판 및 지배층의 각성 촉구

(6) 특징: ① 실학사상과 북학 사상을 바탕으로 하여 당대 현실을 비판함.
② '허생'이라는 영웅적 인물의 행적을 중심으로 사건을 전개함.
③ 미완의 결말 구조로, 일반적인 고전 소설의 결말과 차이가 있음.

(7) 구성

발단	가난 속에서 글만 읽던 허생이 아내의 성화에 글 읽기를 중단하고 가출함.
전개	허생이 변 씨에게 빌린 돈으로 장사를 하여 큰 이익을 얻은 후, 빈 섬에 이상국을 건설하고 섬에서 돌아와 변 씨와 교분을 맺음.
위기	허생이 이완에게 현실의 문제를 해결하기 위한 시사삼책을 제시하나 모두 거절당함.
절정	허생이 명분만을 중시하고 허례허식에 얽매어 있는 이완 대장을 꾸짖음.
결말	허생이 종적을 감춤.

104 2. 문학의 소통

발단 **가** 허생은 묵적골〔墨積洞〕에 살았다. 곧장 남산(南山) 밑에 닿으면, 우물 위에 오래 된 은행나무가 서 있고, 은행나무를 향하여 사립문이 열렸는데, 두어 칸 초가는 비바람을 막지 못할 정도였다. 그러나『허생은 글 읽기만 좋아하고, 그의 처가 남의 바느질품을 팔아서 입에 풀칠을 했다.』

하루는 그 처가 몹시 배가 고파서 울음 섞인 소리로 말했다.

"당신은 평생 과거(科擧)를 보지 않으니, 글을 읽어 무엇합니까?"

허생은 웃으며 대답했다.

"나는 아직 독서를 익숙히 하지 못하였소."

"그럼 장인바치 일이라도 못 하시나요?"

"장인바치 일은 본래 배우지 않은 걸 어떻게 하겠소?"

"그럼 장사는 못 하시나요?"

"장사는 밑천이 없는 걸 어떻게 하겠소?"

처는 왈칵 성을 내며 소리쳤다.

"밤낮으로 글을 읽더니 기껏 '어떻게 하겠소?' 소리만 배웠단 말씀이오? 장인바치 일도 못 한다, 장사도 못 한다면, 도둑질이라도 못 하시나요?"

허생은 읽던 책을 덮어 놓고 일어나면서,

"아깝다. 내가 당초 글 읽기로 십 년을 기약했는데, 인제 칠 년인걸……."

하고 휙 문밖으로 나가 버렸다.

핵심 쏙쏙
◉ 허생과 처의 갈등

| 허생 | • 경제적으로 무능력함.
• 비실용적 사고
• 체면과 명분을 중시 |
| 처 | • 경제적 가치를 중시함.
• 실용적 사고
• 실리를 중시 |

교과서 날개 질문
'허생의 처'가 '허생'에게 왈칵 성을 낸 까닭이 무엇인지 생각해 보자.
| 예시 답안 | '허생'이 책 읽기에만 몰두하면서 집안의 생계를 책임지지 않을 뿐만 아니라 이런저런 핑계만 대며 가장으로서의 책임을 외면하고 있기 때문이다.

학습 문제

정답과 해설 334쪽

1. **가**에 대한 설명으로 가장 적절한 것은?
① 인물 간의 대화를 통해 갈등의 양상이 드러난다.
② 인물의 외양 묘사를 통해 인물의 성격이 암시된다.
③ 치밀한 배경 묘사로 당시의 시대적 상황이 나타난다.
④ 상징적 소재를 통해 앞으로 전개될 사건이 암시된다.
⑤ 인물의 내적 독백을 통해 인물의 심리 변화가 드러난다.

학습 활동 응용
2. 글 읽기의 목적에 대한 '허생'과 '아내'의 관점 차이를 바르게 나타낸 것은?

	허생	아내
①	기술 습득	제도 개혁
②	사회 봉사	자아 실현
③	제도 개혁	사회 봉사
④	생활 개선	인격 수양
⑤	학문 성취	입신양명

3. '허생의 처'에 대한 설명으로 적절하지 **않은** 것은?
① 남의 바느질품을 팔아 생계를 잇고 있다.
② 나아지지 않는 가정 형편에 고통스러워하고 있다.
③ 돈 버는 일에 무관심한 남편에 대해 불만을 드러내고 있다.
④ 허생의 독서가 경제적으로 가치가 없는 일이라고 여기고 있다.
⑤ 남편이 장사를 하는 것보다는 장인바치 일을 하는 것이 더 낫다고 생각하고 있다.

학습 활동 응용
4. 실속 없는 학문에 대한 비판 의식이 담겨 있는 말을 인물의 대화 중에서 찾아 쓰시오. (2가지)

어휘·어구 풀이

● **운종가** 조선 때, 한성(漢城)의 거리 이름. 지금의 종로 네거리를 중심으로 한 곳인데, 육주비전(六注比廛)이 설치되어 번화한 곳이었음.

● **읍** 인사하는 예(禮)의 하나. 두 손을 맞잡아 얼굴 앞으로 들고 허리를 앞으로 공손히 구부렸다 펴면서 손을 내림.

● **갖신** 가죽으로 만든 우리 고유의 신을 통틀어 이르는 말.

● **중언부언** 이미 한 말을 자꾸 되풀이함.

❶ **"이건 너희들이~물어 무엇을 하겠느냐?"** 초라한 겉모습에만 관심을 가졌던 변 씨 집의 자제와 손들과는 달리 허생이 지닌 비범함을 한눈에 간파한 변 씨의 남다른 안목과 대범한 성격을 보여 준다.

핵심 쏙쏙

◉ **변 씨가 '허생'에게 돈 만 냥을 꿔 준 이유**

· 허생의 비범함을 알아보았기 때문에

· 허생의 능력을 한번 시험해 보고 싶었기 때문에

전개 **나** 허생은 거리에 서로 알 만한 사람이 없었다. 바로 운종가(雲從街)로 나가서 시중의 사람을 붙들고 물었다.

"누가 서울 성중에서 제일 부자요?"

변 씨(卞氏)를 말해 주는 이가 있어서, 허생이 곧 변 씨의 집을 찾아갔다. 허생은 변 씨
_{조선 후기, 상업으로 부를 축적한 신흥 부유층을 대표하는 인물}
를 대하여 길게 읍(揖)하고 말했다.

"내가 집이 가난해서 무얼 좀 해 보려고 하니, 만 냥(兩)을 꾸어 주시기 바랍니다."

변 씨는 / "그러시오."

하고 당장 만 냥을 내주었다. 허생은 감사하다는 인사도 없이 가 버렸다. 변 씨 집의 자제
_{변 씨의 대범하고 호탕한 성격이 잘 드러남.} _{허생의 이인(異人)다운 풍모가 드러남.}
와 손들이 허생을 보니 거지였다. 실띠의 술이 빠져 너덜너덜하고, 갖신의 뒷굽이 자빠졌
_{허생의 초라한 행색}
으며, 쭈그러진 갓에 허름한 도포를 걸치고, 코에서 맑은 콧물이 흘렀다. 허생이 나가자,

모두들 어리둥절해서 물었다.
_{허생에게 돈을 내어 준 변 씨의 행동에 대한 의아함}
"저이를 아시나요?" / "모르지."

"아니, 이제 하루아침에, 평생 누군지도 알지 못하는 사람에게 만 냥을 그냥 내던져 버
_{생면부지(生面不知)}
리고 성명도 묻지 않으시다니, 대체 무슨 영문인가요?" / 변 씨가 말하는 것이었다.

"이건 너희들이 알 바 아니다. ㉠ 대체로 남에게 무엇을 빌리러 오는 사람은 으레 자기 뜻을 대단히 선전하고, 신용을 자랑하면서도 비굴한 빛이 얼굴에 나타나고, 말을 중언부언하게 마련이다. 『그런데 저 객은 형색은 허술하지만, 말이 간단하고, 눈을 오만하게
_{『 』: 변 씨가 허생에게 돈을 빌려 준 이유}
뜨며, 얼굴에 부끄러운 기색이 없는 것으로 보아, 재물이 없어도 스스로 만족할 수 있는 사람이다. 그 사람이 해 보겠다는 일이 작은 일이 아닐 것이매, 나 또한 그를 시험
_{허생에게 돈을 내어 준 변 씨의 의도}
해 보려는 것이다.』 안 주면 모르되, 이왕 만 냥을 주는 바에 성명은 물어 무엇을 하겠느냐?"❶

▶ 허생의 비범함을 알아차린 변 씨에게 돈 만 냥을 빌린 허생

학습 문제

5. 다음 중, 변 씨에 대해 토론한 내용으로 적절하지 <u>않은</u> 것은?

① 진아: 많은 재산을 가지고 있지만 사람들에게 '변 씨'라고 불리는 것으로 보아 신분은 높지 않았던 것 같아.

② 인성: 허생이 자신에게 길게 읍하고 예의를 갖춘다고 큰돈을 내준 것을 보면 경솔한 사람임이 틀림없어.

③ 수연: 허생의 차림새보다는 행동을 통해 사람됨을 판단하는 것으로 보아 자기 나름의 사람 보는 기준이 있는 것 같아.

④ 진욱: 이왕 만 냥을 주는 바에야 성명 따위를 물어 무엇하겠느냐는 모습에서 변 씨의 호탕한 성격을 엿볼 수 있어.

⑤ 유진: 평생 한 번도 본 적 없는 사람에게 큰돈을 빌려 준 것을 보면 배포가 두둑하고 대범한 사람인 듯해.

6. **나**를 바탕으로 할 때, ㉠이 보이는 일반적인 특징을 나타낸 말로 보기 <u>어려운</u> 것은?

① 허장성세(虛張聲勢)   ② 자화자찬(自畵自讚)

③ 교언영색(巧言令色)   ④ 중언부언(重言復言)

⑤ 후안무치(厚顔無恥)

서술형

7. '변 씨'가 '허생'에게 돈 만 냥을 이름도 묻지 않고 내어 준 까닭을 쓰시오.

다 허생은 만 냥을 입수하자, 다시 자기 집에 들르지도 않고 바로 안성(安城)으로 내려
갔다. 안성은 경기도, 충청도 사람들이 마주치는 곳이요, 삼남(三南)의 길목이기 때문이
다. 거기서 대추, 밤, 감, 배며 석류, 귤, 유자 등속의 과일을 모조리 두 배의 값으로 사들
였다. 허생이 과일을 몽땅 쓸었기 때문에 온 나라가 잔치나 제사를 못 지낼 형편에 이르
렀다. 얼마 안 가서, 허생에게 두 배의 값으로 과일을 팔았던 상인들이 도리어 열 배의 값
을 주고 사 가게 되었다.❶ 허생은 길게 한숨을 내쉬었다.

"만 냥으로 온갖 과일의 값을 좌우했으니, 우리나라의 형편을 알 만하구나."

그는 다시 칼, 호미, 포목 따위를 가지고 제주도(濟州島)에 건너가서 말총을 죄다 사들
이면서 말했다. / "몇 해 지나면 나라 안의 사람들이 머리를 싸매지 못할 것이다."

허생이 이렇게 말하고 얼마 안 가서 과연 망건값이 열 배로 뛰어올랐다.
▶ 매점매석으로 큰돈을 벌게 된 허생

[중략 부분 줄거리] 이후 허생은 도적의 소굴로 찾아가 도적들을 설득한 뒤, 이들을 이끌고 미리 보아 둔 빈
섬으로 들어가 농사를 지으며 살도록 한다. 그곳에서 농사와 무역을 통해 부를 축적한 허생은 자신의 이상국 건
설의 시험을 마친 뒤 섬에서 나와 나라 안의 빈민을 구제한다. 한편 변 씨로부터 허생에 관한 이야기를 전해 들
은 이완 대장이 허생에게 찾아와 인재를 구할 방법을 묻는다. → 위기

위기 **라** 이 대장이 방에 들어와도 허생은 자리에서 일어서지도 않았다. 이 대장은 몸 둘
곳을 몰라하며 나라에서 어진 인재를 구하는 뜻을 설명하자, 허생은 손을 저으며 막았다.

"밤은 짧은데 말이 길어서 듣기에 지루하다. 너는 지금 무슨 벼슬에 있느냐?❷"

"대장이오."

"그렇다면 너는 나라의 신임받는 신하로군. 내가 와룡 선생(臥龍先生) 같은 이를 천거
하겠으니, 네가 임금께 아뢰어서 삼고초려(三顧草廬)를 하게 할 수 있겠느냐?"

이 대장은 고개를 숙이고 한참 생각하더니,

"어렵습니다. 제이(第二)의 계책을 듣고자 하옵니다." / 했다. ▶ 허생의 현실 대응책 ①: 인재 등용

어휘·어구 풀이

● **천거** 인재를 어떤 자리에 추
천하는 일. 거천.

● **삼고초려** 인재를 맞아들이
기 위해 참을성 있게 노력함.
중국 삼국 시대에, 촉한의 유
비가 난양[南陽]에 은거하고
있던 제갈량의 초옥으로 세
번이나 방문하여 마침내 그를
군사(軍師)로 삼았다는 데서
유래함. 초려삼고.

❶ **허생이 과일을 몽땅~열 배의
값을 주고 사 가게 되었다.**
허생이 매점매석을 통해 나라
의 과일을 모두 사들였기 때
문에 과일값이 크게 올라 허
생이 큰 이익을 보게 되었음
을 보여 준다. 이것은 나라의
경제 구조가 매우 취약하다는
것을 입증하는 것이기도 하다.

❷ **"밤은 짧은데 말이~무슨 벼
슬에 있느냐?"** 공연히 긴말
을 하지 말고 핵심으로 바로
들어 갈 것을 요청한 것이다.
이를 통해 허례허식을 꺼리는
허생의 성격을 엿볼 수 있다.

핵심 쏙쏙

◉ **시사삼책 중 제1책**
삼고초려를 통한 과감한 인재 등
용 제안
→ 체면만 앞세워 인재 등용을 게
을리하는 현실 비판

학습 활동 응용

8. **다**를 통해 알 수 있는 당시의 시대적 상황으로 적절하지 **않은**
것은?

① 조상을 받드는 제사와 겉치레가 중시되었다.

② 각 지방에서 올라오는 물건들이 안성 지방에 모였다.

③ 매점매석으로 경제적 이윤을 보려는 상인들이 많았다.

④ 제주도에서 올라온 말총이 망건의 재료로 사용되었다.

⑤ 돈 만 냥으로 시장의 상품 가격을 좌우할 수 있을 정도
로 경제 구조가 취약했다.

서술형

9. **라**에서 이완 대장이 허생의 제안을 받아들이지 못한 이유가
무엇인지 추론해 쓰시오.

10. **다**~**라**를 바탕으로 '허생'의 인물됨을 평가한 말로 적절하
지 **않은** 것은?

① 인재 등용을 나라의 운명을 결정할 중요한 일로 보고 있군.

② 나라의 경제 구조가 매우 취약하다는 것을 간파하고 있
었군.

③ 과감한 실천을 통해 재물에 대한 자신의 욕망을 실현하
고 있군.

④ 지위가 높은 대장 앞에서도 전혀 주눅 들지 않는 대범함
이 있군.

⑤ 자신의 행위로 인해 일어날 결과를 정확하게 예측할 수
있는 능력을 갖추었군.

어휘·어구 풀이

● **백구지국** 중국 봉건 시대 제후국 중 가장 규모가 큰 나라.
❶ **이것도 어렵다, 저것도 어렵다 하면 도대체 무슨 일을 하겠느냐?** 허생은 나라를 위한다면서 자신의 제안을 모두 어렵다고만 하는 이완 대장의 태도에 대해 비판적인 인식을 드러내고 있다. 왜냐하면 양반이라는 명분에만 사로잡혀 실리를 멀리하는 태도를 못마땅하게 생각하고 있기 때문이다.

〔핵심 쏙쏙〕

◎ **시사삼책 중 제2책, 제3책**
· 망명 온 명나라 후손들에 대한 우대 제안 → ① 친명배청 사상의 허구성 비판, ② 훈척, 권귀의 기득권(부정부패) 비판
· 북벌을 위해 청나라와 적극 교류할 것을 제안 → 사대부의 허례허식과 북벌론의 허위적 대의명분 비판

〔교과서 날개 질문〕

'허생'이 '이완 대장'에게 제안한 세 가지 방책은 무엇인가?
| 예시 답안 | 임금의 삼고초려를 통한 인재 등용, 훈척·권귀의 기득권 폐지 및 명나라 망명자 우대, 국중 자제들의 청나라 유학 및 무역과 청과의 교류를 통한 부국강병

마 ㉠ "나는 원래 '제이'라는 것은 모른다." / 하고 허생은 외면하다가, 이 대장의 간청을 못 이겨 말을 이었다.

『명(明)나라 장졸들이 조선은 옛 은혜가 있다고 하여, 그 자손들이 많이 우리나라로 망
_{임진왜란 때 명나라의 조선 원병 파병}
『 」: 명나라 후손 우대를 통한 기득권층의 척결
명해 와서 정처 없이 떠돌고 있으니, 너는 조정에 청하여 종실(宗室)의 딸들을 내어 모
_{나라를 위해 드러나게 세운 공로가 있는 임금의 친척}   _{지위가 높고 권세가 있음.}   _{종친, 임금의 친척}
두 그들에게 시집보내고, 훈척(勳戚) 권귀(權貴)의 집을 빼앗아서 그들에게 나누어 주
_{기득권을 가진 지배 계층}
게 할 수 있겠느냐?』

㉡ 이 대장은 또 머리를 숙이고 한참을 생각하더니, / "어렵습니다." / 했다.
▶ 허생의 현실 대응책 ②: 훈척·권귀의 기득권 폐지 및 명나라 망명자 우대
_{조정, 훈척, 권귀 등 기득권 세력의 강한 반발이 예상되는 제안이므로}
"이것도 어렵다, 저것도 어렵다 하면 도대체 무슨 일을 하겠느냐?❶ ㉢ 가장 쉬운 일이
_{집권층의 무능과 실천 의지 부족 비판}
있는데, 네가 능히 할 수 있겠느냐?" / "말씀을 듣고자 합니다."

"무릇, 천하에 대의(大義)를 외치려면 먼저 천하의 호걸들과 접촉하여 결탁하지 않고
_{북벌(청나라 정벌)을 하려면}   _{중국 한족의 호걸들. 반청 세력}
는 안 되고, 남의 나라를 치려면 먼저 첩자를 보내지 않고는 성공할 수 없는 법이다.
_{청나라 조정}   _{한족}
㉣ 지금 만주 정부가 갑자기 천하의 주인이 되어서 중국 민족과는 친근해지지 못하는
판에, 조선이 다른 나라보다 먼저 섬기게 되어 저들이 우리를 가장 믿는 터이다. 『진실
_{병자호란 때 군신 관계를 맺음.}
로 당(唐)나라, 원(元)나라 때처럼 우리 자제들이 유학 가서 벼슬까지 하도록 허용해
_{중국과 교류가 왕성했던 시기}   _{청과 친해질 수 있는 구체적 방안}
줄 것과, 상인의 출입을 금하지 말도록 할 것을 간청하면, 저들도 반드시 자기네에게
친근해지려 함을 보고 기뻐 승낙할 것이다. 국중의 자제들을 가려 뽑아 머리를 깎고 되
_{나라 안}   _{변발과 호복 착용 – 청의 문물을 따름.}
놈의 옷을 입혀서, 그중 선비는 가서 빈공과(賓貢科)에 응시하고, 또 서민은 멀리 강남
_{중국 당나라 때, 외국인에게 보게 하던 과거}   _{당시 중국 경제의 중심지}
(江南)에 건너가서 장사를 하면서, 저 나라의 실정을 정탐하는 한편, 저 땅의 호걸들과
_{청나라의 약점을 엿보는}
결탁한다면 한번 천하를 뒤집고 국치(國恥)를 씻을 수 있을 것이다. 그리고 만약 명나
_{청나라를 멸망시키고}   _{병자호란의 치욕을 갚을 수 있을 것이다.}
라 황족에서 구해도 사람을 얻지 못할 경우, 천하의 제후(諸侯)를 거느리고 적당한 사
_{예전에 중국을 이르던 말}
람을 하늘에 천거한다면, ㉤ 잘 되면 대국(大國)의 스승이 될 것이고, 못 되어도 백구
_{황제로 세운다면}
지국(伯舅之國)의 지위를 잃지 않을 것이다."
_{청을 무너뜨리고 한족의 나라를 되찾는다면 나라를 세워 준 은공을 생각하여 우리를 존경하게 될 것이다.}
『 」: 청나라와 실질적으로 교류할 것을 제안함. 이러한 제안은 친명배청 사상에 사로잡힌 조선 사대부들로서는 받아들이기 어려운 제안이라고 할 수 있음.

〔학습 문제〕

11. **마** 에 나타난 '허생'의 제안과 거리가 먼 것은?

① 정처 없이 떠도는 명나라 자손들을 우대해야 한다.
② 권귀와 훈척의 재산을 나라를 위한 일에 써야 한다.
③ 청나라를 이기려면 먼저 청나라와 결탁하여야 한다.
④ 당나라와 원나라의 패망을 교훈 삼아 소극적인 외교에서 벗어나야 한다.
⑤ 국중의 자제들이 머리를 깎고 되놈의 옷을 입는 것을 부끄럽게 여기지 말아야 한다.

〔서술형〕 〔학습 활동 응용〕

12. 작가가 허생의 제안을 통해 드러내고자 한 것이 무엇인지 요약하여 쓰시오.

13. ㉠~㉤에 대해 이해한 내용으로 적절하지 않은 것은?

① ㉠: 자신의 제안이 받아들여지지 못하는 것에 대한 허생의 불쾌감이 드러나고 있다.
② ㉡: 허생의 제안이 이 대장의 입장에서 쉽게 받아들이기 어려운 것임을 짐작할 수 있다.
③ ㉢: 거짓으로 이 대장을 시험해 보려는 허생의 의도가 숨겨져 있다.
④ ㉣: 현재 중국 대륙의 정세가 급변한 상황임을 알 수 있다.
⑤ ㉤: 자신의 제안이 전혀 손해 볼 것 없는 생각임을 드러내고 있다.

이 대장은 힘없이 말했다.
<u>모두 받아들이기 어려운 제안이므로</u>　　<u>유교적 예법, 명분을 중시하는 허례허식</u>

"사대부들이 모두 조심스럽게 예법(禮法)을 지키는데, 누가 변발(辮髮)을 하고 호복

(胡服)을 입으려 하겠습니까?" <u>아무도 변발을 하고 호복을 입으려 하지 않을 것임. – 실행이 어려움.</u>

▶ 허생의 현실 대응책 ③: 청나라와의 문물 교류

절정 **(바)** 허생은 크게 꾸짖어 말했다.

<u>중국을 세상의 중심으로 보는 중화 사상의 관점</u>

"소위 사대부란 것들이 무엇이란 말이냐? 오랑캐 땅에서 태어나 자칭 사대부라 뽐내다

니 이런 어리석을 데가 있느냐? <u>헛된 명분에 사로잡힌 사대부들에 대한 비판</u> 의복은 흰 옷을 입으니 그것이야말로 상인(喪人)이나

입는 것이고, 머리털을 한데 묶어 송곳같이 만드는 것은 남쪽 오랑캐의 습속에 지나지

<u>조선의 상투 역시 남쪽 오랑캐의 습속에 불과하므로 이것에 얽매이는 것은 어리석은 일임.</u>

못한데, 대체 무엇을 가지고 예법이라 한단 말인가? ⓐ**번오기(樊於期)**는 원수를 갚기

「: 목표를 이루기 위해서 체면을 버리고 실리를 추구했던 역사적 인물들의 사례. 사대부들의 자기희생이 필요함을 강조함.

위해서 자신의 머리를 아끼지 않았고, ⓑ**무령왕(武靈王)**은 나라를 강성하게 만들기

<u>중국 전국 시대 조(趙) 나라의 왕</u>

위해서 되놈의 옷을 부끄럽게 여기지 않았다.」이제 대명(大明)을 위해 원수를 갚겠다

「 」: 북벌론과 예법의 허구성 비판

하면서, 그까짓 머리털 하나를 아끼고, 또 장차 말을 달리고 칼을 쓰고 창을 던지며 활

을 당기고 돌을 던져야 할 판국에 넓은 소매의 옷을 고쳐 입지 않고 딴에 예법이라고

한단 말이냐?」내가 세 가지를 들어 말하였는데, 너는 한 가지도 행하지 못한다면서 그

① 어진 인재 등용. ② 부패 척결. ③ 문물 교류를 통한 부국강병

래도 신임받는 신하라 하겠는가? 신임받는 신

<u>명분이나 구호만 내세우고 실천하지 못하는 자</u>

하라는 게 참으로 이렇단 말이냐? 너 같은 자

는 칼로 목을 잘라야 할 것이다."

<u>무능한 지배층에 대한 통렬한 비판</u>

하고 좌우를 돌아보며 칼을 찾아서 찌르려 했다.

이 대장은 놀라서 일어나 급히 뒷문으로 뛰쳐나

가 도망쳐서 돌아갔다.

결말 **(사)** ㉮ 이튿날, 다시 찾아가 보았더니, 집

이 텅 비어 있고, 허생은 간 곳이 없었다.

▶ 시사삼책을 받아들이지 못한 이완에 대한 허생의 비판과 허생의 잠적

결말 구조의 특징
• 개방적 결말 방식으로 암시와 여운을 남겨 독자의 상상력을 자극함.
• 설화적인 분위기를 조성하여 허생의 이인(異人)다운 면모를 부각함.

어휘 · 어구 풀이

● **변발** 지난날, 몽골인이나 만주인의 풍습으로, 남자의 머리의 뒷부분만 남기고 나머지 부분을 깎아 뒤로 길게 땋아 늘임. 또는 그런 머리.

● **호복** 만주인의 옷. 오랑캐의 옷차림.

● **상인** 부모나 조부모가 세상을 떠나서 거상 중에 있는 사람.

● **번오기** 중국 진(秦)나라의 장수. 연나라로 망명한 뒤, 진나라가 이를 빌미로 연나라로 쳐들어오자 번오기는 자신의 목을 주어 진나라에 대한 원수를 갚으려 하였음.

❶ "사대부들이 모두 조심스럽게~호복(胡服)을 입으려 하겠습니까?" 허생의 제안이 아무리 나라를 위한 것이라 하더라도 조선의 사대부들이 중히 여기는 예법에 크게 어긋나는 변발과 호복은 도저히 수용하기 어렵다는 뜻을 드러낸 것이다. 실리보다 예법과 명분을 더욱 중시하는 당대 사대부들의 허위의식을 엿볼 수 있다.

교과서 날개 질문 ◀

'허생'이 '이완 대장'에게 크게 화를 낸 까닭은 무엇인가?

| 예시 답안 | 허울뿐인 예법에 매달려 위기에 처한 나라를 구하기 위한 허생의 제안을 모두 수용할 수 없다고 했기 때문이다.

학습 활동 응용

14. **(바)**에 나타난 '허생'의 생각을 가장 잘 함축하고 있는 것은?

① 실리를 위해서라면 임금과 신하의 구별이 없어야 한다는 것을 왜 모르는가?

② 양반들이 누리는 기득권을 고집한다면 명나라 후손들이 우리를 우습게 볼 것 아닌가?

③ 청나라가 마음을 다해 우리와 교류하기 위해 정성을 다하니 그것을 받아 주는 것이 예의 아닌가?

④ 명나라는 이미 지는 나라이니 명나라와의 인연에 연연하는 것은 스스로를 위태롭게 하는 것 아니겠는가?

⑤ 낡은 예법에 매달려 필요한 것을 받아들이지 못한다면 어찌 그것이 나라를 위한 것이라 할 수 있겠는가?

15. ㉮에 대한 설명으로 가장 적절한 것은?

① 허생의 향후 행적을 암시하는 역할을 한다.

② 지배층에 대한 비판 의식을 극대화하는 장치이다.

③ 허생이 제시한 현실 개혁 방안의 허구성을 드러낸다.

④ 이 대장에 대한 허생의 적대감을 드러내는 역할을 한다.

⑤ 허생의 이인(異人)다운 풍모에 어울리는 설화적인 결말이다.

서술형

16. ⓐ와 ⓑ의 공통점을 쓰시오.

• 「허생전」의 시대적 배경

– 17세기 후반 임진왜란, 병자호란을 겪은 뒤 경제가 피폐해져 서민들의 경제적 고통이 심해짐.

– 평민 의식의 각성으로 신분제가 동요하기 시작함.

– 신흥 상인 계급이 등장하여, 화폐가 전국적으로 유통되고, 상업 자본이 축적됨.

– 실사구시(實事求是)와 이용후생(利用厚生)으로 구세제민(救世濟民)을 주창하는 새로운 학풍인 실학이 등장함.

• 등장인물의 성격과 역할

등장인물	성격	역할
허생	• 대범하나 오만함. • 재물에 대한 욕심이 적고, 정신적 가치를 중시하나 계급 의식에서 벗어나지 못함. • 비범하고 이인의 풍모를 지님.	작가의 대리인으로 당대 조선 사회의 ❶□□과 사대부 집권층의 ❷□□□을 비판함.
허생의 처	현실적이고 경제적 가치를 중시함.	현실과 무관한, 이상적이고 관념적 지식을 추구하는 당대 사대부의 모습을 비판함.
이완	• 실리보다 명분을 중시함. • 현실 개혁 의지가 부족함.	체면과 명분을 중시하고, 무능한 집권층을 상징함.

• '허생'의 성격이 지닌 양면성

비판의 대상	독서에만 열중할 뿐 가족의 생계는 거들떠보지도 않아, 바느질로 호구(糊口)를 하는 아내로부터 질책을 받는 인물임.
비판의 주체	이완에 대한 비판을 통해 허위에 찬 양반 사회의 구조적 모순과 당시 지배 계층의 무능한 정책을 비판하는 인물임.

• 작품에 나타난 작가의 비판 의식

허생의 행위
• 글만 읽고 경제적으로는 무능력함.
• 변 씨에게 돈을 빌려 ❸□□□□으로 돈을 벌게 됨.
• 도둑이 된 양민들(군도)을 데리고 빈 섬으로 감.
• 이완 대장에게 시사삼책을 제시함.

작가의 비판 의식
• 선비의 허위적인 삶 비판
• 취약한 조선의 경제 구조 비판 • 양반의 허례허식 비판
• 무능력한 지배층 비판 • 이용후생의 정책 부재 비판
• 북벌론의 ❹□□성 비판 • 집권층의 무능력과 ❺□□□□ 비판

• 작품에 드러난 갈등 양상과 각 인물의 가치관

허생과 허생 처의 외적 갈등	허생과 이완의 외적 갈등
허생: 가장으로서 가족의 생계를 돌보기보다는 글 읽기를 통해 학문적 성취를 이루는 것을 중시함. **허생의 처**: 글 읽기도 입신양명의 수단이며, 가족의 생계를 돌보기 위해서는 무슨 일이라도 해야 한다고 생각함.	**허생**: 북벌을 위해서는 실용적이고 과감한 개혁을 단행해야 함. **이완**: 명분이나 기득권, 예법 등을 포기하면서 북벌을 추구할 수는 없다고 함.

|정답| ❶ 모순 ❷ 무능함 ❸ 매점매석 ❹ 허구 ❺ 허례허식

학습 활동

작품 속으로

1. 이 작품을 감상하고, 인물들 사이에 나타난 갈등의 양상을 파악해 보자.

'허생'과 '허생의 처' 간의 갈등	가족의 생계보다는 학문적 성취를 위해 글 읽기에 몰두하고자 하는 '허생'과 가족의 생계를 위해 무엇이라도 해야 한다는 '허생의 처'의 상반된 생각이 서로 갈등을 일으키고 있다.
'허생'과 '이완 대장' 간의 갈등	나라를 위기에서 구하기 위해서는 실리를 좇아야 한다고 생각하는 '허생'과 명분론에 빠져 허생의 제안을 받아들이지 못하는 '이완 대장'이 서로 갈등을 빚고 있다.

2. 다음은 「허생전」의 배경이 된 사회·문화적 배경과 관련된 글이다. 이 글을 고려하여 작가가 이 작품을 통해 비판하고자 한 사회 현실을 말해 보자.

> 임진왜란과 병자호란을 겪으면서 조선의 사회 질서는 크게 변하였다. 백성들의 삶이 더욱 궁핍해지는 가운데 상품 화폐 경제가 발달하였고 이로 인해 신분 질서가 동요하였다. 하지만 일부 지배층은 이러한 변화를 무시하고 성리학을 바탕으로 국가를 운영하면서 신분 질서를 강화할 것을 주장하였다. 그러나 조선의 지배 이념인 성리학은 이론과 형식만을 지나치게 강조하고 다른 학문을 경시한 나머지 현실 문제를 해결할 수 있는 방안을 제시하지 못하였다.

| **예시 답안** | 허생은 매점매석을 통해 많은 돈을 버는데, 이러한 상행위를 통해 작가는 그 당시의 취약한 경제 구조와 허례허식에 치우친 양반들을 풍자하고 있다. 한편 이완 대장과의 대화를 통해 나라를 위기에서 구할 수 있는 실용적인 방책을 외면하고 이론과 명분에 사로잡혀 백성들을 더욱 큰 어려움에 빠뜨리고 있는 당시의 지배층과 사대부들을 비판하고자 했다.

보충 자료 「허생전」의 의의

이 작품은 『열하일기(熱河日記)』 중 「옥갑야화」에 실려 있는 이야기의 하나로, 「허생전」이란 제목은 후일 임의로 붙여진 것이다. 박지원의 대표적인 소설 작품으로 자신의 사상, 즉 청조(淸朝)의 발달한 문화를 수입하고 상공업의 진흥과 기술의 혁신에 힘쓰자는 이용후생(利用厚生)을 중시하는 북학 사상(北學思想)이 주인공 허생의 행동과 말을 통해 표출되어 있는 작품이다. 또한 박지원의 실학사상이 원숙한 경지에 도달했을 때 쓰였다는 점과 그러한 실학사상이 날카로운 현실 비판과 뚜렷한 이상향을 지향하고 있다는 점에서 중요한 작품이다.

3. 다음 작품은 「허생전」을 창의적으로 재구성한 「허생의 처」이다. 두 작품을 비교하며 읽고, 아래 활동을 해 보자.

> 사람들은 남편을 뛰어난 인재라고 했다. 능히 천하를 경영할 재주가 있다고 칭찬하는 이도 있었다. 그러나 남편이 죽는지 사는지 아내가 모르고, 아내가 죽는지 사는지 남편이 모르면서 뛰어난 인재가 되는 거라면 그 뛰어난 인재라는 말은 분명 이 세상에서 쓸모없는 존재라는 뜻이리라. 이 세상이 돌아가는 법칙이란 성현들이 주장하는 것처럼 그렇게 복잡하고 어려운 것은 아닐 것이다. 『사람이 행복하게 살며, 자식을 낳아 기르고, 또 그 자식에게 보다 좋은 세상을 살도록 해 주는 것. 그것 말고 무엇이겠는가.』 『 』: '나'의 가치관이 드러나는 부분
>
> 어머니는 죽고 서모는 살아남았다. 난 판단할 수 없다. 어머니는 죽어 잠시 세간의 칭송을 받았는지는 모르나 서모는 욕을 먹으면서까지 살아남아 자식들을 키우고 집안을 돌봤다. 지금도 청안에서 윤복이 뒤를 돌봐 주고 있는 것이다. ▶ 남편에 대한 실망과 '나'가 생각하는 이상적인 삶
>
> 전란에서 정절을 지키려던 어머니는 죽고 말. 정절이라는 당대 사회의 덕목을 실천했기 때문
>
> 한참 떡을 찌고 있는데 남편이 들어왔다.
>
> "떡? 무슨 일이 있소?"
>
> "청안 친정엘 가려구요. 길양식 삼아 백설기를 조금 쪘습니다."
>
> "무슨 연고로? 처가에 무슨 일이 생겼는가?"
>
> "아닙니다."
>
> 나는 외면했고 더 말하려 하지 않았다. 이번에 떠나면 다시는 이 집에 돌아오지 않을지도 몰랐으나 구구하게 변명하고 싶지 않았다.
>
> 저녁 밥상을 부엌으로 내가려는데 남편이 불렀다.
>
> "잠시만 이리 와 앉으오. 내가 할 이야기가 있소."
>
> 남편은 말을 꺼내기가 어려운 듯 잠시 묵묵해 있었다.
>
> "내 또다시 출유하려 하오. 그러니 당신은 이 집을 정리하여 수래벌 큰댁에 몸을 의탁해 있으시오. 이미 사촌 큰형님과 상의해 두었소." 집을 나가려고 함.
>
> "이 집을 정리하려 하신다면…… 아주 안 돌아오실 겁니까?"
>
> "<u>나도 모르오. 내 뜻이 이곳에 있지 아니하니 장담하기가 어렵소.</u>" 허생의 무책임함

"그렇다면 차라리 저와 절연하시지요."

"무슨 해괴망측한 소리를 하오? 우리는 혼인한 사이인데 그걸 어찌 쉽게 깨뜨릴 수 있단 말이오. 사람에게는 신의가 중요한 것이오."

"남자들은 저 편리한 대로 신의니 뭐니 잘도 갖다 대더군요. 우리가 혼인한 것이 약속이니 지켜야 한다고 합시다. 하지만 어찌 그 약속을 여자 홀로 지켜야 하는 것입니까? 당신이 그 약속을 저버리고 저를 돌보지 않으니 제가 약속을 지켜야 할 상대는 어디 있는 겁니까? 차라리 전 팔자를 고쳤으면 합니다."

"사대부집 아녀자가 어찌 입에 담아선 안 될 험한 소리를 하오? 당신이 인륜을 저버리고 예의, 염치도 모르는 행동을 하리라곤 생각할 수 없소."

"인륜? 예의? 염치? 그게 무엇이지요? 하루 종일 무릎이 시도록 웅크리고 앉아 삯바느질을 하는 게 인륜입니까? 남편이야 무슨 짓을 하든 서속이라도 꾸어다가 조석을 봉양하고, 그것도 부족해서 술친구 대접까지 해야 그게 예의라는 말입니까? 하루에 열두 번도 더 청소하고 빨래하고 설거지하는 게 염치를 아는 겁니까? 아무리 굶주려도 끽 소리도 못 하고 눈이 짓무르도록 바느질을 하고 그러다 아무 쓸모없는 노파가 되어 죽는 게 바로 인륜이라는 거지요? 나는 그런 터무니없는 짓 않겠습니다. 분명 하늘이 사람을 내실 때 행복하게 살며 번성하라고 내셨지, 어찌 누구는 밤낮 서럽게 기다리고 굶주리다 자식도 없이 죽어 버리라고 하셨겠는가 말이에요?"

"기다리는 게 우리네 부녀자들의 아름다운 미덕이 아니오……."

"미덕요? 난 꼬박 오 년이나 당신을 기다렸지요. 그전엔 굶기를 밥 먹듯 한 게 몇 해였지요? 『우리가 입에 풀칠이라도 할 수 있었던 것은 오로지 내 두 손이 바삐 움직이고 두 눈이 호롱불 빛에 짓물렀기 때문이에요.』 그런데 전 뭔가요? 앞으로도 뒤로도 어둠뿐이에요. 그런데도 당신은 여전히 유유자적 더러운 세상을 경멸하며 가슴에 품은 경륜을 뽐낼 뿐이지요. 당신은 친구들과 담화할 때 학문이란 쓰임이 있어야 하고 실이 없으면 안 되고, 만물은 서로 이롭도록 운용되어야

『 』: '나'의 희생으로 생계를 꾸려온 것.
절망: 계획이나 포부

한다고 하셨지요. 그런데 당신은 세상에 있는 소이(所以)가 없고 당신을 따르는 한 나 역시 그러해요."

▶ 남편에 대한 불만과 '나'의 속마음 토로

📖 **작품 연구** 이남희, 「허생의 처」

- **갈래**: 액자 소설, 패러디 소설
- **성격**: 비판적, 풍자적
- **주제**: 남성 중심 이데올로기 비판, 가부장적 사회에서 짓밟힌 여성의 삶
- **특징**: ① '허생의 처'를 중심인물로 설정함.
　　　　　② 현재 이야기와 과거 이야기를 교차하여 전개함.
- **구성**
  - 발단: '나'는 가난한 살림에 품삯 일을 하며 집 나간 허생을 기다림.
  - 전개: 양반에게 시집온 '나'는 늘 고생을 하는 반면, 중인에게 시집간 동생은 부유하고 행복한 생활을 함.
  - 위기: '나'는 허생이 변 씨에게 돈을 꾸어 큰돈을 벌었다는 사실을 알게 됨.
  - 절정: 5년 만에 집에 돌아온 허생은 '나'에게 다시 떠날 것이니, 큰댁에 의탁하라고 말함.
  - 결말: '나'는 절연하고 팔자를 고치겠다는 의도를 밝히고, 인륜을 위해 기다리는 부녀자의 미덕을 발휘하라는 허생의 말에 항변함.

---

(1) 「허생전」과 비교할 때 「허생의 처」에서 달라진 점이 무엇인지 '허생의 처'의 태도를 중심으로 생각해 보고, 이를 통해 작가가 전달하고자 한 내용이 무엇인지 말해 보자.

「허생전」에서 '처'의 태도	「허생의 처」에서 '처'의 태도
생활에 도움이 되지 않는 글 읽기만 일삼고 있는 '허생'에게 불만을 제기하고는 있으나 문제를 해결하기 위한 실천적 행동에 적극적으로 나서고 있지는 않음.	가장의 책임과 의무를 저버린 남편과 혼인 관계를 지속할 이유가 없음을 내세우며 강하게 문제 제기를 하고 있음.

작가가 전달하고자 한 내용
• 허생의 행동 뒤에는 아내의 일방적 희생이 있었음을 드러내어 남성 중심의 가부장적 이데올로기를 신랄하게 비판함.
• 허생의 영웅적 행위 뒤에 숨겨진 여성의 희생에 초점을 맞추어 새로운 여성의 역할에 관한 사회적 인식을 환기하고자 함.

(2) 「허생의 처」는 창작 과정에서 서술의 시점에도 변화를 주었다. 이를 통해 얻을 수 있는 효과가 무엇인지 말해 보자.

| 예시 답안 | 「허생의 처」는 1인칭 주인공 시점을 통해 '허생의 처'의 입장에서 주어진 상황과 사건을 바라보게 함으로써 전지적 작가 시점인 「허생전」과는 다른 시각으로 문제에 접근하고 있다. 이로써 작가가 의도한 주제 의식을 보다 잘 드러낼 수 있게 되었다.

(3) 위 작품의 활동 3-(3) 부분을, 주어진 〈조건〉을 고려하여 드라마 대본으로 재구성해 보자.

┌─ 조건 ─
• 갈래의 특성이 잘 드러나도록 각색할 것.
• 등장인물을 현대를 살아가는 인물로 바꾸어 표현할 것.
└

| 예시 답안 |
늦은 저녁, 방 안.

허생의 처: (결연한 표정으로) 그렇다면 우리 그만 헤어져.

허생: (놀란 듯) 그게 무슨 소리야? 주례 선생님 앞에서 평생을 함께 하겠다고 우리 약속했던 거 벌써 잊었어? 약속을 그렇게 쉽게 저버려선 안 되는 거라고.

허생의 처: (격앙된 목소리로) 그 약속은 왜 나만 지켜야 하는 거야? 평생을 나만 바라보고 기쁠 때나 슬플 때나 항상 내 옆에 있어 주겠다고 큰 목소리로 대답 하던 당신 모습이 아직도 생생한데, 그 약속은 다 어디로 가 버린 거야? 왜 약속은 여자 혼자 지켜야 하는 거냐고. (잠시 침묵 후 굳게 결심한 듯이) 나는 이제 언제나 내 옆에서 나를 지켜주며 나만을 사랑해 줄 사람을 찾아 떠날 거야.

허생: (기가 막히다는 듯) 허허, 이제는 못하는 말이 없군. 인륜, 예의, 염치, 이런 건 생각지도 않는 거야?

허생의 처: (어이가 없는 듯 픽 웃으며) 인륜? 예의? 염치? 그게 뭐지? 하루 종일 집안일 하느라 허리 한 번 펴지도 못하고 사는 게 인륜인가? 당신이 매일 그 잘난 책을 끼고 있는 동안 책 한 권, 음악 한 곡 들을 여유도 없이 나 혼자 살 아 보겠다고 발버둥치며 사는 게 예의인가? 십 년 세월 동안 툭 하면 학문적 이상을 좇아 집을 나가는 당신을 기다리며 새 옷 한 벌 해 입지도 못하고 맛 있는 거 하나 입에 넣지도 못하고 궁핍하게 살면서 시들어 가는 이 삶이 염치 있는 삶인가? 그게 인륜이고 예의고 염치라면 난 이제 다 그만 두겠어. 당신 과 행복하게 살기 위해 결혼한 거지, 늘 당신 뒷모습만 바라보며 불행 속에 늙 어 가려고 결혼한 게 아니란 말이야!

작품 너머로

4. 「학생전」이라는 제목으로 소설을 창작하려 한다. 모둠별 로 다음 순서에 따라 창작 활동을 해 보자.

1단계 다음의 예를 참고하여 풍자하고 싶은 인물을 정해 보자.

┌
⟮예⟯ 고등학생인 '허송'은 공부를 열심히 하지 않아 부모님 께 매일 야단을 맞지만, 이런저런 핑계를 대기만 할 뿐 자신에게 닥친 문제를 해결하기 위한 노력을 전혀 하지 않는다.

○ 고등학생인 '○○'은 _____
_____
└

| 예시 답안 | 고등학생 '허송'은 매일 거울만 보면서 외모 가꾸기에 빠져 있다. 성 적은 점점 떨어지고 자신이 챙겨야 할 기본적인 것들도 내팽개친 채 거울만 들여 다보고 있는 '허송'을 보고 부모님과 친구들은 답답해 한다.

2단계 1단계에서 정한 인물을 풍자하기 위한 이야기를 모둠별로 구상해 보자.

등장인물	• 허송(외모 가꾸기에 몰두하는 고등학생) • 실속이(외모보다 자신의 내적 성숙을 위해 노력하는 허송의 친구) • 허송의 선생님
배경	• 시간적 – 현재 • 공간적 – 어느 고등학교 교실
사건의 구성	• **발단**: 허송은 외모 가꾸기에만 몰두하여 모든 일을 게을리 한다. • **전개**: 실속이는 외모 가꾸기에는 별 관심이 없지만 모든 일 에 최선을 다한다. 이런 실속이를 보면서 허송은 안쓰럽다 는 듯 웃는다. • **위기**: 시험날에도 머리를 가꾸느라 지각을 하게 된 허송을 선생님이 크게 나무라지만, 허송은 만족스럽지 못한 자신 의 외모에만 신경이 쓰인다. • **절정**: 외모에 집착하면 집착할수록 허송은 자신의 외모에 점점 더 만족하지 못한다. • **결말**: 밤늦은 시간, 허송은 체육 실기 연습을 하느라 땀을 뻘뻘 흘리고 있는 실속이를 우연히 보게 된다. 멋도 부리 지 않고 머리도 질끈 묶었지만 그 모습이 왠지 누구보다 멋있게 느껴진다. 그러면서 외모에만 신경을 쓴 자신의 모 습이 부끄러워진다.

3단계 2단계의 활동을 바탕으로 소설을 창작한 후, 모둠 원들끼리 돌려 읽고 다음과 같이 점검해 보자.
| 예시 답안 | 생략

• 풍자하고 싶은 대상이 잘 드러 났는가?	
• 전달하고자 한 주제 의식이 잘 표현되었는가?	
• 표현이 어색한 부분은 없는가?	

4단계 완성한 소설을 모둠별로 발표해 보고, 감상한 내용 을 친구들과 서로 나누어 보자.
| 예시 답안 | 생략

[3] 문학의 확장

이 단원에서는 문학과 인접 분야의 관련성을 이해하고, 매체의 특성이 문학 작품의 표현 방식에 영향을 미친다는 점을 이해하도록 한다. 이를 통해 문학과 인접 분야의 관계를 고려하여 작품을 감상하고, 다양한 매체로 구현된 작품의 창의적 표현 방법과 심미적 가치를 문학적 관점에서 수용하고 소통할 수 있도록 한다.

문학은 어떠한 인접 분야와 깊은 관련을 맺고 있을까?

문학은 인간 문제에 관한 사유를 바탕으로 한다는 점에서 인문 분야와 관련이 깊다.
<small>인류의 문화와 관련된 학문 분야. 역사, 철학, 문학 등</small>
문학은 역사보다 덜 사실적이고 철학보다 덜 논리적일 수 있지만, <u>인간과 인간의 삶에 관한 깊은 탐구를 통해 역사보다 더 현실적이고 철학보다 더 구체적으로 그 내용을 전달할 수 있다.</u> 문학은 사회 분야와도 밀접한 관련을 맺는다. <u>문학은 사회 제도나 이념 등을 반영하거나 비판한다.</u> 그런 점에서 문학은 정치학, 사회학, 법학, 윤리학, 심리학 등 사회의 여러 분야와 연계되어 있다.
<small>인문학의 한 분야로서의 문학이 갖는 특징과 의의 / 문학 작품이 사회 분야와 맺고 있는 관련성</small>

한편, '문예(文藝)'라는 말에서 알 수 있듯이 <u>문학은 그 자체가 예술의 한 갈래로서 다른 갈래의 예술과도 깊은 연관을 맺어 왔다.</u> 원시 종합 예술에서 오페라, 뮤지컬 등에 이르기까지 문학과 음악, 연극, 무용 등은 긴밀한 관계를 맺어 왔고, 미술 작품도 문학 창작에 많은 영감을 주어 왔다. 그뿐만 아니라 문학이 다른 예술로, 다른 예술이 문학으로 전환되기도 한다. 이처럼 <u>문학은 우리 사회와 문화의 여러 분야와 깊은 관련을 맺고 확장됨으로써 우리의 문화적 삶을 더욱 풍성하게 하는 역할을 하고 있다.</u>
<small>문학은 언어 예술임. / 다른 갈래의 예술과도 깊은 연관성을 맺어 옴. / 문학이 인접 분야와 깊은 관련을 맺음으로써 지니는 역할</small>

▶ 문학과 인접 분야와의 관련성

매체가 다양화되면서 문학에 어떠한 변화가 생겼을까?

문학 작품은 인쇄 매체가 발명된 이후 <u>신문, 잡지, 단행본</u> 등 문자 언어를 기반으로 하는 매체에 주로 의존해 왔다. 그러나 매체가 다양해진 오늘날에는 문학 작품이 더는 인쇄 매체에만 의존하지 않고 <u>라디오, 영화, 텔레비전, 인터넷, 휴대 전화</u> 등 다양한 매체를 통해서 소통할 수 있게 되었다. 그런데 <u>문학의 매체가 달라지면 같은 작품이라도 여러 면에서 많은 변화를 갖게 된다.</u> 왜냐하면 매체의 특성에 따라 작품의 미적 특성은 물론, 표현 방식, 감상 내용, 심미적 가치 등이 달라질 수 있기 때문이다. 이로 인해 <u>문학 매체의 다양화는 문학의 내용과 형식을 변화시켰고, 생산과 소비 그리고 유통 방식의 변화까지 만들어 내면서 문학 활동의 다양화를 이끌고 있다.</u>
<small>기존 인쇄 매체 / 다양한 매체 / 매체의 특성에 영향을 받는 문학의 특징 / 전달 매체의 특성이 창의적 표현 방법과 심미적 가치에 반영됨. / 문학의 구조, 생산, 유통 등 전 범위에 걸쳐 영향을 주는 매체</small>

▶ 매체의 발달과 문학의 변화

✔ 바로 확인 문제

1 문학은 ☐☐, ☐☐, ☐☐ 등의 인접 분야와 깊은 관련을 맺고 있다.

2 다음 설명이 맞으면 ○, 틀리면 X를 하시오.
　(1) 매체는 작품의 내용과 형식은 물론 생산과 유통 방식에도 영향을 줄 수 있다.　　(○, X)

| 정답 | 1. 인문, 사회, 예술　2. (1) ○

다음은 스페인 내전 당시 게르니카 지역의 참상을 표현한 피카소의 「게르니카」이다. 이 그림을 보고, 역사적 사건을 예술 작품으로 만나게 되었을 때의 느낌을 말해 보자.

▲ 피카소, 「게르니카(Guernica)」

| 예시 답안 | 게르니카 지역에서 있었던 역사적인 사건을 회화 작품을 통해 보게 되니, 전쟁의 참혹함을 더욱 생생하게 느낄 수 있었다. 또 이를 다른 예술 갈래로도 구현한 작품이 있지 않을까 하는 궁금증도 생겼다.

≫ 1937년 4월 26일, 나치 독일은 스페인의 소도시 게르니카를 폭격하였다. 하루아침에 수많은 사상자가 발생한 비극적인 사건이었다. 피카소는 이 끔찍한 참상을 그림에 담아 전 세계에 고발하였다. 걸작 「게르니카」는 이처럼 미술과 역사와의 만남을 통해 탄생했던 것이다. 그런데 예술 갈래 중에서 역사나 철학 같은 인접 분야와의 관련이 가장 깊은 것이 바로 문학이다. 인접 분야와 인접 문화까지 확장하여 문학을 수용하고 생산하려면 어떻게 해야 할까?

01 남한산성 김훈

해제

「남한산성」은 조선 후기인 인조 때 일어난 병자호란을 다룬 역사 소설이다. 남한산성으로 피란한 왕실의 저항과 고뇌, 그리고 굴욕적인 삼전도의 항복 등 비극적인 역사의 한 장면이 문학적으로 재구성되어 생생하게 전달되고 있다. 특히 명분을 내세워 청나라와의 전쟁을 주장한 주전파와 실리를 앞세워 청나라와의 화친을 주장한 주화파 사이에서 펼쳐진 팽팽한 갈등은 독자들에게 긴장감을 더해 준다. 작가의 짧고 단호하면서도 힘 있는 문체와 함께 역사적 사실을 바탕으로 한 상상력이 돋보이는 작품이다.

전체 줄거리

1636년 12월, 청나라가 조선을 침략하자 인조는 남한산성으로 피란한다. 굶고 얼어 죽는 자가 속출하는 가운데, 청나라 장수 용골대가 항복을 요구하는 문서를 성안에 넣는다. 남한산성에 고립된 조정과 백성들의 고통이 날로 극심해지는 가운데 주전론을 주장하는 김상헌과 주화론을 주장하는 최명길 사이의 의견 대립이 극에 달하고 이로 인해 인조의 안타까움은 더해 간다. 그런 가운데 인조의 명령으로 용골대를 만난 최명길이 청나라의 요구를 전하고, 김상헌은 원군을 요청하러 대장장이 서날쇠를 산성 밖으로 보낸다. 전투가 계속되는 와중에 강화도가 함락되었다는 소식이 전해지자, 인조는 항복을 결심하고 김상헌은 자결을 시도한다. 이듬해 1월 30일, 인조는 삼전도에서 청나라에 항복하고 많은 사람이 청나라에 인질로 끌려간다.

핵심 정리

(1) 갈래: 장편 소설, 역사 소설
(2) 성격: 역사적, 비판적
(3) 시점: 3인칭 관찰자 시점
(4) 배경: 시간적 – 17세기 병자호란 당시, 공간적 – 남한산성 안
(5) 주제: 병자호란의 치욕과 남한산성에서의 항쟁
(6) 특징: ① 상황에 대한 묘사와 인물들 간의 대화가 주를 이룸.
　　　　② 간결하면서도 힘 있는 문체로 서술함.
　　　　③ 역사적 사실을 바탕으로 당시의 상황을 실감 나게 제시함.
(7) 구성

발단·전개	1636년 12월. 청나라 장수 용골대가 조선을 침략해 남한산성으로 피란한 조선의 왕에게 항복을 요구하는 문서를 보내 옴.
위기	남한산성에 고립된 조정과 백성들의 고통이 날로 극심해짐.
절정 (수록 부분)	주전론을 주장하는 김상헌과 주화론을 주장하는 최명길 사이의 의견 대립과 이로 인한 인조의 안타까움
결말	결국 항복을 결심한 인조는 삼전도로 나아가 항복의 예를 행하고 김상헌은 자결을 시도함.

어휘·어구 풀이

● **청대** 신하가 급한 일로 임금께 뵙기를 청하던 일.

● **성첩** 성가퀴. 성 위에 낮게 쌓은 담. 여기에 몸을 숨기고 적을 감시하거나 공격하거나 함.

❶ **내관이 용골대의 문서를~서안을 밀쳐 냈다.** 문서가 워낙 망측한 내용을 담고 있어 신하들은 왕만 은밀히 읽기를 바라고 있으나, 왕은 문서가 놓인 서안을 신료들 쪽으로 밀어서 신하들과 함께 읽도록 한 것이다.

❷ **너희 군신이~답답하다.** 조선의 왕실이 한양의 궁궐을 버리고 춥고 궁벽한 남한산성에 들어가 몸을 숨기고 있는 모습을 조롱하며 항복할 것을 종용하는 것이다.

핵심 쏙쏙

◉ **역사와 문학의 차이점**
문학은 역사적 사실을 바탕으로 하지만, 사실 그 자체는 아니며, 역사적 현실을 더 감동적으로 전하기 위해 문학적 형상화의 과정을 거친다.

▶ **교과서 날개 질문**

신료들이 용골대의 문서 읽기를 망설이고 있는 까닭은 무엇일까?
| 예시 답안 | • 조선의 항복을 요구하는 용골대의 문서를 감히 임금 앞에서 읽는 것이 이치에 어긋나고 민망한 일이기 때문에.
• 임금 앞에서 읽기에는 용골대의 문서 내용이 너무 굴욕적이어서.

[앞부분 줄거리] 1636년(인조 14) 청의 대군이 조선을 침략하자 임금과 조정은 남한산성으로 피란한다. 절대적인 군사적 열세 속에서 추위와 굶주림에 시달리던 가운데 인조는 청의 장수 용골대의 문서를 받게 된다.
　　　　　　　　　　　　　　　　　중심 갈등 소재 – 조선의 항복을 요구함.

절정 **가** 일몰 후 영의정 김류가 홀로 청대한 자리에서 임금에게 문서의 일을 아뢰었다.
　　　　　　　　　　　　　　　청의 장수　　　　　　예전에, 책을 얹던 책상
임금이 신료들을 내행전 마루로 불러들였다. 내관이 용골대의 문서를 쟁반에 담아 서안
　　　　　　　　　　　　　　　　　　　임금이 혼자 읽기를 청함.
에 올렸다. ⓐ 임금은 신료들 쪽으로 서안을 밀쳐 냈다. / "들어 보자. 읽어라."

　당상들은 고개를 깊이 숙였다. 가까운 성첩에서 총소리가 서너 번 터졌다. 조선병인지
　　　　　　　　　조선 시대에 둔, 정삼품 상(上) 이상의 품계에 해당하는 벼슬을 통틀어 이르는 말
청병인지 알 수 없었다. ⓑ 총소리에 산과 산 사이가 울렸다. 소리의 끝자락이 산악 속으
로 잦아들었다. 신료들의 귀가 소리의 끝자락을 따라갔다. 바람이 들이쳐서 그림자들이
흔들렸다. / "읽어라. 들어 보자." / ⓒ 병조 판서 이성구가 울음 섞인 목소리로 말했다.

　"신들은 차마 망측하여 읽을 수가 없나이다, 전하."
　　　　　　　　문서의 내용이 임금 앞에서 읽기에 민망한 내용임.
　"당상의 벼슬이 무거워서 적의 문서를 못 읽는가. 과인이 경들에게 읽어 주랴?"

　"전하, 무슨 그런 말씀을……." / 임금이 승지를 불렀다. 승지가 당상의 뒷전에 꿇어앉
아 용골대의 문서를 소리 내어 읽었다.

　『너희가 선비의 나라라더니 손님을 대하여 어찌 이리 무례하냐. 내가 군마를 이끌고 의
　『 』: 용골대의 문서 내용
주에 당도했을 때 너희 관아는 비어 있었고, 지방 수령이나 군장 중에 나와서 맞는 자가
　　　　　　　　　　　　　　　　　　　　　　　용골대에게 맞서 싸우지 못함.
없었다. ……너희가 나를 깊이 불러들여서 결국 너희의 마지막 성까지 이르렀으니, 너희
신료들 중에서 물정을 알고 말귀가 터진 자가 마땅히 나와서 나를 맞아야 하지 않겠느냐.
　　　　　　　　　　　　　　　　　　　　　　김상헌과 최명길이 갈등하게 되는 문구
나의 말이 예에 비추어 어긋나는 것이냐…….

ⓓ 승지가 마저 읽기를 머뭇거렸다.

　　너희 군신이 그 춥고 궁벽한 토굴 속으로 들어가 한사코 웅크리고 내다보지 않으니 답
답하다.』

승지가 읽기를 마치고 물러갔다. 임금이 혼잣말처럼 중얼거렸다.

ⓔ "적들이 답답하다는구나."
　　　　　　　　　　　　　　　▶ 용골대가 문서를 보내어 조선의 항복을 요구함.

학습 문제
　　　　　　　　　　　　　　　　　　📗 정답과 해설 336쪽

1. '문서'의 서사적 기능에 대한 설명으로 적절하지 <u>않은</u> 것은?

① 성안 인물들의 긴장감을 고조하는 역할을 한다.

② 성안에 갇혀 조롱당하는 왕의 처지를 부각한다.

③ 물러설 곳 없는 조선의 위태로운 상황을 보여 준다.

④ 적에 대한 왕의 항전 의지를 강화하는 역할을 한다.

⑤ 조선에 대한 청의 요구 사항이 무엇인지를 알려 준다.

2. ⓐ~ⓔ에 대한 설명으로 적절하지 <u>않은</u> 것은?

① ⓐ: 왕은 신하들이 문서를 읽어 주기를 바라고 있다.

② ⓑ: 적과 대치하는 위태로운 상황에 처해 있다.

③ ⓒ: 신하들은 왕 앞에서 적의 문서를 읽기를 주저하고 있다.

④ ⓓ: 승지는 문서의 의미를 미처 헤아리지 못하고 있다.

⑤ ⓔ: 왕은 주어진 상황을 자조적으로 받아들이고 있다.

서술형

3. 문서에서 알 수 있는 용골대의 요구 사항을 한 문장으로 쓰시오.

나 이조 판서 최명길이 헛기침으로 목청을 쓸어내렸다. 최명길의 어조는 차분했다.
임금에게 자신의 의견을 밝히고자 함.

"전하, 적의 문서가 비록 무도하나 신들을 성 밖으로 청하고 있으니 아마도 화친할 뜻
말이나 행동이 도리에 어긋나서 막되나　나라와 나라 사이에 다툼없이 가까이 지냄.
이 있을 것이옵니다. 적병이 성을 멀리서 둘러싸고 서둘러 취하려 하지 않음도 화친의
최명길의 분석
뜻일 것으로 헤아리옵니다. 글을 닦아서 응답할 일은 아니로되 신들을 성 밖으로 내보
최명길의 의견 – 신하들을 보내어 화친을 해야 함.
내 말길을 트게 하소서."

예조 판서 김상헌이 손바닥으로 마루를 내리쳤다. 김상헌의 목소리가 떨려 나왔다.

『"화친이라 함은 국경을 사이에 두고 논할 수 있는 것이온데, 지금 적들이 대병을 몰아
『 』: 최명길의 의견에 대한 반박　김상헌의 분석
이처럼 깊이 들어왔으니 화친은 가당치 않사옵니다. 심양에서 예까지 내려온 적이 빈
손으로 돌아갈 리도 없으니 화친은 곧 투항일 것이옵니다.』『화친으로 적을 대하는 형식
항복　『 』: 김상헌의 대안
을 삼더라도 지킴으로써 내실을 돋우고 싸움으로써 맞서야만 화친의 길도 열릴 것이
며, 싸우고 지키지 않으면 화친할 길은 마침내 없을 것이옵니다. 그러므로 화(和), 전
화(和)는 화친을, 전(戰)은 전투를, 수(守)는 수비를 뜻함. 김상헌은 이 세 가지가 결국 하나라고 말하면서 끝까지 싸워야 한다고 주장함.
(戰), 수(守)는 다르지 않사옵니다. 적의 문서를 군병들 앞에서 불살라 보여서 싸우고
지키려는 뜻을 밝히소서.』
김상헌의 의견 – 적을 배척하여 군병들의 사기를 북돋우고자 함.
　　　　　　　　　　　　　　　　▶ 용골대의 문서에 대한 최명길과 김상헌의 대립적 입장

다 최명길은 더욱 낮은 목소리로 말했다.
'예조 판서'의 준말
ⓐ『"예판의 말은 말로써 옳으나 그 헤아림이 얕사옵니다. 화친을 형식으로 내세우면서
『 』: 김상헌의 의견에 대한 반박
적이 성을 서둘러 취하지 않음은 성을 말려서 뿌리 뽑으려는 뜻이온데, 앉아서 말라죽
을 날을 기다릴 수는 없사옵니다. 안이 피폐하면 내실을 도모할 수 없고, 내실이 없으
면 어찌 나아가 싸울 수 있겠사옵니까? 싸울 자리에서 싸우고, 지킬 자리에서 지키고,
내실을 도모해야 하는 이유
물러설 자리에서 물러서는 것이 사리일진대 여기가 대체 어느 자리이겠습니까. 더구
나……."』/ 김상헌이 최명길의 말을 끊었다.
두 인물 사이의 갈등 고조
"이거 보시오, 이판. 싸울 수 없는 자리에서 싸우는 것이 전이고, 지킬 수 없는 자리에
'이조 판서'의 준말
서 지키는 것이 수이며, 화해할 수 없는 때 화해하는 것은 화가 아니라 항(降)이오. 아
청나라와 화친을 맺는 일은 말만 화친일 뿐, 곧 항복하는 일임.
시겠소? 여기가 대체 어느 자리요?"
　　　　　　　　　　　　　　　　　　▶ 화와 전을 두고 벌인 최명길과 김상헌의 논쟁

핵심 쏙쏙

● 용골대 문서의 대응 방안에 관한 최명길과 김상헌의 의견 대립

최명길
신하들을 보내어 화친을 해야 함.

⇕

김상헌
문서를 불살라 버리고 싸움을 해야 함.

교과서 날개 질문

용골대의 문서에 관해 김상헌과 최명길이 생각하는 대처 방안은 무엇일까?

| 예시 답안 | 최명길은 용골대가 보낸 문서에 화친할 뜻이 담겨 있으므로 화친을 해야 한다고 주장하고 있다. 하지만 김상헌은 문서에 화친이 아니라 투항을 요구하는 뜻이 담겨 있으므로 군병들 앞에서 불살라 보여서 싸우고 지키려는 뜻을 밝혀야 한다고 주장하고 있다.

김상헌이 말한 '전(戰)', '수(守)', '항(降)'의 의미를 각각 정리해 보자.

| 예시 답안 | 김상헌은 싸울 수 없는 자리에서 싸우는 것이 '전'이고, 지킬 수 없는 자리에서 지키는 것이 '수'이며, 화할 수 없는 때 화해하는 것은 '항(降)'이라고 했다.

---

4. **나**~**다**에 대한 설명으로 가장 적절한 것은?

① 세밀한 배경 묘사를 통해 시대상을 드러내고 있다.
② 인물 간의 대화를 통해 긴장감을 고조시키고 있다.
③ 상징적인 소재를 활용하여 주제 의식을 부각하고 있다.
④ 인물의 행동을 통해 심리 변화 양상을 보여 주고 있다.
⑤ 서술자의 해설을 통해 작품 속 사건의 의미가 밝혀지고 있다.

5. '적의 문서'에 대한 최명길의 생각으로 가장 적절한 것은?

① 화친을 청하는 글을 써서 적에게 전달해야 한다.
② 왕이 직접 나서서 적들의 요청에 응답해야 한다.
③ 신하들을 적에게 보내 화친의 길을 열어야 한다.
④ 적진의 상황을 염탐하여 공격의 기회를 엿보아야 한다.
⑤ 문서에 응답하여 적들이 화친을 서두르도록 유도해야 한다.

서술형

6. '최명길'이 ⓐ와 같이 주장한 근거와 함께 주장의 구체적 의미를 요약하여 쓰시오.

핵심 쏙쏙

● '화(和)'와 '전(戰)'에 대한 인식 차이

최명길	김상헌
'전'을 할 수 있을 때 전을 하고, '화'할 수 있을 때 화를 해야 함. 지금은 화를 해야 할 때임.	'전'을 할 수 없는 상황에서도 '전'으로 '화'를 이끌어 내야 함. 지금은 전을 해야 할 때임.

● '삶과 죽음'에 관한 의견 대립

최명길

죽음은 가볍지 않으며 목숨을 살려야 함.

⇕

김상헌

의롭지 않게 사는 것보다 죽는 것이 나음.

▶ **교과서 날개 질문**

최명길이 지금을 '화친의 때'라고 주장한 근거는 무엇일까?
| 예시 답안 | 최명길은 아직 성의 내실이 남아 있을 때가 화친의 때라고 주장한다. 이는 성안이 다 마르고 시들면 그 어느 적도 스스로 무너질 상대와 화친을 도모하려 하지 않을 것이라 생각했기 때문이다.

라 최명길은 김상헌의 말에 대답하지 않고 임금을 향해 말했다.

"예판이 화해할 수 있는 때와 화해할 수 없는 때를 말하고 또 성의 내실을 말하나, 아직 내실이 남아 있을 때가 화친의 때이옵니다. 성안이 다 마르고 시들면 어느 적이 스스로 무너질 상대와 화친을 도모하겠나이까."
_{화친의 기회를 놓치면 안 된다는 주장}

김상헌이 다시 손바닥으로 마루를 때렸다.
_{어리석고 사리에 어두움} _{사물이나 일의 처음과 끝. 중요한 부분과 중요하지 않은 부분}

㉠"이판의 말은 몽매하여 본말이 뒤집힌 것이옵니다. 『전이 본(本)이고 화가 말(末)이며 수는 실(實)이옵니다. 그러므로 전이 화를 이끌어 내는 것이지 그 반대가 아니옵니다.』 더구나 천도가 전하께 부응하고, 전하께서 실덕(失德)하신 일이 없으시며 또 이만한 성에 의지하고 있으니 반드시 싸우고 지켜서 회복할 길이 있을 것이옵니다."
_{『 』: 싸우는 것[戰]이 우선 해야 하는 일이고 화친을 맞는 것[和]은 그 뒤에 따라 오는 일이므로 결과적으로 성을 지켜 낼 수 있게 된다는 것임.}
_{하늘이 낸 도리나 법} _{덕망을 잃지 않았음.}
▶ '화'와 '전'에 관한 최명길과 김상헌의 대립

마 최명길의 목소리는 더욱 가라앉았다. 최명길은 천천히 말했다.

㉡"상헌의 말은 지극히 의로우나 그것은 말일 뿐입니다. 상헌은 말을 중히 여기고 생을 가벼이 여기는 자이옵니다. 갇힌 성안에서 어찌 말의 길을 따라가오리까."
_{김상헌의 주장은 현실성이 없음.}

김상헌의 목소리에 울음기가 섞여 들었다.

"전하, 죽음이 가볍지 어찌 삶이 가볍겠습니까? 명길이 말하는 생이란 곧 죽음입니다. 『명길은 삶과 죽음을 구분하지 못하고, 삶을 죽음과 뒤섞어 삶을 욕되게 하는 자이옵니다. 신은 가벼운 죽음으로 무거운 삶을 지탱하려 하옵니다.』"
_{『 』: 김상헌은 의롭지 못한 삶은 죽음과 같으니, 죽을지언정 욕되게 살고 싶지는 않다는 의지를 전하고 있음.}

최명길의 목소리에도 울음기가 섞여 들었다.

"전하, 『죽음은 가볍지 않사옵니다. 만백성과 더불어 죽음을 각오하지 마소서. 죽음으로써 삶을 지탱하지는 못할 것이옵니다.』"
_{『 』: 최명길은 임금으로서의 삶은 비단 임금 개인의 것만이 아니라 만백성의 목숨도 함께라는 것을 강조하며 죽음이 결코 가벼운 것이 아니라고 말함.}

임금이 주먹으로 서안을 내리치며 소리 질렀다.

"어허, 그만들 하라. 그만들 해."
_{신하들의 의견 대립으로 인해 임금의 심기가 불편해짐.}
▶ 삶과 죽음에 관하여 임금에게 각자의 입장을 강조하는 최명길과 김상헌

학습 문제

학습 활동 응용

7. **마**를 바탕으로 할 때, '죽음'에 대한 최명길의 생각으로 가장 적절한 것은?

① 비굴하게 사는 것보다 의롭게 죽는 것이 낫다.
② 죽음은 어떠한 상황에서도 결코 가벼울 수 없다.
③ 죽음은 삶을 유지하는 것보다 오히려 가벼운 것이다.
④ 죽음을 피하는 것이 오히려 죽음에 빨리 이르는 길이다.
⑤ 죽음을 선택할 때에는 얻을 수 있는 실리가 있어야 한다.

8. ㉠을 통해 알 수 있는 '김상헌'의 생각과 거리가 먼 것은?

① 화가 전을 앞서게 해서는 안 된다.
② 전은 모든 것의 근본이 되어야 한다.
③ 수는 전을 통해 얻을 수 있는 결과물이다.
④ 수를 얻으면 전이 화를 이끌어 낼 수 있다.
⑤ 화를 하자는 주장은 일의 본질을 헤아리지 못한 것이다.

9. 〈보기〉의 빈칸에 각각 들어갈 말을 순서대로 쓰시오.

┌─ 보기 ─┐
㉡은 □□만을 중시하여 □□을/를 중요하게 생각하지 않는 김상헌에 대한 최명길의 비판이라고 할 수 있다.
└────────┘

바 ⓐ 최명길은 계속 말했다.

"전하, 그만할 일이 아니오니 신의 말을 막지 마옵소서. 장마가 지면 물이 한 골로 모이듯 말도 한곳으로 쏠리는 것입니다. 성안으로 들어오기 전부터 묘당의 말들은 이른 [무조건 대세를 따르는 것만이 옳은 것이 아니라는 주장] [조선 시대 행정부의 최고 기관인 '의정부'를 달리 이르던 말. 종묘(宗廟)와 명당(明堂)이라는 뜻으로, 조정(朝廷)을 일컫기도 함.] 바 대의로 쏠려서 사세를 돌보지 않으니, 대의를 말하는 목소리는 크고 사세를 살피는 [일이 되어 가는 형세] 목소리는 조심스러운 것입니다. 사세가 말과 맞지 않으면 산목숨이 어느 쪽을 좇아야 [김상헌이 주장하는 대의가 현실과 동떨어진 것임을 비판함.] [어리석고 둔해 민첩하지 못함.] 하겠습니까. 상헌은 우뚝하고 신은 비루하며, 상헌은 충직하고 신은 불민한 줄 아오나 [상대방을 치켜세워줌.] 상헌을 충렬의 반열에 올리시더라도 신의 뜻을 따라 주시옵소서." [품계나 신분, 등급의 차례. 반차(班次)] ⓑ 김상헌이 다시 고개를 들었다.

『"묘당의 말들이 그동안 화친을 배척해 온 것은 말이 쏠린 것이 아니옵고 강토를 보전하 『 』: 묘당의 말을 비하하는 최명길의 의견에 대한 반박 고 군부를 지키려는 대의를 향해 공론이 아름답게 모인 것이옵니다. 뜻이 뚜렷하고 근본이 굳어야 사세를 살필 수 있을 것이온데, 명길이 저토록 조정의 의로운 공론을 업신여기고 종사를 호구(虎口)에 던지려 하니 명길이 과연 전하의 신하이옵니까?"』 [위험한 지경] 임금이 다시 주먹으로 서안을 내리쳤다.

㉮ "이러지들 마라. 그만하라지 않느냐." ▶ 공론과 사세에 관한 최명길과 김상헌의 대립과 괴로워하는 임금

어휘·어구 풀이
● **비루하며** 행동이나 성질이 고상하지 못하고 더러우며.

핵심 쏙쏙
◉ 인물 간의 갈등

김상헌	최명길
• 주전파	• 주화파
• 실리보다 명분이 중요함.	• 명분보다 실리가 중요함.

인조
각기 상반된 주장 사이에서 쉽게 결단을 내리지 못하고 무엇이 최선의 선택인지 고민하고 있음.

교과서 날개 질문

임금은 왜 김상헌과 최명길에게 논쟁을 그만둘 것을 명령했을까?

| 예시 답안 | 김상헌의 말도 최명길의 말도 다 일리가 있는 것이기에 임금의 입장에서는 그 어느 한쪽 편의 말을 들어 줄 수 없는 난처한 상황이었을 것이다. 또한 이러한 상황에까지 몰리게 된 조정의 처지가 몹시 괴롭고 개탄스러웠기에 신하들의 다투는 모습을 보고 싶지 않아 논쟁을 그만둘 것을 명령했을 것이다.

10. **바**에 나타난 ⓐ와 ⓑ의 말하기 방식에 대한 설명으로 적절하지 <u>않은</u> 것은?

① ⓐ는 비유적인 표현을 사용하여 대상의 속성을 설명하고 있다.

② ⓑ는 상대방의 의견을 자신에게 유리하게 활용하여 자신의 주장을 강화하고 있다.

③ ⓐ는 ⓑ를 치켜세워 주면서 자신의 뜻을 관철하려 하고 있다.

④ ⓑ는 ⓐ의 주장을 반박하면서 자신의 주장을 펼치고 있다.

⑤ ⓐ와 ⓑ는 모두 청자를 설득하고자 하는 의도를 드러내고 있다.

11. ㉮에 담긴 임금의 생각으로 가장 적절한 것은?

① 앞날을 보지 못하고 과거에만 집착하니 어리석구나.

② 성안에 갇혀 성 밖의 상황을 전혀 모르니 답답하구나.

③ 항상 말만 앞서고 행동이 뒤따르지 않으니 한심하구나.

④ 옳고 그름을 판정하기 어려우니 모든 것이 의미 없구나.

⑤ 위급한 상황에서 서로 싸우고 있는 모습을 보자니 괴롭구나.

서술형 학습 활동 응용
12. '공론'에 대한 최명길과 김상헌의 생각이 어떻게 다른지 비교하여 서술하시오.

어휘·어구 풀이

❶"말을 하기에는~아뢸 수 있 겠사옵니까." 육조에 해당하 는 이판이나 예판과 달리, 김 류는 영의정이라는 의정부 총 괄의 막중한 책임과 함께 체 찰사의 직도 맡고 있어 자기 주장을 하는 데 조심스럽다며 책임을 회피하고 있다.

❷적의 공성을~말길을 열게 하 소서. 시일이 촉박하니 임금 에게 빠른 결정을 내려야 한 다고 촉구하고 있다.

핵심 쏙쏙

● '김류'의 행동과 그 속에 담긴 의미

직책을 핑계 삼아 자신의 의견을 밝히지 않음.

↓

결론을 내리기 어려운 상황에 서 책임을 모면하고자 함.

사 신료들은 입을 다물었다. 영의정 김류는 말없이 어두운 마당을 바라보고 있었다. 처 마 끝에서 고드름이 떨어져 내렸다. ㉠성첩에서 다시 총소리가 두어 번 터졌다. 임금이 김류에게 물었다.

㉡"영상은 어찌 말이 없는가?"

김류가 이마를 마루에 대고 말했다.

^{분수에 넘쳐 너무 지나치게도}

"말을 하기에는 이판이나 예판의 자리가 편안할 것이옵니다. 신은 참람하게도 체찰사 의 직을 겸하여 군부를 총괄하고 있으니 소견이 있다 한들 어찌 전과 화의 일을 아뢸
^{자신의 직책을 핑계로 논쟁에 끼어들지 않으려는 비겁함}
수 있겠사옵니까.❶"

최명길이 말했다.

"㉢영상의 말이 한가하여 태평연월인 듯하옵니다. 전하, 적들이 성을 깨뜨리려 덤벼들
^{김류의 태도에 대한 최명길의 비판}
면 사세는 더욱 위태로워질 것이옵니다. 전하, 늦추어야 할 일이 있고 당겨야 할 일이
^{적의 성을 공격하는 일}　^{청나라와의 화친}
있는 것이옵니다. 적의 공성을 늦추시고, 늦추시는 일을 당기옵소서. 시간을 벌기 위해
^{사정에 어둡고 세상 물정을 잘 모르는}
서라도 우선 신들을 적진에 보내 말길을 열게 하소서.❷ ㉣지금 묘당이라 해도 오활한
^{세상 물정을 모르는 유학자들의 무리}
유자(儒者)의 찌꺼기들이옵고 비국 또한 다르지 않사옵니다. 헛된 말들은 소리가 크고
^{비변사}　　　^{임금의 판단을 높여 이르는 말}
한 골로 쏠리는 법이옵니다. ㉤중론을 묻지 마시고 오직 전하의 성단으로 결행하소
서."

▶ 김류에 대한 임금의 책망과 임금의 성단(화친의 결단)을 촉구하는 최명길

학습 문제

13. **사~자**를 읽고 나눈 독자의 대화이다. 적절하지 <u>않은</u> 것은?

영수: 조선은 이러기도 저러기도 어려운 난처한 상황에 빠져 있군. ···①
혜순: 두 신하의 팽팽한 대립 사이에서 고심하는 임금의 마음을 느낄 수 있어 ·····································②
영수: 이러한 상황에서 말을 아끼는 영상의 태도는 최명 길에게 비판받을 만하다고 생각해. ·····················③
혜순: 최명길은 임금이 신하들의 의견을 귀담아듣지 않 는 것을 매우 안타깝게 여기고 있어. ·················④
영수: 때를 놓치지 않도록 임금이 어서 현명한 판단을 내 려 줄 것을 간청하는 최명길의 모습이 인상적이군. ···⑤

14. ㉠~㉤에 대한 설명으로 적절하지 <u>않은</u> 것은?

① ㉠: 전쟁의 위기감이 청각적 심상을 통해 전달되고 있다.
② ㉡: 질문의 방식을 통해 영상의 의견을 촉구하고 있다.
③ ㉢: 사태의 위급성을 근거로 영상의 태도를 부정적으 로 평가하고 있다.
④ ㉣: 묘당과 비국의 의견을 따라야 한다는 것을 반어 적으로 강조하고 있다.
⑤ ㉤: 무엇보다도 왕의 결단이 중요하다는 사실을 강조 하고 있다.

아 김상헌이 말했다.

조선 시대에 둔 정삼품 상(上) 이상의 품계에 해당하는 벼슬을 이르는 말

"명길의 몸에 군은이 깊어서 그 품계가 당상인데, 어가를 추운 산속에 모셔놓고 어찌

옛 벼슬아치의 등급. 제일 위인 정일품(正一品)에서 가장 아래인 종구품(從九品)의 18단계임.

임금에게 성단, 두 글자를 들이미는 것이옵니까. 화친은 불가하옵니다. 적들이 여기까

적들이 반드시 얻고자 하는 바가 있을 것임.

지 소풍을 나온 것이겠습니까. 크게 한번 싸우는 기세를 보이지 않고 화 자를 먼저 꺼

내 보이면 적들은 우리를 더욱 깔보고 감당할 수 없는 요구를 해 올 것이옵니다. 무도

한 문서를 성안에 들인 수문장을 벌하시고 적의 문서를 불살라 군병들을 격발케 하옵

소서. 애통해하시는 교지를 성 밖으로 내보내 삼남(三南)과 양서(兩西)의 군사를 서둘

충청도, 전라도, 경상도   황해도, 평안도

러 부르셔야 하옵니다. 이백 년 종사가 신민을 가르쳐서 길렀으니 반드시 의분하는 창

국난을 당했을 때 나라를 위하여 의병을 일으킴.   불의를 보고 분노를 일으킨 의병들이 일어나 도와주러 올 것임.

의의 무리들이 달려올 것입니다."

최명길이 말했다. / "상헌의 답답함이 저러하옵니다. 창의를 불러 모은다고 꼭 화친의

말길을 끊어야 하는 것이겠사옵니까? 군신이 함께 피를 흘리더라도 적게 흘리는 편이

이로울 터인데, <u>의(義)를 세운다고 이(利)를 버려야 하는 것이겠습니까?</u>"

명분 때문에 실리를 버리면 안 된다는 주장

자 김상헌이 말했다.   ▶ 공론을 밀고 나가려는 김상헌과 사세를 살피라는 최명길

"지금 묘당의 일을 성안의 아이들도 알고 있는데, 조정이 화친하려는 기색을 보이면 성

화친이 군병의 사기를 떨어뜨릴 것이라는 우려

첩은 스스로 무너질 것입니다. 화 자를 깃발로 내걸고 군병을 격발시키며 창의의 군

사를 불러 모을 수 있겠사옵니까? 명길의 말은 의도 아니고 이도 아니옵니다. 『명길은

울면서 노래하고 웃으면서 곡하려는 자이옵니다.』 『 』: 명길이 표리부동(表裏不同)한 인물이라고 주장하고 있음.

최명길이 또 입을 열었다. / "웃으면서 곡을 할 줄 알아야……."

임금이 소리 질렀다. / "어허."

[A] <u>임금은 옆으로 돌아앉았다.</u> 『달이 능선 위로 올라 내행전 마루를 비추었다. 쌓인 눈

김상헌과 최명길의 각기 다른 주장 사이에서 극심한 고민에 빠진 임금의 모습

이 달빛을 빨아들여서 먼 성벽이 부풀었다. 달빛은 눈 속으로 깊이 스몄고, 성벽은 땅

위의 달무리처럼 보였다. 추위가 맑아서 밤하늘이 새파랬다. 동장대 쪽 성벽이 별에

추운 날씨를 통해 임금의 고뇌 또한 깊음을 암시함.

닿아 있었다.』 『 』: 겨울 남한산성의 밤 풍경을 묘사하여 겨울밤이 깊어   ▶ 끊임없이 지속되는 최명길과 김상헌의 대립
지고 있는 것처럼 임금의 고민도 깊어지고 있음을 나타냄.

[뒷부분 줄거리] 인조의 명령으로 용골대를 만난 최명길이 청나라의 요구를 전하고, 김상헌은 원군을 요청하
러 대장장이 서날쇠를 산성 밖으로 보낸다. 전투가 계속되는 와중에 강화도가 함락되었다는 소식이 전해지자,
인조는 항복을 결심하고 김상헌은 자결을 시도한다. 이듬해 1월 30일 인조는 삼전도에서 청나라에 항복하고, 많
은 사람이 청나라에 인질로 끌려간다.

 핵심 쏙쏙

● '공론'과 '성단'에 관한 의견 대립

최명길
공론에 휩쓸리지 말고, 사세를 살펴 성단을 내려야 함.

⇕

김상헌
대의를 향한 공론을 모아야 함.

● '의(義)'와 '이(利)'에 관한 의견 대립

최명길
청과 싸우는 것은 의(義)를 세운다고 이(利)를 버리는 일임.

⇕

김상헌
화친은 의(義)도 아니며 이(利)도 아님.

● 임금의 내적 갈등

끊임없이 계속되는 주전파와 주화파의 대립 속에서 위기에 처한 나라를 진정으로 구할 수 있는 길이 무엇인지를 결정해야 하는 절박한 상황이 인조의 내적 갈등을 일으키고 있다. 이러한 인조의 내적 갈등은 겨울밤의 배경 묘사를 통해 암시된다.

 교과서 날개 질문

김상헌이 최명길을 일컬어 '울면서 노래하고 웃으면서 곡하려는 자'라고 말한 의도는 무엇일까?

| 예시 답안 | 김상헌은 최명길이 이(利)를 위해 의(義)를 버리려 하는 것이 '울면서 노래하고 웃으면서 곡하려는 자'와 같이 전혀 이치에 맞지 않음을 강조하려 한 것이다.

---

15. **아**~**자**에 대한 설명으로 가장 적절한 것은?

① 중립적인 인물의 개입으로 갈등이 해소되고 있다.

② 대화를 통해 앞으로 전개될 갈등이 예고되고 있다.

③ 인물 간의 대립이 심화되면서 갈등이 고조되고 있다.

④ 새로운 인물의 등장으로 새로운 갈등이 발생하고 있다.

⑤ 기존의 갈등이 누적되면서 갈등이 새로운 양상으로 전환되고 있다.

16. [A]의 서사적 기능으로 적절하지 않은 것은?

① 해당 장면의 분위기를 조성해 준다.

② 독자에게 생생한 현장감을 전달해 준다.

③ 작품의 시공간적 배경을 알 수 있게 해 준다.

④ 인물의 복잡한 심경을 엿볼 수 있게 해 준다.

⑤ 인물이 결단을 내릴 수 있는 계기를 마련해 준다.

• 등장인물들의 성격

최명길	• 성격: 논리적이고 현실적임. 명분보다는 ❶◻◻를 중시함. • 이유: 자신을 비루하고 불민한 신하라고 말하며 그럼에도 살기 위해서는 청과 화친을 해야 한다고 주장함.
김상헌	• 성격: 논리적이고 호전적임. 실리보다는 ❷◻◻을 중시함. • 이유: 대의명분을 위해 죽기를 각오하고 전쟁을 해야 하는 이유를 분명히 밝힘.
김류	• 성격: 자신의 책임을 회피하려는 이기적 성품을 지님. • 이유: 전쟁과 화친에 대해 말할 입장이 아니라며 이에 대한 언급을 회피함.
인조	• 성격: 주관이 뚜렷하지 못해 쉽게 결단을 내리지 못함. • 이유: 전쟁과 화친 중 하나를 선택해야 하는 위치에 있음에도 결정을 내리지 못하고 있음.

• 최명길과 김상헌의 의견 대립 양상

	최명길	김상헌
문서 대응 방안	문서에 따라 화친(和親)을 해야 함.	문서를 불사르고 싸움을 해야 함.
화(和)·전(戰)	지금은 전(戰)이 아니라 화(和)를 해야 할 상황임.	지금은 화(和)가 아니라 전(戰)을 해야 할 상황임.
삶·죽음	죽음은 결코 가볍지 않으므로 어떻게든 사는 것이 중요함.	비루하게 사는 것보다 의롭게 죽는 것이 나음.
성단·공론	공론에 휩쓸리지 말고 사세를 살펴 ❸◻◻을 결행해야 함.	지금은 성단을 논의할 상황이 아니므로 공론을 중시해야 함.
의(義)·이(利)	청과 싸우는 것은 의(義)를 세운다고 이(利)를 버리는 일임.	화친하는 것은 의(義)도 아니고 이(利)도 아닌 일임.

• 역사와 문학의 차이점

문학은 역사적 사실을 바탕으로 하기도 하지만 사실 그 자체는 아니며, 역사적 현실을 더 감동적으로 전하기 위해 문학적 형상화의 과정을 거침.

역사	문학
• 객관적 시각에 입각하여 서술함. • 사실성을 중시하여 있는 그대로의 역사적 사실을 전달함.	• 주관적 시각에 입각하여 서술함. • 허구성을 중시하여 역사적 사실을 작가의 상상력으로 ❹◻◻◻ 함으로써 더욱 구체적이고 생동감 있게 전달함.

• 작품에 나타난 갈등의 양상

외적 갈등	국가 간	❺◻ ↔ 조선
	인물 간	김상헌(주전파) ↔ 최명길(주화파)
개인의 내적 갈등		싸울 것인지 화친할 것인지 갈등하는 인조

| 정답 | ❶ 실리　❷ 명분　❸ 성단　❹ 재구성　❺ 청

학습 활동

작품 속으로

1. 등장인물들의 성격을 파악해 보고, 그렇게 판단한 까닭을 적어 보자.

	성격	까닭
인조	주관이 뚜렷하지 못함.	전쟁과 화친을 주장하는 두 신하의 날 선 대립을 지켜보면서, 결정을 내리지 못하고 괴로워하기만 함.
최명길	논리적이고 현실적임. 명분보다는 실리를 중시함.	살기 위해서는 청과 화친을 해야 한다고 주장함.
김상헌	논리적이고 호전적임. 실리보다는 명분을 중시함.	대의명분을 위해 죽기를 각오하고 전쟁을 해야 하는 이유를 분명히 밝힘.

2. 다음 쟁점들과 관련하여 최명길과 김상헌이 대립한 의견을 정리해 보자.

최명길	쟁점	김상헌
지금은 전(戰)이 아니라 화(和)를 해야 할 상황임.	적과 화친을 해야 하는가?	지금은 화(和)가 아니라 전(戰)을 해야 할 상황임.
공론에 휩쓸리지 말고 사세를 살펴 성단을 결행해야 함.	공론을 따라야 하는가?	지금은 성단을 논의할 상황이 아니므로 공론을 중시해야 함.
청과 싸우는 것은 의(義)를 세운다고 이(利)를 버리는 일임.	의(義)와 이(利) 가운데 어떤 것이 우선되어야 하는가?	화친하는 것은 의(義)도 아니고 이(利)도 아닌 일임.

3. 다음은 이 작품의 시대적 배경과 관련한 역사적 사실을 기술한 글이다. 이 작품과 비교하며 읽고, 아래 활동을 해 보자.

> 칭제 사실을 알리려 후금 사신 용골대 일행이 입국하
> _{1616년에 여진의 족장 누르하치가 세운 나라. 1636년에 '청'으로 이름을 고침.}
> 자 조선 조야는 정신적으로 공황 상태에 빠진다. '중화국
> _{조정과 민간}
> 명의 천자(天子)만이 천지간에 군림하는 유일한 황제'라
> _{천제의 아들}
> 는 조선 지식인들의 믿음과 원칙에 엄청난 충격을 받았
> 기 때문이다. 조선 조정은 격앙되었다.
>
> 대다수 신료는 "명은 부모의 나라이고 후금은 부모의
> 원수인 데다, 명은 왜란 때 조선을 도왔으므로 절대로
> 배신할 수 없다."라며 용골대 일행의 상경을 막으라고
> 촉구했다. "용골대 일행의 목을 베어 명으로 보내고 전

쟁을 불사하자."라는 초강경론을 펼치는 사람도 있었다. 김상헌은 그 같은 주장을 폈던 척화파(斥和派)의 맏형 격인 인물이었다. 천자국 명을 섬겨 온 예의와 명분을 수호하기 위해서라도 후금과의 모든 관계를 끊고 결전의 길로 나아가야 한다는 입장이었다. '명을 위해서라면 종사가 망하는 것도 감수할 수 있다.'라는 주장이기도 했다.

소수파였던 주화파(主和派)의 의견은 달랐다. 주화파의 대표자 최명길 또한 '오랑캐와 척화해야 한다.'라는 _{화친하자는 논의를 배척함.} 주장이 정론이자 원칙이라는 사실을 부인하지 않았다. _{정당하고 이치에 합당한 의견이나 주장} 문제는 당시 현실에서 '원칙'을 관철하려 할 경우 나라가 망할 수도 있다는 점이었다. 최명길은 '임금의 의리는 필부 _{한 사람의 남자, 신분이 낮은 사내} 의 그것과 다르다.'라며 조선의 임금이 명을 위해 종사를 망하게 할 수는 없다고 했다. 그러면서 정묘년에 맺은 후금과의 형제 관계를 유지하도록 끝까지 노력하되, 후금의 칭제에 대해 호오(好惡)의 감정을 드러내지 말자고 강조했다. 최명길은 '오랑캐가 칭제했다.'라는 사실 자체에 흥분하여 기존의 관계를 무조건 파기하자고 했던 척화파들을 비판했던 것이다.   – 『서울신문』, 2012. 5. 7.

▪ **칭제** 스스로 황제라고 선포함.   ▪ **호오** 좋음과 싫음.

🔖 **제재 연구** 병자호란 시기의 척화파(주전파)와 주화파의 주장과 대립에 관한 글

- **갈래**: 칼럼(신문 연재 글)   • **성격**: 객관적, 중립적
- **주제**: 병자호란 시기 척화파(주전파)와 주화파의 주장과 대립
- **특징**: ① 역사적 사실을 객관적으로 서술함.
  ② 대립된 두 의견을 중립적으로 제시함.

---

(1) 이 작품이 위 글에 나타난 역사적 사실을 어떻게 문학적으로 형상화했는지 말해 보자.

| 예시 답안 | 이 작품은 청나라의 침입과 이에 대응하기 위한 조정의 고뇌와 갈등과 같은 역사적 사실을 있는 그대로 전달하는 것이 아니라 작가의 상상력으로 재구성하여 더욱 구체적이고 생동감 넘치게 보여 주고 있다. 특히 짧고 단호하면서도 힘 있는 문체를 통해, 주전파와 주화파 사이의 팽팽한 대립 양상과 이 가운데서 갈등하는 임금의 내면을 실감 나게 묘사하고 있다.

(2) 위 글을 읽고 「남한산성」을 읽을 때와, 「남한산성」을 읽고 위 글을 읽을 때 각각 도움이 되는 점이 무엇인지 말해 보자.

| 예시 답안 | 위 글을 먼저 읽고 소설 「남한산성」을 읽으면 작품 속 사건의 정황이나 인물들의 주장 및 고민의 이유를 역사적 사실에 근거해서 보다 잘 이해할 수 있다. 반면 소설 「남한산성」을 먼저 읽고 위 글을 읽으면 병자호란 당시의 시대적 상황에 대한 이해를 바탕으로 당대인들이 겪었던 고통을 더욱 생생하고 구체적으로 느끼면서 역사를 이해할 수 있다.

4. 다음은 소설 「남한산성」을 영화로 제작한 감독과 인터뷰한 내용이다. 읽고, 아래 활동을 해 보자.

> 기자 원작의 대사나 내용뿐만 아니라 김훈 특유의 힘 있는 문체나 냉정함까지 영화에 옮겼더라. 김훈 작가가 만족했을 것 같다.
>
> 감독 원작의 시적이면서 철학이 담긴 대사를 정말 좋아해서 거의 그대로 살렸다. 풍경 묘사도 카메라의 움직임을 주지 않고 기교 없이 찍었다. 대신 클로즈업과 롱 숏을 극단적으로 교차했다. 넓고 관조적인 풍경과 인물의 표정을 가깝게 들여다보는 접사를 직접 붙였는데 그 충돌에서 오는 힘이 김훈 작가의 문장과 비슷하게 느껴졌을 것 같다.
>
> 기자 영화는 척화파 김상헌과 주화파 최명길의 논쟁이 중심이다. 감독은 어느 편인가?
>
> 감독 이성적으로는 최명길 편이다. 당시 조선군의 지리멸렬한 상황을 보면 싸워서는 안 됐다. 더 버텼기 때문에 오히려 강화도가 무너지면서 많은 백성이 죽었다. 그런데 감정적으로는 김상헌에게 더 끌린다. 그가 겪는 번민 때문인 것 같다. 우리가 자주적으로 청을 막았다면 얼마나 좋았을까. [중략] 그래서 김상헌이 환상을 보고, 환청을 듣는 장면을 넣었다. 근왕병이 봉화를 올리고 산골을 하얗게 빛내며 달려오는 장면을.
>
> – 『중앙일보』, 2017. 10. 10.

- **롱 숏(long shot)** 카메라를 피사체로부터 멀리 하여 전경을 모두 찍을 수 있도록 하는 촬영 방법.
- **접사(接寫)** 사진을 찍는 대상이 되는 물체에 렌즈를 가까이 대고 찍음. 또는 그런 방법.

제재 연구 영화 「남한산성」의 황동혁 감독 인터뷰 내용

- **갈래:** 인터뷰 글
- **목적:** 영화의 특징과 내용에 대해 물음.
- **특징:** ① 질문과 답변으로 구성됨.
  ② 질문자와 답변자 간의 상호 작용적인 대화의 특징이 드러남.

---

(1) 소설 「남한산성」을 영화로 재구성하는 과정에서 원작의 느낌을 살리기 위해 감독이 사용한 방법이 무엇인지 말해 보자.

| 예시 답안 | • 원작의 대사를 거의 살려서 활용함.
- 풍경 묘사도 카메라의 움직임을 주지 않고 기교 없이 찍음.
- 클로즈업과 롱 숏을 극단적으로 교차함. 넓고 관조적인 풍경과 인물의 표정을 가깝게 들여다보는 접사를 직접 붙여 그 충돌로 인한 힘의 느낌을 통해 원작의 문체가 주는 힘의 느낌을 영화적으로 형상화함.

(2) (1)의 활동을 참고로, 매체에 따라 작품의 미적 특성이 어떻게 달라지는지 말해 보자.

| 예시 답안 | 인쇄 매체는 문자 언어를 매개로 이야기가 구현되지만, 영화는 영상 매체로서 영상과 음향을 통해 이야기가 구현된다. 따라서 인쇄 매체인 소설은 작가의 문체를 통해 전달하고자 하는 바를 개성적으로 형상화한다. 이에 비해 영화 매체는 큰 스크린으로 제공하는 압도적이고 화려한 영상과 그에 걸맞은 음향 효과로 관객을 사로잡는다. 또한 컴퓨터 그래픽, 특수음향 효과 등의 특수 효과 등을 통해 인쇄 매체에 비해 보다 더 직접적으로 감각과 감성에 호소한다. 또한 의사소통의 내용을 시각적 영상으로 전환하여 상호 소통하기 때문에 전달하고자 하는 메시지가 더욱 분명해진다. 또한 언어와 그 밖의 음향을 포함하여 상징적 부호를 종합적으로 사용하고, 색채, 음성, 문자, 해설, 카메라의 움직임, 편집 등을 기능적으로 구조화시킬 수 있다. 이렇듯 영상 매체는 인쇄 매체보다 생생하게 전달하고 표현할 수 있다는 특성을 지닌다.

보충 자료 소설 「남한산성」과 영화 「남한산성」의 비교

소설 「남한산성」	영화 「남한산성」
• 문자 언어를 통해 작가가 전달하고자 하는 역사적 사건의 의미와 체험을 전달함. • 작가 특유의 문체를 통해 작품의 내용과 주제를 드러내고 이야기를 개성적으로 형상화함. • 군더더기 없이 짧고 간결하며 힘 있는 문체를 사용하여 배경을 묘사하고, 사건 전개의 긴박감이나 현장감을 살림. • 3인칭 관찰자 시점을 사용하여 상황을 객관적으로 보여 줌.	• 영상 언어를 통해 역사적 사건을 간접 체험의 형식으로 경험할 수 있도록 함. • 음성 언어, 음향 효과, 미술 효과, 영상 등의 영화적 장치를 통해 이야기를 독창적으로 전달함. • 클로즈업과 롱 숏을 극단적으로 교차하고, 넓고 관조적인 풍경과 인물의 표정을 가깝게 들여다보는 접사를 직접 붙임으로써 원작의 문체가 주는 힘의 느낌을 영화적으로 형상화함. • 내용 전개의 필요에 따라 원작에 없는 장면을 추가함.

02 총, 꽃, 시 정재찬

해제

이 글은 '총', '꽃', '시'라는 상징적인 소재를 통해 '꽃'이 '총'을 이기고, '시'는 '꽃'을 닮으려 한다는 내용을 전달하고 있다. 글쓴이는 동영상, 시, 동요, 사진, 카툰 등 여러 분야의 다양한 매체를 활용하여 글을 입체적으로 전개하였다. 글쓴이의 생각을 다양한 분야의 여러 사례들을 긴밀하게 엮어 마치 이야기를 들려주듯이 친근하게 전달하면서도 강한 주제 의식을 느낄 수 있다. 우리는 이 글을 통해 문학이 시대적, 사회적 상황을 반영하고 있다는 점과, 언어 예술인 문학이 영상, 음악, 사진, 미술 등 다른 예술 분야와도 밀접한 관련을 맺고 있다는 점을 확인할 수 있다.

주제 의식

「총, 꽃, 시」는 작은 것이 큰 것을 고치고, 부드러운 것이 강한 것을 이긴다는 역설적인 진리를 전달하고 있다. 글쓴이는 동영상, 시, 동요, 사진, 카툰 등 여러 분야에 걸친 매체와 자료를 활용하여 자신이 말하고자 하는 주제 의식을 다양하면서도 입체적으로 전달하고 있다. 글쓴이는 '강한 것, 큰 것, 폭력적인 것'을 의미하는 '총'이 '약한 것, 작은 것, 부드러운 것'을 의미하는 '꽃'을 결코 이길 수 없다는 점을 다양한 사례를 들어 강조한다. 그러면서 변방의 언어로 이루어진 '시' 또한 '꽃'을 닮아 지배 언어의 자기도취를 일깨워 준다는 점을 함께 강조한다. 이를 통해 글쓴이는 어떠한 폭력과 거대한 힘도 사랑과 평화, 희망을 바라는 마음을 이길 수 없음을 말하고 있다.

핵심 정리

(1) 갈래: 현대 수필
(2) 성격: 상징적, 사색적
(3) 주제: 작은 것이 큰 것을 고치고, 부드러운 것이 강한 것을 이긴다.
(4) 특징: ① 다양한 분야의 여러 사례들을 제시함.
　　　　　② 상징적인 소재를 활용하여 주제를 전달함.
(5) 구성

처음	파리 테러를 통해 본 '꽃'의 의미	인터뷰 동영상
중간	시와 동요를 통해 본 '꽃'의 의미	시 「할머니 꽃씨를 받으시다」, 동요 「꽃밭에서」
끝	'총'을 이기는 '꽃'과 '시'	사진 「꽃을 든 여인」, 지현곤의 카툰

어휘·어구 풀이

❶ 죽은 자의 아픔과~온 세계를 뒤덮었다. 무고한 시민의 목숨을 앗아간 테러는 희생당한 사람들에게도 아프고 불행한 일이었지만, 이러한 희생을 지켜봐야 했던 산 사람들에게도 매우 슬픈 일이었다. 그리고 그 아픔과 슬픔은 유럽의 한 도시에만 머무는 것이 아니라, 전 세계의 모든 인류가 함께 기억하고 슬퍼하고 있다는 것이다.

❷ 브랑동은 이 비약을 가뿐히 넘어선다. 브랑동은 비록 어린아이지만 꽃이 총을 이긴다는 논리적 비약을 오히려 쉽게 수긍하고 빨리 이해하고 있다. 그것은 그가 어린아이이기에 더 순수한 마음과 지혜로운 마음으로 세상을 볼 수 있기 때문일 것이다.

가 2015년 11월 13일 금요일, 유럽의 한 도시가 충격에 빠졌다. 테러였다. 130명의 무고한 시민이 목숨을 잃었다. 죽은 자의 아픔과 산 자의 슬픔이 온 세계를 뒤덮었다.❶ 며칠 후, 유럽의 방송 매체 〈르프티주르날(Le Petit Journal)〉이 올린 동영상이 떴다. 비통과 절망에 빠진 도시, 희생자들을 추모하기 위해 꽃다발과 촛불이 가득 놓인 광장에서 이민자인 아빠 앙겔과 아들 브랑동이 대화하는 모습을 찍은 영상이었다. 순진하게만 보이는 어린 아들이 어디서 무슨 소리를 들었는지 테러를 피해 이사 갈 걱정까지 한다. 그러자 아버지가 따스한 표정으로 그에게 말한다.

> 프랑스 파리에서 일어난 테러

> 희생자의 추모를 위한 소재

"아니야, 걱정할 필요 없어. 집은 옮기지 않아도 된단다. 프랑스가 우리 집이야."

"그렇지만 나쁜 사람들이 있잖아요? 아빠." / "나쁜 사람들은 어디에나 있단다."

"나쁜 사람들은 총이 있고 우리를 쏠 수도 있어요. 나쁘고 총이 있으니까요, 아빠."

"봐봐. 그들은 총을 갖고 있지만 우리에겐 꽃이 있잖니?"
> 폭력적이고 지배적인 힘
> 총을 가진 그들보다 꽃을 가진 우리가 더 큰 힘을 가지고 있음을 말함.

"하지만 꽃으로는 아무것도 할 수 없잖아요? 그들은 우리들을, 우리들을……."
> 아버지의 말에 대한 아들의 의문 – 일반적인 의문

"사람들이 놓아둔 저 꽃들이 보이지? 총에 맞서 싸우기 위한 거란다."

"꽃이 우리를 보호해 준다고요?" / "그렇고말고!"

"촛불도요?"

"그래, 그건 우리를 떠난 사람들을 잊지 않기 위한 거야."

꽃이 우리를 지켜 주고 촛불이 떠나간 이들을 잊지 않게 해 준다는 말에 브랑동은 비로소 안심한 듯 미소를 짓는다. 하지만 ⊙ 이 인과 관계에는 엄청난 비약이 존재한다. 꽃이 총을 이기고, 그래서 사람들이 꽃을 바치고, 꽃을 바치는 사람이 저렇게 많으니, 우리는 안전하게 보호될 거라는 비약. 어린아이라서 순진한 탓일까, 아니면 어린아이기에 현자(賢者)인 탓일까. 브랑동은 이 비약을 가뿐히 넘어선다.❷
> 순서를 밟지 않고 나아감.
> 어질고 총명하여 성인 다음가는 사람
> 어린아이이기에 어른보다 더 순수하고 지혜로운 눈을 갖고 있음을 의미함.

▶ 아버지와 아들의 대화 속에서 알 수 있는 꽃의 힘

교과서 날개 질문

아빠 앙겔이 아들 브랑동에게 '꽃'이 '총'을 이길 수 있다고 한 까닭은 무엇일까?
| 예시 답안 | 어떠한 폭력과 거대한 힘도 사람들의 진심이 담긴 사랑과 평화의 마음을 이길 수 없다고 믿었기 때문이다.

학습 문제

정답과 해설 337쪽

1. **가**에 대한 설명으로 적절하지 않은 것은?

① 실제 있었던 사건을 소재로 활용하고 있다.
② 유추의 방식을 활용하여 자신의 삶을 성찰하고 있다.
③ 글쓴이가 관찰한 사실에 자신의 의견을 덧붙이고 있다.
④ 간결한 문체를 통해 사건을 요약적으로 전달하고 있다.
⑤ 직접 인용의 방식으로 인물들의 대화를 전달하고 있다.

2. **가**의 내용과 거리가 먼 것은?

① 앙겔은 '총'이 '꽃'을 이길 수 없다고 믿고 있다.
② 브랑동은 앞서 일어난 사건을 보며 불안해하고 있다.
③ 앙겔과 브랑동은 프랑스에 거주하고 있는 이민자이다.
④ 브랑동은 현실의 문제를 논리적으로 받아들이고 있다.
⑤ 수많은 사람들이 꽃과 촛불을 들고 희생자들을 추모하였다.

서술형
3. 글쓴이가 ⊙과 같이 말한 이유를 쓰시오.

미개해서 문화 수준이 낮은 상태
나 정말 이 야만의 시대에 꽃이 과연 총을 이길 수 있는가.❶ 그 답을 시에게 묻는다.
글쓴이가 독자와 자기 자신에게 던지는 의문 – 중심 화제의 제시   시에서 답을 찾고자 함.

공습 때 대피하기 위하여 땅을 파서 만든 굴이나 구덩이
할머니 꽃씨를 받으신다. / 방공호(防空壕) 위에
생명, 희망의 상징   전쟁의 상황(죽음, 파괴)
어쩌다 된 / 채송화 꽃씨를 받으신다.   → 1연: 방공호에 핀 꽃씨를 받는 할머니
생명의 숭고함을 상징함.

호(壕) 안에는 / 아예 들어오시덜 않고
전쟁을 부정하는 태도
말이 수째 적어지신 / 할머니는 그저 누여우시다.   → 2연: 전쟁의 상황에 대해 분노하는 할머니
전쟁의 폭력성에 대한 분노

– 진작 죽었더라면 / 이런 꼴
할머니의 말을 직접 화법으로 제시 – 전쟁의 폭력적 현실에 대한 절망과 한탄
저런 꼴 / 다 보지 않았으련만……   → 3연: 할머니의 넋두리

글쎄 할머니, / 그걸 어쩌란 말씀이서요.
전쟁 앞에서 무기력한 화자의 목소리와 태도
수째 말이 적어지신 / 할머니의 노여움을 / 풀 수는 없었다.   → 4연: 여전히 분노하는 할머니

할머니 꽃씨를 받으신다. / 인제 지구(地球)가 깨어져 없어진대도
절망적 상황
할머니는 역시 살아 계시는 동안은 / 그 작은 꽃씨를 털으시리라.
전쟁의 비극 속에서도 희망을 버리지 않는 할머니   → 5연: 절망적 상황에도 꽃씨를 받으시는 할머니
– 박남수, 「할머니 꽃씨를 받으시다」
▶ 총을 이기는 꽃의 의미를 시에서 찾고자 함.

어휘·어구 풀이

❶ **정말 이 야만의 시대에 꽃이 과연 총을 이길 수 있는가.** 모든 것이 힘에 의해 지배되고 강한 자가 약한 자를 억누르는 야만적인 경쟁 사회 속에서 과연 그 연약한 꽃이 강한 총을 이길 수 있는 것인지 글쓴이는 스스로에게 질문을 던지며 답을 찾고자 한다.

핵심 쏙쏙

◉ 박남수, 「할머니 꽃씨를 받으시다」
• 제재: 할머니와 꽃씨
• 주제: 전쟁의 폭력성과 미래에 대한 희망
• 특징
① 상징적인 시어를 통해 부정적인 시대 상황을 암시함.
② 두 인물의 현실 대응 태도를 대비하여 주제를 강조함.
③ 전쟁의 참혹함과 할머니의 정성스러운 마음이 대조됨.

---

4. 〈보기〉를 참고하여 **나**에 인용된 시를 이해한 것으로 적절하지 <u>않은</u> 것은?

| 보기 |

　「할머니 꽃씨를 받으시다」는 전쟁의 위태로운 상황 속에서도 끝끝내 작은 생명을 거두시는 할머니의 모습과 그러한 모습을 안타까운 마음으로 바라보는 손자의 시각이 대비를 이루면서 전쟁의 비정함 속에서도 결코 저버릴 수 없는 따뜻한 인간애와 희망을 노래한 작품이다.

① '방공호 위'는 전쟁의 위태로운 상황을 상징적으로 보여 준다고 할 수 있겠군.
② '채송화 꽃씨'는 할머니가 거두시는 작은 생명을 구체적으로 보여 주는 것이겠군.
③ 할머니의 넋두리에는 전쟁이라는 현실에 대한 절망스러운 심정이 반영되어 있겠군.
④ '할머니의 노여움'은 전쟁의 위태로움 속에서도 끝끝내 간직해 온 할머니의 희망을 반어적으로 표현한 것이겠군.
⑤ '할머니 꽃씨를 받으신다.'는 전쟁의 비정함 속에서도 결코 저버리지 못한 할머니의 인간애가 행동으로 드러난 것이겠군.

5. **나**에 인용된 시를 읽고 글쓴이가 깨달은 바를 〈보기〉와 같이 표현하려고 할 때, 빈칸에 들어갈 말로 가장 적절한 것은?

| 보기 |

　전쟁의 참화 속에서도 꽃은 피어나고 또 그 꽃씨를 받으시는 할머니가 있으므로, (　　　　　　　　　)

① 총은 꽃을 이기지 못할 것이다.
② 꽃은 전쟁터에서 더욱 빛날 것이다.
③ 꽃은 전쟁의 두려움을 없애 줄 것이다.
④ 꽃은 총으로 죽은 이들을 다시 살릴 것이다.
⑤ 꽃은 총보다 더 오랫동안 우리 곁에 머물 것이다.

6. **나**에 인용된 시에서 전쟁의 비정함, 야만스러움과 대조점에 놓인 소재를 쓰시오.

어휘·어구 풀이

❶ 아, 피란 시절~꽃밭을 만들었을꼬. 글쓴이는 독자들을 향해 '전쟁으로 피란까지 해야 했던 그 힘들고 어려운 시기에 아빠는 무슨 이유로 꽃밭을 만든 것일까? 생존을 위협받는 위태로운 상황 속에서 아무런 힘도 쓸모도 없어 보이는 이 꽃밭은 도대체 무슨 의미를 지니는 것일까?'와 같은 의문을 제기하고 있다.

❷ 혹여나 아빠와 할머니가~살고 있는 게 아니겠는가. 아빠와 할머니가 목숨이 위태로운 전쟁 통 속에서도 그 보잘것없어 보이는 채송화 꽃씨를 받고 꽃밭에 채송화를 가꾸었던 것은 자신들을 위해서가 아니라 그것은 바로 앞으로 이 땅에서 살아갈 자식들을 위해 결코 버릴 수 없었던 사랑과 희망 때문이었을 것이라는 의미이다.

핵심 쏙쏙

◉ '꽃씨'를 받고 '꽃'을 심는 의미

「할머니 꽃씨를 받으시다」	「꽃밭에서」
방공호 위 꽃씨를 받으시는 할머니	피란을 와서 꽃밭에 꽃을 심는 아빠

↓

'나'가 아닌 '자식'을 위한 행위

다 평양이 고향인 시인 박남수. 이 작품은 1951년 월남한 그가 피난민의 생활을 갈매기의 생태에 비겨 그려 낸 『갈매기 소묘』(1958)라는 시집에 실려 있다. 그러니까 이 시인도 난민이었던 셈. 마침 이 시의 화자도 브랑동처럼 어린이다. 한데 ㉠이 어린 손주가 보건대 전쟁터의 할머니는 노여우시기만 하다. 진작 죽지 못해 못 볼 꼴 다 보고 산다고. 저간에 숨겨진 사연이야 짐작할 수밖에 없다. 『이웃들이 학살당하는 걸 봤는지도, 당신 아들이 _{시의 전면에 나타나 있지 않기 때문에}『』할머니가 전쟁 중에 겪었을 법한 일들을 상상해 봄. 민족적 비극을 환기함. 먼저 저세상에 갔는지도, 전쟁 통에 세상이 바뀌며 위아래도 없고 경우도 사라져 억울한 해코지를 당했는지도 모른다.』
_{남을 해치고자 하는 짓}

이렇든 저렇든 할머니는 분에 겨워 말수조차 줄어드셨고, 이제 당신 목숨은 상관조차 않으신다. _{할머니의 관심은 이미 자기 자신에게 있지 않음을 암시함.} 방공호에 아예 들어오시지도 않으니 말이다. 그런데 그런 분이 하찮은 채송화, 그것도 '어쩌다' 핀 채송화, 자잘하기 이를 데 없어 거두기 힘들고 짜증만 잔뜩 나는 그 채송화 꽃씨를 손수 받으시는 것이다. 채송화라? 혹시 동요 「꽃밭에서」를 기억하는가.

> 아빠하고 나하고 만든 꽃밭에
> 채송화도 봉숭아도 한창입니다.
> 아빠가 매어 놓은 새끼줄 따라
> 나팔꽃도 어울리게 피었습니다.
>
> – 어효선 작사·권길상 작곡, 「꽃밭에서」

맑고 밝게 즐겨 불렀던 노래지만 사실 이 노래는 「스승의 은혜」로 유명한 권길상 선생이 1953년 피란 시절에 작곡한 것이다. 아, 피란 시절 그 난리 통에 아빠는 뭐하러 꽃밭을 만들었을꼬. _{또 다른 의문의 제기} 놀랄 만하지 않은가. 전쟁 통에 할머니는 채송화 씨를 거두고 아빠는 그걸 심었단 말이다. 게다가 그걸 박남수는 시로 남기고 권길상은 노래로 만들었단 말이다. ㉡혹여나 아빠와 할머니가 키웠던 채송화가 '나' 아니었을까, 채송화 꽃씨는 내 자식이 _{앞서 던진 두 가지 의문이 하나의 맥락 속에서 이해될 수 있음.} _{희망, 미래 세대 ❷} 아닐까. 그 덕에 지금 우리가 꽃밭에서 시와 노래를 즐기며 살고 있는 게 아니겠는가.

▶ 시와 노래를 통해 확인되는 꽃의 의미

학습 문제

7. **㉯**의 인용된 시에서 ㉠과 관련된 시구가 아닌 것은?

① 호(壕) 안에는 / 아예 들어오시딜 않고
② 말이 수째 적어지신
③ 할머니는 그저 누여우시다.
④ 할머니의 노여움을 / 풀 수는 없었다.
⑤ 그 작은 꽃씨를 털으시리라.

서술형

8. 윗글에서 글쓴이가 주제를 전달하기 위해 사용하고 있는 특징적인 서술 방식을 한 문장으로 요약하여 쓰시오.

9. ㉡을 고려할 때, 다음 빈칸에 들어갈 글쓴이의 생각으로 가장 적절한 것은?

> '할머니'와 '아빠'가 전쟁의 상황에서도 꽃씨를 거두고 꽃을 심은 것은 ( )

① 자식들에게 물려 줄 세상이 부끄러웠기 때문이다.
② 꽃 덕분에 전쟁의 고통을 이겨 낼 수 있었기 때문이다.
③ 전쟁의 참화 속에서 꽃의 아름다움을 발견했기 때문이다.
④ 결코 포기할 수 없는 자식에 대한 사랑이 있었기 때문이다.
⑤ 자신들의 꿈이 자식을 통해 이루어질 것을 믿었기 때문이다.

라 그래, 전쟁 통에도 꽃은 피었고, 사람들은 꽃을 키웠다. 채송화 꽃밭은 환상이나 낭만_{실재 세계의 꽃}이 아닌 실재 세계였던 것이다. 하지만 현실이든 상상이든 그게 무슨 대수랴. 중요한 것은 군화 자국 옆에 꽃들을 피우고, 총자루에 꽃을 매며, 총구에 꽃을 꽂는 일 아니겠는가.❶
_{총을 이기는 꽃의 이미지들}

ⓐ 현실의 장면 하나, 거장 마크 리부(Marc Riboud)의 사진 「꽃을 든 여인」을 찾아보_{총을 이기는 꽃의 현실적인 사례}
라. 1967년 10월 21일, 미국의 수도 워싱턴, 펜타곤 앞에서 베트남전 반대 시위가 열렸_{청사(廳舍)가 오각형이란 뜻에서, '미국 국방부'의 통칭}
다. 착검까지 되어 있는 군인들의 총 앞으로 꽃문양 옷차림의, 중간 이름까지 장미꽃_{검을 몸에 참.}
(rose)인 잔 로즈 캐즈미어(Jan Rose Kasmir)라는 17세 여고생이 꽃 한 송이를 들고 다가선다. 총을 든 군인보다 꽃을 든 여인이 더 강하다. 당당하기 때문이다.

▲ 지현곤, 「병사와 꽃 3」

ⓑ 상상의 장면 하나, 카투니스트 지현곤의 그_{총을 이기는 꽃의 예술 작품 속 사례}
림을 보라. 척추 결핵을 앓아 하반신 마비 중증 장애로 초등학교 1학년 이후 40년간 바깥 외출도 못한 채 쪽방에 누워 지내면서 왼손 하나만으로, 아니 피와 땀으로 한 점 한 점 찍어 낸 그림. 아름다운 작가의 눈물겨운 그림. 보기만 해도 마음이 열리고 미소가 번져 나오는 그림이다. 평시보다 더 평화로운 전장의 폐허, 심장보다 더 붉은 저 빛나는 꽃 한 송이. 그 꽃을 든 저 꼬마는 의심도 두려_{전쟁 속에서 부각되는 꽃의 순수함}
움도 없다. 순수하기 때문이다.

총은 꽃을 이기지 못한다. 총이 이기면 사람이_{총이 꽃을 이기는 사회는 더 많은 폭력과 희생이 뒤따르게 될 것임을 의미함.}
죽는다. 더 큰 총은 더 많은 사람을 죽인다. 그래서 거친 남성, 어른의 폭력, 주류의 횡포에 맞서는 것은 늘 여성, 아이, 장애다. 아픈 자_{강한 존재}   _{부드러운 존재}
만이 아픔을 안다. 작은 것이 큰 것을 고치고, 부드러운 것이 강한 것을 이긴다. 그러므로_{주제 의식이 드러남.}
꽃이 총을 이긴다. 그리고 그런 꽃을 시는 닮고자 한다. 시는 지배 언어의 자기도취를 일깨우는 변방의 언어이기 때문이다.❷

▶ 크고 강한 것을 이기는 작고 부드러운 꽃을 닮은 시

어휘·어구 풀이

● **변방** 가장자리가 되는 쪽.

❶ **현실이든 상상이든~꽃을 꽂는 일 아니겠는가.** 총을 이기는 꽃이 실재 세계의 꽃이든 사람들의 상상 속에 존재하는 꽃이든 그것이 중요한 것이 아니라, 중요한 것은 그 꽃이 총을 이기고, 무력을 멈추게 하고, 끝내 세상을 평화로 물들게 할 것이라는 점을 말하고 있다.

❷ **그리고 그런 꽃을~변방의 언어이기 때문이다.** '시'는 '꽃'의 속성을 지닌다. 시는 자기도취에 빠져 약한 자를 억압하려는 지배 언어와는 거리가 먼 언어이기 때문이다. 시는 비록 작고 약하고 주류와는 먼 변방의 언어이지만, 그렇기에 결국 자기도취에 빠진 지배 언어를 일깨우는 더 큰 힘을 지닌 언어인 것이다.

핵심 쏙쏙

⦿ **'총'과 '꽃'의 상징성**

'총'	'꽃' = '시'
강한 것, 큰 것, 폭력적인 것 – 전쟁, 거친 남성, 어른의 폭력, 주류의 횡포, 지배 언어	약한 것, 작은 것, 부드러운 것 – 평화, 여성, 아이, 장애, 변방의 언어

---

10. ⓐ과 ⓑ에 대한 설명으로 적절하지 <u>않은</u> 것은?

① ⓐ는 전쟁 반대 시위의 한 장면에 해당한다.

② ⓑ는 중증 장애를 앓는 작가의 자전적 이야기를 담고 있다.

③ ⓐ는 ⓑ와 달리 실제 있었던 사건을 전달하고 있다.

④ ⓑ는 ⓐ와 유사한 소재를 카툰의 형식으로 표현하고 있다.

⑤ ⓐ와 ⓑ는 모두 총은 꽃을 이기지 못한다는 주제를 전달한다.

11. **라**를 바탕으로 할 때, 아래의 ㉑에 해당하지 <u>않는</u> 것은?

'총'	'꽃' = '시'
거친 남성, 어른의 폭력, 주류의 횡포, 지배 언어 등	㉑

① 주인   ② 여성   ③ 아이

④ 장애   ⑤ 변방의 언어

· '총', '꽃', '시'의 의미와 관계

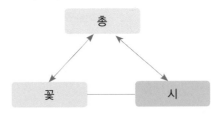

❶□은 폭력적이고 지배적인 힘을 의미한다. 그 '총'에 맞서는 것이 '꽃'이다. '꽃'은 비록 연약해 보이지만 그 부드러움 속에 담긴 평화와 희망의 힘으로 인해 '총'은 결코 '꽃'을 이길 수 없는 것이다. 또한 그러한 '꽃'을 닮고자 하는 것이 '시'라는 점에서 '시'는 '꽃'과 크게 다르지 않다. 따라서 ❷□과 ❸□는 모두 '총'과 대립되는 것이라고 할 수 있다.

· '총', '꽃', '시'의 상징성을 통해 전달하고자 한 의미

	'총'	'꽃' = '시'
의미	강한 것, 큰 것, 폭력적인 것	약한 것, 작은 것, 부드러운 것

⬇

"총은 꽃을 이기지 못한다.": 작은 것이 큰 것을 고치고, 부드러운 것이 강한 것을 이긴다.

· 이 글에서 활용한 소재들

영상	아빠 앙겔과 아들 브랑동의 인터뷰 영상
문학	박남수, 「할머니 꽃씨를 받으시다」
음악	어효선 작사·권길상 작곡, 「꽃밭에서」
사진	마크 리부, 「꽃을 든 여인」
미술	지현곤, 「병사와 꽃 3」

· 이 글에 활용된 인접 분야

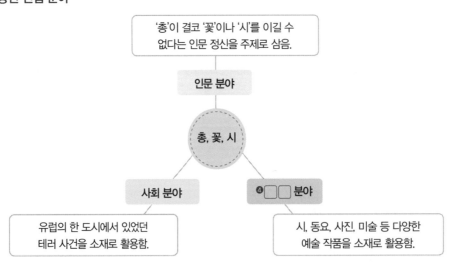

작품 속으로

1. 이 글을 읽고, 상징적 의미를 중심으로 '총', '꽃', '시'의 관계를 파악하고, 이를 통해 글쓴이가 전달하고자 한 내용이 무엇인지 설명해 보자.

| 예시 답안 |

• '총', '꽃', '시'의 관계: '총'은 폭력적이고 지배적인 힘을 의미한다. 그 '총'에 맞서는 것이 '꽃'이다. '꽃'은 비록 연약해 보이지만 그 부드러움 속에 담긴 평화와 희망의 힘으로 인해 '총'은 '꽃'을 이길 수 없다. 또한 그러한 '꽃'을 닮고자 하는 것이 '시'라는 점에서 '시'는 '꽃'이 상징하고자 하는 바를 언어로 형상화한 것이다. 따라서 '꽃'과 '시'는 모두 '총'과 대립되는 것이라고 할 수 있다.

• 글쓴이가 전달하고자 한 내용: 글쓴이는 '총', '꽃', '시'의 상징적 의미를 통해 작은 것이 큰 것을 고치고, 부드러운 것이 강한 것을 이기며, 변방의 언어가 지배 언어를 반성시킬 수 있다는 깨달음을 전달하고 있다.

2. 이 글을 읽고, 글에 쓰인 소재와 관련하여 아래 활동을 해 보자.

(1) 글쓴이가 주제를 전달하기 위해 이 글에서 활용한 소재들을 분야별로 정리해 보자.

영상	아빠 앙겔과 아들 브랑동이 대화하는 모습을 찍은 영상
문학	박남수, 「할머니 꽃씨를 받으시다」 (시)
음악	어효선 작사·권길상 작곡, 「꽃밭에서」 (동요)
사진	마크 리부, 「꽃을 든 여인」
미술	지현곤, 「병사와 꽃 3」 (카툰)

(2) (1)을 참고하여, 이 글에 추가할 수 있는 소재들을 분야별로 더 찾아보자.

미술	뱅크시, 「꽃을 던지는 사람」
영화	로베르토 베니니 감독·빈센조 세라미 각본, 「인생은 아름다워」
그림	박수근, 「모자」

작품 너머로

3. 다음은 인간 중심의 문명에서 벗어나 자연과의 공존을 노래한 시이다. 읽고, 아래 활동을 해 보자.

> 텔레비전을 *끄자*
> 요란한 소리를 내뿜는 텔레비전
> 풀벌레 소리
>
> 어둠과 함께 방 안 가득 들어온다
>
> 어둠 속에서 들으니 벌레 소리들 환하다
> ▶ 텔레비전을 끄자 들리는 풀벌레 소리
> 별빛이 묻어 더 낭랑하다
>
> 『귀뚜라미나 여치 같은 큰 울음 사이에는
> 『 』: 인식의 확장 – 들리지 않는 소리도 존재함.
> 너무 작아 들리지 않는 소리도 있다
>
> 그 풀벌레들의 작은 귀를 생각한다』
>
> 『내 귀에는 들리지 않는 소리들이 드나드는
> 『 』: 자신과 소통하지 못한 것에 대한 안타까움.
> 까맣고 좁은 통로들을 생각한다』
>
> 그 통로의 끝에 두근거리며 매달린
>
> 여린 마음들을 생각한다
>
> 발뒤꿈치처럼 두꺼운 내 귀에 부딪쳤다가
>
> 되돌아간 소리들을 생각한다
>
> 브라운관이 뿜어낸 현란한 빛이
>
> 내 눈과 귀를 두껍게 채우는 동안
>
> 그 울음소리들은 수없이 나에게 왔다가
> 브라운관이 뿜어낸 빛으로 인해 만들어진 벽
> 너무 단단한 벽에 놀라 되돌아갔을 것이다
> ▶ 들리지 않는 풀벌레 소리와 풀벌레들의 작은 귀를 생각함.
> 하루살이들처럼 전등에 부딪쳤다가
>
> 바닥에 새카맣게 떨어졌을 것이다
>
> 크게 밤공기 들이쉬니
>
> 허파 속으로 그 소리들이 들어온다
> 작은 소리들을 내면 깊숙이 받아들임.
> 허파도 별빛이 묻어 조금은 환해진다
> ▶ 풀벌레 소리를 내면 깊이 받아들임.
> – 김기택, 「풀벌레들의 작은 귀를 생각함」

🚩 **작품 연구** 김기택, 「풀벌레들의 작은 귀를 생각함」

• 갈래: 자유시, 서정시

• 성격: 주지적, 즉물적, 회화적

• 제재: 풀벌레들의 울음소리

• 주제: 풀벌레 소리를 통한 삶에 관한 성찰, 문명과 인간의 이기에 대한 비판과 자연과의 공생

• 특징

① 텔레비전을 끄기 이전과 이후의 태도가 대조적으로 드러남.

② 화자는 자신이 의식하지 못했던 자연의 소리를 통한 삶의 성찰이 드러남.

③ 대상을 의인화하여 대상에 대한 화자의 정서와 태도를 효과적으로 드러냄.

(1) 위 작품에 반영된 시대적·사회적 상황은 어떠한지 생각해 보자.

| 예시 답안 | 산업 사회 속에서 편리만을 추구해 온 인간들은 자연의 소리, 자연의 빛을 삼켜버릴 만큼 크고 커대한 인공물들로 가득한 사회를 건설해 왔다. 이로써 오랜 세월 인간과 공존해 왔던 자연은 더 이상 인간 사회와 공존하기 어려운 상황에 놓이게 되었다.

(2) 위 작품을 소개하는 영상을 제작하기 위한 계획서를 모둠별로 작성하여 발표해 보자.

| 예시 답안 |

제작 계획서

모둠명	하늘 모둠	모둠원	강동주, 김민희, 오태현, 최은지
소개할 시	김기택, 「풀벌레들의 작은 귀를 생각함」		

구성 개요	• 도입 – 손 그림을 이용한 애니메이션 구성 – 불빛이 켜진 창 아래의 작은 화단. 이름 모를 풀들이 자라 있고 그곳에는 귀뚜라미, 여치와 같은 풀벌레들이 있음. 배경은 밤. 하늘의 별빛은 희미하게 빛남. – 창 안쪽에서 시끄러운 텔레비전 소리가 들리고 희미하게 풀벌레 소리가 들림. – 텔레비전 소리가 점점 작아지고 풀벌레 소리가 점점 커짐. – 조용하고 잔잔한 배경 음악이 나옴. • 전개 – 시가 나오기 시작함. 낭송되는 소리에 맞추어 자막이 나옴. – 창문 안은 텔레비전 불빛으로 번쩍번쩍하고 분주해 보임. 반면 풀벌레는 흔들리는 나뭇잎 위에 위태로이 앉아 있음. – 분위기가 고조되면서 텔레비전 불빛은 더욱 현란해지고 풀벌레들이 하나하나 땅으로 떨어짐. • 마무리 – 텔레비전이 꺼지고 방 불이 꺼짐. 풀벌레들이 다시 풀 위로 기어 올라옴. – 아름답게 울리는 풀벌레 소리 – 하늘에 희미하게 보이던 별빛이 반짝반짝 환하게 빛남.
배경 음악	잔잔하고 고요한 음악 (이루마의 「Wait there」, 「Spring Time」 등)
배경 그림 (사진)	손 그림을 이용한 애니메이션 구성. 검은 밤하늘을 배경으로 환하게 텔레비전 불빛이 반짝이는 창문과, 그 아래에 있는 화단, 화단의 풀벌레들을 그림으로 표현함.
기타	– 텔레비전 불빛, 별이 빛나는 효과 등을 컴퓨터 동영상 제작 프로그램으로 만듦. – 시 낭송에 맞추어 자막은 한 줄씩 나오도록 함. – 풀벌레 소리 효과음, 텔레비전 소리 등의 효과음 등을 인터넷에서 찾아 삽입함.

03 만화 토지 오세영

해제

『만화 토지』는 박경리의 대하소설 『토지』를 만화로 재구성한 작품이다. 박경리의 소설 『토지』에 만화라는 매체의 성격을 덧입혀 새로운 형태로 재구성하였다. 『만화 토지』는 만화라는 매체적 특성을 잘 살려 생략, 변형, 과장 등으로 새로운 느낌을 잘 전달하면서도 구수한 입말과 섬세한 상황 묘사 등을 통해 묵직한 이야기의 감동을 지닌 원작의 느낌을 그대로 잘 살렸다는 평가를 받고 있다.

핵심 정리

(1) 갈래: 만화
(2) 성격: 사실적, 역사적, 민중적
(3) 배경: 시간적 – 1897년 한가위 ~ 1945년 해방, 공간적 – 평사리, 만주, 서울
(4) 주제: 삶의 터전인 토지를 중심으로 펼쳐지는 민중들의 다양한 삶과 애환, 한국 근대사의 인물들이 겪는 식민지적 고통과 운명을 통한 민족의 한과 의지
(5) 특징: ① 대하소설 『토지』를 만화로 각색한 작품임.
② 원작에 충실하면서도 만화적 특색을 잘 살림.
③ 사실적인 장면 설정과 세밀한 그림체로 인물의 심리와 작품의 상황을 실감 나게 표현함.

보충 자료 **박경리, 소설 『토지』**

해제: 소설 『토지』는 1969년부터 1994년에 걸쳐 완성된, 해방 이후 문학을 대표하는 장편 대하소설이다. 하동 평사리 마을을 중심으로 서울과 간도 지방을 잇는 공간적 배경과 구한말부터 해방에 이르는 시간적 배경을 통해 장대한 한국 근대사의 기본 골격을 재현해 내는 데 성공한 작품이다. 이 작품에는 우리 민족이 겪어 온 고단했던 현대사의 궤적은 물론이고, 고유한 풍습, 생활 습관, 민중의 건강한 생명력 등이 고스란히 담겨 있다.

핵심 정리
(1) 갈래: 장편 대하소설, 가족사 소설
(2) 특징: ① 구한말에서 해방에 이르기까지 민족사의 큰 흐름 속에 당시 민중들의 삶을 매우 사실적으로 형상화함.
② 방언, 은어, 속어를 사용하여 현장감과 표현의 사실성을 높임.
(3) 구성

1부	최 참판 댁의 몰락과 간도로 향하는 서희
2부	빼앗긴 재산을 되찾아 다시 귀향길에 오르는 서희
3부	서울을 오가며 독립운동을 하다 투옥된 길상을 뒷바라지하는 서희와 주변 인물들의 이야기
4부	독립운동에 앞장서는 아들들과 그들을 보며 걱정과 공허함을 느끼는 서희
5부	식민지의 고통스러운 삶 속에서 맞이한 조국의 광복

어휘·어구 풀이

● **문안** 웃어른께 안부를 여쭘.

❶ **싫대두, 싫어! 아버지가 싫단 말야.** 아버지 최치수에 대해 거리감을 느끼고 있는 어린 서희의 솔직한 심정이 직접적으로 드러나고 있다.

❷ **마님께서 말씀하셨습니다. 나리께 문안드리라고.** '마님'은 최 참판 댁의 실질적인 기둥인 서희의 할머니 윤씨 부인을 가리키며, '나리'는 서희의 아버지 '최치수'를 가리킨다. 윤씨 부인은 예의범절을 중시하고 있음을 알 수 있다.

핵심 쏙쏙

◉ **소설과 만화의 차이**

소설
• 글로 표현함.
• 만화에 비해 긴 서술이 필요함.
• 장면을 자유롭게 상상할 수 있음.

⇕

만화
• 그림과 글로 표현함.
• 그림을 통해 표현하므로 압축적으로 전달함.
• 내용의 파악이 쉬우며 생생하고 흥미로움.
• 상상력을 제한함.

[앞부분 줄거리] 경상남도 하동 평사리의 대지주 최 참판 댁의 외동딸 서희는 할머니 윤씨 부인의 분부에 따라 병을 앓고 있는 아버지 최치수에게 문안을 드리게 된다.

학습 문제

정답과 해설 338쪽

1. 위 장면에 대한 설명으로 가장 적절한 것은?

① 인물의 내면을 서술하여 인물의 다양한 특성을 알려 주고 있다.

② 인물들의 다양한 표정 묘사를 통해 급변하는 인물의 심리를 나타내고 있다.

③ 세밀한 배경 묘사를 통해 당시의 시대적 상황을 사실적으로 보여 주고 있다.

④ 인물들이 나누는 대화를 통해 인물들 사이에 잠재된 갈등이 고조되고 있다.

⑤ 인물의 대사와 행동 묘사를 통해 특정 대상에 대한 인물의 심리를 드러내고 있다.

2. 위 장면의 내용과 일치하지 <u>않는</u> 것은?

① 봉순이는 서희를 모셔야 하는 입장이다.

② 아버지는 자주 기침을 하는 병을 앓고 있다.

③ 마님은 서희가 아버지에게 문안을 드리도록 했다.

④ 서희는 아버지에 대해 부정적인 감정을 갖고 있다.

⑤ 서희는 강아지를 보고 온 사실을 마님이 알까 봐 두려워하고 있다.

3. 아버지에 대한 서희의 감정을 직접 드러내고 있는 대사를 찾아 쓰시오.

어휘·어구 풀이

● **나리** 지체가 높거나 권세가 있는 사람을 높여 부르는 말.
● **마님** '나리·대감·영감' 따위에 붙어 존대의 뜻을 나타내는 말.
❶ **콜록, 콜록, 콜록** 서희의 아버지 최치수의 건강이 좋지 않다는 것을 짐작할 수 있다.

핵심 쏙쏙

◉ 인물의 성격

서희
• 아직 나이가 어려서 사리분별력이 약함.
• 자기주장이 강하고 고집이 셈

⇕

최치수
• 말수가 적고 엄격한 태도를 갖고 있음.
• 딸 서희에 대한 애정을 갖고 있으면서도 비정한 태도로 대하는 냉정한 성격을 지님.

◉ 인물의 심리

서희
아버지에 대한 두려움이 크고 아버지의 만남을 어색하게 생각함.

⇕

최치수
딸의 문안 인사가 한편으로는 반가우면서도 어린 딸 앞에서 자신의 병든 모습을 보이기는 꺼려함.

---

4. 위 장면을 읽은 독자의 반응으로 적절하지 <u>않은</u> 것은?

① 서희는 아버지 앞에서 긴장감을 느끼고 있군.
② 봉순이는 예의를 갖춰 어린 서희를 돕고 있군.
③ 아버지는 문안을 온 서희에게 친근감을 표현하고 있군.
④ 부녀간인데도 두 사람 사이에 어색한 분위기가 흐르고 있군.
⑤ 서희는 아버지 앞에서 예의 바른 모습을 보이기 위해 애쓰고 있군.

학습 활동 응용

5. 위 만화의 표현상 특징으로 적절하지 <u>않은</u> 것은?

① 배경의 묘사를 통해 공간의 특성을 드러내고 있다.
② 음성 상징어를 활용하여 인물의 특성을 부각하고 있다.
③ 인물들과 관련된 소품을 통해 방 안의 분위기를 상상하도록 하고 있다.
④ 인물들의 표정 묘사를 통해 인물들의 내면 심리가 드러나도록 하고 있다.
⑤ 몸 주변 선을 활용하여 인물의 역동적인 움직임이 드러나도록 하고 있다.

어휘·어구 풀이

● **병환** '병'의 높임말.

● **차도** 병이 조금씩 나아가는 정도.

❶ **요즘에는 아버님 병환에 차도가 있으신지 문안드리옵니다.** 아버지께 하는 서희의 말을 통해 최치수가 오랫동안 병을 앓고 있었음을 알 수 있으며, 최대한 격식을 차려 말하는 서희의 태도를 통해 서희가 아버지를 매우 어려워하고 있음을 알 수 있다.

핵심 쏙쏙

◉ **소설과 만화의 인물 표현**
소설은 서술자를 통해 인물의 성격과 심리를 큰 제약 없이 전달할 수 있다. 하지만 만화의 경우에는 정지된 몇 개의 장면들을 통해 인물을 표현해야 하기 때문에 인물의 내밀하고 미세한 심리까지 표현하는 데 상대적으로 더 많은 제약을 갖게 된다. 따라서 만화는 과장된 표현, 인물의 주변 선, 명암, 말풍선 등을 최대한 활용하여 인물의 심리와 성격을 간접적으로 드러내기 위해 노력한다.

학습 문제

6. 위 만화로 표현된 원작 소설의 일부로 보기 <u>어려운</u> 것은?

① 서희는 그 말이 귀에 닿지도 않았던 것처럼 붉은 치마를 활짝 펴면서 나붓이 절을 한다.

② 불만으로 일그러진 표정을 한 서희의 눈이 그를 응시하고 있는 것이다.

③ 가엾을 만큼 여위고 창백한 그의 손이 책갈피를 누르면서 눈은 글자를 더듬어 내려간다.

④ 일단 방에 들어온 뒤에는 나가도 좋다는 말이 떨어지지 않는 이상 서희는 일어설 수 없다.

⑤ 이따금 책장 넘기는 소리가 났다.

7. 위 장면에서 인물의 성격과 심리를 표현하기 위해 사용한 방법과 거리가 <u>먼</u> 것은?

① 인물의 몸 주변 선을 활용한다.

② 인물의 표정을 확대하여 보여 준다.

③ 음성 상징어를 반복적으로 사용한다.

④ 인물의 모습을 비현실적인 모습으로 묘사한다.

⑤ 말풍선 안에 말 없음을 나타내는 부호를 사용한다.

[서술형]

8. 위 장면을 통해 짐작할 수 있는 '최치수'의 이중적인 심리를 한 문장으로 요약하여 서술하시오.

• 등장인물들의 성격

최서희	최치수
최치수와 별당 아씨의 딸. 최 참판 가문의 혈통을 잇는 유일한 인물로, 독립적이고 강인한 성격으로 자라난다. 훗날 빼앗긴 집안의 토지를 되찾고 은밀하게 남편 길상의 항일 운동을 돕는다. 땅을 되찾은 후에는 평사리 사람들의 정신적인 지주로 살게 된다.	서희의 아버지. 한때 촉망받는 지식인이었으나 삶 자체에 허무감을 느끼며 피해 의식과 열등감 속에서 병든 모습으로 지내게 된다.

• '토지'의 의미

땅을 목숨처럼 여기는 우리 민족의 삶의 터전	+	신분 질서를 규정하는 수단 (지주와 소작인)	+	일제에 의해 유린되던 우리 국토 이자 우리 민족의 역사가 담긴 공간

• 소설 『토지』와 『만화 토지』

소설 『토지』	『만화 토지』
• 글을 통해 서술자가 직접 인물의 행동과 심리를 비교적 자세하게 묘사하거나 서술함. → 인물의 성격과 심리를 ❶□□하게 파악할 수 있음. • 독자가 소설을 읽으며 장면을 상상하고 의미를 이해해야 함.	• 글의 사용을 최대한 절제하면서 그림을 통해 인물의 행동과 심리를 표현하고 사건을 진행함. → 많은 부분이 ❷□□되어 아주 세밀한 부분까지 이해하는 것이 어려움. • 대상을 시각적으로 생생하게 표현하기 때문에 상황을 구체적으로 이해하고, 더욱 ❸□□□ 있게 수용할 수 있음.

• 소설을 만화로 재구성하는 과정에서 작가가 고려해야 하는 점
• 소설로 읽을 경우에는 독자가 머릿속으로 상상하면서 떠올릴 장면들을 만화는 그림을 통해 구체적으로 보여 주어야 하므로, 충분한 고증을 통해 사실적이고 설득력 있는 화면을 구성하도록 하여야 함.
• 밀도가 높은 언어를 그림으로 모두 재현하는 것은 불가능하므로 꼭 필요한 장면을 선별하고 ❹□□□ 해야 함.

• 『만화 토지』의 표현상 특징과 효과

표현상 특징	효과
• 최치수, 최서희의 성격과 두 인물의 관계를 드러내기 위해 인물의 표정이나 눈빛, 서희가 흘리는 땀방울 같은 시각적 표현을 사용함. • 최치수의 초췌한 모습, 날카로운 눈빛, 서희의 주눅 든 표정, 불편해하는 동작 등을 시각적으로 표현하여 보여 줌.	• 훨씬 더 생생하고 ❺□□□인 느낌을 전달받을 수 있음. • 인물의 성격이나 심리를 상대적으로 쉽게 파악할 수 있으나 세밀한 부분까지 이해하기는 어려움.

| 정답 | ❶ 세밀 ❷ 생략 ❸ 생동감 ❹ 재구성 ❺ 구체적

작품 속으로

1. 다음은 『만화 토지』의 원작 소설의 일부이다. 『만화 토지』와 비교하며 읽고, 아래 활동을 해 보자.

> "바깥 날씨가 차냐?" / 길게 찢어진 눈이 서희를 응시
> <u>외양 묘사를 통한 신경질적인 성격 제시</u>
> 하며 물었다. 서희는 그 말이 귀에 닿지도 않았던 것처
> <u>두려움 때문에 최치수의 말을 듣지 못함.</u>
> 럼 붉은 치마를 활짝 펴면서 나붓이 절을 한다. "요즘에
> <u>자그마한 것이 천천히 납작 엎드리는 모양으로</u>
> 는 아버님 병환에 차도가 있으신지 문안드리옵니다."
> 봉순이가 그랬던 것처럼 목청을 가다듬고 외는 투의
> <u>아버지에 대한 두려움과 긴장감, 아버지의 정을 느끼지 못하는 모습</u>
> 억양 없는 소리를 질렀다.
> "괜찮다. 서희도 밥 잘 먹고 감기는 안 들었느냐?"
> 갈기갈기 갈라진 여러 개의 쇠가 서로 부딪칠 때 나는
> <u>최치수의 병색 짙은 목소리로 인해 서희의 공포심이 유발됨.</u>
> 것 같은 목소리는 여전히 음산했다. 그는 서희의 공포심
> <u>최치수의 차가운 성격</u>
> 을 충분히 알고 있는 것 같았다. 그러면서도 그것을 풀어
> 주려는 노력이 없는 싸늘하고 비정한 눈이 서희를 응시
> 하고 있는 것이다. 서희는 아버지의 눈을 피하기만 하면
> 당장에 천둥이 치고 벼락이 떨어질 것처럼 애처롭게 그
> 를 마주 본 채 고개를 저었다. 치수는 웃었다. 그 웃음은
> 도리어 서희의 마음을 얼어붙게 했다. 서희로부터 시선
> 을 돌린 치수는 서안 위에 펼쳐 놓은 책의 갈피를 넘긴
> 다. 허약한 체질에 비하면 뼈마디는 굵은 편이었다. 그러
> 나 가엾을 만큼 여위고 창백한 그의 손이 책갈피를 누르
> 면서 눈은 글자를 더듬어 내려간다. 손뿐인가, 뜰 아래
> 물기 잃은 목련의 앙상한 가지처럼, 그러나 동정을 받을
> 수 있는 비참한 느낌이기보다는 도리어 『상대에게 견딜
> <u>『 』: 최치수의 비정한 성격</u>
> 수 없는, 숨 막혀서 견딜 수 없어 결국은 공포심을 불러
> 일으키게 하는 강한 분위기를 그는 내어 뿜고 있었다. 어
> 떤 일에도 감동되지 않을 눈빛, 철저하게 스스로를 거부
> 하는 눈빛, 눈빛에서만 그랬던 것이 아니다. 뼈만 남은 몸
> 전체가 거부로써 남을 학대하는 분위기의 응결이었다.
> 일단 방에 들어온 뒤에는 나가도 좋다는 말이 떨어지
> 지 않는 이상 서희는 일어설 수 없다. 숨소리를 죽이며,
> 그래서 가냘픈 가슴이 더 뛰고 양어깨로 숨을 쉴 수밖에
> 없었는데 움직이지 못한다는 것은 어린것에게 얼마나
> <u>서희의 내면에 개입하여 감정을 전달함. → 동정과 연민의 정서 유발</u>
> <u>큰 고통인가.</u> / 이따금 책장 넘기는 소리가 났다.
>
> — 박경리, 『토지』에서

(1) 『토지』를 소설로 읽었을 때와 만화로 읽었을 때 차이점이 무엇인지 말해 보자.

| 예시 답안 | 만화는 글의 사용을 최대한 절제하면서 그림을 통해 인물의 행동과 심리를 표현하고 사건을 진행한다. 그렇기 때문에 많은 부분이 생략되어 인물의 심리나 행동을 세밀한 부분까지 이해하는 것이 어렵다. 하지만 대상을 시각적으로 생생하게 표현하기 때문에 상황을 이해하기 쉽고, 생동감 있게 수용할 수 있다. 소설에서는 서술자가 직접 인물의 행동과 심리를 글을 통해 비교적 자세하게 묘사하거나 서술하므로 인물의 성격과 심리를 세밀하게 파악할 수 있다.

(2) 만화의 다음 장면을 소설에서 어떻게 표현하고 있는지 해당하는 부분을 찾아 써 보자.

"요즘에는 아버님 병환에 차도가 있으신지 문안드리옵니다."
봉순이가 그랬던 것처럼 목청을 가다듬고 외는 투의 억양 없는 소리를 질렀다.

서희는 아버지의 눈을 피하기만 하면 당장에 천둥이 치고 벼락이 떨어질 것처럼 애처롭게 그를 마주 본 채 고개를 저었다.

서희로부터 시선을 돌린 치수는 서안 위에 펼쳐 놓은 책의 갈피를 넘긴다. 허약한 체질에 비하면 뼈마디는 굵은 편이었다. 그러나 가엾을 만큼 여위고 창백한 그의 손이 책갈피를 누르면서 눈은 글자를 더듬어 내려간다.

2. 다음은 이 작품을 그린 작가의 말이다. 이 글을 참고할 때, 소설을 만화로 재구성하는 과정에서 작가가 특별히 고려한 점이 무엇인지 말해 보자.

> 『토지』를 읽고 있노라면 마치 영상을 보는 것처럼 장면 하나하나가 머릿속에서 생생하게 펼쳐집니다. 그래서 영화나 드라마로 만들기가 더 쉬울 수도 있겠지만 어쩌면 그래서 더 힘든 일일 수도 있습니다. 만화는 더욱 그렇습니다. 만화는 이야기의 줄거리만을 전달하는 도구가 아니라 그 속의 정황과 등장인물의 삶이 빚어내는 감정을 정지된 화면 안에 일일이 구현해 내야 하기 때문입니다. 그림의 언어를 충분히 확보하지 못했거나 시대의 고증을 사실에 가깝게 설명해 내지 못한다면, 단 한 장면에서도 독자들에게 새로운 감동을 불러일으키지 못하겠지요.
>
> — 오세영, 『만화 토지』, 작가의 말에서

| 예시 답안 | 소설을 읽을 때 머릿속으로 상상하며 떠올리게 되는 장면들을 만화는 정지된 화면 안에 구체적으로 형상화하여 보여 주어야 하므로 만화가는 소설 속 정황과 인물의 감정을 만화의 언어로 효과적으로 구현하도록 하되 시대적 고증을 통해 사실에 기반하여 충실하게 구현해야 함을 고려하였다.

3. 만화의 다음 장면을 소설로 바꾸어 써 보고, 원작에서 이 부분을 찾아 자신이 쓴 글과 비교해 보자.

| 예시 답안 | • 소설로 바꾸어 쓴 글: 서희는 댓돌 위에 덩그러니 놓인 아버지의 신발 옆에 자신의 신발을 벗어 가지런히 놓았다. 봉순이가 사랑채 문을 조심스럽게 열어 주자 서희는 쭈뼛대다 할 수 없다는 표정으로 방 안으로 들어섰다. 서희는 살금살금 아버지 앞으로 조심스럽게 다가섰다. 방 안에는 정리되지 않은 이부자리가 펴져 있었고, 책상 앞에 앉아 책을 바라보는 아버지의 표정은 의중을 알 수 없게 어두웠다. 서희의 마음은 더욱 콩닥콩닥 뛰었다. 잠시 무거운 침묵이 흘렀다.

• 『토지』 원문: 신돌 위에 작은 신발을 나란히 벗어 놓고 서희는 마루로 올라간다. 서희의 얼굴은 해쓱해져 있었다. 봉순이 열어 주는 방문에서 서희가 방안으로 들어갔을 때 방금 일어나 마주했는지 치수는 서안(書案) 앞에 앉아 있었다. 아랫목에 깔아 놓은 이부자리는 반쯤 걷혀져 있었으며 벼룻집의 벼루랑 연적, 붓, 두루마리에 먼지가 뿌옇게 앉아 있었다. 문갑 위에 상감청자 향로와 아무렇게나 쌓아 올려놓은 서책 위에도 먼지는 뿌옇게 앉아 있었다.

원문과 비교해 보니 내가 바꾸어 쓴 글은 인물의 심리에 치중해 있었고, 원문은 인물의 심리보다는 배경 묘사에 치중해 있었다.

보충 자료 **만화의 특성**

• 만화의 기본 구성 단위인 칸, 인물의 대사를 담는 말풍선, 상황이나 인물의 처지, 배경이나 사건 등을 요약하는 줄글 등으로 이루어짐.
• 글과 그림이 합쳐진 것으로 글과 그림이 상호 보완적인 역할을 함.
• 대상을 과장하거나 생략하여 단순화함으로써 전달하고자 하는 바를 강한 인상으로 전달함.

작품 **너머로**

4. 다음은 인터넷 블로그에 연재된 소설 「개밥바라기 별」의 일부이다. 읽고, 아래 활동을 해 보자.

| 개밥바라기 별(42회) | 2008. 4. 21. |

〈전략〉

춥지, 누나……

그랬더니 그녀는 내게 한쪽 손을 내밀며 말했다.

그래, 좀 녹여 줄래?

나는 누나의 손을 잡아 내 점퍼 주머니에 함께 넣었다. 그런데 새삼스럽게 몸이 떨려 왔다. 추워서 그런 게 아니라, 나는 어쩐지 이 어둠 속에 그녀와 함께 있다는 것이며 손을 잡고 살을 맞붙이고 있다는 사실 때문에 더욱 떨렸을 것이다.

어떤 연극에서 두 배우가 서로 전혀 다른 대사를 하는 거야. 끝까지 말이 통하지 않는 다른 대사를 해. 그런데 한참 듣고 있다 보면 그들은 서로 대화하구 있어. 그리고 관객들만 모르지 자기들끼리는 알아듣고 있었던 거야. 그런 연극 재미있겠지?

내가 긴장에서 벗어나려고 얘기를 했더니 로사 누나는 정직하게 말했다.

그거 전위극 아냐? 베케트나 이오네스코 같은……

아니, 말하자면 옛날처럼 하인을 가운데 두고 발을 치고 두 남녀가 '무엇 무엇이라고 여쭈어라' 하는 식으로 마음을 전하는 것도 재미있을 테고.

누나가 그제사 좀 알아들었다.

중간에 애틋한 감정들은 다 빠져버릴 텐데.

그러니까 옛날 사람들이 정을 표현하는 방식이 의젓하지. 인디언과 기병대가 협상한 내용을 보면 추장님 쪽이 훨씬 근사하다. 중간중간 빠지니까. 빠진 데는 더 풍부한 상상으로 채워진대.

이제 그녀는 완전히 알아듣고 웃었다.

으응, 문법 무시된 그런 거로구나. 하지만 어머니하구 사랑방 손님은 답답하잖아.

▶ 다음 회(43회) 보러 가기 ▶ 지난 회(41회) 보러 가기 ▶ 1회부터 다시 보기
태그: #개밥바라기 별
댓글 41개 | 엮인 글 | 공감하기

↳ 서쪽 하늘: 두 사람은 서로 다른 이야기를 하네요. 그런데 나중에 보면 서로 대화를 나누고 있는 게 신기해요.

↳ 작은 별: 잘 읽었습니다. 그런데 '어머니하구 사랑방 손님은 답답하잖아.' 부분이 이해가 안 되네요. 이 부분 설명해 주실 분 안 계신가요?

↳ 소설 사랑: 저도 사춘기 때 비슷한 경험을 했던 것이 떠오르네요. 두 사람이 앞으로 잘 지낼 수 있으면 좋겠네요.

🔖 작품 연구 황석영, 「개밥바라기 별」

• **갈래**: 장편 소설, 성장 소설, 인터넷 연재소설
• **성격**: 사실적, 자전적, 회고적, 독백적
• **배경**: 1950~1960년대
• **제재**: 사춘기의 소년들
• **주제**: 사춘기 소년의 방황과 성숙
• **특징**: ① 회상을 통해 사건을 나열하는 방식으로 서술함.
   ② 작가의 젊은 시절의 방황을 그린 성장 소설로, 자전적 성격을 가짐.
   ③ 상징적인 소재를 통해 젊은이들의 방황과 희망을 드러냄.
   ④ 블로그에 연재하던 인터넷 소설로, 작가와 독자, 독자와 독자가 상호 작용하는 쌍방향적 의사소통이 이루어짐.

(1) 다음은 위 작품의 작가가 연재를 마친 후 블로그에 올린 글의 일부이다. 이 글을 읽고 인터넷상의 공간에서 이루어지는 문학의 소통이 작가와 독자에게 각각 어떤 영향을 끼칠 수 있는지 말해 보자.

'광장'은 '방'이 없다면 그 개념이 성립되지 못합니다. 방은 내밀한 곳이며, 개인적인 일상의 공간입니다. 그가 소통하기 위하여 나오는 곳이 광장이지요. 광장이 없다면 방은 자폐되고 말겠지요. 그야말로 모닥불과 장작의 인과 관계와 같습니다. 묘하게도 이 툭 터진 광장에 모여든 방들은 저마다 내밀한 자신의 언어를 간직하고 있습니다. 그리하여 소통이 시작됩니다. 이들의 짤막한 문자는 때로는 시처럼 때로는 암호처럼 왕래하지만, 소통이 진행되는 동안 이해의 따뜻한 공감대가 형성됩니다. 광장에서의 공감대가 이루어지면 방과 방으로의 방문이 연결됩니다. 그렇게 해서 끈끈한 연대의 그물망이 형성되는 것이지요. [중략]

저는 이번 작품을 쓰는 도중에 얼굴도 이름도 모르는 무수한 광장의 벗들과 글 쓰고 대화하면서 '동시대의 글쓰기'에 대하여 오랜만에 신명을 느꼈습니다. 글 쓰고 댓글 다는 '폐인'이 된 거예요. 나는 청소년들과 시민들이 책 읽고 — 소통의 내용을 채우기 위해서는 알아야 하니까 — 공부하며 다른 이들과 생각을 나누고 하는 과정이야말로 책을 쓰는 이에게 얼마나 많은 상상력과 충고가 되는지 경험했지요. 서로 주고받는 것입니다. 글쓰기란 최종적으로 세상과 대화하기 위한 행위니까요.

– 황석영, 「개밥바라기 별」에서

| 예시 답안 | 블로그 연재소설의 발생으로 작가와 독자가 직접 의견을 주고받으며 창작하는 새로운 문학의 창작과 소통 방식의 시대가 열리게 되었다. 즉 문학의 생산과 수용이 분리된 것이 아니라 하나로 연결되고 통합되면서 독자는 작가의 권위에 복속되지 않을 수 있고, 작가는 독자들의 의견, 다양하고 풍부한 경험 등을 창작의 소재이자 활력소로 제공받을 수 있게 된다. 창작자와 수용자가 상호 소통하면서 서로 공감대를 형성하게 된 것이다.

(2) 위의 블로그에서 「개밥바라기 별」(42회)에 독자들이 쓴 댓글을 참고하여, 자기 생각을 담은 댓글을 달아 보자.

| 예시 답안 | • 두 사람의 사랑이 더 아름답게 활짝 꽃필 수 있으면 좋겠어요. 두 사람의 미래는 어떻게 전개하실 건가요?
• 다음 이야기도 너무 궁금합니다. 작가님, 빠른 전개 부탁드려요.

(3) 1인 라디오 방송(팟캐스트), 누리 소통망(SNS), 인터넷 책 카페 등을 통해 문학 작품이 전자 매체로 향유되고 있는 양상을 조사하여 발표해 보자.

| 예시 답안 | • 1인 라디오 방송(팟캐스트): 작가 혹은 전문 성우, 연예인, 일반인 등 다양한 사람들이 작품을 낭독해 주는 방송이 늘어나고 있다. 또한 작가가 직접 자신의 작품을 낭독한 후, 그 작품에 대한 설명을 해 주기도 하며, 방송국 게시판에 올라온 질문에 답변해 주기도 한다.
• 누리 소통망(SNS): 글자 수의 한계가 있는 매체의 성격에 맞게 짧은 단문의 시들을 창작하여 올리는 시인들이 늘고 있다. 또한 다양한 연령, 계층의 사람들이 직접 자신의 시, 소설 등의 창작물을 웹사이트를 연동하여 소개하고 있기도 하다.

보충 자료 소설 「토지」 전체 줄거리

⟨제1부⟩ 구한말인 1897년 무렵, 경상도 하동 평사리에는 만석꾼 최 참판 댁을 중심으로 농민들인 마을 사람들이 함께 살아가고 있다. 최씨가의 유일한 혈육인 서희는 무서운 아버지인 최치수와 엄격하면서도 자애로운 할머니 밑에서 자라난다.

구천이는 최 참판 댁의 윤 씨 부인이 후에 동학당 접주가 되어 사형당하는 김개주로 인해 낳게 된 아들 '환'이다. 환은 출생의 비밀을 감추고 몸을 숨기기 위해 최 참판 댁으로 들어왔으나 아버지가 다른 형인 최치수의 아내인 별당 아씨와의 사랑으로 괴로워하다가 함께 지리산으로 도망친다. 최치수는 조준구가 구해 준 총으로 구천과 별당 아씨를 찾기 위해 지리산을 헤매고, 별당 아씨는 환의 품에서 숨을 거둔다.

한편 귀녀는 최 참판 댁의 아이를 가지기 위해 최치수에게 접근했다가 실패한다. 귀녀는 최치수가 아이를 갖지 못하는 사람인지 모르고 김평산으로 하여금 최치수를 살해하게 한 다음, 최치수의 아이를 가진 것처럼 꾸며 최씨 집안의 대를 이으려 하지만 이를 알아챈 윤 씨 부인에게 자백하고 만다.

최 참판 댁의 소작인 용이는 무당의 딸인 월선과 사랑을 이루지 못하고 부모님이 점지해 준 강청댁과 혼인한다. 월선은 보부상에게 시집을 가지만 얼마 살지 못하고 하동 읍내로 다시 돌아와 윤 씨 부인의 도움으로 주막을 연다.

최 참판 댁에 조준구가 부인 홍씨와 아들 병수를 데리고 찾아와 서희의 재산을 노린다. 그러던 중 마을을 휩쓴 전염병으로 윤 씨 부인과 김 서방, 봉순네 등이 죽자 조준구는 최 참판 댁을 차지하고 세력을 휘두른다. 이에 서희는 집안을 지키기 위해 조준구 일가와 맞서지만 힘에 겹다. 그러다 조준구의 행패에 불만이 쌓인 마을 사람들이 마침내 최 참판 댁으로 들이닥쳐 재물을 탈취하고 조준구를 찾아 죽이려 하지만 찾지 못한다. 서희는 토지 문서를 찾아내어 힘을 회복하지만 더 이상 고향에서 살 수 없게 되자 할머니 윤 씨 부인이 남겨 준 재물을 지니고 간도로 떠난다.

〈제2부〉 간도에 정착한 서희는 평사리의 집과 땅을 되찾으려는 일념하에 윤 씨 부인이 남긴 재물을 자본으로 재물을 모으는 데 성공하지만 이를 위해 친일도 마다하지 않는다. 그녀는 이동진의 아들 상현을 사모하지만, 자존심 때문에 이미 결혼한 상현과의 사랑을 포기하고 길상과 결혼하여 두 아들을 얻는다.

길상은 가문에 대한 서희의 무서운 집념과 완전히 허물 수 없었던 신분의 벽 때문에 고독을 느끼던 차에 환의 출현으로 그와 함께 독립운동에 투신한다. 서희와 길상의 결혼으로 충격을 받은 상현은 서울로 돌아와 스스로의 무력감 때문에 정신적 방황을 계속한다. 한편 기생이 된 봉순은 기화라고 이름을 바꾸고 천부적인 미모와 소리로 유명해진다.

강청댁이 호열자로 죽은 뒤 자신의 아이를 낳은 임이네와 혼인한 용이는 월선, 임이네와 용정에 도착한 뒤, 월선과 함께 잠시 국밥집을 하지만 임이네의 돈에 대한 욕심에 힘들어 하고, 결국 임이네와 함께 청인의 소작인이 되어 농사를 지으며 겨울에는 벌목꾼으로 일한다. 월선은 암으로 한 많은 일생을 마친다.

서희는 광산에 투자하여 큰 실패를 본 조준구로부터 빼앗긴 재산과 토지 문서를 되찾는다. 그녀는 독립운동을 위해 환과 함께 떠나 버린 길상과 헤어져 귀향길에 오른다.

〈제3부〉 귀향 후 서희는 조준구로부터 본가를 되찾아 복수를 달성하지만 무력감에 시달린다. 용이는 평사리 서희의 본가를 지키며 안정된 말년을 보낸다. 길상이 계명회 사건에 연루되어 복역하자 서희는 길상의 뒷바라지에 힘쓴다. 상현은 3·1 운동의 실패로 방황하고, 기화(봉순)는 상현을 사랑하나 그에게서 끝내 버림받고 상현의 딸 양현을 낳는다. 아버지 이동진의 죽음 등 여러 가지 문제로 갈등을 겪던 상현은 다시는 돌아오지 않을 각오로 중국행을 감행한다. 홀로 양현을 키우던 기화는 아편쟁이가 되고, 서희의 도움으로 치료를 받지만, 상현과의 관계에 대한 죄책감으로 서희의 곁을 떠났다가 다시 평사리로 돌아온다. 그러나 기화는 과거 조준구에 의해 총살당한 정한조의 아들 정석이 자신을 연모하다 오해를 사 직장인 학교에서 쫓겨나고 가정 파탄이 일자 그것이 자기 탓이라 생각하고 섬진강에 몸을 던진다. 이에 상현은 긴 방황을 청산하고 소설을 써, 그 고료를 양현을 위해 써 줄 것을 부탁하는 편지를 자신을 사모하던 명희에게 보낸다. 사랑

없는 결혼을 하고 아이가 없던 명희는 양현을 양딸로 데려가길 원하지만 서희는 이를 거부하고 진정한 사랑으로 양현을 키운다.

〈제4부〉 환이 죽고 길상이 수감된다. 서희의 두 아들인 환국과 윤국은 3·1 운동 후 학생 운동이 연이어 일어나는 가운데, 자신들의 풍족한 처지와 현실 사이의 괴리감으로 인해 방황과 고민이 깊어 간다. 이에 윤국은 가두시위에 참가하여 감옥살이를 하고 무기정학 처분을 받는다. 서희는 아들들을 대견스럽게 생각하면서도, 집안의 재산을 부담스러워하는 그들을 보며 공허감이 더욱 커져만 간다.

친일 귀족 조용하는 조강지처를 버리고 명희와 결혼하지만 명희와 동생 조찬하와의 불륜을 이유로 이혼을 선언한다. 명희는 순순히 이혼에 응하겠다며 자진해서 떠난다.

명희와 이루어지지 못한 조찬하는 일본 여인과 결혼하고, 일본에서 오가다란 일본인과 사귄다. 오가다는 명희의 제자 인실 을 마음에 두고 사모하지만 인실은 오가다가 일본인이라는 이유로 받아들이지 않는다. 인실은 오가다와 조국 사이에서 방황하다 오가다의 아이를 갖지만, 아이를 찬하에게 맡기고 독립운동을 위해 떠난다.

〈제5부〉 제2차 세계 대전이 길어지자 일본은 곤란해진다. 백정의 신분으로 의병 운동을 하다 호열자로 죽은 아버지 관수의 유해를 모시고 진주를 찾은 영광은, 어머니 기화를 생각하며 그 강에 꽃을 던지는 양현을 보게 되고 서로 사랑에 빠지지만 백정의 아들이라는 자신의 신분에 대한 열등감으로 만주로 도피한다. 서희는 양현을 둘째 아들 윤국의 배필로 삼으려 하나 양현이 거부하고, 이에 마음이 상한 윤국은 학병에 끌려가 소식이 없다. 의전을 졸업하고 인천에 취직한 양현은, 점차 정세가 불안정해짐에 따라 서희에게 이끌려 다시 귀향한다. 가산을 탕진하고 꼽추 아들 병수에게 얹혀사는 조준구는, 중풍에 걸려 누워 지내면서도 갖은 행악을 부리다 죽는다.

계명회 사건 이후 출옥한 길상은 도솔암에서 관음보살의 탱화 제작을 결심하고, 이를 완성한다. 만주에서 인실을 우연히 본 조찬하는 인실에게 오가다 소식을 전해 주고, 오가다에게는 인실이 낳은 오가다의 아이 쇼지에 대한 소식을 전해 준다. 인실은 결국 오가다와 상봉하고 그들은 후일을 기약한다.

일본 히로시마에 폭탄이 떨어진 상황에서 서희는 길상이 사상범 예비 검거령에 의해 옥살이를 하고 있는 서울로 식구 모두 올라갈 것을 결심한다. 상심해 있는 서희를 위해 장에 가던 양현은 일본 천황이 항복했다는 소식을 듣는다.

2 문학의 소통

[1] 문학 작품의 구조와 맥락

01 **산도화** 내용과 ❶□□이 긴밀하게 연관되어 이루어짐을 이해하고, 다양한 맥락에서 작품을 수용할 수 있음을 확인하였다.

02 **흥보가** 판소리의 내용과 형식 사이에 어떠한 관계가 있는지 이해하고, 문학사적 ❷□□에서 작품을 수용할 수 있음을 배웠다.

03 **소설가 구보 씨의 일일** 작품을 둘러싼 ❸□□·문화적 맥락을 이해하고 상호 텍스트적 맥락에서 작품을 심도 있게 수용할 수 있음을 배웠다.

> 문학 작품의 내용과 형식이 맺고 있는 연관성을 이해하고, 다양한 맥락을 고려하여 문학 작품을 수용할 수 있는가?

|정답| ❶ 형식 ❷ 맥락 ❸ 사회

[2] 문학 작품의 수용과 생산

01 **즐거운 편지** 독자가 자신의 ❶□□□과 주체적인 ❷□□에 따라 공감적, 비판적, 창의적으로 문학 작품을 수용할 수 있음을 확인하였다.

02 **로디지아발 기차** 독자가 문학 작품을 비판적, 창의적으로 수용하되 보편적인 가치관을 바탕으로 소통할 수 있어야 함을 확인하였다.

03 **허생전** 문학 작품이 ❸□□적으로 재구성될 수 있음을 이해하고, 창의적인 생산을 위해서는 자신의 시각과 방법이 있어야 함을 배웠다.

> 문학 작품을 공감적, 비판적, 창의적으로 수용하고 소통할 수 있으며, 내용, 표현, 형식, 갈래, 맥락, 매체 등을 바꾸어 문학 작품을 재구성하거나 창작할 수 있는가?

|정답| ❶ 가치관 ❷ 관점 ❸ 창의

[3] 문학의 확장

01 **남한산성** 문학과 ❶□□ 분야의 영향 관계를 이해하고, 매체의 특성이 창작 방식에 미치는 영향에 대해 확인하였다.

02 **총, 꽃, 시** 문학은 인간 문제에 관한 사유를 표현하므로 인류 문화를 둘러싸고 있는 ❷□□, 사회, 예술 등의 여러 분야와 밀접한 관련이 있음을 확인하였다.

03 **토지** 문학 작품이 다양한 ❸□□로 재구성될 수 있음을 이해하고, 매체의 변화에 따라 독자의 심미적 체험이 어떻게 달라지는지 확인하였다. 또한 매체적 특징이 문학 작품을 표현하는 방식에도 차이점을 만든다는 것을 알게 되었다.

> 문학이 인문, 사회, 예술 등 인접 분야와 밀접한 관계를 맺고 있음을 이해하고, 매체의 특성에 따른 창의적 표현 방식을 고려하여 문학 작품을 수용할 수 있는가?

|정답| ❶ 인접 ❷ 인문 ❸ 매체

핵심 질문 되돌아보기

- 문학 작품은 내적으로는 내용과 형식 이 긴밀하게 결합된 유기적 구조를 지니고 있으며, 외적으로는 작가적 맥락, 사회·문화적 맥락, 상호 텍스트적 맥락 등 다양한 맥락과 연계되어 있다.
- 문학 작품은 독자의 가치관과 주체적인 관점에 따라 공감적·비판적·창의적 으로 수용하여 작품 속에 담긴 미적 가치를 능동적으로 향유하여야 한다.
- 문학은 인간 문제에 관한 사유를 담고 있으므로 인문, 사회, 예술 등의 분야와 밀접한 관련을 맺고 있으며, 매체에 따라 작가와 독자 간의 소통 방식이 달라진다.

창의·융합

김종삼의 시 「묵화」와 가장 잘 어울리는 '환상의 짝꿍'을 찾아 주려고 합니다. 가장 잘 어울리는 짝꿍을 선정해 주세요.

영화 ①

이충렬, 「워낭 소리」

평생 땅을 지키며 살아온 팔순의 농부 최 노인에게는 30년을 함께해 온 마흔 살의 소 한 마리가 있다. 평생을 동고동락하며 살아온 노인과 소는 이제 영원한 이별의 시간을 앞두고 있는데……

말을 하지 않아도 자신과 평생을 함께해 온 소를 바라보는 할아버지의 그윽한 눈길 속에는 따뜻한 연민의 정이 흐르고 있으므로 영화 「워낭 소리」야말로 「묵화」와 가장 잘 어울리는 환상의 짝꿍!

작품 연구 이충렬, 「워낭 소리」

• 해제: 소로 농사를 짓는 시골 할아버지를 소재로 한 다큐멘터리 영화. 평생을 땅과 함께 살아간 농부인 노인과, 그 노인과 함께 30년을 함께한 마흔 살 소와의 마지막 1년을 담담하게 그리고 있다. 실제 농부와 그가 키우는 소를 주인공으로 하였다.

음반 ②

루시드 폴, 「고등어」

[전략]

나를 고를 때면 내 눈을 바라봐 줘요. / 나는 눈을 감는 법도 몰라요. / 가난한 그대 날 골라 줘서 고마워요. / 수고했어요 오늘 이 하루도. / 나를 고를 때면 내 눈을 바라봐 줘요. / 나는 눈을 감는 법도 몰라요. / 가난한 그대 날 골라 줘서 고마워요. / 수고했어요 오늘 이 하루도. / 수고했어요 오늘 이 하루도.

비록 대단한 보상은 아니지만 오늘 하루도 수고한 당신에게 건네는 따뜻한 위로가 있으니, 가요 「고등어」는 「묵화」와 잘 어울리는 환상의 짝꿍!

작품 연구 루시드 폴, 「고등어」

• 갈래: 대중가요
• 제재: 고등어
• 주제: 고된 서민의 하루에 대한 고등어의 격려
• 특징: 고등어를 화자로 설정하여 세상과 사람들을 향한 온기 어린 시선을 드러내고 있음.

명화 ③

고흐, 「첫걸음」

이 그림은 밀레의 그림을 모사해 고흐가 다시 그린 것으로, 힘든 농사일을 마치고 돌아온 농부가 첫걸음을 떼는 딸아이를 보고 반가워하는 모습을 그렸다.

아빠를 반기는 어린아이만큼 큰 위로가 어디 있을까? 그래서 고흐의 그림 「첫걸음」은 「묵화」와 환상의 짝꿍!

작품 연구 고흐, 「첫걸음」

• 해제: 1890년 작품. 밀레의 동명의 그림을 모사하여 다시 그린 것이다. 첫걸음을 떼는 아이와 부모의 모습을 그린 것으로, 조카를 임신한 동생 부부에게 선물하였다. 행복한 가족의 일상 모습을 통해, 동생 가족의 행복을 바라는 마음과, 농촌과 가족의 따뜻함을 동경하였던 고흐의 소망이 드러나 있다.

1. 여러분이 뽑은 '환상의 짝꿍'은 무엇인가요? 그 까닭을 말해 보세요.

| 예시 답안 | 가난한 소시민들의 밥상에 올라가는 고등어를 화자로 설정하여 세상과 사람들에게 온기 어린 시선을 보내고 있는 작품이라는 점에서 「묵화」를 읽고 난 후처럼 위안을 받았다. 고등어가 보아 달라는 눈이 「묵화」의 소가 가졌을 법한 맑고 순한 눈망울일 것 같다. 두 작품은 각각 매체에 따른 미적 특성이 다르지만 비슷한 주제와 분위기를 가지고 있어 선정하였다.

2. 여러분도 「묵화」와 '환상의 짝꿍'이 될 만한 후보를 추천해 보세요.

| 예시 답안 | 이환경, 「각설탕」. 한 소녀와 어린 시절부터 함께한 말(천둥이)과의 우정을 그린 영화이다. 천둥이를 사랑하고 아끼는 시은의 모습이, 힘든 하루를 함께해 준 소를 가족이자 친구로 생각하는 「묵화」의 할머니를 생각나게 하므로 「각설탕」을 '환상의 짝꿍' 후보로 추천한다.

대단원 시험 예상 문제

[01~04] 다음 시를 읽고, 물음에 답하시오.

가 산은 / 구강산(九江山)
　　보랏빛 석산(石山)

　　산도화 / 두어 송이
　　송이 버는데

　　봄눈 녹아 흐르는
　　옥 같은 / 물에

　　사슴은 / 암사슴
　　발을 씻는다.

나 　　　　　　　山
　　　　　　절망의산,
　　　　　　대가리를밀어버
　　　　린, 민둥산, 벌거숭이산
　　　　분노의산, 사랑의산, 침묵의
　　　산, 함성의산, 증인의산, 죽음의산,
　　　부활의산, 영생하는산, 생의산, 회생의
　　　산, 숨가쁜산, 치밀어오르는산, 갈망하는
　　　산, 꿈꾸는산, 꿈의산, 그러나 현실의산, 피의산,
　　피투성이산, 종교적인산, 아아너무나너무나 폭발적인
　　산, 힘든산, 힘센산, 일어나는산, 눈뜬산, 눈뜨는산, 새벽
　의산, 희망의산, 모두모두절정을이루는평등의산, 평등한산, 대
지의산, 우리를감싸주는, 격하게, 넉넉하게, 우리를감싸주는어머니

01 **가**와 **나**의 공통점으로 적절한 것은?

① 유사한 시어의 반복을 통해 의미를 강조하고 있다.
② 점층적인 시행 배열을 통해 시각적인 효과를 주고 있다.
③ 시어의 절제된 표현을 통해 정제된 압축미를 드러내고 있다.
④ 계절감이 드러나는 시어를 통해 주제 의식을 부각하고 있다.
⑤ 공감각적인 심상을 통해 화자의 정서를 효과적으로 드러내고 있다.

학습 활동 응용

02 **가**에 대한 설명으로 적절하지 <u>않은</u> 것은?

① 시적 공간의 탈속성이 시상 형성에 기여하고 있다.
② 시각적인 이미지를 통해 회화적인 느낌을 주고 있다.
③ 음성 상징어를 활용하여 화자의 상황을 구체화하고 있다.
④ 원경에서 근경으로 시선을 이동하며 시상을 전개하고 있다.
⑤ 각 연마다 동일한 수의 시행을 배열하여 규칙성을 부여하고 있다.

수능형

03 〈보기〉를 참고하여 **나**를 감상한 내용으로 적절하지 <u>않은</u> 것은?

| 보기 |

나는 현대사의 질곡 속에서 비극적인 역사의 현장이었던 무등산을 소재로 쓴 시이다. 시행을 산의 모양으로 배열함으로써 독특한 시각적 효과를 주고 있다. 앞부분에서는 역사적 질곡으로 인한 절망감과 분노의 정서가 드러나지만 시상이 전개되면서 민중적인 생명력과 포용력으로 상처 입은 자들을 감싸 안고 치유해 주는 산의 모습이 제시된다. 이 시는 상투화된 서정시의 오랜 경직성에서 벗어나 새로운 형식성을 실험한 작품으로 평가받고 있다.

① '절망의산', '분노의산'이 비극적인 역사의 현장과 관련된 것이겠군.
② '넉넉하게'는 '무등'이 지닌 민중적인 포용력을 함축하는 시어라고 할 수 있겠군.
③ 산 모양의 형태성을 갖도록 시행을 배열한 것은 작품의 내용과 밀접한 관련이 있겠군.
④ 전통적인 연과 행의 배열 형식에서 벗어난 것은 새로운 형식성을 실험한 것으로 볼 수 있겠군.
⑤ '부활의 산', '영생하는산', '회생의산'은 '종교적인산'으로 이어지면서 종교적인 신성성을 드러내는 것이겠군.

서술형

04 〈보기〉의 ㉠에 해당하는 시어를 **가**에서 찾아 쓰시오.

| 보기 |

가의 시는 보랏빛 석산과 산도화 두어 점의 담담한 풍경이 동양화적인 정취를 풍긴다. 이러한 풍경 속에 봄눈이 녹아 옥같이 맑은 물이 흐르고, 그 차고 담담함 속에 생동하는 ㉠ 생명의 자태를 형상화함으로써 독특한 미학적 공간이 창출되고 있다.

[05~07] 다음 글을 읽고, 물음에 답하시오.

㉮ [진양조]

"시르렁 실근, 톱질이야. 어여루, 톱질이로구나. 몹쓸 놈의 팔자로구나. 원수놈의 가난이로구나. 어떤 사람 팔자 좋아 일대 영화 부귀헌데, 이놈의 팔자는 어이하여 박을 타서 먹고 사느냐. 에여루, 당거 주소. ㉠이 박을 타거들랑 아무것도 나오지를 말고, 밥 한 통만 나오너라. 평생에 밥이 포한이로구나. 시르렁 시르렁, 당거 주소, 톱질이야. 으흐어어어 시르렁 실근, 당거 주소, 톱질이야. 여보소, 마누라. 톱 소리를 맞어 주소." "톱 소리를 내가 맞자 해도 배가 고파서 못 맞겠소." "배가 정 고프거든 허리띠를 졸라매고, 어여루, 당거 주소. 시르르르르르르르 시르르르르르르렁 시르렁 시르렁 실근 시르렁 실근 당그여라, 톱질이야. 큰자식은 저리 가고, 작은 자식은 이리 오너라. 우리가 이 박을 타서 박속일랑 끓여 먹고, 바가지는 부잣집에 가 팔아다가 목숨 보명허여 볼거나. 에여루, 톱질이로구나."

㉯ [휘모리]

"실근 실근, 당기어라. 시르렁 실근, 톱질이야. 실근 실근 실근 실근 실근 실근 실근 실근 실근 실근 실근 실건 뚝딱."

㉰ [아니리]

박을 딱 타 노니, 박속이 텡 비었거던. 흥보 기가 막혀, "㉡허, 복 없는 놈은 계란에도 유골이라더니, 어떤 놈이 박속은 쏵 긁어다 먹고, 아 여, 남의 조상궤 훔쳐다 넣어 놨구나, 여." 흥보 마누라 보더니, "아이고, 영감. 궤 뚜껑 위에가 뭔 글씨가 쓰여 있소, 예." 흥보 보더니, "음? '박흥보 씨 개탁'이라. 날 보고 열어보라는 말인디." "아, 그러면 한번 열어 보시오." "열어 봤다가 좋은 것이 들었으면 몰라도, 만일 궂은 것이 들었으면 어쩔 것인가?" "영감, 우리가 시방 이 팔자보다 더 궂게야 되겠소? 근개 그냥 한번 열어 버리시오." "그러면 열어 볼까?" 흥보가 한 궤를 가만히 열고 보니, 아, 쌀이 하나 수북이 들고, 또 한 궤를 딱 열고 본깨, 거기는 그냥 돈이 하나 가득 들었는데, 궤 뚜껑 속에다가, 쌀은 평생을 두고 퍼내 먹어도 줄지 않는 '취지무궁지미'라 썼으며, 또 돈궤에도, 이 돈은 평생을 두고 꺼내서 써도 줄지 않는 '용지불갈지전'이라 하였거늘, 흥보가 좋아라고 궤 두 짝을 떨어 붓기 시작을 하는데,

05 〈보기〉를 참고할 때, ㉮~㉰에 대한 이해로 적절하지 않은 것은?

| 보기 |

판소리 사설은 '창'과 '아니리'가 연속적으로 교체되며 이야기의 긴장과 이완을 반복한다. '창'은 심화된 정서와 의미를 다양한 음률에 실어 노래하는 운문으로, 대개 청중의 정서적 몰입을 유발한다. 창에는 가장 느린 진양조부터 가장 빠른 휘모리까지 다양한 장단(長短)이 있어 내용 전개나 정서적 변화에 조응한다.

한편 대체로 평범한 일상어로 구성되는 산문인 '아니리'는 주로 사건의 전개를 요약적으로 서술하고 장면의 상황 설정을 제시하는 기능을 하는데, 한동안 지속되던 청중의 긴장을 완화시키고 창자가 호흡을 조정하면서 다음 창을 준비할 수 있게 해 준다.

① ㉮에는 박을 타서 배고픔이라도 면하기를 바라는 인물의 간절한 정서가 담겨 있다고 볼 수 있겠군.
② ㉯에서는 서로의 처지를 안타까워하는 연민의 정서가 슬픈 가락과 조응을 이루었다고 볼 수 있겠군.
③ ㉮에서 ㉯로 이어지면서 갑자기 음률이 크게 바뀌어 대비되는 효과가 발생한다고 볼 수 있겠군.
④ ㉮에서 ㉯로 이어지면서 고조된 긴장감이 ㉰에 이르러 이완되는 효과가 나타난다고 볼 수 있겠군.
⑤ ㉰는 대화 형식을 활용하여 이야기를 전개하고 사건의 전개를 요약적으로 서술하고 있다고 볼 수 있겠군.

06 ㉮~㉰의 내용과 일치하지 않는 것은?

① 흥보 마누라는 허기에 지쳐 박을 타는 것도 힘들어하고 있다.
② 흥보는 다른 사람과 비교하며 자신의 가난한 처지를 한탄하고 있다.
③ 흥보는 비어 있는 궤짝을 보고 누가 박속을 가로챈 것이라고 생각하고 있다.
④ 흥보는 박을 타서 당장의 허기도 면하고 푼돈이라도 벌 수 있을 것이라는 기대를 하고 있다.
⑤ 흥보 마누라는 어떠한 상황이 오더라도 현재의 상황보다 더 악화될 것이 없을 것이라고 생각하고 있다.

07 ㉠과 ㉡을 바탕으로 흥보의 심리 변화를 서술하시오.

[08~11] 다음 글을 읽고, 물음에 답하시오.

구보는 고독을 느끼고, 사람들 있는 곳으로, 약동하는 무리들이 있는 곳으로, 가고 싶다 생각한다. 그는 눈앞에 경성역을 본다. 그곳에는 마땅히 인생이 있을 게다. 이 낡은 서울의 호흡과 또 감정이 있을 게다. 도회의 소설가는 모름지기 이 도회의 항구와 친해야 한다. 그러나 물론 그러한 직업의식은 어떻든 좋았다. 다만 구보는 고독을 삼등 대합실 군중 속에 피할 수 있으면 그만이다.

그러나 오히려 고독은 그곳에 있었다. 구보가 한옆에 끼어 앉을 수도 없게시리 사람들은 그곳에 빽빽하게 모여 있어도, 그들의 누구에게서도 인간 본래의 온정을 찾을 수는 없었다. 그네들은 거의 옆의 사람에게 한마디 말을 건네는 일도 없이, 오직 자기네들 사무에 바빴고, 그리고 간혹 말을 건네도, 그 것은 자기네가 타고 갈 열차의 시각이나 그러한 것에 지나지 않았다. 그네들의 동료가 아닌 사람에게 그네들은 변소에 다녀올 동안의 그네들 짐을 부탁하는 일조차 없었다. 남을 결코 믿지 않는 그네들의 눈은 보기에 딱하고 또 가엾었다.

[A] ┌ 구보는 한구석에 가 서서, 그의 앞에 앉아 있는 노파를 본다. 그는 뉘 집에 드난을 살다가 이제 늙고 또 쇠잔한 몸을 이끌어, 결코 넉넉하지 못한 어느 시골, 딸네 집이라도 찾아가는지 모른다. 이미 굳어 버린 그의 안면 근육은 어떠한 다행한 일에도 펴질 턱 없고, 그리고 그의 몽롱한 두 눈은 비록 그의 딸의 그지없는 효양(孝養)을 가지고도 감동시킬 수 없을지 모른다. 노파 옆에 앉은 중년의 시골 신사는 그의 시골서 조그만 백화점을 경영하고 있을 게 다. 그의 점포에는 마땅히 주단포목도 있고, 일용 잡화도 있고, 또 흔히 쓰이는 약품도 갖추어 있을 게다. 그는 이제 └ 그의 옆에 놓인 물품을 들고 자랑스러이 차에 오를 게다.

08 윗글에 대한 설명으로 적절한 것을 골라 바르게 묶은 것은?

ㄱ. 구체적인 지명을 제시하여 사실감을 부여하고 있다.
ㄴ. 잦은 쉼표의 활용을 통해 서술의 속도를 조절하고 있다.
ㄷ. 빈번한 장면의 전환을 통해 긴박한 분위기가 조성되고 있다.
ㄹ. 서술자가 관찰자의 입장에서 사건을 객관적으로 서술하고 있다.

① ㄱ, ㄴ   ② ㄱ, ㄷ   ③ ㄴ, ㄷ
④ ㄴ, ㄹ   ⑤ ㄷ, ㄹ

09 [A]에 대한 설명으로 가장 적절한 것은?

① 두 대상이 지닌 공통점 속에서 문제의식을 이끌어 내고 있다.
② 추측의 표현을 사용하여 인물이 대상에 대해 상상한 내용을 전달하고 있다.
③ 인물의 회상을 통해 과거의 사건을 현재와 연결시켜 의미를 부여하고 있다.
④ 인물이 겪고 있는 내적 갈등이 드러나도록 하여 앞으로 전개될 사건을 예고하고 있다.
⑤ 인물이 직접 관찰한 내용을 바탕으로 한 평가를 통해 대상이 지닌 부정적 속성을 드러내고 있다.

학습 활동 응용
10 '경성역'에서 관찰한 사람들에 대한 구보의 평가로 적절하지 않은 것은?

① 타인에 대한 신뢰가 없어 보이는군.
② 인간 본래의 온정이 느껴지지 않는군.
③ 개인주의로 인해 타인에게는 무관심하군.
④ 삶의 의미를 찾지 못해 무기력한 모습이군.
⑤ 군중 속에서 오히려 고독감이 더 느껴지는군.

서술형
11 〈보기〉를 참고하여 윗글의 서술상 특징을 서술하시오.

┌─ 보기 ─────────────────────────
소설에서 '인식의 주체'와 '서술의 주체'가 나누어져 있는 경우가 있는데, 이를 각각 '초점자'와 '서술자'라고 한다.
└────────────────────────────

가 사십여 세의 노동자. 전경부(前頸部)의 광범한 팽륭(澎隆). 돌출한 안구. 또 손의 경미한 진동. 분명히 '바세도우'씨 병. 그것은 누구에게든 결코 깨끗한 느낌을 주지는 못한다. 그의 좌우에는 좌석이 비어 있어도 사람들은 그곳에 앉으려 들지 않는다. 뿐만 아니라, 그에게서 두 칸 통 떨어진 곳에 있던 아이 업은 젊은 아낙네가 그의 바스켓 속에서 꺼내다 잘못하여 시멘트 바닥에 떨어뜨린 한 개의 복숭아가, 굴러 병자의 발 앞에까지 왔을 때, 여인은 그것을 쫓아와 집기를 단념하기조차 하였다.

구보는 이 조그만 사건에 문득, 흥미를 느끼고, 그리고 그의 '대학 노트'를 펴 들었다. 그러나 그가 문 옆에 기대어 섰는 캡 쓰고 린네르 쓰메에리 양복 입은 사내의, 그 온갖 사람에게 의혹을 갖는 두 눈을 발견하였을 때, 구보는 또다시 우울 속에 그곳을 떠나지 않으면 안 된다.

나 **시내에 산재한 무수한 광무소(鑛務所).** 인지대 백 원. 열람비 오 원. 수수료 십 원. 지도대 십팔 전…… 출원 등록된 광구, 조선 전토(全土)의 칠 할. **시시각각으로 사람들은 졸부가 되고, 또 몰락해 갔다.** 황금광 시대. 그들 중에는 평론가와 시인, **이러한 문인들조차 끼어 있었다.** 구보는 일찍이 창작을 위해 그의 **벗의 광산**에 가 보고 싶다 생각하였다. **사람들의 사행심,** 황금의 매력, 그러한 것들을 구보는 보고, 느끼고, 하고 싶었다. 그러나, 고도의 금광열은, 오히려, 총독부 청사, 동측 최고층, 광무과 열람실에서 볼 수 있었다……

학습 활동 응용

12 윗글과 〈보기〉의 공통점으로 가장 적절한 것은?

| 보기 |

나는 어디로 어디로 들입다 쏘다녔는지 하나도 모른다. 다만 몇 시간 후에 내가 미쓰코시 옥상에 있는 것을 깨달았을 때는 거의 대낮이었다.

나는 거기 아무 데나 주저앉아서 내 자라 온 스물여섯 해를 회고하여 보았다. 몽롱한 기억 속에서는 이렇다는 아무 제목도 불거져 나오지 않았다.

나는 또 내 자신에게 물어보았다. 너는 인생에 무슨 욕심이 있느냐고. 그러나 있다고도 없다고도, 그런 대답은 하기가 싫었다. 나는 거의 나 자신의 존재를 인식하기조차도 어려웠다.

허리를 굽혀서 나는 그저 금붕어나 들여다보고 있었다. 금붕어는 참 잘들 생겼다. 작은 놈은 작은 놈대로 큰 놈은 큰 놈대로 다 싱싱하니 보기 좋았다. 내리비치는 오월 햇살에 금붕어들은 그릇 바탕에 그림자를 내려뜨렸다. 지느러

미는 하늘하늘 손수건을 흔드는 흉내를 낸다. 나는 이 지느러미 수효를 헤아려 보기도 하면서 굽힌 허리를 좀처럼 펴지 않았다. 등어리가 따뜻하다.

나는 또 회탁의 거리를 내려다보았다. 거기서는 피곤한 생활이 똑 금붕어 지느러미처럼 흐늑흐늑 허비적거렸다. 눈에 보이지 않는 끈적끈적한 줄에 엉켜서 헤어나들을 못한다. 나는 피로와 공복 때문에 무너져 들어가는 몸뚱이를 끌고 그 회탁의 거리 속으로 섞여 들어가지 않는 수도 없다 생각하였다.

– 이상, 「날개」에서

① 공간의 이동에 따라 서술의 초점이 달라지고 있다.
② 인물 간의 대화를 중심으로 사건이 전개되고 있다.
③ 작품 밖의 전지적인 서술자가 사건을 서술하고 있다.
④ 주인공의 의식의 흐름에 따라 이야기가 전개되고 있다.
⑤ 역순행적인 구성을 통해 사건을 입체적으로 전달하고 있다.

수능형

13 〈보기〉를 바탕으로 **나**를 감상한 내용으로 적절하지 않은 것은?

| 보기 |

1930년대는 근대화와 도시화로 인해 우리 사회에 여러 변화가 일어났는데, 그중 하나가 황금광에 대한 열풍이었다. 이 작품에서는 이러한 세태가 반영되어 있으며, 주인공은 이러한 사회 현상을 비판적이고 냉소적인 시선으로 바라보고 있다.

① '시내에 산재한 무수한 광무소'는 황금광 열풍을 보여 주는 소재로 볼 수 있겠군.
② '사람들의 사행심'은 주인공이 황금광 열풍의 원인으로 포착한 것의 하나라고 볼 수 있겠군.
③ '벗의 광산'은 황금광의 열풍 속에서 주인공도 잠시나마 유혹을 느꼈던 대상이라고 볼 수 있겠군.
④ '시시각각으로 사람들은 졸부가 되고, 또 몰락해 갔다.'는 황금광 열풍이 몰고 온 사회 현상의 하나로 볼 수 있겠군.
⑤ '이러한 문인들조차 끼어 있었다.'에서 무분별하게 황금광 열풍에 휩쓸린 사람들에 대한 주인공의 냉소적인 시선을 엿볼 수 있겠군.

14 윗글에서 구보의 직업의식이 드러난 문장을 찾아 쓰시오.

[15~18] 다음 시를 읽고, 물음에 답하시오.

가

1

㉠내 그대를 생각함은 항상 그대가 앉아 있는 배경에서 ㉡해가 지고 바람이 부는 일처럼 ⓐ사소한 일일 것이나 언젠가 그대가 한없이 괴로움 속을 헤매일 때에 오랫동안 전해 오던 그 사소함으로 그대를 불러보리라.

2

진실로 진실로 내가 그대를 사랑하는 까닭은 내 ㉢나의 사랑을 한없이 잇닿은 그 기다림으로 바꾸어 버린 데 있었다. 밤이 들면서 골짜기엔 눈이 퍼붓기 시작했다. 내 사랑도 어디쯤에선 반드시 그칠 것을 믿는다. 다만 그때 내 기다림의 자세를 생각하는 것뿐이다. 그 동안에 눈이 그치고 꽃이 피어나고 낙엽이 떨어지고 또 눈이 퍼붓고 할 것을 믿는다.

나

㉣흔들리는 나뭇가지에 꽃 한번 피우려고
눈은 얼마나 많은 도전을 멈추지 않았으랴

싸그락 싸그락 두드려 보았겠지
난분분 난분분 춤추었겠지
미끄러지고 미끄러지길 수백 번,

바람 한 자락 불면 휙 날아갈 사랑을 위하여
㉤햇솜 같은 마음을 다 퍼부어 준 다음에야
마침내 피워 낸 저 황홀 보아라

봄이면 가지는 그 한 번 덴 자리에
세상에서 가장 아름다운 상처를 터뜨린다

15 가의 화자에 대한 설명으로 적절한 것은?
① 사랑의 영원성에 대한 확고한 믿음이 있다.
② 자신의 마음을 받아주지 않는 그대를 원망한다.
③ 그대가 자신의 사랑을 알아주기를 간절히 바란다.
④ 자신으로 인해 고통 속을 헤매는 그대에 대한 미안함이 있다.
⑤ 사랑을 기다림으로 승화시켜 진실한 사랑을 지키고자 한다.

16 ㉠~㉤ 중 〈보기〉의 '영수'가 공감할 만한 시구로 가장 적절한 것은?

┌─ 보기 ├─
영수: 가장 아름다운 사랑은 상처 위에서 피어나는 것이다. 사랑을 얻기 위해서는 사랑 때문에 입게 될 상처를 두려워하지 말고 적극적으로 노력해야 한다.
└────────

① ㉠　　② ㉡　　③ ㉢　　④ ㉣　　⑤ ㉤

수능형 고난도

17 〈보기〉를 참고하여 가와 나를 감상한 내용으로 적절하지 않은 것은?

┌─ 보기 ├─
사계절이 뚜렷한 우리나라에서 계절의 변화와 순환은 시인들에게 많은 영감을 주었고 시적 소재로도 널리 활용되었다. 가에서는 겨울에 눈이 퍼붓는 현상을 자신의 사랑에 빗대는가 하면, 계절의 순환 속에서 영원성을 지닌 자연의 섭리를 발견하기도 한다. 한편, 나에서는 '눈'이 쏟아내는 간절한 정성과 노력의 결실로 피어난 '꽃'의 모습을 통해 '첫사랑'의 의미를 되새기고 있다.
└────────

① 가의 '내 사랑도 어디쯤에선 반드시 그칠 것을 믿는다.'는 '눈이 그치고'와 관련된 것으로, 사랑이 결코 영원할 수 없을 것이라는 화자의 인식을 드러낸 것으로 볼 수 있겠군.
② 가의 '그 동안에 눈이 그치고 꽃이 피어나고 낙엽이 떨어지고 또 눈이 퍼붓고 할 것을 믿는다.'는 자신의 사랑이 그친 뒤에도 기다림으로 승화된 사랑이 자연의 섭리처럼 영원할 것임을 언급한 것이겠군.
③ 나의 '싸그락 싸그락', '난분분 난분분'은 봄에 '꽃'을 피우기 위해 '눈'이 쏟아내고 있는 정성을 감각적으로 표현한 것이겠군.
④ 나의 '마침내 피워 낸 저 황홀'은 '미끄러지고 미끄러지길 수백 번' 하면서도 멈추지 않았던 '눈'의 '도전'이 만들어 낸 결실로 볼 수 있겠군.
⑤ 가의 '눈이 퍼붓기 시작'한 '골짜기'와 나의 '한 번 덴 자리'에 난 '상처'는 혹독했던 겨울이 남긴 흔적으로, 화자가 '봄'의 도래를 더욱 간절한 것으로 느끼게 된 이유로 볼 수 있겠군.

서술형

18 ⓐ를 반어적 표현으로 본다면, 그 이유가 무엇인지 간략하게 서술하시오.

[19~22] 다음 글을 읽고, 물음에 답하시오.

"자, 이걸 보시라."

그가 사자상을 흔들며 말했다.

"일 실링 육 펜스에 샀어."

"뭐라고요?"

그녀가 어이가 없는 듯 말했다.

"장난삼아 마지막으로 값을 흥정했지. 그랬더니 기차가 막 떠나려고 할 때 그 노인이 기차를 따라오며 일 실링 육 펜스에 가져가라고 하더군." [중략]

"왜 처음부터 사지 않고 그렇게 뜸을 들였죠? 왜 기차가 떠날 때까지 기다렸다 샀난 말이에요. 그것도 일 실링 육 펜스에 말이죠."

여자는 사자상을 남편에게 떠다밀었다.

"이거 당신이 갖고 싶어 했던 것 아니야? 무척 맘에 들어 했잖아."

"물론이에요. 그렇지만 이건 아주 훌륭한 조각품이라고요."

여자는 마치 조각품을 보호하려는 것처럼 맹렬하게 말했다.

"당신이 이 조각품이 아주 맘에 드는데 너무 비싸다고 혼잣말로 중얼거리는 소리를 들었다구."

"이봐요."

여자가 참을 수 없다는 듯이 격하게 말을 내뱉었다.

"당신……."

여자는 사자상을 바닥에 내동댕이쳐 버렸다.

남편은 망연자실 여자를 바라보고 서 있을 뿐이었다.

[A] ⸢ 여자는 모퉁이에 앉아 두 손으로 얼굴을 감싸 쥔 채 창밖을 무표정하게 응시했다. 갖가지 생각들이 그녀의 머릿속에서 교차하는 것 같았다. ㉠ 일 실링 육 펜스라! 나뭇조각과 다리의 근육과 채찍 같은 꼬리를 사는 데 일 실링 육 펜스라! 그렇게 늠름하게 벌려져 있는 입과 파도처럼 말려 있는 검은 혀에 그토록 정교한 목의 갈기까지 얻는 데 일 실링 육 펜스라! 분노로 인한 열기가 여자의 다리를 타고 목까지 올라와 귀에 모래를 쓸어 내는 소리를 쏟아부었 ⸤ 다. 그 소리는 한동안 계속되었다.

19 윗글에 나타난 갈등의 양상으로 가장 적절한 것은?

① 가치관의 혼란으로 인한 인물 내면의 갈등

② 사회의 구조적 문제로 인한 인물과 사회와의 갈등

③ 경제적 불평등으로 인한 집단과 집단 사이의 갈등

④ 외부 세계의 간섭으로 인한 인물 개인의 내적 갈등

⑤ 대상을 보는 관점의 차이로 인한 인물 사이의 갈등

20 〈보기〉를 참고할 때, 윗글을 비판적으로 감상한 내용으로 적절한 것은?

| 보기 |

　공정 무역은 개발 도상국 생산자의 경제적 자립과 지속 가능한 발전을 위해 생산자에게 더 유리한 무역 조건을 제공하는 무역 형태를 말한다. 공정 무역은 공정한 가격에 거래하고, 생산자를 배려하며, 환경 보호를 위해 노력하고, 여성과 아동의 인권을 지켜야 한다는 지침에 따라 이루어진다.

① 여성의 입장을 고려하지 않은 남편의 행위는 여성의 인권을 무시한 행위로 볼 수 있겠군.

② 자신의 경제적 이익을 위해 상대방을 속인 남편의 행위는 공정한 거래로 보기 어렵겠군.

③ 자신을 위한 남편의 노력을 무가치한 것으로 몰아세우는 여자의 태도는 너무 일방적이로군.

④ 원주민들의 급박한 상황을 이용해 물건값을 흥정한 남편의 행위는 공정한 거래로 보기 어렵겠군.

⑤ 생산자가 처한 상황을 배려하지 않고 자신의 의견만 내세우려고 하는 남편의 태도는 너무 고집스럽군.

21 ㉠에 대한 설명으로 적절하지 **않은** 것은?

① 역설적 표현을 통해 여자의 현실 비판 의식을 강조하고 있다.

② 여자가 예술적 가치를 알아보는 안목이 있음을 드러내고 있다.

③ 촉각과 청각의 이미지를 활용하여 여자의 분노를 드러내고 있다.

④ 비유적 표현을 통해 사자상의 모습을 생동감 있게 표현하고 있다.

⑤ 반복을 통해 조각상의 가격이 합당하지 않다는 여자의 생각을 강조하여 나타내고 있다.

서술형

22 [A]에 나타난 '여자'의 정서와 그와 같은 정서가 형성된 이유를 〈조건〉에 맞게 서술하시오.

| 조건 |

• 주어진 상황을 파악하여 언급할 것.

• '일 실링 육 펜스'를 반복한 이유와 관련지어 서술할 것.

[23-26] 다음 글을 읽고, 물음에 답하시오.

(가) 하루는 그 처가 몹시 배가 고파서 울음 섞인 소리로 말했다.

"당신은 평생 과거(科擧)를 보지 않으니, 글을 읽어 무엇합니까?" / 허생은 웃으며 대답했다.

"나는 아직 독서를 익숙히 하지 못하였소."

"그럼 장인바치 일이라도 못 하시나요?"

"장인바치 일은 본래 배우지 않은 걸 어떻게 하겠소?"

"그럼 장사는 못 하시나요?"

"장사는 밑천이 없는 걸 어떻게 하겠소?"

처는 왈칵 성을 내며 소리쳤다.

"밤낮으로 글을 읽더니 기껏 '어떻게 하겠소?' 소리만 배웠단 말씀이오? 장인바치 일도 못 한다. 장사도 못 한다면, 도둑질이라도 못 하시나요?"

허생은 읽던 책을 덮어 놓고 일어나면서,

"아깝다. 내가 당초 글 읽기로 십 년을 기약했는데, 인제 칠 년인걸……." / 하고 휙 문밖으로 나가 버렸다.

(나) "무슨 연고로? 처가에 무슨 일이 생겼는가?"

"아닙니다."

나는 외면했고 더 말하려 하지 않았다. 이번에 떠나면 다시는 이 집에 돌아오지 않을지도 몰랐으나 구구하게 변명하고 싶지 않았다.

저녁 밥상을 부엌으로 내가려는데 남편이 불렀다.

"잠시만 이리 와 앉으오. 내가 할 이야기가 있소."

남편은 말을 꺼내기가 어려운 듯 잠시 묵묵해 있었다.

"내 또다시 출유하려 하오. 그러니 당신은 이 집을 정리하여 수래벌 큰댁에 몸을 의탁해 있으시오. 이미 사촌 큰형님과 상의해 두었소."

"이 집을 정리하려 하신다면…… 아주 안 돌아오실 겁니까?"

"나도 모르오. 내 뜻이 이곳에 있지 아니하니 장담하기가 어렵소."

"그렇다면 차라리 저와 절연하시지요."

"무슨 해괴망측한 소리를 하오? 우리는 혼인한 사이인데 그걸 어찌 쉽게 깨뜨릴 수 있단 말이오. 사람에게는 신의가 중요한 것이오."

ⓐ"남자들은 저 편리한 대로 신의니 뭐니 잘도 갖다 대더군요. 우리가 혼인한 것이 약속이니 지켜야 한다고 합시다. 하지만 어찌 그 약속을 여자 홀로 지켜야 하는 것입니까? 당신이 그 약속을 저버리고 저를 돌보지 않으니 제가 약속을 지켜야 할 상대는 어디 있는 겁니까? 차라리 전 팔자를 고쳤으면 합니다."

---

23 **(가)**와 **(나)**의 공통점에 대한 설명으로 가장 적절한 것은?

① 인물이 자신의 체험을 직접 서술하고 있다.

② 대화를 통해 인물 사이의 갈등을 드러내고 있다.

③ 서술자의 시각을 통해 비판적 인식을 드러내고 있다.

④ 사건을 요약적으로 제시하여 서사를 빠르게 전개하고 있다.

⑤ 인물의 과장된 행동을 통해 비극적 분위기에 반전을 주고 있다.

24 **(가)**의 '허생의 처'에 대한 설명으로 가장 적절한 것은?

① 허생이 가장의 부양 의무를 다하길 바라고 있다.

② 허생이 앞으로 나아갈 분야를 제시해 주고 있다.

③ 허생이 장사에 뛰어난 자질을 갖고 있음을 알고 있다.

④ 허생의 인품이 고결하다는 점에 대해 존경하고 있다.

⑤ 허생이 과거에 합격할 학식을 갖추고 있음을 알고 있다.

25 ⓐ와 바꾸어 쓸 수 있는 말로 가장 적절한 것은?

① 견강부회(牽强附會)하시는군요.

② 중언부언(重言復言)하시는군요.

③ 이실직고(以實直告)하시는군요.

④ 침소봉대(針小棒大)하시는군요.

⑤ 경거망동(輕擧妄動)하시는군요.

[서술형] [학습 활동 응용]

26 **(가)**의 '처'와 **(나)**의 '처'의 태도는 어떻게 다른지 〈조건〉에 맞게 서술하시오.

┌ 조건 ┐
• 구체적인 인물의 대화를 인용할 것.
• 당대의 사회·문화적 배경을 고려하여 서술할 것.
└──────┘

⊙ 성첩에서 다시 총소리가 두어 번 터졌다. 임금이 김류에게 물었다.

"영상은 어찌 말이 없는가?"

김류가 이마를 마루에 대고 말했다.

"말을 하기에는 이판이나 예판의 자리가 편안할 것이옵니다. 신은 참람하게도 체찰사의 직을 겸하여 군부를 총괄하고 있으니 소견이 있다 한들 어찌 전과 화의 일을 아뢸 수 있겠사옵니까."

최명길이 말했다.

ⓒ "영상의 말이 한가하여 태평연월인 듯하옵니다. 전하, 적들이 성을 깨뜨리려 덤벼들면 사세는 더욱 위태로워질 것이옵니다. 전하, 늦추어야 할 일이 있고 당겨야 할 일이 있는 것이옵니다. 적의 공성을 늦추시고, 늦추시는 일을 당기옵소서. 시간을 벌기 위해서라도 우선 신들을 적진에 보내 말길을 열게 하소서. ⓒ 지금 묘당이라 해도 오활한 유자(儒者)의 찌꺼기들이옵고 비국 또한 다르지 않사옵니다. 헛된 말들은 소리가 크고 한 골로 쏠리는 법이옵니다. 중론을 묻지 마시고 오직 전하의 성단으로 결행하소서."

김상헌이 말했다.

"명길의 몸에 군은이 깊어서 그 품계가 당상인데, 어가를 추운 산속에 모셔놓고 어찌 임금에게 성단, 두 글자를 들이미는 것이옵니까. 화친은 불가하옵니다. 적들이 여기까지 소풍을 나온 것이겠습니까. 크게 한번 싸우는 기세를 보이지 않고 화 자를 먼저 꺼내 보이면 적들은 우리를 더욱 깔보고 감당할 수 없는 요구를 해 올 것이옵니다. 무도한 문서를 성안에 들인 수문장을 벌하시고 적의 문서를 불살라 군병들을 격발케 하옵소서. 애통해하시는 교지를 성 밖으로 내보내 삼남(三南)과 양서(兩西)의 군사를 서둘러 부르셔야 하옵니다. ⓔ 이백 년 종사가 신민을 가르쳐서 길렀으니 반드시 의분하는 창의의 무리들이 달려올 것입니다."

최명길이 말했다.

"상헌의 답답함이 저러하옵니다. 창의를 불러 모은다고 꼭 화친의 말길을 끊어야 하는 것이겠사옵니까? 군신이 함께 피를 흘리더라도 적게 흘리는 편이 이로울 터인데, 의(義)를 세운다고 이(利)를 버려야 하는 것이겠습니까?"

김상헌이 말했다.

"지금 묘당의 일을 성안의 아이들도 알고 있는데, 조정이 화친하려는 기색을 보이면 성첩은 스스로 무너질 것이옵니다. 화 자를 깃발로 내걸고 군병을 격발시키며 창의의 군사를 불러 모을 수 있겠사옵니까? 명길의 말은 의도 아니고 이도 아니옵니다. 명길은 울면서 노래하고 웃으면서 곡하려는 자이옵니다."

최명길이 또 입을 열었다.

"웃으면서 곡을 할 줄 알아야……."

임금이 소리 질렀다.

ⓜ "어허."

임금은 옆으로 돌아앉았다. 달이 능선 위로 올라 내행전 마루를 비추었다. 쌓인 눈이 달빛을 빨아들여서 먼 성벽이 부풀었다. 달빛은 눈 속으로 깊이 스몄고, 성벽은 땅 위의 달무리처럼 보였다. 추위가 맑아서 밤하늘이 새파랬다. 동장대 쪽 성벽이 별에 닿아 있었다.

27 윗글에 대한 설명으로 가장 적절한 것은?

① 내적 독백을 통해 인물의 심리적 갈등이 드러나고 있다.

② 배경 묘사를 통해 앞으로 전개될 사건을 예고하고 있다.

③ 대화를 통해 인물들의 의견이 대립하는 상황이 드러나고 있다.

④ 역순행적 구성을 통해 숨겨진 진실이 순차적으로 밝혀지고 있다.

⑤ 특정 인물의 시각에서 사건을 서술하여 독자의 공감을 유도하고 있다.

28 ⊙~ⓜ에 대한 설명으로 적절하지 않은 것은?

① ⊙: 전쟁 상황으로 인한 위기감을 조성한다.

② ⓒ: 급박한 상황에 비추어 영상의 태도가 안일하다는 비판적 인식을 담고 있다.

③ ⓒ: 임금이 화친을 하지 말아야 하는 구체적인 이유에 해당한다.

④ ⓔ: 의병에 대한 믿음과 기대감을 바탕으로 항전의 주장에 명분을 부여한다.

⑤ ⓜ: 결론 없는 싸움이 계속되는 상황에 대한 임금의 불편한 심기가 드러난다.

29 '최명길'과 '김상헌'의 성격을 다음과 같이 비교할 때, 빈칸에 들어갈 알맞은 말을 쓰시오.

최명길	김상헌
• 현실적임. • 명분보다 실리를 중시함.	

30 '화친'에 대한 인물들의 입장을 정리한 것으로 적절하지 <u>않</u>은 것은?

① 김류는 직위를 핑계로 '화친'에 대한 자신의 의견을 제시하지 않고 있다.

② 최명길은 '화친'을 당기어 행해야 함을 주장하며 임금이 성단을 결행할 것을 촉구하고 있다.

③ 김상헌은 싸우지 않고는 '화친'이 불가함을 주장하며 군사를 불러들여야 함을 요구하고 있다.

④ 최명길은 '의'를 위해 '이'를 버릴 수는 없음을 근거로 '화친'의 길을 포기하지 말 것을 주장하고 있다.

⑤ 김상헌은 최명길의 말이 이치에 맞으나 '화친'의 기색을 보이면 성첩 또한 무너질 것임을 근거로 '화친'을 반대하고 있다.

학습 활동 응용

31 〈보기〉를 참고하여 윗글을 감상한 내용으로 적절하지 <u>않</u>은 것은?

┌─| 보기 |─────────────────────────
 17세기 후반 명나라가 몰락하고 오랑캐의 나라로 여기던 후금(청)이 중국 대륙의 주인으로 부상하자 명과 군신 관계에 있던 조선은 큰 혼란에 빠지게 된다. 유교의 논리에 따라 조선의 많은 지식인들은 새로운 군신 관계를 요구하는 후금에 대한 적대감을 드러내며 항전을 주장하였으나 조정은 실질적인 힘 앞에서 고뇌할 수밖에 없었다. 「남한산성」은 이러한 역사적 사실을 작품의 배경으로 삼고 있다.
└──────────────────────────────────

① '감당할 수 없는 요구'는 새로운 군신 관계에 의한 청의 요구와 관련이 있겠군.

② 임금이 소리를 지른 것은 최명길이 유교의 논리에서 벗어난 말을 하고 있다고 보았기 때문이겠군.

③ 화친의 부당함을 주장한 것으로 보아 김상헌은 청에 대한 반감을 가진 지식인의 한 사람으로 볼 수 있겠군.

④ '최명길'이 청과의 화친을 주장한 것은 청의 막강한 힘을 가볍게 보아서는 안 된다는 생각에서 비롯된 것이겠군.

⑤ '김류'가 어느 쪽의 편도 들지 못하고 대답을 미루는 것에서 쉽게 결정을 내릴 수 없는 조정의 고뇌를 엿볼 수 있겠군.

32 윗글에 나타난 계절적 배경이 의미하는 것을 쓰시오.

[33~35] 다음 글을 읽고, 물음에 답하시오.

┌──────────────────────────────────
 혹시 동요 「꽃밭에서」를 기억하는가.

  아빠하고 나하고 만든 꽃밭에
  채송화도 봉숭아도 한창입니다.
  아빠가 매어 놓은 새끼줄 따라
  나팔꽃도 어울리게 피었습니다.

                    – 어효선 작사·권길상 작곡
└──────────────────────────────────

맑고 밝게 불렀던 노래지만 사실 이 노래는 「스승의 은혜」로 유명한 권길상 선생이 1953년 피란 시절에 작곡한 것이다. 아, 피란 시절 그 난리 통에 아빠는 뭐하러 꽃밭을 만들었을꼬. 놀랄 만하지 않은가. 전쟁 통에 할머니는 채송화 씨를 거두고 아빠는 그걸 심었단 말이다. 게다가 그걸 박남수는 시로 남기고 권길상은 노래로 만들었단 말이다. 혹여나 아빠와 할머니가 키웠던 채송화가 '나' 아니었을까, 채송화 꽃씨는 내 자식이 아닐까. 그 덕에 지금 우리가 꽃밭에서 시와 노래를 즐기며 살고 있는 게 아니겠는가.

그래, 전쟁 통에도 꽃은 피었고, 사람들은 꽃을 키웠다. 채송화 꽃밭은 환상이나 낭만이 아닌 실재 세계였던 것이다. 하지만 현실이든 상상이든 그게 무슨 대수랴. 중요한 것은 군화 자국 옆에 꽃들을 피우고, 총자루에 꽃을 매며, 총구에 꽃을 꽂는 일 아니겠는가.

현실의 장면 하나, 거장 마크 리부(Marc Riboud)의 사진 「꽃을 든 여인」을 찾아보라. 1967년 10월 21일, 미국의 수도 워싱턴. 펜타곤 앞에서 베트남전 반대 시위가 열렸다. 착검까지 되어 있는 군인들의 총 앞으로 꽃문양 옷차림의, 중간 이름까지 장미꽃(rose)인 잔 로즈 캐즈미어(Jan Rose Kasmir)라는 17세 여고생이 꽃 한 송이를 들고 다가선다. 총을 든 군인보다 꽃을 든 여인이 더 강하다. 당당하기 때문이다.

상상의 장면 하나, 카투니스트 지현곤의 그림을 보라. 척추 결핵을 앓아 하반신 마비 중증 장애로 초등학교 1학년 이후 40년간 바깥 외출도 못 한 채 쪽방에 누워 지내면서 왼손 하나만으로, 아니 피와 땀으로 한 점 한 점 찍어 낸 그림. 아름다운 작가의 눈물겨운 그림. 보기만 해도 마음이 열리고 미소가 번져 나오는 그림이다. 평시보다 더 평화로운 전장의 폐허, 심장보다 더 붉은 저 빛나는 꽃 한 송이. 그 꽃을 든 저 꼬마는 의심도 두려움도 없다. 순수하기 때문이다.

㉠ 총은 꽃을 이기지 못한다. 총이 이기면 사람이 죽는다. 더 큰 총은 더 많은 사람을 죽인다. 그래서 거친 남성, 어른의 폭력, 주류의 횡포에 맞서는 것은 늘 여성, 아이, 장애다. 아픈 자만이 아픔을 안다. 작은 것이 큰 것을 고치고, 부드러운

것이 강한 것을 이긴다. 그러므로 꽃이 총을 이긴다. 그리고 그런 꽃을 시는 닮고자 한다. 시는 지배 언어의 자기도취를 일깨우는 변방의 언어이기 때문이다.

학습 활동 응용

33 윗글에 대한 설명으로 가장 적절한 것은?

① 다양한 매체의 소재들을 연결하여 주제를 전달하고 있다.
② 문학과의 관계에 주목하여 예술 작품의 가치를 조명하고 있다.
③ 직접 경험한 내용을 바탕으로 글쓴이의 가치관을 드러내고 있다.
④ 대상이 지닌 역사적 의미를 부각하여 대상의 가치를 예찬하고 있다.
⑤ 현실의 문제 상황을 극복한 사례를 제시하여 삶의 교훈을 이끌어 내고 있다.

34 다음 중 문맥적 의미가 나머지와 이질적인 것은?

① 꽃　　② 총　　③ 여성　　④ 아이　　⑤ 시

서술형

35 ㉠이 의미하는 바와 그 이유를 간단하게 쓰시오.

의미	이유

[36~37] 다음 글을 읽고, 물음에 답하시오.

"바깥 날씨가 차냐?" / 길게 찢어진 눈이 서희를 응시하며 물었다. 서희는 그 말이 귀에 닿지도 않았던 것처럼 붉은 치마를 활짝 펴면서 나붓이 절을 한다.

"요즘에는 아버님 병환에 차도가 있으신지 문안드리옵니다." / 봉순이가 그랬던 것처럼 목청을 가다듬고 외는 투의 억양 없는 소리를 질렀다.

"괜찮다. 서희도 밥 잘 먹고 감기는 안 들었느냐?"

갈기갈기 갈라진 여러 개의 쇠가 서로 부딪칠 때 나는 것 같은 목소리는 여전히 음산했다. 그는 서희의 공포심을 충분히 알고 있는 것 같았다. 그러면서도 그것을 풀어 주려는 노력이 없는 싸늘하고 비정한 눈이 서희를 응시하고 있는 것이다. 서희는 아버지의 눈을 피하기만 하면 당장에 천둥이 치고 벼락이 떨어질 것처럼 애처롭게 그를 마주 본 채 고개를 저었다. 치수는 웃었다. 그 웃음은 도리어 서희의 마음을 얼어붙게 했다. 서희로부터 시선을 돌린 치수는 서안 위에 펼쳐 놓은 책의 갈피를 넘긴다. 허약한 체질에 비하면 뼈마디는 굵은 편이었다. 그러나 가엾을 만큼 여위고 창백한 그의 손이 책갈피를 누르면서 눈은 글자를 더듬어 내려간다. [중략]

일단 방에 들어온 뒤에는 나가도 좋다는 말이 떨어지지 않는 이상 서희는 일어설 수 없다. 숨소리를 죽이며, 그래서 가냘픈 가슴이 더 뛰고 양어깨로 숨을 쉴 수밖에 없었는데 움직이지 못한다는 것은 어린것에게 얼마나 큰 고통인가.

이따금 책장 넘기는 소리가 났다.

36 다음 중 윗글에 묘사된 장면과 거리가 먼 것은?

① 　② 　③

④ 　⑤

학습 활동 응용

37 윗글을 만화로 재구성할 때 고려할 점과 거리가 먼 것은?

① 글과 그림을 통해 압축적이고 생생하게 표현해야 한다.
② 원작의 내용을 충실히 반영하여 누락되는 내용이 생기지 않도록 한다.
③ 음성 상징어를 효과적으로 활용하여 상황을 구체적으로 전달하도록 한다.
④ 장황한 설명 대신 인물의 표정과 행동 묘사를 통해 인물의 심리를 전달해야 한다.
⑤ 인물 주변선, 글자의 크기, 대상의 확대 등 시각적 요소를 적절하게 활용해야 한다.

3

한국 문학의 성격

한국 문학은 어떤 성격을 지니고 있는가?

어릴 적「할머니가 들려주시던「콩쥐 팥쥐」같은 옛날이야기도 한국 문학이고, 동화
　「 」: 한국 문학의 예시
책으로 읽던「마당으로 나온 암탉」도 한국 문학이며, 가곡으로 배운「가고파」같은 노
래의 가사나, 영화로 본「우리들의 일그러진 영웅」의 원작 소설이나 시나리오 모두
한국 문학이다.」한국 문학이 무엇인지 모르는 사람도 없지만, 이 모두를 아우르는 한
국 문학의 특성은 무엇이라 할 수 있을까?　　　　　▶ 한국 문학의 특성에 대한 의문 제기

한국 문학의 성격을 이해하기 위해서는 한국 문학이란 과연 무엇인지, 어디서부터
　　　　　　　　한국 문학의 성격을 이해하기 위한 방법 ①－한국 문학의 개념과 범위 규정
어디까지를 한국 문학의 범위로 삼을 것인지부터 따져 보아야 할 것이다. 하지만「한
국 문학의 범위가 너무 넓고, 특히 오늘날처럼 다양한 매체가 발달하고 세계화가 급
「 」: 한국 문학의 개념과 범위를 규정하기 어려운 이유
격히 이루어지다 보니,」그 명확한 한계를 짓는 일이 그리 쉽지만은 않다. 가령 이제
우리는 재외 동포 문학이나 분단 이후 북한 문학과의 관계는 어떻게 설정해야 할지
　　　　　　　명확하게 한계 짓기 어려운 사례
같은 문제도 따져 보아야 하게 될 것이다. 또한 한국 문학으로 분류되는 작품들이 대
　　　　　　　한국 문학의 성격을 이해하기 위한 방법 ②－한국 문학의 전통과 특질 파악
개 어떤 특질들을 공유하면서 어떤 전통을 형성하고 있는지 큰 틀에서 살필 수도 있
어야 한다. 그러한 바탕이 마련되면, 세계 문학의 일부로서 한국 문학이 지닌 보편성
　　　　　　　　　　한국 문학의 양상 파악
은 무엇이고 한국 문학만의 특수성은 무엇인지, 그리고 디지털 매체를 통해 문학이
　　　　　　　　　　　　한국 문학의 발전 방향 모색
유통되고 세계화가 가속화되는 시대에 한국 문학은 어떻게 발전해 나갈 것인지도 생
각해 볼 수 있게 될 것이다.　　　　　▶ 한국 문학의 성격을 이해하기 위한 방법

이 단원의 학습을 통해 한국 문학의 개념과 범위, 전통과 특질 등 한국 문학의 성
격을 바르게 이해해 보도록 하자. 아울러 이를 바탕으로 한국 문학의 양상과 미래상
을 구체적인 다양한 작품을 통해 깊이 있게 살펴보도록 하자.　　▶ 이 단원에서 학습할 내용

돌아보기

이 단원의 학습과 관련된 나의 경험을 떠올려 보자.

▶ 한국 문학의 개념과 범위
할머니, 할아버지로부터 구비 설화를 들은 경험을 발표해 보자.

| 예시 답안 | 어린 시절에 할머니께 '호랑이보다 무서운 곶감'이나 '혹부리 영감', '은혜 갚은 까치' 등과 같은 이야기를 들은 경험이 있다.

▶ 한국 문학의 전통과 특질
고전 문학 작품을 읽고서 그와 유사한 점을 지닌 현대 문학 작품이 떠올랐던 때가 있는지 생각해 보자.

| 예시 답안 | 「흥부전」에서 놀부의 악행을 희화화하여 해학적으로 보여 주는 장면을 보고 「태평천하」에서 윤 직원을 희화화하여 풍자하는 장면이 떠올랐다.

▶ 한국 문학의 양상과 발전
문학을 향유하는 방식이 미래에 어떻게 변화할 것인지 생각해 보자.

| 예시 답안 | 오늘날에는 주로 인쇄된 종이책을 통해 문학을 향유하고 있지만 미래에는 종이책보다는 주로 전자책 등의 디지털 매체를 통해 문학을 향유하게 될 것이라고 생각한다.

단원 학습을 통해

- 한국 문학의 개념과 범위를 이해할 수 있다.
- 대표적인 문학 작품을 통해 한국 문학의 전통과 특질을 파악하고 감상할 수 있다.
- 지역 문학과 한민족 문학, 전통 문학과 현대적 문학 등 다양한 양태를 중심으로 한국 문학의 발전상을 탐구할 수 있다.
- 한국 문학과 외국 문학을 비교해서 읽고 한국 문학의 보편성과 특수성을 파악할 수 있다.

[1] 한국 문학의 개념과 범위

이 단원에서는 한국 문학의 개념과 범위를 설정할 때 고려해야 할 요소들, 즉 창작과 향유의 주체는 누구인지, 표현 수단이 된 언어는 무엇인지, 주제의 배경이 된 사상과 감정상의 특성은 어떠한지를 파악하고 이해하는 과정을 통해 한국 문학의 개념과 범위를 올바르게 규정할 수 있도록 한다.

한국 문학의 개념은 무엇인가?

한국 문학은 우리 민족이 한반도와 그 주변에 살면서 각 시대의 역사 생활 공간에서 지금껏 이루어 온 문학의 총체이다. 달리 말해 한국 문학이란 <u>한국인이 한국어를 통해</u> <u>한국인의 사상과 감정을 표현한 문학</u>이라고 할 수 있다. 이 개념 정의에는 <u>창작과 향유</u>
한국 문학의 개념
<u>의 주체, 수단이 되는 언어, 작품에 담긴 주제</u> 등의 요소가 관련되어 있다.
한국 문학의 개념 정의 요소 ▶ 한국 문학의 개념과 정의 요소

한국 문학의 범위는 어디까지인가?

한국 문학은 전승 방식에 따라 <u>구비 문학(口碑文學)과 기록 문학(記錄文學)</u>으로 나뉜
한국 문학의 전승 방식에 따른 분류
다. 그리고 기록 문학은 다시 표기 방식에 따라 <u>한문 문학과 국문 문학</u>으로 나뉜다.
기록 문학의 표기 방식에 따른 분류 ┘ ▶ 한국 문학의 전승 방식과 표기 방식에 따른 분류
구비 문학은 <u>입에서 입으로 전해 온 문학</u>으로, <u>민요, 설화, 무가, 판소리, 민속극</u> 등이
구비 문학의 개념 구비 문학의 갈래
여기에 속한다. <u>주로 민중들에 의해 창작, 향유된</u> 구비 문학은 <u>한글 창제 이후에도 지속</u>
구비 문학의 창작·향유 계층 구비 문학의 특징
<u>적으로 생산</u>되어 민중들의 감정과 생활상을 담아내었다.
▶ 구비 문학의 개념과 특징

한문 문학은 <u>한자의 수입 이후 한자로 창작·기록된 문학</u>으로, <u>한시나 한문 소설</u> 등이
한문 문학의 개념 한문 문학의 갈래
여기에 속한다. 이는『중국의 문자를 사용한 것이지만 한국 문학에서 제외할 수는 없다.
『 』: 한자로 표기된 한문 문학을 한국 문학에 포함시키는 이유
한글이 창제되기 전에는 한자 사용이 불가피했고, 그 후에도 대략 19세기 이전까지는 한
자가 동아시아 문화권의 보편 문어(文語) 역할을 했기 때문이다.』<u>국문 문학은 한글로 기</u>
국문 문학의 개념과 포함 범위
<u>록된 모든 문학</u>을 가리키는데, 그 전에 한자를 빌려 우리말을 표기했던 향가 등의 차자
(借字) 문학을 포함한다. 국문 문학은 개화기 이후로 한국 문학의 중심이 되었다.
▶ 한국 문학의 표기 문자에 따른 분류

탐구로 생각 열기

자신이 도서관 사서라면 다음 책들을 어느 서가에 꽂을 것인지에 관해 서로 의견을 나누어 보자.

▲ 콜롬비아 소설가 마르케스가 지은 『백년 동안의 고독』의 한국어 번역본 | ▲ 조선 시대에 김시습이 지은 한문 소설 「금오신화」 | ▲ 이청준이 지은 소설 「눈길」의 영어 번역본

| 예시 답안 | 『백년 동안의 고독』은 한국어로 번역되었으나 도서관의 분류는 언어를 기준으로 하므로 처음 쓰인 언어대로 스페인·포르투갈 문학으로 분류하고 꽂는다. 「금오신화」는 한국인이 한문으로 썼으나 한글 창제 이전에는 한문이 보편 문어였으므로 한국 문학에, 「눈길」은 외국어로 번역되긴 하였으나 한국인에 의해 한국어로 씌어졌으므로 한국 문학에 꽂는다.

≫어떤 기준을 적용하는가에 따라 분류의 결과가 달라진다. 특정 문학 작품을 두고 그것이 어느 나라의 문학인지 판단할 때도 그 창작과 향유의 주체는 누구인지, 표현 수단이 된 언어는 무엇인지, 주제의 배경이 된 사상은 어떤 특성이 있는지 등에 따라 다양한 견해가 제기될 수 있다. 그럼에도 불구하고 누구든 대체로 동의할 만한 '문학의 국적'은 존재하는 것일까? 우리는 '한국 문학'의 개념과 범위를 어떻게 설정할 수 있을까?

✔ 바로 확인 문제

1 한국 문학은 □□□이/가 □□□을/를 통해 한국인의 사상과 □□을/를 표현한 문학이다.

2 다음 설명이 맞으면 ○, 틀리면 X를 하시오.
　(1) 한국 문학은 전승 방식에 따라 구비 문학과 기록 문학으로 나뉜다.　　　(○, ×)
　(2) 구비 문학은 한글 창제 이전까지만 창작되었다.　　　　　　　　　　　(○, ×)

|정답 | 1. 한국인, 한국어, 감정　2. (1) ○ (2) ×

01 어미 말과 새끼 말 _{작자 미상}

해제

「어미 말과 새끼 말」은 대국 천자의 시험 때문에 조선이 위기에 처하자 원 정승의 어린 아들이 꾀를 내어 이를 극복한다는 내용을 담은 구비 설화이다. 구비 전승되어 온 설화이기 때문에 구어적 특징이 고스란히 살아 있으며 생생한 방언으로 구성되어 있어 생동감과 현장감을 느끼게 한다. 아울러 자식을 향한 부모의 헌신과 사랑이라는 보편적인 주제를 흥미로운 일화를 통해 다루고 있어 감동을 전해 준다.

전체 줄거리

대국 천자가 조선에 인재가 있나 없나를 시험하기 위해 조선 임금에게 말 두 필을 보내어 어미 말과 새끼 말을 구별해 내라고 한다. 임금은 이 문제를 원 정승에게 해결하라고 하나 원 정승은 해결 방법을 몰라 전전긍긍한다. 이때 원 정승의 어린 아들은 자신이 이를 해결하겠다고 나선다. 아들은 콩을 잔뜩 삶아 짚과 섞어서 만든 여물을 두 말에게 먹여 보고, 이때 다른 말에 콩을 양보하고 짚만 먹는 말이 어미 말임을 알아낸다. 이에 어미 말과 새끼 말을 표하여 대국으로 보냈더니 대국에서 조선에 인재가 있는 것을 인정하였다.

핵심 정리

(1) 갈래: 구비 설화
(2) 성격: 구어적, 서사적, 허구적
(3) 배경: 시간적 – 조선 시대, 공간적 – 궁중과 원 정승의 집
(4) 주제: 새끼를 향한 어미의 사랑, 영리한 발상을 통한 국가 위기의 극복
(5) 특징: ① 지역 방언을 사용하여 생동감과 현장감을 느끼게 함.
        ② 군말의 사용, 내용의 반복 같은 구어 담화의 특성이 드러남.
        ③ 개연성 있는 허구의 이야기를 통해 보편적 주제인 모성애를 환기함.
(6) 구성

문제의 발생	대국의 천자가 조선에 똑같이 생긴 말 두 마리를 보내어 어미 말과 새끼 말을 구별하게 함.	갈등
문제의 해결	원 정승의 어린 아들이 여물의 콩을 양보하는 말을 어미로, 그 콩을 얻어먹는 말을 새끼로 판명함.	갈등 해소

어휘·어구 풀이

● **인자** 은자. 숨은 인재.
● **내력이루** 고래로.
❶**이 말이~이것을 골라내라** 아 대국의 천자는 조선에 인재가 있나 없나를 시험하기 위한 의도로 해결하기 어려운 문제를 조선에 보냈다.

〔핵심 쏙쏙〕

◉ **표현상의 특징과 효과**

특징
• 진한 충청도 사투리와 입말체 사용 • 같은 말의 반복, 군더더기 말의 사용

↓

효과
읽는 이에게 생동감과 현장감을 느끼게 함.

▶ 교과서 날개 질문

원 정승이 맞닥뜨린 난관이 무엇인지 설명해 보자.
| 예시 답안 | 원 정승은 겉으로 보기에 전혀 구별이 안 되는 두 마리 말 중에서 어미와 새끼를 가려내지 못하면 자신의 잘못으로 인해 나라의 운명이 어찌 될지 모른다는 위기감을 느끼고 있다.

가 옛날 대국 천자가 조선에 인재가 있나 없나아, 이걸 알기 위해서 말을 두 마리를 보냈어. 말. 대국서 잉? 조선 잉금게루 보내먼서,
대국 천자가 문제를 낸 의도
충청도 사투리와 입말체의 사용-구비 전승되는 설화의 특징이 드러남.
"이 말이 어떤 눔이 새끼구 어떤 눔이 에밍가 이것을 골라내라아." 하구서……
대국 천자가 낸 문제의 내용
똑같은 눔여. 똑같어 그게 둘 다. 그러구서 보냈어. 조선에 인자가 있나 읎나. 인자가
어미 말과 새끼 말을 구별하기 어려운 이유 *문제가 풀릴 것임을 암시함.*
많었억거던? 조선에? 내력이루. 자아 그러니 워트겨 이걸?
▶ 대국 천자가 조선에 인재가 있는지 시험하기 위해 문제를 보냄.

나 원 정승이라는 사램이 있어. 그래 아침 조회 때 들어가닝깨,
"이 원 정승 이눔 갖다가 이걸 골러내쇼오." 말여. 보낸다능 게 원 정승에게다 보냈어.
같은 말의 반복과 군더더기 말의 사용
응. 인제 가서 골라내라능 기여.
▶ 원 정승이 문제의 해결을 맡음.

다 원 정승이 갖다 놓구서, 이거 어떤 눔이구 똑같은 눔인디 말여, 색두 똑같구 워떻 게 에민지 워떻 게…… 똑같어어? 그저어?
"새끼가 워떵 겐지 에미가 워떵 겐지 그거 모른다." 그러닝깨,
문제를 해결하기 어려움.
"그려요?"
그러구 가마안히 생각해 보닝깨 도리가 있으야지? 그래 않구 두러눴네? 머리 싸매구 두러눴느라니까, 즈이 아들이, 어린 아들이,
문제 해결의 주체
"아버지 왜 그러십니까아?" 그러거든.
"야? 아무 날 조회에 가닝까아, 이 말을 두 마리를 주먼서 골르라구 허니이, 이 일을 어트가야 옳은단 말이냐아?"
"아이구, 아버지. 걱정 말구 긴지 잡수시라구. 내가 골라 디리께."
문제 해결에 대한 자신감을 보임.
"니가 골러?"
"예에. 걱정 말구 긴지 잡수시요."
▶ 고민하던 원 정승에게 어린 아들이 말을 골라주겠다고 함.

📖 **학습 문제**

🗒 정답과 해설 342쪽

1. **가~마**에 나타난 서술상의 특징으로 가장 적절한 것은?
① 대화를 통해 갈등을 고조시키고 있다.
② 독백을 통해 인물의 심리를 드러내고 있다.
③ 간결한 표현을 통해 사건을 전달하고 있다.
④ 내면 갈등을 통해 주제 의식을 드러내고 있다.
⑤ 구어체 사용을 통해 생동감을 느끼게 하고 있다.

3. 이와 같은 글의 갈래에 대한 설명으로 적절하지 <u>않은</u> 것은?
① 입에서 입으로 구전되던 문학이다.
② 보편적인 민중의 삶과 정서가 반영된 문학이다.
③ 기록 문학이 생기기 이전부터 존재하던 문학이다.
④ 개인이 창작한 작품이 오랫동안 전해진 문학이다.
⑤ 재미와 교훈을 주기 위해 흥미 위주로 꾸며 낸 문학이다.

2. 원 정승이 처한 문제 상황을 한 문장으로 쓰시오.

라 그래, 아침을 먹었어. 먹구서 그 이튿날 갔는디, 『이넘이 콩을 잔뜩, 쌂어 가지구설랑은 여물을 맨들어. 여물을. 여물을 대애구 맨들어 놓는단 말여. 여물을 맨들어 가지구서는 갖다 항곳이다가 떠억 놓거든.』준담 말여. 구유다가 여물을. 여물을 주닝깨, 잘 먹어어? 둘이 먹기를. 썩 잘 먹더니 주둥패기루 콩을 대애구 요롱게 제쳐 주거든? 옆있 눔을? 콩을 제쳐 줘. 저는 조놈만 먹구. 짚만 먹구 인저, 콩을 대애구 저쳐 준단 말여.

『 』: 아들의 문제 해결 방법

새끼 주는 쇡(셈)이지 그러닝깨. 대애구 요롱게,

자식을 생각하는 부모의 마음

"아버지, 아버지. 이거 보시교. 이루 오시교."

"왜냐?"

나가 보닝깨,

"요게 새깁니다. 요건 에미구. 포를 허시교."

표

포를 했어.

"음. 왜 그러냐?" 그러닝깨,

"아 이거 보시교. 콩을 골라서 대애구 에미라 새끼 귀해서 새끼를 주지 않습니까? 새끼 귀헌 중 알구. 그래 콩 중 게 이게 새끼요오. 이건 에미구."

어미 말이 콩을 양보하며 새끼 말을 돌보는 모습을 통해 난제를 해결하고 있음.

인간과 짐승에게 보편적인 정서

▶ 콩을 양보하는 모습을 통해 어미 말과 새끼 말을 구별함.

마 아, 그 이튿날 아닝 것두 아니라 가주 가서, "이건 새끼구 이건 에미라구." 그러닝깨, 그러구서는 대국으로 떠억 포해서 보냈단 말여. 그러닝깨.

여태

"하하하, 한국에 연대까장 조선에 인자가 연대 익구나아." 그러드랴.

대국 천자의 평가

▶ 말에 표시하여 대국에 보내 문제를 해결함.

핵심 쏙쏙

● 이와 같은 구비 문학을 한국 문학의 범위에 포함시킬 수 있는 까닭

이 글은 '자식을 향한 부모의 사랑과 헌신'이라는 본질적이고 보편적인 주제 의식을 다루어 사람들의 공감을 이끌어 내었기 때문에 이 작품이 오랜 기간 동안 사람들의 입에서 입으로 전승될 수 있었다. 이와 같이 구비 문학은 기록 문학이 생기기 이전부터 민중의 삶과 정서를 표현해 온 한국 문학의 출발점이자 기반이 되므로 한국 문학의 범위에 포함시킬 수 있다.

교과서 날개 질문 ◀

원 정승은 아들의 판단을 뭐라고 평가했을지 상상해 보자.

| 예시 답안 | 원 정승은 처음에는 아들이 왜 그런 행동을 하는지 이해하지 못했을 것이다. 그러나 아들이 말의 모성애를 통해 어미 말과 새끼 말을 가려내는 모습을 보면서 난제를 해결한 아들의 기지에 탄복했을 것이다.

4. 가~마에 대한 설명으로 가장 적절한 것은?

① '문제 – 해결'의 과정을 반복하고 있다.

② 환상적인 요소를 통해 재미를 주고 있다.

③ 실제 역사적 사실을 바탕으로 하고 있다.

④ 영웅적 인물의 신성성으로 갈등을 극복하고 있다.

⑤ 어려운 문제를 지혜를 통해 해결한다는 내용을 다루고 있다.

5. 가~마에 나타난 인물들에 대한 설명으로 적절하지 않은 것은?

① 천자: 문제의 원인을 제공하고 있다.

② 천자: 조선에 인재가 있는지 시험하고자 한다.

③ 원 정승: 문제 해결 방법을 몰라 고민하고 있다.

④ 어린 아들: 문제 해결에 대한 자신감을 드러내고 있다.

⑤ 어린 아들: 아버지에 대한 사랑으로 문제를 해결한다.

학습 활동 응용

6. 다음 중, 윗글을 한국 문학으로 볼 수 있는 근거에 대한 설명이 아닌 것은?

이 작품은 ① 우리 문자로 창작, 기록되어 전해지는 서사 문학의 시작으로, 설화에 해당한다. ② 우리 민족의 역사적 생활공간에서 이루어진 이야기로 ③ 이야기 속에 민중 의식이 담겨 있으며, ④ 우리 민족인 한국인에 의해 ④ 한국어를 통해 ⑤ 한국인의 사상과 감정을 표현해 내고 있으므로 한국 문학이라고 볼 수 있다.

서술형

7. 위와 같은 이야기가 오랜 기간 동안 전승될 수 있었던 까닭을 쓰시오.

• 이 작품의 서사 구조와 주제

문제의 발생	문제의 해결
대국 천자가 조선에 똑같이 생긴 말 두 마리를 보내어 어미 말과 새끼 말을 구별하게 함.	원 정승 의 어린 아들이 여물의 콩을 양보하는 말을 어미로, 그 콩을 얻어먹는 말을 새끼로 판별함.

주제	자식을 향한 부모의 ❶◻◻◻과 헌신은 본질적이고 보편적인 생명 윤리라는 주제 의식이 드러남.

• 표현상의 특징과 효과

표현상의 특징	효과
• 충청도 사투리와 구어체를 사용함. • 내용의 반복, 군말의 사용 같은 구어 담화의 특성이 드러남.	❷◻◻◻과 현장감을 느끼게 함.

• 설화의 하위 갈래별 특징과 이 작품의 갈래

	신화(神話)	전설(傳說)	민담(民譚)
개념	신적 존재의 탄생과 활동을 중심으로 하는 이야기	실제로 있었다고 믿어지는 이야기	재미와 교훈을 주기 위해 흥미 위주로 꾸며 낸 이야기
배경	아주 먼 옛날을 배경으로 신성한 장소가 제시됨.	구체적인 시간과 장소가 제시됨.	뚜렷한 시간과 장소가 제시되지 않음.
전승 태도	신성성	진실성	흥미성
증거물	포괄적 증거물	개별적 증거물	뚜렷한 증거물이 없음.

⋯▸ 「어미 말과 새끼 말」은 '옛날'이라는 불분명한 시간을 배경으로 삼고 있고, 특별한 증거물이 없으며, 흥미 위주로 이야기가 전개된다는 점에서 설화의 하위 갈래 중 ❸◻◻에 해당한다고 볼 수 있다.

• 이 작품의 구비 문학적 특성

이 이야기가 구비 전승될 수 있었던 까닭	구비 문학으로서의 이 작품의 의미
어미 말과 새끼 말에 담긴 자식을 향한 부모의 사랑과 헌신이라는 보편적 주제가 사람들의 ❹◻◻을 이끌어 내었기 때문에 이 작품이 오랜 기간 동안 사람들의 입에서 입으로 전승될 수 있었다.	구비 문학은 문자가 생기기 이전부터 민족의 역사와 함께해 온 민족의 문학으로, 한국 문학은 ❺◻◻ 문학에서 시작되었다고 볼 수 있다. 그리고 이 이야기는 오늘날까지 전승되면서 기록 문학의 저층 역할을 해 왔다는 데 의미가 있다.

|정답 | ❶ 사랑 ❷ 생동감 ❸ 민담 ❹ 공감 ❺ 구비

학습 활동

작품 속으로

1. 다음 활동을 통해 이 이야기의 내용을 점검해 보자.

(1) 이 이야기에 나타나는 갈등과 그 해결 양상을 정리해 보자.

갈등		해결	
발생 이유	대국 천자의 명령으로, 똑같이 생긴 두 마리 말 중에서 어미 말과 새끼 말을 구별해 내야 하는 상황에 처함.	**주체**	원 정승의 어린 아들
		방법	여물의 콩을 양보하는 말과 그 콩을 얻어먹는 말을 각각 어미 말과 새끼 말로 판별해 냄.

(2) 이 이야기의 바탕을 이루는 윤리적 가치관은 무엇인지 말해 보자.

| 예시 답안 | 부모가 자식을 거두고 돌보며 위하는 마음은 인간이든 동물이든 다를 바 없이 가지고 있는 본질적이고 보편적인 생명 윤리라는 인식이 이 이야기의 바탕에 깔려 있다.

2. 이 이야기를 문학 작품으로 볼 수 있다면 그 근거가 무엇인지 발표해 보자.

| 예시 답안 | 이 이야기와 같이 구비 전승된 이야기도 문학 작품으로 볼 수 있다. 전승의 수단이 음성 언어일 뿐, 이 이야기도 소설처럼 상상력의 산물인 허구로 이루어져 있으며, 생산과 수용 및 향유 과정을 통해 사람들에게 일종의 미적 쾌감을 주기 때문이다.

3. 다음을 참고할 때, 이 이야기는 설화의 종류 중 어디에 속하는지 말해 보고, 그렇게 분류할 수 있는 까닭을 설명해 보자.

> 설화는 특정 문화 집단이나 민족 속에서 구전되는 이야기를 총칭하는 개념으로, 대체로 신화, 전설, 민담 등으로 분류하기도 한다. 신화는 신적 존재 및 그에 준하는 존재들의 활동을 다룬다는 점에서 초역사적인 시간 배경과 신성성(神聖性)을 갖는다. 반면 전설은 신적 존재가 아닌 인간 및 인간의 행위들을 주로 다루며 신화의 신성성이 제거되고 그 대신 실제가 강조된다. 민담은 신화의 신성성과 초역사성, 전설의 역사성과 사실성이 사라진 흥미 본위의 이야기로 허구적인 성격이 강하다.
>
> — 한국문학평론가협회 편, 『문학비평용어사전』

| 예시 답안 | 이 이야기는 설화 중에서도 민담에 속할 것이다. 신성성이나 사실성이 있다고 볼 수 없는, 허구적인 흥미 본위의 이야기이기 때문이다.

보충 자료 **구비 문학**

구전 문학(口傳文學)이라고도 한다. 구비와 구전은 대체로 같은 뜻으로서 구전은 '말로 전함'을 뜻하나 구비는 '말로 된 비석', 즉 비석에 새긴 것처럼 오랫동안 전승되어 온 말이라는 뜻이다. 구비 문학을 민속학적 관점에서 다룬다면 민속 문학이라는 용어가 타당하나 문학 연구의 관점에서 다룬다면 민속 문학이란 용어는 부당하다. 구비 문학은 ① 말로 된 문학, ② 구연되는 문학, ③ 공동작의 문학, ④ 단순·보편의 문학, ⑤ 민중적·민족적 문학이라는 특징을 지닌다. [중략]

구비 문학을 굳이 '말로 된 문학'이라고 하는 것은 말로 존재하고 말로 전달되고, 말로 전승된다는 점을 강조하기 위함이다. 구비 문학은 말로 존재하기 때문에 시간적이고 일회적(一回的)이며, 그것이 거듭 말해지면 이미 다른 작품이 된다. 말로 전달되므로 말하는 사람과 듣는 사람이 대면할 수 있는 범위 안에서만 전달이 가능하며 대량 생산은 원칙적으로 불가능하다. 말로 전승된다는 것은 말로 전해들은 내용이 기억되어 다시 말로 재연된다는 뜻이다. 따라서 구비 문학 안에서는 그대로의 보존은 있을 수 없고 전승이 가능할 뿐이며, 이 전승은 반드시 변화를 내포한 보존이다. [중략]

민속극은 민중만의 것으로 지배층에 대한 날카로운 비판으로 일관되어 있고, 민요도 민중 자신의 의식을 충실히 반영한다. 그러나 설화나 속담은 민중들만의 것으로 제한되지 않고 지배층이나 지식층이 모두 향유했던 문학이다. 이처럼 종류나 장르에 따라 민중의 범위가 축소되기도 하고 확대되기도 하지만 구비 문학은 민중의 문학이란 근본 성격을 지닌다. 또한 구비 문학은 민족의 문학이다. 구비 문학은 대다수 민중이 공유하고 있는 문학이므로 생활 및 의식 공동체로서의 민족이 공유한 문학을 대표할 수 있다.

구비 문학은 한 민족이 지닌 문학적 창조력의 바탕으로서, 여러 형태의 기록 문학을 산출한 바탕으로서 작용해 왔다. 상층의 기록 문학이 민족적 성격을 상실하고 다른 나라 문학에 예속되거나 추종할 때도 구비 문학은 민족 문학으로서 창조적 역할을 해 왔다. 구비 문학의 장르에 따라 민족적 성격은 차이가 있으나, 그 내용이 딴 민족과 공통된 것이든 자기 민족만의 것이든 구비 문학이 민족의 생활과 더불어 발전되고 민족적 창조력의 바탕으로 작용해 왔다는 사실은 변함이 없다.

— 『두산백과』

작품 너머로

4. 다음 글은 「어미 말과 새끼 말」과 달리 문자로 창작, 기록된 소설의 일부이다. 두 작품의 내용상 공통점을 파악해 보고, 그에 담긴 우리 민중의 의식을 추리해 보자.

『"나이 아직 일곱 살이 못 된 아이의 재주가 이 정도니
『 』: 황제가 보낸 두 학사가 최치원을 당하지 못하고 다시 중국으로 돌아가기로 함.
명망 있는 선비들의 글재주는 대체 얼마나 뛰어나겠
나! 그렇다면 우리가 비록 신라에 들어오긴 했으나 어
찌 대적하여 글 재주를 겨룰 수 있겠소? 그냥 돌아가
는 게 좋겠소."』 힘의 우위를 통해 위협을 가하는 인물
학사들은 중국으로 돌아와 황제에게 아뢰었다.

"신라의 선비들 중엔 글재주가 뛰어난 이들이 이루 헤
아릴 수 없을 정도로 많습니다. 그중에 특히 **빼어난**
이는 저희 같은 사람 백 명이 있다 하더라도 대적할
수 없습니다."

황제가 이 말을 듣고 매우 노하여 신라를 침공하고자
했다. 그리하여 황제는 계란을 솜으로 싸서 돌로 만든
함에 가득 채운 뒤 그 속에 밀랍을 녹여 부어 움직이지
않게 하고, 다시 함 밖에 구리와 철을 녹여 부어 함을 열
어 볼 수 없게 했다. 그러고는 함을 가져가는 사신에게
옥새를 찍은 문서를 주었다. 문서에는 이런 글귀가 적혀
있었다.

　함 속에 든 물건을 알아맞혀 이에 대한 시를 지어 바치
지 못한다면 장차 너희 나라를 쑥대밭으로 만들 것이다.
▶ 신라를 시험하려는 중국 황제

[중략 부분 줄거리] 노심초사하던 신라 임금은 이 일을 나 승상
에게 맡긴다. 마침 그 집의 종으로 들어와 있던 열한 살 된 최고운
은 나 승상의 요청을 받고 그의 딸과 혼인시켜 줄 것을 조건으로
다음과 같은 시를 짓는다. "돌 속엔 둥근 알 / 반은 옥이요, 반은
황금이로다. / 시간을 아는 새가 밤이면 밤마다 / 정만 머금고 소
리는 내지 않누나." 석함의 물건을 알아맞히는 시를 지음.

　마침내 왕이 사신으로 하여금 시를 가지고 가서 중국
황제에게 바치게 했다. 황제가 한참 동안 시를 보고는
이렇게 말했다.

"'알'이라고 한 건 맞지만, '정만 머금고 소리는 내지
않누나.'라고 한 건 틀렸다."

그런데 함을 열어 보니 그 속에 솜으로 싸 두었던 계
란이 병아리로 변해 있는 게 아닌가. 황제는 그제야 비
로소 『'정만 머금고 소리는 내지 않누나.'라는 구절의 의
『 』: 황제가 최치원의 비범함을 깨닫게 됨.

미를 깨닫고 탄식하며 말했다.

"천하의 기재(奇才)로구나!"
▶ 지략과 도술로 중국 황제의 시험을 통과하는 최치원
－ 작자 미상, 「최고운전」에서

🔖 **작품 연구**　작자 미상, 「최고운전」

- **갈래:** 고전 소설, 영웅 소설, 설화 소설
- **시점:** 전지적 작가 시점
- **배경:** 통일 신라 시대, 신라와 중국
- **성격:** 영웅적, 전기적
- **제재:** 최치원의 영웅적인 행적
- **주제:** 최치원의 영웅적 면모와 민족의 자긍심 고취
- **특징:** ① 역사상의 실존 인물 이야기에 허구성을 가미함.
　　　　② 일반적인 영웅 소설과 달리 주인공이 주로 문재(文才)를 과시함.

| 예시 답안 | 「어미 말과 새끼 말」과 「최고운전」 모두 우리보다 큰 나라의 통치자가 우리나라를 시험하기 위해 어려운 수수께끼를 내서 우리 조정을 궁지에 몰지만, 비범한 이가 나타나 문제를 통쾌하게 해결한다는 내용을 담고 있다. 이는 우리나라가 비록 작고 힘은 약하지만 많은 인재를 지녔다는 민족적 자부심과 북방 민족에게 당했던 우리 민족의 설움을 정신적으로 극복, 보상받으려는 마음이 문학적으로 표현된 것이라고 볼 수 있다.

보충 자료 「최고운전」

　신라 말의 대학자인 최치원(崔致遠)의 일생을 허구적으로 형상화한 전기적 영웅 소설이다. 대부분의 군담 소설이 전쟁을 소재로 하여 민족의 영웅을 창조하고 있는 데 반해, 이 작품은 무예에 능통한 무인(武人)이 아닌 문재(文才)에 능한 문인(文人)을 영웅적 인물로 설정하고 있다는 점이 특징적이다. 이는 우리 민족의 뛰어난 문재(文才)를 과시하는 인물을 내세움으로써 우리 민족의 우월성을 드러내고 북방 민족에게 당했던 설움을 정신적으로 극복하고 보상받고자 하는 당대 민중들의 심리가 반영된 것이라고 할 수 있다.

　이 작품에는 적강(謫降)·기아(棄兒)·글재주 다툼·알아맞히기·기계(奇計) 등 다양한 설화적 화소(話素)가 결합되어 있으며, 작가는 탁월한 상상력으로 역사적 인물인 최치원을 전래되어 오는 설화 내용에 맞게 소설의 주인공으로 형상화하고 있다.

02 송인 정지상

해제

「송인」은 고려 때 문인 정지상의 대표작으로, 절절하게 드러난 이별의 정한이 절묘한 표현 속에 담겨 있어 우리나라 한시 중 이별가의 백미로 꼽힌다. 또한 칠언 절구의 형식 안에 형상화한 자연사와 인간사의 대조를 통해 서경과 서정을 조화시킴으로써 이별의 슬픔을 심화, 확대하고 있다. 이 작품은 선명한 시각적 심상을 활용하고 다양한 수사법을 사용하는 등의 표현상 특징을 보여 준다. 특히 이별의 눈물이 해마다 보태어져 대동강 물이 마를 새가 없다는 과장된 발상을 통해 이별로 인한 한스러움을 효과적으로 부각하고 있다.

작품 감상

이 작품은 1구의 비 갠 후의 봄날의 아름다운 풍경을, 2구의 임과 이별하는 화자의 모습과 대비적으로 배치하여 이별을 겪는 화자의 애달픔과 슬픔의 깊이를 더욱 심화시키고 있다. 또 3구에서 대동강 물이 어느 때에 마르겠냐는 설의적 물음으로 시상 전환이 일어나고 4구에서 대동강 물이 다하지 않는 이유가 이별의 눈물이 해마다 더해지기 때문이라는 기발한 발상을 통해 화자의 슬픔의 크기를 효과적으로 표현하면서 이별의 정한을 심화하고 확대하고 있다. 이러한 3구와 4구의 표현은 개인적 차원의 이별을 강물의 흐름이라는 보편적 차원으로 승화하여 일반화하고 있는 것이다.

핵심 정리

(1) 갈래: 한시(칠언 절구)

(2) 성격: 애상적, 서정적

(3) 제재: 임과의 이별

(4) 주제: 사랑하는 임과의 이별로 인한 정한(情恨)

(5) 특징: ① 자연사와 인간사의 대비를 통해 주제를 부각함.

② 도치법, 과장법, 설의법 등 다양한 수사법을 활용하여 이별의 한을 극대화함.

③ 감각적 이미지를 선명하게 제시함.

(6) 구성

기	비 갠 강둑의 고운 풀빛	서경
승	임을 보내며 부르는 슬픈 노래	서정
전	다함이 없는 대동강 물	서경
결	이별의 정한과 눈물	서정

📖 교과서 166쪽

어휘·어구 풀이

❶ **비 개인 긴 둑에 풀빛이 고운데** 비가 갠 후의 생명력 넘치는 자연의 아름다운 모습이 화자의 비극적 상황과 대조를 이루어 그 슬픔을 더욱 부각하고 있다.

❷ **대동강 물이야~푸른 물결 보태나니** 대동강 물의 의미를 이별의 눈물이 모인 집합체로 변용시킴으로써 이별에서 오는 슬픔의 크기를 극대화하여 나타내고 있다.

공간적 배경을 시각적으로 제시함.

대조	기	비 개인 긴 둑에 풀빛이 고운데❶	雨歇長堤草色多 우 헐 장 제 초 색 다	▶ 비 갠 강둑의 고운 풀빛
	송	남포에서 임 보내며 슬픈 노래 부르네.	送君南浦動悲歌 송 군 남 포 동 비 가	▶ 임을 보내며 부르는 슬픈 노래
도치·과장	전	대동강 물이야 언제나 마르려나	大同江水何時盡 대 동 강 수 하 시 진	▶ 다함이 없는 대동강 물
	결	이별 눈물 해마다 푸른 물결 보태나니❷	別淚年年添綠波 별 루 년 년 첨 록 파	▶ 이별의 정한과 눈물

시각적 이미지 (기)
이별의 공간, 구체적 지명 제시 / 청각적 이미지 (송)
구체적 지명 제시 / 이별 눈물로 마르지 않음(설의적 표현) (전)
대동강 물이 마르지 않는 이유. 시각적 이미지 (결)

(핵심 쏙쏙)

◉ **자연사와 인간사의 대비**

(학습 문제)

📋 정답과 해설 343쪽

1. 위 시에 대한 설명으로 적절하지 <u>않은</u> 것은?

① 봄을 계절적 배경으로 하고 있다.
② 남포를 공간적 배경으로 하고 있다.
③ 화자는 임을 떠나보내며 눈물 흘리고 있다.
④ 화자는 임과의 이별로 인해 슬픔에 젖어 있다.
⑤ 화자는 사랑하는 임과 재회하기를 소망하고 있다.

(서술형)

2. 위 시와 〈보기〉의 '풀빛'의 공통적인 기능을 쓰시오.

┌─ 보기 ─┐
이 비 그치면 / 내 마음 강나루 긴 언덕에
서러운 풀빛이 짙어 오것다.

푸르른 보리밭 길 / 맑은 하늘에
종달새만 무어라고 지껄이것다.

이 비 그치면 / 시새워 벙글어질 고운 꽃밭 속
처녀애들 짝하여 새로이 서고,

임 앞에 타오르는 / 향연과 같이
땅에선 또 아지랑이 타오르것다.   ─이수복, 「봄비」
└──────┘

(학습 활동 응용)

3. 〈보기〉를 바탕으로 위 시를 감상한 것으로 적절하지 <u>않은</u> 것은?

┌─ 보기 ─┐
「송인」은 이별의 정한을 다룬 고려 시대 한시 중 대표작으로 꼽힌다. 이러한 평가는 이 시가 선명한 시각적 심상을 활용하였고, 자연과 인간사를 효과적으로 대비하였으며, 기발한 착상을 통해 시적 묘미를 살렸기 때문이라고 할 수 있다.
└──────┘

① 1구에서 선명한 시각적 심상이 드러나고 있어.
② 2구에서 임을 보내며 느끼는 슬픔이 드러나고 있어.
③ 1구와 2구에서 자연과 인간사가 효과적으로 대비되고 있어.
④ 3구에서 서정을 통해 화자의 정서를 드러내는 시적 묘미가 느껴지고 있어.
⑤ 3구와 4구에서 기발한 착상을 통해 화자의 정서를 효과적으로 표현하고 있어.

4. 위 시에서 '물'이 상징하는 바가 무엇인지 쓰시오.

• **화자의 상황과 정서**

화자의 상황	봄날 비 갠 남포에서 임을 떠나보내며 눈물을 흘리고 있음.
화자의 정서	이별로 인한 ❶⬜⬜

• **시상 전개와 정서 표현**

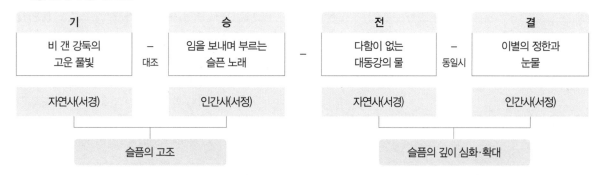

기		승		전		결
비 갠 강둑의 고운 풀빛	– 대조	임을 보내며 부르는 슬픈 노래	–	다함이 없는 대동강의 물	– 동일시	이별의 정한과 눈물
자연사(서경)		인간사(서정)		자연사(서경)		인간사(서정)

슬픔의 고조

슬픔의 깊이 심화·확대

• **'물'의 이미지**

비	대동강 물	푸른 물결

'눈물[淚]'의 이미지

이별의 정한을 심화시킴.

➡ • 이 시의 화자는 '물'의 이미지를 '❷⬜⬜'의 이미지와 결합하여 이별의 정서를 고조시킴.
• 특히 3구와 4구에서 대동강 물결과 이별의 눈물을 동일시함으로써 이별의 정한을 심화시키고 있음.

• **표현상의 특징과 효과**

선명한 ❸⬜⬜적 심상	자연사와 인간사의 대비	기발한 착상
제1구에서는 비 갠 후 강둑에 돋아난 파란 풀빛의 시각적 심상을, 제4구에서는 눈물이 더해져 푸르게 일렁이는 강물의 시각적 심상을 선명하게 제시함.	제1구와 제2구에서 비가 그친 뒤 더욱 짙어진 풀빛의 아름다운 모습과 사랑하는 임과 이별한 화자의 처지를 대비시켜 이별의 애달픔을 더욱 심화함.	제3구와 제4구에서 이별의 슬픔으로 인한 눈물 때문에 대동강 물이 마를 날 없을 것이라는 ❹⬜⬜을 통해 화자가 느끼는 심리적 고통의 크기를 인상적으로 강조함.

⬇

이별로 인한 화자의 슬픔을 더욱 강조하는 효과를 거둠.

|정답| ❶ 슬픔 ❷ 눈물 ❸ 시각 ❹ 과장

학습 활동

작품 속으로

1. 이 작품에 나타난 화자의 상황과 정서를 파악해 보자.

화자가 처한 상황	봄날 비 갠 남포에서 임을 떠나보내며 눈물을 흘리고 있는 상황
화자의 정서	이별로 인한 슬픔에 젖어 있음.

2. 다음 글을 바탕으로 이 작품의 표현 방법과 그 효과를 파악해 보자.

> 조선 영조 때의 문인 신광수가 「관서악부」에서 "남포에서 임을 보낸 그 옛날 노래 있어, 천년 절창은 정지상이네(當日送君南浦曲 千年絕唱鄭知常)."라고 노래했을 만큼, 「송인」은 이별의 정한을 다룬 고려 시대 한시 중 대표작으로 꼽는다. 이러한 평가는 이 시가 선명한 시각적 심상을 활용하였고, 자연과 인간사를 효과적으로 대비하였으며, 기발한 착상을 통해 시적 묘미를 살렸기 때문이라고 할 수 있다.

(1) 이 작품에서 선명하게 제시된 시각적 심상은 무엇인지 말해 보자.

| 예시 답안 | 제1구에서는 비 갠 후 강독에 돋아난 파란 풀빛의 시각적 심상이, 제4구에서는 눈물이 더해져 푸르게 일렁이는 강물의 시각적 심상이 선명하게 제시되어 있다.

(2) 이 작품에서 자연과 인간사가 대비된 부분을 찾아보고, 그 효과를 설명해 보자.

| 예시 답안 | 제1구와 제2구에서 생동하는 봄의 정취와 인간사의 애달픈 이별을 대비함으로써 슬픔의 정서를 부각하였다.

(3) 이 작품에서 기발한 착상이 활용된 부분을 찾고, 그것이 어떤 점에서 시적 묘미를 살렸다고 볼 수 있는지 설명해 보자.

| 예시 답안 | 제3구와 제4구에서 이별의 슬픔으로 인한 눈물 때문에 대동강 물이 마를 날 없을 것이라는 과장을 통해 화자가 느끼는 심리적 고통의 크기를 인상적으로 강조함으로써 시적 묘미를 살렸다고 볼 수 있다.

작품 너머로

3. 다음은 정약용이 지은 한시의 일부이다. 읽고, 아래 활동을 해 보자.

> | 늙은이의 한 가지 통쾌한 일은 | 老人一快事 |
> |---|---|
> | 붓 가는 대로 시를 마구 쓰는 것 | 縱筆寫狂詞 |
> | 압운에 꼭 매일 것 없고 | 競病不必拘 |
> | 퇴고를 꼭 오래 할 것도 없다네. | 推敲不必遲 |
> | 흥이 나면 곧바로 뜻을 실어 내고 | 興到卽運意 |
> | 뜻이 이르면 곧바로 쓰면 그뿐. | 意到卽寫之 |
> | 나는 바로 조선 사람인지라 | 我是朝鮮人 |
> | 즐겨 조선의 시를 짓노라. | 甘作朝鮮詩 |
> | 당신은 당신의 법을 따르라 | 卿當用卿法 |
> | 시원찮다 따질 자 누구이겠나? | 迂哉議者誰 |
> | 구구한 격이니 법이니 하는 것을 | 區區格與律 |
> | 먼 데 사람이 어찌 알 수 있으랴? | 遠人何得知 |
>
> [하략]　　　　– 정약용, 「송파에서 시를 주고받으며[松坡酬酢]」에서

📑 작품 연구　정약용, 「송파에서 시를 주고받으며[松坡酬酢]」

- 갈래: 한시
- 성격: 고백적
- 제재: 시 창작
- 주제: 시 창작에서 중요한 것
- 특징: ① 작가 자신의 문학관을 직접 드러냄.
　　　② 설의적 표현과 명령문을 통해 주제를 부각함.

(1) 정약용이 시 창작에서 중요하다고 여긴 것들과 중요하지 않다고 여긴 것들이 각각 무엇인지 위 작품에서 찾아 써 보자.

중요한 것	흥, 뜻
중요하지 않은 것	압운, 퇴고, 구구한 격과 법

(2) 위 작품에서 언급한 '조선의 시'가 구체적으로 무엇을 가리키는지 생각해 보자.

| 예시 답안 | 비록 한문으로 되어 있기는 하지만 한시의 형식적인 요건에 얽매이지 않고 조선 사람의 정서와 사상을 자유롭게 담은 한시를 가리킨다.

(3) 위 작품에 담긴 생각을 참고하여, 표기 수단인 문자의 종류와 한국 문학의 범위 간의 관계에 관해 모둠별로 토의하고 그 결과를 정리해 보자.

| 예시 답안 | 문학 작품에서 표기 수단이 되는 문자의 종류는 그것이 어느 나라 문학 작품인지를 결정하는 데 매우 큰 영향을 끼치는 중요한 문제이다. 그러나 한글 창제 이전에 불가피하게 한자를 사용해 창작한 문학은 당연히 한국 문학의 범위 안에 포함되어야 한다. 또 정약용의 시에 드러난 바와 같이, 비록 한글 창제 이후에 창작된 한문 문학이라 할지라도 중세 동아시아에서 한자가 보편적인 문자 언어의 지위를 갖고 있었던 상황을 고려하면 이러한 작품들도 한국 문학의 범위 안에 포함시켜야 한다.

구비 문학, 한문학, 국문 문학은 늘 같은 관계를 유지하지는 않았다. 그 셋의 관계는 시대에 따라서 변했다. 바로 그 점에 근거를 두고 문학사의 시대 구분을 할 수 있다. 한국 문학사의 시대 구분에 관해서 여러 가지 견해가 있고 논의가 복잡하지만, 구비 문학, 한문학, 국문 문학의 관계를 일차적인 기준으로 삼으면 우선 선명한 결과를 얻을 수 있다.

처음에는 구비 문학만 있었다. 그 시기를 고대라고 할 수 있다. 그러다가 기원 전후의 시기에 한문을 받아들이고 5세기 이전에 본격적인 한문학을 이룩하면서, 고대에서 중세로 들어섰다. 중세는 한문학의 시대였다. 중세 문학은 한문학의 등장에서 퇴장까지 지속되었다고 할 수 있다. 그런데 한문학은 국문 문학과 공존했다. 처음에는 한자를 이용한 향찰을 통해서, 그 다음에는 한국어를 직접 표기하는 훈민정음을 창안해서 국문 문학을 육성했다. 17세기 이후에는 국문 문학이 활발하게 창작되어, 한문학과 맞설 수 있게 되었다. 그래서 중세에서 근대로의 이행기로 들어섰다.

한문학이 물러나고 국문 문학이 한문학의 위치까지 차지하게 된 시기의 문학이 근대 문학이다. 1894년의 갑오개혁에서, 과거 제도를 폐지하고, 국문을 공용의 글로 삼은 것이 근대 문학 성립의 결정적인 계기가 되었다. 한민족은 단일 민족이고, 한국어는 방언 차이가 아주 적어 민족어를 통일시키고 표준화해서 근대 민족 문학을 일으키는 과업을 쉽사리 수행할 수 있었다. 한문이 문어이고 국문이 구어일 따름이고, 국문 안에는 문어체와 구어체의 장벽이 없어, 한문을 버리고 국문만 쓰자 언문일치가 바로 이루어질 수 있었다.

한국 문학사 시대 구분을 하는 두 번째 기준은 문학 갈래이다. 구비 문학, 한문학, 국문 문학이 각기 그것대로 특징이 있는 문학 갈래를 제공해 문학사의 실질적인 변화를 가져왔다. 그래서 문학 갈래가 서로 경쟁하는 역사가 전개되었다. 시대에 따라서 두드러진 구실을 하는 문학 갈래가 교체되고, 여러 문학 갈래가 체계적인 관계를 맺고 있는 양상이 바뀐 것을 정리해서 살피면, 문학사의 전개를 이해하는 관점을 한 차원 높일 수 있었다.

구비 문학의 시대인 고대에는 건국의 영웅을 주인공으로 한 건국 서사시가 특히 중요한 구실을 했던 것으로 생각된다. 건국 서사시 자체는 사라지고 말았지만, 그 흔적은 남아 있다. 건국의 신이로운 내력을 말한 건국 신화의 개요가 한문으로 기록되어 전한다. 나라굿을 하면서 영웅의 투쟁을 노래하던 방식은 서사 무가로 이어지고 있다. 그 둘을 합쳐 보면, 건국 서사시의 모습을 짐작할 수 있다.

한문학이 등장하면서 서사시를 대신해 서정시가 주도적인 구실을 하게 되었다. 한문학의 정수인 한시가 세련되고 간결한 표현을 자랑하는 서정시일 뿐만 아니라, 국문 문학 또한 서정시를 가장 소중한 영역으로 삼았다. 향가는 민요에 근거를 둔 율격을 한시와는 다른 방식으로 다듬어, 심오한 사상을 함축한 서정시로 발전했다. 국문 문학이 향가에서만 이룩되었다는 사실이 바로 그 시기에 서정시가 다른 어느 갈래보다 소중한 구실을 했다는 증거이다.

그런데 향가를 대신해 시조가 생겨나면서 문학 갈래의 체계가 개편되었다. 향가 시대에는 서정시가 홀로 우뚝했던 것과 다르게, 시조는 가사와 공존했다. 시조는 서정시이지만, 가사는 교술시라고 할 수 있다. 서정은 집약을, 교술은 확장을 특징으로 한다. 서정은 세계의 자아화라면, 교술은 자아의 세계화라고 할 수 있다. 가사뿐만 아니라 경기체가, 악장 등도 교술시이다. 훈민정음의 창제와 더불어 국문 문학의 확장이 가능해지자, 장형 교술시가 기록 문학의 영역에 들어설 수 있었다.

교술은 문학의 세계에 오래 전부터 있었다. 한문학의 문(文)은 거의 다 교술이었다. 그런데 국문 문학 교술시 갈래가 여럿 등장한 시기에, 한문학에서도 실용적인 쓰임새는 없고, 서사적인 수법을 빌려 흥미를 끄는 교술 문학 갈래인 가전이나 몽유록이 생겨났다. 교술이 활성화되는 변화가 국문 문학과 한문학 양쪽에서 나타나 문학의 판도를 전과 다르게 바꾸어 놓았다. 그렇게 해서 중세 전기가 끝나고, 중세 후기 문학의 시대가 시작되었다.

국문 문학이 한문학과 대등한 위치로 성장한 중세에서 근대로의 이행기에 이르러서는 소설이 발달해 서정, 교술, 서사가 맞서게 되었다. 소설에는 한문 소설도 있고, 국문 소설도 있어, 서로 경쟁하고 자극했다. 국문 소설의 발전으로 국문 문학의 영역이 확대되고, 작품의 수와 분량이 대폭 늘어났다. 서정 영역의 시조에서 사설시조가 나타나고, 교술시인 가사가 더욱 장편으로 늘어나 생활의 실상을 자세하게 다루게 된 것도 주목할 만한 일이다. 그것은 서사 문학 발달에 상응하는 변화가 다른 영역에서도 일어났던 결과라고 할 수 있다.

– 조동일 외, 『한국문학강의』(길벗, 1998)

[2] 한국 문학의 전통과 특질

이 단원에서는 한국 문학의 개념과 범위에 대한 이해를 바탕으로 한국 문학의 전통과 특질에 대해 학습하도록 한다. 문학사적으로 중요한 위치를 점하고 있는 대표작들의 내용과 형식을 한국 문학의 전통과 관련지어 보는 활동을 통해 한국 문학의 미적 특질과 전통을 이해해 볼 수 있도록 한다.

한국 문학에는 어떤 전통과 특질이 있는가?

문학이 인간의 삶을 반영한다면 민족의 문학 역시 민족의 삶을 반영한다고 말할 수 있을 것이다. 따라서 <u>우리 민족이 지닌 정서와 사상, 풍습과 미의식 등이 녹아들어 이루어</u>
_{한국 문학의 전통 규정 요소}
진 한국 문학의 전통이 존재할 것이다. 하지만『장구한 시간에 걸쳐 흘러온 민족인 만큼
『 』: 한국 문학의 전통과 특질을 객관적으로 규정하기는 어려움.
항구적으로 고정된 실체로서의 특질이라든가 우리 민족 문학만의 배타적인 특질을 객관
적으로 규정한다는 것은 쉬운 일이 아니다.』　　　　　▶ 한국 문학 전통 이해의 어려움

주제 의식이나 가치관, 표현 형식 등의 측면에서 한국 문학의 특질은 다양하게 거론되어 왔다. 가령 어떤 이는 한(恨)의 정서를 우리 문학의 특질이라 보지만, <u>감정의 응어리를</u>
_{내용적 측면의 특질 ①}
<u>집단으로 발산하고 표출하는 신명</u>, <u>현실의 모순과 불합리성을 폭로하고 웃음을 유발하</u>
_{내용적 측면의 특질 ②}　　　　　　　　　　　_{내용적 측면의 특질 ③}
<u>는 해학이나 풍자</u> 등을 우리 문학의 특질로 설명하기도 한다. 또한 우리 문학에서는 <u>자</u>
<u>연과 조화를 이루며 살아가려는 자연 친화 의식</u>, <u>불의한 현실에 타협하지 않으려는 지조</u>
_{내용적 측면의 특질 ④}　　　　　　　　　　　_{내용적 측면의 특질 ⑤}
<u>와 절개</u>, <u>격식에 얽매이지 않으면서도 균형과 조화를 추구하는 멋</u> 등도 특징적으로 드러
　　　　　　_{내용적 측면의 특질 ⑥}
난다. 양식적 측면에서는 <u>형식적 정제미, 음보율 중심의 운율 감각, 함축과 여운</u> 같은 특
　　　　　　　　　　　　　　_{양식적 측면의 특질}
질도 면면히 이어지고 있다.　　　　　　　　　　　　　　▶ 한국 문학의 특질

한국 문학의 전통과 특질은 어떤 의의를 갖는가?

한국 문학의 전통과 특질에 관해 이해하는 것은 <u>과거 우리 선조들의 삶에 깃들어 있었</u>
　　　　　　　　　　　　　　　　　_{한국 문학의 전통과 특질 이해의 의의 ①}
<u>던 사상, 정서, 관습, 문화를 두루 살피는 일</u>일 뿐 아니라, <u>우리 문학의 현재와 미래를 위</u>
　　　　　　　　　　　　　　　　　　　　_{한국 문학의 전통과 특질 이해의 의의 ②}
<u>해서도 필수적인 일</u>이다. 따라서 우리 문학의 다양한 미적 특질을 발굴하는 작업이 현대
의 시대감각과 결합한다면, 한류 문화처럼 한국 문학이 세계 문학을 선도하는 날도 멀지
_{한국 문학의 전통과 특질 이해의 의의 ③}
<u>않을 것이다.</u>　　　　　　　　　　　　　　▶ 한국 문학의 전통과 특질 이해의 의의

✓ 바로 확인 문제

1 한국 문학의 전통은 우리 민족의 □□와 사상, 풍습과 □□□ 등이 녹아들어 이루어졌다.

2 다음 설명이 맞으면 ○, 틀리면 X를 하시오.
　(1) 한의 정서는 한국 문학의 양식적 측면의 특질이다.　　　　　　　　〔 ○, X 〕
　(2) 한국 문학의 전통과 특질을 이해하는 것은 우리 문학의 현재와 미래를 위해 필수적인 것이다.　〔 ○, X 〕

|정답 | 1. 정서, 미의식 　2. (1) X 　(2) ○

탐구로 생각 열기

다음 그림에 계승되고 있는 한국화의 전통은 무엇인지 생각해 보자.

▲ 박노수, 「월하유록도」 (1970)

| 예시 답안 | 우리의 전통적 재료인 한지와 먹을 사용하고 있는 점, 선조들이 즐겨 그렸던 나무, 바위, 산, 물 등을 소재로 활용하고 있는 점, 바위를 굳이 채색하지 않고 둔 점, 또 선으로 묘사되거나 채색되지 않은 여백이 그저 비어 있는 곳이 아니라 풍경의 일부를 이루는 점 등이 한국화의 전통을 계승한 것이라고 할 수 있다.

≫ 위 그림은 현대 미술 작품이다. 하지만 이 그림은 한지에 먹으로 그렸고, 선조들이 즐겨 사용한 나무, 바위, 산, 물 등을 소재로 활용하였으며, 우리 그림의 전통적 특질인 여백의 미를 중요한 미적 요소로 삼고 있다. 그런 점에서 이 그림은 우리 미술의 전통을 시대에 맞게 창조적으로 변형하고 계승한 사례라고 볼 수 있다. 그렇다면 문학은 어떨까? 한국 문학에 면면히 흐르고 있는 전통, 다른 나라의 문학과 구별되는 한국 문학만의 특질은 어떻게 존재하고 어떻게 계승되고 있을까?

01 사미인곡 정철

해제

「사미인곡」은 조선 선조 때 반대파의 탄핵을 받은 정철이 50세에 고향인 전남 창평에 은거하며 지은 가사이다. 임금을 향한 충절을 임과 이별한 여인의 목소리에 의탁한 충신연주지사(忠臣戀主之詞)로, 계절의 순환에 따라 본사의 시상을 전개하고 있다. 또한 뛰어난 우리말 구사와 세련된 표현으로 속편인 「속미인곡」과 함께 가사 문학 최고의 걸작으로 꼽히고 있다. 충성스러운 신하가 임금을 사모하는 마음을 보이고 있다는 점에서는 「정과정곡」과, 우리 시가의 전통인 부재하는 임에 대한 자기희생적 사랑을 보이고 있다는 점에서는 「가시리」, 「동동」 등에 그 맥이 닿아 있어 한국 문학의 전통과 특질을 잘 보여 주고 있다.

주제 의식

이 작품을 지을 당시의 작가 정철은 관직에서 물러나 은거하던 중이었다. 「사미인곡」에서 정철은 임금(선조)을 사랑하는 임에, 자신을 하늘에서 임을 모시다가 인간 세상에 떨어진 선녀에 빗대어 임금에 대한 변함없는 사랑과 충절을 노래하고 있다. 작가 정철은 남성이지만 시적 화자를 여성으로 설정함으로써 임을 향한 변함없는 충정과 그리움의 마음을 더욱 애절하게 드러내고 독자의 공감을 불러일으키고 있는 것이다.

핵심 정리

(1) 갈래: 양반 가사, 서정 가사
(2) 운율: 3·4조 혹은 4·4조의 4음보 연속체
(3) 성격: 서정적, 여성적, 연모적
(4) 제재: 임금에 대한 그리움과 충정
(5) 주제: 임금을 향한 일편단심(연군지정)
(6) 특징: ① 본사는 계절의 순환(흐름)에 따라 시상을 전개함.
　　　　　② 여성 화자를 설정하여 임금에 대한 그리움과 충정을 호소력 있게 전달함.
　　　　　③ 다양한 비유와 상징적 기법을 통해 정서를 효과적으로 드러냄으로써, 「속미인곡」과 더불어 가사 문학의 백미로 꼽힘.
(7) 구성

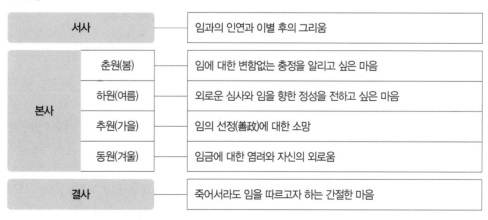

어휘·어구 풀이

❶ 이 몸 삼기실 제~모룰 일이런가 임과 '나'의 뿌리 깊은 인연을 드러낸 구절로, 천생연분이라는 운명론적 인생관을 드러내고 있다.

❷ 엊그제 님을 뫼셔~헛틀언디 삼 년(三年)일쇠 '광한전'은 임금이 계시는 궁궐을, '하계'는 작가가 은거하고 있는 곳을 가리킨 것으로, 궁궐에서 임금을 모시다가 벼슬을 그만두고 시골에 내려 온 지 삼 년이 지났음을 알 수 있다.

❸ 연지분(臙脂粉) 잇닉마는 눌 위후야 고이 홀고 연지와 분이 있어도 누구를 위하여 곱게 단장을 하겠는가의 의미로, 임의 부재로 인한 슬픔과 임에 대한 절실한 사랑의 마음을 느끼게 한다.

❹ 염냥(炎凉)이 쌔룰 아라~늣길 일도 하도 할샤 임이 불러 주지 않아 이별한 상태로 세월이 덧없이 흘러가고 있는 것에 대한 안타까움과 임에 대한 그리움을 나타내고 있다.

핵심 쏙쏙

◉ '나'와 임의 관계

임	임금(선조)
'나'	하늘에서 임을 모시다가 지상으로 떨어진 선녀(정철)

◉ 화자의 처지 변화

· 임을 따라 태어남.
· 광한전(궁궐)에서 임을 모심.

↓

· 인간 세계(하계, 전라남도 창평)로 떨어짐.
· 무심한 세월만 흐르고 있음.

◉ 「사미인곡」의 사상적 배경

유교	'충(忠)'을 추구함.
불교	윤회 사상을 바탕으로 '충'을 실현하고자 함.
도교	천상에서 버림받아 하계로 내려온 여인을 화자로 내세움.

서사 **가** ㉠『이 몸 삼기실 제 님을 조차 삼기시니』 『 』: '나'와 임의 뿌리 깊은 인연
임금(선조) / 생겨날 때, 태어날 때

혼싱 연분(緣分)이며 하늘 모룰 일이런가❶

『나 ㅎ나 졈어 잇고 님 ㅎ나 날 괴시니』 임과 이별하기 전의 행복했던 과거의 상황,
『 』: 임이 '나'를 사랑했던 예전의 상황 / 사랑하시니 / 나=작가, 임=임금(선조)

이 므음 이 스랑 견줄 딕 노여 업다.

『평싱(平生)애 원(願)ㅎ요딕 ㅎ딕 녜쟈 ㅎ얏더니,』 『 』: 임과 함께 있고 싶은 소망
다시, 전혀 / 함께 지내자, 한곳에서 살아가자

늙거야 므스 일로 외오 두고 그리는고 → 현재 화자의 처지: 임이 부재함.
외따로, 외롭게 / 그리워하고, 사모하고.

엊그제 님을 뫼셔 ㉡ 광한뎐(廣寒殿)의 올낫더니
달의 선녀인 항아가 산다는 누각, 여기서는 임금이 계신 대궐

그 더딕 엇디ㅎ야 하계(下界)예 ᄂ려오니
동안에, 사이에 / 인간 세상, 여기서는 작가가 낙향하여 지내던 전라도 창평

올 저긔 비슨 머리 헛틀언디 삼 년(三年)일쇠❷
곱게

연지분(臙脂粉) 잇닉마는 눌 위ㅎ야 고이 홀고❸
보아 줄 임이 없어 단장하고픈 마음도 없음.

므음의 미친 실음 텹텹(疊疊)이 짜혀 이셔
시름 / 겹겹이

짓ᄂ니 한숨이오 디ᄂ니 눈믈이라
대구법. 한숨과 눈물로 보내는 세월

인싱(人生)은 유흔(有限)ㅎ딕 시름도 그지업다

무심(無心)흔 셰월(歲月)은 믈 흐르듯 ㅎᄂ고야

『염냥(炎凉)이 쌔룰 아라 가는 듯 고텨 오니』 『 』: 세월의 무상함.
더위와 서늘함, 곧 계절의 순환 / 다시

듯거니 보거니 늣길 일도 하도 할샤❹

▶ 서사: 임과의 인연과 이별 후의 그리움

[현대어 풀이]

이 몸 생겨날 때 임을 따라 생겨나니, / 한평생 연분이며 하늘 모를 일이던가?

나 하나 젊어 있고, 임 하나 날 사랑하시니, / 이 마음 이 사랑 견줄 데 다시 없다.

평생에 원하되 함께 살자 하였더니, / 늙어서야 무슨 일로 외따로 두고 그리는고?

엊그제 임을 모셔 광한전에 올랐더니, / 그 사이에 어찌하여 인간 세상에 내려오니,

올 적에 빗은 머리 헝클어진 지 삼 년이라. / 연지분 있다마는 누굴 위하여 고이 단장할꼬?

마음에 맺힌 시름 첩첩이 쌓여 있어, / 짓느니 한숨이요 흐르느니 눈물이라.

인생은 유한한데 시름은 끝이 없다. / 무심한 세월은 물 흐르듯 하는구나.

더위 추위가 때를 알아 가는 듯 다시 오니, / 듣거니 보거니 느낄 일이 많기도 많구나.

보충 자료 **가사 문학**

경기체가가 쇠퇴하면서 발생한 교술 갈래로 고려 말엽 이후에 발생하였다. 형식상 4음보 연속체의 운문이며, 내용상은 수필적 산문의 성격을 띤다. 3·4조 또는 4·4조를 기조로 한 4음보의 연속체로 이루어져 있으며 행수에 제한이 없다. 조선 전기에는 정극인, 송순, 정철 등의 양반 사대부가 주 작자층으로 임금에 대한 감사, 연군, 강호의 생활 등이 주된 내용이었으나 조선 후기에는 여성 및 평민 작자층의 성장으로 규방 가사와 평민 가사가 등장하고 현실 문제에 대한 관심의 확대와 산문화 경향으로 인해 기행 가사와 유배 가사 작품이 많아지는 등 주제가 다양해졌다.

학습 문제

학습 활동 응용

1. **가**가 속한 갈래에 대한 설명으로 적절하지 <u>않은</u> 것은?

① 규칙적인 운율로 리듬감이 느껴진다.
② 시조와 함께 조선 시대에 널리 불렸다.
③ 조선 후기에 발생하여 다양한 작가층이 형성되었다.
④ 행수에 제한이 없어 화자의 정서가 자유롭게 표현된다.
⑤ 3·4조 또는 4·4조를 기본으로 하는 4음보 연속체의 운문이다.

학습 활동 응용

2. **가**에 대한 설명으로 적절한 것을 〈보기〉에서 모두 고른 것은?

┌─ 보기 ─────────────────────────┐
ㄱ. 우리말의 아름다움을 잘 구사하고 있다.
ㄴ. 충신연군지사(忠臣戀君之辭)에 해당한다.
ㄷ. 두 여인이 말을 주고받는 대화체 형식으로 되어 있다.
ㄹ. 자연물을 이용하여 화자의 슬픈 심정을 구체적으로 나타내고 있다.
└──────────────────────────────┘

① ㄱ, ㄴ   ② ㄱ, ㄷ   ③ ㄴ, ㄷ
④ ㄴ, ㄹ   ⑤ ㄷ, ㄹ

3. **가**의 화자에 대한 이해로 적절하지 <u>않은</u> 것은?

① 임과 헤어진 지 3년이 되었다.
② 임과의 인연이 숙명이라고 생각한다.
③ 임과 함께 지냈던 과거를 그리워하고 있다.
④ 세월이 덧없이 흘러가는 것을 안타까워한다.
⑤ 늙어 얼굴이 미워져서 임에게 버림받았다고 여긴다.

학습 활동 응용

4. **가**에서 〈보기〉의 근거로 제시할 수 있는 것은?

┌─ 보기 ─────────────────────────┐
　이 작품은 '적강(謫降)' 화소를 활용하고 있다. 적강이란 신선이 세상에 내려오거나 사람으로 태어나는 것을 말한다. 김만중의 소설 「구운몽」에서 육관 대사의 제자 '성진'은 8선녀를 희롱한 죄로 인간 세상에 유배되어 '양소유'로 태어난 것으로 나온다. 이것은 지상의 세계를 유배지로 인식하는 것과 연관된다.
└──────────────────────────────┘

① 연분(緣分)   ② 하계(下界)   ③ 연지분(臙脂粉)
④ 세월(歲月)   ⑤ 염냥(炎凉)

5. **가**의 화자의 정서와 가장 유사한 것은?

① 까마귀가 빛깔이 검다고 백로야 비웃지 말아라. / 겉이 검다고 한들 속까지 검겠느냐? / 아마도 겉이 희면서 속이 검은 것은 너뿐인가 하노라.　　　－ 이직

② 이렇게 살면 어떻고 저렇게 살면 어떻겠는가? / 만수산의 칡덩굴이 얽혀 있다고 한들 어떻겠는가? / 우리도 어우러져 백 년까지 오래오래 살아가리라. － 이방원

③ 임 그리워 겨우 든 잠에 꿈자리도 뒤숭숭 / 그리워하던 임 잠깐 만나 얼핏 보고 어디로 갔단 말인가, 잡을 것을 / 잠깨어 곁에 없으니 아주 갔는가 하노라.
　　　　　　　　　　　　　　　　　－ 작자 미상

④ 쟁반 가운데에 놓인 일찍 익은 감이 곱게도 보이는구나. / 유자가 아니라 해도 품어 가지고 갈 마음이 있지만 / 품어 가도 반길 이 없으니 그것이 서럽구나.
　　　　　　　　　　　　　　　　　－ 박인로

⑤ 창 내고 싶구나 창 내고 싶구나 이내 가슴에 창 내고 싶구나. / 고모장지 세살장지 들장지 열장지 암돌쩌귀 수돌쩌귀 배목걸쇠 크나큰 장도리로 뚝딱 박아 이내 가슴에 창 내고 싶구나. / 이따금 너무 답답할 때면 열고 닫고 해 볼까 하노라.　　　－ 작자 미상

6. ㉠에 어울리는 한자 성어로 가장 알맞은 것은?

① 백년해로(百年偕老)   ② 천생연분(天生緣分)
③ 부부유별(夫婦有別)   ④ 백년가약(百年佳約)
⑤ 지피지기(知彼知己)

7. ㉡과 대립되는 시어를 찾아 쓰시오.

8. **가**에서 작중 화자가 여성임을 알게 해 주는 소재를 하나 찾아 쓰시오.

어휘·어구 풀이

❶금자히 견화이셔~제도(制度)도 ᄀ자줄시고 금으로 만든 자로 재서 임의 옷을 만든다는 것은 정성을 들여 임의 옷을 만든다는 의미이다. 또한 그렇게 만든 옷이 솜씨와 격식을 모두 갖추고 있다는 것이다.

핵심 쏙쏙

◉ '본사 ①, ②'의 시상 전개 방법

계절에 따른 자연의 변화	화자의 행위 및 심리
봄: 동풍(東風)이 건듯 부러 적셜(積雪)을 헤터 내니	창밖에 핀 매화를 꺾어 임에게 보내고 싶음.
여름: 꼿 디고 새닙 나니 녹음(綠陰)이 실렷ᄂᆞ듸	녹음이 우거진 계절과 대조적으로 화자가 있는 방은 임이 없어 적막함.

◉ '본사 ①, ②'에 사용된 소재의 상징적 의미

암향	매화의 그윽한 향기. '민화'와 더불어 임에 대한 변함없는 충정(忠情)을 상징함.
민화	이른 봄의 추위를 이겨 내고 피어난 꽃. 임에 대한 화자의 충정
옷	화자의 임에 대한 지극한 정성
산, 구룸	화자와 임 사이를 가로막는 장애물

◉ 화자가 여성임을 알 수 있게 하는 소재

연지분 (臙脂粉)	여성이 사용하는 화장품[서사]
오식션, 금자	당대의 여성들이 옷을 만드는 데 사용한 도구[본사 ②]
홍상 (紅裳)	여성이 입는 붉은 치마[본사 ④]

본사 ① **나** 동풍(東風)이 건듯 부러 적셜(積雪)을 헤텨 내니
　　　　봄바람－계절감(봄)을 드러내는 소재 　쌓인 눈
　　창(窓) 밧긔 심근 민화(梅花) 두세 가지 픠여셰라
　　　　　　　　계절감을 지닌 시어
　　ᄀᆞ득 닝담(冷淡)혼듸 ㉠ 암향(暗香)은 므스 일고
　　　　쌀쌀하고 적막한데. 부정적 현실
　　황혼(黃昏)의 ㉡ 둘이 조차 벼마틔 빗최니
　　　　　　　　　　베갯머리에
　　늣기는 둣 반기는 둣 님이신가 아니신가
　　『뎌 민화(梅花) 것거 내여 님 겨신 듸 보내오져』
　　화자의 마음을 대변하는 객관적 상관물. 임금에 대한 변함없는 충정
　　님이 너를 보고 엇더타 너기실고

계절의 변화
(겨울 → 봄)

『　』: 고전 문학 작품에서 매화는 대개 '절개와 지조'를 상징한다. 여기서 매화를 꺾어서 임에게 전하고 싶다는 것은 자신의 변함없는 충성심을 임금에게 알리고 싶다는 뜻이다.

▶ 본사 ①: 춘원(春怨)－자신의 충정을 임에게 알리고 싶은 마음

[현대어 풀이]

동풍이 문득 불어 적설을 헤쳐 내니,

창밖에 심은 매화 두세 가지 피었구나.

가뜩 냉담한데 암향은 무슨 일인고?

황혼에 달이 따라와 베갯머리에 비치니,

흐느끼는 듯 반기는 듯 임이신가 아니신가?

저 매화 꺾어 내어 임 계신 데 보내고자.

임이 너를 보고 어떻다 여기실꼬?

계절감을 지닌 시어
본사 ② **다** 꼿 디고 새닙 나니 녹음(綠陰)이 실렷ᄂᆞ듸
　　　　　　　　계절감의 표현(여름)
　　나위(羅幃) 젹막(寂寞)ᄒᆞ고 슈막(繡幕)이 뷔여 잇다 → 임이 없어 적막함.
　　여인의 방에 둘러친 비단 휘장　　수를 놓은 비단 휘장
　　부용(芙蓉)을 거더 노코 공쟉(孔雀)을 둘러 두니→ 고독으로부터 벗어나고자 하는 행동
　　연꽃을 수놓은 비단 휘장　　　공작을 수놓은 병풍
　　ᄀᆞ득 시름 한ᄃᆡ 날은 엇디 기돗던고
　　　　　　　　　　　　길돗던고
　　『원앙금(鴛鴦錦) 버혀 노코 오ᄉᆡ션(五色線) 플텨 내여
　　원앙을 수놓은 비단　　　　　　　　　　　풀어내어
　　금자히 견화이셔 님의 ㉢ 옷 지어 내니』 『　』: 임을 위한 정성
　　금으로 만든 자로
　　㉮ 슈품(手品)은ᄏᆞ니와 졔도(制度)도 ᄀᆞ줄시고❶
　　　　　　　　은연중 자신의 재능을 드러냄.
　　산호수(珊瑚樹) 지게 우히 빅옥함(白玉函)의 다마 두고
　　님의게 보내오려 님 겨신 듸 ᄇᆞ라보니,
　　㉣ 산(山)인가 ㉤ 구룸인가 머흐도 머흘시고.
　　　　　　　　　　　　　험하기도 험하구나.
　　천리(千里) 만리(萬里) 길히 뉘라셔 츠자갈고.
　　니거든 여러 두고 날인가 반기실가
　　가거든. 이르거든
　　　　옷이 담긴 백옥함을

▶ 본사 ②: 하원(夏怨) － 임에 대한 지극한 정성

[현대어 풀이]

꽃 지고 새잎 나니 녹음이 깔렸는데, / 나위 적막하고 수막이 비어 있다.

부용을 걷어 놓고, 공작을 둘러 두니, / 가뜩 시름 많은데 날은 어찌 길던고?

원앙금 베어 놓고 오색실을 풀어내어 / 금자로 재어서 임의 옷을 지어 내니,

솜씨는 물론이고 격식도 갖추었구나. / 산호수 지게 위에 백옥함에 담아 두고,

임에게 보내려고 임 계신 데 바라보니, / 산인가 구름인가 험하기도 험하구나.

천리만리 길을 뉘라서 찾아갈꼬? / 가거든 열어 두고 나인가 반기실까?

9. ❶~❷의 시상 전개의 특징으로 알맞은 것은?

① 현실과 꿈 사이를 오고감.

② 지상에서 천상으로 이어짐.

③ 시간이 낮에서 밤으로 변화함.

④ 봄에서 여름으로 계절의 변화가 나타남.

⑤ 시선이 가까운 곳에서 먼 곳으로 이동함.

10. ❶~❷의 내용을 영상물로 표현하고자 할 때, 적절하지 않은 것은?

이른 봄 추위를 이겨 내고 피어난 매화를 보여 준다. … ①

⬇

매화를 임금에게 보내면 임금의 심정이 어떠할지 궁금해하는 여인의 모습을 담는다. ································· ②

⬇

봄에서 여름으로 바뀌는 계절의 변화 장면을 삽입한다· ③

⬇

시름에 젖어 있는 여인의 모습을 화려한 방안과 대비시킨다. ······································· ④

⬇

솜씨 좋은 이에게 임의 옷을 짓게 하면서 기뻐하는 여인의 모습을 담는다. ······························· ⑤

11. ㉮와 반대되는 상황을 나타내는 속담으로 알맞은 것은?

① 돌다리도 두들겨 보고 건너라.

② 가까이 앉아야 정이 두터워진다.

③ 하늘은 스스로 돕는 자를 돕는다.

④ 벼 이삭은 익을수록 고개를 숙인다.

⑤ 바늘 가는 데 실 가고 바람 가는 데 구름 간다.

12. 〈보기〉를 바탕으로, ❷를 감상한 내용으로 적절하지 않은 것은?

보기
「사미인곡」은 조선 선조 때 송강 정철이 반대파의 탄핵을 받고 전라도 창평에 은거하면서 지은 작품이다. 임금을 사모하는 정을, 한 여인이 사랑하는 임과 이별하고 연모하는 마음에 기대어 형상화하고 있다.

① '슈막이 뷔여 잇다'에서는 임금의 곁을 떠나 전라도 창평에서 홀로 지내는 화자의 외로움을 느낄 수 있다.

② '님의 옷 지어 내니'와 같은 행위는 임금에 대한 그리움에서 비롯된 것으로 볼 수 있다.

③ '슈품은 ㅋ니와 졔도도 ㄱ줄시고'는 화자의 뛰어난 정치적 능력을 은연중에 임금에게 피력한 것으로 볼 수 있다.

④ '산인가 구롬인가 머흐도 머흘시고'에서는 화자를 탄핵한 반대파에 대한 부정적 인식을 엿볼 수 있다.

⑤ '날인가 반기실가'에서는 화자의 충성심을 몰라주는 임금에 대한 원망과 불만을 확인할 수 있다.

13. ㉠~㉢의 상징적 의미가 적절하지 않은 것은?

① ㉠: 임에 대한 화자의 변함없는 충정

② ㉡: 임금

③ ㉢: 임에 대한 화자의 지극한 정성

④ ㉣: 화자와 임 사이의 거리감

⑤ ㉤: 화자와 임 사이를 가로막는 장애물

서술형

14. 윗글의 작가는 남성이지만 여성 화자의 목소리를 빌려서 임을 그리워하는 마음을 표현하고 있다. 그 효과는 무엇인지 한 가지 이상 서술하시오.

어휘·어구 풀이

❶ **청광(清光)을 믜워 내여 봉황누(鳳凰樓)의 붓티고져** 화자는 청광을 임금에게 보내고 이것으로 온 세상을 비추어서 밝은 정치를 하여 심산궁곡을 대낮같이 만드는 선정을 베풀기를 바라고 있다. 이는 관직에서 억울하게 물러난 작가가 자신의 처지를 임금이 알아주기를 바라는 소망을 표현한 것으로 볼 수도 있다.

❷ **양츈(陽春)을 부처 내여~옥누(玉樓)의 올리고져** (추운 겨울날에) 따뜻한 봄 햇살을 임이 계신 옥루에 보내고 싶다는 것으로, 임금을 생각하는 신하의 충정이 드러나 있다.

핵심 쏙쏙

◉ '본사 ③, ④'의 시상 전개 방법

계절에 따른 자연의 변화	화자의 행위 및 심리
가을: ᄒᆞᄅ밤 서리 김의 기러기 우러 녈 제	높은 누각에 홀로 올라 달과 별을 보며 임을 떠올리고 눈물지음.
겨울: 건곤(乾坤)이 폐식(閉塞)ᄒᆞ야 빅셜(白雪)이 ᄒᆞᆫ 비친 제	사람은 물론 새도 움직임이 없는 추위에 임의 건강을 염려함.

◉ '본사 ③, ④'에 사용된 소재의 상징적 의미

기러기	화자의 외로운 감정(울면서 지냄.)을 드러내는 객관적 상관물
돌, 별	임(임금)
청광(맑은 달빛)	임(임금)의 선정을 소망하는 화자의 충정
봉황누	궁궐
심산궁곡	깊은 산속의 험한 골짜기. 임금의 선정이 미치지 못하는 곳. 화자가 은거하고 있는 곳(전라도 창평)
양츈(따뜻한 햇살)	임에 대한 화자의 염려

화자의 외로운 감정(울면서 지냄.)이 이입된 객관적 상관물

본사 ③ 라 ᄒᆞᄅ밤 서리 김의 ㉠ 기러기 우러 녈 제
계절감의 표현(가을)
위루(危樓)에 혼자 올나 슈정념(水晶簾) 거든 마리
높다란 누각　　수정 구슬을 꿰어서 만든 발　　걷으니
동산(東山)의 둘이 나고, ㉡ 북극(北極)의 별이 뵈니

님이신가 반기니, 눈믈이 절로 난다

㉢ 청광(清光)을 믜워 내여 ㉣ 봉황누(鳳凰樓)의 붓티고져❶
임금의 선정을 소망하는 충정을 표현함.
누(樓) 우희 거러 두고 팔황(八荒)의 다 비최여
팔방의 넓은 범위. 온 세상
㉤『심산궁곡(深山窮谷) 졈낫ᄀᆞ티 밍그쇼셔』
『　』: 임금의 선정이 구석구석 미치기를 바라는 마음 └ 대낮같이

▶ 본사 ③: 추원(秋怨) − 임의 선정에 대한 소망

[현대어 풀이]

하룻밤 서리 기운에 기러기 울며 갈 때,

높은 누각에 혼자 올라 수정렴을 걷으니,

동산에 달 오르고 북극에 별이 뵈니,

임이신가 반기니 눈물이 절로 난다.

청광을 쥐어 내어 봉황루에 부치고자.

누각 위에 걸어 두고 온 세상에 다 비추어

심산궁곡 대낮같이 만드소서.

본사 ④ 마 건곤(乾坤)이 폐식(閉塞)ᄒᆞ야 빅셜(白雪)이 ᄒᆞᆫ 비친 제
천지가 겨울 추위에 얼어 생기가 막혀　　계절감을 지닌 시어(겨울)
㉮ 사ᄅᆞᆷ은ᄏᆞ니와 ᄂᆞᆯ새도 긋쳐 잇다
추위 때문에 모두 얼어붙어 움직이는 것이 없음.
쇼샹남반(瀟湘南畔)도 치오미 이러커든
소상강의 남쪽. 여기서는 작가가 있는 전라도 창평
옥루(玉樓) 고쳐(高處)야 더옥 닐러 므슴ᄒᆞ리
옥황상제가 있다는 곳. 여기서는 임금이 계신 대궐을 말함.
양츈(陽春)을 부처 내여 님 겨신 ᄃᆡ 쏘이고져
임의 건강을 염려하는 충정이 나타남. '양츈'은 임에 대한 변함없는 충정을 상징함.
모쳠(茅簷) 비쵠 히롤 옥누(玉樓)의 올리고져❷
초가집 처마
홍샹(紅裳)을 니믜ᄎᆞ고 취슈(翠袖)를 반(半)만 거더
붉은 치마. 다홍치마　　　푸른 소매
일모슈듁(日暮脩竹)의 혬가림도 하도 할샤
해 저물 무렵 긴 대나무에 의지함.　여러 가지 생각
댜ᄅᆞᆫ 히 수이 디여 긴 밤을 고초 안자
짧은
청등(青燈) 거론 겻ᄐᆡ 뎐공후(鈿箜篌) 노하두고
푸른 비단으로 싼 초롱불　　자개로 장식한 공후(옛날의 악기 명칭)
『꿈의나 님을 보려 ᄐᆞᆨ 밧고 비겨시니『　』: 화자는 임이 그리워 꿈에서나마 임을 만나려 하지만 '앙금', 즉 차가운
독수공방의 외로움을 형상화함.　　　이불을 통해 임의 부재와 자신의 외로움을 확인할 뿐임.
앙금(鴦衾)도 ᄎᆞ도 ᄎᆞᆯ샤 이 밤은 언제 샐고』
원앙새를 수놓은 이불

▶ 본사 ④: 동원(冬怨) − 임의 건강을 염려하는 마음

[현대어 풀이]

천지가 닫히고 막혀 백설이 한빛일 때, / 사람은 물론이고 나는 새도 그쳐 있다.

소상강 남쪽도 추위가 이렇거늘, / 옥루 높은 곳이야 더욱 말해 무엇하리?

양춘을 부쳐 내어 임 계신 데 쏘이고자. / 초가 처마에 비친 해를 옥루에 올리고자.

홍상을 여미어 입고 푸른 소매를 반만 걷어

저물녘 대나무에 기대어 서니 생각이 많기도 많구나.

짧은 해가 이내 지고 긴 밤을 꼿꼿이 앉아, / 청등 걸어 둔 곁에 전공후 놓아두고

꿈에나 임을 보려 턱 받치고 기대어 있으니, / 원앙금침이 차기도 차구나. 이 밤은 언제 샐꼬?

15. 라~마에 나타난 화자의 정서와 관련이 <u>없는</u> 것은?

① 임이 선정을 베풀어 줄 것을 갈망하고 있다.

② 자신을 떠난 임에 대한 원망이 나타나 있다.

③ 임의 부재로 인한 화자의 외로움이 나타나 있다.

④ 임의 건강을 염려하는 화자의 마음이 나타나 있다.

⑤ 임과의 이별을 슬퍼하는 화자의 마음이 나타나 있다.

16. 라의 시상 전개 과정을 다음과 같이 정리할 때, 빈칸에 들어갈 내용으로 가장 적절한 것은?

구분	계절별 주요 소재	화자의 충정이 드러난 행동
가을	쳥광	

① 수정 구슬로 만든 발을 걷음.

② 높은 누각 위에 혼자 올라감.

③ 깊은 산골짜기로 달빛을 보냄.

④ 달빛을 임 계신 봉황루에 보내고자 함.

⑤ 달빛을 누각 위에 걸어 두고 온 세상을 비춤.

17. 라~마에 나타난 화자의 상황과 어울리지 <u>않는</u> 것은?

① 독수공방(獨守空房) ② 오매불망(寤寐不忘)

③ 전전반측(輾轉反側) ④ 절치부심(切齒腐心)

⑤ 학수고대(鶴首苦待)

18. 〈보기〉의 시조는 상상력을 통해 대상을 주관적으로 변용하고 있다. 마에서 〈보기〉와 같이 변용이 이루어진 대상은?

> ┤보기├
>
> 동지(冬至)ㅅ둘 기나긴 밤을 한 허리를 버혀 내여,
> 춘풍(春風) 니불 아래 서리서리 너헛다가,
> 어론 님 오신 날 밤이여든 구뷔구뷔 펴리라.
>
> – 황진이

① 양츈(陽春) ② 홍샹(紅裳) ③ 댜른 히

④ 꿈 ⑤ 앙금(鴦衾)

19. ㉠~㉤의 함축적 의미를 <u>잘못</u> 파악한 것은?

① ㉠: 화자의 외로운 심정

② ㉡: 충성스러운 신하

③ ㉢: 임금의 선정을 소망하는 화자의 충정

④ ㉣: 임금이 거처하는 공간

⑤ ㉤: 화자가 거처하는 공간

20. 가에서 느낄 수 있는 분위기로 가장 적절한 것은?

① 깨끗함 ② 소란함 ③ 엄숙함

④ 적막함 ⑤ 지루함

서술형

21. 나~마에서 임에 대한 그리움을 상징하고 있는 대표적인 소재를 계절별로 하나씩 쓰시오.

결사 **바** ᄒᆞᄅᆞ도 열두 ᄣᅢ ᄒᆞᆫ ᄃᆞᆯ도 셜흔 날❶
기나긴 슬픔의 시간. 숫자를 구체적으로 밝혀 시름의 정도를 표현함. – 내내 시름에 잠겨 있음.
져근덧 ᄉᆡᆼ각 마라, 이 시름 닛쟈 ᄒᆞ니
잠깐 동안
『ᄆᆞᄋᆞᆷ의 ᄆᆡ쳐 이셔 골슈(骨髓)의 ᄢᅦ텨시니
임에 대한 그리움이 / 뼛속 / 사무쳐 있으니
편쟉(扁鵲)이 열히 오다 이 병을 엇디ᄒᆞ리』❷ 『 』: 상사(相思)의 정(임에 대한 간절한 그리움)
중국 춘추 시대의 명의(名醫)로, 뛰어난 의사의 대명사
어와 내 병이야 이 님의 타시로다
호랑나비
[A] 『출하리 싀어디여 범나븨 되오리라』❸ 『 』: 화자의 임에 대한 변함없는 사랑
사라져서, 죽어 없어져서
곳나모 가지마다 간 ᄃᆡ 죡죡 안니다가
가는 곳마다 / 앉아 다니다가
향 므든 ᄂᆞᆯ애로 님의 오ᄉᆡ 올므리라
날개 / 좇으려
님이야 날인 줄 모ᄅᆞ셔도 내 님 조ᄎᆞ려 ᄒᆞ노라❹
임에 대한 변함없는 사랑을 드러내어 연군지정이라는 주제를 효과적으로 표현함.

▶ 결사: 임에 대한 변함없는 사랑

[현대어 풀이]

하루도 열두 때 한 달도 서른 날
잠시라도 생각 말아 이 시름 잊자 하니,
마음에 맺혀 있어 뼛속까지 사무쳤으니,
편작이 열이 온다 한들 이 병을 어찌하리.
어와, 내 병이야 이 임의 탓이로다.
차라리 죽어져서 범나비 되리라.
꽃나무 가지마다 간 데 족족 앉아 다니다가
향 묻은 날개로 임의 옷에 옮으리라.
임이야 나인 줄을 모르셔도 내 임 좇으려 하노라.

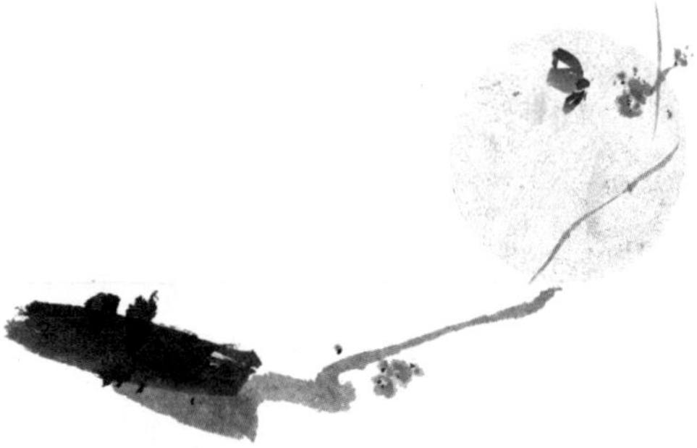

어휘·어구 풀이

❶ **ᄒᆞᄅᆞ도 열두 ᄣᅢ ᄒᆞᆫ ᄃᆞᆯ도 셜흔 날** 구체적인 숫자를 통해 시름과 한의 정도를 표현하였다.
❷ **ᄆᆞᄋᆞᆷ의 ᄆᆡ쳐 이셔~이 병을 엇디ᄒᆞ리** 임에 대한 그리움이 뼛속까지 사무쳐 편작과 같은 명의가 오더라도 고칠 수 없다는 것으로, 임에 대한 간절한 그리움을 드러내고 있다.
❸ **출하리 싀어디여 범나븨 되오리라** 살아서 임과 함께 있을 수 없다면 차라리 죽어서 호랑나비가 되어 임의 곁에 머물고 싶다는 화자의 간절한 소망을 드러낸 구절이다. 여기에는 불교의 윤회 사상이 반영되어 있다.
❹ **님이야 날인 줄 모ᄅᆞ셔도 내 님 조ᄎᆞ려 ᄒᆞ노라** 임이 호랑나비가 된 '나'를 알아보지 못하더라도 임을 좇겠다고 하여 일편단심을 드러내고 있다. 서사의 '이 몸 삼기실 제 님을 조차 삼기시니'와 호응을 이룬다. 현실적으로는 이룰 수 없는 사랑을 승화시킨 부분으로, 작품의 주제를 가장 집약적으로 표현한 부분이다.

핵심 쏙쏙

◉ **'범나비'의 의미**
• 화자의 분신과 같은 존재
• 죽어서라도 임을 따르고 싶은 화자의 마음이 투영된 소재

◉ **'결사'에 나타난 연군의 정**

임에 대한 그리움과 한으로 탄식함.
↓
임에 대한 그리움과 한을 승화시켜, 죽어 범나비가 되어서라도 영원히 임을 따르고자 함.
↓
신하의 임금에 대한 일편단심의 충정

보충 자료 **「사미인곡」과 「속미인곡」의 비교**

	사미인곡	속미인곡
공통점	• 화자가 천상(天上) 백옥경에서 하계(下界)로 내려온 여성임. • 화자가 임을 사무치게 그리워함. • 화자가 죽어서라도 임을 따르고자 함.	
차이점	화자의 독백체	화자와 보조적 인물의 대화체
	계절의 변화에 따른 내용 전개	화자의 일상 시간에 따른 내용 전개
	한자 숙어와 과장된 표현이 많음.	우리말의 묘미를 잘 살림.
	소극적인 화자의 태도	적극적인 화자의 태도
	그리움을 안으로 삭이는 사대부 규중 여인의 어조	직설적이고 소박한 서민 여성의 어조

22. 윗글이 속한 갈래의 흐름과 특질에 대한 설명으로 적절하지 <u>않은</u> 것은?

① 고려 초기에 등장하여 주로 궁중 속악의 가사로 쓰였다.

② 조선 초기에는 연군, 강호의 생활을 노래한 작품이 주류를 이루었다.

③ 노래로 부를 때나 낭송을 할 때 대체로 네 마디를 단위로 끊어 읽는다.

④ 형식이 유연하여 기본적인 운율을 지키는 가운데 분량이 거의 무제한적으로 길어진다.

⑤ 조선 후기에는 작가층이 확대되어 부녀자들이 여성으로서의 삶의 체험을 솔직하게 그려 낸 작품도 등장하였다.

23. ㉬에 나타난 화자의 태도로 가장 적절한 것은?

① 소극적　　② 비판적　　③ 관조적
④ 수용적　　⑤ 의지적

24. 〈보기〉를 참고할 때, ㉬의 '님'과 성격이 <u>다른</u> 하나는?

> |보기|
>
> 　　송강 정철의 「사미인곡」, 「속미인곡」은 국문으로 지은 것인데, 그가 추방당한 울분 때문에 임금과 신하의 만나고 헤어짐을 남녀가 사랑하고 미워함에 비유하였다.
> 　　　　　　　　　　　　　　　　　　　－ 김춘택, 「북헌집」

① 천만 리 머나먼 길에 고운 님 여희옵고 / 내 마음 둘 데 없어 냇가에 앉았으니 / 저 물도 내 안 같아서 울어 밤길 예놋다. 　　　　　　　　　　　－ 왕방연

② 잔 들고 혼자 앉아 먼 뫼를 바라보니 / 그리던 님이 온들 반가움이 이러하랴. / 말씀도 웃음도 아니 해도 못내 좋아하노라. 　　　　　　　　－ 윤선도

③ 가마귀 눈비 맞아 희는 듯 검노매라. / 야광명월(夜光明月)이 밤인들 어두오랴. / 님 향한 일편단심(一片丹心)이야 변할 줄이 있으랴. 　　　　　　　　－ 박팽년

④ 이 몸이 죽고 죽어 일백 번 고쳐 죽어 / 백골(白骨)이 진토(塵土) 되어 넋이라도 있고 없고 / 님 향한 일편단심(一片丹心)이야 가실 줄이 있으랴. 　　　　　－ 정몽주

⑤ 풍상(風尙)이 섞어 친 날에 갓 피운 황국화(黃菊花)를 / 금분(金盆)에 가득 담아 옥당(玉堂)에 보내오니, / 도리(桃李)야 꽃인 양 마라 님의 뜻을 알괘라. 　　　　　　　　－ 송순

25. ㉬에 대한 설명으로 적절하지 <u>않은</u> 것은?

① 불교의 윤회 사상을 바탕으로 충을 실현하고자 하고 있다.

② 대유법과 과장법을 활용하여 임에 대한 그리움을 표현하고 있다.

③ 죽어서라도 임과 함께하겠다는 화자의 간절한 소망이 나타나 있다.

④ 직설적이고 소박한 서민 여성 화자의 어조로 임에 대한 사랑을 노래하고 있다.

⑤ 자연물에 화자의 마음을 투영하여 임에 대한 화자의 변함없는 사랑을 드러내고 있다.

학습 활동 응용

26. ㉬에서 확인할 수 있는 한국 문학적 전통으로 알맞은 것은?

① 자연 친화적인 태도가 드러난다.

② 조화와 풍류의 정신이 담겨 있다.

③ 남성 작가가 여성 화자를 내세워 말하는 방식을 취한다.

④ 고상한 품위와 위엄을 바탕으로 대의명분에 충실하려는 강한 의지와 절개가 드러난다.

⑤ 한(恨)의 정서를 그려 내되, 비극적 상황을 그대로 그려 내지 않고 해학과 풍자를 통해 웃음을 유발함으로써 그 슬픔을 해소한다.

서술형

27. 〈보기〉는 작가의 또 다른 작품인 「속미인곡(續美人曲)」의 끝부분이다. [A]와 〈보기〉는 형식(서술 방식) 면에서 어떤 차이가 있는지 서술하시오.

> |보기|
>
> 출하리 싀어디여 낙월(落月)이나 되야이셔
> 님 겨신 창(窓) 안히 번드시 비최리라.
> 각시님 돌이야크니와 구준 비나 되쇼셔.

• 이 작품의 내용 구성

구성		내용
서사		임과의 인연과 이별 후의 ❶◻◻◻
본사	춘원(春怨)	임에 대한 변함없는 ❷◻◻을 알리고 싶은 마음
	하원(夏怨)	외로운 심사와 임을 향한 정성을 전하고 싶은 마음
	추원(秋怨)	임의 선정(善政)에 대한 소망
	동원(冬怨)	임에 대한 염려와 자신의 외로움
결사		죽어서라도 임을 따르고자 하는 간절한 마음

• 계절별 주요 소재와 그 상징적 의미

계절	계절감을 드러내는 소재	주요 소재	상징적 의미
봄	동풍, 미화	미화	임금에 대한 화자의 충정
여름	녹음	옷	임금에 대한 화자의 지극한 정성
가을	서리	청광(달빛)	임금의 ❸◻◻에 대한 화자의 소망
겨울	빅셜	양츈(봄볕)	임금에 대한 화자의 염려

• 표현상의 특징과 효과

여성 화자	화자를 여성으로 설정하여 임을 그리워하는 애절한 심정을 절실하게 표현함.
❹◻◻의 흐름에 따른 시상 전개	본사에서 사계절에 따라 시상을 전개함으로써 연군지정을 효과적으로 표현함.
다양한 표현 기법	다양한 비유와 상징적 기법 등을 활용하여 우리말의 아름다움을 살리면서 화자의 정서를 효과적으로 표현함.

• 이 작품에 드러난 한국 문학의 전통

4음보의 율격	❺◻◻◻◻◻◻
'츌하리 / 싀어디여 / 범나븨 / 되오리라'와 같이 4음보의 율격이 연속됨.	관직에서 물러난 작가가 고향에 은거하며 임금을 향한 간절한 그리움과 변함없는 충정을 노래함.
⬇	⬇
4음보는 3음보와 함께 우리 시가의 대표적인 율격으로, 시조와 가사 등에 사용되었음.	고려 때 정서가 지은 「정과정곡」에서 비롯된 충신연주지사의 전통을 이어받은 작품임.

|정답| ❶ 그리움 ❷ 충정 ❸ 선정 ❹ 계절 ❺ 충신연주지사

학습 활동

작품 속으로

1. 이 작품의 주요 내용을 시상의 전개 과정에 따라 정리해 보자.

시상 전개		중심 소재	소재와 관련된 화자의 심리
서사 임과의 인연, 이별 후의 괴로움	봄 [春詞]	미화	자신의 사랑을 임에게 전하고 싶음.
본사 계절에 따라 느끼는, 임을 향한 그리움	여름 [夏詞]	옷	지극한 정성을 표하고 싶음.
	가을 [秋詞]	청광 (달빛)	임이 선정을 베풀기를 소망함.
결사 죽어서라도 임을 따르고자 하는 충정	겨울 [冬詞]	양춘 (봄볕)	임이 추울 것을 염려함.

2. 다음 부분을 낭독할 때 끊어 읽어야 할 곳에 '/' 표시를 하고, 이 작품의 운율적 특징을 우리 시가의 전통과 관련하여 설명해 보자.

> 출하리 싀어디여 범나븨 되오리라
> 곳나모 가지마다 간 티 죡죡 안니다가
> 향 므틴 놀애로 님의 오시 올므리라
> 님이야 날인 줄 모르셔도 내 님 조추려 ᄒᆞ노라

| **예시 답안** | 출하리 / 싀어디여 / 범나븨 / 되오리라
곳나모 / 가지마다 / 간 티 죡죡 / 안니다가
향 므틴 / 놀애로 / 님의 오시 / 올므리라
님이야 / 날인 줄 모르셔도 / 내 님 조추려 / ᄒᆞ노라

대체로 3~4음절 정도를 하나의 끊어 읽는 마디로 삼아 한 행을 네 마디로 끊어 읽는 4음보의 율격이 연속되고 있는데, 이러한 4음보는 3음보와 함께 우리 시가에 사용되는 대표적인 율격이다. 4음보 율격이 사용되는 시가 갈래로는 시조와 가사를 들 수 있다.

3. 다음 글을 읽고, 한국 문학의 전통과 관련지어 이 작품을 이해해 보자.

> 우리의 옛 시가 중에는 이른바 **충신연주지사(忠臣戀主之詞)**, 즉 충성스러운 신하가 임금을 사모하는 노래로 분류되는 작품들이 있다. 고려 때 정서가 지은 「정과정곡」에서 비롯된 이러한 시가들은 대체로 ㉠ 임에게 버림받아 자나 깨나 임을 그리워하는 여인의 노래라는 형식을 띠었는데, 「사미인곡」도 그중 하나이다. 「사미인곡」은 정철이 과열된 붕당 정치로 인해 ㉡ 중앙 정계에서 물러나 전라도 창평에 머물던 상황에 지은 것으로, 후대에 김춘택의 「별사미인곡」을 비롯한 여러 작품이 이 노래를 모방하기도 하였다.

(1) 이 작품을 ㉠으로 볼 수 있는 근거를 작품에서 찾아보고, '충신연주지사'들이 그러한 형식을 취한 까닭을 추론해 보자.

| **예시 답안** | 빗은 머리가 헝클어진 지 삼 년이고 연지분이 있지만 누구를 위해 바르겠느냐고 말을 하는 부분, 바느질을 하여 임의 옷을 지어 보내려 한다는 부분 등으로 볼 때, 이 작품도 ㉠으로 볼 수 있다. 대부분의 충신연주지사가 ㉠의 형식을 띤 것은 임금을 향한 절절한 그리움을 효과적으로 드러낼 수 있고, 독자의 공감을 불러일으키기 쉽기 때문이었을 것이다.

(2) 이 작품에서 ㉡에 대응되는 구절을 찾아 써 보자.

| **예시 답안** | 엇그제 님을 뫼셔 광한뎐(廣寒殿)의 올낫더니
그 더디 엇디ᄒᆞ야 하계(下界)예 ᄂᆞ려오니

보충 자료 「사미인곡」과 영향 관계에 있는 작품들

「사미인곡」은 여성이 남성을 그리워하는 형식을 담아 임금에 대한 충성심을 노래하고 있다는 데서 고려 가요인 정서의 「정과정곡」과 그 맥을 같이한다. 또한 「사미인곡」은 부재하는 임에 대한 자기희생적 사랑을 노래한 작품이기도 한데, 이는 황진이의 시조, 김소월의 「진달래꽃」, 한용운의 「님의 침묵」, 「나룻배와 행인」 등과 그 맥을 같이한다고 할 수 있다. 또한 계절의 변화에 작가의 심정을 담아 표현하고 있다는 점에서 고려 가요 「동동」, 송순의 가사 「면앙정가」, 허난설헌의 가사 「규원가」 등과도 유사하다. 마지막으로 천상계의 인물이 하계로 내려왔다는 설정은 조선 후기에 지어진 유배 가사인 조위의 「만분가」의 설정과 유사하다.

4. 다음을 참고하여, 이 작품이 지닌 문학사적 가치를 설명해 보자.

> 지금 우리나라의 시문은 자기 말을 버리고 다른 나라의 말을 흉내 내어 쓴 것이니 설령 아주 비슷하다 하더라도 앵무새가 사람의 말을 흉내 내는 것에 지나지 않는다. 나무하는 아이들이나 물 긷는 아낙네들이 서로 화답하며 노래하는 것이 비록 천하고 속되다 할지라도, 그 참과 거짓을 따진다면 공부하는 선비들의 이른바 시부(詩賦)라고 하는 것과는 비교가 되지 않는다. 게다가 이 세 편의 노래(「관동별곡」, 「사미인곡」, 「속미인곡」)는 하늘로부터 받은 본성이 담겨 있으면서도 천박함은 없다.
>
> – 김만중, 「서포만필」에서

작품 연구 김만중, 「서포만필」 중 송강 정철 가사의 문학사적 가치에 관한 부분

- **갈래**: 중수필, 비평문　　　　　• **성격**: 분석적, 비판적, 주관적
- **제재**: 송강 정철의 가사
- **주제**: 한자를 주로 사용하는 우리 시문의 실태에 대한 비판과 송강 가사의 가치, 진정한 국문 문학의 제고
- **특징**: ① 우리 시문의 실태를 앵무새가 사람의 말을 흉내 내는 것에 빗댐.
  　　　　② 나무하는 아이들과 물 긷는 아낙네들을 예로 들어 바람직한 시문에 대한 생각을 전함.

| 예시 답안 | 이 작품에서는 뛰어난 우리말의 사용이 돋보인다. 특히 맨 뒷부분의 '어와 내 병이야 이 님의 타시로다~내 님 조차려 ㅎ노라'에서는 한자어를 거의 사용하지 않고 있어 김만중이 「서포만필」에서 지적한 대로 우리말을 적극 활용하면서도 천박하지 않은 표현을 해 내었다는 점에서 우리 문학으로서의 가치가 높다고 볼 수 있다.

보충 자료 송강의 가사, 「사미인곡」과 「속미인곡」

「사미인곡」을 이해하는 데 빼놓을 수 없는 작품이 속편인 「속미인곡」이다. 두 작품을 견주어 볼 때, 시적 화자가 그리워하는 대상이 임금이라는 점과, 여성 화자의 목소리를 통해 호소력을 높였다는 점을 공통점으로 들 수 있다. 또한 두 작품 모두 세련된 비유와 상징적인 시어를 사용하고 있다는 점, 우리말을 잘 살려 시를 쓰고 있다는 점 또한 공통된 부분이다. 그러나 결말 처리 방식에서 두 작품은 차이를 보인다. 「사미인곡」은 임금이 시적 화자를 불러 주지 않아도 서운해 하지 않고 무조건 임금을 사모하리라고 말하고 있는 반면에, 「속미인곡」의 경우 '낙월'과 '구즌 비'를 통해 임금에 대한 서운한 감정을 표출하고 있다. 특히 서술 방식에서도 두 작품은 확연한 차이를 보인다. 우선 「사미인곡」은 한 명의 여성 화자가 자신의 처지를 이야기하는 독백 형식을 취하고 있는 반면, 「속미인곡」은 두 명의 여자가 대화하는 형식으로 이루어져 있다.

작품 너머로

5. 다음 작품을 「사미인곡」과 비교하며 읽고, 두 작품이 화자의 인식과 태도 면에서 어떤 유사성이 있는지 설명해 보자.

> _{이별의 상황으로 인한 절망과 비탄}
> 님은 갔습니다. 아아 사랑하는 나의 님은 갔습니다.
> _{그리움의 대상－연인, 조국, 진리 등}
> 푸른 산빛을 깨치고 단풍나무 숲을 향하여 난 작은 길을 걸어서 차마 떨치고 갔습니다.
> _{허무하고 덧없는, 초라한 존재}
> 황금의 꽃같이 굳고 빛나던 옛 맹세는 차디찬 티끌이 되어서 한숨의 미풍(微風)에 날아갔습니다.　▶ 이별의 상황
> _{영원한 사랑의 약속}
> 날카로운 첫 키스의 추억은 나의 운명의 지침(指針)을 돌려놓고 뒷걸음쳐서 사라졌습니다.
> _{임의 사랑을 깨닫는 순간　　삶의 방향}
> 나는 향기로운 님의 말소리에 귀먹고 꽃다운 님의 얼굴에 눈멀었습니다.
> _{임의 절대성. 임에 대한 절대적 귀의, 의지}
> 사랑도 사람의 일이라 만날 때에 미리 떠날 것을 염려하고 경계하지 아니한 것은 아니지만, 이별은 뜻밖의 일이 되고 놀란 가슴은 새로운 슬픔에 터집니다.
> _{이별은 예상을 해도 항상 충격과 슬픔을 줄 수밖에 없음.}　▶ 이별 후의 비애
> 그러나 이별을 쓸데없는 눈물의 원천을 만들고 마는
> _{사상 전환}
> 것은 스스로 사랑을 깨치는 것인 줄 아는 까닭에 걷잡을
> _{이별을 했다고 우는 것은 자신의 사랑을 무의미하게 만드는 것이라는 의미}
> 수 없는 슬픔의 힘을 옮겨서 새 희망의 정수박이에 들어
> _{슬픔을 희망으로 전환시킴.}
> 부었습니다.
> 우리는 만날 때에 떠날 것을 염려하는 것과 같이 떠날
> _{회자정리(會者定離)}
> 때에 다시 만날 것을 믿습니다.　▶ 슬픔을 희망으로 전이
> _{거자필반(去者必反)}
> 아아 님은 갔지마는 나는 님을 보내지 아니하였습니다.
> _{역설적 표현－이별의 상황에서도 임에 대한 변함없는 사랑을 강조함.}
> 제 곡조를 못 이기는 사랑의 노래는 님의 침묵을 휩싸
> _{임에 대한 사랑과 믿음을 내용으로 하는 노래　임의 부재를 '침묵'으로 인식함.}
> 고 돕니다.　▶ 임을 향한 영원한 사랑의 다짐
>
> – 한용운, 「님의 침묵」

작품 연구 한용운, 「님의 침묵」

- **갈래**: 자유시, 서정시　　• **성격**: 낭만적, 상징적, 의지적, 역설적
- **제재**: 임과의 이별　　• **주제**: 임을 향한 영원한 사랑
- **특징**: ① 역설적 표현을 통해 주제를 강조함.
  　　　　② 유사한 종결 어미의 반복으로 운율을 형성함.
  　　　　③ 여성 화자의 목소리와 경어체 사용으로 화자의 소망을 표현함.
  　　　　④ 고도의 상징과 비유를 활용하여 시적 상황과 화자의 정서를 드러냄.
- **구성**
  - 1~4행: 이별의 상황 인식
  - 5~6행: 이별 후의 슬픔과 고통
  - 7~8행: 슬픔과 고통을 극복하려는 의지
  - 9~10행: 임과의 재회에 대한 믿음과 임을 향한 영원한 사랑

| 예시 답안 | 자신에게 절대적인 의미를 지녔던 임과 헤어진 데서 슬픔을 느끼는 점, 멀리 떨어져 있어도 임을 향한 사랑은 변함이 없다고 느끼는 점, 임을 간절히 그리워하며 재회를 갈망하는 점 등이 서로 유사하다.

02 태평천하 채만식

해제

「태평천하」는 윤 직원 일가의 이야기로, 세대 간의 가치관 차이로 인한 갈등과 대립으로 한 집안이 붕괴하는 과정을 다룬 소설이다. 일제 강점기인 1930년대 후반, 서울에 사는 지주이자 고리대금업자인 윤 직원 영감의 그릇된 현실 인식과 그 집안의 몰락 과정을 통해 당시 사회의 모순과 부정적인 중산 계층의 인물상을 풍자하고 있다. 서술자가 과장, 반어 등을 활용하여 인물을 희화화하고, 경어체를 사용하면서 판소리의 창자처럼 인물과 상황을 조롱한다는 점이 특징적인 작품이다.

전체 줄거리

윤 직원 영감은 인력거를 타고서 그 삯을 깎으려 하고, 어린 기생을 데리고 다니면서도 아무것도 사 주지 않으려는 구두쇠이다. 하지만 그는 구한말 화적 떼의 습격으로 아버지가 죽었던 일을 항상 생각하며, 자신과 자신의 재산을 그런 불한당으로부터 지켜 주는 일본인들이 고마운 존재라고 생각해 아낌없이 기부한다. 그는 돈으로 족보를 사서 만들고 손자 종수와 종학이 군수와 경찰서장이 되어 가문을 빛내기를 기대하지만, 아들 창식은 노름으로 가산을 탕진하고 손자 종수 또한 방탕한 생활을 한다. 윤 직원은 일본에 유학 중인 종학에게 기대를 걸었지만, 그가 사상 관계로 경시청에 피검되었다는 전보를 받고 큰 충격에 빠진다.

핵심 정리

(1) 갈래: 중편 소설, 풍자 소설

(2) 성격: 비판적, 풍자적, 반어적

(3) 시점: 전지적 작가 시점

(4) 배경: 시간적 – 1930년대, 공간적 – 서울

(5) 주제: 일제 강점기의 한 지주 집안의 세대 간 갈등과 가족의 붕괴

(6) 특징: ① 왜곡된 의식을 지닌 인물을 등장시켜 당대 현실을 풍자함.

② 경어체를 구사하는 서술자를 설정하여 인물을 조롱하고 비판함.

③ 판소리 사설과 비슷한 문체로, 인물과 사건에 대한 작가의 개입이 두드러짐.

④ 과장, 반어, 희화화 등을 통해 대상을 풍자하고 독자의 웃음을 유발함.

(7) 구성

발단	대지주임에도 인력거 삯을 깎으려고 하는 윤 직원
전개	윤 직원의 집안 내력과 재산 축적 과정
위기	둘째 손자 종학에 대한 기대와 큰아들 창식(윤 주사)과 큰손자 종수의 방탕한 생활
절정·결말 (교과서 수록 부분)	일본 유학 중이던 종학이 사상 관계로 경시청에 피검되었다는 전보를 받고 충격에 빠지는 윤 직원

어휘·어구 풀이

● **노적** 곡식 따위를 한데에 수 북이 쌓음. 또는 그런 물건.

❶ **망진자(亡秦者)는 호야(胡也) 니라** 진시황이 들었던 예언 으로 '진나라를 망하게 할 자 는 호(胡)이다.'라는 뜻이다. 외 부의 적이 아닌 진시황의 아 들인 호해에 의해 진나라가 망하게 된 것처럼 윤 직원이 가장 아끼고 기대했던 둘째 손자 종학에 의해 집안이 몰 락하게 됨을 암시하는 소제목 이다.

핵심 쏙쏙

◉ **반어적 표현**

이미 반 세기 전, 그리고 그것 은~겸하여 웅장한 투쟁의 선 언이었습니다.

↓

개인의 이익을 위한 투쟁을 '웅 장한 투쟁'이라고 반어적으로 표현하여 겉으로는 인물을 추 켜세우면서 속으로는 인물을 조롱하고 있음.

교과서 날개 질문

윤 직원 영감이 세상을 저주하는 이유가 무엇인지 말해 보자.
| 예시 답안 | 부친인 말대가리 윤 용규가 화적의 손에 무참히 맞아죽 는 억울한 일을 겪었기 때문이다.

[앞부분 줄거리] 1930년대 서울, 평민 출신 대지주이자 지독한 구두쇠인 윤 직원 영감은 구한말에 아버지를 화적 떼의 손에 잃은 아픈 기억이 있다. 일본인들이 화적 떼로부터 자기 재산을 지켜 준다며 일본의 식민 지배 를 고맙게 여기는 그는 경찰서 무도장을 짓는 데 아낌없이 기부한다. 그는 또 재산을 지키기 위해 양반을 사고 족보를 도금한다. 양반과의 혼인을 위해 가난한 양반집에서 며느리를 들인 그는 손자인 종수와 종학이 각각 군 수와 경찰서장이 되어서 가문을 빛내기를 간절히 바란다. 그러나 아들 창식은 노름으로 가산을 탕진하고, 큰손 자 종수 역시 방탕한 생활로 많은 돈을 날린다. 게다가 딸마저 시댁에서 소박을 맞고 와서 함께 살고 있는 처지 이다. 윤 직원 영감은 오로지 일본 유학 중인 둘째 손자 종학에게 잔뜩 기대를 걸고 있다.

㉠ **망진자(亡秦者)는 호야(胡也)니라**❶

㉮ 일찍이 윤 직원 영감은 그의 소싯적 윤 **두꺼비** 시절에 자기 부친 **말대가리** 윤용규가
〔우스꽝스러운 별명을 통한 인물의 희화화〕
일제 강점기에 향교나 경학원의 직무. 또는 그 직무를 맡아 하던 사람.
화적의 손에 무참히 맞아 죽은 시체 옆에 서서, 노적이 불타느라고 화광이 충천한 하늘을
불한당. 떼를 지어 돌아다니며 재물을 마구 빼앗는 사람들의 무리   타는 불의 빛
우러러,

"이놈의 세상, 언제나 망하려느냐?" / "우리만 **빼놓고** 어서 망해라!"
윤 직원의 이기적인 성격, 비도덕적 태도가 드러남.
하고 부르짖은 적이 있겠다요.
판소리적 문체─등장인물을 조롱하는 어투를 사용함으로써 서술자의 부정적 태도를 드러내고 서술자와 독자의 거리를 좁힘.
『이미 반세기 전, 그리고 그것은 당시의 나한테 불리한 세상에 대한 격분된 저주요, 겸
『 』: 겉으로는 추켜세우는 것 같지만 속으로는 윤 직원을 조롱하는 반어적 표현
하여 웅장한 투쟁의 선언이었습니다.』
개인의 이익을 위한 투쟁을 반어적으로 표현함.
해서 윤 직원 영감은 과연 승리를 했겠다요. 그런데…….   ▶ 윤 직원의 과거와 세상에 대한 태도

㉯ 식구들은 시아버지 윤 직원 영감이 보기가 싫은 건넌방 고 씨만 **빼놓고**, 서울 아씨,
윤 직원의 맏며느리
태식이, 뒤채의 두 동서, 모두 안방에 모여 종수를 맞이하는 예를 표하, 그들의 **옹위** 아
좌우에서 부축하며 지키고 보호함.
래 윤 직원 영감과 종수는 각기 아랫목과 뒷벽 앞으로 갈라 앉았습니다. 방금 점심 밥상
을 받을 참입니다.

"너 경손 애비, 부디 정신 채리라!……"
맏손자 윤종수
윤 직원 영감이 종수더러 곰곰이 훈계를 하던 것입니다. 안식구가 있는 데라 점잖게 경
손 애비지요.   ▶ 손자 종수에 대한 윤 직원의 훈계

학습 문제

정답과 해설 345쪽

1. 앞부분 줄거리와 ㉮~㉯의 내용으로 적절하지 <u>않은</u> 것은?

① 윤 직원은 자신의 재산을 지키고 가문을 빛내려는 욕 망을 가지고 있다.

② 윤 직원은 부정적 현실에 격분하여 정의를 위해 투쟁 하기로 선언하였다.

③ 윤 직원의 아버지인 말대가리 윤용규는 구한말 화적 들에게 무참히 맞아 죽었다.

④ 윤 직원은 일제 식민지인 지금이 자신의 재산을 보호 하는 데 유리한 세상이라고 판단하였다.

⑤ 윤 직원은 윤 두꺼비라고 불리던 시절에 자신들만 빼 놓고 모두 망하라는 이기적인 저주를 한 적이 있다.

학습 활동 응용

2. ㉮~㉯의 서술상의 특징으로 적절하지 <u>않은</u> 것은?

① 인물을 희화화하여 조롱하고 있다.

② 판소리 사설의 문체가 사용되고 있다.

③ 반어적 표현을 사용하여 인물을 풍자하고 있다.

④ 경어체를 사용하여 독자와의 거리를 가깝게 하고 있다.

⑤ 긍정적 인물과 부정적 인물의 대조가 두드러지게 드 러나고 있다.

서술형 **학습 활동 응용**

3. 윗글의 사건 전개상 ㉠의 역할을 쓰시오.

다 "…… 정신을 채리야 헐 것이 늬가 암만히여두 네 아우 종학이만 못히여! ⓐ 종학이는 그놈이 재주두 있고 착실히여서, 너치름 허랑허지두 않고 그럴뿐더러 내년 내후년이며 넌 대학교를 졸업허잖냐? 내후년이지?"

"네."

"그렇지? 응, 그래, 내후년이면 대학교 졸업을 허구 나와서, 삼 년이나 다직 사 년만 찌들어 나머넌 ⓑ 그놈은 지가 목적헌, 요새 그 목적이란 소리 잘 쓰더구나, 응? 목적…… 목적헌 경부가 되야 각구서, 경찰서장이 된담 말이다! 응? 알겄어."

"네."

"그러닝개루 ⓒ 너두 정신을 바싹 채리 각구서, 어서어서 군수가 되야야 않겄냐?……아, ⓓ 동생 놈은 버젓한 경찰서장인디, 형 놈은 게우 군 서기를 댕기구 있담! 남부끄러서 어쩔 티여? 응?…… 아 글씨, ㉮ 군수 되구 경찰서장 되구 허머넌, 느덜 좋구 느덜 호강이지 머, 그 호강 날 주냐? 내가 이렇기 아둥아둥 잔소리를 허넌 것두 다 느덜 위히여서 그러지, 나는 파리 족통만치두 상관읎어야! 알어듣냐?"

"네."
　　　　　　　　　　　　　　　　　　　　　　　　▶ 종수에 대한 윤 직원의 훈계와 기대

라 『"그놈 종학이는 참말루 쓰겄어! 그놈이 어려서버텀두 워너니 나를 자별허게 따르구, 재주두 있구 착실허구, 커서두 내 말을 잘 듣구…… 내가 ⓔ 그놈 하나넌 꼭 믿넌다, 꼭 믿어.』작년 올루 들어서 그놈이 돈을 어찌 좀 히피 쓰기는 허녕가 부더라마는, 그것두 허기사 네게다 대머는 안 쓰는 심이지. 사내자식이 너처럼 허랑허지만 말구서, 제 줏대만 실헐 양이면 돈을 좀 써두 괜찮언 법이여…… 그리서 지난달에두 오백 원 꼭 쓸 디가 있다구 핀지히였길래, 두말 않고 보내 주었다!"』
　　　　　　　　　　　　　　　　　　　　　　　　▶ 종학에 대한 윤 직원의 기대와 신뢰

어휘·어구 풀이

● **허랑허지두** 언행이나 상황 따위가 허황하고 착실하지 못하지도.
● **다직** '기껏'의 뜻을 나타내는 말.
● **경부** 대한 제국 때에, 경시의 아래, 경부보의 위에 있던 경찰관의 한 직위.
● **족통** '발'을 속되게 이르는 말.
● **자별허게** 본디부터 남다르고 특별하게.

교과서 날개 질문

종수와 종학이에 대한 윤 직원 영감의 태도가 어떻게 다른지 말해 보자.

| 예시 답안 | 종학이는 재주가 있고 착실하여 경찰서장이 곧 될 것이라고 철석같이 믿고 있으며, 형인 종수는 동생 종학과 달리 허랑하여 군수가 되기 어려울 듯 보인다며 정신을 차리라고 잔소리를 한다.

---

4. **다~라**에서 알 수 있는 윤 직원 영감의 손자들에 대한 생각으로 적절하지 <u>않은</u> 것은?

① 윤 직원 영감은 종수가 군수가 되길 바라고 있다.
② 윤 직원 영감은 큰손자 종수가 종학이만 못하다고 생각한다.
③ 윤 직원 영감은 종학이 재주가 있고 성실하다고 생각하고 있다.
④ 윤 직원 영감은 종수와 종학이 모두에게 전폭적인 신뢰를 보내고 있다.
⑤ 윤 직원 영감은 손주들을 통해 자신의 부를 유지하고자 하는 마음을 가지고 있다.

<u>서술형</u> <u>학습 활동 응용</u>

5. 윤 직원이 손자들에게 ㉮와 같이 말을 하는 이유를 다음과 같이 정리하여 쓰시오.

| • 표면적 이유: _____
| • 이면적 이유: _____

6. ⓐ~ⓔ 중 지시하는 대상이 나머지와 <u>다른</u> 것은?

① ⓐ　　② ⓑ　　③ ⓒ　　④ ⓓ　　⑤ ⓔ

어휘·어구 풀이

❶ 지체를 바꾸어~꼬옥 맞겠습니다. 경망스러운 윤 직원의 행동과 태도를 비꼬는 작가 인식이 드러나는 부분으로, 편집자적 논평을 통해 인물을 조롱하고 있다.

핵심 쏙쏙

◉ 전보의 내용과 기능

전보의 내용
종학이 경시청에 붙잡혔음.

↓

전보의 기능
• 종학의 피검 소식을 알림. • 사건 전개에 극적 반전을 가져옴. • 윤 직원 일가의 몰락을 암시함. • 사상범으로 전면에 등장시키기 곤란한 종학의 행적을 간접적으로 제시함.

◉ 과장법

'엉덩이를 꿍 찔는 바람에, 하마 방구들이 내려앉을 뻔했습니다.'

↓

윤 직원 영감의 행위를 우스꽝스럽게 표현하여 인물을 희화화함.

📀 마침 이때, 마당에서 헴헴, 점잖은 밭은기침 소리가 납니다. 창식이 윤 주사가 조금 아까야 일어나서, 간밤에 동경서 온 전보 때문에 억지로 억지로 큰댁 행보를 하던 것입니다.

윤 주사는 토방으로 내려서는 아들 종수더러, 언제 왔느냐고, 심상히 알은체를 하면서, 역시 토방으로 내려서는 두 며느리의 삼가로운 무언의 인사와 마루까지만 나선 이복 누이동생 서울 아씨의 입인사를 받으면서, 방으로 들어가서는 부친 윤 직원 영감한테 절을 한 자리 꾸부리고서, 아들 종수한테 한 자리 절과, 이복동생 태식이한테 경례를 받은 후, 비로소 한옆으로 꿇어앉습니다.

"해가 서쪽으서 뜨겄구나?"

윤 직원 영감은 아들의 이렇듯 부르지도 않은 걸음을, 더욱이나 안방에까지 들어온 것을 이상타고 꼬집는 소립니다.

"…… 멋허러 오냐? 돈 달라러 오지?"

"동경서 ㉠전보가 왔는데요……."

㉡지체를 바꾸어 윤 주사를 점잖고 너그러운 아버지로, 윤 직원 영감을 속 사납고 경망스러운 어린 아들로 둘러놓았으면 꼬옥 맞겠습니다.❶

"동경서? 전보?"

"종학이 놈이 경시청에 붙잽혔다구요!"

"으엉?"

외치는 소리도 컸거니와 엉덩이를 꿍 찔는 바람에, 하마 방구들이 내려앉을 뻔했습니다. 모여 선 온 식구가 제각기 정도에 따라 제각기 놀란 것은 물론이구요.

▶ 동경에서 온 전보를 가지고 온 윤 주사(창식)

학습 문제

7. 📀에 나타난 내용으로 가장 적절한 것은?

① 전보의 내용은 종수와 관련된 것이었다.
② 윤 직원은 평소 윤 주사를 못마땅히 여기고 있다.
③ 창식은 아버지의 행동이 경망스럽다고 생각한다.
④ 윤 주사는 평소에도 아버지댁에 자주 들러 인사한다.
⑤ 식구들은 윤 주사의 방문을 그다지 달가워하지 않고 있다.

8. ㉠의 기능으로 적절하지 않은 것은?

① 윤 직원 일가의 몰락을 암시하는 기능을 한다.
② 사건 전개에 극적 반전을 가져오는 계기가 된다.
③ 인물에 대한 서술자의 시각을 드러내는 기능을 한다.
④ 종학이의 경찰청 피검 소식을 전달하는 기능을 한다.
⑤ 사상 문제로 등장하지 않은 종학을 간접적으로 등장시키고 있다.

학습 활동 응용 서술형

9. ㉡에 나타난 서술상의 특징과 그 기능을 쓰시오.

바 윤 직원 영감은 마치 묵직한 몽치로 뒤통수를 얻어맞은 양, 정신이 멍해서 입을 벌리고 눈만 휘둥그랬지, 한동안 말을 못 하고 꼼짝도 않습니다.

그러다가 이윽고 으르렁거리면서 잔뜩 쪼글트리고 앉습니다.
<small>위기에 대응하여 동물적으로 자기방어적인 자세를 취함.</small>
"거, 웬 소리냐? 으응? 으응? 거 웬 소리여? 으응? 으응?"

"그놈 동무가 친 전본가 본데, 전보가 돼서 자세히는 모르겠습니다."

윤 주사는 조끼 호주머니에서 간밤의 그 전보를 꺼내어 부친한테 올립니다. 윤 직원 영감은 채듯 전보를 받아 쓰윽 들여다보더니 커다랗게 읽습니다. 물론 원문은 일문이니까
<small>대서(代書)나 필사(筆寫)를 직업으로 하는 사람</small>
몰라보고, 윤 주사네 서사 민 서방이 번역한 그대로지요.
<small>거들먹거리지만 결국 아랫사람의 도움을 받아야 하는 인물들을 조롱함.</small>
"종학, 사상 관계로, 경시청에 피검!…… 이라니? 이게 무슨 소리다냐?"
<small>사회주의   수사 기관에 잡혀감.</small>
"종학이가 사상 관계로 경시청에 붙잡혔다는 뜻일 테지요!"

"사상 관계라니!"
<small>참여</small>
"그놈이 사회주의에 참예를……."

"으엉?"

『 」: 옛날의 부랑당패는 단순히 재산을 빼앗아 갔다면, 사회주의자는 빈부의 격차를 없애는 근본적 제도 개혁을 추진하여 윤 직원 같은 부자들에게 위협적으로 느껴졌을 것임. 그런 사회주의 운동에 자신의 손자가 참여하였다는 소식에 윤 직원은 큰 충격과 거부감을 느낀 것임.

아까보다 더 크게 외치면서, 벌떡 뒤로 나동그라질 뻔하다가 겨우 몸을 가눕니다.
<small>종학이가 사회주의에 참여하여 잡혀 갔다는 말에 놀라는 윤 직원</small>
윤 직원 영감은 먼저에는 몽치로 뒤통수를 얻어맞은 것같이 멍했지만, 이번에는 앉아
<small>땅이 움푹 가라앉아 꺼짐.</small>
있는 땅이 지함(地陷)을 해서 수천 길 밑으로 꺼져 내려가는 듯 정신이 아찔했습니다.
<small>엄청난 정신적 충격과 절망감을 느낌.</small>
그러나 그것은 결단코 자기가 믿고 사랑하고 하는 종학이의 신상을 여겨서가 아닙니다.
<small>이제까지 신뢰하던 종학의 안위보다 자신의 재산을 중요시 여기는 이기적 면모가 드러남.</small>
『윤 직원 영감은 시방 종학이가 사회주의를 한다는 그 한 가지 사실이 진실로 옛날의 드세던 부랑당패가 백 길 천 길로 침노하는 그것보다도 더 분하고, 물론 무서웠던 것입니다.』
<small>믿었던 종학에 대한 배신감과 사회주의에 대한 두려움</small>

┌ 『진(秦)나라를 망할 자 호(胡)라는 예언을 듣고서, 변방을 막으려 만리장성을 쌓던
│ 『 」: 소제목의 의미가 드러나는 부분으로, 자손에 의해 집안이 몰락함.
[A] 진시황, 그는, 진나라를 망한 자 호가 아니요, 그의 자식 호해(胡亥)임을 눈으로 보지
└ 못하고 죽었으니, 오히려 행복이라 하겠습니다.』
　　　　　　　　　　　　　　　　▶ 종학이 사회주의에 참여하여 피검되었다는 사실에 충격을 받은 윤 직원

핵심 쏙쏙

● 편집자적 논평

지체를 바꾸어 윤 주사를 점잖고 너그러운 아버지로, ～ 꼬옥 맞겠습니다. → **마**

↓

윤 직원 영감의 경망스러운 모습을 비꼬고 조롱함.

↓

"진나라를 망할 자 호(胡)라는 ～ 오히려 행복이라 하겠습니다." → **바**

↓

서술자는 자식으로 인해 나라가 망함을 보지 못한 진시황이 오히려 행복이라 함으로써 윤 직원 영감에 대한 풍자 효과를 높이고 있음.

교과서 날개 질문

윤 직원 영감에 비하면 진시황은 '오히려 행복'이라고 한 까닭은 무엇일까?

| 예시 답안 | 진시황은 자식인 호해로 인해 나라가 망하게 된 것을 보지 못하고 죽었으니, 믿었던 손자 종학이 때문에 집안이 몰락하게 된 것을 두 눈 뜨고 봐야 하는 윤 직원 영감보다는 오히려 행복하다고 한 것이다.

---

10. 인물의 행동과 태도에 대한 설명으로 적절한 것은?

① 윤 주사는 아들의 피검 소식에 매우 당황하여 어쩔 줄 몰라하고 있다.

② 윤 직원은 일문으로 써진 전보의 내용을 큰 소리로 읽어 가족에게 전달하고 있다.

③ 윤 직원은 사회주의가 무엇인지 잘 모르는 상태에서 막연한 불안감을 느끼고 있다.

④ 윤 직원은 믿고 있던 손자 종학이 위험에 처하자 그의 신상을 매우 걱정하고 있다.

⑤ 윤 직원은 종학이가 사회주의를 한다는 사실이 그 옛날 부랑당패가 날뛰던 것보다 더 무서운 일이라고 여기고 있다.

11. **마**, **바**에 사용된 서술상 특징으로 적절하지 <u>않은</u> 것은?

① 묘사를 통해 윤 직원의 행동을 제시하고 있다.

② 과장된 표현을 통해 윤 직원을 희화화하고 있다.

③ 편집자적 논평을 통해 윤 직원을 풍자하고 있다.

④ 반어적인 의도의 표현을 통해 윤 직원을 조롱하고 있다.

⑤ 비유를 통해 윤 직원 영감이 느낀 절망감을 표현하고 있다.

<small>서술형 학습 활동 응용</small>

12. [A]를 바탕으로 '망진자(亡秦者)는 호야(胡也)니라'라는 소제목의 기능을 쓰시오.

어휘·어구 풀이

● 오사육시 오사(형벌이나 재앙으로 제 목숨대로 살지 못하고 비명에 죽음.)하여 육시(이미 죽은 사람의 시체에 다시 목을 베는 형벌을 가함.)까지 당한다는, 몹시 저주하는 말.

핵심 쏙쏙

● 반어법

'좋은 세상'	일제에 협력하는 친일 지주 계층이 살기 좋은 세상
'태평 천하'	순사가 조선인을 지켜주고 보호하여 부자가 살기 좋은 세상

↓

우리 민족의 수난기인 일제 강점기를 '태평천하', '좋은 세상'이라고 반어적으로 표현함으로써 작품의 주제 의식을 드러내고 있음.

▶ 교과서 날개 질문

당시의 사회 상황을 보는 윤 직원 영감의 관점에 대한 자신의 생각을 말해 보자.
| 예시 답안 | 민족 전체가 국권을 상실하고 일제에 의해 탄압을 받던 상황을 두고 공명하고 안전하며 살기 좋은 태평천하라고 생각하는 것은 역사의식이 결여된 비정상적인 관점이라고 볼 수 있다.

사 "㉮ 사회주의라니? 으응? 으응?……" / 『윤 직원 영감은 사뭇 사람을 아무나 하나 잡아먹을 듯, 집이 떠나게 큰소리로 포효를 합니다.』
『 』: 동경에서 온 전보를 본 직후 방어적이었던 윤 직원의 태도가 공격적인 자세로 변하는 것을 큰소리로 포효한다고 하여 마치 동물의 행동처럼 표현함.

"으응? 그놈이 사회주의를 허다니! 으응? 그게, 참말이냐? 참말이여?"

"하긴 그놈이 작년 여름 방학에 나왔을 때버틈 그런 기미가 좀 뵈긴 했어요!"

"그러머넌 참말이구나! 그러머넌 참말이여, 으응!"

윤 직원 영감은 이마로 얼굴로 땀이 방울방울 배어 오릅니다.
몹시 당황하고 분노에 찬 윤 직원의 모습 묘사

『"…… 그런 쳐 죽일 놈이, 깎어 죽여두 아깝잖을 놈이! 그놈이 경찰서장 허라닝개루 생판 사회주의 허다가 뎁다 경찰서으 잽혀? 으응?…… 오사육시를 헐 놈이, 그놈이 그게 어디 당헌 것이라구 지가 사회주의를 히여? 부자 놈의 자식이 무엇이 대껴서 부랑당패에 들어?……"』
『 』: 종학이 자신의 기대와 다르게 행동한 것에 대한 분노 표출
▶ 종학의 피검으로 윤 직원의 기대가 무너짐.

아 아무도 숨도 크게 쉬지 못하고, 고개를 떨어뜨리고 섰기 아니면 앉았을 뿐, 윤 직원 영감이 잠깐 말을 끊자 방 안은 물을 친 듯이 조용합니다.

"…… 오죽이나 좋은 세상이여? 오죽이나……."
일제 강점기를 찬양하는 윤 직원의 그릇된 역사관이 드러남.

윤 직원 영감은 팔을 부르걷은 주먹으로 방바닥을 땅 치면서 성난 황소가 영각을 하듯 고함을 지릅니다.
소가 길게 우는 소리

"화적패가 있너냐아? 부랑당 같은 수령(守令)들이 있너냐?…… 재산이 있대야 도적놈의 것이요, 목숨은 파리 목숨 같던 말세넌 다 지내가고오……『자 부아라, 거리거리 순사요, 골골마다 공명헌 정사(政事), 오죽이나 좋은 세상이여…… 남은 수십만 명 동병(動兵)을 히여서, 우리 조선 놈 보호히여 주니, 오죽이나 고마운 세상이여?……』으응?…… 제 것 지니고 앉어서 편안허게 살 태평 세상, 이걸 ⓐ 태평천하라구 허는 것이여, 태평천하!…… 그런디 이런 태평천하에 태어난 부자 놈의 자식이, 더군다나 왜지가 떵떵거리구 편안허게 살 것이지, 어쩌서 지가 세상 망쳐 놀 부랑당패에 참섭을 헌담 말이여, 으응?"
자신의 재산을 빼앗아가는 대상
시대적 배경을 드러내는 소재
군사를 일으킴.
『 』: 일제 강점기에 대한 윤 직원의 왜곡된 인식
어떤 일에 끼어들어 간섭함.
▶ 일제 시대를 태평천하라고 여기는 윤 직원

학습 문제

13. **사**에 나타난 윤 직원의 심정을 나타낸 것으로 적절한 것은?

① 넘어진 김에 쉬어 간다.
② 믿는 도끼에 발등 찍힌다.
③ 가까운 이웃이 먼 친척보다 낫다.
④ 가는 정이 있어야 오는 정이 있다.
⑤ 물에 빠지면 지푸라기라도 잡는다.

14. ㉮에 대한 윤 직원의 태도로 적절한 것은?

① 긍정적   ② 비판적   ③ 예찬적
④ 풍자적   ⑤ 고발적

15. 일제 강점기에 대한 윤 직원의 평가가 아닌 것은?

① 부랑당 같은 수령들이 사라진 세상
② 골골마다 공명한 정사가 펼쳐지는 세상
③ 제 것 지니고 앉아서 편안하게 사는 태평 세상
④ 고마운 일본이 군사를 일으켜 조선을 보호해 주는 세상
⑤ 재산은 도적들에게 빼앗기고 목숨은 파리 목숨 같던 세상

서술형
16. ⓐ에 쓰인 표현 방법과 그 효과에 대해 서술하시오.

자 방바닥을 치면서 벌떡 일어섭니다. 그 몸짓이 어떻게도 요란스럽고 괄괄한지, 방금 발광이 되는가 싶습니다. 아닌 게 아니라 모여 선 가권들은 방바닥 치는 소리에도 놀랐지만, 이 어른이 혹시 상성이 되지나 않는가 하는 의구의 빛이 눈에 나타남을 가리지 못합니다.

> 호주나 가구주에게 딸린 식구

[A]
> 『…… 착착 깎어 죽일 놈! …… 그놈을 내가 핀지히여서, 백 년 지녁을 살리라구 헐
>
> 비속한 표현
>
> 걸! 백 년 지녁 살리라구 헐 티여…… 오냐, 그놈을 삼천 석거리는 직분히여 줄려
>
> '지녁'의 방언식 발음   종학이에게 나누어 주려던 재산
>
> 구 히였더니, 오냐, 그놈 삼천 석거리를 톡톡 팔어서, 경찰서으다가 사회주의 허는
>
> 놈 잡어 가두는 경찰서으다가 주어 버릴걸! 으응, 죽일 놈!』

『 』: 비속어와 방언을 통해 사실감을 살리고 인물을 희화화함.

마지막의 으응 죽일 놈 소리는 차라리 울음소리에 가깝습니다.

분노와 절망감이 고조됨.

"…… 이 태평천하에! 이 태평천하에……."

윤 직원의 현실 인식을 단적으로 보여 줌.

쿵쿵 발을 구르면서 마루로 나가고, 꿇어앉았던 윤 주사와 종수도 따라 일어섭니다.

"…… 그놈이, 만석꾼의 집 자식이, 세상 망쳐 놀 사회주의 부랑당패에 참섭을 히여,

곡식 만 섬가량을 거두어들일 만한 논밭을 가진 큰 부자를 비유적으로 이르는 말

으응, 죽일 놈! 죽일 놈!"

연해 부르짖는 죽일 놈 소리가 차차로 사랑께로 멀리 사라집니다. 그러나 몹시 사나운 그 포효가 뒤에 처져 있는 가권들의 귀에는 어쩐지 암담한 여운이 스며들어, 가뜩이나 어둔 얼굴들을 면면상고, 말할 바를 잊고, 몸 둘 곳을 둘러보게 합니다. 마치 ㉠장수의 주검을 만난 군졸들처럼…….

윤 직원 집안의 앞날을 암시함.

▶ 분노하고 좌절하는 윤 직원

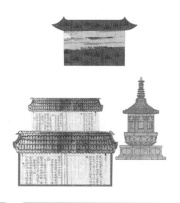

어휘·어구 풀이

● **상성(喪性)** 본래의 성질을 잃어버리고 전혀 다른 사람처럼 됨.

● **면면상고(面面相顧)** 아무 말도 없이 서로 얼굴만 물끄러미 바라봄.

❶ **몹시 사나운 그 포효가~장수의 주검을 만난 군졸들처럼** ……. 윤 직원 영감의 포효에 암담한 여운이 스며 있는 것을 느끼는 가족들의 반응에서 그 가족들의 앞날이 순탄치 않다는 예감, 즉 윤 직원 집안의 몰락을 암시하고 있다.

핵심 쏙쏙

◉ **판소리 사설 형식의 문체**
- 작품 내부의 세계와 독자의 중간에서 등장인물에 대해 비꼬거나 조롱하는 풍자적 수법
- 서술자가 단순히 사건을 전달하는 데 그치지 않고 인물과 사건에 대한 자신의 생각을 이야기하는 평가자 역할을 함.

학습 활동 응용

17. 윤 직원에 대한 설명으로 가장 적절한 것은?

① 가문의 체통과 명예를 가장 중시하는 인물이다.

② 과거의 관습에 얽매여 현실을 외면하는 인물이다.

③ 주변 사람들을 아무도 믿지 못하는 외로운 인물이다.

④ 국가적 이익보다는 개인적 이익을 우선시하는 인물이다.

⑤ 문벌 의식에 사로잡혀 새로운 변화를 부정하는 인물이다.

서술형

18. ㉠의 작품 속 의미와 기능을 쓰시오.

학습 활동 응용

19. [A]에서 알 수 있는 서술상 특징으로 가장 적절한 것은?

① 편집자적 논평을 통해 인물의 부정적 속성을 폭로하고 있다.

② 서술자가 사건을 요약적으로 제시하여 작가의 의도를 드러내고 있다.

③ 방언과 비속한 표현을 사용하여 사실감을 살리면서 인물을 희화화하고 있다.

④ 반어적인 의도의 표현을 통해 겉에 드러난 의미와는 다른 의미를 전달하고 있다.

⑤ 등장인물이 사건에 대한 자신의 해석을 전달하여 사건이 지닌 다양한 의미를 보여 주고 있다.

• '망진자(亡秦者)는 호야(胡也)니라'라는 소제목의 기능

'망진자(亡秦者)는 호야(胡也)니라'는 제15장의 제목으로, 진나라를 망하게 한 자는 진시황의 아들 '호해'였다는 의미임.

➡️ 윤 직원의 집안이 그가 아끼는 손자 종학 때문에 망할 것임을 ❶□□함.

• 주요 인물의 성격

1대	윤 직원	완고하고 독선적인 성격으로, 지주이자 고리대금업자임. 조국이 식민지가 된 현실을 '태평천하'로 여기는 왜곡된 역사의식을 지닌 인물임.
2대	윤창식	윤 직원의 아들로, 개화기에 교육을 받았으나 현실에 적응하지 못하고 향락에 빠진 인물임.
3대	윤종수	윤창식의 장남으로, 군수가 되기를 바라는 할아버지 윤 직원의 기대와 달리 방탕한 생활을 하는 인물임.
	윤종학	윤창식의 차남으로, 경찰서장이 되기를 바라는 할아버지 윤 직원의 기대를 배반하고, 동경 유학 중에 사회주의 운동을 하다가 경시청에 피검됨으로써 집안의 몰락을 촉진하게 되는 인물임.

• 윤 직원의 현실 인식에 대한 작가의 태도

윤 직원은 빈부 차이를 없애자는 사회주의자를 부자의 재산을 도적질하는 불한당패와 같다고 생각하고, 일본이 자신의 재산을 지켜 주는 일제 강점기를 ❷□□□□라고 인식함.

➡️ 작가는 윤 직원의 부도덕한 윤리 의식을 비판하고, 근대정신을 망각한 지주 계급과 왜곡된 식민지 현실을 ❸□□하고 있음.

• 서술상의 특징과 효과

반어적인 의도의 표현	겉으로는 치켜세우지만 실제로는 격하시키는 ❹□□□ 표현으로 인물의 추악함을 드러냄.
편집자적 논평	인물과 사건에 대한 서술자의 판단을 제시해 인물의 부정적 측면을 부각함.
방언과 비속어의 사용	현장감과 사실감을 살리고 인물을 우스꽝스럽게 ❺□□□함.

• 작품의 판소리적 특성

「태평천하」의 서술자	• '~입니다' 식의 ❻□□□ 문장이나 '~겠다요'와 같은 경박한 어투를 빌려서, 사건을 진술하는 자로서의 역할에 머물지 않고 사건을 요약하고 평가하면서 독자에게 일러바치는 형식을 취하며 작중 인물을 마음껏 조롱함. • 판소리의 전통을 이어받은 것으로, 서술자는 판소리의 ❼□□와 같은 역할을 함.

|정답| ❶ 암시　❷ 태평천하　❸ 풍자　❹ 반어적　❺ 희화화　❻ 경어체　❼ 창자

학습 활동

작품 속으로

1. 다른 인물들에 관한 윤 직원 영감의 생각과 태도를 정리해 보자.

아들 윤 주사	작은손자 종학		큰손자 종수
	전보 수령 전	전보 수령 후	
돈이 필요할 때만 아버지인 자신을 찾아오는, 쓸모없는 자식으로 생각해 못마땅하게 여김.	집안을 일으킬 인물이라고 굳게 믿음.	태평한 세상에서 쓸데없는 일에 참여해 집안을 망하게 한 몹쓸 인간으로 여겨 저주함.	동생 종학에 비해 방탕하고 성공할 가능성이 낮다고 보아 미덥지 않게 여기며 정신을 차릴 것을 당부함.

2. 윤 직원 영감이 처한 상황을 고려할 때, '망진자(亡秦者)는 호야(胡也)니라'라는 소제목의 기능은 무엇인지를 설명해 보자.

| 예시 답안 | 진(秦)나라를 망하게 한 것은 외부의 적이 아니라 믿고 있던 내부의 사람, 즉 진시황의 아들인 '호해(胡亥)'라는 의미로, 윤 직원 영감의 집안을 망하게 한 사람이 그가 가장 믿고 아꼈던 작은손자 종학이란 사실을 암시한다.

3. 윤 직원 영감의 성격과 현실 인식을 정리하고, 당시의 시대상을 고려할 때 작가가 이러한 인물을 형상화한 의도를 추론하여 써 보자.

성격	자기만 배놓고 세상이 다 망하라는 말을 할 만큼 극도로 이기적인 인물임.
현실 인식	일제에 의해 국권을 빼앗긴 상황을 태평한 세상으로 평가하는 왜곡된 현실 인식을 보여 줌.
인물 형상화 의도	부정적인 인물을 제시함으로써 당시 민족의 역사적 현실에 관해 무관심하고 개인의 안락만을 추구한 이들을 비판함과 동시에 식민 치하에서의 바람직한 가치관과 현실 대응 방식이 무엇인지를 암시하려 하였을 것임.

4. 이 작품의 서술상 특징과 관련하여 아래 활동을 해 보자.

(1) 이 작품에서 다음 특징이 잘 드러나는 부분을 찾아 써 보자.

반어적인 의도의 표현	이미 반세기 전, 그리고 그것은 당시의 나한테 불리한 세상에 대한 격분된 저주요, 겸하여 웅장한 투쟁의 선언이었습니다.
편집자적 논평	• 지체를 바꾸어 윤 주사를 점잖고 너그러운 아버지로, 윤 직원 영감을 속 사납고 경망스러운 어린 아들로 둘러놓았으면 꼬옥 맞겠습니다. • 진(秦)나라를 망할 자 호(胡)라는 예언을 듣고서, 변방을 막으려 만리장성을 쌓던 진시황, 그는, 진나라를 망한 자 호가 아니요, 그의 자식 호해(胡亥)임을 눈으로 보지 못하고 죽었으니, 오히려 행복이라 하겠습니다.

방언과 비속어의 사용	"…… 착착 깎어 죽일 놈! …… 그놈을 내가 핀지히여서, 백 년 지녁을 살리라구 헐 걸! 백 년 지녁 살리라구 헐 티여……." 등

(2) 다음 글을 읽고, 자신이 알고 있는 판소리의 대목 중에서 떠오르는 것이 있으면 말해 보자.

> 「태평천하」의 서술자는 경어체를 구사하고, 때로는 인물에 관해 폭로하거나 일러바치기도 하면서, 마치 판소리의 창자 같은 말투로 독자와의 거리를 좁힌다. 이를 통해 서술자와 독자가 같은 편이 되어서 인물을 비판하고 조롱하는 효과가 극대화된다. 이러한 까닭으로 채만식은 판소리 창자의 목소리를 소설 속에 되살렸다는 평을 받는다.

| 예시 답안 | 「심청가」에서 뺑덕이네의 외모와 악행을 묘사하는 대목, 「흥보가」에서 놀보의 심술궂은 행동을 나열하는 대목 등

보충 자료 「태평천하」의 문체적 특징

「태평천하」는 판소리 사설의 풍자 수법을 계승하고 있다. 작자는 '~ 입니다.' 식의 경어체 문장을 씀으로써 독자와 가까운 위치에 서서 작중 인물을 조롱하고 비판한다. 이때 독자는 작자와 한편이 되어 작중 인물에 대한 우위를 지키면서, 작중 인물을 저만치 두고 그의 행위를 구경하는 관중이 될 수도 있고 평자가 될 수도 있다. [중략] 작자는 때때로 독자와 작중 인물의 중간에 서서 작중 인물을 평하면서 독자의 이해를 돕기도 한다. 이 점에서 작자는 판소리에서의 창자와 같은 역할을 한다. 작자는 '이 이야기를 쓰고 있는 당자 역시 전라도 태생이기는 하지만, 그 전라도 말이라는 게 좀 경망스럽습니다.'라고 자신을 드러내 가면서 작중 인물의 언동을 해설·논평한다. 판소리 사설처럼 이 작품에서도 인물의 풍자에 있어 반어, 자기 폭로, 비유, 과장, 희화화 등의 방법이 사용된다. 이 모든 것은 대상을 격하시키고 독자의 웃음을 유발한다. 반어는 '언어적 반어'와 '상황적 반어'로 크게 나눌 수 있겠지만 이 작품에서 사용된 것은 '언어적 반어'이다. 이것은 한 가지 일을 말하면서 그 반대의 뜻을 나타내는 것, 달리 말해서 표면적 의미와 이면적 의미가 모순되게 말하는 것이다. 「태평천하」에서 화자인 작자는 작중 인물의 언동에 대하여 겉으로 긍정하면서 실제로는 부정하는 말을 자주 쓰고 있다. 이 경우에는 대체로 작중 인물을 겉으로 추켜세우면서 속으로 격하시키려 할 때 사용하는 수법이다.

– 이주형, 「1930년대 한국 장편 소설 연구」(서울대학교 박사학위논문, 1984)

5. 다음 작품을 「태평천하」와 비교하며 읽고, 한국 문학의 전통과 계승이라는 측면에서 두 작품 간의 공통점을 설명해 보자.

황선주라면 느티울에선 버림치로 치부하여 진작 젖혀
〔못 쓰게 되어 버려둔 물건〕
둔 인간이었지만 〔공간적 배경〕 이재에 밝고 돈푼이나 만지기로는 면
〔황선주에 대한 평가〕
내에서도 엄지손가락에 꼽힌다는 작자였다. 〔황 씨의 경제력에 대한 언급〕 그는 내놓
고 불려 가는 돈만 해도 이천만 원이 넘으리라고 했지만
억대를 웃도는 농토로 하여 지주로도 으뜸이었다. 그는
『느티울 사람에게도 크든 적든 노상 오 부 이자를 놓았
〔마을 사람들에게도 높은 금리로 돈놀이를 함.〕
고, 그나마도 눈 밖에 난 사람은 아무리 목 타는 소리를
해도 빡빡하게 굴었다.』 『 』: 인정이 없으며, 공동체적인 삶을 상실하고
개인적 이익만을 추구하는 황 씨

대개 고리대금업자가 믿음성 한 가지로 돈을 놓기로
는 농사꾼만 한 상대가 없을 거였다. 땅이 있음으로서이
다. 그것을 가장 잘 이용할 줄 아는 이가 황이었다. 그러
〔땅을 담보로 잡을 수 있기 때문〕
나 그는 아직도 자기를 예사 헐뜯으며 술이 들어가면 으
〔황 씨가 싫어하는 인물들〕
레 싫은 소리를 하던 이장이나, 새마을 지도자 최정식,
고명근이와 홍사철한테는 고대 죽는다고 해도 눈 하나
까딱할 위인이 아니었다. [중략] 〔황 씨의 인색한 면모〕
▶ 황선주에 대한 소개

"춘자 아버지두, 우리가 시방 춘자 아버지 입던 빤쓰
〔황 씨〕
를 을으러 왔단 말유? 〔황 씨가 수재 구호 물품으로 내놓은 물건〕 희치희치허구 낡디낡음헌 흔
빤쓰를…… 빤쓰 장수가 보면 불쌍해서 하나 그저 주
게 생긴 걸레를 을으러 예까장 펄렁그리구 왔대유?
세상에 원……." 『 』: 황 씨의 인색함 때문에
마을 사람들과 갈등이 생김.
미루어 보건대『이재민 구호 물품이랍시고 황이 입던
팬티를 내놓은 모양이었다. 〔황 씨의 야박한 성격〕 김은 구경만 하고 있잠도 아
니요, 그렇다고 남의 집 안에 들어가 사내 여편네가 남남
끼리 하필 팬티를 놓고 가갸거겨 하는 옆에서 엿들이 하
잠도 아닌 듯하여 부쩌지 못하고 있었다. 황이 말했다.

"챙근 엄니는…… 말을 귀루 안 듣구 입으루 들유? 수
재민이라구 홋것〔얇은 옷〕만 입으라는 벱이 워디 있슈? 그러면
그 사람들이 한 끄니래두 끓이라구 추렴해 준 양석 팔
어 빤쓰버텀 사 입으야 쓰것수? 게, 다 나두 생각이
있어 내논 겐디 뎁세〔오히려〕 나를 트집헐류? 말에 도장 읊다
구 함부루 입방아 찧지 마유. 이게 왜 흔 게유. 남대문
표는 삼 년을 입어두 새물내만 납디다유. 공연히 넘우
세스럽게시리 이유 삼지 말고 얼릉 딴 디나 가 보유."

"……." / 두 여자는 입이 모자라 말밑을 못 대는지 잠
〔당혹감에 말문이 막힘.〕
잠했으나, 그냥 두면 나중엔 별 못할 소리가 없을 것 같
았다. / 김이 말했다.

"아따나…… 챙근 엄니두 에지간허슈. 애초 저기헌 사
〔상대해 봐야 소용이 없는 사람과 애초에 말을 섞을 필요가 없음.〕
람허구 저기했으야 말이지…… 야중에 다 저기허는
수 있으니께 그냥 주는 대루 받어 나오슈. 이러다가는
일품 메구 해넘이 허겄슈."

그 말을 계제 삼아 창근 어메가 말했다.

『"남댑문이구 앞댓문이구 간에 수재민 고쟁이 걱정허
는 사람은 팔도강산에 느티울 춘자 아버지뿐일 규, 확
실히 우리 게는 꽃동네 새 동네여."』『 』: 반어적 풍자
▶ 수재 구호 물품으로 입던 '빤쓰'를 내놓은 황 씨
– 이문구, 「우리 동네 황 씨」에서

■ 고대 바로 곧. ■ 홋것 얇은 옷. ■ 뎁세 오히려

🔖 **작품 연구** 이문구, 「우리 동네 황 씨」

• 갈래: 농촌 소설, 연작 소설   • 성격: 해학적, 풍자적, 향토적
• 시점: 전지적 작가 시점   • 배경: 1970년대, 느티울 마을
• 제재: 물질 만능주의에 빠진 '황 씨'의 삶
• 주제: 근대화로 인한 농촌 공동체 의식의 상실과 그 회복에 대한 기대
• 특징: ① 총 아홉 편으로 구성된 『우리 동네』 연작 중 마지막 편임.
　　　② 방언과 비속어의 사용으로 토속성과 사실감을 높이고 해학성을
　　　　부여함.
　　　③ 황 씨와 마을 사람들의 갈등을 통해 공동체적 가치관의 붕괴를 표
　　　　현함.

| 예시 답안 | 두 작품 모두 부정적인 인물(윤 직원 영감, 황선주)을 직접적으로 공격
하기보다는 그의 비도덕성과 용렬한 언행을 빈정거리고 희화화함으로써 강한 풍자
성을 띠고 있다. 또 아이러니한 상황을 진한 방언을 통해 전달하면서 유머를 발생
시키는 해학성도 보이고 있다. 이러한 풍자와 해학은 한국 문학의 전통적 특질 중
하나로, 「태평천하」, 「우리 동네 황 씨」와 같은 작품들에 의해 현대 문학에서도 면면
히 계승되어 왔다.

보충 자료 이문구, 「우리 동네 황 씨」

이 작품은 근대화로 기존의 농촌 공동체적 가치관이 무
너지는 모습을 '황 씨'라는 인물과 마을 사람들 사이의 갈
등을 통해 효과적으로 드러내 주고 있다.

황 씨는 매우 인색하고 이기적인 인물로 등장한다. 언
제나 사적인 이익을 추구하며 동네 사람들과 화합하고자
하는 의지가 없는 개인주의적 성향을 띤 인물이다. 이에
반해, 여전히 인심이 남아 있으며 심지어 황 씨마저도 포
용하고자 하는 이장이나 김 씨 등의 동네 사람들은 공동
체적 가치를 추구하는 농촌을 대변하는 인물들이라 볼 수
있다. 작가는 황 씨와 마을 사람들의 이러한 모습을 통해
근대화로 사라지는 농촌 공동체의 가치관을 보여 주면서,
이러한 사회 현실에 대한 비판 의식을 드러내고 있다.

[3] 한국 문학의 양상과 발전

이 단원에서는 한국 문학의 개념과 범위, 전통과 특질에 대한 이해를 바탕으로, 시간적·공간적 차원에서 볼 때 한국 문학이 얼마나 다양한 면모를 지니는지, 또 한국 문학이 세계 문학에서 어떤 위치를 차지하고 있는지 살펴보고, 앞으로 어떻게 발전해 나가야 하는지 생각해 볼 수 있도록 한다.

한국 문학의 특수성과 보편성이란 무엇인가?

어느 나라의 문학이든 문학은 그 나라만의 역사적·문화적·사회적 전개 과정에서 형성된 고유한 특성이 있다. 그러나 다른 한편으로 어느 나라의 문학이든 문학은 <u>인간의 문제를 언어로 형상화한 예술이라는 점에서 보편성을 지닌다.</u> 한국 문학도 이와 같다. 한국의 역사적 발전에 따른 한국 문학의 고유한 특성도 있지만 <u>여러 나라의 문학과 주제 의식, 표현 방식 면에서 공통점 즉 보편성도 지니고 있다.</u> 한국 문학은 역사적으로 인접 문화권과 끊임없이 상호 교섭하면서 창조적 변용을 시도하여 왔으므로, <u>한국 문학을 세계의 문학과 비교해 보는 일은 한국 문학을 더 잘 이해하는 길이기도 한 것이다.</u>
한국 문학을 세계 문학과 비교해 보는 일의 의의 ▶ 한국 문학의 특수성과 보편성

한국 문학의 다양성을 어떻게 이해해야 하는가?

<u>한국 문학은 시·공간적으로 매우 폭이 넓다.</u> <u>시간상으로는 과거의 전통적 문학부터 오늘날의 디지털화된 문학까지를 아우른다.</u> 한국 문학의 모습은 고정된 실체가 아니라 역동적으로 전개되어 왔으며 앞으로도 그러할 것이다. 또한 <u>공간적으로는 한반도의 각 지역에서 생산되는 지역 문학의 총체인 동시에, 분단 이후의 북한 문학과 해외 국민이 한국어로 생산한 문학도 포괄한다.</u> 이렇듯 <u>우리 문학의 범주를 전향적으로 이해하는 것은 향후 한국 문학의 발전 방향을 모색하는 데에도 매우 필요한 일이다.</u>
▶ 한국 문학의 범주와 전향적 이해의 의의

한국 문학의 발전 방안은 무엇인가?

세계 문학은 개별 국가의 문학이 지닌 특수성을 기반으로 하여 더욱 풍요로워지며, 개별 국가의 문학은 세계 문학이 지닌 보편성을 토대로 문학이 인간의 삶에 미치는 가치를 구체화하게 된다. <u>우리 문학의 고유한 특질을 이어 나가고 외국의 문학과도 다채롭게 만나 그 다양성과 보편성을 함께 공유해 나아가야 우리 문학을 더욱 발전시킬 수 있을 것이다.</u>
▶ 한국 문학의 발전 방안

✓ 바로 확인 문제

1 문학은 인간의 문제를 언어로 형상화한 예술이라는 점에서 □□성을 지닌다.

2 한국 문학은 한국의 역사적 발전을 반영하여 □□한 특성을 지닌다.

|정답| 1. 보편 2. 고유

탐구로 생각 열기

다음 신문 기사를 읽고, 세계 속 한국 문학의 위상과 발전 방향을 탐구해 보자.

> **「춘향전」에서 「채식주의자」까지…**
> **세계가 취한 우리 문학 125년**
>
> 우리 문학이 해외에 번역, 소개된 역사를 조망할 수 있는 최초의 기획전이 열린다.
>
> 1부 '세계가 취한 봄의 향기'는 「춘향전」의 번역 실태를 처음으로 확인하는 자리로, 춘향전 완판과 경판, 「옥중화」로 이어지는 국문 「춘향전」 전개 과정과 19세기 말에 출판된 초기 번역서를 선보인다.
>
> 2부 '동북아시아 평화의 창구멍'은 정지용과 윤동주의 번역 문학을 전시한다. [중략]
>
> 4부 '젊은 문학 미래와의 소통'에서는 젊은 작가들이 해외에 소개되는 양상을 보여 준다. 세계 문단이 주목하는 신진 작가 그룹으로 배수아, 한강, 김영하, 김애란을 선정해 이들의 번역서와 인터뷰·낭독회 영상을 소개한다.
> – 조용호 기자, 「세계일보」(2017. 6. 29)

|예시 답안| 고전 문학부터 현대 문학에 이르기까지 여러 작가의 다양한 작품이 해외에 번역되고 소개되는 것을 통해 한국 문학이 세계 문학 속에서 뚜렷이 자리매김하고 있음을 알 수 있었다. 앞으로도 한국 문학은 국제적으로 교류하고 상호 소통하면서 세계 여러 나라의 문학과 긍정적인 영향을 주고받는 관계 속에서 더욱 발전해 나가야 할 것이다.

≫ 최근 한국 문학은 한강의 「채식주의자」가 맨부커상을 받는 등 세계의 주목을 받고 있다. 이를 계기로 우리 문학이 어떻게 세계인과 공감을 나눌 수 있을지, 그와 동시에 우리 문학을 어떻게 세계에 널리 알릴 수 있을지에 관한 다양한 방안이 모색되고 있다. 과연 어떻게 해야 한국 문학이 세계 문학의 일원으로서 보편성을 공유하는 동시에, 세계 문학을 선도하는 새로운 존재로 발전할 수 있을까?

01 정선 아리랑 작자 미상

해제
「정선 아리랑」강원도 정선 지역의 민요로, 정선 지역의 자연 환경, 향토색과 지역민의 정서가 고스란히 녹아 있으며, 다소 느리고 단조로운 흐름 속에 토속적 어휘와 구어적 표현을 통해 주제를 형상화하고 있다. 모를 심을 때나 논밭을 맬 때 두레판의 소리로 불려 노동요의 성격을 띠기도 한다. 작품의 구성은 정선 사람들의 다양한 삶의 모습과 정서를 해학적으로 형상화한 두 줄짜리 노랫말에 후렴구가 뒤따르는 선후창 형식을 띠고 있으며, 민요의 특성상 그 노랫말의 내용이 다양하게 변화, 추가된다. 각 연의 내용은 하나의 주제로 연결되는 것이 아니라 다양한 상황과 정서가 나열된 형태로 계속 이어 부를 수 있는 열린 구조의 노래이다. 이 노래는 여러 지역으로 전파되어 널리 수용되었고, 그 과정에서 그 지역의 특성이 작품에 접합되면서 가사와 가락이 바뀌거나 첨삭되었다.

주제 의식
이 작품에서는 산자수려하여 '도원(桃園)'으로 불린 적이 있을 만큼 살기 좋던 정선이 이제는 산만 첩첩 쌓인 척박한 공간으로 변하여 느끼는 고립감과 답답함, 그 속에서 지내는 자신의 서글픈 신세에 대한 한탄을 '해당화'나 '두견새' 같은 객관적 상관물로 드러내고 있다. 또한 아우라지와 관련된 설화를 바탕으로 임을 만나지 못하는 한을 드러내면서, 떨어져 있는 자신과 낙엽에라도 쌓이는 떨어진 동백을 대조하여 임에 대한 화자의 그리움을 효과적으로 드러내고 있다.

핵심 정리
(1) 갈래: 민요
(2) 성격: 서정적, 애상적
(3) 제재: 정선의 자연 풍경과 그 속에서 살아가는 사람들의 삶
(4) 주제: 정선 사람들의 삶의 애환
(5) 특징: ① 정선 지역의 환경적 특성과 지역민의 삶의 모습과 정서를 담고 있음.
② 4음보의 율격과 후렴구의 반복을 통해 운율감을 형성함.
③ 각 연에 독립적으로 다양한 상황과 정서가 나열됨(병렬적 구성).
(6) 구성

1연	산으로 겹겹이 둘러싸인 척박한 정선	고립감, 답답함
2연	해당화와 두견새를 보며 느끼는 애상감	애상감
3연	강을 건너지 못하는 안타까움	안타까움
4연	임에 대한 간절한 그리움	그리움

정선의 구명은 ㉠ 무릉도원이 아니냐 ┐
　　　　　　　　　　　　　　　　　│ 선창
무릉도원은 어데 가고서 ㉡ 산만 충충하네 ┘
과거 정선 지방에 대한 평가　　충충(層層)이 겹쳐 있네.
아리랑 아리랑 아라리요 ┐
　　　　　　　　　　　　│ 후창(후렴구)
아리랑 고개 고개로 나를 넘겨 주게 ┘

▶ 산으로 겹겹이 둘러싸인 척박한 정선

명사십리가 아니라면은 ㉢ 해당화가 왜 피며 ┐
해당화로 유명한 곳　　　애상감 유발　　　　│ 대구
모춘 삼월이 아니라면은 ㉣ 두견새는 왜 우나 ┘
늦봄. 음력 3월　　　　　애상감 유발
아리랑 아리랑 아라리요

아리랑 고개 고개로 나를 넘겨 주게

▶ 해당화와 두견새를 보며 느끼는 애상감

정선 지방의 지명을 직접 인용함으로써 지역적 특수성과 향토색을 드러냄.
아우라지 뱃사공아 배 좀 건네주게
보통 동백보다 조금 일찍 피는 동백으로, 여기서는 생강나무를 의미함.
㉤ 싸릿골 올동백이 다 떨어진다❶
아우라지 건너편으로 임이 있는 공간
아리랑 아리랑 아라리요

아리랑 고개 고개로 나를 넘겨 주게

▶ 강을 건너지 못하는 안타까움

떨어진 동박은 낙엽에나 쌓이지 ┐
동백　　　　　　　　　　　　　│ 대조(동박 ↔ 나)
잠시 잠깐 임 그리워서 나는 못 살겠네❷ ┘
　　　　　화자의 정서가 직접적으로 표출됨.
아리랑 아리랑 아라리요

아리랑 고개 고개로 나를 넘겨 주게

▶ 임에 대한 간절한 그리움

어휘·어구 풀이

● **구명(舊名)** 예전에 부르던 이름. 고려 충렬왕 때 정선은 도원(桃源)으로 불린 적이 있다.
● **아우라지** 두 냇물이 하나로 어우러지는 곳. 여기서는 정선 북면 여량리에 있는 나루를 가리킴.
❶ **아우라지 뱃사공아~올동백이 다 떨어진다** 옛날 여량리에 살던 처녀가 유천리에 사는 총각을 만나서 동백꽃을 따며 놀려고 나루로 나왔지만 간밤에 내린 비로 강물이 불어 배가 뜨지 못함을 알고 애달프게 부른 노래라는 배경 설화가 전해진다.
❷ **떨어진 동박은~나는 못 살겠네** 임과 함께 있지 못해 그리워하는 마음을 낙엽에 감싸여 안겨 있는 동백과 대조하여 직설적이고 간결하게 나타내고 있다.

● 화자의 정서 표출

| 떨어진 동박 | ↔ 대조 | 나 |

↓

임에 대한 그리움

학습 문제

📋 정답과 해설 347쪽

1. 위 노래에 대한 설명으로 적절하지 <u>않은</u> 것은?

① 입에서 입으로 전해 내려왔다.
② 지역의 삶의 모습과 정서가 담겨 있다.
③ 후렴구가 반복되면서 운율감이 강조되고 있다.
④ 3음보의 민요조 율격을 지녀 가창하기가 쉽다.
⑤ 선창에 이어 후렴에 해당하는 후창이 이어지는 방식으로 구성되었다.

2. ㉠~㉤에 대한 설명으로 적절하지 <u>않은</u> 것은?

① ㉠: 현재의 부정적 현실을 부각시킨다.
② ㉡: 화자에게 답답함을 유발하고 있다.
③ ㉢: 화자의 아름다운 모습을 대변한다.
④ ㉣: 화자에게 한의 정서를 불러일으키고 있다.
⑤ ㉤: 화자가 임을 만나기 위해 가고자 하는 공간이다.

[서술형]

3. 4연에 드러난 화자의 정서와 표현 방법을 다음 〈조건〉에 맞게 쓰시오.

| 조건 |
• '~ 사용하여, ~ 드러내고 있다.'와 같이 기술할 것.

[학습 활동 응용]

4. 위 노래에 반영되어 있는 지역 문학으로서의 특성으로 적절하지 <u>않은</u> 것은?

① 정선 지역의 특성이 드러나 있다.
② 정선 지역민의 정서를 담고 있다.
③ 정선 지역의 향토색이 녹아 있다.
④ 정선 지역의 특산물이 나타나 있다.
⑤ 정선 지역민의 삶의 모습을 형상화하고 있다.

• **작품의 짜임**

1연	2연	3연	4연
산으로 둘러싸인 공간에서 느끼는 고립감	늘은 봄의 자연에서 느끼는 ❶☐☐☐	강을 건너지 못하는 안타까움	임에 대한 간절한 그리움

각 연의 내용이 하나의 주제로 연결되지는 않지만, 동일한 ❷☐☐☐에 의해 형식적 통일성이 확보됨.

• **배경 설화와 관련된 화자의 정서**

배경 설화	화자의 정서
아우라지를 사이에 두고 서로 사랑하는 사이인 처녀와 총각은 어느 날 함께 올동백을 따러 가기로 약속하였으나, 홍수로 인해 배가 뜨지 못하자 처녀가 서글픈 마음을 담아 이 노래를 불렀다고 함.	임에 대한 사랑과 그리움, 자신의 서글픈 신세에 대한 한탄

• **시상 전개상의 특징**

① ❸☐☐☐ 구성으로 각 연이 독립적임.
② 후렴구의 반복을 통해 통일성을 줌.
③ 계속 이어 부를 수 있는 열린 구조를 취함.

• **표현상의 특징과 효과**

❹☐☐되는 특성으로 각 연에 다양한 상황과 정서가 독립적으로 나열됨.	구체적 지명과 비유적 표현을 사용함.	체념과 한탄의 어조로 삶의 애환을 형상화함.

정선 사람들의 삶의 모습과 정서를 효과적으로 표현함.

• **이 작품을 통해 본 지역 문학의 개념과 그 의의**

지역 문학의 개념	「정선 아리랑」의 지역 문학으로서의 의의
• 광의: 그 지역의 문학 • 협의: ① 그 지역 출신 작가의 문학 작품 또는 오랫동안 그 지역에 거주한 작가의 문학 작품 ② 지역의 정체성과 특수성을 드러내는 문학 ③ 그 지역의 삶의 모습, 그 지역 사람들이 살아왔던 역사와 그 속에 숨 쉬고 있는 정신을 바탕에 깔고 있는 문학	「정선 아리랑」은 정선 지역 사람들의 삶과 그 속에 숨 쉬고 있는 ❺☐☐, 지향하는 가치가 잘 드러나 있어 정선 지역에서 살아가는 사람들의 모습을 이해할 수 있게 해 주고, 나아가 한국 문학의 다양성을 알 수 있게 해 줌.

|정답| ❶ 애상감　❷ 후렴구　❸ 병렬적　❹ 구전　❺ 정서

학습 활동

작품 속으로

1. 이 작품의 특성을 바탕으로 지역 문학과 한민족 문학을 탐구해 보자.

(1) 다음을 참고하여 이 작품에 나타난 화자의 정서를 말해 보자.

> 「정선 아리랑」과 관련하여 전해지는 배경 이야기가 있다. 아우라지를 사이에 두고 여량리에 사는 한 처녀와 유천리에 사는 한 총각이 만나서 사랑을 속삭였다. 어느 날, 둘은 함께 올동백을 따러 가기로 약속을 하였으나, 간밤에 내린 비에 강물이 불어 배가 뜨지 못하자 이에 서글픈 마음을 노래로 부른 것이 바로 「정선 아리랑」이 되었다고 한다.

| 예시 답안 | 배경 설화의 내용으로 보아 이 작품에서 화자는 임에 대한 간절한 사랑, 임을 만날 수 없는 상황에 대한 안타까움, 그리고 임을 만날 수 없는 자신의 서글픈 처지에 대한 한탄을 드러내고 있다고 할 수 있다.

(2) 다음은 '지역 문학의 의의와 가치'를 알아보는 탐구 활동지의 일부이다. 읽고, 아래 활동을 해 보자.

> **<지역 문학의 총체로서의 한국 문학>**
>
> • '정선', '아우라지', '싸릿골' 등을 배경이나 소재로 삼아 노래로 구현한 작품의 특성은 무엇일까?
>
> 정선 지역의 특성, 지역민의 삶의 모습이나 정서, 향토성이 잘 드러나 있다.
>
> • 강원도 정선 지역의 삶의 모습을 다룬 작품이 우리 문학에서 어떤 가치가 있는지 발표해 보자.
>
> | 예시 답안 | 이 작품은 한국의 강원도 정선 지역의 향토색을 잘 드러내고 있으며 이를 바탕으로 지역민의 삶의 모습, 정서를 형상화하고 있다. 이와 같은 지역 문학은 그 지역 사람들의 삶, 역사와 정신, 그리고 그들이 지향하는 가치를 담고 있으므로 그 지역의 특수성뿐 아니라 그 지역의 정체성까지 드러낸다. 이처럼 지역 문학은 한국 문학의 다양성을 보여 준다는 점에서 가치가 있다.
>
> • 「아리랑」은 우리나라에서뿐만 아니라 북한 지역에서도 널리 불리고 있다. 이를 통해 생각해 볼 수 있는 「아리랑」의 가치는 무엇일까?
>
> | 예시 답안 | 북한 지역의 「아리랑」 역시 우리말의 고유한 체취, 우리 민족의 일상적인 삶의 모습과 전통적 정서, 정신, 시대상, 가치관을 드러내고 있을 것이다. 또한 한반도의 각 지역에서 생산되는 지역 문학의 일원으로서 한국 문학의 다양한 모습을 보여 줄 것이다. 이와 같이 「아리랑」은 인류 보편의 다양한 주제를 담고 있는 한편, 여러 지역에서 다양하게 불리면서 지역 문학의 총체로서 한국 문학이 지닌 다양성을 보여 준다는 점에서 가치가 있다.

2. 다음 작품을 감상하고, 아래 활동을 해 보자. 〈제시글 생략〉

> 🔖 **작품 연구** 작자 미상, 「사할린 본조 아리랑」
>
> • **갈래:** 민요
> • **성격:** 애상적, 민중적
> • **제재:** 일제 강점기 해외 이주민의 현실
> • **주제:** 조국을 강제로 떠나 살아야 했던 슬픔과 서러움
> • **특징:** ① 자문자답의 형식을 통해 시상을 전개함.
> ② 일제 강점기 유이민의 삶이 지닌 아픔을 드러냄.
> ③ 「아리랑」의 보편적 형식에 사할린에서의 고된 생활을 담음.

(1) 위 작품이 어떤 상황에서 불렸을지 추측하여 말해 보자.

| 예시 답안 | '내가 왜 왔나'라는 구절로 보아, 이 작품은 일제 강점기에 강제로 징용되어 조국을 떠나 사할린이라는 이국땅에 살아야 했던 동포들에 의해 슬프고 서러운 상황에서 불렸을 것으로 추측할 수 있다.

(2) 위 작품이 한국 문학에서 갖는 위치를 고려하여 볼 때, 한국 문학의 개념과 범위에 대한 논의가 앞으로 어떻게 전개될 것인지 예측하여 발표해 보자.

| 예시 답안 | 「사할린 본조 아리랑」은 사할린으로 이주한 동포들이 부른 작품이므로 외국에 거주하는 해외 국민이 한국어로 생산한 한국 문학에 해당한다. 이는 한국 문학의 다양성을 보여 주는 것으로 이를 통해 앞으로 한국 문학의 개념과 범위가 역동적이고도 전향적으로 전개될 것임을 예측할 수 있다.

3. 다음은 「아리랑」이 유네스코(UNESCO) 세계 유산에 등재된 것을 알리는 신문 기사이다. 이를 바탕으로 우리 문학이 나아가야 할 방향을 탐구해 보자. 〈제시글 생략〉

> 🔖 **제재 연구** 「아리랑」의 유네스코 세계 유산 등재 소식을 알리는 신문 기사
>
> • **갈래:** 기사문
> • **성격:** 분석적, 사실적, 설명적
> • **제재:** 아리랑
> • **주제:** 「아리랑」의 유네스코 세계 유산 등재 이유와 의의
> • **특징:** ① 객관적 사실 전달에 평가적 진술을 가미함.
> ② 유네스코 측의 입장과 전문가의 의견 등을 인용함.

(1) 위 기사를 바탕으로 「정선 아리랑」의 가치를 생각해 보자.

| 예시 답안 | 「정선 아리랑」은 누구라도 사설을 지어낼 수 있다는 점에서 인간의 창의성, 표현의 자유라는 미덕을 가지고 있다. 또한 다양한 사회적 맥락 속에서 끊임없이 재창조됨으로써 문화적 다양성을 높이고, 한국인의 정체성 형성과 공동체 결속에 중요한 역할을 하고 있다는 데에 가치가 있다.

(2) 위 기사를 바탕으로 '우리 문학이 나아가야 할 바'를 토의해 본 후, 평가표를 작성해 보자.

| 예시 답안 | 생략

대단원 마무리

3 한국 문학의 성격

[1] 한국 문학의 개념과 범위

01 「어미 말과 새끼 말」　문자 언어가 아닌 음성 언어로 전승된 ❶□□ 문학도 한국 문학의 범위 안에 포함될 수 있음을 확인하였다.

02 「송인」　이 작품을 통해 과거 동아시아 문명권에서 보편 문어(文語)의 역할을 했던 한자로 창작된 ❷□□ 문학 역시 한국 문학의 일부라는 것을 배웠다.

한국 문학의 개념이 무엇이며, 한국 문학의 범위 안에 어떤 종류의 문학 작품들이 포함될 수 있는지 이해하게 되었는가?

1　2　3　4　5

|정답| ❶ 구비 ❷ 한문

[2] 한국 문학의 전통과 특질

01 「사미인곡」　작가의 상황을 타인의 목소리에 의탁하여 노래하는 방식, ❶□□□□□의 정서와 태도, 계절의 변화에 따른 시상 전개, 전통 시가의 운율적 특성 등 한국 문학의 전통과 관련 있는 내용들을 학습하였다.

02 「태평천하」　작가가 시대 상황에 대응하는 방식을 작품 속 인물의 성격이나 서술자의 태도와 관련지어 학습하고, ❷□□가 한국 문학의 전통 중 하나라는 점을 확인하였다.

한국 문학이 지닌 대체적인 특질을 이해하고, 한국 문학의 전통이라는 맥락 안에서 개별 문학 작품의 가치와 의의를 발견할 수 있게 되었는가?

1　2　3　4　5

|정답| ❶ 충신연주지사 ❷ 풍자

[3] 한국 문학의 양상과 발전

01 「정선 아리랑」　이 작품을 통해 ❶□□ 문학과 한국 문학의 관계, 북한 문학과 한민족 문학 등 우리 문학의 범주를 알게 되었다. 또한 한국 문학의 보편성과 특수성을 이해하여 한국 문학의 발전 방안을 모색해 보았다.

• 지역 문학의 총체로서의 한국 문학의 개념을 이해하고, 통일 후 민족 문학의 발전상을 모색해 볼 수 있는가?
• 한국 문학의 보편성과 특수성을 살펴봄으로써 한국 문학이 나아갈 바를 탐색할 수 있는가?
• 한국 문학의 개념이나 범위가 역동적으로 전개될 것임을 예측할 수 있는가?

1　2　3　4　5

|정답| ❶ 지역

핵심 질문 되돌아보기

• 한국 문학은 공간적으로는 한반도 각 지역에서 생산되는 지역 문학의 총체인 동시에, 분단 이후의 북한 문학과 해외 국민이 한국어로 생산한 문학을 포괄한다.

• 우리 문학의 고유한 특질을 이어 나가고, 외국의 문학과도 다채롭게 만나 그 다양성과 보편성을 공유해 나아가야 우리 문학을 더욱 발전시킬 수 있다.

창의·융합

조선 시대에 지어진 한글 소설 「홍길동전」과 가장 잘 어울리는 '환상의 짝꿍'을 찾아 주려고 합니다. 세계 문학 속 짝꿍을 선정해 주세요.

대감 댁 서자로 태어난 까닭에 아버지를 아버지라 부르지 못하다 세상에 떨치고 나아간 우리의 홍길동! 타고난 비범함으로 신출귀몰하는 의적이 되어 빈민을 구제하고 급기야 율도국을 건설하는데…….

갑갑한 세상을 향해 통쾌한 주먹을 날리는 홍길동과 가장 잘 어울리는 환상의 짝꿍은 무엇일까?

▲ 허균, 「홍길동전」

> **작품 연구**
> 허균, 「홍길동전」
> • **갈래:** 고전 소설, 한글 소설
> • **성격:** 현실 비판적, 전기적
> • **주제:** 적서 차별 타파와 입신양명에의 의지
> • **해제:** 능력은 뛰어나나 서얼로 태어나 천대를 받던 홍길동이 활빈당이라는 집단을 결성하고 율도국을 건설한다는 내용으로, 사회 제도의 결함 및 적서 차별 타파, 부패한 정치 개혁의 의도로 지은 사회 소설임.

후보 ①

마크 트웨인, 「왕자와 거지」

가난한 집안에서 태어나 어른들에게 구타를 당하고 구걸을 하며 살면서도 늘 왕궁의 삶을 상상하고 왕자를 흉내 내는 톰과 우연히 톰의 옷을 빌려 입고 왕궁 밖으로 쫓겨나 빈민들의 삶을 경험하게 되는 왕자 에드워드의 이야기.

신분의 굴레로 인해 갈등을 겪던 인물의 눈을 통해 시대의 불합리한 현실을 다루었다는 점에서, 「왕자와 거지」야 말로 「홍길동전」과 가장 잘 어울리는 환상의 짝꿍!

> **작품 연구**
> • **갈래:** 아동 소설
> • **성격:** 현실 비판적, 해학적, 풍자적
> • **주제:** 부조리하고 불합리한 사회 현실에 대한 풍자
> • **해제:** 12~13세기에 북유럽에서 전해 오던 「왕자와 시종」을 각색한 작품. 어린아이들의 순수한 눈에 비친 왕궁의 허례허식과 부당한 권력에 희생되는 백성의 모습을 담아냄으로써 당대 사회 현실을 풍자함.

작품 연구

작품 연구

- **갈래**: 소설
- **성격**: 현실 비판적, 풍자적
- **주제**: 로빈 후드의 영웅담. 부조리한 사회에 대한 비판
- **해제**: 영웅 로빈 후드의 모험을 다룬 작품으로, 셔우드숲을 근거지로 하여 여러 의적들과 함께 포악한 관리와 욕심 많은 귀족, 성직자들의 재산을 빼앗아 그들을 응징하고 가난한 사람들을 돕는 이야기임.

작품 연구

- **갈래**: 공상 소설, 미스터리
- **성격**: 환상적
- **주제**: 해리 포터의 모험
- **해제**: 온갖 천대를 받던 해리 포터가 마법 학교에 입학하여 친구들과 함께 마법사 볼드모트에 대항하는 이야기. 인물과 사건을 생동감 있게 형상화함.

작품 연구

- **갈래**: 공상 소설
- **성격**: 현실 비판적, 해학적, 풍자적
- **주제**: 부정부패 비판과 이상 사회 제시
- **해제**: 영국 사회의 여러 폐단, 가톨릭 교회의 오랜 권력에 대한 작가의 날카로운 시선이 담긴 작품. 1부는 영국 사회에 대한 비판을, 2부는 이상국 유토피아의 지리, 정치, 종교, 가족 제도, 풍속 등을 다루고 있음.

후보 2

하워드 파일, 「로빈 후드의 모험」

영국 최고의 궁수(弓手)인 로빈 후드! 산림관의 꾐에 빠져 실수로 왕의 사슴을 죽이게 되고, 셔우드숲에서 '유쾌한 사람들'의 두목이 되어 불쌍한 사람들을 도와주는데…….

부패한 지배층의 착취에 맞서 가난한 하층민을 보호하는 의적을 주인공으로 삼았다는 점에서, 「로빈 후드의 모험」이야말로 「홍길동전」과 가장 잘 어울리는 환상의 짝꿍!

후보 3

J.K. 롤링, 「해리 포터」

마법사 볼드모트에게 부모를 잃고 친척 집에서 온갖 천대를 받으며 자라던 해리 포터. 11세가 되어서야 자신이 마법 능력을 지녔음을 알게 되고, 마법사 양성 학교인 호그와트에 입학해 마법 세계의 영웅이 되기까지 갖가지 모험을 겪는 이야기.

자유자재로 변신하는 요술을 부리는 주인공의 이야기가 펼쳐진다는 점에서, 「해리 포터」는 「홍길동전」과 잘 어울리는 환상의 짝꿍!

후보 4

토머스 모어, 「유토피아」

그리스어로 '아무 데도 없는 곳'이라는 뜻을 지닌 유토피아! 평화를 사랑하는 그곳 시민들은 여섯 시간 일하고 여덟 시간 자며, 나머지 시간은 각자의 취미를 즐긴다. 모두가 부(富)를 공유하면서 공동의 선을 위해 노력하는 이상 사회에 관한 이야기.

불합리한 현실에 대한 반작용으로 이상적인 국가를 꿈꾸었다는 점에서, 「유토피아」는 「홍길동전」의 율도국과 손을 잡는 환상의 짝꿍!

1. 여러분이 뽑은 '환상의 짝꿍'은 무엇인가요? 그 까닭을 말해 보세요.

| 예시 답안 | 「홍길동전」과 가장 잘 어울리는 '환상의 짝꿍'으로 「해리 포터」를 선정하였다. 홍길동이 신출귀몰한 도술을 부린다면 해리 포터는 신기한 주문으로 마법을 부리고, 두 주인공 모두 각각 갑갑한 세상과 마법사 볼드모트에 대항하는 영웅이라는 점에서 선정하였다.

2. 여러분도 「홍길동전」과 '환상의 짝꿍'이 될 만한 후보를 추천해 보세요.

| 예시 답안 | 「홍길동전」과 가장 잘 어울리는 '환상의 짝꿍'으로 중국 소설인 「수호지」를 선정하였다. 「수호지」에서 108명의 유협이 양산박에 모여 간신배들의 농간으로 길을 잃은 황제에 대한 충성을 다지고, 부자의 재물을 강탈하여 가난한 이들에게 나눠 주며, 동지에게는 의리를 다하는데 의적 행위를 하는 이들의 모습이 홍길동과 닮아 있기 때문이다.

대단원 시험 예상 문제

정답과 해설 347쪽

[01~04] 다음 글을 읽고, 물음에 답하시오.

⑦ ㉠옛날 대국 천자가 조선에 인재가 있나 없나아, 이걸 알기 위해서 말을 두 마리를 보냈어. 말. 대국서 잉? 조선 잉금게루 보내면서,

　㉡"이 말이 어떤 눔이 새끼구 어떤 눔이 에밍가 이것을 골라내라아." 하구서……

⑭ 원 정승이라는 사람이 있어. 그래 아침 조회 때 들어가닝깨, "이 원 정승 이눔 갖다가 이걸 골라내쇼오." 말여. ㉢보낸다능 게 원 정승에게다 보냈어. 응. 인제 가서 골라내라능 기여.

원 정승이 갖다 놓구서, 이거 어떤 눔이구 똑같은 눔인디 말여, 색두 똑같구 워떻 게 에민지 워떻게…… 똑같어? 그저어? "새끼가 워떵 겐지 에미가 워떵 겐지 그거 모른다." 그러닝깨, "그려요?"

　㉣그러구 가마안히 생각해 보닝깨 도리가 있으냐지? 그래 앓구 두러눴네? 머리 싸매구 두러눴느라니까, 즈이 아들이, 어린 아들이

⑭ "아버지 왜 그러십니까아?" 그러거든.
"야? 아무 날 조회에 가닝까아, 이 말을 두 마리를 주면서 골르라구 허니이, 이 일을 어트가야 옳단 말이냐아?"
"아이구, 아버지. 걱정 말구　긴지 잡수시라구. 내가 골라 디리께."

⑭ 그래, 아침을 먹었어. 먹구서 그 이튿날 갔는디, 이눔이 콩을 잔뜩, 쌂어 가지구설랑은 여물을 맨들어. 여물을. 여물을 대애구 맨들어 놓는단 말여. 여물을 맨들어 가지구서는 갖다 항곳이다가 떠억 놓거든. 준담 말여. 구유다가 여물을. 여물을 주닝깨, 잘 먹어어? 둘이 먹기를. 썩 잘 먹더니 주둥패기루 콩을 대애구 요롱게 제쳐 주거든? 옆있 눔을? 콩을 제쳐 줘. 저는 조눔만 먹구. 짚만 먹구 인저, 콩을 대애구 저쳐 준단 말여.

⑭ "아 이거 보시교. ⓐ콩을 골라서 대애구 에미라 새끼 귀해서 새끼를 주지 않습니까? 새끼 귀헌 중 알구. 그래 콩 중 게 이게 새끼요오. 이건 에미구."

아, 그 이튿날 아닝 것두 아니라 가주 가서, "이건 새끼구 이건 에미라구." 그러닝깨, 그러구서는 대국으로 떠억 포해서 보냈단 말여. 그러닝깨.

"하하아, ㉤한국에 연대까장 조선에 인자가 연대 익구나아." 그러드랴.

---

01 윗글의 성격으로 적절하지 **않은** 것은?

① 구어적　　② 허구적　　③ 서사적
④ 교훈적　　⑤ 전기적

학습 활동 응용

02 ㉠~㉤에 대한 설명으로 적절하지 **않은** 것은?

① ㉠: 대국 천자가 말을 보낸 이유를 알 수 있다.
② ㉡: 대국 천자가 보낸 문제의 구체적 내용에 해당한다.
③ ㉢: 원 정승을 시험해 보려는 임금의 의도가 드러나 있다.
④ ㉣: 원 정승은 문제를 해결해야 한다는 압박감을 느끼고 있다.
⑤ ㉤: 문제가 해결되어 대국 천자가 ㉠에 대한 해답을 얻게 된다.

서술형　학습 활동 응용

03 ⓐ를 통해 알 수 있는 윗글의 주제 의식을 쓰시오.

---

04 〈보기〉는 고전 소설 「최고운전」의 내용이다. 윗글(A)과 〈보기〉(B)를 비교한 것으로 적절하지 **않은** 것은?

| 보기 |

　중국 황제는 신라의 인재를 시험하기 위해 계란을 함에 넣어 밀봉한 후 신라에 보내며, 함 속에 무엇이 들었는지 알아맞혀 이를 시로 지어 보내지 않으면 신라를 치겠다고 한다. 이를 받고 노심초사하던 신라 임금은 이 일을 나 승상에게 맡긴다. 마침 그 집의 종으로 들어와 있던 열한 살 된 최고운은 나 승상의 요청을 받고 그의 딸과 혼인시켜 줄 것을 조건으로 시를 지어 중국에 보내니 황제가 천하의 기재(奇才)라며 탄식했다.

① (A)와 (B)는 모두 문제와 해결 과정의 구조로 되어 있다.
② (A)와 (B)는 모두 특정인의 신이한 능력을 바탕으로 문제를 해결하고 있다.
③ (A)에서는 원 정승이, (B)에서는 나 승상이 해결의 임무를 맡게 되지만 해결책을 찾지 못한다.
④ (A)에서는 원 정승의 어린 아들이, (B)에서는 나 승상 집의 종인 최고운이 갈등을 해결하는 주체이다.
⑤ (A)에서 원 정승의 어린 아들은 대가를 요구하지 않지만, (B)에서 나 승상 집의 종인 최고운은 대가를 요구하고 있다.

[05~09] 다음 글을 읽고, 물음에 답하시오.

가 비 개인 긴 둑에 풀빛이 고운데
남포에서 임 보내며 슬픈 노래 부르네.
㉠ 대동강 물이야 언제나 마르려나
이별 눈물 해마다 푸른 물결 보태나니.

나 정선의 구명은 무릉도원이 아니냐
㉡ 무릉도원은 어데 가고서 산만 충충하네
아리랑 아리랑 아라리요
아리랑 고개 고개로 나를 넘겨 주게

명사십리가 아니라면은 해당화가 왜 피며
모춘 삼월이 아니라면은 두견새는 왜 우나
아리랑 아리랑 아라리요
아리랑 고개 고개로 나를 넘겨 주게

아우라지 뱃사공아 배 좀 건네주게
싸릿골 올동백이 다 떨어진다
아리랑 아리랑 아라리요
아리랑 고개 고개로 나를 넘겨 주게

떨어진 동박은 낙엽에나 쌓이지
잠시 잠깐 임 그리워서 나는 못 살겠네
아리랑 아리랑 아라리요
아리랑 고개 고개로 나를 넘겨 주게

수능형
05 **가**, **나**에 대한 감상으로 적절하지 않은 것은?

① **가**와 **나**는 모두 청각적 심상을 통해 애상감을 표현하고 있다.
② **가**와 **나**는 모두 기승전결 구조를 통해 시상을 전개하고 있다.
③ **가**와 **나**는 모두 대조의 수법을 통해 화자의 정서를 강화한 표현이 있다.
④ **가**와 **나**는 모두 특정 지명을 바탕으로 화자의 정서를 드러내고 있다.
⑤ **가**는 과장적 수법을 통해 **나**는 직설적 화법을 통해 화자 자신의 마음을 표현하고 있다.

06 **가**와 **나**의 공통된 정서와 가장 이질적인 것은?

① 동지ㅅ돌 기나긴 밤을 한 허리를 버혀 내어
춘풍 니블 아레 서리서리 너헛다가
어론 님 오신 날 밤이여든 구뷔구뷔 펴리라.
② 쑴에 단니는 길히 자최곳 날쟉시면
님의 집 창 밧긔 석로라도 달흐리라.
쑴길히 자최 업스니 그를 슬허흐노라.
③ 이화에 월백흐고 은한이 삼경인 제
일지춘심을 자규야 아랴마는
다정도 병인냥흐여 줌 못 드러 흐노라.
④ 묏버들 갈히 것거 보내노라 님의손디
자시는 창 밧긔 심거 두고 보쇼셔.
밤비예 새닙 곳 나거든 날인가도 너기쇼셔.
⑤ 이화우 흣쑤릴 제 울며 잡고 이별한 님,
추풍낙엽에 저도 날 싱각는가
천 리에 외로운 쑴만 오락가락 흐노매.

서술형
07 ㉠에 사용된 표현 방식과 이를 통해 전달하려는 의미를 서술하시오.

수능형
08 〈보기〉를 참고할 때, ㉡에 담긴 화자의 정서로 가장 적절한 것은?

|보기|
　　정선은 대부분의 지역이 높은 산으로 층층이 둘러싸여 있는 곳으로 세상과 단절한 선비들이 현실과 자신의 처지를 탄식하고 슬퍼하며 은둔하는 곳이었다. 그리고 정선은 땅이 척박해 농사를 지으며 정착해 살기에 어려움이 많은 곳이었다.

① 힘든 삶으로 인한 한
② 임금을 잃어버린 슬픔
③ 과거의 삶에 대한 미련
④ 현재 있는 곳이 무릉도원이라는 만족감
⑤ 자연의 아름다움을 몰라보는 것에 대한 아쉬움

09 다음은 **가**와 **나**를 한국 문학의 개념과 범위를 기준으로 정리한 것이다. 적절하지 않은 것은?

		가	나
①	창작 주체	한국인	
②	향유 주체	한국인	
③	주제 의식	한국인의 삶과 정서	
④	전승 방식	기록 문학	구비 문학
⑤	표기 방식	한문 문학	국문 문학

[10~16] 다음 글을 읽고, 물음에 답하시오.

가 ⓐ 동풍(東風)이 건듯 부러 젹셜(積雪)을 헤텨 내니
　창(窓) 밧긔 심근 민화(梅花) 두세 가지 픠여셰라
　ᄀᆞᆺ득 닝담(冷淡)ᄒᆞᆫᄃᆡ 암향(暗香)은 므ᄉᆞ 일고
　황혼(黃昏)의 ⓑ 둘이 조차 벼마ᄐᆡ 빗최니
　늣기ᄂᆞᆫ 듯 반기ᄂᆞᆫ 듯 님이신가 아니신가
　뎌 민화(梅花) 것거 내여 님 겨신 ᄃᆡ 보내오져
　님이 너ᄅᆞᆯ 보고 엇더타 너기실고

나 ᄭᅩᆺ 디고 새닙 나니 녹음(綠陰)이 ᄭᆞᆯ렷ᄂᆞᄃᆡ
　ᄀᆞ 나위(羅幃) 젹막(寂寞)ᄒᆞ고 슈막(繡幕)이 뷔여 잇다
　부용(芙蓉)을 거더 노코 ⓒ 공쟉(孔雀)을 둘러 두니
　ᄀᆞᆺ득 시름 한ᄃᆡ 날은 엇디 기돗던고
　원앙금(鴛鴦錦) 버혀 노코 오ᄉᆡᆨ션(五色線) 플텨 내여
　금자히 견화이셔 님의 옷 지어 내니
　ᄂᆞ 슈품(手品)은ᄏᆞ니와 졔도(制度)도 ᄀᆞ줄시고
　산호수(珊瑚樹) 지게 우히 빅옥함(白玉函)의 다마 두고
　님의게 보내오려 님 겨신 ᄃᆡ ᄇᆞ라보니,
　산(山)인가 구롬인가 머흐도 머흘시고.
　쳔리(千里) 만리(萬里) 길히 뉘라셔 ᄎᆞ자갈고.
　ᄃᆞ 니거든 여러 두고 날인가 반기실가

다 ᄒᆞᄅᆞ밤 서리 김의 기러기 우러 녈 제
　위루(危樓)에 혼자 올나 슈졍념(水晶簾) 거든 마리
　동산(東山)의 ᄃᆞᆯ이 나고, 북극(北極)의 ⓓ 별이 뵈니
　ᄅᆞ 님이신가 반기니, 눈믈이 졀로 난다
　쳥광(淸光)을 믜워 내여 봉황누(鳳凰樓)의 븟티고져
　누(樓) 우히 거러 두고 팔황(八荒)의 다 비최여
　ᄆᆞ 심산궁곡(深山窮谷) 졈낫ᄀᆞ티 밍그쇼셔

라 건곤(乾坤)이 폐식(閉塞)ᄒᆞ야 ⓔ 빅셜(白雪)이 ᄒᆞᆫ 비친 제
　사ᄅᆞᆷ은ᄏᆞ니와 ᄂᆞᆯ새도 긋쳐 잇다
　쇼샹남반(瀟湘南畔)도 치오미 이러커든
　옥루(玉樓) 고쳐(高處)야 더옥 닐러 므ᄉᆞᆷ ᄒᆞ리
　양츈(陽春)을 부쳐 내여 님 겨신 ᄃᆡ 쏘이고져
　모쳠(茅簷) 비쵠 ᄒᆡ를 옥누(玉樓)의 올리고져
　홍샹(紅裳)을 니믜ᄎᆞ고 취슈(翠袖)를 반(半)만 거더
　일모슈듁(日暮脩竹)의 혬가림도 하도 할샤
　댜ᄅᆞᆫ ᄒᆡ 수이 디여 긴 밤을 고초 안자
　쳥등(靑燈) 거론 겻티 뎐공후(鈿箜篌) 노하두고
　ᄭᅮᆷ의나 님을 보려 ᄐᆞᆨ 밧고 비겨시니
　앙금(鴦衾)도 ᄎᆞ도 출샤 이 밤은 언제 샐고

마 ᄒᆞᄅᆞ도 열두 ᄭᅢ 흔 ᄃᆞᆯ도 셜흔 날
　져근덧 ᄉᆡᆼ각 마라, 이 시름 닛쟈 ᄒᆞ니
　ᄆᆞ음의 미쳐 이셔 골슈(骨髓)의 ᄭᅦᆮ여시니
　편쟉(扁鵲)이 열히 오다 이 병을 엇디ᄒᆞ리

10 가~라의 시상 전개 방식으로 적절한 것은?
① 계절의 변화에 따라　　② 공간의 이동에 따라
③ 어조의 변화에 따라　　④ 시선의 이동에 따라
⑤ 선경 후정의 방식에 따라

11 윗글을 읽으면서 떠올린 장면으로 적절하지 <u>않은</u> 것은?
① 정성껏 비단옷을 짓는 여인의 모습
② 하늘의 달과 별을 보며 눈물을 흘리는 여인의 모습
③ 텅 빈 방에 홀로 누워 잠을 이루지 못하는 여인의 모습
④ 눈이 가득 내린 넓은 들판을 외로이 걸어가는 여인의 모습
⑤ 해가 저물 무렵 대나무에 기대어 서서 생각에 잠겨 있는 여인의 모습

12 〈보기〉가 작가의 창작 메모라고 할 때, 윗글에 반영되지 <u>않</u>은 것은?

| 보기 |
- 주제: 임에 대한 사랑과 그리움의 마음을 담아야지. ·····①
- 어조: 여성 화자의 애절한 목소리로 노래해야지. ········②
- 표현: 고사를 활용하여 전아한 느낌이 들게 해야지. ····③
- 운율: 한 음보를 이루는 음절 수는 주로 3자 또는 4자가 되게 해야지. ·················④
- 기타: 계절감을 드러내는 시어들을 잘 활용해야지. ·····⑤

13 ㉠~㉤ 중 '청자(聽者)'를 전제로 한 진술은?
① ㉠　② ㉡　③ ㉢　④ ㉣　⑤ ㉤

14 ⓐ~ⓔ 중 '임'을 상징하는 것끼리 묶인 것은?
① ⓐ, ⓒ　② ⓐ, ⓔ　③ ⓑ, ⓒ
④ ⓑ, ⓓ　⑤ ⓓ, ⓔ

15 〈보기〉의 밑줄 친 부분과 유사한 내용이 있는 문단은?

┌─┤ 보기 ├─
천년(千年) 노룡(老龍)이 구비구비 서려 이셔,
듀야(晝夜)의 흘녀 내여 창히(滄海)예 니어시니
풍운(風雲)을 언제 어더 삼일우(三日雨)를 디련는다.
음애(陰崖)예 이온 플을 다 살와 내여스라.
　　　　　　　　　　　　　　– 정철, 「관동별곡」에서
└────────────

① 가　　② 나　　③ 다　　④ 라　　⑤ 마

학습 활동 응용

16 위 시와 〈보기〉 시의 공통점으로 적절하지 않은 것은?

┌─┤ 보기 ├─
님은 갔습니다. 아아 사랑하는 나의 님은 갔습니다.

푸른 산빛을 깨치고 단풍나무 숲을 향하여 난 작은 길을 걸어서 차마 떨치고 갔습니다.

황금의 꽃같이 굳고 빛나던 옛 맹세는 차디찬 티끌이 되어서 한숨의 미풍(微風)에 날아갔습니다.

날카로운 첫 키스의 추억은 나의 운명의 지침(指針)을 돌려놓고 뒷걸음쳐서 사라졌습니다.

나는 향기로운 님의 말소리에 귀먹고 꽃다운 님의 얼굴에 눈멀었습니다.

사랑도 사람의 일이라 만날 때에 미리 떠날 것을 염려하고 경계하지 아니한 것은 아니지만, 이별은 뜻밖의 일이 되고 놀란 가슴은 새로운 슬픔에 터집니다.

그러나 이별을 쓸데없는 눈물의 원천을 만들고 마는 것은 스스로 사랑을 깨치는 것인 줄 아는 까닭에 걷잡을 수 없는 슬픔의 힘을 옮겨서 새 희망의 정수박이에 들어부었습니다.

우리는 만날 때에 떠날 것을 염려하는 것과 같이 떠날 때에 다시 만날 것을 믿습니다.

아아 님은 갔지마는 나는 님을 보내지 아니하였습니다.

제 곡조를 못 이기는 사랑의 노래는 님의 침묵을 휩싸고 돕니다.
└────────────

① 임을 그리워하며 재회를 소망하고 있다.
② 임이 부재한 상황에 대한 슬픔이 드러나 있다.
③ 역설적 표현을 통해 주제 의식을 강조하고 있다.
④ 비유적 표현을 통해 화자의 정서를 드러내고 있다.
⑤ 여성 화자의 목소리를 통해 애절하게 표현하고 있다.

[17~20] 다음 글을 읽고, 물음에 답하시오.

가 일찍이 윤 직원 영감은 그의 소싯적 윤 두꺼비 시절에 자기 부친 말대가리 윤용규가 화적의 손에 무참히 맞아 죽은 시체 옆에 서서, 노적이 불타느라고 화광이 충천한 하늘을 우러러,
"㉠ 이놈의 세상, 언제나 망하려느냐?" / "우리만 빼놓고서 망해라!" / 하고 부르짖은 적이 있겠다요.

이미 반세기 전, 그리고 그것은 당시의 나한테 불리한 세상에 대한 격분된 저주요, 겸하여 웅장한 투쟁의 선언이었습니다. / 해서 윤 직원 영감은 과연 승리를 했겠다요. 그런데…….

나 "그러닝개루 너두 정신을 바싹 채리 각구서, 어서어서 군수가 되야야 않겠냐?…… 아, 동생 놈은 버젓한 경찰서장인디, 형 놈은 게우 군 서기를 댕기구 있담! 남부끄러서 어쩔 티여? 응?…… 아 글씨, 군수 되구 경찰서장 되구 허머넌, 느덜 좋구 느덜 호강이지 머, 그 호강 날 주냐? 내가 이렇기 아둥아둥 잔소리를 허넌 것두 다 느덜 위히여서 그러지, 나는 파리 족통만치두 상관읎어! 알어듣냐?" / "네."

"그놈 종학이는 참말루 쓰겄어! 그놈이 어려서버텀두 워너니 나를 자별허게 따르구, 재주두 있구 착실허구, 커서두 내 말을 잘 듣구……. 내가 그놈 하나넌 꼭 믿넌다, 꼭 믿어. ㉡ 작년 올루 들어서 그놈이 돈을 어찌 좀 히피 쓰기는 허넝가 부더라마는, 그것두 허기사 네게다 대머는 안 쓰는 심이지. 사내자식이 너처럼 허랑허지만 말구서, 제 줏대만 실헐 양이면 돈을 좀 써두 괜찮언 법이여……. 그러서 ㉢ 지난달에두 오백 원 꼭 쓸 디가 있다구 편지히였길래, 두말 않고 보내 주었다!"

다 "해가 서쪽으서 뜨겄구나?"

윤 직원 영감은 아들의 이렇듯 부르지도 않은 걸음을, 더욱이나 안방에까지 들어온 것을 이상타고 꼬집는 소립니다.

"…… 멋허러 오냐? 돈 달라러 오지?"

"동경서 ⓐ 전보가 왔는데요……." / 지체를 바꾸어 윤 주사를 점잖고 너그러운 아버지로, 윤 직원 영감을 속 사납고 경망스러운 어린 아들로 둘러놓았으면 꼬옥 맞겠습니다.

라 윤 주사는 조끼 호주머니에서 간밤의 그 전보를 꺼내어 부친한테 올립니다. 윤 직원 영감은 채듯 전보를 받아 쓰윽 들여다보더니 커다랗게 읽습니다. 물론 원문은 일문이니까 몰라보고, 윤 주사네 서사 민 서방이 번역한 그대로지요.

"㉣ 종학, 사상 관계로, 경시청에 피검!…… 이라니? 이게 무슨 소리다냐?"

"종학이가 사상 관계로 경시청에 붙잡혔다는 뜻일 테지요!"

"사상 관계라니!" / "그놈이 사회주의에 참예를……."

"으엉?" / 아까보다 더 크게 외치면서, 벌떡 뒤로 나동그라질 뻔하다가 겨우 몸을 가눕니다.

윤 직원 영감은 먼저에는 몽치로 뒤통수를 얻어맞은 것같이 멍했지만, 이번에는 앉아 있는 땅이 지함(地陷)을 해서 수천 길 밑으로 꺼져 내려가는 듯 정신이 아찔했습니다.

그러나 그것은 결단코 자기가 믿고 사랑하고 하는 종학이의 신상을 여겨서가 아닙니다.

윤 직원 영감은 시방 종학이가 사회주의를 한다는 그 한 가지 사실이 진실로 옛날의 드세던 부랑당패가 백 길 천 길로 침노하는 그것보다도 더 분하고, 물론 무서웠던 것입니다.

⑰ "…… ⑩착착 깎어 죽일 놈! …… 그놈을 내가 핀지히여서, 백 년 지녁을 살리라구 헐걸! 백 년 지녁 살리라구 헐티여……. 오냐, 그놈을 삼천 석거리는 직분히여 줄려구 히였더니, 오냐, 그놈 삼천 석거리를 톡톡 팔어서, 경찰서으다가 사회주의 허는 놈 잡어 가두는 경찰서으다가 주어 버릴걸! 으응, 죽일 놈!"

마지막의 으응 죽일 놈 소리는 차라리 울음소리에 가깝습니다. / "…… 이 태평천하에! 이 태평천하에……."

학습 활동 응용

17 다음은 윤 직원의 성격과 현실 인식, 작가의 인물 형상화 의도를 정리한 것이다. 적절하지 **않은** 것은?

윤 직원의 성격	극도의 이기적인 인물임. ……………………… ①
윤 직원의 현실 인식	일제 강점기를 태평천하로 인식하는 낭만적 현실 인식을 보여 줌. ……………………… ②
	사회주의를 지주 계급에 적대적인 것으로 인식하고 부정적으로 평가함. ……………………… ③
작가의 인물 형상화 의도	당시 역사적 현실에 무관심하고 개인적 이익만 좇던 이들을 비판함. ……………………… ④
	식민 치하의 바람직한 가치관이 무엇인지 생각하게 함. ……………………… ⑤

18 ⑤~⑩에 대한 반응으로 적절하지 **않은** 것은?

① ⑤: 윤 직원은 아버지 윤용규의 죽음을 겪고 허무함과 좌절감을 느끼고 있어.

② ⑥: 예전과 다른 종학의 행동을 통해 그에게 변화가 생겼음을 짐작할 수 있어.

③ ⑤: 윤 직원이 종학을 신뢰하고 있음을 짐작할 수 있어.

④ ⑫: 윤 직원의 계획이 좌절되고 집안이 몰락하는 계기가 되겠군.

⑤ ⑩: 비속한 표현을 통해 종학에 대한 윤 직원의 배신감과 분노를 느낄 수 있어.

수능형

19 윗글과 〈보기〉를 비교한 것으로 적절하지 **않은** 것은?

| 보기 |

황선주라면 느티울에선 버림치로 치부하여 진작 젖혀 둔 인간이었지만 이재에 밝고 돈푼이나 만지기로는 면내에서도 엄지손가락에 꼽힌다는 작자였다. 그는 내놓고 불려가는 돈만 해도 이천만 원이 넘으리라고 했지만 억대를 웃도는 농토로 하여 지주로도 으뜸이었다. 그는 느티울 사람에게도 크든 적든 노상 오 부 이자를 놓았고, 그나마도 눈밖에 난 사람은 아무리 목 타는 소리를 해도 빡빡하게 굴었다. [중략]

"춘자 아버지두, 우리가 시방 춘자 아버지 입던 빤쓰를 으스러 왔단 말유? 희치희치허구 낡음낡음헌 흔 빤쓰를…… 빤쓰 장수가 보면 불쌍해서 하나 그저 주게 생긴 걸레를 으스러 예까장 펄렁그리구 왔대유? 세상에 원……."

미루어 보건대 이재민 구호 물품이랍시고 황이 입던 팬티를 내놓은 모양이었다. 김은 구경만 하고 있잠도 아니요, 그렇다고 남의 집 안에 들어가 사내 여편네가 남남끼리 하필 팬티를 놓고 가갸거겨 하는 옆에서 옆들이 하잠도 아닌 듯하여 부쩌지 못하고 있었다.

"쳉근 엄니는…… 말을 귀루 안 듣구 입으루 들유? 수재민이라구 홋것만 입으라는 벱이 워디 있슈. 그러면 그 사람들이 한 끄니래두 끓이라구 추렴해 준 양석 팔어 빤쓰버텀 사 입으야 쓰것수? 게, 다 나두 생각이 있어 내논 겐디 뎁세 나를 트집헐류? 말에 도장 읇다구 함부루 입방아 찧지 마유. 이게 왜 흔 게유. 남대문표는 삼 년을 입어두 새물내만 납디다유. 공연히 넘우세스럽게시리 이유 삼지 말고 얼릉 딴 디나 가 보유."

① 윗글과 〈보기〉 모두 인물에 대한 서술자의 부정적 시선이 드러나고 있다.

② 윗글과 〈보기〉 모두 인물을 희화화하여 해학성을 유발하고 있다.

③ 윗글과 〈보기〉 모두 방언을 통해 전달하여 유머를 발생시키고 있다.

④ 윗글과 〈보기〉 모두 풍자라는 한국 문학의 특질을 계승하고 있다.

⑤ 윗글과 〈보기〉 모두 경어체를 사용하여 서술자와 독자의 거리를 좁히고 있다.

서술형

20 ⓐ의 서사적 기능을 쓰시오.

4

한국 문학의 흐름

창의·융합 활동

한국 문학의 흐름을 이해해야 하는 까닭은 무엇인가?

문학 작품은 일반적으로 서정(抒情), 서사(敍事), 극(劇), 교술(敎述)의 네 갈래로 나눌 수 있다. 한국 문학의 서정 갈래는 고대 가요로부터 향가, 한시, 고려 속요, 시조, 민요, 신체시 등으로 나타났다가 현대 시로 그 흐름을 이어 오고 있다. 서사 갈래는 신화·전설·민담 등의 설화로부터 시작되어 고전 소설, 근현대 소설로 이어지고 있다. 극 갈래는 가면극, 인형극, 창극, 신파극 등에 이어 근대극, 현대극으로 전개되어 왔다고 할 수 있다. 교술 갈래는 경기체가, 악장, 내간체, 기(記), 일기, 편지, 기행문 등 다양한 형태로 구현되어 왔는데 근현대에는 수필이 가장 대표적이다.

▶ 한국 문학의 분류와 갈래별 흐름

한편 문학은 그것이 창작될 당시의 시대 상황도 반영한다. 따라서 문학 작품을 통해 시대 상황을 알 수도 있고, 시대 상황에 관한 지식을 통해 문학 작품을 이해할 수도 있다. 한국 문학 작품을 읽을 때도 시대의 흐름에 따라 각 작품에 반영된 시대 상황을 이해하면 더욱 폭넓고 깊은 감상이 가능해진다.

▶ 문학과 시대 상황의 관계

이 단원에서는 우선 한국 문학이 전개되어 온 양상을 갈래별로 살펴볼 것이다. 나아가 개별 문학 작품에 시대 상황이 반영된 양상을 바탕으로 문학과 역사의 상호 영향 관계도 알아볼 것이다. 이를 통해 우리 문학의 나아갈 바에 관해 생각해 보도록 하자.

▶ 이 단원에서 학습할 내용

단원 학습을 통해

• 한국 문학의 흐름을 탐구하고 감상할 수 있다.
• 한국 문학 작품에 반영된 시대 상황을 이해하고 문학과 역사의 상호 영향 관계를 탐구할 수 있다.

돌아보기

이 단원의 학습과 관련된 나의 경험을 떠올려 보자.

> 한국 문학의 흐름

서정, 서사, 극, 교술 갈래의 대표적인 하위 갈래를 하나씩 말해 보자.

| 예시 답안 | 서정 갈래는 '시', 서사 갈래는 '소설', 극 갈래는 '희곡', 교술 갈래는 '수필'이 각 갈래를 대표하는 하위 갈래이다.

> 문학과 시대 상황

문학 작품을 읽고, 우리의 삶이나 사회의 모습과 닮아 있다고 생각한 경험이 있다면 이를 소개해 보자.

| 예시 답안 | 이강백의 희곡 「파수꾼」에는 마을의 단결과 질서 유지라는 명목하에 실제로는 없는 이리 떼로 공포감을 조장하는 촌장이 등장한다. 또한 진실을 알리려 했으나 결국 촌장에게 회유되고 마는 소년 파수꾼이 등장한다. 이를 통해 작가는 피지배자를 억압하려는 권력자의 위선을 폭로하고, 거대한 권력에 맞선 진실 옹호의 어려움에 대해 말하고 있다. 이는 1970년대의 우리 사회의 모습을 반영한 것이며, 나아가 시대를 초월한 인간 사회의 문제로서 확장해서 생각해 볼 주제이기도 하다.

[1] 서정 갈래의 흐름

이 단원에서는 한국 문학 중 서정 갈래의 역사적 전개 양상을 살펴보도록 한다. 아울러 과거의 전통을 수용하되, 기존 관습에서 탈피하여 새로운 시대에 부합하는 창작 활동으로서의 서정 갈래의 방향성을 탐구해 보도록 한다. 이를 통해 문학사의 전체적인 흐름을 고려한 서정 갈래의 작품성과 문학사적 가치를 함께 이해할 수 있도록 한다.

서정 갈래란 무엇인가?

서정(抒情)이란 정서, 즉 희로애락과 같은 마음의 상태를 겉으로 드러낸다는 의미이다.
<u>'서정'의 개념</u>
서정 갈래는 주로 시의 형태로 창작된다. 시는 대체로 함축적이고 간결한 표현을 사용하
<u>서정 갈래의 창작 형태</u> <u>시의 표현 특성 ①</u>
며, 정서를 구체적으로 형상화하기 위해 이미지를 통한 비유적 표현을 자주 활용한다. 또
<u>시의 표현 특성 ②</u>
한 시에는 운율이 녹아 있는데, 이는 시와 노래 즉 시가(詩歌)를 하나로 인식했던 과거의
<u>시의 표현 특성 ③</u>
전통에서 비롯된 것이다. ▶ 서정 갈래의 개념과 특성

서정 갈래는 어떻게 전개되어 왔을까?

고대 가요

고대 가요는 고대 부족 국가 시대부터 삼국 시대 초까지 향유되었던 노래를 말한다.
<u>'고대 가요'의 개념</u>
대표적으로 「구지가」, 「공무도하가」, 「황조가」 등이 있다. 「구지가」는 가락국의 주술적 행
<u>대표작들</u>
사에서 부른 집단적 노래로 원시 종합 예술의 모습을 지니고 있지만, 「공무도하가」와 「황
<u>「구지가」의 성격</u>
조가」는 주술적 염원에서 벗어나 화자의 정서를 담아내고자 하는 개인 서정의 모습을 지
<u>「공무도하가」, 「황조가」의 성격</u>
니고 있다. 특히 「황조가」에서는 비유적 표현을 활용하여 개인 서정시의 면모를 보다 강
화하였다. ▶ 고대 가요의 개념과 발전 양상

향가

향가는 삼국 시대 말에 발생하여 통일 신라 시대에 성행하고 고려 시대 초까지 향유되
<u>'향가'의 개념</u>
었던, 우리말로 된 정형 시가를 통칭하는 용어로 『삼국유사』, 『균여전』 등에 실려 전해진
<u>향가의 수록 문헌</u>
다. 향가는 한자를 활용하여 우리말을 기록한 향찰이나 이두 등의 표기법을 사용하였
<u>한글 창제 이전 우리말을 표기하기 위한 노력</u>
다. 향가는 대개 4구체, 8구체, 10구체로 구분하는데 4구체가 민요적 성격을 지니고 있다
<u>향가의 분류</u>
면 8구체나 10구체는 개인 서정의 성격이 강하다. 특히 10구체의 낙구 첫 어절에 등장하
<u>가장 정제된 형식인 10구체가 시조 형식에 미친 영향</u>
는 감탄사는 시조 종장의 첫 구에 대응된다는 점에서 우리 시가의 전통적 흐름을 잘 보
여 주고 있다. ▶ 향가의 개념과 특성

고려 속요

고려 시대에 창작된 노래를 통틀어 고려 가요라 하고, 그중 경기체가를 제외한 나머지
<u>'고려 가요'의 개념</u> <u>'고려 속요'의 개념</u>
노래들을 고려 속요라고 부른다. 현재 우리가 접하는 고려 속요는 조선 시대 들어 『악학
궤범』, 『악장가사』, 『시용향악보』에 한글로 기록되어 전해지는 것들이다. 현재 고려 속요는
<u>고려 속요는 구전되다가 조선 시대 한글 창제 후 한글로 기록됨.</u>

조선 시대에 궁중악으로 선택된 것들만 남아 있는데, 실제로 고려 시대에 향유되었던 작품은 이보다 훨씬 많고 다채로웠을 것으로 추정한다. <u>진솔한 감정을 즐겨 노래했다는 점</u>에서 고려 속요의 서정성은 높이 평가되는 경향이 있다.

조선 유학자들에 의해 '남녀상열지사'라 하여 기록되지 못한 작품이 많음.

고려 속요의 특징

▶ 고려 속요의 개념과 특성

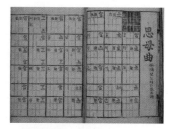

▲ 『시용향악보』에 수록된 「사모곡」 작자와 연대 미상의 고려 속요이다. 어머니의 사랑을 기린 내용을 담고 있다.

시조

<u>우리나라 고전 시가 문학을 대표하는 갈래이다.</u> <u>시조는 대개 초장, 중장, 종장 등 3장으로 구성되며 4음보의 형식을 갖추고 있다.</u> 시조(時調)는 시절가조(時節歌調), 즉 '당시에 유행하던 노래'라는 뜻에서 명칭이 유래되었는데, 성리학을 신봉하는 유학자들 사이에서 고려 말기나 조선 초기에 발생하였을 것으로 추정된다.

시조의 문학적 위치

시조의 형식적 특성

'시조'라는 명칭의 유래

시조의 발생 시기

<u>조선 전기 시조</u>는 사대부의 충의 사상과 강호한정(江湖閑情)을 담은 노래가 주를 이루었다. <u>조선 후기</u>에는 전통적인 시조의 특성을 계승하는 가운데, 대상의 아름다움에 몰입하며 서정성이 짙은 시조를 창작하는 흐름이 나타났다. 그뿐만 아니라 사설시조의 발달, 평민 가객의 출현, 가집(歌集)의 편찬 등 다양한 변화가 나타났다. 이는 시조의 주제와 소재가 현실적인 측면으로 확장되었으며, 향유 계층이 더 다양해졌음을 보여 준다.

조선 전기 시조의 특성

조선 후기 시조의 다양한 변화

▶ 시조의 특성과 조선 전·후기의 변화 양상

▲ 김준근, 「가객 소리하고」 고수의 북장단에 맞추어 소리를 하는 가객의 모습을 표현하고 있다.

현대 시

우리 서정 문학은 근대에 들어 본격적인 시 문학으로 전환되었는데, 대개 이 시점을 전후하여 자유시가 성립되었다고 본다. <u>1920년대</u>에는 개인적 정서에 <u>전통적인 민요조 운율을 결합하는 흐름</u>을 보인 한편, 서구의 여러 문예 사조를 받아들이기 시작하면서 새로운 감각으로 서정을 노래하기도 하였다. <u>1930년대</u> 이후 모더니즘과 리얼리즘을 두 축으로 하여 시적 경향이 다양화되었고, 일제에 저항하는 민족주의적 시 경향과 자기 성찰적인 성향의 작품들이 나타났다. <u>해방 이후</u>에는 전쟁과 산업화, 민주화 과정을 겪으면서 전통적 서정시와 함께 현실 참여적이거나 문명 비판적인 성향을 보여 주는 작품들이 대거 발표되었다. <u>20세기를 넘어 오늘날</u>의 현대 시는 해체적이고 전위적인 실험시를 비롯해 매우 다양한 종류와 유형의 시들이 시도되고 있다.

김소월의 「진달래꽃」 등의 작품

이육사, 윤동주가 이 시대를 대표함.

참여시

▶ 자유시 성립 이후 현대 시의 시대별 발전 과정

▲ 신윤복, 「상춘야흥」 전문 예인들이 참석한 연회에서 가곡창을 하는 모습을 담고 있어 조선 후기의 시조 향유 방식을 짐작할 수 있다.

✓ 바로 확인 문제

1 서정 갈래는 주로 □의 형태로 창작된다.

2 다음 설명이 맞으면 ○, 틀리면 X를 하시오.
　(1) 「구지가」는 화자의 개인 정서를 담은 고대 가요이다. 　　　　　(○ , ×)
　(2) 10구체 향가는 시조의 형식과 관련이 있다. 　　　　　　　　(○ , ×)

3 시조는 초장, 중장, 종장으로 이루어져 있으며 □□□의 율격을 지닌다.

4 다음 설명이 맞으면 ○, 틀리면 X를 하시오.
　(1) 고려 속요는 조선 시대에 들어와서야 한글로 기록되었다. 　　　(○ , ×)
　(2) 사설시조는 조선 전기 때 사대부들의 충의 사상을 담은 노래이다. 　(○ , ×)

|정답| 1. 시　2. (1) ×　(2) ○　3. 4음보　4. (1) ○　(2) ×

▲ 『청록집』(을유문화사, 1946) 8.15 광복 후 최초의 창작 시집으로, 조지훈, 박목월, 박두진의 작품이 실려 있다.

01 제망매가 _{월명사}

• 서정 문학 갈래의 전개와 구현 양상 ・문학과 시대 상황

해제

「제망매가」는 월명사가 누이의 죽음을 추모하여 지은 10구체 향가로 충담사의 「찬기파랑가」와 더불어 문학성이 뛰어난 작품으로 평가받고 있다. 누이의 갑작스러운 죽음을 '어느 가을 이른 바람에 떨어질 잎'에 빗댄 점, 같은 부모에게서 태어난 남매의 관계를 '한 가지'로 표현한 점 등 탁월한 비유적 표현이 돋보인다. 『삼국유사』에는 이 작품과 관련하여 '월명사가 재를 올리며 이 노래를 불렀더니 갑자기 회오리바람이 일어나 지전(紙錢)을 서쪽으로 날려 보냈다'는 배경 설화가 전해진다. 이는 당시 신라인이 믿고 있었던 향가의 주술성을 보여 주는 예라 할 수 있다.

주제 의식

이 작품은 요절한 누이를 추모하며, 혈육을 잃은 안타까움과 슬픔을 표현하고 있다. '한 가지'에서 난 남매 사이임에도 누이가 가는 곳을 모르는 절망적 심정과 삶에 대한 무상감을 뛰어난 비유적 표현을 통해 형상화하고 있다. 나아가 죽은 누이를 '미타찰(彌陀刹)'에서 만나리라는 믿음으로 재회의 그날까지 도 닦으며 기다리겠다는 구도의 자세를 보여 주며 시상을 마무리한다. 이는 이별의 아픔을 종교적으로 승화하여 극복하고자 하는 의지의 표현이며, 승려 '월명사'의 불교적 세계관이 반영된 것이라 할 수 있다.

핵심 정리

(1) 갈래: 10구체 향가
(2) 성격: 추모적, 애상적, 종교적, 서정적
(3) 제재: 누이의 죽음
(4) 주제: 누이의 죽음으로 인한 슬픔과 그 극복 의지, 인간의 유한한 삶으로 인한 무상감과 종교적 승화
(5) 특징: ① 정제되고 세련된 비유적 표현을 사용함.
　　　　② 누이와의 이별의 아픔을 자연 현상에 비유함.
　　　　③ 종교적 승화를 통해 슬픔을 극복하려는 의지를 드러냄.
(6) 구성

1~4행(기)	누이의 갑작스러운 죽음		안타까움, 슬픔
5~8행(서)	혈육의 죽음 앞에서 느낀 인생무상		무상감(허무)
9~10구(결)	인간의 유한성으로 인한 슬픔의 종교적 승화		재회의 믿음, 극복 의지

생사(生死) 길은
　　삶과 죽음의 길
예 있으매 머뭇거리고 ❶
여기에　　　죽음에 대한 두려움
나는 ㉠ 간다는 말도
누이
못다 이르고 어찌 갑니까.
누이의 죽음이 갑작스러움.
어느 가을 ㉡ 이른 바람에
　　　때 이른 죽음(누이의 요절)
이에 저에 ㉢ 떨어질 잎처럼
　　　　죽은 누이
㉣ 한 가지에 나고
　　같은 부모
가는 곳 모르온저.
혈육이지만 누이가 죽어서 가는 곳을 모름. 삶의 무상함에 대해 고뇌
ⓐ 아아, ㉤ 미타찰(彌陀刹)에서 만날 나
　　　　　　　　　　　화자
도(道) 닦아 기다리겠노라. ❷
만나는 그날까지 구도적 자세로 불도에 정진하겠다는 다짐

▶ 누이의 죽음으로 인한 안타까움과 슬픔

▨ : 비유적 표현을 통해 누이의 요절로 인한 안타까움과 슬픔을 감각적으로 형상화함.

▶ 혈육의 죽음으로 인해 느끼는 허무와 무상감

▶ 슬픔의 종교적 극복과 재회에의 소망

生死路隱 / 此矣有阿米次肹伊遣
생 사 로 은　　차 의 유 아 미 차 힐 이 견
吾隱去內如辭叱都 / 毛如云遣去內尼叱古
오 은 거 내 여 사 질 도　　모 여 운 견 거 내 니 질 고
於內秋察早隱風未 / 此矣彼矣浮良落尸葉如
어 내 추 찰 조 은 풍 미　　차 의 피 의 부 량 락 시 엽 여
一等隱枝良出古 / 去奴隱處毛冬乎丁
일 등 은 지 량 출 고　　거 노 은 처 모 동 호 정
阿也彌陀刹良逢乎吾 / 道修良待是古如
아 야 미 타 찰 량 봉 호 오　　도 수 량 대 시 고 여

어휘·어구 풀이

● 미타찰(彌陀刹) 아미타불이 다스리는 극락정토.

❶ 생사(生死) 길은 / 예 있으매 머뭇거리고 죽음과 삶의 길이 여기 있기에 머뭇거린다는 뜻이다. 갑작스럽게 맞이한 죽음 앞에서 느끼는 막막함과 두려움을 표현한 말이다.

❷ 아아, 미타찰(彌陀刹)에서 ~ 도(道) 닦아 기다리겠노라. 삶과 죽음으로 인한 허무감. 이별의 슬픔과 고뇌를 종교적 차원으로 극복하려는 의지가 나타나 있다.

핵심 쏙쏙

◉ 누이의 죽음으로 인한 화자의 태도 변화

기	누이의 요절로 인한 슬픔, 허망함
↓	
서	누이의 죽음을 통해 느끼는 삶의 유한성에 대한 인식과 이로 인한 무상감
↓	
결	종교의 힘으로 슬픔을 초극하려는 의지

학습 문제

정답과 해설 349쪽

1. 위 시가에 대한 설명으로 적절하지 않은 것은?

① 3단 구성 방식으로 시상이 전개되고 있다.
② 비유적 표현이 두드러진 개인 서정 시가이다.
③ 신라 시대에 창작된 노래로, 10구체 향가이다.
④ 한자의 음과 훈을 빌린 향찰로 표기되어 있다.
⑤ 4음보의 규칙적인 운율을 지닌 정형 시가이다.

학습 활동 응용

2. ㉠~㉤에 대한 설명으로 적절하지 않은 것은?

① ㉠은 화자가 누이에게 전해 주고 싶었던 말이다.
② ㉡은 누이에게 일찍 찾아온 운명을 암시한다.
③ ㉢은 인간의 죽음을 자연의 섭리에 비유하고 있다.
④ ㉣은 화자와 누이와의 관계를 드러낸 표현이다.
⑤ 화자는 ㉤에서 누이와 재회하리라고 믿고 있다.

3. 위 시가의 화자에 대한 설명으로 가장 적절한 것은?

① 누이와의 즐거웠던 과거를 회상하고 있다.
② 다가올 미래에 대해 두려움을 느끼고 있다.
③ 슬픔을 이기지 못해 자연에 귀의하고자 한다.
④ 누이의 죽음을 끝까지 받아들이지 못하고 있다.
⑤ 종교적 신념으로 이별의 슬픔을 이겨 내고자 한다.

서술형 학습 활동 응용

4. 위 시가의 ⓐ와 〈보기〉의 '어즈버'의 공통점과 시상 전개상 공통된 기능을 서술하시오.

| 보기 |

헛가래 기나 쟈르나 기동이 기우나 트나
수간모옥(數間茅屋)을 쟈근 줄 웃지 마라.
어즈버 만산나월(滿山蘿月)이 다 내 거신가 하노라.

　　　　　　　　　　　　　　　　　　　　– 신흠

■ 헛가래 서까래. ■ 수간모옥(數間茅屋) 작은 초가집.
■ 만산나월(滿山蘿月) 온 산에 가득한 달.

• 시상 전개상의 특징

기(1~4구)	서(5~8구)	결(9~10구)
• 누이의 죽음으로 인한 슬픔과 안타까움 • 정서의 제시	• 혈육의 죽음 앞에서 느끼는 허무와 ❶□□□ • 정서의 고조	• 재회의 믿음 • 이별의 아픔을 ❷□□적으로 극복하고자 하는 의지 • 시상의 마무리

• 시어의 비유적 의미

시어	의미	효과
이른 바람	누이의 이른 ❸□□(요절)	비유적 표현을 통해 누이의 요절에 대한 슬픔과 안타까움, 비애감을 구체화하고 심화하는 효과
떨어질 잎	죽은 누이	
한 가지	같은 부모	

• 10구체 향가가 시조의 형식에 미친 영향

10구체 향가		시조
'기-서-결'의 3단 구성		'초장-중장-종장'의 3단 구성

• 낙구(결구)는 ❹□□□로 시작함. • 감탄사를 통해 시상을 집약하며 마무리하는 구조		• 시조 종장의 첫머리에 감탄사가 옴. • 감탄사를 통해 시상을 집약하며 마무리하는 구조

• 향가의 주술적 성격

『삼국유사』에 실린 월명사의 「도솔가」와 「제망매가」는 향가의 주술적 성격을 잘 보여 주는 작품으로 전해진다. 경덕왕 18년에 해가 둘이 나타나자 월명사가 「도솔가」를 지어 자연의 변괴를 없애는 능력을 보여 주었다. 또한 죽은 누이를 추모하기 위해 「제망매가」를 지어 제사를 지내자, 문득 회오리바람이 일어나서 종이돈[紙錢]을 서쪽으로 날려 보냈다고 한다. 이를 통해 신라인들이 향가에 천지와 귀신을 감동시키는 주술성이 있다고 믿었음을 알 수 있다.

|정답| ❶ 무상감 ❷ 종교 ❸ 죽음 ❹ 감탄사

학습 활동

작품 속으로

1. 이 작품의 시상 전개 과정을 정리해 보자.

1~4행	누이의 죽음으로 인한 안타까운 심정을 제시함.
5~8행	요절한 누이를 그리워하며 삶의 무상함을 느낌.
9~10행	누이의 죽음으로 인해 느낀 삶의 무상함을 종교적 믿음으로 승화함.

2. 이 작품에 쓰인 시구의 비유적 의미를 탐구해 보자.

이른 바람	누이동생의 이른 죽음
이에 저에 떨어질 잎	죽은 누이
한 가지	같은 부모

3. 다음은 이 작품의 배경 설화이다. 이를 바탕으로 향가의 기능을 파악해 보자.

> 월명사는 죽은 누이동생을 위해 향가를 지어 제사를 지냈는데, 문득 회오리바람이 일어나더니 종이돈[紙錢]을 날려 서쪽으로 사라지게 했다. [중략] 월명사는 늘 사천왕사(四天王寺)에서 지냈는데 피리를 잘 불었다. 일찍이 달밤에 절 문 앞의 큰길을 거닐며 피리를 불었는데, 달이 그를 위해 가는 것을 멈추었다. 이로 인하여 그곳을 월명리(月明里)라 하였고, 월명사도 이 일로 이름이 널리 알려졌다. 월명사는 곧 능준대사(能俊大師)의 제자이다. 신라 사람들이 향가를 숭상한 지 오래되었는데, 향가는 『시경(詩經)』의 송(頌)과 같은 것이다. 그러므로 이따금 천지 귀신을 감동시킨 경우가 한둘이 아니었다.
>
> – 강인구 외, 『역주 삼국유사 4』에서

- 죽은 누이동생을 위해 향가를 지어 제사를 지냈는데 회오리바람이 일어나 종이돈을 날려 서쪽으로 사라지게 함.
- 피리를 불어 달을 멈추게 하고 천지 귀신을 감동시킴.

▶▶▶ 향가의 [주술적] 기능

> **보충 자료** 이 작품의 구조와 '죽음'을 바라보는 화자의 인식 변화
>
> 이 작품은 크게 '4구+4구+2구'로 나눌 수 있는데, 이 세 부분은 유기적인 관련을 맺으면서도 죽음을 바라보는 화자의 태도에서 차이점을 보인다. 첫 부분에서는 누이의 죽음 앞에 두려움과 슬픔, 허망함을 피력하고 있고, 두 번째 부분에서는 누이의 죽음을 개인적 차원에서 보기보다는 인간 보편의 문제로 승화시켜 통찰하고 있다. 그러다 마지막 부분에서는 생사의 문제를 초극하려는 구도자의 의지를 보여 준다.

작품 너머로

4. 다음 시조 작품을 「제망매가」와 비교하며 읽고, 아래 활동을 해 보자.

> 오백 년(五百年) 도읍지(都邑地)를 필마(匹馬)로 도라드니
>   _{고려의 옛 도읍지}
> 『산천(山川)은 의구(依舊)ㅎ되 인걸(人傑)은 간 듸 업다.』
>   『 』: 맥수지탄(麥秀之嘆)
> 어즈버 태평연월(太平烟月)이 꿈이런가 ㅎ노라.
>   감탄사   고려가 융성했던 시절   무상감
>
> – 길재

- 필마(匹馬) 한 필의 말.
- 의구(依舊)ㅎ되 옛날 그대로 변함이 없되.
- 태평연월(太平烟月) 근심이나 걱정이 없는 편안한 세월.

> 🔖 **작품 연구** 길재, 「오백 년 도읍지를~」
>
> - **갈래**: 고시조, 평시조
> - **성격**: 회고적, 감상적
> - **제재**: 고려의 옛 도읍지
> - **주제**: 망국의 한과 인생무상
> - **특징**: 비유적 표현, 대구법, 영탄법 등을 사용하여 고려의 옛 도읍지를 돌아보며 느낀 감회를 노래함.

(1) 위 시조의 시상 전개 과정을 정리해 보자.

초장	홀로 옛 도읍지를 돌아봄.
중장	변함없는 자연과 고려의 충신이 사라진 인간사를 대조함.
종장	고려의 융성했던 시절을 떠올리며 인생무상을 느낌.

(2) 「제망매가」의 '아아'와 위 시조의 '어즈버'가 담당하는 공통된 기능을 말해 보자.

| 예시 답안 | 「제망매가」 9행의 '아아'와 「오백 년 도읍지를~」 종장의 '어즈버'는 작품을 세 부분으로 구분할 때 마지막 부분의 맨 앞에 위치하며, 시상을 집약하여 화자의 정서를 드러내는 기능을 한다.

02 청산별곡 작자 미상

해제

「청산별곡」은 고려 민중들의 삶의 애환을 담은 고려 속요이다. 당시 평민들의 생활 감정을 진솔하게 드러내고 있으며 「가시리」, 「서경별곡」 등과 함께 고려 속요를 대표하는 작품으로 평가받고 있다. 「청산별곡」은 다른 고려 속요와 마찬가지로 구전되다가 한글 창제 이후에 한글로 기록되어 전해지고 있다. 작품에는 괴로운 현실에서 벗어나 새로운 곳을 찾아 떠나고 싶은 마음, 절대적 고독과 슬픔이 고도의 비유와 상징을 통해 구체적으로 형상화되어 있다. 이는 무신 정권의 집권, 외적의 침입, 변방의 수비로 인한 강제 이주 등으로 힘들었던 당시 민중들의 삶을 반영한 것이다. 또한 표현 면에서 세련된 언어 감각과 뛰어난 상징성, 경쾌한 느낌의 후렴구와 'ㄹ, ㅇ' 음의 사용 등으로 아름다운 음악성을 보여 주고 있다.

주제 의식

「청산별곡」의 화자는 삶의 비애와 고통에서 벗어나 청산에서 살고 싶어 한다. 화자는 시름이 많은 삶으로 인해 비애와 고독감을 느끼고, 현실에 대한 부정적 태도를 보이는데, 이러한 화자에게 '청산'과 '바다'는 현실의 도피 공간이자 이상향이다. 화자는 결국 체념하고 술을 통해 현실의 고뇌를 잊고자 한다. 이 시의 화자를 누구로 보느냐는 대체로 세 가지 견해가 있다. 삶의 터전을 잃고 고통 속에서 떠도는 유랑민, 실연의 슬픔을 견디지 못하고 속세를 떠나고자 하는 사람, 혼탁한 사회에서 꿈을 펼치지 못한 지식인 등이 그것이다. 이에 따라 작품의 해석이 다양하게 나타난다.

핵심 정리

(1) 갈래: 고려 속요

(2) 성격: 현실 도피적, 애상적

(3) 제재: 청산, 바다

(4) 주제: 삶의 비애와 고통, 현실의 고뇌에서 벗어나고자 하는 마음

(5) 특징: ① 상징적 시어를 사용하여 삶의 비애와 고통을 진솔하고 효과적으로 드러냄.

② 'a-a-b-a' 형태의 반복 표현이 사용됨.

③ 후렴구로 연을 구분하고, 구조적 안정성을 추구함.

④ 3음보의 율격과 'ㄹ, ㅇ' 음의 반복, 후렴구의 사용으로 리듬감을 부여함.

(6) 구성

기(1연)	이상적 세계인 청산에서 살고자 함.	새로운 세계에 대한 동경, 현실 도피의 심정
승(2~5연)	벗어날 수 없는 현실의 비애와 고독	비애, 고독, 절망
전(6~7연)	새로운 세계인 바다에서 살고자 함.	동경, 절박함
결(8연)	술로써 비애와 고뇌를 달램.	자포자기의 심정

살어리 살어리랏다 ㉠청산(靑山)애 살어리랏다. (a-a-b-a 구조)

멀위랑 ᄃ래랑 먹고 청산(靑山)애 살어리랏다.
머루랑 다래. 청산에서 먹을 수 있는 소박한 음식

얄리얄리 얄랑셩 얄라리 얄라
후렴구. 각 연을 분절함. 'ㄹ' 음과 'ㅇ' 음을 사용하여 밝고 경쾌한 느낌을 줌. 시적 화자의 정서와 이질적임.

▶ 청산에 대한 동경

우러라 우러라 새여 자고 니러 우러라 새여. (a-a-b-a 구조)
화자가 동병상련을 느끼는 감정 이입의 대상

널라와 시름 한 나도 자고 니러 우니로라.
너보다 시름이 많은   화자의 비애와 슬픔

얄리얄리 얄라셩 얄라리 얄라

▶ 삶의 비애와 고독

속세, 화자가 떠나온 곳. 삶의 터전. 청산과 대비
㉡ 가던 새 가던 새 본다 믈 아래 가던 새 본다. ❶ (a-a-b-a 구조)
                              속세에 대한 미련
잉 무든 장글란 가지고 믈 아래 가던 새 본다.

얄리얄리 얄라셩 얄라리 얄라

▶ 속세에 대한 미련과 번민

         낮은   지내왔건만
이링공 뎌링공 ᄒ야 나즈란 디내와손뎌.
이럭저럭. 'ㅇ'을 첨가하여 음악성을 높임.

오리도 가리도 업슨 바므란 ᄯ 엇디 호리라.
아무도 없는 절대 고독의 시간(밤)을 마주한 화자의 외로움과 절망

얄리얄리 얄라셩 얄라리 얄라

▶ 절망적 고독감

[현대어 풀이]

살고 싶어라 살고 싶어라. 청산에서 살고 싶어라. / 머루와 다래를 먹고 청산에서 살고 싶어라.

우는구나 우는구나 새여 자고 일어나 우는구나 새여. / 너보다 근심이 많은 나도 자고 일어나 울며 지내노라.

가던 새 가던 새 본다 물 아래 가던 새 본다. / 이끼 묻은 쟁기를 가지고 물 아래 가던 새 본다.

이럭저럭하여 낮은 지내왔지만 / 올 사람도 갈 사람도 없는 밤은 또 어찌하리오.

어휘·어구 풀이

● **살어리랏다** ① 살리라. 살고 싶구나. ② 살았으면 좋았을 것을.

● **청산(靑山)** 화자가 동경하는 공간으로, 현실 도피 공간이자 마음의 안식처이다. 속세와 대비되는 공간이다.

● **우러라** ① 울어라(명령형). ② 우는구나(감탄형). ③ 노래하라(명령형).

❶ **믈 아래 가던 새 본다.** ① '믈 아래(속세)'로 날아가던 새 본다. ② 청산으로 떠나오기 전 속세에서 경작하던 논밭(갈던 사래)을 바라본다.

핵심 쏙쏙

◉ 화자에 따른 '잉 무든 장글란'의 세 가지 해석

화자	의미
삶의 터전을 잃고 떠도는 유랑민	이끼 묻은 쟁기를
변방에서 외롭게 지내는 병사	날이 무든 병기(兵器)를
실연당한 여인	이끼묻은 은장도(銀粧刀)를

학습 문제

📖 정답과 해설 350쪽

1. 위 시가의 갈래에 대한 설명으로 적절하지 않은 것은?

① 주로 일반 백성들에게 향유되었다.

② 작품마다 다양한 후렴구가 나타난다.

③ 창작 당시 한글로 기록된 기록 문학이다.

④ 고려 사람들의 진솔한 삶의 모습과 정서가 드러난다.

⑤ 조선 시대 유학자들에 의해 '남녀상열지사'라 하여 소실되기도 하였다.

학습 활동 응용

2. ㉠의 의미로 가장 적절한 것은?

① 충의(忠義) 사상을 실현할 수 있는 공간이다.

② 지조와 절개를 지킬 수 있는 이상적 공간이다.

③ 안락한 삶을 멀리할 수 있는 도덕적 공간이다.

④ 어쩔 수 없이 찾아 나선 현실 도피의 공간이다.

⑤ 안빈낙도(安貧樂道)를 위해 찾아 나선 공간이다.

학습 활동 응용

3. ㉡에서 '가던 새'를 '갈던 밭'로, '잉 무든 장글란'을 '이끼 묻은 쟁기를'로 해석할 경우, 다음 중 화자로 해석할 수 있는 사람은?

① 임과 이별한 여성

② 실연으로 괴로워하는 남성

③ 어부의 삶을 동경하는 지식인

④ 변방에서 외로이 지내는 병사

⑤ 삶의 터전을 잃고 떠도는 유랑민

4. '청산'과 대조적인 의미를 가진 시어를 위 시가에서 찾아 쓰시오.

어휘·어구 풀이

- **노 모자기 구조개** 나문재(정확히 알 수는 없으나 '나문재'라는 식물)와 굴과 조개. 1연의 '멀위랑 두래'에 대응되는 시구로, 바닷가에서 먹을 수 있는 소박한 음식을 말함. 대유법
- **에정지** 아직 정확한 뜻이 밝혀지지 않았으나, '외따로 떨어져 있는 부엌'이라고도 함.
- **사스미** ① 사슴이. ② '사루미'의 오기(誤記).

핵심 쏙쏙

◉ **7연에 대한 해석**

사스미 짒대예 올아셔 '히금을 혀거를'의 다양한 해석

↓

① 사슴 분장을 한 광대가 장대에 올라가서 해금을 연주하는 것
② 사슴이 장대에 올라서 해금을 연주하는 것

↓

기적이 일어나기를 바라는 절박한 심정의 표현

어디에다   던지던
어듸라 더디던 ⓐ 돌코 누리라 마치던 돌코.
미워할 사람도   사랑할 사람도   맞히려던
㉠ 믜리도 괴리도 업시 마자셔 우니노라. → 운명에 대한 체념. 운명에 굴복할 수밖에 없는 처지

얄리얄리 얄라셩 얄라리 얄라   ▶ 불행한 운명에 대한 체념

화자가 동경하는 세계. 현실 도피 공간
㉡ 살어리 살어리랏다 바로래 살어리랏다. (a-a-b-a 구조)
㉢ 노 모자기 구조개랑 먹고 바로래 살어리랏다.

얄리얄리 얄라셩 얄라리 얄라   ▶ 바다에 대한 동경

가다가 가다가 드로라 에정지 가다가 드로라. (a-a-b-a 구조)
듣노라. 듣는구나   타는 것을
㉣ 사스미 짒대예 올아셔 히금(奚琴)을 혀거를 드로라.

얄리얄리 얄라셩 얄라리 얄라   ▶ 삶에 대한 절박한 심정(기적에의 염원)

빚노라
가다니 비브른 도긔 설진 강수를 비조라.
배가 불룩한 독(항아리)에   독한 술 → 고뇌를 일시적으로 해소시켜 주는 수단
㉤ 조롱곳 누로기 미와 잡스와니 내 엇디 호리잇고.
조롱박꽃   자포자기의 심정. 어쩔 수 없이 술을 마시는 수밖에 없음.
얄리얄리 얄라셩 얄라리 얄라   ▶ 술을 통한 고뇌의 해소

[현대어 풀이]

어디에다 던지던 돌인가? 누구를 맞히던 돌인가? / 미워할 사람도 사랑할 사람도 없이 맞아서 울며 지내노라.

살고 싶어라 살고 싶어라 바다에서 살고 싶어라. / 나문재와 굴, 조개 먹고 바다에서 살고 싶어라.

가다가 가다가 듣노라 외딴 부엌을 지나가다가 듣노라.

사슴이 장대에 올라가서 해금을 켜는 것을 듣노라.

가더니 배부른 독에 독한 술을 빚는구나.

조롱박꽃 같은 누룩이 매워 붙잡으니 어찌하리오.

학습 문제

5. 위 시가에 대한 설명으로 적절하지 <u>않은</u> 것은?

① 과장법을 사용하여 화자의 상황을 구체화하고 있다.
② 'a-a-b-a'의 구조의 반복적 표현이 드러나고 있다.
③ 3음보의 규칙적인 율격으로 음악성을 실현하고 있다.
④ 전체 8연으로 이루어진 분연체 형식으로 구성되어 있다.
⑤ 고도의 상징적인 시어를 통해 주제를 형상화하고 있다.

6. 위 시가의 후렴구에 대한 설명으로 적절하지 <u>않은</u> 것은?

① 각 연을 나누는 기능을 한다.
② 노래에 리듬감을 부여하는 기능을 한다.
③ 주제를 집약적으로 드러내는 기능을 한다.
④ 형식적인 통일감과 구조적인 안정감을 준다.
⑤ 'ㄹ, ㅇ' 음의 반복적 사용으로 경쾌한 느낌을 준다.

7. ㉠~㉤에 드러난 화자의 정서로 적절하지 <u>않은</u> 것은?

① ㉠: 미워하던 사람을 용서하고 사랑하려는 마음
② ㉡: 괴로운 현실에서 벗어나고 싶은 심정
③ ㉢: 소박한 음식을 먹더라도 만족하려는 마음
④ ㉣: 기적이라도 일어났으면 좋겠다는 절박한 심정
⑤ ㉤: 술을 마시며 괴로움을 잊고 싶은 심정

서술형

8. ⓐ '돌'의 상징적 의미를 서술하시오.

- **작품의 구조**
  - '기-승-전-결'의 4단 구조

기(1연)	승(2~5연)	전(6~7연)	결(8연)
이상적 세계인 '청산'에서 살고자 함.	삶의 비애와 고독(벗어날 수 없는 고통)	'바다'에 대한 동경과 기적에의 염원	괴로움을 술로 잊고자 함(자포자기의 심정).

  - 대칭 구조: 5연과 6연이 구전 과정에서 바뀌었다고 보는 견해

청산의 노래				바다의 노래	
1연	청산에 대한 동경	대칭	6연	바다에 대한 동경	
2연	삶의 비애와 고독		5연	불행한 운명에 대한 체념	
3연	현실에 대한 미련과 번민		7연	기적에의 염원(삶에의 절박한 심정)	
4연	절망적 고독과 비탄		8연	술로 잊고자 하는 고뇌	

- **중심 소재의 의미**

중심 소재	의미	중심 소재	의미
청산	화자의 이상향, 현실과 대조되는 공간	❸☐	인간의 비극적 운명. 화자의 의지와는 무관한 인간의 숙명적인 삶
❶☐	삶의 비애와 슬픔을 함께 느끼는 대상(동병상련). 감정 이입의 대상	바롤	화자의 이상향, 현실과 대조되는 공간
❷☐	절망적 고독의 시간	❹☐☐	현실의 고뇌를 일시적으로 잊게 해 주는 수단

- **시적 화자에 대한 다양한 견해와 해석**

❺☐☐☐	고통스러운 현실 속에서 삶의 터전을 잃고 떠도는 심정을 노래
실연한 사람	실연의 아픔을 잊기 위해 자연으로 도피하고자 하는 마음을 노래
지식인	자신의 이상이 좌절된 속세에서의 번뇌를 잊고자 자연으로 도피하는 마음을 노래

- **후렴구의 기능과 역할**

'a-a-b-a'의 문장 구조를 반복하여 리듬감을 형성함.
> 살어리 살어리랏다 청산애 살어리랏다.
> a   a   b   a

3·3·2조의 ❻☐☐☐ 율격으로 리듬감을 드러냄.
> 멀위랑 / 드래랑 / 먹고 / 청산애 / 살어리 / 랏다.
> 3   3   2   3   3   2

'ㄹ' 음과 'ㅇ' 음의 반복으로 경쾌한 느낌을 주어 음악적 효과를 거둠.
> 얄리얄리 얄랑(라)셩 얄라리 얄라,
> 잉 무든 장글란, 이링공 더링공

|정답| ❶ 새   ❷ 밤   ❸ 돌   ❹ 강수   ❺ 유랑민   ❻ 3음보

작품 속으로

1. 각 연의 소재를 중심으로 이 작품의 내용을 정리해 보자.

연	중심 소재	중심 내용
1	청산	현실을 떠나 청산에서 살고 싶음.
2	새	새의 울음을 듣고 삶의 비애와 고독을 느낌.
3	가던 새	떠나온 속세에 대한 미련으로 번민함.
4	밤	밤이 되자 절망적 고독과 외로움을 느낌.
5	돌	삶의 고통을 운명으로 여기고 체념함.
6	바다	괴로운 현실에서 벗어나 바다에서 살고 싶음.
7	사슴	절박한 삶에서 기적이 일어나기를 바람.
8	강술	술을 통해 삶의 고뇌를 해소하고자 함.

2. 다음에 제시된 시어의 상징적 의미를 알아보자.

> 살어리 살어리랏다 청산(靑山)애 살어리랏다.
> 멀위랑 ᄃ래랑 먹고 청산(靑山)애 살어리랏다.
> 얄리얄리 얄랑셩 얄라리 얄라

| 예시 답안 | •청산: 현실 도피의 공간, 화자가 그리는 이상향
• 멀위랑 ᄃ래: 소박한 음식, 소박한 삶

3. 이 작품의 운율상 특징과 그 효과를 정리해 보자.

운율상 특징	3·3·2조의 3음보 율격 사용, 'a-a-b-a' 구조의 반복, 후렴구를 통한 'ㄹ, ㅇ' 음의 반복
효과	노래의 흥을 돋우며 리듬감을 형성함.

4. 다음 글에서 알 수 있듯이 「청산별곡」의 해석은 매우 다양하다. 이 작품에 관한 다양한 해석을 조사해 보고, 자신이 생각하는 해석을 발표해 보자.

> 「청산별곡」에서 몇몇 시어는 그 의미가 명확하게 해석되지 않기 때문에 감상자에 따라 작품에 관한 이해가 달라진다. 예를 들어 3연의 '가던 새'를 '갈던 밭'으로 해석하고, '잉 무든 장글란'을 '이끼 묻은 쟁기일랑'으로 해석하여, 「청산별곡」을 고려 후기에 빈번하게 일어난 전란 등으로 삶의 근거지를 떠나 이리저리 떠돌 수밖에 없었던 유랑민의 노래로 보는 견해가 그중의 하나이다.

| 예시 답안 | 누군가 자신에게 '돌'을 던진다는 표현에 주목해 본다면, 화자가 겪는 비애의 원인이 화자의 외부에 있음을 알 수 있다. 따라서 이 작품의 화자는 전란으로 인해 농사짓던 땅을 모두 잃고 새로운 거처를 찾기 위해 떠도는 고려 시대 유랑민일 것이며, 그들이 유랑하며 느끼는 삶의 애환과 비애가 이 노래의 주제라고 생각한다.

작품 너머로

5. 다음은 고려 시대에 창작된 경기체가의 대표작인 「한림별곡」의 일부이다. 이를 읽고, 내용과 작가층의 측면에서 「청산별곡」과 「한림별곡」을 비교해 보자.

> 〈제 1 장〉
>
> 元淳文 仁老詩 公老四六
> 원슌문 인노시 공노ᄉ륙
> 李正言 陳翰林 雙韻走筆
> 니졍언 딘한림 솽운주필
> 沖基對策 光鈞經義 良鏡詩賦
> 튱긔ᄃ칙 광균경의 량경시부
> 위 試場ㅅ 景 긔 엇더ᄒ니잇고
>   시댱   경
> (葉) 琴學士의 玉笋門生 琴學士의 玉笋門生
>   금ᄒᆞᆺ수 옥슌문ᄉᆡᆼ 금ᄒᆞᆺ수 옥슌문ᄉᆡᆼ
> 위 날조차 몃 부니잇고
>
> – 한림 제유, 「한림별곡」에서

- **雙韻(쌍운)** 두 개의 운자를 홀수 구와 짝수 구에 번갈아 가며 쓰는 시.
- **走筆(주필)** 운자를 부르면 붓을 내달리듯이 바로 시를 짓는 것을 말함.
- **對策(대책)** 과거에서 시정(時政)에 관한 방책을 묻는 책문에 답변하는 것.
- **玉笋門生(옥순문생)** 옥순(玉笋) 같은 문하생들.

▌작품 연구 한림 제유, 「한림별곡」

- 갈래: 경기체가
- 성격: 풍류적, 향락적, 귀족적
- 제재: 상류층의 향락과 풍류
- 주제: 신진 사대부들의 학문적 자부심과 의욕적 기개
- 특징: ① 분장체(分章體)를 이루고 있으며, 각 장의 끝에 후렴구가 반복된다는 점에서 고려 속요와 형식적 유사성이 있음.
  ② 음보율, 각 연의 규칙적 반복, 후렴구 등을 통해 음악적 효과를 드러내고 있음.

	작품의 내용	작가층
「청산별곡」	• 삶의 터전을 잃은 유랑민의 애환과 비애 • 실연의 아픔을 잊기 위한 자연으로의 도피 • 현실의 번뇌를 잊기 위해 속세를 떠난 지식인의 염세적인 태도	• 고려 시대의 평민 • 속세와 거리를 두고자 하는 지식인
「한림별곡」	신진 사대부의 학문적 자부심과 긍지	고려 고종 때 한림의 학자들

03 어부사시사 윤선도

• 서정 문학 갈래의 전개와 구현 양상   • 문학과 시대 상황

해제

「어부사시사」는 조선 중기 이후의 '강호한정가(江湖閑情歌)'의 특징을 잘 보여 주는 작품이다. 윤선도가 전남 보길도 부용동에 은거할 때 지은 것으로 봄노래, 여름노래, 가을노래, 겨울노래를 각 10수씩 읊은 총 40수의 연시조이다. 어촌의 아름다운 풍경을 배경으로 어부로서의 한가한 삶을 살아가는 만족감을 뛰어난 감각적 표현으로 그려 내었다. 또한 평시조에 변화를 주어 초장과 중장 사이에 넣은 여음구는 배의 출항에서 귀항까지의 과정을 보여 주었으며, 흥을 돋우는 후렴구는 강촌에서의 흥취를 강조하는 역할을 한다. 구체적이고 참신한 묘사와 통일성 있는 구성으로 혼탁한 현실 세계에서 벗어나 자연에 은거하고자 하는 작가의 인생관을 효과적으로 드러낸 작품이다.

주제 의식

제목 '어부사시사(漁父四時詞)'는 어부의 사계절을 노래한다는 뜻이다. 여기에서 '어부(漁父)'는 생계를 위한 어부가 아닌, 속세로부터 벗어나 자연에 은거하는 '처사(處士)'를 가리킨다. 사계절의 흐름과 출항부터 귀항까지의 과정을 유기적으로 연결하여 전개했는데, 이것은 어부의 일상을 시간의 흐름에 따라 보여 준 것이다. 이러한 탄탄한 구성을 통해 혼탁한 세상을 멀리하고 자연과 일체가 되는 삶을 추구하고자 하는 주제 의식을 격조 있게 표현하였다. 또한 우리말의 아름다움을 살린 감각적인 표현으로 주제를 효과적으로 드러내어 작품의 미적 가치를 높이고 있다.

핵심 정리

(1) 갈래: 연시조 (춘-하-추-동 각 10수씩, 총 40수)

(2) 성격: 자연 친화적, 풍류적, 강호한정가

(3) 제재: 사계절을 즐기는 어부의 삶

(4) 주제: 어촌에서의 한가한 삶과 자연 속에서의 흥취

(5) 특징: ① 여음구와 후렴구를 규칙적으로 넣어 평시조의 단조로움에 변화를 줌.

      ② 1수에서 10수까지 출항에서 귀항까지의 과정을 여음구로 보여 줌.

      ③ 계절감을 드러내는 시어와 감각적 묘사로 자연의 아름다움을 표현함.

      ④ 대구법, 반복법, 의성어의 사용 등 다양한 표현법을 구사함.

      ⑤ 우리말의 묘미와 아름다움을 잘 살리고 있음.

(6) 구성

춘사 1	강촌의 아름다운 봄 풍경	유유자적함.
하사 2	여름날의 한가로운 풍경, 물아일체의 삶	물아일체의 경지
추사 9	속세와 견줄 바 없는 어부의 삶	자연 속 삶의 만족감
동사 10	눈 내리는 겨울밤의 흥취	흥겨움

어휘·어구 풀이

● **지국총** 배에서 노를 젓고 닻을 감는 소리(의성어). 찌그덩.

● **청약립(靑篛笠)** 푸른 갈대로 만든 갓.

● **녹사의(綠蓑衣)** 도롱이. 짚, 띠 따위로 엮어 허리나 어깨에 걸쳐 두르는 비옷.

❶ **무심(無心)흔 백구(白鷗)는 내 좃는가 제 좃는가** 욕심 없는 갈매기와 함께 마치 친구가 된 듯이 어울려 살아가는 모습. 자연과 하나가 된 물아일체(物我一體)의 삶을 의미한다.

핵심 쏙쏙

◉ 어부로서의 삶에 대한 화자의 인식

> 년닙희 밥 싸 두고 반찬으란 쟝만 마라
>
> ↓
>
> 소박한 음식만으로도 충분히 만족스러움. 자족감

춘사(春詞) 1

압개예 안개 것고 뒫뫼희 히 비췬다 → 대구법
앞 갯벌 *출항하기 좋은 맑은 날씨*

㉠ 빅 떠라 빅 떠라
배 띄워라 → '춘사 / 하사 / 추사 / 동사' 1수에 공통적으로 나타남. → 출항을 알리는 여음구, 흥취 고조

밤믈은 거의 디고 낟믈이 미러 온다 → 대구법. 동적인 이미지
썰물 나가고, 빠지고 *밀물 밀려온다*

지국총(至匊怱) 지국총(至匊怱) 어사와(於思臥)
찌그덩 찌그덩(노 젓는 소리를 한자로 표현, 의성어) *어여차(노 저을 때 어부들이 내는 소리)*

강촌(江村) 온갓 고지 먼 빗치 더옥 됴타 ▶ 강촌의 아름다운 봄 풍경
강가에 있는 마을 *꽃이 먼빛으로 바라보니 더욱 좋다* ▨: 계절감을 나타내는 시어
보길도를 말함. 작가가 은거한 곳

하사(夏詞) 2

년닙희 밥 싸 두고 반찬으란 쟝만 마라 → 대구법
소박한 음식 → 자연에서 즐기는 소박한 삶(안분지족, 안빈낙도)

닫 드르라 닫 드르라
닻을 들어라 → '춘사 / 하사 / 추사 / 동사' 2수에 공통적으로 나타남.

청약립(靑篛笠)은 써 잇노라 녹사의(綠蓑衣) 가져오냐 → 대구법
비 오는 여름날(계절감)의 모습

지국총(至匊怱) 지국총(至匊怱) 어사와(於思臥)
욕심 없는 흰 갈매기─깨끗한 자연을 말함.

무심(無心)흔 백구(白鷗)는 내 좃는가 제 좃는가❶ ▶ 여름날의 한가로운 풍경, 물아일체의 삶
동적인 이미지, 물아일체의 경지

[현대어 풀이]

〈춘사 1〉 앞 포구에 안개 걷히고 뒷산에 해 비친다 / 배 띄워라 배 띄워라

썰물은 거의 빠지고 밀물이 밀려온다 / 찌그덩 찌그덩 어여차

강촌의 온갖 꽃이 먼 빛으로 바라보니 더욱 좋다

〈하사 2〉 연잎에 밥을 싸서 준비하고 반찬일랑 장만하지 마라 / 닻을 들어라 닻을 들어라

삿갓은 이미 쓰고 있노라 도롱이는 가져왔느냐 / 찌그덩 찌그덩 어여차

무심한 갈매기는 내가 저를 좇는 것인가 제가 나를 좇는 것인가

학습 문제

정답과 해설 350쪽

1. 위 시가에 대한 설명으로 적절하지 않은 것은?

① 구체적 시어로 공간적 배경을 드러내고 있다.
② 소박한 삶에 대한 긍정적 태도가 나타나 있다.
③ 대상에 대한 인상을 시각적으로 표현하고 있다.
④ 화자를 직접 드러내 시적 정서를 표현하고 있다.
⑤ 아름다운 자연 속에서 얻은 교훈을 강조하고 있다.

학습 활동 응용

2. 〈보기〉에서 계절감이 드러난 시구를 있는 대로 골라 바르게 묶은 것은?

> **보기**
> ㄱ. 뒫뫼희 히 비췬다 ㄴ. 밤믈은 거의 디고
> ㄷ. 강촌 온갓 고지 ㄹ. 녹사의(綠蓑衣) 가져오냐
> ㅁ. 무심(無心)흔 백구(白鷗)

① ㄱ, ㄴ ② ㄷ, ㄹ ③ ㄹ, ㅁ
④ ㄱ, ㄷ, ㄹ ⑤ ㄴ, ㄷ, ㅁ

3. 다음 중 대구법이 쓰인 구절이 아닌 것은?

① 압개예 안개 것고 뒫뫼희 히 비췬다
② 밤믈은 거의 디고 낟믈이 미러 온다
③ 강촌(江村) 온갓 고지 먼 빗치 더옥 됴타
④ 년닙희 밥 싸 두고 반찬으란 쟝만 마라
⑤ 청약립(靑篛笠)은 써 잇노라 녹사의(綠蓑衣) 가져오냐

4. 위 시가의 내용과 어울리지 않는 한자성어는?

① 각주구검(刻舟求劍) ② 단표누항(簞瓢陋巷)
③ 물아일체(物我一體) ④ 안빈낙도(安貧樂道)
⑤ 유유자적(悠悠自適)

서술형 **학습 활동 응용**

5. ㉠은 일반적인 평시조와는 다른 형식상 특성인 여음구에 해당한다. ㉠의 뜻과 위 시조에서 이러한 여음구가 지닌 기능을 서술하시오.

추사(秋詞) 9

옷 우희 서리 오디 치운 줄을 모롤로다

   닫 디여라 닫 디여라
닻 내려라. '춘사 / 하사 / 추사 / 동사' 9수에 공통적으로 나타남. → 귀항 준비

『됴션(釣船)이 좁다 ᄒ나 ㉠ 부셰(浮世)과 엇더ᄒ니
낚싯배(지금의 삶)

   지국총(至匊悤) 지국총(至匊悤) 어사와(於思臥)

㉡ 닉일도 이리 ᄒ고 모뢰도 이리 ᄒ쟈

`『 』`: 자연에서의 삶이 누추한들 속세와 견줄 것이냐?
→ 현재의 삶에 대한 만족감과 자부심

▶ 속세와 견줄 바 없는 어부의 삶

동사(冬詞) 10

어와 져므러 간다 연식(宴息)이 맏당토다
감탄사   마땅하다

   ᄇᆡ 븟텨라 ᄇᆡ 븟텨라
배 붙여라. '춘사 / 하사 / 추사 / 동사' 10수에 공통적으로 나타남. → 귀항, 정박

ᄀᆞᄂᆞᆫ 눈 ᄲᅳ린 길 블근 곳 흣더딘 ᄃᆡ 흥치며 거러가셔
붉은 꽃   흥겨워하며 걸어가서(흥취 넘치는 삶)

   지국총(至匊悤) 지국총(至匊悤) 어사와(於思臥)

셜월(雪月)이 셔봉(西峯)의 넘도록 숑창(松窓)을 비겨 잇쟈
서쪽 봉우리, 서산   소나무 창가에 기대어 있자

▶ 눈 내리는 겨울밤의 흥취

[현대어 풀이]

〈추사 9〉 옷 위에 서리 오되 추운 줄을 모르겠도다 / 닻 내려라 닻 내려라

낚싯배가 좁다 하나 세상과 어떠한가 / 찌그덩 찌그덩 어여차 / 내일도 이렇게 하고 모레도 이렇게 지내자

〈동사 10〉 아, 날이 저물어 간다 쉬는 것이 마땅하다 / 배 붙여라(대어라) 배 붙여라(대어라)

가는 눈 뿌린 길 붉은 꽃이 흩어진 데 흥겨워하며 걸어가서 / 찌그덩 찌그덩 어여차

눈달이 서산을 넘도록 송창에 기대어 있자

어휘·어구 풀이

● **됴션(釣船)** 조선(釣船). 낚싯배.
● **부셰(浮世)** 덧없는 세상. 속세. 혼탁한 현실.
● **연식(宴息)** 편안히 쉼.
❶ **닉일도 이리 ᄒ고 모뢰도 이리 ᄒ쟈** 내일도 이렇게 하고 모레도 이렇게 하자. 현재의 삶이 매우 만족스럽다는 표현으로, 앞으로도 지금과 같은 삶을 지속하고 싶다는 소망을 나타내고 있다.

핵심 쏙쏙

◉ **후렴구의 기능과 효과**

지국총 지국총 어사와
↓
노 저을 때 배에서 나는 소리('찌그덩')와 어부의 외침('어여차')을 나타내는 의성어
↓
내용 면: 흥취를 돋움. 표현 면: 통일성 부여

---

6. 위 시가에 대한 설명으로 적절하지 <u>않은</u> 것은?

  ① 계절적 배경이 구체적으로 표현되어 있다.

  ② 3음보의 율격으로 리듬감을 실현하고 있다.

  ③ 시각적 심상으로 자연 풍경을 묘사하고 있다.

  ④ 의성어를 사용하여 현장감을 느끼게 하고 있다.

  ⑤ 영탄적 표현으로 고조된 감정을 표현하고 있다.

7. 〈보기〉의 밑줄 친 말 중, 〈추사 9〉의 ㉠과 의미가 같은 것은?

> **보기**
>
> <u>홍진(紅塵)</u>에 뭇친 분네 이내 <u>생애(生涯)</u> 엇더ᄒ고
> 녯 사름 <u>풍류(風流)</u>를 미출가 뭇 미출가
> 천지간 남자(男子) 몸이 날만ᄒᆞᆫ 이 하건마는
> <u>산림(山林)</u>에 뭇쳐 이셔 <u>지락(至樂)</u>을 ᄆᆞ롤 것가
>   – 정극인, 「상춘곡」

  ① 홍진(紅塵)   ② 생애(生涯)

  ③ 풍류(風流)   ④ 산림(山林)

  ⑤ 지락(至樂)

8. 위 시가를 〈보기〉와 비교한 것으로 적절하지 <u>않은</u> 것은?

> **보기**
>
> 장안(長安)을 도라보니 북궐(北闕)이 천 리로다
> 어주(魚舟)에 누어신들 니즌 스치 이사랴
> 두어라 내 시름 아니라 제세현(濟世賢)이 업스랴
>   – 이현보, 「어부가」 제5수

  ① 두 작품의 화자 모두 떠나온 속세에 미련을 두고 있어.

  ② 위 시조의 '됴션(釣船)'은 〈보기〉에서는 '어주(魚舟)'로 표현되어 있어.

  ③ 위 시조의 '부셰(浮世)'와 〈보기〉의 '북궐(北闕)'은 동일한 의미를 가지고 있어.

  ④ 〈보기〉와 달리, 위 시조에서는 후렴구로 작품에 통일성을 부여하고 있어.

  ⑤ 위 시조는 청유형 어미를 통해, 〈보기〉는 의문형 어미를 통해 화자의 정서를 강조하고 있어.

서술형

9. 〈추사 9〉의 ㉡에 쓰인 표현법과 시적 의미를 서술하시오.

• 시상 전개

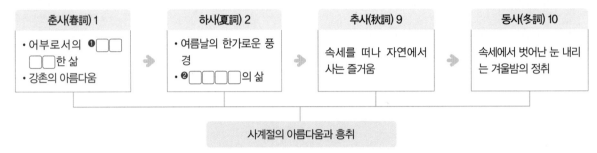

춘사(春詞) 1	하사(夏詞) 2	추사(秋詞) 9	동사(冬詞) 10
• 어부로서의 ❶☐☐ ☐☐한 삶 • 강촌의 아름다움	• 여름날의 한가로운 풍경 • ❷☐☐☐☐의 삶	속세를 떠나 자연에서 사는 즐거움	속세에서 벗어난 눈 내리는 겨울밤의 정취

사계절의 아름다움과 흥취

• 화자의 상황과 정서

화자의 상황	어촌에서 자연을 즐기며 한가롭게 지내고 있음.
화자의 정서	어지러운 인간 세상을 떠나 자연에서 ❸☐☐☐을 느낌.

• 시간의 흐름에 따른 시상 전개

춘하추동	계절의 흐름에 따라 춘사, 하사, 추사, 동사 각 10수씩 구성
출항～귀항	계절의 순차적 흐름과 더불어, 배의 출항부터 귀항까지 어부의 하루 일과를 시간의 흐름에 따라 배치

• 여음구의 의미와 기능

	1수	2수	3수	4수	5수
초장과 중장 사이에 위치	빈 떠라 (배 띄워라)	닫 드러라 (닻 들어라)	돋 두라라 (돛 달아라)	이어라 (노 저어라)	이어라 (노 저어라)
	6수	7수	8수	9수	10수
	돋 디여라 (돛 내려라)	빈 셰여라 (배 세워라)	빈 미여라 (배 매어라)	닫 디여라 (닻 내려라)	빈 붓텨라 (배 붙여라)

• 배의 출항부터 ❹☐☐까지의 과정을 순서대로 보여 줌.
• 작품 내용을 유기적으로 연결함.
• 공간적 배경과 내용이 조화롭게 어우러져 흥취를 돋우며 ❺☐☐☐을 더함.

• 후렴구의 의미와 기능

중장과 종장 사이에 위치	지국총 지국총 어사와(1수～40수 공통)
	노 저을 때 나는 소리(찌그덩)와 외치는 소리(어여차)의 ❻☐☐☐ → 사실감·생동감을 더함, 운율감 형성, 흥취의 고조, 통일성 부여

학습 활동

작품 속으로

1. 다음 활동을 통해 이 작품의 구조적 특징을 파악해 보자.

(1) 각 연에서 계절감을 나타내는 시어를 찾아 정리해 보자.

춘사	온갓 고지	하사	년닙, 청약립, 녹사의
추사	서리, 치운 줄을	동사	ᄀᆞᄂᆞᆫ 눈, 셜월

(2) 다음에 제시된 여음구를 조사해 보자.

여음구	의미	가능
비 ᄯᅥ라 비 ᄯᅥ라	배 띄워라 배 띄워라	• 출항에서 귀항까지의 과정을 보여 줌.
닫 드러라 닫 드러라	닻 들어라 닻 들어라	• 초장과 중장 사이에 들어가 리듬감을 높이고 흥을 돋움.
닫 디여라 닫 디여라	닻 내려라 닻 내려라	• 어부의 삶을 직접 체험하는 듯한 현장감을 느끼게 함.
비 븟텨라 비 븟텨라	배 붙여라 배 붙여라	

2. 다음의 설명을 참고하여 이 작품의 정서적 특징을 파악해 보자.

> 조선 전기 시조에서 자연은 작가의 유가적 덕목을 부각하거나 연군(戀君)의 정을 드러내기 위한 수단으로 사용되는 경우가 일반적이었다. 그러나 조선 후기에 들어서면 강호 자연을 아름다운 대상 그 자체로 인식하는 경향이 생겨난다. 대상의 심미적 가치를 작품에 있는 그대로 표현함으로써 시조의 서정적 특징이 강화되는 것인데, 「어부사시사」에서도 이러한 양상을 확인할 수 있다.

| 예시 답안 | 「어부사시사」는 자연의 아름다움을 임금의 은혜나 자신의 정치적 신념과 연결시켜 드러내곤 했던 조선 전기의 시조와는 달리 봄, 여름, 가을, 겨울을 각각 10수씩, 총 40수에 걸쳐 노래함으로써 자연의 아름다움 그 자체를 드러내고, 이러한 자연에 빠진 화자를 통해 인간과 자연의 조화와 합일을 추구하고 있다. 즉 이 작품은 강호 자연을 있는 그대로 느끼고 만족해하는 화자가 자연에서 갖는 여유와 흥취를 주된 정서로 한다.

작품 너머로

3. 사설시조인 (가)와 현대 시조인 (나)를 읽고, 아래 활동을 해 보자.

(가) 창(窓) 내고쟈 창(窓)을 내고쟈 이내 가슴에 창(窓) 내고쟈
　　 답답한 심정을 해소해 주는 통로

고모장지 셰살장지 들장지 열장지 암돌져귀 수돌져귀
　　 장지문의 종류와 그 부속품들을 열거하여 화자의 답답한 심정을 강조함.
비목걸새 크나큰 쟝도리로 쏭닥 바가 이내 가슴에 창
(窓) 내고쟈

잇다감 하 답답홀 제면 여다져 볼가 ᄒᆞ노라.
　　 가슴에 창을 내고 싶어 한 화자의 의도가 구체적으로 드러남.
　　　　　　　　　　　　　　　　　　　　　　　　 – 작자 미상

■ **고모장지** 고무래(丁자 모양의) 장지문 또는 들창. ■ **셰살장지** 가는 살을 가로세로로 좁게 대어 짠 장지. ■ **들장지** 들어 올려서 매달아 놓게 된 장지. ■ **열장지** 좌우로 열어젖히게 된 장지. ■ **비목걸새** 문고리를 걸거나 자물쇠를 채우기 위하여 둥글게 구부려 만든 고리 걸쇠.

(나) 햇살의 고요 속에선 / ᄍᄍᄍ, 소리가 나고, //
　　　　　 햇살의 고요를 소리로 표현함.
바람은 쥐가 쏠 듯 / ᄉᄉᄉ, 문틈을 넘고, //
　　 바람의 소리　　　보이지 않는 바람을 시각화함.
후두엽 외진 간이역 / 녹슨 기차 바퀴 소리.
　　 머릿속에서 나는 소리(상상의 소리)를 비유적으로 표현함
　　　　　　　　　　　　　　　　　　　　 – 이승은, 「귀로 쓴 시」

작품 연구

(가) 작자 미상, 「창 내고쟈 창을 내고쟈～」
• **갈래**: 사설시조　　　　　 • **성격**: 해학적, 의지적, 구체적
• **제재**: 창　　　　　　　　 • **주제**: 답답한 심정에서 벗어나고 싶은 마음
• **특징**: ① 마음에 '창'을 낸다는 기발한 발상을 통해 문학성을 획득함.
　　　　 ② '창'과 관련된 구체적인 사물을 열거하여 삶의 괴로움을 강조하면서 이를 웃음으로 극복하려는 해학성이 돋보임.

(나) 이승은, 「귀로 쓴 시」
• **갈래**: 단시조, 현대 시조　　 • **성격**: 감각적, 비유적
• **제재**: 소리, 언어　　　　　 • **주제**: 귀로 감지한 풍경
• **특징**: ① 자음을 활용하여 소리의 결을 형상화함.
　　　　 ② 화자의 외로운 정서를 비유적으로 드러냄.
　　　　 ③ 시각적 심상을 청각적 심상으로 치환하여 표현함.

(1) (가)를 평시조와 비교해 보고, 사설시조의 형식이 주는 효과를 생각해 보자.

| 예시 답안 | (가)는 평시조가 지켜 온 음수율과 같은 형식적 규칙으로부터 벗어나 있다. 초장은 비교적 평시조의 전형적 음수율에 가깝지만, 중장과 종장은 평시조와 상당히 차이가 있다. 중장은 첫 번째 구와 두 번째 구에 해당하는 내용이 상당히 길어졌다. 중장에서 여러 형태의 '장지'를 나열함으로써 본래 시조가 지니고 있는 리듬감과는 전혀 다른 서사적 리듬감을 형성하였으며, 내용 및 표현의 측면에서도 '창'을 내고자 하는 시적 화자의 절실한 마음을 있는 그대로 강조하고 있다. 또한 종장의 첫 구에도 글자 수가 많아져 속도감이 더해짐으로써, 시적 긴장감이 집중되던 종장 첫 구의 본래 기능이 보다 강화되었다.

(2) (나)는 어떤 점에서 시조를 계승했다고 볼 수 있는지 친구들과 함께 이야기해 보자.

| 예시 답안 | • 이 작품은 2003년에 발표된 작품이지만 평시조의 형식적 규칙인 3장 6구의 형태를 지니고 있으므로 형식적 측면에서 시조를 계승했다고 볼 수 있을 것 같아.
• 작품에 사용된 시어나 표현이 상당히 현대적이야. 그런데 우리말의 어감을 잘 살렸다는 점을 고려하면 시어나 표현의 측면에서도 시조를 계승했다고 볼 수 있지 않을까? 시조는 우리말의 맛과 멋을 살린 대표적인 갈래라고 하잖아.

04 쉽게 씌어진 시 윤동주

해제

「쉽게 씌어진 시」는 윤동주 시인이 일본 유학 중에 쓴 시로, 그의 마지막 작품으로 알려져 있다. 이 작품에는 윤동주 시의 특징인 '자아 성찰 → 부끄러움에 대한 인식 → 현실 극복 의지'의 구조가 전형적으로 드러나 있다. 화자는 자신의 부끄러운 삶을 고백하고, 시인으로서 어려운 현실에서 어떻게 살아가야 하는지에 대해 깊이 고민하고 성찰한다. 이러한 치열한 자기반성 끝에, 부끄러운 현재의 삶에서 벗어나 새로운 시대를 향해 나아가는 실천적 지식인으로서 거듭나고자 하는 의지를 다진다. 어두운 민족의 현실 속에서 치열한 시대정신을 드러냈다는 점에서 이 작품은 일제 강점기를 대표하는 시로 평가받고 있다.

주제 의식

이 작품은 부끄러운 삶을 살아가는 '현실적 자아'와 이를 바라보는 '내면적 자아'의 갈등과 화해의 과정으로 전개된다. 화자는 현실에 안주하는 삶을 살고 있는 자신을 들여다보며, 식민지 시대를 살아가는 지식인으로서 과연 어떻게 살아야 하는지에 대해 깊이 고민한다. 이 과정에서 무기력한 삶을 살아가는 부끄러운 자신의 모습을 마주하고 괴로워한다. 하지만 자기반성을 통해, '어둠'을 내모는 '최후의 나'로서 '등불'을 밝히는 삶을 살고자 결심한다. '시대처럼 올 아침'을 염원하며 현실 극복 의지를 드러낸 것이다. 이러한 과정을 통해 갈등하던 '내면적 자아'와 '현실적 자아'는 화해를 하게 되고, 화자의 오랜 내적 갈등은 해소된다.

핵심 정리

(1) 갈래: 자유시, 서정시

(2) 성격: 성찰적, 반성적, 의지적

(3) 제재: 시가 쉽게 써지는 것에 대한 부끄러움

(4) 주제: 어두운 시대 현실을 살아가는 지식인의 자기 성찰과 현실 극복 의지

(5) 특징: ① 상징적 시어의 대립을 통해 의미를 강화하고 있음.

　　　　② 현실적 자아와 내면적 자아의 갈등과 화해의 과정으로 시상을 전개하고 있음.

　　　　③ 현실 인식을 바탕으로 한 자아 성찰의 내용을 기록하고 있음.

(6) 구성

1~2연	시적 화자가 처한 현실 인식	고뇌, 답답함
3~6연	현재의 삶에 대한 성찰	절망, 무기력
7연	어려운 시대 속, 시가 쉽게 씌어지는 부끄러움	부끄러움, 반성
8~10연	현실의 재인식과 부정적 현실을 극복하려는 의지	현실 극복 의지, 희망

암담한 시대적 상황–화자의 쓸쓸한 심정을 더욱 처연하게 만듦. '밤'은 자아 성찰의 시간

창밖에 밤비가 속살거려
일본식 돗자리인 다다미 여섯 장을 깔아 놓은 작은 방
육첩방은 남의 나라,
화자의 처지(식민지 시대에 일본 유학을 온 자신의 처지)

　　　　　　　　　▶ 암담한 현실 인식

시인이란 ㉠ 슬픈 천명❶인 줄 알면서도

한 줄 시를 적어 볼까,

　　　　　　　　　　　▶ 시인으로서의 괴로운 심정

㉡ 땀내와 사랑내 포근히 품긴

보내 주신 학비 봉투를 받아
「 ♪ 현실에 안주하는 삶을 살아가는 자신의 모습

대학 노―트를 끼고
늘은 교수의 강의 들으러 간다.」　시대 현실과 괴리된 화자의 삶
현실과 거리가 먼 구태의연한 지식–새 지식을 얻으러 유학 가서 낡은 지식을 얻음.

　　　　　　　▶ 현실에 안주하는 삶을 살아가는 무기력한 자신

생각해 보면 어린 때 동무를
　　　　　순수, 행복했던 시절
하나, 둘, 죄다 잃어버리고

나는 무얼 바라
현실적 자아
나는 다만, 홀로 침전하는 것일까?❷
무의미한 생활에 대한 반성과 자책

　　　　　　　▶ 목적 없는 삶에 대한 회의와 상실감

어휘·어구 풀이

❶ **시인이란 슬픈 천명** 시는 암담한 현실에 대해 당장의 현실적 힘을 발휘하지 못한다. 하지만 그것을 알면서도 시를 쓸 수밖에 없는 자신의 처지를 시적 화자는 '슬픈 천명'이라고 표현한 것이다.

❷ **나는 무얼 바라 / 나는 다만, 홀로 침전하는 것일까?** 목표 없이 무기력하게 살아가는 삶에 대한 회의감이 드러나 있다. 여기에서 '나'는 '현실적 자아'이다.

핵심 쏙쏙

◉ **화자의 정서 변화**

1~7연
괴로움, 무기력함, 부끄러움, 반성

⬇

8~10연
현실 극복 의지, 희망

학습 문제

📋 정답과 해설 352쪽

1. 위 시에 대한 설명으로 적절하지 <u>않은</u> 것은?

① 색채의 대비를 통해 주제를 부각하고 있다.
② 자연물을 이용하여 시적 상황을 보여 주고 있다.
③ 쉼표를 의도적으로 사용하여 호흡을 조절하고 있다.
④ 의문의 형식으로 자아 성찰의 과정을 드러내고 있다.
⑤ 시간적 배경과 공간적 배경이 구체적으로 드러나 있다.

2. ㉠에서 시인을 '슬픈 천명'이라고 한 이유로 가장 적절한 것은?

① 시인은 현실의 부정과 타협할 수 없는 사람이므로
② 시인은 현실을 슬프게 인식할 수밖에 없는 사람이므로
③ 시인은 고향을 떠나 끊임없이 공부를 해야 하는 사람이므로
④ 시인은 천성적으로 현실에서 고독하게 살 수밖에 없는 사람이므로
⑤ 시인은 현실에 직접 참여해서 싸우는 이가 아니라 언어로 말해야 하는 사람이므로

〔학습 활동 응용〕

3. 〈보기〉를 바탕으로 위 시를 감상한 것으로 적절하지 <u>않은</u> 것은?

보기
이 작품은 작가가 일본 유학 중 쓴 시이다. 어두운 시대를 무기력하게 살아가는 자신에 대한 성찰을 바탕으로, 미래에 대한 희망으로 나아가려는 현실 극복 의지를 담아내고 있다.

① '밤비'는 어두운 시대 현실을 반영한 시어이겠군.
② '밤'은 화자의 자기 성찰이 이루어지는 시간적 배경이기도 해.
③ '한 줄 시'를 적는 행위로 어두운 시대를 살아가는 자신을 반성하고 있군.
④ '늙은 교수의 강의'에서 미래에 대한 희망을 찾을 수 있다고 생각하고 있어.
⑤ '나는 다만, 홀로 침전하는 것일까?'는 무기력하게 살아가는 자신을 성찰하는 표현이로군.

〔서술형〕

4. ㉡의 의미를 서술하시오.

어휘·어구 풀이

❶육첩방은 남의 나라.~밤비가 속살거리는데. 1연의 변주로, 1행과 2행의 순서만 바꾸어 다른 어조를 드러내었다(시상의 전환). 자신이 처한 현실을 재인식하고 각성하는 과정이다. 이를 통해 화자는 우울하고 답답한 '나'에서 벗어나 다가올 아침을 기다리는 '나'로 변화한다.

핵심 쏙쏙

◉ 시어의 의미

밤비 = 어둠
일제 강점기라는 절망적인 상황

⬍

등불	아침
암담한 현실을 헤쳐 나가는 정신적 지표	새로운 세계 (조국의 광복)

인생은 살기 어렵다는데
　일제 강점기의 시대적 현실
시가 이렇게 쉽게 씌어지는 것은

부끄러운 일이다.
현재 상황에 어떠한 대처도 하지 못하는 자신의 무의미한 삶 때문
　　　　　　　　　　　　　　　　　　　▶ 반성적 자기 성찰과 부끄러움 인식

㉠ 육첩방은 남의 나라.

창밖에 밤비가 속살거리는데,❶
어둠. 절망적인 일제 강점기의 상황
　　　　　　　　　　　　　　　　　　　▶ 현실에 대한 재인식

　『♪ 화자의 태도 변화 → 현실 극복 의지
『등불을 밝혀 어둠을 조금 내몰고, 등불, 아침 ↔ 어둠
희망, 저항 의지　　부정적 현실(절망적 상황)
시대처럼 올 아침을 기다리는 ㉡ 최후의 나,』
반드시 올 광복(희망, 미래)
　　　　　　　　　　　　　　　　　　　▶ 현실 극복을 위한 실천적 삶에 대한 다짐

　현실적 자아
나는 나에게 작은 손을 내밀어
내면적 자아
눈물과 위안으로 잡는 ㉢ 최초의 악수.
그간에 괴로웠던 심정의 반영
　　　　　　　　　　　　　　　　　　　▶ 두 자아의 화해와 미래에 대한 희망

학습 문제

학습 활동 응용

5. 다음 중 시어의 상징적 의미로 적절하지 않은 것은?

① 육첩방: 화자가 처해 있는 억압적 상황
② 창밖: 화자가 추구하는 이상적 세계
③ 등불: 현실에 맞서고자 하는 의지
④ 어둠: 일제 강점기의 어두운 현실
⑤ 아침: 조국 광복, 희망찬 미래

6. ㉠이 1연의 변주라는 점에 주목할 때, 이에 대한 설명으로 적절한 것은?

① 시대적 모순의 원인을 깨닫는 과정이다.
② 현실에 대한 재인식과 각성의 과정이다.
③ 고통스러운 현실에서 느끼는 자괴감의 표현이다.
④ 자신의 삶에 대한 부끄러움이 심화되는 구절이다.
⑤ 절망적 상황이 반복되리라는 부정적 인식의 표현이다.

7. ㉡이 의미하는 바로 가장 적절한 것은?

① 부끄럽지 않은 '나'로 살아가겠다는 비장한 각오의 표현이다.
② '현실의 나'와 '내면의 나'가 충돌하며 겪게 될 미래의 모습이다.
③ 암울한 현실 속에서도 시를 쓸 수밖에 없는 자신에 대한 연민의 표현이다.
④ 무기력하게 현실에 안주하는 삶을 살아갈 때 마주하게 될 자신의 모습이다.
⑤ '시대처럼 올 아침'이 오기 전까지 '내면의 자아'를 만날 수 없다는 절망감의 표현이다.

서술형

8. 다음에 제시된 단어를 이용하여, ㉢이 의미하는 바를 서술하시오.

현실, 내면, 자아, 갈등

• 작품의 구성 및 화자의 정서 변화

1~2연	3~7연	8~10연
시적 화자가 처한 현실 인식	❶□□ □□: 무기력한 삶을 살아 가는 자신에 대한 부끄러움	현실 극복의 의지: 내적 갈등의 해소와 미래에 대한 희망

(1~2연, 3~7연) 절망, 무기력 → 전환 → (8~10연) 의지, 희망

• 시적 상황에 담긴 함축적 의미

시간적 배경		공간적 배경
밤비	…	❷□□□, 남의 나라

⬇

답답하고 암담한 상황
일제 강점기라는 암울한 현실

• 어둠과 밝음의 대립적 이미지

어둠의 이미지		밝음의 이미지
밤비, 어둠	↔	등불, 아침

⬇

대립적 이미지의 시어를 통해 ❸□□ □□ 의지라는
주제를 효과적으로 형상화함.

• 두 자아의 갈등과 화해의 과정

현실적 자아		내면적 자아
암울한 시대 현실에 안주하며 무기력하게 살아가는 ' 나'	↔	등불을 밝혀 어둠을 내몰고 시대처럼 올 아침을 기다리는 '나'

최초의 악수

두 자아의 ❹□□
→ 내적 갈등 해소

• 시어의 상징적 의미

밤비	화자가 처한 부정적 현실, 암담한 시대 상황, 자아 성찰의 고요한 시간
육첩방	화자를 구속하는 현실, 일제 강점기의 억압적 상황, 암담하고 답답한 화자의 내면
❺□□	부정적 현실에 대한 저항 의지, 실천적 지식, 미래의 희망, 현실 극복 의지
어둠	일제 강점기의 암담한 현실, 부정적 상황, 우리 민족이 처한 현실
아침	조국 광복, 희망찬 미래, 새로운 세계
❻□□	현실적 자아와 내면적 자아의 화해, 내적 갈등의 해소

|정답 | ❶ 자아 성찰　❷ 육첩방　❸ 현실 극복　❹ 화해　❺ 등불　❻ 악수

학습 활동

작품 속으로

1. 이 작품의 내용을 시상 전개 방식에 따라 다음과 같이 정리해 보자.

1~2연	현재 상황을 인식하고 자각함.
3~7연	무기력한 현재 자신의 삶을 성찰하고 부끄러움을 느낌.
8~10연	현실을 재인식하고 부정적 현실을 극복하려는 의지를 드러냄.

> **보충 자료** 1연과 8연의 '반복과 변조'
>
> 내용의 반복은 보통 작가가 말하고자 하는 의미를 강조하기 위한 표현상의 특징이다. 1연과 8연은 모두 공통적으로 화자의 '현실 인식'으로 볼 수 있으며, 반복을 통해 현실 인식에 대한 중요성을 강조하고 있다. 하지만 1연은 이어지는 2~7연에서 알 수 있듯이 '부정적 현실 인식'이며, 8연은 뒤의 9~10연에서 확인할 수 있듯이 현실의 자아와 내면적 자아가 화해하고 부정적 현실 극복의 가능성을 확인하는 것으로 1연과는 다른 '현실의 재인식'이라는 차이점을 보인다.

2. 이 작품의 배경이 된 시대 상황을 고려하여, 이 작품에 나타난 시어의 의미와 화자의 태도를 이해해 보자.

등불	새 시대를 밝히려는 의지, 현실 극복 의지
어둠	암울한 현실
아침	희망찬 미래, 새로운 세상, 조국의 광복

• 이 작품의 화자가 '부끄러움'을 느끼는 까닭을 말해 보자.

부끄러움을 느끼는 까닭
시의 화자는 식민지의 지식인으로, 조국의 국권을 강탈한 나라에서 현실에 안주하여 무기력한 삶을 살고 있는 자신을 인식하고 부끄러움을 느끼고 있다.

작품 너머로

3. 다음 작품을 감상하고, 아래 활동을 해 보자.

『아주 오랜 세월이 흐른 뒤에
『 』: 미래에 이 글을 보게 될 것이라고 예상함.
　힘없는 책갈피는 이 종이를 떨어뜨리리』 ▶ 미래에 대한 상상

그때 내 마음은 <u>너무나 많은 공장을 세웠으니</u>
　　　　　　　젊은 날 화자의 심적 상태
어리석게도 그토록 기록할 것이 많았구나

<u>구름 밑을 천천히 쏘다니는 개처럼</u>
　　방황하는 화자
지칠 줄 모르고 공중에서 머뭇거렸구나
　　　　　　　▶ 청춘의 모습(미래의 시점에서 바라본 현재의 모습)
나 가진 것 탄식밖에 없어

『저녁 거리마다 물끄러미 청춘을 세워 두고
『 』: 자신의 삶에 대한 반성
살아온 날들을 신기하게 세어 보았으니』

그 누구도 나를 두려워하지 않았으니
지금까지의 삶이 자신만의 세계에 갇혀 있는 삶이었음.
내 희망의 내용은 질투뿐이었구나　　　　　　▶ 삶의 태도에
화자의 삶이 타인에 대한 시기와 부러움에 지나지 않음.　대한 반성적 성찰
그리하여 나는 우선 여기에 짧은 글을 남겨 둔다

『나의 생은 미친 듯이 사랑을 찾아 헤매었으나
『 』: 스스로의 모습을 인정하고 사랑하지 못한 데 대한 자조
단 한 번도 스스로를 사랑하지 않았노라』
　　　　　▶ 스스로를 사랑하지 않은 청춘의 삶에 대한 기록을 남김.
　　　　　　　　　　　　　　　　　　　－ 기형도, 「질투는 나의 힘」

> 📖 **작품 연구** 기형도, 「질투는 나의 힘」
>
> • **갈래**: 자유시, 서정시　　• **성격**: 성찰적, 고백적, 회고적, 자조적
> • **제재**: 젊은 날의 삶　　• **주제**: 젊은 날의 삶에 대한 반성
> • **특징**: ① 미래의 시점에서 현재를 과거처럼 회상하는 방식을 통해 현재의 삶을 반성함.　② 영탄적 어조가 드러남.
> 　　　③ 화자 스스로 현재의 삶에 대한 부정적 인식을 드러냄.

(1) 「쉽게 씌어진 시」와 「질투는 나의 힘」에 나타나 있는, 자아에 관한 화자의 인식을 말해 보자.

| 예시 답안 | 「쉽게 씌어진 시」의 화자는 부정적 현실에 적극적으로 대응하지 못하고 순응하는 자신을 부끄러워하지만 이러한 무기력한 현재의 자아와 내면적 자아의 화해를 통해 미래에 대한 희망을 다진다. 「질투는 나의 힘」의 화자는 소모적이고 의미 없는 일에 몰두하고 질투만 할 뿐 스스로를 사랑하지 못하는 자신을 반성하고 있다.

(2) 위 작품과 같이 미래의 시점을 상정한 다음, 현재 자신의 삶에 관하여 하고 싶은 말을 위 작품의 형식과 같이 써서 친구들과 함께 읽어 보자.

> 아주 오랜 세월이 흐른 뒤에
> 뉘우치는 눈물을 흘리며 이 종이를 보리
> 그때 어리석게도 경쟁에서 이기기 위해 친구들을 상처 입혔구나
> 이기는 자가 진실이고 지는 자는 거짓이라고 생각했구나
> 나만을 사랑했고 주변의 누구도 사랑하지 못했구나
>
> 그리하여 나는 우선 여기에 짧은 글을 남겨 둔다
> 나의 생은 미친듯이 앞만 보고 달리는 달리기였으나
> 단 한 번도 친구들을 위해 달리진 않았노라

05 어느 날 고궁을 나오면서 김수영

해제

「어느 날 고궁을 나오면서」는 1960년대 부정한 권력의 횡포와 부조리가 만연한 사회를 살아가는 지식인의 고뇌를 그린 작품이다. 일상의 삶과 경험을 서술적으로 나열하며, 권력의 부당함에 당당히 맞서지 못하고 그저 작은 일에만 분노하는 소시민성에 대한 반성의 목소리를 담아내었다. 화자는 스스로의 욕되고 부끄러운 모습을 고백하며, 자신이 '모래, 바람, 먼지, 풀'보다 얼마나 작으냐는 자조적 물음을 통해 올바른 삶의 자세에 대한 깊이 있는 반성과 성찰을 이끌어 내고 있다.
이 작품은 아름다운 언어보다는 일상어와 비속어의 사용, 구체적 일화 제시 등을 통해 치열한 작가의 비판 정신을 드러내고 있다.

주제 의식

이 작품의 화자는 '어느 날 고궁을 나오면서' 본질적이고 중요한 문제에는 저항하지 못하고, 힘없는 대상에게만 분개하는 자신을 발견한다. 이를테면, 집권층의 부패에 저항하거나 붙잡혀 간 소설가의 석방을 외치는 일, 언론 탄압에 저항하고 월남 파병에 반대하는 데에는 목소리를 내지 못하고 대신 설렁탕집 주인에게나 이발쟁이에게, 야경꾼에게 분개한다. 이렇게 부조리한 사회나 역사적 사건에 대항하지 못하는 자신의 비겁함을 부끄럽게 여기고, 일상의 사소한 것보다도 한없이 작아 보이는 자신으로 인해 갈등하고 괴로워한다. 이러한 자기 성찰을 통해 화자는 부조리한 시대에 치열하게 살아가지 못하는 소시민적 삶을 반성하고 있다.

핵심 정리

(1) 갈래: 자유시, 서정시, 참여시
(2) 성격: 자조적, 반성적, 현실 비판적
(3) 제재: 작은 것에만 분개하는 소시민적 삶
(4) 주제: 부당한 현실에 저항하지 못하는 옹졸한 삶에 대한 반성
(5) 특징: ① 대비되는 시어를 사용해 주제를 효과적으로 표현함.
　　　　② 일상어와 비속어의 사용, 경험의 나열로 구체성과 사실성을 높임.
　　　　③ 반복적 표현, 말줄임표의 사용 등으로 자조적 반성의 지속성을 드러냄.
(6) 구성

1~2연	조그마한 일에 옹졸하게 분개하는 '나'	괴로움, 자조
3연	과거에도 옹졸하게 행동했던 '나'	부끄러움
4연	무기력하게 살아가고 있는 자기 인식	무기력, 고통
5~6연	비겁한 삶에 대한 반성	자기반성
7연	왜소하고 보잘것없는 삶에 대한 자기반성	자조, 괴로움

어휘·어구 풀이

● **월남** '베트남'의 음역어.
● **야경꾼** 밤사이에 화재나 범죄가 없도록 살피고 지키는 사람.
● **유구하고** 아득하고 오래되었고.
● **포로수용소** 포로를 유치하고 거주시키는 시설.
❶ **왜 나는 조그마한 일에만 분개하는가** 정작 분노해야 할 일에는 침묵하고 오직 사소한 일에만 분개하는 자신에 대한 반성적 물음이다.
❷ **한번 정정당당하게~자유를 이행하지 못하고** 부당하게 붙잡혀 간 소설가의 석방을 요구하거나 언론 탄압과 월남 파병에 반대하는 일에는 목소리를 내지 못하고 침묵한 것을 드러낸 표현이다. 부조리한 현실에 당당히 대항하지 못하는 화자의 모습이 나타나 있다.
❸ **옹졸한 나의 전통은 유구하고 이제 내 앞에 정서(情緒)로 / 가로놓여 있다** 이렇게 옹졸하게 살아온 '나'의 삶의 방식은 아주 오래전부터의 일이다. 그래서 소시민적인 태도가 몸에 배어 있다는 것이다.

왜 나는 **조그마한 일**에만 분개하는가❶ → 자조적, 반성적 물음
　　　　　　　비본질적인 일, 중요하지 않은 일
저 왕궁 대신에 ⓐ 왕궁의 음탕 대신에
　부당한 권력 집단　　독재 권력의 부도덕함
[A] ┌ ⓑ 50원짜리 갈비가 기름 덩어리만 나왔다고 분개하고
　　│ 옹졸하게 분개하고 ㉠ 설렁탕집 돼지 같은 주인 년한테 욕을 하고
　　└ 옹졸하게 욕을 하고 → 반복을 통해 자조적 심정 표현　　▶ 조그마한 일에 분개하는 '나'

한번 정정당당하게 / 『ⓒ붙잡혀 간 소설가를 위해서
언론의 자유를 요구하고 ⓓ 월남 파병에 반대하는 / 자유를 이행하지 못하고』❷
　　　　　　　　　　　　　　　　　『 』: 본질적이고 중요한 일에는 저항하지 못하고
20원을 받으러 세 번씩 네 번씩
비본질적이고 사소한 일
찾아오는 ⓔ 야경꾼들만 증오하고 있는가 ▶ 정작 중요한 일은 실행하지 못하는 소시민적인 '나'에 대한 반성

옹졸한 나의 전통은 유구하고 이제 내 앞에 정서(情緒)로
이전부터 오랫동안 옹졸하게 살아왔다는 자조적 표현
가로놓여 있다❸

이를테면 이런 일이 있었다
구체적 예시(시에는 잘 쓰지 않는 일상적 표현)
『부산에 포로수용소의 제14야전병원에 있을 때
정보원이 너스들과 ⓕ 스펀지를 만들고 거즈를
『 』: 자신의 부끄러운 경험(과거에도 옹졸했음.)을 보여 줌.
개키고 있는 나를 보고 포로 경찰이 되지 않는다고
남자가 뭐 이런 일을 하고 있느냐고 놀린 일이 있었다
　　　　　　사소한 일을 하느냐
너스들 옆에서』　　　　　　　　　　　　　▶ 과거부터 옹졸했던 '나'의 삶

학습 문제　　　　　　　　　　　　　　　📖 정답과 해설 352쪽

1. 위 시에 대한 설명으로 적절하지 **않은** 것은?
① 반복적 표현으로 자조적 심정을 강조하고 있다.
② 비속어를 사용해 부당한 권력 집단을 비판하고 있다.
③ 화자의 자기 반성을 통해 주제 의식을 드러내고 있다.
④ 일상어를 사용하여 자신의 경험과 일화를 나열하고 있다.
⑤ 대조적인 상황을 제시하여 옹졸한 자신의 모습을 구체적으로 제시하고 있다.

2. [A]의 상황에 어울리는 한자성어로 적절한 것은?
① 견문발검(見蚊拔劍)　② 교각살우(矯角殺牛)
③ 용두사미(龍頭蛇尾)　④ 불문곡직(不問曲直)
⑤ 호가호위(狐假虎威)

3. ㉠과 같은 표현의 의도로 적절한 것은?
① 부조리한 사회의 실상을 낱낱이 파헤치기 위해
② 권력 집단의 부도덕함을 구체적으로 밝히기 위해
③ 화자 자신의 속되고 비겁한 모습을 강조하기 위해
④ 부당함에 정정당당하게 맞서는 모습을 보여 주기 위해
⑤ 소시민적 삶을 살아가는 설렁탕집 주인을 비판하기 위해

학습 활동 응용
4. ⓐ~ⓕ 중, 1연의 '조그마한 일'에 해당하는 것을 모두 골라 기호를 쓰시오.

지금도 내가 반항하고 있는 것은 이 스펀지 만들기와
<small>사소한 일. 보잘것없는 일</small>
거즈 접고 있는 일과 조금도 다름없다

『개의 울음소리를 듣고 그 비명에 지고
<small>『 』: 비겁하고 나약하게 살아감.</small>
머리에 피도 안 마른 애놈의 투정에 진다』

떨어지는 은행나무 잎도 내가 밟고 가는 가시밭   ▶ 무기력하게 살아가고 있는 자신의 존재 인식
<small>일상적이고 사소한 일도 견딜 수 없이 괴로워함.</small>

『아무래도 나는 비켜서 있다 절정 위에는 서 있지┐
<small>치열한 삶. 부당함에 당당하게 맞서는 일</small>
않고 암만해도 조금쯤 옆으로 비켜서 있다』   본질적이고 중요한 것을 실천하는 일에는 그 중심에 서지
<small>『 』: 불의에 맞서지 못하는 방관적인 태도</small>   못하고, 주변에서 옹졸하게 살아가는 자신을 표현한 말
그리고 ㉠ 조금쯤 옆에 서 있는 것이 조금쯤   → 자기반성적 표현
┘
비겁한 것이라고 알고 있다!
<small>비겁한 삶에 대한 인식과 반성</small>   ▶ 정면에서 대결하지 못하고 비켜서 있는 '나'의 비겁함

그러니까 이렇게 옹졸하게 반항한다

이발쟁이에게 / 땅 주인에게는 못하고 이발쟁이에게

구청 직원에게는 못하고 동회 직원에게도 못하고

야경꾼에게 20원 때문에 10원 때문에 1원 때문에
<small>너무나 사소한 것 때문에</small>
우습지 않으냐 1원 때문에   ▶ 비겁한 삶에 대한 반성

<small>반복을 통해 하찮은 것에만 반항하는 비겁함 강조</small>
[A] ┌ 모래야 나는 얼마큼 작으냐
    │ <small>'모래, 바람, 먼지, 풀'보다도 왜소한 자신의 모습에 대한 반성</small>
    └ 바람아 먼지야 풀아 나는 얼마큼 작으냐 / 정말 얼마큼 작으냐…… ❶
      <small>☐: '나'의 왜소한 모습을 자연물에 대비함.</small>   ▶ 왜소하고 보잘것없는 삶에 대한 자기반성

어휘·어구 풀이
❶ 모래야 나는~얼마큼 작으냐…… 자연물 가운데에서도 특히 사소하고 작다고 생각되는 모래나 먼지 등에게 자신의 비겁함에 대해 묻고 있다. 이것은 사소한 그 어떤 것보다도 더 옹졸하고 보잘것없는 자신에 대한 자조적 표현이다.

핵심 쏙쏙

◉ 시어의 대립적 관계

힘 있는 자		힘 없는 자
땅 주인, 구청 직원, 동회 직원	↔	이발쟁이, 야경꾼

◉ 화자의 자기 인식

· 떨어지는 은행나무 잎도 내가 밟고 가는 가시밭
· 비겁한 것이라고 알고 있다!
· 우습지 않으냐
· 모래야, 나는 얼마큼 작으냐 / 바람아 먼지야 풀아 나는 얼마큼 작으냐
↓
자조적 태도, 자괴감, 괴로움

5. 위 시에 대한 감상으로 적절한 것은?

① 부끄러웠던 자신의 과거사를 감추려 애쓰는군.
② 비겁한 자신을 부끄러워하는 마음이 드러나는군.
③ 부정적인 현실을 극복하려는 의지가 드러나 있군.
④ 절정에 서는 그날까지 최선을 다하려 노력하는군.
⑤ 불가능한 상황을 가정하여 답답함을 해소하려 하는군.

<small>학습 활동 응용</small>

6. ㉠의 시적 의미로 가장 적절한 것은?

① 떨어지는 은행나무 잎에도 힘겨워하는 것
② 구청 직원이나 동회 직원에게 반항하는 것
③ 야경꾼에게조차 굴복하는 삶을 살아가는 것
④ 중요하고 본질적인 일의 중심에 서지 못하는 것
⑤ 모래, 바람, 먼지, 풀과 자기 자신을 비교하는 것

7. [A]에 대한 설명으로 적절하지 않은 것은?

① 특정 시구의 반복이 드러나 있다.
② 시적 화자가 작품 표면에 드러나 있다.
③ 물음의 형식을 통해 화자 자신을 성찰하고 있다.
④ 자조적 태도를 통해 화자의 의지를 드러내고 있다.
⑤ 말줄임표를 사용하여 인식의 지속성을 표현하고 있다.

<small>서술형</small>

8. 위 시에서 '모래, 바람, 먼지, 풀'과 같은 시어를 사용한 효과를 서술하시오.

• 표현상의 특징 및 효과

표현	일화 나열	비속어 사용	일상어 사용	독백적, 고백적 어조
예	• 50원짜리 갈비에 기름 덩어리만 나왔다고 분개하여 주인을 욕함. • 20원을 받으러 자주 오는 야경꾼들을 증오함. • 포로수용소에서 스펀지를 만들고 거즈를 갠 일	• 설렁탕집 돼지 같은 주인년 • 머리에 피도 안 마른 애놈	• 50원짜리 갈비 • 20원 • 스펀지, 거즈 • 개의 울음소리 • 은행나무 잎 • 20원, 10원, 1원	• 왜 나는~분개하는가 • 떨어지는 은행나무 잎도 내가 밟고 가는 가시밭 • 비겁한 것이라고 알고 있다! • 모래야 나는~정말 얼마큼 작으냐……
효과	서사적으로 시상을 전개함.	화자 스스로의 속된 모습을 부각함.	일상의 삶을 구체적·사실적으로 보여 줌.	❶◻◻◻, 반성적 태도를 드러냄.

• 대조적 상황에 대한 화자의 태도

분개해야 할 대상─부조리한 사회, 권력자
• 불합리한 상황(왕궁의 음탕, 언론 탄압, 월남 파병)
• 힘 있는 재(땅 주인, 구청 직원, 동회 직원)

분개하고 있는 대상─힘없는 자
• 힘없는 재(설렁탕집 주인, 야경꾼, 이발쟁이)

❷◻◻◻이고 중요한 것
• 왕궁의 음탕(독재 권력, 집권자의 부도덕성) 비판
• 언론의 자유 요구
• 월남 파병 반대

비본질적이고 사소한 것
• 50원짜리 기름 덩어리 갈비에 분개함.
• 20원을 받으러 찾아오는 야경꾼을 증오함.
• 스펀지 만들고 거즈를 개키는 일

본질적이고 중요한 것에는 정작 분개하지 못하고 비본질적이고 사소한 것, 힘없는 자에게 분개하는 옹졸하고 무기력한 ❸◻◻◻적 삶에 대한 반성과 자책

• 시어, 시구의 상징적 의미

조그마한 일	사소한 일, 비본질적인 일, 소시민이 살아가는 삶의 방식
왕궁의 음탕	독재 권력의 부당함과 부도덕성, ❹◻◻◻한 사회 현실
절정 위에 서 있는 일	불의에 정정당당하게 맞서는 일, 부당함에 용감하게 저항하는 일, 화자가 진정으로 추구하는 삶
떨어지는 은행나무 잎	일상적으로 벌어지는 일, 평범한 일상
모래, 바람, 먼지, 풀	작고 보잘것없다고 생각되는 자연물, 초라한 자신과 비교되는 대상

|정답 | ❶ 자조적 ❷ 본질적 ❸ 소시민 ❹ 부조리

학습 활동

작품 속으로

1. 이 작품을 감상하고, 화자의 태도를 중심으로 내용을 정리해 보자.

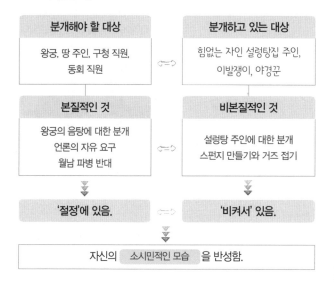

분개해야 할 대상		분개하고 있는 대상
왕궁, 땅 주인, 구청 직원, 동회 직원	⇔	힘없는 자인 설렁탕집 주인, 이발쟁이, 야경꾼

본질적인 것		비본질적인 것
왕궁의 음탕에 대한 분개 언론의 자유 요구 월남 파병 반대	⇔	설렁탕 주인에 대한 분개 스펀지 만들기와 거즈 접기

| '절정'에 있음. | ⇔ | '비켜서' 있음. |

자신의 [소시민적인 모습] 을 반성함.

2. 다음 설명을 바탕으로, 이 작품에서 김수영 시어의 특징이 잘 드러나는 시어를 찾아보자.

> 김수영의 시는 소시민적이고 속물적인 자신의 모습을 정직하게 드러낸다는 특징을 갖고 있다. 이 정직함은 자신과 세계를 바로 응시할 수 있게 하고 자기비판을 가능하게 해 준다. 시어와 일상어의 구분이 사라지고 비속어까지 동원하는 시어 구사를 통해 시인은 세상의 허위와 부조리에 정직하게 맞서고 있는 것이다.

| 예시 답안 |
- 일상어: 50원짜리 갈비, 20원, 스펀지, 거즈, 개의 울음소리, 은행나무 잎
- 비속어: 설렁탕집 돼지 같은 주인 년, 머리에 피도 안 마른 애놈

작품 너머로

3. 다음은 「어느 날 고궁을 나오면서」와 비슷한 시기에 발표된 소설이다. 두 작품을 비교하며 읽고, 아래 활동을 해 보자.

> 앉은 청년은 거울 속에서 흘낏 쳐다보며,
> "도대체 이 사람들 말이 아니군." / 하였다.
> _{이발소 안에 있던 청년이 다짜고짜 그 안의 사람들을 비난함.}
> 새로 들어선 청년은 벌써 말뜻을 알아듣고 금시 쳐 죽

일 듯한 눈길로 이발소 안을 휘익 둘러보았다.

귀하신 분께서 또 한 분 이렇게 나타나자 이발소 안은 두 곱으로 써늘해졌다. 모두 간이 콩알만 해져서 조마조_{청년에 대해서 사람들이 느끼는 감정─두 청년의 외양만 보고 자발적으로 굴복함.}마하였다. / 왜, 어쨌기?"

"도대체 사람들이 정신들이 덜 되어 먹었단 말야. 요즈_{사람들의 정신 상태를 비난하는 청년.}음 세월이 어떻게 돌아가는지도 모르고, 멍청해서들."

"민주주의라는 것을 모두 일방적으로 오해를 해서 그_{민주주의가 무엇인지 말하지도 않고 사람들이 민주주의에 무지함을 비판함.}렇지. 도대체에 민주주의라는 것을 그렇게 알면 곤란한데에." / 이제 두 청년은 완전히 자기들 세상이 된 이발소 안에서 주거니 받거니 했다. [중략]
▶ 두 청년으로 인해 긴장을 느끼는 이발소 안 사람들

잠시 뒤, 어느새 나갔던 늙은이가 한 사람을 데리고 들어왔다. 사복 차림인데, 신분증을 내보이며 두 청년에게 불심 검문을 하였다. 그들은 신분증을 내보이고 비쭉_{평범한 시민인 두 청년의 강압적인 태도에 사람들은}비쭉 웃기까지 하며 대한민국의 일개 시민임을 밝혔다._{그들이 누구인지 물어보지도 않고 두려워했던 것임.}이발소 안의 사람들은 여전히 겁에 질려 있었다. 그들 두 청년은 관명 사칭도 하지 않았고, 이렇다 할 월권도 한 것은 없었다. 그들은 모두 **빠릿빠릿**해지고 항상 준비_{60년대의 경직된 사회 풍속}태세를 지니고 사회 기강을 확립하자고 강조했을 뿐이었다. 강조하는 방법이 틀렸을지는 모르지만 그런 것이 죄과에 해당될 만한 법조문은 없는 듯하였다.

그들은 일단 연행이 되었으나 곧 석방이 되었다.
▶ 연행되었다가 무죄로 석방되는 청년들
─ 이호철, 「1965년, 어느 이발소에서」에서

🚩 **작품 연구** 이호철, 「1965년, 어느 이발소에서」

- **갈래**: 현대 소설, 단편 소설　　• **성격**: 풍자적, 비판적
- **시점**: 전지적 작가 시점　　　　• **배경**: 1960년대 서울
- **주제**: 부조리한 권력에 맞서지 못하는 소시민의 비굴함 비판
- **특징**: ① 특정 공간에서 발생한 상황을 통해 사회 전체의 문제를 우의적으로 드러냄.
　　② 말과 행동이 일치하지 않는 인물을 등장시켜 소시민의 부정적 측면을 부각함.

• 「어느 날 고궁을 나오면서」와 위 작품의 공통적인 상황은 무엇인지 파악해 보고, 「어느 날 고궁을 나오면서」의 화자가 위 작품의 상황에 처한다면 어떤 시를 지었을지 상상하여 말해 보자.

| 예시 답안 | 「어느 날 고궁을 나오면서」와 「1965년, 어느 이발소에서」는 모두 부조리한 사회 현실에 당당히 목소리를 낼 수 없었던 강압적 시대 상황을 배경으로 하고 있다. 「어느 날 고궁을 나오면서」의 화자가 위 작품과 같은 상황에 처한다고 할 때, 두 청년의 관점이라면 '사복 차림'의 사내에게는 굽신거리고 이발소 안의 사람들에게는 큰소리를 쳤던 자신의 모습을 반성하는 시를 썼을 것이고, 이발소 안 사람의 관점이라면 실체 없고 정당하지 못한 권력에 당당하지 못했던 자신의 태도를 반성하는 시를 썼을 것이다.

[2] 서사 갈래의 흐름

이 단원에서는 한국 문학 중 서사 갈래의 전개와 구현 양상을 살펴보도록 한다. 아울러 작품에 반영된 시대 상황, 문학과 역사의 상호 영향 관계를 탐구한다. 이를 통해 작품의 내용을 현실의 삶과 연결하여 감상하고, 서사 문학의 작품성과 가치를 이해하도록 한다.

서사 갈래란 무엇인가?

서사(敍事)란 사건을 펼쳐 낸다는 의미이다. 서사 갈래는 이야기를 통해 삶의 다양한
〔'서사'의 개념〕 〔서사 갈래의 양상〕
모습을 드러낸다. 따라서 서사 갈래에서는 인물과 사건과 배경이 반드시 존재한다. 인물
□: 서사 갈래의 구성 요소
은 욕망이나 감정, 윤리관이나 세계관, 시대적·지역적 조건 등의 복합적인 영향을 받으며
사건을 이끌어 나간다. 이는 필연적으로 다른 인물과의 관계, 다른 사건과의 관계로 이어
내적 갈등이나 외적 갈등 유발
지는데, 작품이 종결되기까지의 이와 같은 일련의 과정을 통틀어 구성이라고 하며, 그것
을 전달하는 서술자의 관점을 시점이라고 한다. ▶ 서사 갈래의 개념과 특성
1인칭 주인공 시점, 1인칭 관찰자 시점, 전지적 작가 시점, 3인칭 관찰자 시점

서사 갈래는 어떻게 전개되어 왔을까?

설화

설화는 구전되는 이야기를 의미한다. 설화는 인간이 언어를 사용한 이래 지금까지 꾸
〔'설화'의 개념〕
준히 향유되어 온 서사 갈래의 대표적인 양식으로 대개 신화, 전설, 민담으로 구분된다.
〔'설화'의 하위 갈래〕
신화는 신적 존재가 초월적인 능력을 발휘하여 신성한 위업을 달성하는 이야기이다.
〔'신화'의 특성〕
전설은 비범한 인간이 주인공으로 등장하여 비극적으로 끝나는 이야기로, 구체적인 증거
〔'전설'의 특성〕
물을 동반함으로써 신빙성을 확보한다. 민담은 평범한 인간이 여러 난관을 만나면서도
〔'민담'의 특성〕
결국은 행복한 결말에 이르는 흥밋거리의 이야기이다. ▶ 설화의 세 갈래와 특성

고전 소설

전기 소설(傳奇小說)은 우리 문학사에서 소설의 시대를 알리는 출발점에 존재한다. 기
〔우리나라 최초의 소설 『금오신화』의 등장〕
이한 이야기를 전한다는 뜻의 전기(傳奇)가 중국 당나라 때 성행하였는데, 이 양식을 받
아들여 처음 그 모습을 드러낸 것이 『금오신화(金鰲新話)』이다. 이후 전기 소설은 조선
다섯 편의 작품으로 이루어진 김시습의 소설집
후기에 들어 본래의 양식적 속성을 조금씩 변모시키며 다양한 형태로 계승되었다.

환몽 소설(幻夢小說)은 꿈속에서 벌어진 신비로운 사건을 주요 내용으로 삼는 이야기
〔'현실-꿈-현실'의 구조가 나타남.〕
이다. 이들 작품에서 꿈속 사건은 깨달음의 계기가 된다. 현실의 고민이나 문제가 꿈속
사건을 통해 해결의 실마리를 얻게 되는 것이다. 대표작인 「구운몽」을 비롯해 「옥루몽」 등
서포 김만중의 작품. '몽자류 소설'의 효시
이 이 유형에 포함된다.

영웅 소설(英雄小說)은 고전 소설의 유형이 다양해지고 향유 계층이 확대되었던 조선
시대 후기에 유행한 소설 유형이다. 영웅 소설은 비범한 주인공이 온갖 역경을 딛고 국가

우리는 어릴 때부터 '도깨비'가 등장하는 전래 동화를 보고 들으며 자라 왔다. 이러한 이야기 문학이 과거부터 우리에게 사랑을 받아 온 까닭이 무엇일지 이야기해 보자.

| 예시 답안 | 옛이야기 속의 도깨비는 인간이 풀지 못하는 숙제를 손쉽게 해결하는 모습이나 인간을 돕는 모습으로 등장한다. 그런가 하면 옳지 못한 인간에게는 벌을 내리기도 한다. 이렇게 도깨비는 상상력과 허구의 세계 속에서 신출귀몰한 행동으로 우리에게 재미를 제공하기도 하고, 한편으로 윤리적·도덕적 측면의 교훈을 사람들에게 전달하기도 한다. 이와 같이 도깨비 이야기는 인간의 삶과 세계의 진실, 가치를 담고 있어 예로부터 우리에게 사랑을 받아 온 것이다.

≫ 도깨비는 귀신이지만 인간과 가까운 존재로 여겨져 왔으며 최근까지도 드라마나 영화의 소재로 활용되는 등 우리 이야기 문학의 소재로 꾸준히 사랑받고 있다. 이는 도깨비 이야기에 담긴 상상력과 허구의 세계가 인간 세계의 진실과 다양한 가치를 담아내고 있기 때문일 것이다. 문학의 갈래에서 상상력과 허구의 사건을 통해 인간 세계의 진실과 가치를 담고 있는 갈래로는 어떤 것들이 있을까?

▲ 「구운몽도」 백옥교에서 성진이 팔선녀와 만나는 장면이다. 이 만남이 계기가 되어 성진은 속세와 연을 맺게 된다.

적 위기를 해결하여 입신양명하고, 가문의 위상을 회복하는 내용을 주로 담고 있다.

영웅의 일대기 구조가 나타남.

가문 소설(家門小說)은 본격적인 고전 소설의 시대를 알리는 대표적 유형 중 하나이

「창선감의록」 등

다. 가문 소설은 가문 내 혹은 가문 간의 갈등이 여러 인물에 의해 복합적이고 다층적으

로 전개되다가 주인공의 억울한 누명이나 오해가 해소되면서 행복한 결말을 맺는 이야기

갈등의 전개 · 갈등 해소

이다. 가문 소설은 '장편'이라는 수식어가 붙거나 '대하소설(大河小說)'이라는 용어로 불리

기도 하는 방대한 분량의 소설이다.

판소리계 소설은 판소리 사설이 소설로 정착된 작품을 지칭한다. 조선 후기에는 연행

예술이 확대되며 판소리가 대대적으로 성행하는데, 판소리에 대한 사람들의 관심은 비

단 공연에 그치지 않고 판소리계 소설과 같은 독서물로 정착되는 데까지 이르게 된다. 실

해학과 풍자 속에서 조선 후기 사회의 생활상을 폭넓게 형상화함.

제로 판소리계 소설에는 판소리가 지니고 있는 운율감이나 현장감이 생생히 남아 있다.

▶ 소설의 출현과 다양한 발전 양상

근대 소설·현대 소설

조선 시대의 소설이 주로 '화자—청자'의 관계에 바탕을 두고 있었던 반면, 근대에 들어

서면서 소설은 '작가—독자'의 관계를 기반으로 향유되기 시작했다. 갑오개혁을 전후하여

전문성을 지닌 작가의 등장과 함께 내용과 형식, 표현 면에서 이전의 소설과 차별화를

시도한 신소설이 등장한다. 1910년대에는 이광수의 「무정」을 비롯하여 전대 소설과 구별

최초의 근대 장편 소설 등장

되는 작품들이 등장하였고, 1920년대에는 단편 소설의 기틀이 확립되었다. 1930년대부

터는 이러한 성과를 이어받아 향토적 색채를 지닌 소설, 풍자성이 강한 소설, 농촌 계몽

다양한 경향의 작품들

을 목적으로 한 소설, 역사적 사실에서 소재를 취한 소설, 모더니즘적 감수성으로 도회

생활을 그린 소설 등 다양한 경향의 작품들이 발표되었다. 해방 이후에는 전쟁과 산업

화, 민주화의 체험을 바탕으로 상처를 치유하거나 사회 변화의 방향을 모색하는 소설,

전후 소설, 실존주의 소설, 세태 소설 등

도회적 문명사회에서 소외당하고 있는 인물을 다룬 소설 등이 다수 발표되었다. 이처럼

현대의 서사 문학은 삶의 애환을 다양한 기법으로 그려 내면서 질과 양에서 모두 커다란

성과를 거두었다.

▶ 근현대 소설의 시대별 발전 양상

✓ **바로 확인 문제**

1 서사 갈래는 □□□을/를 통해 삶의 다양한 모습을 드러낸다.

2 다음 설명이 맞으면 ○, 틀리면 X를 하시오.

　(1) 설화의 하위 갈래에는 '신화', '전설', '민담'이 있다. 　　　　　　　(○ , ×)

　(2) '신화'는 구체적인 증거물이 존재하는 신성한 이야기이다. 　　　　(○ , ×)

　(3) 「금오신화」는 조선 후기에 창작된 우리나라 최초의 소설이다. 　　(○ , ×)

3 '□□ 소설'은 꿈속에서 벌어진 신기한 사건을 주요 내용으로 한다.

4 다음 설명이 맞으면 ○, 틀리면 X를 하시오.

　(1) 판소리계 소설은 판소리로 가창되었던 영향으로 운율감과 현장감이 생생하게 드러난다. 　(○ , ×)

　(2) 1910년대에 등장한 이광수의 「무정」은 우리나라 단편 소설의 기틀을 마련한 작품이다. 　(○ , ×)

|정답| 1. 이야기　2. (1) ○　(2) ×　(3) ×　3. 환몽　4. (1) ○　(2) ×

▲ **전기수의 모습**　김홍도의 풍속화 「담배 썰기」에는 사람들에게 이야기책을 읽어 주는 전기수의 모습이 보인다.

▲ **작자 미상, 「평양감사 환영연도」**　헌종 때 평양감사의 초청을 받은 명창 모흥갑이 대동강가 능라도에서 소리를 하고 있는 장면을 담았다.

▲ **이광수, 「무정」**　1917년 1월 1일부터 6월 14일까지 『매일신보』에 총 126회 연재된 우리나라 최초의 근대 장편 소설이다. 경성과 평양을 배경으로 하여 당시의 현실을 드러내고, 청년들의 꿈과 이상을 다루고 있다.

▲ **안국선, 「금수회의록」**　근대 계몽기 신소설 작품으로, 동물들을 등장시켜 인간 사회의 모순과 어리석음을 비판적으로 그린 우화 소설이다.

01 김현감호 작자 미상

• 서사 문학 갈래의 전개와 구현 양상 • 문학과 시대 상황

해제

「김현감호」는 '김현이 호랑이를 감동시키다.'라는 뜻의 설화로 『삼국유사』 등에 기록되어 전해진다. 김현의 정성스러운 탑돌이에 감복한 호랑이 처녀가 자신의 희생을 통해 오빠들의 죄를 씻어 형제를 살리고, 낭군 김현을 출세시킨다는 내용으로 불교적 권선(勸善)을 강조하는 이야기이다. 표면적으로는 인간인 김현과 호랑이 처녀의 신이한 사랑을 보여 주지만, 그 이면에는 간절한 기도를 통해 자신의 꿈을 실현한 김현의 간절한 염원을 담고 있다. 한편, 당시 호랑이로 인한 피해가 많아서 이를 막기 위한 의도로 이 설화가 지어졌다고도 추측된다. 이 작품은 호랑이 처녀의 발원(發願)으로 '호원사(虎願寺)'가 지어졌다는 점에서 '사원 연기 설화'이며 호랑이 처녀가 사람으로 변했다는 점에서 '변신형 설화'이기도 하다. 호랑이 처녀가 인간보다 더 뛰어난 희생정신을 발휘하여 타인을 이롭게 한 대목은 교훈적 의도가 강조된 것이라 할 수 있다. 또한 서사 구조 면에서 초기 소설적 모습을 갖추어, 설화와 기록 서사 문학의 분기점에 놓인 작품으로서도 가치가 있다.

전체 줄거리

김현이 '흥륜사(興輪寺)'에서 탑돌이를 하다가 호랑이 처녀를 만나 사랑을 하게 되었다. 처녀를 따라간 김현을 해치려 하는 세 오빠에게 하늘이 벌을 내리려 하자 호랑이 처녀는 형제들을 대신해 벌을 받겠다고 한다. 호랑이 처녀는 자신의 희생을 통해 김현의 은덕에 보답을 하고자 하고, 김현의 만류에 다섯 가지 이유로 그를 설득한 후, 기꺼이 죽음을 맞는다. 김현은 호랑이를 잡은 공으로 출세하게 되고, 호랑이 처녀의 부탁대로 '호원사(虎願寺)'를 세워 호랑이 처녀의 명복을 빌고 은혜에 보답한다.

핵심 정리

(1) 갈래: 사원 연기 설화, 변신형 설화

(2) 성격: 불교적, 전기적, 환상적, 교훈적

(3) 제재: 김현과 호랑이 처녀의 사랑, 호랑이 처녀의 숭고한 희생

(4) 시간적 배경: 신라 원성왕 때

(5) 주제: 자기희생적인 숭고한 사랑

(6) 특징: ① 동물 변신 모티프가 있으며, 신이하고 환상적인 요소로 사건이 전개됨.

　　　　② 설화임에도 인과 법칙에 따른 소설적 구성이 드러남.

　　　　③ 호원사(虎願寺)의 건립 내력이 드러난 사원 연기 설화임.

(7) 구성

발단	김현이 탑돌이를 하다가 호랑이 처녀를 만나 정을 통함.
전개	김현이 호랑이 처녀의 거절에도 불구하고 처녀의 집으로 따라감.
위기	호랑이 처녀가 오빠들 대신 자신이 희생하여 김현을 출세시키고자 함.
절정	호랑이 처녀가 죽고, 김현은 호랑이를 잡은 공으로 벼슬에 오름.
결말	김현이 절을 세워 호랑이 처녀의 명복을 빌고 은혜에 보답함.

가 신라 풍속에 매년 2월이 되면 초여드렛날부터 보름날까지 서울의 남녀들이 서로 다투어 흥륜사(興輪寺)의 전탑(殿塔)을 도는 것으로 복회(福會)를 삼았다.
_{절에서 탑돌이를 하면서 부처의 공덕을 기리고 소원을 비는 풍속. 신라 시대의 사회상 반영}
원성왕(元聖王) 때 낭군(郎君) 김현(金現)이란 사람이 밤이 깊도록 홀로 돌면서 쉬지
_{시대적 배경　　　　　주인공　　　　　　지극한 정성으로 소원을 비는 김현}
않았다. 한 처녀가 염불하면서 따라 돌다가 서로 감정이 통하여 눈길을 주었다. 탑돌이를
_{호랑이 처녀}
끝내자 으슥한 곳으로 가서 정을 통하였다.
_{부부의 연을 맺음.}

나 처녀가 돌아가려고 하자 김현이 그를 따라가니, 처녀는 사양하고 거절했지만 억지로 따라갔다. 가다가 서산(西山) 기슭에 이르러 한 초막으로 들어가니, 늙은 할미가 그녀에게 묻기를, "함께 온 이는 누구냐?"라고 하였다. 처녀가 그 사정을 말하니, 늙은 할미는 말하기를, "비록 좋은 일이지만 없는 것만 못하다. 그러나 이미 저지른 일이기에 나무랄
_{처녀가 김현이 따라오는 것을 거절한 이유(오라비들이 김현을 해칠까 봐 걱정함.)}
수도 없다. 은밀한 곳에 숨겨 두어라. 네 형제들이 나쁜 짓을 할까 두렵다."라고 하였다.
▶ 호랑이 처녀와 정을 통하고 그의 집으로 간 김현

다 처녀는 낭을 데려다 구석진 곳에 숨겨 두었다. 조금 뒤에 세 마리의 범이 으르렁거리
_{처녀의 세 오빠. 처녀 역시 호랑이임을 알 수 있음.}
면서 와서 사람의 말로 말하기를, "집 안에 비린내가 나니 요기하기 좋겠구나."라고 하였
_{사람 냄새가 풍기니(김현이 위험에 처함.)}
다. 늙은 할미는 처녀와 함께 꾸짖어 말하기를, "너희들의 코가 어떻게 되었구나. 무슨 미친 소리냐?"라고 하였다.

이때 하늘에서 외치는 소리가 있어 "너희들이 즐겨 생명을 해침이 너무도 많으니, 마땅
_{악을 징벌할 수 있는 절대자(초월적 존재)　　　　　　당시 호랑이로 인한 인명 피해가 많았음을 알 수 있음.}
히 한 놈을 죽여서 악행을 징계하겠다."라고 하였다. 세 짐승이 그것을 듣고 모두 근심하
_{한 호랑이를 본보기로 벌하여 악행에 대한 경각심을 불러일으키게 함(처녀가 희생정신을 발휘하게 된 계기).}
는 기색이었다. 처녀가 말하기를, "세 오빠가 만일 멀리 피해 가서 스스
_{하늘만이 호랑이에게 두려운 존재인 걸로 보아, 당대인들이 호랑이를 매우 강한 존재로 인식했음을 알 수 있음.}
로 징계하겠다면 제가 대신해서 그 벌을 받겠습니다."라고 하였다. 이
_{살신성인의 정신 발휘}
에 모두 기뻐하며 머리를 숙이고 꼬리를 떨어뜨리고 달아나 버렸
_{세 짐승의 비정함을 드러냄(처녀의 성격과 대조적).}
다.❶ ▶ 오빠들 대신 하늘의 벌을 받으려는 호랑이 처녀

어휘·어구 풀이

● **흥륜사** 경상북도 경주시 사정동에 있던 신라 최초의 왕실 절.
● **복회(福會)** 복을 빌기 위한 모임.
● **원성왕(元聖王)** 신라의 제38대 왕.
● **낭군(郎君)** 젊은 귀공자의 호칭.
❶ **"이에 모두~달아나 버렸다.** 동생이 자신들을 대신해 하늘의 징계를 받겠다고 했는데, 그것에 모두 기뻐하며 달아나 버렸다는 것은 세 짐승의 비정함을 보여 주는 것이다. 이러한 오빠들의 행동은 호랑이 처녀의 고귀한 살신성인 자세와 대비되어 호랑이 처녀의 숭고한 희생이 더욱 돋보이는 효과를 가져온다.

▶ **교과서 날개 질문**

처녀가 '김현'에게 자신을 따라오지 말라고 한 까닭을 생각해 보자.

| 예시 답안 | 호랑이 처녀는 자신이 호랑이라는 것을 알리고 싶지 않았기 때문이다. 이를 통해 호랑이 처녀는 김현과의 사랑과 인연을 소중하게 여겼던 것을 알 수 있다. 또한 세 오빠로 인해 김현이 위험에 처할지 모른다는 두려움 때문으로 볼 수도 있다.

학습 문제　　　　　　　　　　　　　　　　　📘 정답과 해설 353쪽

1. 윗글을 통해 알 수 있는 내용이 <u>아닌</u> 것은?

① 당시에 호랑이가 생명을 해치는 일이 많았다.
② 김현은 처녀가 호랑이인 줄 알면서도 정을 통하였다.
③ 처녀는 김현이 자신을 따라오는 것을 원하지 않았다.
④ 신라 때 매년 2월이 되면 탑돌이를 하는 풍습이 있었다.
⑤ 당대인들은 호랑이를 매우 강력한 힘을 가진 두려운 존재로 여겼다.

2. 윗글의 인물에 대한 평가로 가장 적절한 것은?

① 처녀: 오빠들의 체면을 세워 주기 위해 노력하는군.
② 김현: 출세를 위해 다른 사람의 희생도 불사하는군.
③ 늙은 할미: 처녀와 오빠들의 허물을 감싸 주고 있군.
④ 하늘: 모든 생명을 동등하게 사랑하는 절대자로군.
⑤ 세 오빠: 동생의 희생을 기뻐하다니 너무 비정하군.

어휘·어구 풀이
● **일족(一族)** 같은 조상의 친척.
● **과보[勝報]** 공덕에 따라 얻게 되는 보배로운 결과.
❶ **다른 유와 사귀는 것** 사람과 사람의 만남이 아닌, 사람과 동물(호랑이)이 부부의 인연을 맺는 것을 말한다.

핵심 쑥쑥

◉ 호랑이 처녀가 김현을 설득하기 위해 내세운 다섯 가지 이로움

1	천명을 따르는 것
2	호랑이 처녀의 소원
3	낭군의 경사
4	호랑이 일족의 복
5	나라 사람들의 기쁨

⬇

자신의 죽음은 호랑이 일족과 낭군, 나라에 모두 이로운 일이 된다는 주장

⬇

호랑이 처녀의 살신성인(殺身成仁)의 정신

라 처녀가 들어와 낭에게 말하기를, "처음에 저는 당신이 우리 집에 오는 것이 부끄러워서 사양하고 거절했습니다. 그러나 이제는 감출 것이 없으니 감히 내심을 말하겠습니다. 또한 저는 낭군과는 비록 유가 다르지만, 하룻저녁의 즐거움을 얻어 중한 부부의 의를 맺었습니다. ㉠ 세 오빠의 죄악을 하늘이 이미 미워하시니, 집안의 재앙을 제가 당하고자 합니다. 『알지 못하는 사람의 손에 죽는 것이 낭군의 칼날에 죽어서 은덕을 갚는 것과 어떻게 같겠습니까? 제가 내일 시가[市]에 들어가서 사람들을 심하게 해치면 나라 사람들이 저를 어떻게 할 수 없으므로 대왕은 반드시 높은 벼슬을 걸고 나를 잡을 사람을 찾을 것입니다. 당신은 겁내지 말고 나를 쫓아서 성 북쪽의 숲속까지 오면 제가 기다리고 있겠습니다."라고 하였다.』

▶ 김현에게 자신의 계획을 말하는 호랑이 처녀

『 』: 부부의 연을 맺은 김현에게 보답하기 위한 구체적인 계획을 세움.

마 김현이 말하기를, "사람과 사람의 사귐은 인륜의 도리이지만 다른 유와 사귀는 것❶은 대개 정상이 아닙니다. 이미 조용히 만난 것은 진실로 천행이라고 할 것인데, 어찌 차마 배필의 죽음을 팔아서 일생의 벼슬을 요행으로 바랄 수 있겠소?"라고 하였다. 처녀가 말하기를, "낭군은 그런 말 마십시오. 지금 제가 일찍 죽는 것은 대개 천명(天命)이며, 또한 저의 소원이요, 낭군의 경사요, 우리 일족의 복이요, 나라 사람들의 기쁨입니다. 한 번 죽어서 다섯 가지 이로움이 갖춰지니 어떻게 그것을 어기겠습니까? 다만 저를 위하여 절을 짓고 불경을 강하여 좋은 과보[勝報]를 얻도록 도와주시면 낭군의 은혜는 더없이 클 것입니다."라고 하였다. / 드디어 그들은 서로 울면서 헤어졌다.

▶ 죽음으로써 김현에게 보답하려는 호랑이 처녀

학습 문제

3. 윗글의 내용으로 적절하지 <u>않은</u> 것은?

① 김현은 처녀의 희생을 슬퍼하고 안타까워한다.
② 처녀는 죄악을 저지른 세 오빠들을 원망하고 있다.
③ 처녀는 하늘이 내린 집안의 재앙을 누군가는 당해야 한다고 생각한다.
④ 처녀는 김현에게 자신이 호랑이임이 밝혀지는 것을 부끄러워했었다.
⑤ 처녀는 호랑이를 잡는 사람에게 벼슬을 줄 것이라는 점을 예상하고 있었다.

4. 다음 괄호 안에 들어갈 말로 적절한 것은?

> ㉠으로 인해 호랑이 처녀는 (   )

① 김현에게 입은 은혜를 갚을 계획을 세우게 된다.
② 김현과의 부부의 인연을 더욱 소중히 여기게 된다.
③ 오빠들의 죄를 대신 갚고 불교에 귀의하고자 결심한다.
④ 시가[市]에 들어가서 어지러운 민심을 수습하고자 한다.
⑤ 다른 유와 사귀어 인륜의 도리를 어긴 죄를 받고자 한다.

서술형 **학습 활동 응용**

5. 윗글에 드러난 호랑이 처녀의 성격을 한자성어를 이용하여 서술하시오.

6. **라**~**마**를 근거로 할 때, 호랑이 처녀가 김현을 설득했을 말로 적절하지 <u>않은</u> 것은?

① "낭군에게 보은할 수 있는 기회를 얻는 것이 저의 소망입니다."
② "저의 죽음으로써 저희 일족(一族)의 악행을 씻을 수 있습니다."
③ "제가 절을 세워 불경을 강한다면 나라의 기쁨이 될 것입니다."
④ "낭군께서 저로 인해 벼슬을 얻게 되는 경사는 저의 기쁨입니다."
⑤ "제가 일찍 죽는 것 역시 하늘의 명(命)을 따르는 것이니 슬퍼하지 마십시오."

어휘·어구 풀이

● **호원사(虎願寺)** 경상북도 경주시 황성동에 있던 절. 호랑이를 애도하기 위해 세운 절이라는 뜻.

❶ **김현은 등용된 뒤 서천(西川) 가에 절을 세워 호원사(虎願寺)라고 하고** 김현은 호랑이 처녀의 은혜에 보답하기 위해 절을 세워 '호원사'라고 하였는데, 이는 이 작품이 '호원사'의 창건 내력이 담긴 '사원 연기 설화'임을 보여 준다.

❷ **김현은 죽음을 앞두고~지금까지도 일컬어 온다.** 이 글을 쓰게 된 동기를 구체적으로 서술하고 있다.

바 다음 날 과연 사나운 범이 성 안으로 들어왔는데, 매우 사나워 감당할 수가 없었다. 원성왕이 이 소식을 듣고 명령하기를, "범을 잡는 자에게는 벼슬 2급을 주겠다."라고 하였다. 김현이 대궐로 들어가서 아뢰기를, "소신이 잡을 수 있습니다."라고 하였다. 이에 먼저 벼슬을 주어 그를 격려하였다. 김현이 단도를 지니고 숲속으로 들어갔다. 범이 처녀
〈약속대로 김현을 위해 기꺼이 죽음을 맞이함. → 변신형 설화〉
로 변하여 반갑게 웃으면서 말하기를, "간밤에 낭군과 함께 마음속 깊이 정을 맺던 일을 낭군은 잊지 마십시오. 오늘 내 발톱에 상처를 입은 사람들은 모두 흥륜사의 간장을 바르
〈전설적 요소(증거물)〉
고 그 절의 나발 소리를 들으면 나을 것입니다."라고 하였다.

이에 ㉠ 김현이 찼던 칼을 뽑아 스스로 목을 찔러 쓰러지니 곧 범이었다. 김현이 숲에
〈김현을 배려한 호랑이 처녀 → 고귀한 희생정신〉
서 나와 소리쳐 말하기를, "지금 이 범을 쉽게 잡았다."라고 하였다. 그 사정은 누설하지 않고 다만 그의 말대로 상한 사람들을 치료하니 그 상처가 모두 나았다. 지금도 세간에서
〈전설적 요소(민간요법, 증거물)〉
는 그 방법을 쓰고 있다.
▶ 스스로 목숨을 끊어 김현에게 보은하는 호랑이 처녀

사 김현은 등용된 뒤 서천(西川) 가에 절을 세워 호원사(虎願寺)라고 하고 항상『범망경
〈호랑이 처녀와의 약속을 지킴. 전설임을 보여 주는 증거물〉
(梵網經)』을 강설하여 범의 저승길을 인도하고, 또한 범이 제 몸을 죽여서 자기를 성공하
〈호랑이 처녀의 명복을 빎.〉
게 만든 은혜에 보답하였다.

김현은 죽음을 앞두고 지나간 일의 기이함에 깊이 감동하여 이에 기록하여 전기를 만
〈이 글을 쓰게 된 동기〉
드니 세상에서는 처음으로 들어 알게 되었고, 이로 인하여 그 이름을 논호림(論虎林)이
라고 하여 지금까지도 일컬어 온다.
▶ 호원사를 지어 호랑이 처녀의 희생을 기린 김현

7. 윗글에 대한 설명으로 적절하지 <u>않은</u> 것은?

① 호원사의 창건 내력을 알 수 있는 '사원 연기 설화'이다.

② 설화임에도 불구하고 인과 관계에 의한 소설적 구성이 드러난다.

③ '호원사'가 증거물이 된다는 점은 이 글이 지닌 전설적 요소이다.

④ '지나간 일의 기이함에 깊이 감동하여 이에 기록하여 전기를 만드니'라는 구절에서 이 글의 창작 동기가 드러난다.

⑤ 흥륜사의 나발 소리로 호랑이에게 입은 상처를 치료한다는 점에서 신성성이 강조된 신화임을 알 수 있다.

8. 윗글이 '변신형 설화'임이 드러난 부분을 **바**에서 찾아 3어절로 쓰시오.

9. 윗글의 성격과 그 근거로 적절하지 <u>않은</u> 것은?

① 전기(傳奇)적: 호랑이와 인간의 기이한 만남

② 환상적: 현실에서 일어날 수 없는 사건이 전개됨.

③ 현실 비판적: 벼슬을 얻기 위해 노력하는 김현의 모습

④ 불교적: 호랑이 처녀의 명복을 빌기 위해 호원사를 세움.

⑤ 교훈적: 인간의 삶을 돌아보게 하는 호랑이 처녀의 희생정신

10. ㉠의 이유로 가장 적절한 것은?

① 김현의 벼슬 욕심을 대신 실현시켜 주려고

② 부부로서의 소중한 인연을 잊지 않기 위해

③ 자신이 사람이 아닌 호랑이라는 것을 알리기 위해

④ 김현이 자신을 직접 죽이면 죄책감을 갖게 될까 봐

⑤ 김현이 호랑이 오빠들에게 공격받을 것을 걱정해서

• 작품의 설화적 특성과 소설적 구성

설화적 특성	사원 연기 설화 (호원사의 창건 내력)	❶◻◻◻ 세계관을 실현하고자 하는 전승자의 의도가 개입된 것으로 볼 수 있음.
	변신형 설화 (호랑이 → 인간)	인간보다 숭고한 ❷◻◻◻◻을 발휘한 호랑이 처녀를 통해 인간 스스로의 모습을 반성하도록 함.

소설적 구성 (인과 관계의 구조)	호랑이 처녀가 김현의 정성스러운 탑돌이에 감동함.	호랑이 처녀와 김현이 부부의 인연을 맺음.
	호랑이 처녀가 김현과의 부부의 연을 소중히 여김.	김현을 위해 스스로 죽음을 택해 낭군에게 보은함.

- 설화임에도 불구하고, ❸◻◻ ◻◻에 의한 구성으로 내용을 전개함.
- 설화적 요소와 소설적 요소를 가지고 있어 현대적 서사에 가까운 짜임새를 갖춤.

• 등장인물의 성격

인물	행동	성격
김현	• 배필의 죽음으로 벼슬을 얻을 수 없다고 하면서 호랑이 처녀의 죽음을 만류함. • 호랑이 처녀의 죽음을 안타까워하고 그의 바람대로 호원사를 건립함.	• 세속적 성공(출세)보다는 하늘이 정해 준 인연과 사랑을 중시함. • 진실하고 주체적인 인물 • 약속을 소중히 여기고, 각골난망(刻骨難忘)으로 은혜를 갚음.
호랑이 처녀	• 하늘의 명을 받들어, 세 오빠를 살리고, 나라의 혼란을 없애고, 낭군을 출세시킴. (자신의 희생으로 세상의 이로움을 도모함.)	• 살신성인(殺身成仁)의 희생정신을 지닌 ❹◻◻◻인 인물
세 호랑이 (처녀의 오빠들)	• 하늘의 징계를 대신 받겠다는 동생의 말에 기뻐하며 달아나 버림.	• 이기적이고 비정한 짐승에 불과함. • 비인격적(호랑이 처녀와 대조적)
하늘	• 생명을 해치는 호랑이를 죽여 악행을 징계하려 함.	• 악을 징벌하는 ❺◻◻◻ 존재 • 윤리적 판단을 내리는 절대자

• '김현감호(金現感虎)'라는 제목의 의미

김현이 정성스럽게 탑돌이를 하며 벼슬 얻기를 고대함.	❻◻◻를 감동시킴.	부처가 호랑이 처녀를 보내어 김현의 소원을 이루어 줌. – 처녀는 부처의 현신(現身)임.

김현감호(金現感虎) – '김현이 호랑이를 감동시키다'

학습 활동

작품 속으로

1. 이 작품의 주요 사건을 시간의 흐름에 따라 정리해 보자.

> 김현과 호랑이 처녀가 탑돌이를 하다가 만나 사랑을 하게 됨.

⬇

> 호랑이 처녀를 따라간 김현을 탐내는 세 오빠에게 하늘이 벌을 내리려 하자 호랑이 처녀는 세 오빠를 대신해 악행에 대한 벌을 받기로 함.

⬇

> 김현의 만류에도 불구하고 호랑이 처녀가 자신의 죽음을 통해 김현의 은덕에 보답하기로 함.

⬇

> 김현이 호랑이 처녀를 잡고 그 공으로 높은 벼슬에 오름.

⬇

> 김현은 절을 세워 호랑이 처녀의 저승길을 인도하고, 은혜에 보답함.

2. 다음 대화에서 알 수 있는 '김현'과 '호랑이 처녀'의 성격은 어떠한지 써 보자.

> 사람과 사람의 사귐은 인륜의 도리이지만 다른 유와 사귀는 것은 대개 정상이 아닙니다. 이미 조용히 만난 것은 진실로 천행이라고 할 것인데, 어찌 차마 배필의 죽음을 팔아서 일생의 벼슬을 요행으로 바랄 수 있겠소?

> 낭군은 그런 말 마십시오. 지금 제가 일찍 죽는 것은 대개 천명(天命)이며, 또한 저의 소원이요, 낭군의 경사요, 우리 일족의 복이요, 나라 사람들의 기쁨입니다.

	성격
김현	호랑이 처녀와의 비정상적 만남을 오히려 천행으로 여기고 호랑이 처녀의 희생을 바탕으로 한 세속적 성공을 거절하는 모습에서 주체적이고 진실한 성격임을 알 수 있다.
호랑이 처녀	자신의 목숨을 내놓아 다른 이들을 행복하게 해 주려는 모습에서 이타적이고 희생적인 성격임을 알 수 있다.

3. 이 작품에 관한 다음의 설명을 참고하여 '호랑이 처녀'가 선행을 베푼 까닭이 무엇인지 생각해 보자.

> 이 일의 처음과 끝을 자세히 살펴보건대, 호랑이 처녀는 절(탑)을 돌 때 김현의 마음을 움직였고, 하늘이 외쳐서 악을 징계하려고 하자 이를 자신이 감당하기로 했으며, 신령한 처방을 전하여 사람을 구하고 절을 세우고 불계를 가르치게 했다. 이것은 다만 짐승의 본성이 어질어서 그런 것이 아니고, 대개 부처님이 사물에 감응하는 방법이 여러 방면이었으므로, 김현이 탑돌이에 정성을 다한 것을 보고 감동하여 몰래 이로움으로 보답하고자 했을 뿐이다. 그때 복을 받은 것은 당연한 일이 아니겠는가?
>
> – 강인구 외, 『역주 삼국유사 4』에서

| 예시 답안 | 이 작품의 제목(김현이 호랑이를 감동시키다.)과 주어진 자료(김현의 탑돌이가 부처를 감동시켰고, 이로 인해 부처님이 감동하여 김현에게 이로움으로 보답했다는 내용)로 보아 호랑이 처녀의 희생과 선행은 김현의 탑돌이가 부처를 감동시킨 것에 보답하기 위한 것임을 알 수 있다.

> **보충 자료** '김현감호'라는 제목의 의미
>
> 「김현감호」의 내용을 보면, 호랑이가 희생하여 김현을 감동시킨 것으로 보인다. 그런데 「김현감호(金現感虎)」는 제목 그대로 읽으면 '김현이 호랑이를 감동시키다.'라는 뜻으로 해석할 수 있다. 정성스레 탑돌이를 하며 벼슬 얻기를 고대하던 김현을 보고 감동한 부처가 호랑이 처녀를 보내 그의 꿈을 실현시켜 주는 것이기 때문이다. 즉 부처가 김현의 꿈을 실현시키기 위해 보낸 호랑이 처녀는 부처의 현현이라고 볼 수 있는 것이다. 이는 김현과 호랑이 처녀가 아무 이유 없이 사랑을 하게 된 것이 아니라 김현의 감동적 행위가 계기가 되어 호랑이 처녀의 희생을 이끌어 낸 것이라 할 수 있다. 그러므로 '김현이 호랑이를 감동시키다.'로 해석하는 것이다.

4. 다음은 「이생규장전」의 일부이다. 「김현감호」와 비교하며 읽고, 아래 활동을 해 보자.

[앞부분 줄거리] 개성에 살던 이생이라는 젊은이가 글공부를 다니다가 양반집 처녀 최낭을 알게 된다. 둘은 시를 주고받으며 사랑하게 되지만, 이생 부모의 반대로 시련을 겪다가 최 씨 부모의 노력으로 결국 부부가 된다. 이생은 과거에 급제하지만 홍건적의 난으로 양가 부모는 물론 최낭도 죽고, 이생만 살아남는다. 어느 날 실의에 빠진 이생 앞에 최낭이 환생하여 나타난다.

이생은 그녀가 이미 이승에 없는 사람임을 알고 있었으나 너무나 사랑하는 마음에 반가움이 앞서 의심도 하지 않고 말했다.

"부인은 어디로 피난하여 목숨을 보전하였소?"

최낭은 이생의 손을 잡고 한바탕 통곡하더니 곧 사정을 얘기했다. _{자신이 죽임을 당한 것과 여기까지 오게 된 이유}

"저는 본디 양가의 딸로서 어릴 때부터 가정의 교훈을 받아 자수와 바느질에 힘썼고, 시서와 예법을 배워 왔습니다. 그러니 다만 규중의 법도만 알았을 뿐이었습니다. _{정절을 목숨과 같이 소중하게 여기는 것} 언젠가 낭군께서 붉은 살구꽃이 피어 있는 담 안을 엿보았을 때, 저는 스스로 몸을 바쳤으며, 꽃 앞에서 한 번 웃고 난 후 평생의 가약을 맺었고, 휘장 속에서 거듭 만났을 때에는 정이 백 년을 넘쳤습니다. 장차 백년해로의 낙을 누리려 했는데 어찌 횡액을 만 _{'횡래지액(橫來之厄)'의 준말. 갑자기 닥처오는 불행 → 홍건적의 난} 나 구렁에 넘어질 줄 알았겠습니까? 이리 같은 놈들에게 정조를 잃지 않았으나, 육체는 진흙탕에서 찢겼사옵니다. 절개는 중하고 목숨은 가벼워 해골은 들판 _{정절은 목숨보다 귀함.} 에 던져졌으나, 혼백을 의탁할 곳이 없었습니다. 가만히 옛일을 생각하면 원통한들 어찌하겠습니까? 당신과 그날 깊은 산골짜기에서 헤어진 뒤 속절없이 짝잃은 새가 되었던 것입니다. 『이제 저의 환신은 이승에 돌아와 남은 인연을 맺어 옛날의 굳은 맹세를 결코 헛되게 하지 않으려 하는데 당신 생각은 어떠십니까?』 _{「 」 최낭의 제안}

이생은 매우 기뻐하고 감사히 여기며, "그것이 원래 나의 소원이오."라고 대답했다. [중략]

그 후 이생은 벼슬을 구하지 않고 최낭과 함께 살 _{환신이 되어 나타난 최낭과 이생의 사랑 회복} 고, 피란 갔던 노복들도 찾아왔다. 이생은 이제 세상사 _{절대적인 사랑의 강조(사랑이 인세의 부나 명예보다 소중함)} 를 완전히 잊은 채 친척의 길흉사에도 가 보지 않고 집

에서 늘 최낭과 함께 시를 지어 주고받으며 즐거이 세월을 보냈다. ▶ 이생과 최낭이 집안 재산을 되찾고 늘 함께 지냄.

– 김시습, 「이생규장전」에서

📖 **작품 연구** 김시습, 「이생규장전」

- **갈래**: 한문 소설, 전기 소설
- **성격**: 전기적, 환상적, 비극적
- **배경**: 고려 말 송도(개성)
- **제재**: 남녀 간의 애정
- **주제**: 죽음을 초월한 사랑
- **특징**: ① 죽은 사람과의 사랑 이야기를 다루고 있음.
  ② '만남-이별'을 반복하는 구조로 구성되어 있음.
  ③ 사건 전개에 여성의 적극적인 행동이 차지하는 비중이 큼.
- **구성**
  - 발단: 이생이 최낭을 만나 사랑에 빠짐.
  - 전개: 이생과 최낭은 이생 부모의 반대로 이별하나, 최낭 부모로 인해 혼인하게 됨.
  - 위기: 최낭이 홍건적의 난으로 인해 죽음.
  - 절정: 이생 앞에 최낭의 환신(幻身)이 찾아와 행복한 나날을 보냄.
  - 결말: 최낭이 자신의 유골을 장사 지내 줄 것을 부탁하고 작별하자 이생도 병이 들어 세상을 떠남.

---

(1) 「김현감호」와 「이생규장전」의 내용상 공통점을 말해 보자.

| **예시 답안** | 두 작품은 모두 현실 속에 존재하는 남성이 비현실적 존재인 여성과 만나 사랑을 나누나 파국을 맞는다는 점에서 전기 소설적 면모를 보인다는 공통점을 지니고 있다. 「김현감호」에서는 호랑이 처녀가 스스로를 희생함으로써 김현과 본래 호랑이인 여성과의 사랑이 끝내 이루어지지 않고, 「이생규장전」에서도 전란으로 인해 죽은 여성의 환신이 남성 주인공과 사랑을 하게 되지만(윗글에서는 제시되지 않았으나 위 작품의 결말 부분에서) 저승으로 돌아갈 수밖에 없는 최낭의 처지로 인해 이생과 최낭의 사랑은 이루어지지 못하고 비극으로 끝이 난다.

(2) 남자 주인공의 태도를 바탕적 특성과 「이생규장전」의 소설적 특성을 이야기해 보자.

| **예시 답안** | 「김현감호」의 김현은 호랑이 처녀의 희생을 통해 세속적 성공을 이룬다. 반면 「이생규장전」의 이생은 최낭이 목숨을 잃고 환신하여 나타났을 때 죽은 최낭과의 사랑을 이어 가기 위해 세속적인 성공을 내팽개치는 모습을 보인다. 즉 이생은 세속적인 성공보다 사랑을 우선시하는 것이다. 즉 「김현감호」가 부처의 감응에 따른 보답을 실현하기 위해 서사를 진행시킨다면 「이생규장전」은 전란으로 사랑이 파국을 맞는 상황에서도 두 남녀가 사랑을 이루어 가고자 분투하는 모습을 보여 주기 위해 서사를 전개시킨다. 이를 세계의 횡포에 맞서는 자아의 의지로 해석한다면 전자는 설화적 특성을, 후자는 소설적 특성을 보인다고 할 수 있다.

02 구운몽 김만중

해제

「구운몽」은 서포 김만중이 유배 시절에 홀로 계신 어머니의 외로움과 근심을 덜어 주기 위해 지은 것으로 전해진다. 조선 시대를 대표하는 양반 소설이자 몽자류 소설의 효시인 이 작품은 작가의 심오한 철학적·종교적 가치관을 반영하고 있다. 불제자인 주인공 성진이 하룻밤 안에 겪은 일을 바탕으로 한 액자 소설로, '현실–꿈–현실'의 환몽 구조로 이루어져 있다. 특히 현실의 공간이 불도를 닦는 천상계이고, 꿈속 양소유의 삶이 인간계로 설정되어 있는 것이 이채롭다. 인간으로 태어나 세속적 욕망을 모두 성취한 후 깨달음을 얻게 되는 주인공의 행적과 육관 대사의 가르침을 통해 유교적 공명(功名)주의와 불교의 공(空) 사상, 도교의 신선 사상이 융합된 주제를 구현하고 있다.

전체 줄거리

성진은 스승인 육관 대사의 심부름을 다녀오다가 만난 팔선녀에게 마음을 빼앗기고 인간의 욕망을 탐하여 인간계로 추방되어 양소유로 태어난다. 한편, 위 부인의 제자인 팔선녀도 인간 세상에 환생하여 차례로 양소유와 인연을 맺게 된다. 두 부인과 여섯 첩을 거느린 양소유는 입신양명하여 벼슬이 승상에 이르는 부귀영화를 누린다. 그러던 어느 가을날 문득 인생무상을 느끼게 되고, 이때 한 호승이 나타나 그의 꿈을 깨운다. 꿈에서 깬 성진은 깨달음을 얻어 불도에 정진하게 되고, 팔선녀도 불제자가 되기를 청한다. 이후 아홉 사람 모두는 큰 도를 얻고 함께 극락세계로 간다.

핵심 정리

(1) 갈래: 양반 소설, 국문 소설, 몽자류 소설, 염정 소설, 영웅 소설

(2) 성격: 불교적, 전기적(傳奇的), 이상적

(3) 시점: 전지적 작가 시점

(4) 배경: 시간적 – 당나라 때, 공간적 – ① 현실: 중국 남악 형산의 연화봉, 동정호, ② 꿈: 중국 일대

(5) 주제: 인생무상의 깨달음으로 인한 허무의 극복, 상대주의 가치관의 깨달음

(6) 특징: ① '현실–꿈–현실'의 환몽 구조를 취하는 몽자류 소설임.

② 현실의 공간이 신선계이고, 인간계가 비현실적인 꿈속 공간으로 설정됨.

③ 유·불·선 사상이 나타나며, 그중 불교의 공(空) 사상이 중심을 이룸.

(7) 구성

발단	성진이 속세의 욕망을 탐하다가 인간 세상 밖으로 추방됨.
전개	양 처사의 아들 양소유로 환생한 성진이 인간 세상에서 2처 6첩을 거느리고 부귀영화를 누림.
절정	양 승상(양소유)이 인생무상을 느끼고 호승에 의해 꿈에서 깨어나 현실로 돌아옴.
결말	대사의 가르침으로 인생무상을 깨달은 성진과 팔선녀가 불도에 정진하고, 성진과 팔선녀가 극락세계로 감.

어휘·어구 풀이

● **육환장(六環杖)** 승려가 짚는, 고리가 여섯 개 달린 지팡이.

● **빈승(貧僧)** 도학(道學)이 깊지 못한 승려.

● **도량(道場)** 부처나 보살이 도를 얻는 곳.

● **달마 존자** 달마대사. 여기서 '존자'는 덕이 높은 수행자, 현자(賢者)를 말함.

● **화상(和尚)** 수행을 많이 한 승려.

❶ **빈승은 연화 도량 육관 대사의 제자로~장차 돌아오는 길이옵니다.** 성진이 육관 대사의 심부름으로 수정궁에서 동정 용왕을 만나고, 술을 마신 뒤 연화 도량으로 돌아오는 길이었다.

❷ **첩들이 들으니~바라건대 다른 길로 행하소서.** '남자와 여자가 같은 길에 함께 있을 수 없으니' 길을 비켜 달라는 성진의 요구에 대한 답이다. 남녀가 유별하다는 성진의 말은 인정하나, 다리에 먼저 앉아 있었던 것은 우리(팔선녀)이므로 성진이 다른 길로 가는 것이 마땅하다는 주장이다. 성진과 팔선녀가 상대에게 길을 비켜 주기를 다투어 서로 희롱(말이나 행동으로 실없이 놀림.)하는 계기로 작용한다.

[앞부분 줄거리] 중국 당나라 때, 서역으로부터 불교를 전하러 온 육관 대사는 남악 형산 연화봉에 법당을 짓고 불법을 베푼다. 이때 동정호의 용왕도 법회에 참석하니, 육관 대사는 제자인 성진을 용왕에게 보내어 사례한다. 용왕의 후한 대접을 받고 돌아오던 성진은 형산의 위 부인이 육관 대사의 법회에 참석하게 했던 팔선녀와 석교에서 마주치게 된다.

가 성진이 생각하기를,

'이 물의 상류에 무슨 꽃이 피었기에 이런 신기한 향이 물에서 나는가?' / 다시 의복을 정제한 다음 물을 따라 올라가니, 이때에 팔선녀가 석교 위에 앉아서 서로 말하고 있었다. 성진과 팔선녀가 서로 만나니, 성진이 육환장을 놓고 공손히 재배하며 말하였다.

[A] "여보살이여. 빈승은 연화 도량 육관 대사의 제자로 스승의 명을 받들어 산 밑에 나갔다가 장차 돌아오는 길이옵니다. 좁은 석교 위에 보살님들이 앉아 있어, 남자와 여자가 같은 길에 함께 있을 수 없으니, 부디 잠시 발걸음을 옮겨 주시면 길을 빌리고자 합니다." / 팔선녀가 답례하여 말하기를,

[B] "우리는 위 부인의 시녀들이옵니다. 부인의 명을 받들어 육관 대사께 문안을 하고 돌아가는 길입니다. 첩들이 들으니 '길에서 남자는 왼쪽으로 가고 여자는 오른쪽으로 간다.' 하였으나 이 다리가 매우 좁고 첩들이 이미 먼저 앉았으니 도인의 말씀이 마땅치 아니하니, 바라건대 다른 길로 행하소서."

나 성진이 답하기를,

"냇물이 깊고 다른 다리가 없으니 빈승으로 하여금 어느 길로 가라 하십니까?"

팔선녀가 가로되, / "옛날 달마 존자는 갈잎을 타고 바다를 건넜다고 하였사옵니다. 화상께서 육관 대사에게 도를 배웠다면 반드시 신통한 도술이 있을 것이니, 어찌 이런 조그마한 냇물을 건너지 못하여 아녀자와 더불어 길을 다투시나이까." / 성진이 웃으며 대답하되,

"여러 낭자의 뜻을 보니 행인으로 하여금 길 값을 받고자 하려는 듯싶소. 그러나 가난한 중에게 어이 금전이 있으리오. 마침 명주 여덟 개가 있으니 이것으로 길 값을 치르겠나이다."

학습 문제
📖 정답과 해설 354쪽

1. 윗글의 서술상 특징으로 가장 적절한 것은?

① 인물 간의 대화를 중심으로 이야기가 전개되고 있다.
② 사건의 빠른 전개로 긴박한 분위기를 조성하고 있다.
③ 과거와 현재가 교차되어 입체적인 구성을 이루고 있다.
④ 서술자가 이전의 상황에 대해 요약하여 설명하고 있다.
⑤ 작품 속 서술자가 자신의 생각을 독자에게 전달하고 있다.

2. [A]와 [B]의 말하기 방식에 대한 설명으로 적절한 것은?

① [A]는 자신의 무례한 태도를 반성하고 인정에 호소하고 있다.
② [A]는 상황을 설명하고 자신의 요구를 들어주기를 정중히 부탁하고 있다.
③ [B]는 상대가 내세운 근거의 빈약함을 들어 상대를 비난하고 있다.
④ [B]는 임무 수행의 시급함을 밝혀 상대의 요구에 응할 수 없음을 분명히 하고 있다.
⑤ [A]와 [B] 모두 상대에게 논리를 입증할 만한 근거를 요구하고 있다.

손을 들어 복사꽃 가지 하나를 꺾어 팔선녀 앞에 던지니, 그 여덟 봉오리 땅에 떨어져
여덟 개의 명주로 화하였다. 팔선녀가 각각 주워 손에 쥐고 성진을 돌아보며 찬연히 한번
웃고 몸을 솟구치더니 바람을 타고 공중으로 올라갔다. 성진이 석교 위에서 오랫동안 팔
선녀가 가는 곳을 바라보더니 구름 그림자가 사라지고 향기로운 바람이 가라앉았다. 바야
흐로 성진이 석교를 떠나 스승을 가서 뵈니, 스승이 늦게 온 이유를 묻기에 대답하기를,

"용왕이 심히 후하게 대접하고 떠나는 것을 만류하니 차마 떨치고 일어나지 못하였습니다."

팔선녀와 만났던 일을 숨기고, 스승에게 거짓을 고함.

다 대사가 더는 묻지 않고 말하기를,

"물러가 쉬어라."

하여, 성진이 자신의 선방에 돌아오니 날이 이미 어두웠다. 성진이 여덟 선녀를 본 후에
정신이 자못 황홀하여 마음에 생각하되,

『남자로 세상에 태어나서 어려서는 공맹의 글을 읽고, 자라서는 요순 같은 임금을 섬
『 』: 성진의 내적 갈등 시작(불도에 회의를 느낌.)   공자와 맹자의 글
겨, 나가서는 장수가 되고 들어와서는 정승이 되어, 비단 옷을 입고 옥대를 차고, 옥궐에
출장입상(출세)하여
조회하고, 눈에 고운 빛을 보고 귀에 좋은 소리를 듣고, 은택이 백성에게 미치고 공명을
후세에 드리우는 것이 또한 대장부의 일이라. 우리 부처의 법문은 한 바리때의 밥과 한
출세하여 이름을 널리 알리는 것(입신양명)   유교적 공명주의에 의한 생각
병의 물과 두어 권의 경문과 백팔 염주뿐이니 비록 그 도가 높고 아름다우나 적막하기 심
초라한 불도 수행의 길(속세의 부귀영화와 대비됨.)   ▶ 팔선녀와 만난 후 불도 수행에 회의를 느끼는 성진
하도다.』

[중략 부분 줄거리] 속세의 삶을 상상하며 불도에 회의를 느낀 성진은 팔선녀와 더불어 인간 세계로 추방된다.
성진은 인간 세상에서 양 처사의 아들 양소유로 태어나고, 팔선녀는 각기 진채봉, 계섬월, 적경홍, 정경패, 가춘
운, 이소화, 심요연, 백능파로 태어난다. 양소유는 팔선녀와 차례대로 결연을 맺어 두 부인, 여섯 낭자와 함께 화
평하고 즐거이 지내는 한편, 입신양명하여 부귀공명을 이룬다. 그러나 생일을 맞아 종남산 취미궁에 올라가 처첩
들과 가무를 즐기던 양소유는 역대 영웅들의 황폐한 무덤을 보고 문득 인생의 무상함을 느끼고 비회에 잠긴다.
슬픈 생각. 시름

교과서 날개 질문

'성진'이 여덟 선녀를 본 후 고민 에 빠지게 된 까닭은 무엇일까?
| 예시 답안 | 불제자인 성진과 아 름다운 선녀들과의 만남은 수행 중 절제하고 있었던 인간의 세속 적 욕망을 불러일으키는 계기가 된다. 대장부로 태어나 출장입상 하고 부귀공명을 이루는 삶을 동 경하게 되어, 이와는 대조적인 외 롭고 적막한 불도 수행에 회의를 느껴 고민하게 된다.

3. 윗글에 대한 설명으로 적절하지 않은 것은?

① 유교, 불교, 도교의 사상이 반영되어 있다.
② 한글 소설이며, 중국을 배경으로 한 작품이다.
③ 현실 공간이 인간계로, 꿈이 신선계로 설정되어 있다.
④ '입몽 전 – 입몽 – 각몽 후'의 환몽(幻夢) 구조로 이루 어져 있다.
⑤ 몽자류 소설의 효시로 꿈을 통한 깨달음의 과정이 드 러나 있다.

학습 활동 응용

4. 윗글에 대한 감상으로 적절한 것은?

① 성진은 늦은 이유를 묻는 스승에게 팔선녀를 만났던 사연을 솔직하게 말하고 용서를 구하는군.
② 성진은 여덟 선녀들을 보고는 그들의 높고 아름다운 도(道)의 경지에 정신이 황홀해졌군.
③ 성진이 생각하는 '대장부의 일'이라는 것은 유교적 세 계관에 입각한 것이로군.
④ 성진이 '부처의 법문'에 회의를 느낀 것은 현실과 꿈 을 구별하는 이분법적 세계관 때문이로군.
⑤ 양소유가 인생의 무상함을 느낀 것은 인간세상의 부 귀영화를 이루지 못한 좌절감에서 비롯된 것이로군.

어휘·어구 풀이

● 장자방(張子房) 장량(張良). 중국 한나라의 건국 공신. 만년에 신선술을 익혔다고 함.

● 적송자(赤松子) 신농씨 때에, 비를 다스렸다는 신선의 이름.

핵심 쏙쏙

◎ 양소유의 심리 파악

어찌 인생이 덧없지 아니한가?

↓

자신도 죽으면, 부귀풍류와 낭자들의 옥용화태가 다 사라질 것임.

↓

주제 의식 직접 표출

▶ 교과서 날개 질문

'양소유'는 왜 갑자기 인간 세상이 부질없다고 느꼈을까?

| 예시 답안 | 양소유는 큰 어려움 없이 속세의 삶에서 누구나 부러워할 만한 온갖 부귀공명(富貴功名)을 다 누렸다. 그러나 모든 것을 이루고 나서 문득 옛 영웅들의 자취와 자신들이 돌아간 후를 생각해 보니 인간 삶의 유한함을 깨닫게 되고 속세의 삶과 욕망의 허망함을 느끼게 된 것이다.

라 "소유는 본디 하남의 베옷을 입은 미천한 선비로, 성천자의 은혜를 입어 벼슬이 장상에 이르렀으며 낭자들과의 은정이 백 년이 하루 같으니, 만일 모두 전생 숙연으로 모였다가 인연이 다하여 각각 돌아감은 천지에 떳떳한 일이라.

[A] ┌ 우리가 돌아간 백 년 후에 높은 대가 무너지고 굽은 연못이 메워지며 가무하던 땅이 변하여 거친 산과 쇠한 풀이 되면 초부와 목동이 그곳을 오르내리며 탄식하여 가로되, '여기는 옛날 양 승상이 여러 낭자와 더불어 놀던 곳이라. ㉠ 승상의 부귀풍류와 └ 여러 낭자의 옥용화태는 이제 어디 갔느냐?' 하리니 어찌 인생이 덧없지 아니한가?

내가 생각하니 천하에 유도(儒道)·선도(仙道)·불도(佛道)가 가장 높으니 이를 삼교(三敎)라고 이른다. 유도는 생전(生前)의 사업과 신후(身後)에 이름을 전할 뿐이요, 신선은 예로부터 구하여 얻은 자가 드무니 진시황·한무제·현종황제를 보면 알 수 있다. 내가 벼슬에서 물러난 후로부터 밤에 잠이 들면 꿈속에서 매양 포단 위에 참선하는 모습을 보니 이는 필연 불가와의 인연이 있는 것이라. 내가 장차 장자방이 적송자(赤松子)를 따른 것을 본받아 집을 버리고 스승을 구하여 남해를 건너 관세음보살을 찾고, 오대(五臺)에 올라 문수보살께 예를 하여 불생불멸의 도를 얻어 진세 고락을 벗고자 하되, 그대들과 반평생을 해로하다가 갑자기 이별하려 하니 슬픈 마음이 자연스레 곡조에 나타난 것이오."

▶ 보충 자료 몽중몽(夢中夢)

구운몽은 꿈과 현실이 교차되는 '몽중몽' 구조를 가지고 있다. 연화 도량에서 수도하는 성진은 현실(신선계)의 인물이며, 세속적 삶을 살며 부귀영화를 누리는 양소유는 꿈(인간계)의 인물인데, 바로 이 꿈속에서 양소유는 현실 세계의 일을 꿈으로 꾸고 있다.

학습 문제

5. 윗글에 드러난 소유의 생각으로 적절하지 **않은** 것은?

① 사람은 인연에 따라 만났다가 헤어지기 마련이다.
② 내 꿈속 모습을 보면 나는 불교와 필히 인연이 있다.
③ 속세에서 벗어나기 위한 이별은 슬퍼할 일이 아니다.
④ 천하에 유도, 선도, 불도가 가장 높고 훌륭한 사상이다.
⑤ 오랜 세월이 지나면 속세의 부귀풍류는 모두 사라진다.

6. ㉠과 관련된 한자성어가 **아닌** 것은?

① 남가일몽(南柯一夢) ② 동상이몽(同床異夢)
③ 일장춘몽(一場春夢) ④ 일취지몽(一炊之夢)
⑤ 한단지몽(邯鄲之夢)

7. 윗글의 내용 중, 대조적인 것끼리 묶은 것으로 적절하지 **않은** 것은?

① 베옷을 입은 선비 ↔ 벼슬이 장상에 이름.
② 가무하던 땅 ↔ 거친 산과 쇠한 풀
③ 포단 위에 참선하는 모습 ↔ 집을 버리고 스승을 구함.
④ 불생불멸의 도 ↔ 진세 고락
⑤ 반평생을 해로함. ↔ 갑자기 이별함.

서술형

8. [A]와 〈보기〉의 시조에 공통적으로 드러난 정서를 서술하시오.

| 보기 |
흥망(興亡)이 유수(有數)ᄒ니 만월대(滿月臺)도 추초ㅣ(秋草)로다
오백 년(五百年) 왕업(王業)이 목적(牧笛)의 부쳐시니
석양(夕陽)에 지나는 객이 눈물계워 ᄒ노라.

마 <u>모든 낭자들이 다 전생에 근본이 있는 사람이라, 또한 세속 인연이 다할 때니</u> 이 말을
_{현실 세계에서 위 부인의 시녀인 팔선녀였음.}
듣고 자연히 감동하여 이르되,

"상공께서 부귀번화를 누리는 가운데도 이렇듯 청정한 마음을 가지셨으니 <u>상공에게 어</u>
<u>찌 장자방을 견주리오?</u> 『우리 자매 팔 인은 마땅히 깊은 규중에서 분향 예불하여 상공
_{설의법, 장자방보다 훌륭함을 이름.} _{『 』: 양소유의 출가를 반대하지 않고, 그의 생각에 동의. 득도하면 자신들도 제도해 달라고 부탁함.}
께서 돌아오시기를 기다릴 것이옵니다. 상공께서 이번에 가시면 반드시 밝은 스승과

어진 벗을 만나 큰 도를 얻으시리니, 득도한 후에 부디 첩 등을 먼저 제도(濟度)해 주

소서.』 / 승상이 몹시 기뻐하며 말하기를,

"우리 아홉 사람의 뜻이 같으니 쾌사라. 과인은 내일 떠날 것이니, 오늘은 모든 낭자와
더불어 취하도록 술을 마시리라."
_{낭자들의 동의도 있으니, 당장 결심을 실행에 옮기겠다는 뜻}

모든 낭자들이 말하기를,

"첩들이 각각 한 잔씩 받들어 상공을 전송하오리다."
▶ 양 승상이 여덟 낭자에게 불도에 귀의할 뜻을 전함.

바 잔을 씻어 다시 부으려 하는데, 홀연 막대 던지는 소리가 났다. 모든 사람들이 의아히
여기며 생각하기를, '어떤 사람이 올라오는가?' 하였다. ㉠ <u>한 호승(胡僧)</u>이 눈썹이 길고
_{육관 대사가 성진의 꿈속에 등장함. 인물의 외양 묘사로 비범함 강조}
눈이 맑고 얼굴이 괴이하였다. 엄연히 좌상에 이르러 승상에게 예를 하며 말하기를,
_{양소유} _{엄숙하고 점잖게}
"㉡ <u>산야 사람</u>이 대승상을 뵈옵니다."
_{山野. 산과 들에서 사는 사람. 도인 → 육관 대사}
태사가 ㉢ <u>이인</u>인 줄 알고 황망히 답례하기를,
_{마음이 급하여 허둥지둥하며}
"사부는 어느 곳으로부터 오셨나이까?" / 호승이 웃으며 대답하기를,
_{스승 육관 대사를 전혀 알아보지 못함.}
"평생 고인을 몰라보시니 일찍이, '귀인은 잊기를 잘한다.'는 말이 옳소이다."
_{오래전부터 사귀어 온 사람}
㉣ <u>승상이 자세히 보니 과연 얼굴이 익은 듯하였다.</u> 문득 깨달아 능파 낭자를 돌아보며
말하기를, / 『내가 지난날 토번을 정벌할 때 꿈에 동정 용궁의 잔치에 참석하고 돌아오는
_{『 』: 꿈속에 꿈을 꾼 일을 언급함. 양소유는 자신이 성진이었다는 사실을 전혀 기억하지 못함.}
길에, 한 화상이 법좌(法座)에 앉아서 경을 강론하는 것을 보았는데 노승이 바로 그 ㉤ <u>노</u>
<u>화상이냐?</u>』 / 호승이 박장대소하고 가로되,
_{꿈속의 일은 기억하고 현실의 일은 기억하지 못하므로}
"옳도다, 옳도다. 비록 그 말이 옳으나 『꿈속에서 잠깐 만난 일은 기억하고 십 년 동안
_{『 』: 성진이 꿈속에 있다는 사실을 일깨워 줌.}
같이 살았던 것은 기억하지 못하니』누가 양 승상을 총명하다 하였는가?"

어휘·어구 풀이

● **예불(禮佛)** 부처 앞에 경배하는 의식. 또는 그 의식을 행함.

● **제도(濟度)** 미혹한 세계에서 생사만을 되풀이하는 중생을 건져 내어 생사 없는 열반의 언덕에 이르게 함.

● **쾌사(快事)** 매우 기쁜 일.

● **호승(胡僧)** 서역의 승려.

● **좌상(座上)** 여러 사람이 모인 자리.

● **이인(異人)** 재주가 신통하고 비범한 사람.

● **토번(吐番)** 중국 당나라와 송나라 때에, '티베트족'을 이르던 말.

핵심 쏙쏙

◉ **호승의 역할**
비범한 인물로 설정하여 속세의 꿈을 꾸고 있는 양소유를 깨워 성진으로 돌아오게 하고, 깨달음으로 인도하는 중요한 역할을 함.

◉ **몽동류 소설 「구운몽」**

'현실 – 꿈 – 현실'의 환몽 구조
↓
꿈속에서 오히려 현실 세계 (속세, 인간계)의 일을 다룸.
↓
꿈을 통해 세속적 욕망이 헛되다는 주제의식을 효과적으로 드러냄.

학습 활동 응용

9. 〈보기〉와 관련하여 윗글을 감상한 내용으로 적절한 것은?

| 보기 |

　　「구운몽」은 속세의 남녀 정욕과 부귀영화를 동경하던 아홉 사람이 꿈속에서 속세의 욕망을 모두 누린 후, 허망함을 느껴 인생의 덧없음을 깨닫는 이야기이다.

① 아홉 사람은 인생의 덧없음을 술을 통해 해소하려 하는군.

② 아홉 사람은 세속의 인연이 다한 것을 알고 괴로움을 이기지 못하는군.

③ 모든 낭자들은 큰 도를 얻기 위해 떠나려는 승상의 마음을 이해하는군.

④ 호승은 속세의 부귀영화에 미련을 버리지 못하는 승상을 안타까워하는군.

⑤ 승상은 갑자기 나타난 호승을 자신에게 깨달음을 줄 스승이라 여기고 반가워하고 있군.

10. ㉠~㉤ 중, 지시 대상이 나머지와 다른 하나는?

① ㉠　② ㉡　③ ㉢　④ ㉣　⑤ ㉤

어휘·어구 풀이

● **경사(京師)** 서울.
● **상종(相從)** 서로 친하게 지 냄.
● **춘몽(春夢)** 한바탕 봄꿈이라 는 뜻. 인생의 덧없음을 비유 하는 말.
● **석장(錫杖)** 승려가 짚고 다 니는 지팡이.
● **누대(樓臺)** 누각과 대사와 같이 높은 건물.
● **환술(幻術)** 남의 눈을 속이 는 기술.
● **위의(威儀)** 위엄이 있고 엄 숙한 태도나 몸가짐.
● **풍도옥(酆都獄)** 도가에서, '지옥'을 이르는 말.
● **출장입상(出將入相)** 나가서 는 장수, 들어와서는 재상이라 는 뜻. 문무를 다 갖추어 장상 (將相)의 벼슬을 모두 지냄.
● **공명신퇴(功名身退)** 공(功) 을 세워 이름을 떨치고 벼슬에 서 물러남.
❶ **높은 대와 많은 집들이~지는 달이 창가에 비치고 있었다.** 육관 대사에 의해 성진이 꿈 에서 현실로 돌아오는 장면(각 몽)이다. '향로에 불이 사라진 것'과 '지는 달이 창가에 비치 고 있는 것'은 밤이 끝나가고 있음을 보여 주는 것이다. 이로 써 성진이 꿈을 꾼 것은 하룻 밤 동안의 일이었다는 것을 알 수 있다.

승상이 망연자실하여 말하기를,
_{멍하니 정신을 잃어}

"소유는 십오륙 세 이전에는 부모의 슬하를 떠난 적이 없고, 십육 세에 급제하여 곧바로 직명을 받아 관직에 있었으니, 동으로 연나라에 사신으로 가고 토번을 정벌하러 떠난 것 외에는 일찍이 경사를 떠나지 아니하였거늘, 언제 사부와 함께 십 년을 상종하였으리오?" / 노승이 웃으며 말하기를, / "상공이 아직도 춘몽을 깨지 못하였도다."
_{일장춘몽(一場春夢)}

🔵**사** 승상이 말하기를, / "사부는 어찌하면 소유로 하여금 춘몽을 깨게 하실 수 있나이까?"
_{자신을 일깨워 달라고 간청함.}

노승이 이르기를, / "이는 어렵지 않도다."

하고 손에 잡고 있던 석장을 들어 돌난간을 두어 번 두드렸다. 갑자기 네 골짜기에서 구름이 일어나 누대 위를 뒤덮어 지적을 분변하지 못하였다. 승상이 정신이 아득하여 마치
_{전기적(傳奇的) 요소}
취몽 가운데 있는 듯하여 한참만에 소리를 질러 말하기를,

"사부는 어찌하여 정도(正道)로 소유를 인도하지 아니하고 환술로써 희롱하시나이까?"

『승상이 말을 마치지 못하여 구름이 걷히는데 노승은 간 곳이 없고 좌우를 돌아보니 팔
_{『 』: 성진이 꿈에서 깨어나는 순간(각몽)}
낭자도 간 곳이 없었다. 승상이 매우 놀라 어찌할 바를 모르는 중에 높은 대와 많은 집들이 한순간에 없어지고 자기의 몸은 작은 암자의 포단 위에 앉았는데, 향로에 불은 이미
_{성진이 꿈을 꾸는 동안 시간이 흘렀음을 알려 줌.}
사라지고 지는 달이 창가에 비치고 있었다.』❶
▶ 육관 대사에 의해 꿈에서 현실로 돌아온 성진

🔵**아** 『자신의 몸을 보니 백팔 염주가 걸려 있고 머리를 손으로 만져 보니 갓 깎은 머리털이
_{성진이 스스로 승려의 신분을 자각하게 됨.}
가칠가칠하였으니 완연히 소화상의 몸이요 전혀 대승상의 위의가 아니니, 정신이 황홀하
_{소화상의 몸 ↔ 대승상의 위의}
여 오랜 후에야 비로소 제 몸이 연화 도량의 성진(性眞) 행자(行者)임을 깨달았다.』
_{『 』: 양소유로서의 삶이 꿈이었음을 확연히 인식함.   부처나 보살이 도를 얻는 곳}

그리고 생각하기를, '처음에 스승에게 책망을 듣고 풍도옥(酆都獄)으로 가서 인간 세상에 환도하여 양가의 아들이 되었다. 그리고 『장원 급제를 하여 한림학사를 한 후 출장입상
_{『 』: 성진이 팔선녀를 만난 후 꿈꾸었던 세속적 욕망}
(出將入相), 공명신퇴(功名身退)하여 두 공주와 여섯 낭자로 더불어 즐기던 것이 다 하
_{일장춘몽, 헛됨.}
룻밤의 꿈이로다. 이는 필연 사부가 나의 생각이 그릇됨을 알고 나로 하여금 그런 꿈을
_{육관 대사가 성진을 깨닫게 하기 위해 인간계로 보낸 것을 알게 됨.}
꾸게 하시어 인간 부귀와 남녀 정욕이 다 허무한 일임을 알게 한 것이로다.'
▶ 꿈속에서의 양소유로서의 삶을 기억하고, 스승의 의도에 감사하는 성진

학습 문제

11. 윗글 전체의 구조를 다음과 같이 도식화했을 때, ⓐ~ⓔ 중 윗글의 🔵**사**에 해당하는 부분은?

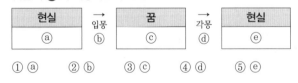

현실	→ 입몽	꿈	→ 각몽	현실
ⓐ	ⓑ	ⓒ	ⓓ	ⓔ

① ⓐ   ② ⓑ   ③ ⓒ   ④ ⓓ   ⑤ ⓔ

12. 윗글을 통해 알 수 있는 내용으로 적절하지 <u>않은</u> 것은?

① 양소유는 노승이 육관 대사인 것을 알아보지 못했다.
② 성진이 꿈에서 깨어난 시간은 밤이 거의 끝나갈 무렵이었다.
③ 성진은 자신이 연화 도량의 행자인 것을 깨닫고 난 후 실망하였다.
④ 꿈에서 깬 성진은 꿈속에서 양소유로서 살았던 것을 기억하고 있었다.
⑤ 성진은 스승이 일부러 꿈을 꾸게 해서 인간 세상의 부귀공명을 누리게 했음을 깨달았다.

어휘·어구 풀이

● **방장(方丈)** 화상(和尙), 국사(國師) 등의 고승(高僧)이 거처하는 처소.
● **불초(不肖)** 못나고 어리석음.
● **겁(劫)** 이 세상이 한 번 이루어졌다 없어지는 긴 시간.
● **간여(干與)** 관계하여 참여함.
● **장주(莊周)** 도가 사상의 중심인물인 장자의 본명.
● **설법(說法)** 불교의 가르침을 들려줌.

㉮ 성진이 서둘러 세수하고 의관을 정제히 하여 방장에 나아가니, 다른 제자들이 이미 다 모여 있었다. 대사가 큰 소리로 묻기를,

"성진아, 인간 부귀를 겪어 보니 과연 어떠하더냐?"
_{양소유로서의 삶 알고 있는 육관 대사가 성진에게 깨우침을 촉구하는 질문을 함.}

성진이 머리를 조아리고 눈물을 흘리며 하는 말이,
_{① 자신의 잘못(인간 세상의 욕망을 탐함)을 반성하며, ② 사부님의 깊은 뜻에 감동하여}

"성진이 이미 깨달았나이다. 제자가 불초하여 생각을 그릇되게 하여 죄를 지었으니 마
_{「: 거짓된 것(하룻밤 꿈)에서 깨어난 것을 감사하게 생각함. 아직 현실과 꿈이 다르지 않다는 인식에 이르지는 못함.}
땅히 인간 세상에서 윤회하는 벌을 받아야 하거늘, 사부께서 자비하시어 ⎡하룻밤 꿈⎦으로 제자의 마음을 깨닫게 하시니, 사부의 은혜는 천만 겁이 지나도 갚기 어렵나이다."

대사가 말하기를,

"네가 흥을 타고 갔다가 흥이 다하여 돌아왔으니 내가 무슨 간여할 바가 있겠느냐? 또 네가 말하기를, '인간 세상에 윤회한 것을 꿈을 꾸었다.'라고 하니, 이는 꿈과 세상을 다르다고 하는 것이니, 네가 아직도 꿈을 깨지 못하였도다. 옛말에 ㉠'장주(莊周)가 꿈
_{꿈이 거짓이라고 인식하니   네가 아직 제대로 깨닫지 못하였다}
에서 나비가 되었다가 다시 나비가 장주가 되었다.'라고 하니, 어느 것이 거짓 것이고,
_{장자의 '호접몽' 인용}
어느 것이 참된 것인지 분변하지 못하나니, 이제 성진과 소유에 있어 어느 것이 참이며
어느 것이 꿈이냐?"
_{현실과 꿈(참과 거짓)을 구분하는 것은 무의미하다는 상대주의적 가치관}

성진이 이에 대답하기를,

"제자 성진은 아득하여 꿈과 참을 분별하지 못하겠사오니, 사부는 설법(說法)을 베풀
_{아직 참된 깨달음의 경지에 이르지 못했으니}
어 제자로 하여금 깨닫게 하소서."   ▶ 성진이 육관 대사에게 참된 깨달음으로 이끌어 주기를 청함.
_{더 큰 깨달음으로 인도해 주소서.}

핵심 쏙쏙

◉ 육관 대사의 말에 담긴 주제 의식

> 장주지몽(莊周之夢)
> = 호접지몽(胡蝶之夢)
>
> "장주가 꿈에서 나비가 되었다가~어느 것이 참이며 어느 것이 꿈이냐?"
>
> ↓
>
> 꿈과 현실의 구별이 무의미함.
>
> ↓
>
> 이분법적 세계관을 넘어선 상대주의적 가치관

---

13. 윗글에 대한 감상으로 적절하지 <u>않은</u> 것은?

① 성진은 자비를 베풀어 주신 대사의 은혜에 감사하고 있군.
② 성진은 자신의 죄가 무거워 더 큰 벌을 받아 마땅했다고 생각하고 있군.
③ 대사는 성진이 꿈에서 깨어나 참 진리를 깨달았다는 점을 인정해 주고 있군.
④ 대사는 성진이 인간계에 다녀온 것은 성진 내부의 힘에 의한 것이었다고 말하는군.
⑤ 성진은 '꿈과 참'을 분별하는 것은 매우 어려운 일이라고 느끼고 있군.

서술형 학습 활동 응용
14. 윗글에서 '하룻밤 꿈'의 기능을 서술하시오.

15. 대사가 ㉠을 인용한 궁극적인 이유로 가장 적절한 것은?

① 장주가 나비가 되는 것 같은 비현실적인 일이 성진에게도 일어났음을 강조하려고
② 장주가 꿈에 나비가 되었다가 나비가 다시 장주가 된 불교의 윤회 사상을 가르치기 위해서
③ 장주가 흥을 타고 나비로 태어난 것처럼, 성진도 흥을 타고 소유로 태어났음을 설명하려고
④ 장주가 나비가 아니고 나비도 장주가 될 수 없듯이, 꿈과 세상은 분명히 구분되어 있음을 알리기 위해
⑤ 장주와 나비 중, 어느 것이 참과 거짓인지 구분하지 못하듯, 꿈과 현실의 구별이 무의미하다는 것을 알게 하려고

서술형
16. 이 작품의 제목 '구운몽(九雲夢)'이 지닌 의미를 인물, 주제, 구성의 측면에서 서술하시오.

• 제목 '구운몽(九雲夢)'의 의미

제목	내용	상징적 의미
구(九)	인물	• 현실: 성진과 팔선녀　　• 꿈: 양소유, 두 부인과 여섯 첩
운(雲)	주제	인생무상(人生無常)
몽(夢)	구성	꿈을 통해 주인공이 ❶□□□□을 깨닫게 됨.

• 작품에 반영된 사상

유교	불교	도교(신선 사상)
• 인간계에서 양소유가 노모에게 효도하고 ❷□□□□하고 부귀영화를 누림.	• 육관 대사의 금강경 공(空) 사상 설법 • 불제자인 성진이 깨달음을 얻은 후 불도에 귀의함. • 팔선녀는 여승이 됨.	• 용왕, 선녀 위 부인, 위 부인의 시녀인 팔선녀가 등장함. • 양소유의 아버지 양 처사는 신선이 되기 위해 집을 떠남.

• 주인공의 이름에 담긴 주제 의식

성진 (性眞)	현실	'본성(性)이 참되다(眞)'는 뜻: 꿈에서 깬 후 궁극적으로 참된 깨달음을 얻게 됨.
소유 (少遊)	꿈속	'잠시(少) 동안 노닌다(遊)'는 뜻: 성진이 불도에 회의를 느낄 때, 인간계로 떨어져 잠시(성진에게 하룻밤의 꿈이었음.) 세속적 욕망에 충실한 삶을 살았음.

➡ '인생무상의 깨달음'이라는 주제의식을 드러냄.

• 서사 구조: 환몽 구조, 액자 구성, 세 번의 회의와 부정을 통한 깨달음

현실(신선계)-외화 성진, 팔선녀		꿈(인간계)-내화 양소유, 두 부인과 여섯 첩		현실(신선계)-외화 성진, 팔선녀
불제자 성진이 팔선녀를 만나 불도에 회의를 느끼고 인간의 세속적 욕망을 탐하게 됨. ❸□□□ 가치관에 대한 회의와 부정	입몽➡	꿈속에서 성진은 양소유로 태어나 인간으로 환생한 팔선녀와 온갖 부귀영화를 누리다가 인생의 허무를 느껴 불가에 귀의하고자 함. 속세적 삶의 ❹□□□에 대한 회의와 부정	각몽➡	꿈에서 깬 성진은 스승 육관 대사의 가르침을 받아 허무를 극복하고 불도의 큰 깨달음을 얻음. 참과 거짓의 ❺□□□□ 세계관에 대한 회의와 부정

|정답 | ❶ 인생무상　❷ 입신양명　❸ 불교적　❹ 허무함　❺ 이분법적

학습 활동

작품 속으로

1. 다음은 이 작품의 내용을 구조화한 것이다. '현실'에서 일어난 주요 사건들을 정리해 보자.

현실	꿈	현실
성진이 동해 용왕을 만나고 돌아오는 길에 팔선녀와 만난 후 인간의 부귀영화와 남녀의 정욕을 동경하여 육관 대사에 의해 인간 세계로 내쳐진다.	성진과 여덟 선녀는 인간 세상에 각각 양소유와 여덟 여인으로 태어나 세속적 부귀영화를 누리다가 문득 인생의 무상함을 느낀다.	성진이 꿈에서 깨어나 인생무상을 깨달았음을 육관 대사에게 고하나 육관 대사는 성진에게 더 큰 깨달음을 요구한다.

2. 작품 속 '꿈'의 기능과 '육관 대사'의 역할이 무엇인지 생각해 보자.

'꿈'의 기능	성진과 여덟 선녀가 속세의 경험을 통해 인생의 무상함을 느끼게 하는 장치
'육관 대사'의 역할	꿈을 통해 성진과 여덟 선녀에게 속세를 경험하게 함으로써 그들 스스로 깨달음을 얻도록 유도함. 또한 그들이 인생의 무상함을 넘어서 참된 이치를 깨달을 수 있도록 유도함.

3. 다음 표를 바탕으로 성진(양소유)의 생각의 변화를 정리하고, 이 작품의 주제가 무엇인지 생각해 보자.

성진이 팔선녀를 만나고 나서	불가의 삶은 너무 적막해. 대장부로서 속세에 나아가 부귀공명을 이룰 거야.
양소유가 되어 부귀공명을 누리고 나서	인간의 부귀영화는 백 년을 넘기기 힘든 것이니 인간 세상의 부귀공명은 참 덧없는 것이구나.
다시 성진으로 돌아와 육관 대사의 가르침을 받고 나서	불가의 세계는 참이고 인간 세상은 거짓이라는, 참과 거짓의 이분법적 구분을 넘어서는 참된 이치를 깨달아야 하는구나.
주제	참·거짓의 이분법적 구분을 넘어선 상대주의적 가치관의 깨달음

작품 너머로

4. 다음은 환몽 구조의 또 다른 모습을 보여 주는 「옥루몽」의 일부이다. 〈자료 1〉과 〈자료 2〉를 참고하여 「옥루몽」의 환몽 구조가 지닌 특징을 「구운몽」과 비교해 보자.

[앞부분 줄거리] 본디 천상 세계의 선관이었던 문창성은 낙성연에 참가하였다가 선녀들과 수작한 죄로 인간 세상에 양창곡으로 다시 태어난다.『천상에 함께 있었던 다섯 선녀도 인간 세상에 윤 소저, 황 소저, 강남홍, 벽성선, 일지련으로 다시 태어나 양창곡과 인연을 맺는다.』양창곡은 벼슬을 하고 공을 세워 연왕에 오른다. 그 뒤 부친 양현, 모친 허 부인, 다섯 아내, 자식들과 영화로운 삶을 살게 된다.

선관(仙官)

『　』: 인간 세계로 적강함.

그날 밤 강남홍이 취하여 취봉루로 달아가 옷도 벗지 못하고 책상에 기대서 깜빡 잠이 들었다. 갑자기 정신이 황홀하고 몸이 가볍게 떠오르면서 어떤 명산(名山)에 당도하였다. 봉우리는 높고 바위 빛은 험준하여 마치 한 송이 연꽃이 평지에 피어 있는 듯하였다. 그녀가 가운데 봉우리에 이르니, 웬 보살 한 분이 푸른 눈썹에 옥 같은 얼굴을 하고 몸에는 비단가사를 걸치고 석장(錫杖)을 짚고 있다가 웃으며 맞이하였다.

천상 세계로 입몽하는 곳

꿈속(천상 세계)으로 들어감.

"강남홍 낭자는 인간 세상의 즐거움이 어떻소?"

강남홍이 멍하니 깨닫지 못하고 말했다.

"존사(尊師)께서는 누구시며, 인간의 즐거움이란 것은 무엇을 말씀하시는 겁니까?"

보살이 웃으며 손에 들고 있던 석장을 공중에 던졌다. 그러자 홀연 한 줄기 무지개가 만들어지면서 하늘과 이어졌다. 보살이 강남홍을 안내하여 무지개를 밟고 허공으로 올라갔다. 앞에는 대문이 있는데 오색구름에 싸여 있었다. 강남홍이 물었다. / "이것은 무슨 문입니까?"

수월암 관세음보살임.

보살이 말했다. / "남천문(南天門)입니다. 그대는 저 문에 올라가서 한번 보시오."

천상 세계

『그녀는 보살을 따라 문 위로 올라가 한곳을 바라보았다. 해와 달이 밝게 비치고 광채가 휘황한데 그 가운데 누각 하나가 허공에 높이 솟아 있었고 백옥 난간과 유리 기둥이 영롱하게 빛나서 눈이 어질어질하였다. 누각 아래로는 푸른 난새와 붉은 봉황이 쌍쌍이 배회하고 있었으며, 몇 명의 선동(仙童)과 서너 명의 시녀가 하의(霞

『　』: 환상적이고 신비로운 분위기

衣)와 예상(霓裳)을 입고 난간머리에 서 있었다. 누각 위를 바라보니 한 신선이 다섯 선녀와 이리저리 뒤엉켜 난간에 기대 취하여 잠이 들어 있었다. 그녀는 보살에게 물었다.

"이곳은 웬 곳이며, 저 사람들은 웬 신선입니까?"

보살이 미소를 지으며 말했다.

"이곳은 백옥루(白玉樓)고, 저 신선은 문창성(文昌星)입니다. 그 옆에 누워 있는 사람들은 상제를 모시는 옥녀[帝傍玉女], 천요성(天妖星), 홍란성(紅鸞星), 제천선녀(諸天仙女), 도화선(桃花仙)입니다. 홍란성은 바로 그대의 전신(前身)이지요." [중략]

<u>강남홍의 정체에 대해 말함.</u> ▶ 강남홍이 꿈을 꿈.

강남홍이 말했다.

『"그렇다면 저도 천상의 별이라는 것인데, 이미 이곳에 왔으니 다시 인간 세상으로 돌아가고 싶지 않습니다."』
『 』: 천상 세계로 가고자 함.

그러자 보살이 웃으며 말했다. / "하늘이 정한 인연은 인간의 힘으로는 미칠 수 없는 것이오. 그대는 인간 세상에서의 잠깐 동안의 인연을 마치지 못했습니다. 얼른 <u>돌아갔다가 40년 뒤에 다시 와서 옥황상제께 조회를 하고 천상의 즐거움을 누리도록 하시오.</u>"
<u>인연이 다한 후 다시 천상 세계로 돌아오게 될 것임.</u>

강남홍이 물었다. / "보살은 누구십니까?"

보살이 웃으며 말했다.

"빈도(貧道)는 남해(南海) 수월암(水月庵)의 관세음보살(觀世音菩薩)이오. 부처님의 명을 받들어 그대를 안내하여 이곳에 온 것입니다."

보살이 이야기를 마치고 석장을 들어 공중에 던지자 갑자기 오색 무지개가 일어나는 것이었다. 홀연 천둥이 한 번 치면서 <u>깜짝 놀라 깨어나니 한바탕 꿈이었다.</u> 취봉루 책상 앞에 예전처럼 누워 있는 것이었다.
<u>속세의 세계에서 천상 세계를 경험함.</u>
▶ 강남홍이 꿈에서 깸.
– 남영로, 「옥루몽」에서

■ 예상(霓裳) 무지개와 같이 아름다운 치마라는 뜻으로, 신선의 옷을 이르는 말.

📖 **작품 연구** 남영로, 「옥루몽」

- **갈래**: 한문 소설, 염정 소설, 군담 소설
- **성격**: 전기적, 일대기적
- **배경**: 중국 명나라 때
- **제재**: 양창곡의 일생
- **주제**: 양창곡의 다섯 여인과의 결연과 영웅적 일생
- **특징**: ① 인물의 성격 창조가 뛰어남.
  ② 방대한 규모, 다양한 소재, 사실적 묘사가 돋보임.

자료 1

자료 2

입몽과 각몽으로 구성되는 일반적인 환몽 구조와 달리 「옥루몽」은 입몽과 죽음으로 이루어져 있다. 천상계에서 꿈을 꾸어(입몽 1) 속세로 진입한 주인공들이 꿈에서 깨어나 천상계로 복귀하는 것이 아니라, 속세에서 생이 끝난 뒤 죽음에 복귀하는 것이다.

한편 이 작품은 꿈속 세계에서 한 번 더 환몽 구조가 펼쳐진다. 주인공은 꿈속 세계인 속세에서 다시 꿈을 꾸어(입몽 2) 천상계로 들어가 자신이 본래 천상계의 존재였음을 깨닫고 꿈에서 깨어난다(각몽). 그러나 곧바로 천상계로 복귀하지 않고 속세에서의 삶을 모두 누린다. 이 작품의 속세에 대한 긍정적 인식이 환몽 구조를 변형시킨 것이다.

| 예시 답안 | 입몽과 각몽으로 구성되는 전형적인 환몽 구조를 갖춘 「구운몽」과 달리 「옥루몽」은 환몽 구조의 외양은 갖추고 있지만 주인공들이 각몽을 통해 깨달음을 얻으며 각몽 후 곧바로 천상계로 가지 않고 속세에서 생을 마감한 뒤에야 천상계로 간다는 점에서 환몽 구조의 전형적인 모습으로부터 벗어나 있다. 또한 각몽과 함께 불가의 세계로 복귀하는 「구운몽」과 달리 「옥루몽」에서는 꿈속 세계에서 다시 꿈을 꾸어 일시적으로 천상계를 경험하고 각몽을 하는데, 이때에도 천상계로 바로 돌아가지 않고 속세의 삶을 누린다. 이러한 특징은 「옥루몽」이 「구운몽」에 비해 속세에 대해 더 긍정적으로 인식하고 이를 우선시하고 있음을 보여 주는 것이다.

보충 자료 「옥루몽」의 주요 인물과 사건

발단	천상의 신선 문창성은 다섯 선녀와 술을 마시며 희롱하다가 벌을 받고 인간 세계로 쫓겨남.
전개	문창성은 양창곡으로 다시 태어나고 천상에 함께 있다가 인간 세상에 태어난 다섯 여인과 결연을 맺음.
위기	양창곡이 전쟁터로 나간 뒤 강남홍을 구하지만 그녀를 태운 배는 남만으로 향함.
절정	남만이 침공하자 양창곡은 대원수가 되어 참전하고, 남만의 장수가 된 강남홍과 재회함.
결말	양창곡은 두 부인, 세 첩과 부귀영화를 누리다가 천상계로 돌아가 신선이 됨.

03 너와 나만의 시간 황순원

• 서사 문학 갈래의 전개와 구현 양상   • 문학과 시대 상황

해제

「너와 나만의 시간」은 한국 전쟁 중, 전장에서 낙오되어 죽음의 두려움에 직면한 인물들의 심리와 그들의 선택을 그린 작품이다. 부하들에게 짐이 된다는 사실을 알지만 희망을 잃지 않았던 주 대위, 부상당한 주 대위를 외면하지 않고 끝까지 함께한 따뜻한 인간애를 가진 김 일등병, 그리고 혼자 살아남기 위해 도망갔다가 죽음을 맞은 현 중위, 이 세 사람의 행동과 심리를 통해 인간의 생존 의지와 존재 의미를 담아내고 있다. 주로 이념의 갈등을 다루던 전후 소설의 한계에서 벗어나, 전쟁 속에서 인간 본연으로서의 모습에 대한 깊은 통찰을 이끌어 냈다는 점에서 의의가 있는 작품이다.

전체 줄거리

주 대위, 현 중위, 김 일등병은 전쟁 중에 낙오되어 깊은 산속을 헤매고 있다. 다리에 총상을 입은 주 대위를 교대로 업고 이동하는데, 현 중위는 권총을 바라보는 행위로 주 대위가 스스로 목숨을 끊도록 은연중에 압박한다. 하지만 주 대위는 이를 애써 외면한다. 혼자 살아남기 위해 현 중위는 몰래 떠나고, 그를 대신하여 김 일등병이 혼자 주 대위를 감당한다. 더위와 기아로 지쳐 갈 무렵, 현 중위의 시체를 발견한 둘은 남은 기운마저 다 빠져 버린다. 그러다가 멀리서 들려오는 아군의 포성에 희망을 갖지만 그곳이 너무 멀다는 주 대위의 말에 김 일등병은 절망한다. 주 대위는 자신의 죽음이 멀지 않았음을 직감한다. 그때 은은한 포소리 사이로 들리는 개 짖는 소리에 인가가 가까이 있음을 확신한 주 대위는 권총으로 김 일등병을 위협하여 그곳까지 가게 만든다. 거의 도착했을 무렵 주 대위는 의식을 잃고 만다.

핵심 정리

(1) 갈래: 단편 소설, 전후 소설, 실존주의 소설

(2) 성격: 사실적, 실존적, 휴머니즘적   (3) 시점: 전지적 작가 시점

(4) 배경: 시간적 - 6·25 한국 전쟁 중, 공간적 - 인적이 없는 깊은 산속

(5) 주제: 극한 상황 속에서 발현되는 삶의 의지와 인간애

(6) 특징: ① 등장인물이 처한 상황과 심리를 중심으로 이야기를 전개함.

② 전후 소설이지만, 이념 갈등이나 전투 장면이 아닌 인간 존재의 의미에 초점을 둠.

③ 사건 전개와 인물의 심리 변화를 간결한 문체와 사실적 묘사로 표현함.

(7) 서사 구조

발단	현 중위와 김 일등병이 부상당한 주 대위를 부축하며 산길을 이동함.
전개	이동에 방해되는 주 대위의 자결을 바라던 현 중위가 동료를 버리고 몰래 떠남.
위기	김 일등병이 주 대위를 업고 가던 중, 현 중위의 시체를 발견함.
절정	주 대위가 개 짖는 소리를 듣고, 김 일등병을 총으로 위협하여 인가로 유도함.
결말	주 대위는 김 일등병을 인가까지 필사적으로 유도하고 난 후 의식을 잃음.

어휘·어구 풀이

● 인가(人家) 사람이 사는 집.
❶주 대위는 온 신경을 귀로 ~ 놓치지 않으려는 것이다. 주 대위의 생존에 대한 강한 의지를 보여 준다. 총상으로 인해 김 일등병에게 의지할 수밖에 없는 그가 할 수 있는 최선의 방법은 혹시라도 들릴지 모르는 아군의 폿소리에 귀를 기울이는 것이다.

핵심 쏙쏙

◉ 인물이 처한 상황 묘사

보이는 것	산봉우리, 계곡의 움직임 없는 굴곡
들리는 것	한없는 고즈넉함 속 김 일등병의 숨소리뿐

인적(생존의 희망)이라고는 찾아볼 수 없는 막막함 (절망적 상황)

▶ 교과서 날개 질문

주 대위와 김 일등병은 현재 어떤 상황에 처해 있는가?
| 예시 답안 | 전쟁 중 낙오된 김 일등병과 주 대위는 인적이 없는 깊은 산속을 헤매고 있다. 혼자 살기 위해 떠난 현 중위 없이, 부상당한 주 대위를 김 일등병이 홀로 감당하며 힘겹게 이동하고 있다.

[앞부분 줄거리] 전쟁 중, 인적이 없는 깊은 산속에 낙오된 주 대위, 현 중위, 김 일등병은 무작정 남쪽으로 이동한다. 현 중위는 부상을 당하여 이동에 방해가 되는 주 대위에게 스스로 목숨을 끊어 다른 사람의 짐을 덜어 달라고 은연중에 압박하지만 주 대위는 이를 외면한다. 결국 현 중위는 밤에 두 사람을 버리고 몰래 떠나고, 김 일등병이 혼자서 주 대위를 업고 이동한다.

가 김 일등병도 군복 바지와 군화마저 벗어 버렸다. 맨발로 산길을 걷기가 힘들다는 걸 모르는 바 아니었다. _{김 일등병이 매우 지쳐 있음을 나타냄.} 하지만 우선 신발이 천근만근 무겁게 여겨져 견딜 수가 없는 것이었다. _{현 중위와 교대로 업던 주 대위를 김 일등병 혼자 감당하는 부담감과 힘겨움}

여기저기 발바닥이 터져 피가 내배었다. 그렇다고 돌부리 아닌 고운 땅만 골라 밟을 수만도 없었다.

한결같이 눈에 뵈는 것은 인가 아닌 산봉우리와 계곡의 움직임 없는 굴곡뿐이요, 귀에 _{삶의 희망   막막하고 절망적인 상황} 는 그처럼 갈망하고 있는 아군의 폿소리 대신 한없이 먼 데까지 퍼져나간 고즈넉함과 김 _{삶의 희망   막막하고 절망적인 상황} 일등병의 몰아쉬는 거친 숨소리뿐이었다.

그래도 주 대위는 온 신경을 귀로 모으고 있었다. 어떤 색다른 소리나마 놓치지 않으려는 것이다.❶ _{절망적 상황 속에서도 생에 대한 강한 의지, 자신을 포기하지 않는 김 일등병에 대한 책임감}

『한번은 주 대위가 저리 가 물을 마시고 가자고 했다. 김 일등병은 어디 물이 있는가 싶 _{『: 주 대위가 김 일등병은 못 듣는 소리를 들을 수 있음을 보여 줌. 이후 주 대위는 '아군의 폿소리'와 '개 짖는 소리'를 듣게 됨.} 었다. 그러나 주 대위가 말하는 데로 가 보니, 바위틈에서 샘물이 흐르고 있었다.』

하루 종일 걸은 것이 겨우 십 리 길도 못 되었다. 그동안 두 사람은 산개구리 몇 마리를 _{지치고 힘든 상황 속에서 산길을 걷느라 매우 지쳐 있음.   식량도 없는 극한의 상황} 잡아 날로 먹었을 뿐이었다.

김 일등병의 무릎은 굽어지고 허리는 앞으로 숙어져 거의 기는 시늉이었다.

주 대위는 김 일등병의 허리가 앞으로 숙는 각도에 따라 그만큼 자기의 생에 대한 희망 도 꺾여 들어감을 느껴야만 했다. _{총상으로 인해 김 일등병에게 의지할 수밖에 없는 주 대위의 불안감과 미안함}
▶ 극단적 상황에서 주 대위를 업고 지쳐 가는 김 일등병

학습 문제

📖 정답과 해설 355쪽

1. 윗글의 제목의 의미에 대한 설명으로 가장 적절한 것은?

① 절망적 상황 속에서 끈끈한 동료애가 실현되는 시간이군.

② 극한 상황에서 개개인 본연의 모습이 드러나는 시간이군.

③ 암담한 현실 속에서도 지향해야 할 가치를 찾는 시간이군.

④ 현실과 이상의 괴리에서 오는 갈등에 직면하는 시간이군.

⑤ 전쟁의 참혹함을 넘어 평화의 세계를 염원하는 시간이군.

2. 윗글의 서술상 특징으로 적절한 것은?

① 서술자가 작품 안팎을 넘나들며 작중 상황을 설명하고 있다.

② 주인공인 서술자가 자신의 심리를 치밀하게 서술하고 있다.

③ 작품 밖 서술자가 인물들의 행동과 심리를 전달해 주고 있다.

④ 작품 속 서술자가 다른 인물들의 행동을 관찰하여 전달하고 있다.

⑤ 작품 밖 서술자가 인물 간의 갈등 상황을 객관적 시선으로 관찰하고 있다.

나 저녁때쯤 어느 능선을 돌아가노라니까 앞에서 까마귀 한 마리가 펄럭 하고 날아올랐다. 깎은 듯한 낭떠러지가 가로놓여 있는 것이었다.

산등성이를 따라 죽 이어진 선 / 죽음이 가까이 있음을 알리는 불길한 예감

발길을 돌리며 김 일등병은 무심코 아래를 내려다보았다. 거기에 까마귀 두세 마리가 앉아 무엇인가 열심히 쪼고 있었다.

주변에 시체가 있음을 암시함.

사람의 시체였다. 그리고 첫눈에 그것은 현 중위의 시체라는 걸 알 수 있었다. 어제저녁 두 사람을 버리고 떠났을 때와 똑같이 위는 셔츠 바람이요, 아래는 군복 바지에 군화를 신고 있었다.

현 중위가 김 일등병보다 체력적으로 덜 지쳐 있었음이 간접적으로 드러남.

까마귀란 놈이 시체 얼굴에 붙어서 무엇인가 쪼고 있는 것이었다. 그러다가 이쪽을 보고는 날아갈 기미를 보이다가도 그저 까욱까욱 몇 번 울 뿐, 다시 쪼기를 계속하는 것이었다. / 시체 얼굴에는 이미 눈알은 없어져 떼꾼하니 검은 구멍이 나 있었다.

낌새 / 전쟁의 잔혹함

두 사람은 이쪽으로 와 아무 데나 쓰러지듯이 드러누웠다. 현 중위의 시체를 보자 마지막 남았던 기운마저 빠져 버리고 만 것이었다.

자신들도 곧 이렇게 되리라는 두려움과 절망감

잠시 후에 김 일등병은 무엇을 생각했는지 일어나 허청거리며 벼랑 쪽으로 가더니 돌을 집어 던지기 시작했다. 그때마다 까마귀가 펄럭 하고 시체를 떠나는 것이었으나, 곧 못마땅한 듯이 까욱까욱하며 다시 내려앉는 것이었다.

① 지친 상황에서도 죽은 동료의 시신이나마 지켜 주고자 하는 마음 ② 죽음에 대한 공포와 불길함을 쫓아 버리고 싶은 마음

김 일등병은 도로 와 쓰러지듯이 드러누워 버렸다.

옆에 누워 있는 주 대위를 돌아다보았다. ㉠그는 눈을 감은 채 번듯이 누워 있었다.

절망과 체념

김 일등병은 전에 치열한 싸움터에서는 오히려 잊게 마련이었던 죽음이란 것을 몸 가까이 느꼈다. 내일쯤은 까마귀가 자기네의 눈알도 파먹으리라. 그러자 그는 옆에 누워 있는 주 대위가 먼저 죽어 까마귀에게 눈알을 파먹히는 걸 보느니보다는 차라리 자기 편이 먼저 죽어 모든 것을 모르고 지나기를 바랐다.

죽음이 곧 닥칠 것이라는 불안감을 느낌. / 죽음을 목격하고 직면하는 것에 대한 공포

그는 문득 울고 싶어졌다. 그러나 그럴 기운조차 지금 그에겐 없었다.

▶ 현 중위의 죽음으로 절망에 빠진 김 일등병과 주 대위

어휘·어구 풀이

● **떼꾼하니** 눈이 쑥 들어가고 생기가 없이.

● **허청거리며** 다리에 힘이 없어 잘 걷지 못하고 비틀거리며.

핵심 쏙쏙

◉ 현 중위의 시신을 본 김 일등병의 행동에 담긴 심리

까마귀를 향해 돌을 던짐.
• 죽음에 대한 두려움, 거부감 • 동료의 시신이나마 지켜 주고 싶은 마음(동료애, 인간애)

↓

도로 드러누움.
• 자신과 주 대위도 현 중위처럼 되리라는 두려움과 공포 • 절망과 체념

교과서 날개 질문

현 중위의 시체를 본 주 대위가 눈을 감은 채 누워 있었던 까닭은 무엇이었을까?

| 예시 답안 | 동료를 버리고 도망쳤던 현 중위의 죽음을 보고, 생사는 인간의 힘을 넘어선 것임을 느끼고 있었을 것이다. 또 한편으로 현 중위의 죽음이 자신에게서 비롯됐다는 자책감에 괴롭고 착잡한 심정을 가누기 어려웠을 것이다.

---

3. 윗글에서 '까마귀'의 기능으로 가장 적절한 것은?

① 인물 간의 갈등을 심화시킨다.

② 과거 회상의 매개체로 작용한다.

③ 인물의 이중적 심리를 드러낸다.

④ 전쟁의 참혹함과 비극성을 강조한다.

⑤ 상황에 대한 극적 반전의 계기가 된다.

서술형 학습 활동 응용

4. 벼랑 쪽으로 가서 돌을 던지기 시작한 김 일등병의 의도와 심리가 무엇인지 두 가지 측면에서 서술하시오.

5. ㉠에 담긴 주 대위의 생각을 추측한 내용으로 적절하지 않은 것은?

① 우리를 배신한 현 중위를 하늘이 대신 벌 준 셈이니 어쩌면 잘된 일이야.

② 살려고 떠난 현 중위가 오히려 먼저 죽다니 삶과 죽음은 누구도 장담하지 못하는군.

③ 남은 우리도 곧 현 중위처럼 비참한 최후를 맞이할지 모른다고 생각하니 너무 두려워.

④ 혼자 떠난 현 중위라도 혹시 아군 진지를 찾아갈 수 있을지 모른다고 생각했었는데……

⑤ 현 중위의 바람대로 차라리 내가 자결했더라면, 현 중위는 이렇게 비참하게 죽지 않았을지도 몰라.

어휘·어구 풀이

● 혼곤히 정신이 흐릿하고 고 달프게.
● 쇠진한 힘이나 세력이 점점 약해진.
● 감별(鑑別) 보고 식별함.
● 상념(想念) 마음속에 품고 있는 여러 가지 생각.
● 진지(陣地) 언제든지 적과 싸울 수 있도록 설비 또는 장 비를 갖추고 부대를 배치하여 둔 곳.

핵심 쏙쏙

◉ '풋소리'에 대한 김 일등병의 심리 변화

아군의 포라는 말에 기대감을 품음.

↓

그러나 곧 너무 먼 곳에서 들린 다는 말에 실망하고 좌절함.

▶ 교과서 날개 질문

주 대위는 왜 자신이 자결했다면 현 중위가 죽지 않았을 거라고 생각하고 있을까?

| 예시 답안 | 총상을 입은 자신에 게 현 중위가 은근히 자결 압력을 넣었었는데, 애써 그것을 외면했던 자신 때문에 결국 현 중위가 서둘 러 떠났고, 그것이 현 중위의 죽음 을 불러왔다고 생각했기 때문이다.

다 저도 모르게 혼곤히 ㉠잠 속에 끌려 들어갔던 김 일등병은 주 대위가 무어라 부르는 소리에 눈을 떴다. 하늘에 별이 총총 나 있었다. / "저 소릴 좀 듣게."

주 대위가 누운 채 쇠진한 목 안의 소리로, / "풋소릴세."
밤이 깊음.

ⓐ김 일등병은 정신이 번쩍 들어 상반신을 일으키며 귀를 기울였다. 과연 먼 우렛소리 같은 포성이 은은히 들려오는 것이다.
삶의 희망. 구원의 손실

㉡"어느 편 폽니까?" / "아군의 포야. 백오십오 밀리의……."

㉢이 주 대위의 감별이면 틀림없는 것이다. 그래 얼마나 먼 거리냐고 물으려는데 주 대위 편에서,

㉣"그렇지만 너무 멀어, 사십 리는 실히 되겠어." / 그렇다면 아무리 아군의 포라 해도 소용이 없다.

ⓑ김 일등병은 도로 자리에 누워 버렸다.

주 대위는 지금 자기는 각각으로 죽어 가고 있다고 느꼈다. 이상스레 맑은 정신으로 그
매 시각
게 느껴졌다. 그러다가 그는 드디어 지금까지 피해 오던 ㉮어떤 상념과 정면으로 부딪쳤
다. 그것은 권총을 사용해야 한다는 생각이었다. 아무래도 죽을 자기가 진작 자결을 했던
삶에 대한 희망을 버리고, 권총으로 자결하여 죄책감에서 벗어나야 한다
들 모든 문제는 해결됐을 게 아닌가. 첫째, 현 중위가 밤길을 서두르다가 벼랑에 떨어져
현 중위의 죽음에 대해 죄책감을 느낌.
죽지 않았을는지 모른다. 아무튼 이제라도 자결을 해 버려야 한다. 그러면 아무리 지친
김 일등병이라 하더라도 혼잣몸이니 어떻게든 아군 진지까지 도달할 가망이 전혀 없는
자기를 업고 가느라고 지친 김 일등병에 대한 미안함. 김 일등병이라도 살려야 한다는 생각(자기희생)
것도 아니다.

그는 김 일등병을 향해,

"풋소리 나는 방향은 동남쪽이다. 바로 우리가 누워 있는 발 쪽 벼랑을 왼쪽으루 돌아
김 일등병이 혼자서 아군 진지를 찾아갈 수 있도록 방향을 알려 줌.
내려가면 된다!" / ㉤있는 힘을 다해 명령조로 말했다. 그리고 무거운 손을 움직여 허리
자결하려 함(위기감 고조).
에서 권총을 슬그머니 빼었다.
▶ 김 일등병만이라도 살리기 위해 자결을 시도하려는 주 대위

학습 문제

6. ㉠~㉤에서 알 수 있는 내용으로 적절하지 않은 것은?

① ㉠: 주 대위는 김 일등병이 잠든 밤에도 주변의 소리에 귀를 기울이고 있다.

② ㉡: 주 대위는 풋소리가 아군의 것인지 아닌지 구별할 수 있을 정도로 예민한 감각을 가지고 있다.

③ ㉢: 김 일등병은 주 대위의 소리 감별 능력을 신뢰하고 있다.

④ ㉣: 사십 리는 부상당한 주 대위와 함께 이동하기에는 너무 먼 거리이다.

⑤ ㉤: 주 대위는 자신을 업고 가느라 지친 김 일등병을 위해서라도 삶을 포기하지 않겠다고 다짐한다.

학습 활동 응용

7. 김 일등병의 행동이 ⓐ에서 ⓑ로 변한 심리적 요인을 나타낸 것으로 적절한 것은?

① 절망 → 희망
② 좌절 → 좌절 극복
③ 기대 → 실망
④ 갈등 → 갈등 해소
⑤ 호의 → 반감

서술형

8. ㉮의 '어떤 상념'의 내용이 무엇일지 구체적으로 서술하시오.

라 그때, 바로 그때 주 대위의 귀에 ⓐ 은은한 풋소리 사이로 또 다른 하나의 소리가 들
<u>극적 전환</u> <u>개 짖는 소리-새로운 삶의 희망(사건의 극적 전환)</u>
려온 것이었다. / 처음에는 그도 의심스러운 듯이 귀를 기울이고 있다가,

"저 소리가 무슨 소리지?"

김 일등병이 고개만을 들고 잠시 귀를 기울이듯 하더니,

"무슨 소리 말입니까?" / "지금은 안 들리는군."

거기에 그쳤던 소리가 바람을 탄 듯이 다시 들려왔다.

"저 소리 말야. 이 머리 쪽에서 들려오는……."

그래도 김 일등병의 귀에는 아무것도 들리지 않았다.

"ⓑ 개 짖는 소리 같애."

개 짖는 소리라는 말에 김 일등병은 지친 몸을 벌떡 일으켜 머리 쪽으로 무릎걸음*을 쳐
<u>인가가 있을 것이라는 희망에 다급해짐(기대감).</u>
나갔다. 개 짖는 소리가 들린다면 그리 멀지 않은 곳에 인가가 있음에 틀림없었다.
<u>두 사람 모두 살 수 있다는 새로운 희망</u>
"그 등성이를 넘어가면 된다!"
<u>멀지 않은 곳에 인가가 있음.</u>
그러나 김 일등병의 귀에는 여전히 아무것도 들리지 않았다. ⓒ 그는 누웠던 자리로 도
로 뒷걸음질을 쳤다. / 주 대위는 김 일등병에게 ⓓ 무엇인가 주고 싶었다. 그리고 그것을
자기 자신도 받고 싶었다.

김 일등병이 드러누우며 혼잣소리로,

"내일쯤은 까마귀 떼가 더 많이 몰려들겠지. 눈알이 붙어 있는 것두 오늘 밤뿐야."
<u>자포자기의 심정에 빠진 김 일등병은 삶에 대한 마지막 희망마저 버리려 함(체념, 절망).</u>
이 말이 채 끝나기도 전에 갑자기 ⓔ 권총 소리가 그의 귓전을 때렸다.

---

9. ⓐ와 ⓑ에 대한 설명으로 가장 적절한 것은?

① 주 대위는 ⓐ보다는 ⓑ에 기대감을 갖고 있다.

② 주 대위는 ⓑ보다는 ⓐ에서 생존 가능성을 찾고 있다.

③ 김 일등병에게는 ⓑ는 들리지만 ⓐ는 들리지 않는다.

④ 김 일등병은 ⓐ에서, 주 대위는 ⓑ에서 희망을 찾고
있다.

⑤ ⓐ와 ⓑ 모두는 인물들에게 절망적 체념을 가져다 준다.

학습 활동 응용

10. ⓒ의 이유로 적절한 것을 〈보기〉에서 골라 바르게 묶은 것은?

│ 보기 │
ㄱ. 주 대위의 말에 확신이 서지 않았기 때문에
ㄴ. 까마귀 떼가 몰려들 것이라는 두려움 때문에
ㄷ. 등성이를 넘어가도 인가는 없을 것을 알았기 때문에
ㄹ. 자신의 귀로는 '개 짖는 소리'를 들을 수 없었기 때문에

① ㄱ, ㄴ ② ㄱ, ㄹ ③ ㄴ, ㄷ ④ ㄴ, ㄹ ⑤ ㄷ, ㄹ

11. 〈보기〉의 ㉠~㉤ 중, 윗글의 ⓓ와 가장 유사한 의미의 시어
는?

│ 보기 │
충분히 흔들리자 ㉠ 상한 영혼이여
충분히 흔들리며 ㉡ 고통에게로 가자

뿌리 없이 흔들리는 ㉢ 부평초 잎이라도
물 고이면 꽃은 피거니
㉣ 이 세상 어디에나 ㉤ 개울은 흐르고
이 세상 어디서나 등불은 켜지듯

– 고정희, 「상한 영혼을 위하여」

① ㉠ ② ㉡ ③ ㉢ ④ ㉣ ⑤ ㉤

서술형

12. 주 대위가 ⓔ를 이용한 이유를 서술하시오.

어휘·어구 풀이

❶하필 자기네 두 사람은 마지막에 이러다가 죽을 필요는 무언가. 개 짖는 소리도 듣지 못했고, 자신을 살리기 위한 주 대위의 의도도 모르는 김 일등병은 어차피 죽을 목숨인데, 굳이 헛고생을 할 필요가 없다고 생각하는 것이다.

핵심 쏙쏙

◉ '개 짖는 소리'에 대한 상반된 태도

주 대위		김 일등병
확신, 희망		의심, 절망
'개 짖는 소리'로 인가가 있다는 확신을 함.	↔	주 대위가 허깨비 소리를 듣는 것이라 생각함.

↓

주 대위가 김 일등병을 권총으로 위협하여 인가가 있는 쪽으로 이끎.

깜짝 놀라 돌아다보니 어둠 속에 주 대위가 권총을 이리 겨눈 채 목 속에 잠긴 음성치
　김 일등병을 권총으로 협박함. 김 일등병을 살리기 위한 최후의 선택
고는 또렷하게,

"날 업어!" / 하는 것이다.
　김 일등병과 자신을 살리기 위한 명령(강한 의지)
김 일등병은 무슨 영문인지 몰라 하면서도 하라는 대로 일어나 등을 돌려 대는 수밖에
　　　　　　　　　일이 돌아가는 형편이나 까닭
없었다. / "자, 걸어라!"　　　　　　　　　　▶ 개 짖는 소리를 따라 김 일등병을 위협해 인가로 이동하게 하는 주 대위

김 일등병은 자기 오른쪽 귀 뒤에 권총 끝이 와 닿음을 느꼈다.
　　　　　　생에 대한 희망을 포기한 김 일등병을 움직이게 하는 필사의 방법
등성이를 넘어 컴컴한 나무숲으로 들어섰다.
　　　　　　　암담하고 막막한 상황
『"좀 서!" / 업힌 주 대위가 잠시 귀를 기울이고 나서,
　『♪ 방향을 잃지 않기 위해 최선을 다함.
"왼쪽으루 가!" / 좀 후에 그는 다시,

"잠깐만." / 그러고는,

"앞으루!"』

『이렇게, 왼쪽으로, 오른쪽으로, 앞으로, 하는 주 대위의 말대로 죽을힘을 다해 걸음을

옮겨 놓는 동안에도 김 일등병의 귀에는 아무것도 들리지 않았다. 혹시 주 대위가 죽음을
기(氣)가 허하여 착각이 일어나서 없는 게 있는 것처럼 보이거나 다르게 보이는 것　　　주 대위의 생각을 믿지 못함.
앞두고 허깨비 소리를 듣고 그러는 게 아닐까. 그렇다면 하필 자기네 두 사람은 마지막에
　　　　　　　　　　　　　　　　　　　　　❶
이러다가 죽을 필요는 무언가. 어제저녁부터 혼자 업고 오느라고 갖은 고역을 다 겪으면
　　　　　　　　　　　　　　　　　　　　몹시 힘들고 고되어 견디기 어려운 일
서도 느끼지 못했던 원망이 주 대위를 향해 거듭 복받쳐 오름을 어찌할 수가 없었다.』
『♪ 개 짖는 소리에 대한 확신이 없는 김 일등병은 어차피 죽을 목숨이라면 이렇게 고생할 필요가 없다고 생각하여 주 대위를 원망함.

학습 문제

13. 윗글의 서술 방식에 대한 설명으로 가장 적절한 것은?

① 과거와 현재를 교차하여 입체감을 부여하고 있다.

② 빈번한 장면 전환으로 상황의 긴박함을 강조하고 있다.

③ 외양 묘사를 통해 등장인물의 성격을 드러내고 있다.

④ 간결한 문체와 감각적 묘사로 사건을 전개하고 있다.

⑤ 역순행적 구성을 통해 사건의 원인을 분석하고 있다.

14. 윗글에 대한 이해로 적절하지 <u>않은</u> 것은?

① 김 일등병은 주 대위의 지시를 그대로 따르고 있다.

② 주 대위는 방향을 잃지 않기 위해 신중을 기하고 있다.

③ 김 일등병은 주 대위가 권총을 겨누자 배신감을 느꼈다.

④ 주 대위는 김 일등병을 향해 강하고 단호하게 명령하고 있다.

⑤ 김 일등병은 주 대위가 괜한 일을 시킨다고 생각하여 그를 원망하고 있다.

학습 활동 응용

15. 〈보기 1〉을 바탕으로 윗글을 이해한 것으로 적절한 것을 〈보기 2〉에서 모두 고르면?

| 보기 1 |

　이 작품은 생사의 갈림길에 선 세 명의 병사가 극한의 상황에서 발휘하는 본질적인 생의 의지를 그리고 있다.
　위계질서가 관여하지 못하는, '너와 나만의 시간'만 존재하는 상황에 처한 세 사람의 삶의 방식과 생존 의지, 그 속에서의 인간애를 통해 인간 존재의 의미를 성찰해 볼 수 있다.

| 보기 2 |

ㄱ. 주 대위는 캄캄한 나무숲 속에서도 '본질적인 생의 의지'를 발현하고 있다.

ㄴ. 어제저녁부터 혼자 주 대위를 업고 오느라 갖은 고역을 겪은 김 일등병에게서 '인간애'를 발견할 수 있다.

ㄷ. 주 대위가 김 일등병에게 권총을 갖다 댄 것은 '위계질서가 관여하지 못하는' 것에 대한 절망감에서 비롯된 것이다.

① ㄱ　　② ㄴ　　③ ㄷ　　④ ㄱ, ㄴ　　⑤ ㄴ, ㄷ

마 하지만 걷지 않을 수 없었다. 오른쪽 귀 뒤에 감촉되는 권총 끝이 떠나지 않는 것이다. 그것은 마치 권총이 비틀거리는 걸음이나마 옮겨 놓게 하는 거나 다름없었다.
생명을 위협하는 행동이 실은 생명을 살리는 것임.

산 밑에 이르렀다.
주 대위가 말한 곳에 다다름.

[A]
"오른쪽으루!"

"그대루 똑바루!"

그제야 김 일등병의 귀에도 무슨 소리가 들렸다. 그것이 점점 개 짖는 소리로 확실
인가가 있다는 주 대위의 말이 사실임을 확인함.
해졌다. 그러나 그것이 얼마만 한 거리에서인지는 짐작이 안 되었다.
몸의 열이 몹시 높을 때, 입이나 코안에서 나는 냄새

『입에서는 단내가 나고, 간신히 옮겨 놓는 걸음은 한껏 깊은 데로 무한정 빠져 들어가는
『♪ 기력이 소진되어 더 이상 움직일 수 없는 상황이지만, 주 대위의 협박으로 인해 계속 걸을 수밖에 없음.
것만 같았다. 그저 그 자리에 주저앉고 싶은 생각뿐이었다. 그렇건만 쉬어 갈 수도 없는
노릇이었다. 귀 뒤에 와 닿은 권총 끝이 더 세게 밀고 있는 것이었다.』
▶ 김 일등병을 협박하여 마지막 순간까지 걷게 하는 주 대위

아무것도 뵈는 게 없었다. 어떻게 걸음을 떼어 놓고 있는지조차 깨닫지 못하고 있었다. 그러는데 ㉠ 저쪽 어둠 속에 자리 잡은 초가집 같은 검은 그림자와 그 앞에 서
어렴풋했던 삶의 희망이 실제로 다가옴.

[B]
있는 사람의 그림자, 그리고 거기서 짖고 있는 개의 모양이 몽롱해진 눈에 어렴풋이
들어왔다고 느낀 순간과 동시에 귀 뒤에 와 밀고 있던 권총 끝이 별안간 물러나면서
주 대위가 끝까지 놓지 않았던 삶에 대한 의지
업힌 주 대위 몸뚱이가 무겁게 탁 내려앉음을 느꼈다. ▶ 인가에 도착하자 의식을 잃는 주 대위
주 대위의 힘이 갑자기 빠지고 의식을 잃음.

핵심 쏙쏙

● 결말의 두 가지 해석

주 대위 몸뚱이가 무겁게 탁 내려앉음.	

사망	혼절
주 대위의 살신성인 → 가장 희생적이던 김 일등병만 생존함.	사람의 연대 의식 → 주 대위의 생존 의지와 김 일등병의 희생으로 인해 둘 다 살게 됨.

교과서 날개 질문

주 대위가 점점 세게 권총으로 김 일등병을 밀고 있는 까닭은 무엇일까?

| 예시 답안 | 주 대위 자신은 이미 부상이 깊어 살 수 있을 가망이 희박하지만, 자신을 위해 희생한 김 일등병에게만은 살 수 있는 기회를 마련해 주고 싶었기 때문에 필사적으로 힘을 내고 있는 것이다.

학습 활동 응용

16. 윗글의 '주 대위'에 대한 평가로 가장 적절한 것은?

① 생존 욕구로 인해 타인의 희생을 강요하는 인물이다.

② 어느 순간에도 밝고 긍정적인 사고를 하는 인물이다.

③ 목표의 성취를 위해 수단과 방법을 가리지 않는 인물이다.

④ 강한 정신력을 지녔으며 삶에 대한 의지가 강한 인물이다.

⑤ 나약하지만 순수하고 따뜻한 인간애를 소유하고 있는 인물이다.

서술형

17. [A]의 내용에 근거하여 윗글에서의 '권총'의 기능을 서술하시오.

18. [B]의 서술상 특징으로 가장 적절한 것은?

① 새로운 장면을 삽입하여 다른 국면으로 유도한다.

② 결말의 의미를 설명하여 독자의 이해를 돕고 있다.

③ 인물 간 갈등 상황을 강조하여 긴장감을 유발한다.

④ 극적 장면을 제시하여 인물의 특성을 부각하고 있다.

⑤ 시대상을 사실적으로 반영하여 비극성을 강조하고 있다.

19. ㉠을 다르게 표현한 말로 적절하지 않은 것은?

① 인가에 도착했음을 확연히 느낀 순간

② 주 대위의 판단이 옳았음이 확인된 순간

③ 김 일등병의 주 대위를 향한 원망이 짙어진 순간

④ 주 대위와 김 일등병 모두가 안도감을 느낀 순간

⑤ 주 대위가 생각하고 있던 종착지에 도착했다고 느낀 순간

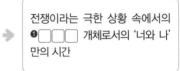

• 제목 '너와 나만의 시간'의 의미

| • 전쟁 중 낙오되어 산속을 헤매는 극한 상황 속, 세 명의 군인들
• 삶과 죽음이 넘나드는 시간 속에서 인간의 실존적이고 본질적인 모습
→ 사회적 위계질서가 작동하지 않는 위기 상황에서 개별적 주체로서 인간의 심리와 판단에 대한 문제를 다룸. | ⇒ | 전쟁이라는 극한 상황 속에서의 ❶□□□ 개체로서의 '너와 나'만의 시간 |

• 전쟁의 극한 상황에서 나타나는 세 가지 인간형

주 대위	• 큰 부상을 입은 극한 상황 속에서도 살아남고자 하는 의지가 강함. • 김 일등병을 살리기 위해 노력함.	• 생에 대한 집념이 강함. • 따뜻한 인간애를 지님.	⇒	❷□□□인 인물
김 일등병	• 자신의 목숨이 위태로운 상황 속에서도 부상당한 주 대위를 포기하지 않고 업고 이동함. • 동료를 배신한 현 중위를 원망하지 않음. • 현 중위의 시체를 파먹는 까마귀를 쫓음.	• 이타적이고 희생적임. • 따뜻한 인간애를 지님.	⇒	따뜻한 ❸□□□를 지닌 인물
현 중위	• 총상을 입어 짐이 되는 주 대위의 자살을 종용함. • 혼자 살기 위해 떠났다가 낭떠러지에서 떨어져 죽음.	이기적이고 현실적임.	⇒	현실적이고 ❹□□□인 인물

• 인물들 간의 관계

• 소재의 의미와 기능

소재	의미	기능
(아군의) 폿소리	근처에 아군 진지가 있음.	낙오된 인물들에게 살 수 있다는 희망을 줌.
개 짖는 소리	• 주변에 인가가 있음. • 살아날 희망이 있음.	• 생존에 대한 희망과 의지를 불러일으킴. • 인물의 심리가 전환되는 계기가 됨. • 주 대위와 김 일등병을 인가로 인도함.

• '개 짖는 소리'의 의미와 역할

| 주 대위의 심리 변화 | • 죽음에 직면한 절망감
• 동료들에 대한 죄책감 | ⇒ | • 삶에 대한 ❺□□
• 김 일등병을 살리려는 의지 | ⇒ | 극적 반전을 위한 장치 |

학습 활동

작품 속으로

1. 이 작품에 나타난 인물들의 주요 행동과 이를 통해 알 수 있는 인물들의 성격을 정리해 보자.

	행동	성격
주 대위	• 큰 부상을 입은 극한 상황 속에서도 삶에 대한 의지를 버리지 않음. • 김 일등병에게 삶의 희망을 주기 위해 그의 머리에 권총을 겨누면서 계속 걷도록 명령함.	• 삶에 대한 의지가 강함.
김 일등병	• 자신의 목숨도 위태로운 상황 속에서 부상당한 주 대위를 위해 자신을 희생함. • 자신들을 배신한 현 중위의 시신을 수습하려 함.	• 희생정신이 뛰어남. • 타인을 생각하는 따뜻한 인간애를 지님.
현 중위	부상당한 주 대위를 버리고 혼자서 살기 위해 밤에 몰래 떠남.	이기적이며 냉정함.

2. 다음 글을 읽고, 전후 문학으로서의 이 작품의 성격을 이해해 보자.

> 전쟁 문학에서는 전쟁이라는 극한 상황 속에서 나타나는 인간의 행위와 그로 인한 실존적 고민, 이념의 차이가 어떻게 전쟁에서 구체적으로 반영되는가, 거대한 세력 간의 구조적 마찰의 결과로 일어나는 전쟁이라는 사건과 그것을 수행하는 한 개인의 삶의 의미와의 상관성, 전쟁을 수행하면서 혹은 전쟁을 거친 뒤 인간은 어떠한 변화를 겪고 어떻게 현실에 적응하는가 등이 다루어진다.
>
> – 「한국민족문화대백과」에서

|예시 답안|
• 「너와 나만의 시간」에서는 한국 전쟁을 배경으로 극한 상황 속에서 나타나는 생존의 의지와 그 속에서 피어나는 따뜻한 인간애를 그렸다. 그동안 이념의 대립을 주로 다루었던 전후 소설의 한계에서 벗어나 인간 본연의 가치와 전쟁의 의미에 관해 깊이 통찰하고 있다는 점에서 높이 평가할 수 있다.
• 전쟁이라는 보편적인 소재를 사용하여 한국 전쟁 당시의 상황을 작품 속에 구체적으로 형상화하여 우리 문학만이 가질 수 있는 고유한 특수성을 잘 보여 주었다.

3. 다음과 같이 정리한 사건 전개 양상을 바탕으로 아래 활동을 해 보자.

(1) (가)~(마)에 나타난 '김 일등병'의 반응과 심리를 정리해 보자.

가 까마귀가 시체를 쪼아 먹는 것을 봄. **나** 먼 곳에서 ⊙ 폿소리가 들림. **다** 첫 번째 ⊙ 개 짖는 소리가 들림. **라** 두 번째 개 짖는 소리가 들림. **마** 인가를 발견함.

	반응	심리
(가)	까마귀를 향해 돌을 던지다가 도로 와 쓰러지듯이 드러누워 버림.	• 현 중위에 대한 인간애 • 죽음에 대한 두려움으로 좌절함.
(나)	어느 편의 폿소리인지, 또 얼마나 멀리서 들리는 폿소리인지 확인하고는 도로 자리에 누워 버림.	• 삶에 대한 작은 희망을 찾고자 함. • 결국 삶에 대한 희망을 갖지 못함.
(다)	주 대위와는 달리 자신은 개 짖는 소리를 듣지 못해 누웠던 자리로 뒷걸음질 침.	• 깊은 절망감에 사로잡힘.
(라)	점점 개 짖는 소리를 확실하게 듣게 되어 그 방향으로 계속 발걸음을 옮김.	• 절망이 희망으로 반전됨.
(마)	살게 되었다고 안도하는 동시에 주 대위의 죽음을 직감함.	• 삶에 대한 온전한 희망을 갖게 됨. • 자신을 살리기 위한 주 대위의 의도를 깨달음.

(2) '주 대위'가 ⊙, ⓒ을 듣고 생각한 내용이 무엇인지 파악해 보자.

⊙	주 대위는 폿소리가 아군의 폿소리임을 직감하고 일말의 희망을 갖게 된다. 그러나 그 폿소리가 너무 멀리서 들리고 있음을 깨닫고 이내 그 희망의 끝마저 붙을 수 없다고 생각한다.
ⓒ	주 대위는 김 일등병을 위해 삶을 버리려 하나 개 짖는 소리를 듣고 김 일등병이 삶에 대한 희망을 잃어버리지 않도록 자신이 끝까지 도와주어야겠다고 생각한다.

작품 너머로

4. 다음 작품을 읽고, 아래 활동을 해 보자.

> 그 후 몇 번이고 심문이 지나갔다. 모든 것은 결정되었다. / 인제 모든 것은 끝나는 것이다. 얼음장처럼 밑이 차다. 아무 생각도 없다. 전신의 근육이 감각을 잃은 채
>
> _{처형이 결정됨.}

이따금 경련을 일으킨다. 발자국 소리가 난다. 말소리도. 시간이 되었나 보다. 문이 삐그덕거리며 열리고 급기야 어둠을 헤치고 흘러 들어오는 광선을 타고 사닥다리가 내려올 것이다. 숨죽인 채 기다린다. 일순간이 지났다. 조용하다. 아무런 동정도 없다. 어쩐 일일까⋯⋯? 몽롱한 의식의 착오 탓인가. 확실히 구둣발 소리다. 점점 가까워 오는⋯⋯ 정확한⋯⋯ 그는 몸을 일으키려 애썼다. 고개를 들었다. 맑은 광선이 눈부시게 흘러 들어온다. 사닥다리다. / "뭐 하고 있어! 빨리 나와!" [중략]

그는 눈을 다섯 손가락으로 꽉 움켜 짚고 떨리는 다리를 바로잡아 가며 일어섰다. 그리고 한 걸음, 한 걸음 정확히 걸음을 옮겼다. 눈은 의지적인 신념으로 차가이 빛나고 있었다. / 본부에서 몇 마디 주고받은 다음, 준비 완료 보고와 집행 명령이 뒤이어 떨어졌다.

눈에 함빡 싸인 흰 둑길이다. 오! 이 둑길⋯⋯ 몇 사람이나 이 둑길을 걸었을 거냐. 훤칠히 트인 벌판 너머로 마주 선 언덕, 흰 눈이다. 가슴이 탁 트이는 것 같다. 똑바로 걸어가시오. 남쪽으로 내닫는 길이오. 그처럼 가고 싶어 하던 길이니 유감 없을 거요. 걸음마다 흰 눈 위에 발자국이 따른다. 한 걸음 두 걸음 정확히 걸어야 한다. 사수(射手) 준비! 총탄 재는 소리가 바람처럼 차갑다. 눈 앞엔 흰 눈뿐, 아무것도 없다. 인제 모든 것은 끝난다. ㉠끝나는 그 순간까지 정확히 끝을 맺어야 한다. 끝나는 일 초, 일각까지 나를, 자기를 잊어서는 안 된다.

걸음걸이는 그의 의지처럼 또한 정확했다. 아무리 한 걸음, 한 걸음 다가가는 걸음걸이가 죽음에 접근하여 가는 마지막 길일지라도 결코 허튼, 불안한, 절망적인 것일 수는 없었다. 흰 눈, 그 속을 걷고 있다. 훤칠히 트인 벌판 너머로, 마주 선 언덕, 흰 눈이다. 연발하는 총성, 마치 외부 세계의 잡음만 같다. 아니 아무것도 아닌 것이다. 그는 흰 속을 그대로 한 걸음, 한 걸음 정확히 걸어가고 있었다. 눈 속에 부서지는 발자국 소리가 어렴풋이 들려온다. 두런두런 이야기 소리가 난다. 누가 뒤통수를 잡아 일으키는 것 같다. 뒤허리에 충격을 느꼈다. 아니, 아무것도 아니다. 아무것도 아닌 것이다.

흰 눈이 회색빛으로 흩어지다가 점점 어두워 간다. 모든 것은 끝난 것이다. 놈들은 멋쩍게 총을 다시 거꾸로 둘러메고 본부로 돌아들 갈 테지. 눈을 털고 추위에 손을 비벼 가며 방 안으로 들어들 갈 것이다. 몇 분 후면 화롯불에 손을 녹이며 아무 일도 없었던 듯 담배들을 말아 피우고 기지개를 할 것이다. 누가 죽었건 지나가고 나면 아무것도 아니다. 모두 평범한 일인 것이다. 의식이 점점 그로부터 어두워 갔다. 흰 눈 위다. 햇볕이 따스히 눈 위에 부서진다.

— 오상원, 「유예」

▶ 흰 둑길에서 인민군에게 처형을 당하는 '나'

📑 **작품 연구** 오상원, 「유예」

• **갈래**: 단편 소설, 심리 소설, 전후 소설 • **성격**: 독백적, 실존적
• **배경**: 시간적 – 6·25 전쟁 당시의 겨울, 공간적 – 어느 산골 마을의 눈 덮인 들판
• **시점**: 1인칭 주인공 시점과 전지적 작가 시점의 혼용
• **제재**: 전쟁, 인간의 존재와 죽음
• **주제**: 전쟁이라는 상황에서 겪는 인간의 고뇌
• **특징**: ① 의식의 흐름 기법을 사용하여 서술함.
　　　　② 호흡이 짧은, 현재형 문장을 많이 사용함.

---

(1) 「너와 나만의 시간」과 「유예」에 나타난 상황의 공통점이 무엇인지 이야기해 보자.

| 예시 답안 | 두 작품 모두 한국 전쟁이라는 극한 상황을 배경으로 하며, 주인공들은 삶과 죽음의 경계에서 자신의 실존과 마주하고 있다.

(2) 다음 글을 바탕으로, ㉠에 담긴 주인공의 의도가 무엇이었을지 친구들과 이야기하며 파악해 보자.

> 이 작품은 전쟁의 상황에서, 포로가 된 군인이 총살형을 당하기 전에 주어진 한 시간의 유예 시간을 그리면서, 이 한 시간 동안 주인공의 의식의 흐름을 일정한 순서 없이 서술하고 있다. 그러나 죽음을 앞둔 극한 상황에서 벗어나려는 주인공의 몸부림을 보여 주는 것이 아니라, 그것을 그대로 받아들이면서 인간의 정체성을 지키려는 모습을 보여 준다. 즉 전쟁 중 무참히 죽어 가는 인간을 그리고 있지만, 그 처참함을 낳은 전쟁 이데올로기를 고발하거나 비웃는 것이 아니라 죽음을 앞둔 인간이 죽음을 대하는 방식을 그리고 있는 것이다.
> — 국립중앙도서관, 「다시 읽는 한국 단편, 오상원 「유예」」에서

| 예시 답안 | 자신에게 곧 닥칠 죽음을 피하기 위해 동물처럼 몸부림치며 나약해지지 않고 죽는 그 순간까지도 인간으로서의 존엄을 지킴으로써 주체적·실존적 존재임을 잊지 않으려는 의도이다.

(3) 자신이 「유예」의 '나'라면 '눈에 함빡 싸인 흰 둑길'을 걸으며 어떤 생각을 하였을지 적어 보자.

| 예시 답안 | 물론 나 역시 주인공처럼 의연하고 당당하게 나의 최후를 맞으려 하겠으나, 죽음의 공포 앞에 어느 정도는 위축될 수밖에 없을 것 같다.

04 난쟁이가 쏘아 올린 작은 공 _{조세희}

• 서사 문학 갈래의 전개와 구현 양상 　• 문학과 시대 상황

해제

「난쟁이가 쏘아 올린 작은 공」은 1970년대 산업화·도시화의 과정에서 소외된 계층의 경제적 불평등과 심각한 사회 문제를 고발하는 연작 소설이다. 도시 재개발 사업이 한창 진행되던 서울의 한 무허가 판자촌의 '난쟁이 가족' 이야기를 통해 도시 빈민들이 겪는 비참한 삶과 사회 구조적 모순을 사실적으로 그려 내었다. 이렇듯 빈부 격차의 심화, 계층 재생산의 구조, 무분별한 도시화로 인한 공동체의 파괴, 인간의 도구화 등의 부정적 현실을 반영하면서도 독특한 모더니즘 기법과 동화적이고 환상적인 기법, 상징적 표현, 과거와 현재의 교차, 단문 위주의 간결한 문체 등의 도입으로 미학적인 성취와 서정적인 감동을 함께 이루어 낸 작품이다.

전체 줄거리

낙원구 행복동에 사는 난쟁이 아버지 김불이와 어머니, 큰아들 영수, 작은아들 영호, 딸 영희는 하루하루를 힘겹게 살아가는 도시 빈민이다. 그들은 열악한 환경 속에서도 성실하게 살아가지만 가난에서 벗어나지 못한다. 어느 날 재개발 사업으로 철거 계고장이 날아오고, 행복동 주민들에게는 아파트 입주권이 주어진다. 그러나 돈이 없는 대부분의 동네 사람들은 입주권을 팔게 되고, 난쟁이 가족 역시 다른 곳으로 떠나기로 한다. 집을 나간 영희는 투기업자에게서 돈과 입주권을 훔쳐서 입주 신청을 마치고 돌아온다. 그러나 아버지가 벽돌 공장 굴뚝에서 자살했다는 소식을 듣게 되고, 영희는 영수에게 아버지를 난쟁이라고 부르는 사람들은 모두 죽여 버리라며 절규한다.

핵심 정리

(1) 갈래: 중편 소설, 연작 소설, 세태 소설

(2) 성격: 사실적, 사회 고발적, 비판적, 상징적

(3) 시점: 1인칭 주인공 시점

(4) 배경: 시간적 – 1970년대, 공간적 – 서울 재개발 지역

(5) 주제: 도시 빈민들의 궁핍한 삶과 좌절된 꿈

(6) 특징: ① 현재와 과거의 시점이 교차하여 다양한 시각을 제시함.

　　　　② 반어적 표현으로 비극적 상황을 극대화함.

　　　　③ 상징적 소재를 통해 도시 빈민의 고달픈 삶을 형상화함.

　　　　④ 1970년대의 급격한 산업화와 도시화에 대한 문제의식을 드러냄.

(7) 서사 구조

제1부 (수록 부분)	낙원구 행복동의 도시 빈민촌에 사는 난쟁이 가족은 어느 날 아파트 재개발로 인한 철거 계고장을 받게 됨.	서술자 – 영수
제2부	난쟁이 가족은 결국 투기업자에게 입주권을 팔게 되고, 거리에 나앉을 처지가 됨.	서술자 – 영호
제3부	가출한 영희는 투기업자의 금고에서 아파트 입주권과 돈을 훔쳐 나와, 그것으로 아파트 입주 절차를 마치지만 아버지의 자살 소식을 듣고 절규함.	서술자 – 영희

어휘·어구 풀이
● 계고장　행정상의 의무 이행을 재촉하는 내용을 담은 문서.
❶ 불행하게도 사람들은 아버지를~하나도 옳지 않았다.　아버지의 겉모습만으로 모든 것을 판단하는 사회적 편견에 대한 비판적 인식이 드러난다.
❷ 천국에 사는 사람들은 지옥을 생각할 필요가 없다.　천국과 지옥을 대비하여 강자들이 약자들의 삶에 관심이 없는 세태를 비판하고 있다.

핵심 쏙쏙
● 난쟁이의 상징적 의미
┌─────────────────┐
│ 사회적·경제적 약자 │
│ 노동자·빈민 계층 │
└─────────────────┘
↓
┌─────────────────┐
│ 신체적 왜소함으로 강자와 대비되는 사회적 약자임을 상징 │
└─────────────────┘

● 어머니의 초라한 밥상
┌─────────────────┐
│ 보리밥에 까만 된장, 시든 고추, 졸인 감자 │
└─────────────────┘
↓
┌─────────────────┐
│ 난쟁이 가족들의 경제적 궁핍과 빈곤한 삶을 보여 줌. │
└─────────────────┘

가 사람들은 아버지를 ⓐ 난쟁이라고 불렀다. 사람들은 옳게 보았다. 아버지는 난쟁이였다. <u>불행하게도 사람들은 아버지를 보는 것 하나만 옳았다. 그 밖의 것들은 하나도 옳지 않았다.</u>❶ 나는 아버지·어머니·영호·영희, 그리고 나를 포함한 다섯 식구의 모든 것을 걸고 그들이 옳지 않다는 것을 언제나 말할 수 있다. ⓑ 나의 '모든 것'이라는 표현에는 '다섯 식구의 목숨'이 포함되어 있다. <u>천국에 사는 사람들은 지옥을 생각할 필요가 없다.</u>❷ 그러나 우리 다섯 식구는 지옥에 살면서 천국을 생각했다. ⓒ 단 하루도 천국을 생각해 보지 않은 날이 없다. 하루하루의 생활이 지겨웠기 때문이다. 우리의 생활은 전쟁과 같았다. ㉠ 우리는 그 전쟁에서 날마다 지기만 했다. 그런데도 ⓓ 어머니는 모든 것을 잘 참았다. 그러나 그날 아침 일만은 참기 어려웠던 것 같다.　　　　▶ 난쟁이 가족의 비참한 삶

나 "통장이 이걸 가져왔어요."

내가 말했다. 어머니는 조각 마루 끝에 앉아 아침 식사를 하고 있었다.

"그게 뭐냐?"

"철거 계고장예요."

"기어코 왔구나!"

어머니가 말했다.

"그러니까 집을 헐라는 거지? 우리가 꼭 받아야 할 것 중의 하나가 이제 나온 셈이구나!"

어머니는 식사를 중단했다. 나는 어머니의 밥상을 내려다보았다. ⓔ 보리밥에 까만 된장, 그리고 시든 고추 두어 개와 졸인 감자.

나는 어머니를 위해 철거 계고장을 천천히 읽었다.

학습 문제
　　　　　　　　　　　　　　　정답과 해설 357쪽

1. 윗글에 대한 설명으로 적절하지 <u>않은</u> 것은?

① 계층 간 경제적 불평등과 사회적 모순을 고발하고 있는 작품이다.

② '난쟁이' 가족으로 대표되는 도시 빈민 계층의 삶을 소재로 하였다.

③ 서술자의 시각을 통해 상황에 대한 비판적 현실 인식을 드러내고 있다.

④ 급격한 시대의 변화로 초래된 세대 간의 갈등 문제에 대해 다루고 있다.

⑤ 1970년대 산업화로 인한 도시 재개발 사업이 본격화되던 시기를 배경으로 하고 있다.

2. ⓐ~ⓔ에 대한 설명으로 적절하지 <u>않은</u> 것은?

① ⓐ: 인물의 신체적 특징을 통해 사회적 약자임을 상징하고 있다.

② ⓑ: 다섯 식구가 목숨을 걸 정도의 각오로 아버지에 대한 편견에 맞서겠다는 의지의 표현이다.

③ ⓒ: 매일매일 견디기 힘든 삶 속에서 살아가고 있다는 것을 강조하기 위한 표현이다.

④ ⓓ: 어머니는 고달프고 궁핍한 삶을 지금까지 잘 인내해 오셨다는 의미이다.

⑤ ⓔ: 보잘것없는 밥과 찬거리를 통해 궁핍하고 어려운 살림살이를 보여 주고 있다.

서술형
3. ㉠의 문맥적 의미를 서술하시오.

낙원구

주택: 444,1-

197×. 9. 10

수신: 서울특별시 낙원구 행복동 46번지의 1839 김불이 귀하
난쟁이 가족들의 삶과는 반대되는 지역명(반어적 명명)으로 비참한 삶 강조

제목: 재개발 사업 구역 및 고지대 건물 철거 지시

귀하 소유 아래 표시 건물은 주택 개량 촉진에 관한 임시 조치법에 따라 행복 3구역 재개발 지구로 지정되어 서울특별시 주택 개량 재개발 사업 시행 조례 제15조, 건축법 제5조 및 동법 제42조의 규정에 의하여 197×. 9. 30까지 자진 철거할 것을 명합니다. 만일 위 기일까지 자진 철거하지 않을 경우에는 행정 대집행법의 정하는 바에 의하여 강제 철거하고 그 비용은 귀하로부터 징수하겠습니다.
철거 계고장의 핵심 내용 / 빈민층에게 가해지는 억압(공권력의 횡포)

철거 대상 건물 표시

서울특별시 낙원구 행복동 46번지의 1839

구조   건평   평

끝

낙 원 구 청 장

어머니는 조각 마루 끝에 앉아 말이 없었다. ㉠벽돌 공장의 높은 굴뚝 그림자가 시멘트 담에서 꺾어지며 ㉡좁은 마당을 덮었다.❶ 동네 사람들이 골목으로 나와 뭐라고 소리치고 있었다. 통장은 그들 사이를 비집고 나와 방죽 쪽으로 걸음을 옮겼다. 어머니는 식사를 끝내지 않은 밥상을 들고 부엌으로 들어갔다. 어머니는 두 무릎을 곧추세우고 앉았다. 그리고, 손을 들어 부엌 바닥을 한 번 치고 가슴을 한 번 쳤다. 나는 동사무소로 갔다.
빈곤한 삶 / 막막하고 절박한 심정 / 물이 밀려들어 오는 것을 막기 위해 쌓은 둑 / 똑바로 세우고 / 어머니의 답답하고 암담한 심정(통한)

[A]
행복동 주민들이 잔뜩 몰려들어 자기의 의견들을 큰 소리로 말하고 있었다. 들을 사람은 두셋밖에 안 되는데 수십 명이 거의 동시에 떠들어 대고 있었다. 쓸데없는 짓이었다. 떠든다고 해결될 문제는 아니었다.
강제 철거에 반대하는 의견 / 힘없는 자들이 저항해 봐야 소용없는 일이었다.

▶ 철거 계고장을 받은 '나'의 가족과 동사무소로 몰려든 주민들

핵심 쏙쏙

◉ 철거 계고장의 의미와 기능

법적 구속력을 가진 공문서
• 재개발 지구로 지정된 주택임을 알림. • 자진 철거 요구

↓

난쟁이 가족들이 삶의 터전을 강제로 빼앗김을 의미함.

↓

갈등 유발로 사건 전개에 긴장감을 높임.

교과서 날개 질문

철거 계고장을 받은 가족들의 심정은 어떠했을까?

| 예시 답안 | 자진 철거를 하라는 계고장과 함께 아파트 입주권도 받지만, 입주비가 부족한 대부분의 마을 사람들은 거간꾼들에게 입주권을 팔아야 하는 형편이다. 이주 보조비만 받고 집에서 쫓겨 나가야 하는 가족들은 막막하고 절박한 심정이었을 것이다.

---

4. ㉠과 ㉡에 대한 설명으로 적절하지 <u>않은</u> 것은?

① ㉠의 '높은'과 ㉡의 '좁은'은 상반된 의미 관계를 이루고 있다.

② ㉠의 움직임에 따라 ㉡이 어두워질 수 있는 구조이다.

③ ㉠과 ㉡은 서로에게 영향을 주고받을 수 있는 관계이다.

④ ㉠의 '공장의 높은 굴뚝'은 자본주의 산업화의 상징이다.

⑤ ㉡은 난쟁이 가족의 처지를 보여 준다.

서술형
5. '철거 계고장'을 소설 속에 직접 삽입하여 얻는 서사적 효과를 서술하시오.

6. [A]에 대한 감상으로 가장 적절한 것은?

① 주민들 사이에 자중지란(自中之亂)이 일어났구나.

② 주민들의 행동은 이란투석(以卵投石)인 셈이겠군.

③ 주민들은 결자해지(結者解之)의 심정으로 몰려갔었군.

④ 동사무소 직원들은 표리부동(表裏不同)한 행동을 하고 있어.

⑤ 동사무소 직원과 주민들은 순망치한(脣亡齒寒)의 관계로군.

서술형 **학습 활동 응용**
7. '낙원구 행복동'이라는 동네 이름에 쓰인 표현법과 그 효과를 서술하시오.

어휘·어구 풀이

● **거간꾼(居間-)** 사고파는 사람 사이에 들어 흥정을 붙이는 일을 하는 사람.
● **도장포** 돈을 받고 도장을 새겨 주는 가게.

(핵심 쏙쏙)

◉ 철거 계고장을 받은 아버지의 태도

· 책을 읽음.
· 물끄러미 아이들의 얼굴을 쳐다보고 일어남.

↓

현실을 기피하고 소극적인 태도를 보임.

▷ 교과서 날개 질문

거간꾼들이 아파트 입주권을 사려는 까닭은 무엇인가?
| 예시 답안 | 아파트 입주권이 있어도 아파트를 구입할 경제적 능력이 없는 가난한 철거민들로부터 입주권을 구입해, 다른 사람에게 되팔아서 이익을 남기기 위해서이다.

다 나는 바깥 게시판에 적혀 있는 공고문을 읽었다. 거기에는 아파트 입주 절차와 아파트 입주를 포기할 경우 탈 수 있는 이주 보조금 액수 등이 적혀 있었다. 동사무소 주위는 시장 바닥과 같았다. 주민들과 아파트 거간꾼들이 한데 뒤엉켜 이리 몰리고 저리 몰리고 했다. 나는 거기서 아버지와 두 동생을 만났다. 아버지는 도장포 앞에 앉아 있었다. 영호는 내가 방금 물러선 게시판 앞으로 갔다. 영희는 골목 입구에 세워 놓은 검정색 승용차 옆에 서 있었다. 아침 일찍 일들을 찾아 나섰다가 철거 계고장이 나왔다는 소리를 듣고 돌아온 것이었다. 누군들 이런 날 일을 할 수 있을까. 나는 아버지 옆으로 가 아버지의 공구들이 들어 있는 부대를 둘러메었다. 영호가 다가오더니 나의 어깨에서 그 부대를 내려 옮겨 메었다. 나는 아주 자연스럽게 그것을 넘겨주면서 이쪽으로 걸어오는 영희를 보았다. 영희의 얼굴은 발갛게 상기되어 있었다. 몇 사람의 거간꾼들이 우리를 둘러싸고 아파트 입주권을 팔라고 했다. 아버지가 책을 읽고 있었다. 우리는 아버지가 책을 읽는 것을 처음 보았다. 표지를 쌌기 때문에 무슨 책을 읽는지도 알 수 없었다. 영희가 허리를 굽혀 아버지의 손을 잡아끌었다. 아버지는 우리들의 얼굴을 물끄러미 쳐다보더니 자리를 털고 일어났다. "난쟁이가 간다."라고 처음 보는 사람들이 말했다.

▶ 철거 계고장 소식에 동사무소 주위에 모인 가족들

(학습 문제)

8. 〈보기〉의 설명을 바탕으로 윗글을 이해한 것으로 적절하지 않은 것은?

| 보기 |

이 소설에서 집을 둘러싼 문제는 1970년대 산업화·도시화의 논리로 감행한 도시 재개발 사업의 부작용에 기인한다. 경제적 불평등의 구조에서 소외된 '못 가진 자'는 '가진 자'와의 대립과 제도적 폭력 속에서 극한의 상황에 치닫게 된다.

① '거간꾼'은 도시 재개발 사업의 틈바구니에서 이익을 취하려는 사람들이다.
② 주민들에게 일방적으로 전달된 '철거 계고장'은 '제도적 폭력'에 해당한다.
③ 동사무소 주위에 모인 주민들은 '집을 둘러싼 문제'로 절박한 상황에 놓여 있다.
④ '입주권'을 팔아야 하는 대부분의 주민들은 재개발 사업의 부작용의 피해자들이다.
⑤ '검정색 승용차'는 '가진 자'와 '못 가진 자'의 대립 속에서 '못 가진 자'의 편에 선 사람들을 의미한다.

(학습 활동 응용)

9. 윗글에 드러난 '아버지'의 성격으로 적절한 것은?

① 부조리한 현실에 적극적으로 대항한다.
② 현실에 만족하는 체제 순응적인 인물이다.
③ 어려운 현실에 직면하지 못하고 소극적이다.
④ 성격이 급해서 쉽게 분노하고 흥분을 잘한다.
⑤ 상황에 대한 이성적이고 냉철한 판단을 내린다.

라 어머니는 대문 기둥에 붙어 있는 알루미늄 표찰을 떼기 위해 식칼로 못을 뽑고 있었
_{무허가 건물 표지─이주 보조금을 받기 위한 증거물}
다. 내가 식칼을 받아 반대쪽 못을 뽑았다. 영호는 어머니와 내가 하는 일이 못마땅한 모
양이었다. 그러나 마음에 드는 일이 우리에게 일어나 주기를 바랄 수는 없는 일이었다.

『어머니는 무허가 건물 번호가 새겨진 알루미늄 표찰을 빨리 떼어 간직하지 않으면 나중
_{『 』 : 어머니는 현실 파악을 냉철히 하고, 앞으로 살아갈 방법을 생각함.}
에 괴로운 일이 생길 것이라는 것을 알고 있었다.』

어머니는 손바닥에 놓인 표찰을 말없이 들여다보았다. 영희가 이번에는 어머니의 손을
잡아끌었다. / "너희들이 놀게 되지만 않았어도 난 별걱정을 안 했을 거다."
_{자식들이 모두 실직 상태임.}
어머니가 말했다. / "스무 날 안에 무슨 뾰족한 수가 생기겠니. 이제 하나하나 정리를
_{현실을 수용하려는 어머니}
해야지." / "입주권을 팔려고 그래요?" / 영희가 물었다.

"팔긴 왜 팔아!" / 영호가 큰 소리로 말했다.
_{입주권을 파는 것에 반대함(부당한 현실에 대한 저항).}
"그럼 ⓐ 아파트 입주할 돈이 있어야지." / "아파트로도 안 가."
_{입주권이 있어도 돈이 없으면 아무 소용이 없는 현실}
"그럼 어떻게 할 거야?" / "여기서 그냥 사는 거야. 이건 ⓑ 우리 집이다."
_{끝까지 저항하려는 영호(현 상황을 받아들이지 않음.)}
영호는 성큼성큼 돌계단을 올라가 ⓒ 아버지의 부대를 마루 밑에 놓았다.

"한 달 전만 해도 그런 이야길 하는 사람이 있었다."
_{영호의 주장이 소용없는 것이라는 생각. 끝까지 저항하는 것은 불가능한 일이라는 의미}
아버지가 말했다. 어머니가 내준 철거 계고장을 막 읽고 난 참이었다.

"시에서 아파트를 지어 놨다니까 얘긴 그걸로 끝난 거다."
_{지금 할 수 있는 일이 아무것도 없다는 아버지의 체념}
"그건 우릴 위해서 지은 게 아녜요." / 영호가 말했다.
_{아파트는 가진 자를 위한 것일 뿐. 철거민들을 위한 것이 아님.}
"ⓓ 돈도 많이 있어야 되잖아요?" / 영희는 마당가 ⓔ 팬지꽃 앞에 서 있었다.
_{순수하고 여린 영희의 이미지}
"우린 못 떠나. 갈 곳이 없어. 그렇지 큰오빠?"

"어떤 놈이든 집을 헐러 오는 놈은 그냥 놔두지 않을 테야."
_{강하게 저항하는 영호}
영호가 말했다. / "그만둬." / 내가 말했다. / ㉠ "그들 옆엔 법이 있다."

아버지 말대로 모든 이야기는 끝나 버린 것이나 마찬가지였다.❶

어휘·어구 풀이

❶ "그들 옆엔 법이 있다."~모
든 이야기는 끝나 버린 것이
나 마찬가지였다.: 법을 내세
워 사회적 약자들을 억압하는
강자들에게 대항해 봐야 약자
들이 이기는 것은 불가능하다
는 의미이다. 법은 약자의 편
이 아니라 강자의 편이라는
뜻이다. 약한 자들을 몰아내는
사람들이 오히려 법의 비호를
받는, 부조리하고 모순된 사회
현실을 드러내고 있다.

(핵심 쏙쏙)

◉ 강제 철거에 대한 상반된 반응

◉ 이 작품의 갈등 구조

가진 자		못 가진 자
거대 자본, 사회적 강자	⟷	난쟁이 가족, 소외 계층, 사회적 약자

---

10. 윗글에서 알 수 있는 내용으로 적절한 것은?

① 영희는 어떻게 해서든 돈을 마련해서 아파트에 입주
하고 싶어 한다.

② 영희는 어머니가 알루미늄 표찰을 뽑는 일을 적극적
으로 돕고 있다.

③ 아버지는 어머니의 행동에 대한 자식들의 상반된 의
견을 중재하고 있다.

④ 어머니는 현실을 수용하고 앞으로 살아갈 길을 찾아
야 한다고 생각하고 있다.

⑤ '나'는 영호의 주장대로 입주권을 팔지 않고도 집을
지킬 수 있다고 생각하고 있다.

11. ⓐ~ⓔ 중, 유사한 속성을 가진 것끼리 바르게 묶은 것은?

① ⓐ, ⓒ / ⓑ, ⓓ, ⓔ

② ⓐ, ⓒ, ⓓ / ⓑ, ⓔ

③ ⓐ, ⓓ / ⓑ, ⓒ, ⓔ

④ ⓐ, ⓓ, ⓔ / ⓑ, ⓒ

⑤ ⓐ, ⓔ / ⓑ, ⓒ, ⓓ

서술형

12. ㉠을 통해 알 수 있는 당시 사회의 구조적 문제에 대해 서술
하시오.

어휘·어구 풀이

❶ **나는 먼저 골랐던 라디오를 살 수 없었다.~기타를 가리켰다.** 영수는 영희에게 기타를 사 주기 위해 방송통신고교 강의를 듣기 위해 사려던 쓸 만한 라디오를 싼 것으로 바꾼다. 궁핍한 삶 속에서도 동생을 생각하는 오빠의 마음이 잘 드러난다.

핵심 쏙쏙

◎ **이 작품의 서술상 특징**
· 접속사와 수식어를 배제한 짧은 문장 사용
· 상징적 소재 사용
· 과거와 현재의 잦은 교차

마 **[중략 부분 줄거리]** 아파트에 입주할 돈이 없는 동네 사람들은 입주권을 팔아 동네를 떠나기 시작한다.

"아버지가 어딜 가셨을까?"

어머니의 목소리가 불안해졌다.
_{아버지의 행동이 이상해서 혹시 극단적인 선택을 할까 봐 걱정함.}
"얘들아, 아버지를 찾아봐라."

나는 아버지가 놓고 나간 책을 읽고 있었다. 그것은 『일만 년 후의 세계』라는 책이었다. 영희는 온종일 ⓐ 팬지꽃 앞에 앉아 ⓑ 줄 끊어진 기타를 쳤다. ⓒ '최후의 시장'에서
_{우리가 바라는 세계는 아주 먼 미래에나 가능한 일이라는 뜻의 제목}
사 온 기타였다.『내가 방송통신고교의 강의를 받기 위해 라디오를 사러갈 때 영희가 따라
_{『 』: 과거 회상(영희가 줄 끊어진 기타를 치게 된 사연)}
왔었다. 쓸 만한 라디오가 있었다. 그런데, 영희가 먼지 속에 놓인 기타를 들어 퉁겨 보는
_{영수의 희망을 상징}
것이었다. 영희는 고개를 약간 숙이고 기타를 쳤다. 긴 머리에 반쯤 가려진 옆얼굴이 아주 예뻤다. 영희가 치는 기타 소리는 영희에게 아주 잘 어울렸다. 나는 먼저 골랐던 라디오를 살 수 없었다. 좀 더 싼 것으로 바꾸면서 영희가 든 기타를 가리켰다.』❶그 라디오가
_{동생 영희를 아끼는 영수의 마음}
고장이 나고 기타는 줄이 하나 끊어졌다. 줄 끊어진 기타를 영희는 쳤다. 나는 아버지가
_{영수와 영희의 꿈이 모두 좌절됨.}
무슨 생각을 하고 있는지 알 수 없었다. ⓓ『일만 년 후의 세계』라는 책을 아버지는 개천 건너 주택가에 사는 젊은이에게서 빌렸다. 그의 이름은 지섭이었다. 지섭은 ⓔ 밝고 깨끗
_{현실의 부조리함에 대해 비판 정신을 가진 지식인}
한 주택가 삼층집에서 살았다. 지섭은 그 집 가정 교사였다. 아버지와 그는 서로 통하는 데가 있었다. 지섭이 하는 말을 나는 들었다. 그는 이 땅에서 우리가 기대할 것은 이제
_{부당한 현실이 개선될 희망이 없음.}
없다고 말했다.

학습 문제

13. 윗글의 서술상 특징으로 적절하지 <u>않은</u> 것은?
① 특정 인물의 가치관이나 생각이 드러나 있다.
② 현재와 과거의 사건이 교차되어 서술되고 있다.
③ 다양한 상징적 표현으로 주제를 드러내고 있다.
④ 접속사가 거의 없는 단문 위주로 서술되고 있다.
⑤ 작품 밖 서술자가 사건을 객관적으로 전달하고 있다.

학습 활동 응용

14. ⓐ~ⓔ의 상징적 의미로 적절하지 <u>않은</u> 것은?
① ⓐ: 순수하고 깨끗한 영희의 영혼을 연상하게 하는 소재이다.
② ⓑ: 영희의 희망이 결국에는 이루어지지 않을 것임을 암시한다.
③ ⓒ: 인물들이 극한의 상황에 처해 있음을 상징하는 이름이다.
④ ⓓ: 지금의 부조리한 현실은 아주 오랫동안 계속될 것이라는 뜻의 제목이다.
⑤ ⓔ: 지섭이 '가진 자'의 입장을 대변하는 인물임을 암시한다.

15. 윗글을 감상한 내용으로 적절한 것은?
① 영희는 줄 끊어진 기타 때문에 속상해 하는군.
② '나'가 동생 영희를 아끼는 마음이 드러나 있군.
③ 영희는 오빠에게 기타를 사 달라고 부탁했었군.
④ 지섭은 '나'의 아버지가 배움이 부족하다고 무시하고 있군.
⑤ 아버지는 '나'에게 지섭에게 빌린 책을 읽어 보라고 권유했었군.

16. 윗글을 시나리오로 각색한다고 할 때, 이 장면에 필요한 지문으로 적절하지 <u>않은</u> 것은?
① 영희: (말수가 적고 수줍음이 많은 얼굴로)
② 아버지가 놓고 간 책을 읽는 '나': (못마땅한 표정으로)
③ 지섭: (지적인 인상에 깔끔한 옷차림새로)
④ 지섭의 동네: (행복동과 대조되는 부유한 이미지로)
⑤ 아버지를 찾는 어머니: (몹시 걱정스러운 표정과 목소리로)

바 ┌ 과거 회상 시작(지섭과 아버지가 대화했던 장면), 현재와 과거의 교차
"왜?" / 아버지가 물었다. / 지섭은 말했다.

"사람들은 사랑이 없는 욕망만 갖고 있습니다. 그래서 단 한 사람도 남을 위해 눈물을
   _{약자를 생각하지 않는 이기적인 사회(물질만능주의)에 대한 비판}
흘릴 줄 모릅니다. 이런 사람들만 사는 땅은 죽은 땅입니다." / "하긴!"
                                                              _{희망이 없음.}

『"아저씨는 평생 동안 아무 일도 안 하셨습니까?"
┌ ♪ 성실하고 정직한 삶을 살았음에도 늘 가난하게 살아야 하는 불평등한 현실의 모순
"일을 안 하다니? 일을 했지. 열심히 일했어. 우리 식구 모두가 열심히 일했네."

"그럼 무슨 나쁜 짓을 하신 적은 없으십니까? 법을 어긴 적 없으세요?" / "없어."

"그렇다면 기도를 드리지 않으셨습니다. 간절한 마음으로 기도를 드리지 않으셨어요."

"기도도 올렸지."

"그런데, 이게 뭡니까? 뭐가 잘못된 게 분명하죠? 불공평하지 않으세요?』이제 이 죽은
                        _{질문의 형식으로 부조리한 현실을 비판함.}
땅을 떠나야 됩니다." / "떠나다니? 어디로?" / "ⓐ 달나라로!"

사 "얘들아!"
   _{장면의 급격한 전환─현재}
어머니의 불안한 음성이 높아졌다. 나는 책장을 덮고 밖으로 뛰어나갔다. 영호와 영희
          _{긴장감 조성}
는 엉뚱한 곳을 찾아 헤매고 있었다. 나는 방죽가로 나가 곧장 하늘을 쳐다보았다. 벽돌
공장의 높은 굴뚝이 눈앞으로 다가왔다. 그 맨 꼭대기에 아버지가 서 있었다. 바로 한 걸
                                      _{위태롭게 굴뚝 꼭대기에 서서 달나라를 꿈꾸는 아버지}
음 정도 앞에 달이 걸려 있었다. 아버지는 피뢰침을 잡고 발을 앞으로 내밀었다. 그 자세
로 아버지는 ⓑ 종이비행기를 날렸다.
   _{비극적 현실에서 벗어나 희망을 찾으려는 아버지의 절망적 행동}
▶ 공장 굴뚝 꼭대기에서 달나라를 꿈꾸며 종이비행기를 날리는 아버지

[뒷부분 줄거리] 동네 주민 대부분은 투기꾼에게 입주권을 팔아 동네를 떠나고, 우리 집도 입주권을 팔게 되지
만, 가족의 몫으로 돌아오는 것은 거의 없다. 입주권을 판 날 아버지가 사라지고, 영희도 사라진다. 아버지는 벽
돌 공장 굴뚝에서 스스로 몸을 던지고, 영희는 입주권을 사 간 부자 청년의 아파트로 따라가 그가 잠든 사이 입
주권과 돈을 훔쳐 나온다. 영희는 그 돈으로 동사무소에 가서 입주 신청을 한 뒤 집으로 돌아와 아버지의 죽음
을 알게 된다.

핵심 쏙쏙

● 지섭의 사회 비판적 인식

- 사람들은 욕망만 갖고 있다.
- 열심히 일하고, 법을 어기지 않는데도 불행하게 사는 것은 불공평한 일이다.

↓

사회의 부조리와 모순 비판

교과서 날개 질문

아버지가 지섭을 만나는 까닭은
무엇일까?

| 예시 답안 | 아버지는 자신이 처
한 불합리한 상황에 대한 해결책
을 듣고 싶은 마음에 지섭을 만나
는 것일 수도 있고, 자신이 처한
위치, 불평등한 사회적 구조의 원
인에 대한 설명을 듣고 싶어 지섭
을 만나는 것일 수도 있다. 결국
아버지는 도시 빈민들의 개인적인
노력만으로는 가난에서 벗어날 수
없다는 것을 지섭을 통해 다시 확
인하게 되고, '달나라'와 같은 이
상적 세계를 그리게 된다.

---

17. ⓐ와 ⓑ에 대한 이해로 적절한 것은?

① ⓐ는 '간절한 마음으로 기도'하면 도달할 수 있는 곳
   이다.

② ⓐ는 '방죽가로 나가 곧장 하늘을 쳐다'본 '나'가 아버
   지를 찾을 수 있다고 믿는 공간이다.

③ ⓑ는 '사랑이 없는 욕망'만 가득한 사람들에게 희망을
   전달하는 행동이다.

④ ⓐ는 '죽은 땅'과 대립된 공간이며, ⓑ는 ⓐ를 지향하
   는 행위이다.

⑤ ⓑ는 '공장의 높은 굴뚝'에서 ⓐ에 도달할 수 있는 실
   질적인 방법이다.

학습 활동 응용

18. 윗글에 대해 감상한 내용으로 적절하지 않은 것은?

① 지섭의 등장으로 아버지는 현실을 초월한 이상적인
   세계를 그리게 된다.

② 지섭은 사회적 불평등은 사회적 문제이기보다는 개
   인의 문제임을 강조하고 있다.

③ '달나라'와 '종이비행기'는 이 작품을 환상적이고 동화
   적인 분위기로 이끌고 있다.

④ 문답 방식을 통한 지섭과 아버지와의 대화는 주제를
   효과적으로 드러내기 위한 장치이다.

⑤ 아이들을 부르는 어머니의 불안한 음성은 앞으로 불
   길한 사건이 일어날 것임을 예고하고 있다.

19. 과거에서 현재로 급격한 장면 전환을 가져오는 부분을 찾아
   쓰시오.

• 공간적 배경인 '낙원구 행복동'의 의미와 효과

낙원구 행복동		
동네 이름: 낙원, 행복	대조	실제의 삶: 지옥, 불행

• ❶□□적 표현: 빈곤하고 비참한 현실 강조
• 난쟁이 가족이 처한 현실 상황과 반대되는 지역명으로 난쟁이 가족(재개발 철거민들)의 참담한 현실을 강조함.

• 등장인물의 성격

아버지	• ❷□□ 계층을 대표하는 인물. 성실한 가장으로 살아왔으나 어려운 현실에 대항하지 못하고 이상 세계를 갈망함. • 현실의 중압감을 이기지 못하고 벽돌 공장의 굴뚝에서 추락사함.
어머니	가난한 생활을 인내하며 가족을 위해 헌신함. 절망적 현실을 받아들이고 앞으로 살아갈 방법을 모색함.
영수(장남)	현실에 대해 냉정하게 판단하고 주관이 뚜렷함.
영호(차남)	성격이 급하고 쉽게 흥분함. 현실에 대해 분노하며 저항함.
영희(막내)	순수하고 여린 마음의 소유자. 가족을 위해 자신을 희생함. 가출한 후 투기업자의 집에서 입주권과 돈을 훔쳐 나옴.
지섭	현실의 부조리함에 대해 비판 정신을 가진 지식인

• 소재의 상징적 의미

❸□□□	강자에게 억압받는 사회적 약자. 삶의 터전을 강제로 빼앗기는 빈민층
「일만 년 후의 세계」	• 현 사회의 문제점이 오랫동안 해소되지 않을 것임을 암시하는 책 제목 • 모두가 행복해질 수 있는 사회는 아주 먼 미래에나 가능하다는 뜻
줄 끊어진 기타	순수한 영혼을 가진 영희의 꿈이 좌절되리라는 것을 암시함.
최후의 시장	등장인물들에게 닥친 극단적이고 절망적인 상황을 상징함.
팬지꽃	순수하고 여린 영희의 마음. 곧 사그라질 영희의 꿈
❹□□□	사회적 모순을 넘어선 초월적 세계. 이상 세계

• 작품에 드러난 사회·문화적 상황과 작품의 의의

사회·문화적 상황	• 1970년대 급격한 ❺□□□의 폐해로 인한 빈부 격차 발생(사회적·경제적 불평등 심화) • 자본주의의 모순과 불합리한 재개발 사업으로 인한 사회 문제 발생 • 물질 만능주의 팽배로 인한 인간의 도구화
작품의 의의	• 무허가촌에 살다가 재개발 사업으로 인해 삶의 터전을 빼앗기게 되는 난쟁이 가족의 이야기를 통해 급속한 산업화와 도시화가 가져온 1970년대의 어두운 단면을 보여 줌. • 열악한 주거 문제, 노동 환경 등 당시 도시 빈민들의 가난한 삶을 고발함.

|정답| ❶ 반어 ❷ 소외 ❸ 난쟁이 ❹ 달나라 ❺ 산업화

학습 활동

작품 속으로

1. 이 작품에 등장하는 인물들의 성격을 말해 보자.

아버지	도시 빈민 계층을 대표하는 인물로, 삶의 절망 끝에서 이상 세계를 갈망함.
어머니	현실을 받아들이고 다시 살아갈 방법을 적극적으로 모색함.
영호	가족이 처한 상황에 분노하고 현실에 대해 반감을 드러냄.

2. 이 작품의 작가가 공간적 배경에 '낙원구 행복동'이라는 이름을 붙인 까닭을 파악해 보자.

| 예시 답안 | '낙원구 행복동'은 난쟁이 가족이 거주하고 있는 지역이다. 그러나 이름과는 반대로 낙원이 아니라 지옥 같은 곳이며, 이곳에서의 삶 역시 행복과는 거리가 멀다. 따라서 '낙원구 행복동'은 난쟁이 가족이 처한 실제 현실과는 대조되는 반어적 표현이며, 이러한 명칭을 붙인 것은 난쟁이 가족으로 대표되는 소외 계층의 빈곤하고 비참한 삶을 강조하기 위해서이다.

3. 다음은 이 작품의 시대적 배경을 설명한 글이다. 읽고, 아래 활동을 해 보자.

> 이 작품은 난쟁이 가족을 통해 1970년대의 사회적 상황, 즉 개발 중심의 급격한 산업화 과정에서 삶의 터전을 잃고 도시의 주변으로 밀려나 소외되는 가난하고 힘없는 도시 서민들의 모습을 그리고 있다. 이들은 산업화 과정에서 공장이 있는 도시 지역으로 몰려들어 도시 주변에 판잣집을 짓고 무허가로 살고 있었으나 무허가 정착지 정비 정책으로 인해 판자촌의 철거가 진행되자 입주권을 헐값에 넘기고는 무력하게 삶의 터전을 빼앗기고 밀려나게 된다.

(1) 이 작품에 나타난 시대적 배경을 바탕으로, 『일만 년 후의 세계』라는 책과 '줄 끊어진 기타'가 상징하는 의미가 무엇인지 파악해 보자.

| 예시 답안 |
- 일만 년 후의 세계: 우리가 기대할 만한 세계가 일만 년 후에나 이루어진다는 것으로 현재나 가까운 미래 사회의 여러 문제점이 앞으로도 오랫동안 해소되지 못하여 기대할 것이 없음을 의미한다.
- 줄 끊어진 기타: 순수한 영혼을 지니고 있던 영희의 꿈과 희망이 좌절되리라는 것을 의미한다.

(2) 위의 글을 참고하여 이 작품의 등장인물인 '난쟁이'가 상징하는 의미를 생각해 보자.

| 예시 답안 | '난쟁이'는 신체적 장애를 가진 인물로, 경제적으로 소외되고 무기력한 도시 빈민, 강자에게 억압받는 사회적 약자 등을 상징한다.

작품 너머로

4. 다음은 이 작품과 비슷한 시기에 쓰인 시이다. 읽고, 아래 활동을 해 보자.

> 『"지금 부셔 버릴까."
> 『 』 구체적인 대화 내용을 인용한 극적 긴장감 부여
> "안 돼, 오늘 밤은 자게 하고 내일 아침에……"
>   철거민에 대한 최소한의 배려
> "안 돼, 오늘 밤은 오늘 밤은이 벌써 며칠째야? 소장
>
> 이 알면……" / "그래도 안 돼……"』 ▶ 인부들의 대화
>
> 『두런두런 인부들 목소리 꿈결처럼 섞이어 들려오는
> 『 』 불빛이 새어 나가면 인부들이 방 안의 상황을 알까 두려워함.
> 루핑 집 안 단칸 벽에 기대어 그 여자
>
> 작은 발이 삐져나온 어린것들을
>
> 불빛인 듯 덮어 주고는』
>
> 가만히 일어나 앉아
>
> 칠흑처럼 깜깜한 밤을 내다본다
> 시각적 이미지를 통해 인물의   ▶ 루핑 집 안의 상황과 철거민의 아픔
> 암담한 심리를 효과적으로 표현함.   – 이시영, 「공사장 끝에」
>
> ▪ 루핑 집 물막이 천으로 지붕을 한 무허가 주택.

🔖 **작품 연구** 이시영, 「공사장 끝에」

- **갈래**: 자유시, 서정시 　　　　 • **성격**: 극적, 비판적, 애상적
- **제재**: 철거민의 소외된 삶
- **주제**: 산업화로 인해 삶의 터전을 빼앗기는 철거민의 애환
- **특징**: ① 화자가 관찰자 입장에서 장면 중심으로 시상을 전개함.
  　　　② 대화 형식을 사용하여 현장감과 긴장감을 조성함.
  　　　③ 비극적인 상황을 절제된 언어로 간결하게 표현함.
- **구성**: – 1~4행: 집 밖 철거반 인부들의 대화
  　　　– 5~10행: 집 안에서 철거반 인부들의 대화를 들으며 암담함을 느끼는 철거민 여자

---

(1) 위 작품에 등장하는 인물들이 처해 있는 갈등 상황을 말해 보자.

| 예시 답안 | 철거반 인부들은 철거 명령에 따라 루핑 집을 부수려고 왔지만, 집 안에서 자고 있는 사람들을 생각하며 철거를 망설이고 있다. 집 안에서는 여자가 잠든 아이들과 함께 이 이야기를 듣고 있다. 즉 철거를 해야 하는 인부와 철거민인 여자가 갈등 관계에 놓여 있음이 드러나 있다.

(2) 다음 조건을 고려하여 위 작품을 짧은 소설로 재구성해 보자.

| 조건 |
- 제목은 반어적인 표현을 사용한다.
- 인물의 이름은 상징적 의미를 담고 있도록 설정한다.
- '그 여자'를 서술자로 설정한다.

| 예시 답안 | 생략

[3] 극 갈래의 흐름

이 단원에서는 문학의 갈래 중 극 갈래의 전개와 구현 양상을 탐구하도록 한다. 또 극 갈래의 대표적인 작품을 감상하며, 작품에 반영된 시대 상황과 극 문학과 역사의 상호 관계를 탐구하는 능력과 태도를 기르도록 한다.

극 갈래란 무엇인가?

극은 어떤 사건을 다룬다는 점에서 소설과 유사하지만 <u>전달하고자 하는 내용을 소설</u>
<small>극과 소설의 공통점</small>　　　　　　　　　　　　　<small>소설과 다른 극의 특성</small>
<u>처럼 서술하거나 묘사하지 않는다.</u> 극은 인물의 행위나 대사를 통해 관객의 눈앞에 전달
하고자 하는 내용을 직접 펼쳐 보이며, 주로 등장인물 간의 갈등의 고조와 해소를 중심
　　　　　　　　　　　　　　　　<small>극 갈래의 특성 ②</small>
으로 내용이 전개된다. 또한 연극 공연이나 영화 상영을 전제로 하기 때문에 희곡이나
　　　　　　　　　　　　　　　　　　　　　　　　　<small>연극의 대본</small>
시나리오에는 장면, 장치, 의상, 조명, 배우의 연기 등에 관한 설명이나 지시가 곁들여진
<small>영화의 대본</small>　　　　　　　　　<small>극 갈래의 특성 ③</small>
다.　　　　　　　　　　　　　　　　　　　　　　　　　　▶ 극 갈래의 특성

한국 문학사에서 극 갈래는 어떻게 전개되어 왔을까

연극은 <u>원시 종합 예술에서 분화되어</u> 점차 세련된 독자적 영역으로 발전해 왔다. 우리
　　　　<small>연극의 기원</small>
나라의 연극은 크게 보아 가면극, 인형극 등을 거쳐 창극, 신파극, 근대극, 현대극으로
　　　　　　　　　　　　　　　<small>우리나라 극 문학의 전개 과정</small>
전개되어 왔다고 할 수 있다.　　　　　　　　　　▶ 한국 연극의 발전 과정
　　　　　　　　　　　　　　　　　　<small>탈을 쓰고 큰길가나 빈터에 만든 무대에서 하는 탈놀음</small>
가면극은 신라의 오기(五伎), 검무, 처용무에 이어 고려의 나례(儺禮), 조선의 산대희와
　　　　<small>신라의 다섯 가지 놀이</small>　　　　<small>음력 섣달 그믐날에 민가와 궁중에서 묵은해의 잡귀를 몰아내기 위하여 벌이던 의식</small>
탈춤 등으로 발전하였다. 인형극은 삼국 시대의 목우희에서 고려 시대의 <u>꼭두각시놀음</u>
　　　　　　　　　　　　　　　<small>나무 인형으로 노는 인형극</small>　　　　<small>민속 인형극</small>
과 그림자극인 망석중놀이로 이어졌다. 개화기에는 판소리를 변형·발전시킨 창극이 생겨
　　<small>음력 사월 초파일에 하던 인형극</small>
났고, 예술성과 흥미를 결합한 신파극이 인기를 끌었으며, 일제 강점기에는 신극 운동 단
　　　　　　　　　　　　　　　　　　　　　　　　　　<small>극예술 협회와 토월회 등</small>
체들을 중심으로 사실주의 연극의 전통이 확립되었다. 1960년대 이후에는 서사극이나
　　　　　　　　<small>근대극</small>　　　　　　　　　　　　　　　　<small>현대극 양식</small>
부조리극 같은 실험적인 연극들이 다양하게 시도되었고, 1970~80년대에는 마당극의 형
　　<small>1970년대 이후 탈춤, 풍물, 판소리 따위의 전통 민속 연희를 창조적으로 계승·발전시킨 실험적인 야외 연극</small>
식을 빌려 사회 현실을 풍자하는 극들이 등장하였다.　　▶ 한국 극 문학의 전개 양상

일제 강점기 이후, 영화도 끊임없이 제작·향유되면서 양적·질적으로 성장해 왔으며,
　　　　　　　　　　├ 극 문학의 다양한 갈래
오늘날에는 텔레비전 드라마, 오페라, 뮤지컬, 애니메이션 등 다양한 갈래들이 우리의 극
문학을 풍요롭게 만들어 나가고 있다.　　　　　　　　▶ 한국 극 문학의 다양한 갈래

✔ 바로 확인 문제

1 극 문학은 소설과 마찬가지로 □□을/를 다루지만 소설과 달리 내용을 □□하거나 묘사하지 않는다.

2 다음 설명이 맞으면 ○, 틀리면 X를 하시오.

(1) 한국의 가면극은 조선 시대부터 시작되었다.　　　　　　　　　(○ , ×)

(2) 한국에 서사극과 부조리극이 시도되기 시작한 것은 1960년대부터이다.　(○ , ×)

|정답 | 1. 사건, 서술　2. (1) ×　(2) ○

탐구로 생각 열기

어린아이들이 소꿉장난이나 병원놀이 같은 것을 좋아하는 까닭은 무엇일지 생각해 보자.

| 예시 답안 | 가상의 인물을 연기함으로써 내가 그 인물이 된 것과 같은 느낌을 받을 수 있고, 다양한 상황을 가상으로 체험하는 것에서 즐거움을 느낄 수 있기 때문이다.

≫ 사람들은 대부분 아주 어릴 때부터 소꿉장난이나 병원놀이 따위를 했던 기억이 있다. 이 놀이들의 재미는 본래의 내가 아닌 다른 누군가가 되어 볼 수 있다는 데에서 온다. 곧, 인간에게는 연극을 즐기는 본능이 있다고 말할 수 있다. 이처럼 사람들에게 즐거움을 주는 까닭에 오래전부터 존재해 온 극 문학은 어떤 특성이 있을까? 또 한국 문학에서 극 갈래는 어떻게 전개되어 왔을까?

01 봉산 탈춤 김진옥·민천식 구술 / 이두현 채록

해제

이 작품은 황해도 봉산 지역에서 전승되던 가면극으로, 해학성이 강하고 당대의 봉건적 모순에 대한 비판 의식이 강하게 드러나 있다. 전체 7개의 과장으로 구성되어 있으며, 7개의 독립된 과장(마당)은 옴니버스식으로 구성된다. 교과서 수록 부분은 제7과장 '미얄춤'에 해당하는 부분이다. 희화화된 등장인물을 통하여 유랑민의 곤궁한 삶의 모습을 드러내고, 가부장적 봉건 사회에서 여성에게 가해지는 남성의 횡포를 우회적으로 비판하고 있다.

전체 줄거리

미얄과 영감은 난리 중에 헤어진 상대를 찾아 유랑하다 봉산 탈춤 놀이판에서 만나게 되고 헤어져 있던 때의 사연을 말한다. 영감은 땜장이로 팔도를 떠돌아다녔다고 말하고, 미얄은 아들이 산에 나무하러 갔다가 호랑이에게 물려 갔다고 한다. 이 말을 들은 영감이 헤어지자고 하면서 두 사람 간의 싸움이 시작되고, 미얄이 영감의 첩인 덜머리집을 때리자 싸움이 더욱 격렬해진다. 이 과정에서 미얄이 죽게 되자, 남강노인이 등장하여 미얄을 극락세계로 보내기 위해 무당을 불러 굿을 한다.

핵심 정리

(1) 갈래: 민속극, 가면극(대본)
(2) 성격: 해학적, 풍자적, 비판적
(3) 배경: 시간적 – 조선 후기(18세기 무렵), 공간적 – 황해도 봉산
(4) 주제: 봉건적인 가족 제도하의 여성에 대한 남성의 횡포 비판, 서민의 고달픈 삶의 현실
(5) 특징: ① 각 과장이 옴니버스식으로 구성되어 독립적임.
   ② 익살, 과장, 반어, 언어유희 등을 사용해 풍자가 이루어지며, 서민의 언어인 비속어와 양반의 언어인 한자어를 동시에 사용하여 언어 사용의 양면성을 드러냄.
   ③ 희극적 과장과 해학적 표현을 활용하여 뛰어난 골계미를 구현함.
   ④ 무대와 객석, 배우와 관객이 엄격하게 구분되지 않는 전통극의 특성을 보여 줌.
   ⑤ 재담마다 한데 어울려 추는 춤과 음악으로 긴장과 갈등이 해소됨.
(6) 구성

제1과장	사상좌춤	상좌 넷이 사방(四方)의 신에게 배례하는 의식무
제2과장	팔목중춤	여덟 명의 목중들의 파계와 법고 놀이를 하는 장면 → 중의 희화화
제3과장	사당춤	사당과 거사들이 흥겹게 노는 모습
제4과장	노장춤	노장(승)이 소무의 유혹에 넘어가 파계를 했다가 취발에게 욕을 당하는 내용 → 승려의 허위 비판
제5과장	사자춤	사자가 파계승을 혼내고 화해의 춤을 추는 내용 → 놀이판을 정리하는 기능
제6과장	양반춤	말뚝이가 양반을 희롱하는 장면 → 양반들의 무능과 허세 비판
제7과장	미얄춤	영감과 미얄, 첩과의 삼각관계와 미얄의 죽음 → 당대 서민의 생활상을 드러내며 가부장적 사회에서의 남성 횡포 비판(교과서 수록 부분)

어휘·어구 풀이

❶한 손에 부채 들고~방울을 들었으며 부채와 방울을 들고 굿거리장단에 춤을 추며 등장하는 것으로 볼 때, 미얄이 무당임을 짐작할 수 있다.

핵심 쏙쏙

◉ '악공'의 역할
– 극의 진행에 필요한 음악을 연주함.
– 극의 등장인물과 말을 주고받으며 극에 적극 개입하여 사건을 진행하는 역할을 함.

◉ 동음이의를 통한 언어유희
악공이 '얼굴의 생김새나 차린 모습'이라는 뜻의 모색(貌色)을 동음이의어인 모색(毛色)으로 말하고, 이에 미얄이 소모색, 마모색이라고 대답하면서 영감의 모습을 희화화하고 있다.

▶ 교과서 날개 질문

가면극에서 탈은 어떤 역할을 하는지 생각해 보자.
| 예시 답안 | 인물의 성격을 극적으로 표현하고, 극에 대한 관객의 몰입도와 이해도를 높인다. 또한 배우의 익명성을 보장하여 지배 계층인 양반과 당시 사회를 자유롭게 풍자할 수 있다.

제7과장 미얄춤
전체 7과장 중 마지막 과장

미얄 (한 손에 부채 들고 한 손에 방울을 들었으며, 굿거리장단에 춤을 추면서 등장하여 악공 앞에 와서 울고 있다.) 아이고 아이고 아이고!
> ❶ 풍물놀이에 쓰이는 느린 4박자의 장단 / 인물이 등퇴장할 때 음악에 맞춰 춤을 춤. → 장면의 독립성

악공 웬 할맘입나?
> 악공의 극 중 개입

미얄 웬 할맘이라니, 떵꿍하기에 굿만 여기고 한 거리 놀고 가려고 들어온 할맘일세.
> 장구 소리(의성어) / 탈놀음, 꼭두각시놀음, 굿 따위에서, 장(場)을 세는 단위 / 악공과 관객이 굿놀이를 할 때 미얄이 구경하러 옴.

악공 그러면 한 거리 놀고 갑세.

미얄 놀든지 말든지 허름한 영감을 잃고 영감을 찾아다니는 할맘이니 영감을 찾고야 놀갔습네.
> 미얄의 처지를 드러냄.

악공 할맘 본고향은 어데와?

미얄 본고향은 전라도 제주 망막골일세.
> 조선 시대에는 제주가 전라도에 속했음.

악공 그러면 영감은 어찌 잃었습나?

미얄 우리 고향에 난리가 나서, 목숨을 구하려고 서로 도망을 하였더니 그 후로 아즉까지 종적을 알 수 없습네. → 미얄과 영감이 헤어진 이유가 나타나며, 당시 민중들이 전란으로 인해
> 영감과 헤어진 이유 / 뿔뿔이 흩어짐. / 피폐한 삶을 살았음을 드러내고 있음.

악공 그러면 영감의 모색을 댑세.
> 얼굴의 생김새나 차린 모습.

미얄 ㉠ 우리 영감의 모색은 마모색일세.

악공 그러면 말 새끼란 말인가?

미얄 아니, 소모색일세.
> 생김새가 소와 닮았음.

악공 그러면 소 새끼란 말인가?
> ♪ 발음의 유사성을 활용한 언어유희

미얄 아니, 마모색도 아니고 소모색도 아니올세. 영감의 모색을 알아서 무엇해. 아모리 바로 댄들 여기서 무슨 소용 있습나.

악공 모색을 자세히 대면 찾을 수 있을는지 모르지.

학습 문제

📋 정답과 해설 359쪽

1. 윗글의 '미얄'에 대한 설명으로 적절하지 않은 것은?

① 미얄의 직업은 무당이다.
② 미얄의 고향은 전라도 제주이다.
③ 미얄은 헤어진 영감을 원망했다.
④ 미얄은 난리 중에 영감과 헤어졌다.
⑤ 미얄은 굿놀이 구경을 하려고 한다.

2. 미얄의 신분을 드러내는 소재 두 가지를 쓰시오.

학습 활동 응용

3. ㉠에 쓰인 표현 방법과 효과가 다른 것은?

① 니 서방(書房)인지 남방인지 걸인 하나 내려왔다.
② 뭐 사대부(士大夫)? 나는 팔대부(八大夫)의 자손일세.
③ "문 들어온다, 바람 닫아라. 물 마른다, 목 들여와라."
④ 운봉 영장의 갈비를 가리키며, "갈비 한 대 먹고지고."
⑤ 올라간 이 도령인지 삼 도령인지, 그놈의 자식은 일거 후 무소식하니, 인사가 그렇고는 사람 구실도 못하지.

서술형

4. 윗글에서 '악공'의 역할을 두 가지 서술하시오.

미얄 (소리 조로) 우리 영감의 모색을 대. 『난간이마 주게턱 웅케[우먹]눈에 개발코. 상통
은 (갓 바른) 과녁(판) 같고 수염은 다 모즈러진 귀얄 같고 상투는 다 갈아먹은 망
같고 키는 석 자 네 치 되는 영감이올세.』

『♪ 영감의 생김새를 과장하여 묘사함(회화화를 통한 해학). 얼굴을 속되게 이르는 말.

풀이나 옻을 칠할 때에 쓰는 솔의 하나. 주로 돼지털이나 말총을 넓적하게 묶어 만듦.

악공 아 옳지, 바루 등 너머 망 쪼러 갔습네.

바로   '맷돌'의 방언

미얄 『에잇, 그놈의 영감, 고리쟁이가 죽어도 버들개지를 물고 죽는다더니 상게 망을 쪼

'고리장이'. 키버들로 고리짝이나 키 따위를 만들어 파는 일을 직업으로 하는 사람   아직

으러 다니나.

영감의 직업이 맷돌 수선을 하는 땜장이임.   『♪ 어디 가더라도 자기의 본업을 떨쳐 버리지
못한다는 뜻으로 제 버릇은 못 고침을 의미함.

『**악공** 영감을 한번 불러 봅소.

『♪ 미얄과 말을 주고받으며 관객의 웃음을 유발함.   ▶ 미얄과 악공의 재담

미얄 여기 없는 영감을 불러 본들 무엇하나.

악공 아, 그래도 한번 불러 봐.

미얄 영가암.

악공 거 너무 짧아 못쓰겠습네.

미얄 여엉가암!

악공 너무 길어 못쓰겠습네.』

미얄 그러면 어떻게 부르란 말입나.

악공 아, 전라도 제주 망막골에 산다니, 쉬(세)나위청으로 불러 봅소.

악공이 관객의 흥을 돋우기 위해 미얄에게 노래를 요청함.

미얄 ┌ (시나위청으로) 절절 절시구 저절절절 절시구, 얼시구 절시구 지화자 절절 절시

│ 구, 우리 영감 어데 갔나, 기산 영수 별건곤에 소부·허유를 따라갔나, 채석강

흥을 돋우기 위한 여음   별천지

명월야에 이적선 따라갔나, 적벽강 추야월에 소동파 따라갔나. 우리 영감을 찾

당나라 시인 이백   중국 북송의 문인

[A] 으려고 일원산(一元山)서 하로 자고, 이강경(二江景)서 이틀 자고, 삼부여(三扶

함경도 원산   충청도 강경   충청도 부여

餘)서 사흘 자고, 사법성(四法聖)서 나흘 자고, 삼국(三國) 적 유현덕(劉玄德)이

전라도 영광의 법성포   유비

제갈공명(諸葛孔明) 찾으랴고 삼고초려(三顧草廬) 하던 정성, 만고성군(萬古聖

└ 君) 주문왕(周文王)이 태공망(太公望)을 찾으려고 위수양(渭水陽) 가던 정성,

강태공   위수의 북쪽

어휘·어구 풀이

● **난간이마** 정수리가 넓고 툭
불거져 나온 이마.

● **주게턱** '주걱턱'의 방언. 주
걱 모양으로 길고 끝이 밖으로
굽은 턱. 또는 그런 턱을 가진
사람을 놀림조로 이르는 말.

● **웅케눈** '움펑눈'의 방언. 움
푹 들어간 눈.

● **개발코** 너부죽하고 뭉툭하
게 생긴 코를 비유적으로 이
르는 말.

● **시나위청** 시나위 대금의 중
심 음인. 대금 여섯 구멍을 다
막고 내는 음.

● **기산 영수** 중국 요임금 때
전설상의 은사인 소부와 허유
가 임금의 자리를 물려받으라
는 왕명을 피하여 들어가 은
거했다는 산과 물.

● **채석강 명월야** 채석강의 달
밤. '채석강'은 이백이 달을 건
지려 했다는 강.

● **주문왕(周文王)** 기원전 12세
기경 중국 주나라를 창건한 왕.

교과서 날개 질문

등장인물들의 대사 속에 어려운
한자어와 고사성어가 많이 포함
된 것을 바탕으로 이 작품의 향
유층이 누구였을지 짐작해 보자.
| 예시 답안 | 이 작품의 향유 계층
이 평민뿐 아니라 중인과 양반 계
층에 걸쳐 있었음을 알 수 있다.

학습 활동 응용

5. 윗글의 인물이 사용한 언어의 특징으로 적절하지 않은 것은?

① 악공은 미얄과의 대화를 통해 관객에게 웃음을 주고
있다.

② 미얄은 숫자로 운을 맞추는 방식으로 언어유희를 하
고 있다.

③ 미얄은 남편의 외모를 과장되게 표현하여 해학의 효
과를 얻고 있다.

④ 미얄은 고사(古事)를 활용하여 영감에 대한 그리움을
표현하고 있다.

⑤ 미얄은 한자어를 사용하지 않음으로써 평민 향유 계
층을 고려하고 있다.

6. [A]에 대한 이해로 적절하지 않은 것은?

① '절시구'를 반복하여 관객의 흥을 돋우고 있다.

② 영감이 따라간 '소부 허유'는 만나기 어려운 존재이다.

③ '원산', '강경' 등은 미얄이 영감을 찾아다녔던 곳이다.

④ '유현덕'은 영감을 '제갈공명'은 미얄을 빗댄 것이다.

⑤ '정성'은 임을 찾기 위한 미얄의 노력을 의미한다.

서술형

7. 윗글과 같은 가면극에서 '탈'이 어떤 기능을 하는지 두 가지
서술하시오.

어휘·어구 풀이

● **항적** 중국 초나라의 항우.

● **범아부** 범증. 항우의 신하로 항우의 의심을 받자 물러남.

● **나고산** 본래 '기고산'인데 광대들의 구비 전승 과정에서 '나고산'으로 와전되었음.

● **장삼** 승려의 웃옷. 길이가 길고, 품과 소매를 넓게 만듦.

● **모즈러진** '모지러진', 물건의 끝이 닳아 없어진.

❶ **할맘은 어찌~모색을 댑세.** 이전에 미얄과 악공이 나눈 대화와 거의 유사한 내용이 반복되는데, 이는 구비 전승을 유리하게 하고 극적 흥미를 높이기 위한 것으로 볼 수 있다.

▶ **교과서 날개 질문**

이 작품에서 춤과 음악은 어떤 기능을 할까?

| 예시 답안 | 흥겨운 분위기를 조성하고, 등장인물의 등장과 퇴장을 알려 주어 장면의 독립성을 표시한다.

초한(楚漢) 적 항적(項籍)이가 범아부(范亞夫)를 찾으려고 나[기]고산(祁高山) 가던 정성, 이 정성, 저 정성 다 부려서 강산 천 리(江山千里) 다 다녀도 우리 영감을 못 찾갔네. ㉠ <u>우리 영감을 만나 보면 귀도 대고 코도 대고 눈도 대고 입도 대고 업어도 보고 안아도 보련마는, 우리 영감 어데를 가고 날 찾을 줄을 왜 모르는가.</u> 아이고 아이고! (ⓐ <u>굿거리 춤을 추며 퇴장.</u>)

<small>영감을 찾기 위해 많은 노력을 함.</small>

▶ 영감을 부르다 퇴장하는 미얄

영감 (이상한 관을 쓰고 회색빛 나는 장삼을 입고 한 손에 부채, 한 손엔 지팡이를 들고 있다. ⓑ <u>굿거리장단에 춤을 추면서 등장한다.</u>) ㉮ <u>쉬이이</u>, 정처 없이 왔더니 풍악 소리 낭자하니 참 좋긴 좋구나. 풍악 소리 듣고 보니 우리 할맘 생각이 간절하구나. ㉡ <u>우리 할맘이 본시 무당이라 풍악 소리 반겨 듣고 혹 이리로 지나갔는지 몰라.</u> 어디 한번 물어볼까? 여보시오. / **악공** 거 뉘시오?

<small>희극적 복장(영감이 난리 통에 힘든 생활을 했으리라 짐작하게 함.)</small>
<small>미얄</small>

영감 그런 것이 아니오라 <u>허름한 할맘</u>을 잃고 찾아다니는데 혹시 이리로 갔는지 못 보았소?

<small>미얄을 지칭함.</small>

『**악공** 할맘은 어찌 잃었습니까?

<small>『 』: 미얄과 악공이 나누었던 대화 내용이 거의 유사하게 반복됨.</small>

영감 ㉢ <u>우리 고향에 난리가 나서 목숨을 구하려고 이리저리 동서 사방으로 도망을 하였는데, 그 후로 통 소식이 없습네.</u> / **악공** 본고향은 어디메와?

영감 전라도 제주 망막골이올세. / **악공** ㉣ <u>그러면 할맘의 모색을 댑세.</u>』

영감 우리 할맘의 모색은 하도 흉해서 댈 수가 없네.

악공 그래도 한번 대 봅세. / **영감** ㉤ <u>여기서 모색을 댄들 무엇하겠습나?</u>

악공 세상일이란 그런 것이 아니야, 모색을 대면 찾을 수 있을는지 모르지.

영감 그럼 바로 대지. 『난간이마에 주게턱, 웅케눈에 개발코[빈대코], 머리칼은 다 모즈러진 빗자루 같고, 상통은 깨진 (먹푸른) 바가지 같고, 한 손엔 부채 들고 또 한 손엔 방울 들고 키는 석 자 세 치 되는 할맘이올세.』

<small>『 』: 미얄의 생김새를 과장하여 묘사함(희화화를 통한 해학).</small>

학습 문제

8. 영감과 악공의 대화에 대한 설명으로 적절하지 <u>않은</u> 것은?

① 미얄과 영감의 성격이 대조적임을 드러내고 있다.

② 악공의 말을 통해 앞으로 일어날 일을 암시하고 있다.

③ 영감은 미얄을 희화화하여 관객들에게 웃음을 주고 있다.

④ 영감은 악공에게 자신의 사연을 요약적으로 제시하고 있다.

⑤ 이전의 미얄과 악공 사이의 대화와 유사한 내용이 반복된다.

서술형

9. 윗글에서 ㉮의 역할을 두 가지 서술하시오.

10. ㉠~㉤에 대한 이해로 적절하지 <u>않은</u> 것은?

① ㉠: 영감을 만나고 싶은 간절한 마음을 드러내고 있다.

② ㉡: 영감이 미얄을 찾아다니고 있음을 알 수 있다.

③ ㉢: 당시 백성들의 피폐한 삶을 엿볼 수 있다.

④ ㉣: 악공은 영감에게 잃어버린 할멈을 찾아 주려 하고 있다.

⑤ ㉤: 영감은 언젠가 미얄을 만날 수 있으리라 확신하고 있다.

11. ⓐ와 ⓑ의 기능으로 가장 적절한 것은?

① 작품의 분위기를 반전시킨다.

② 장면이 시작되고 끝남을 알린다.

③ 관객이 극에 몰입되는 것을 막는다.

④ 인물의 감정을 고조하는 기능을 한다.

⑤ 인물 간의 갈등을 고조하는 역할을 한다.

[A]

악공 옳지, 그 할맘이로군. 바로 등 너머 굿하러 갔습네.
　　『」: 미얄과 악공이 나누었던 대화 내용이 거의 유사하게 반복됨.　　　　　▶ 영감과 악공의 재담

영감 에에, <u>고놈의 할맘 항상 굿하러만 다녀.</u>
　　　　　　미얄이 무당임을 드러냄.

악공 할맘을 한번 불러 봅소.

영감 여기 없는 할맘을 불러 무엇하나?

악공 그런 것이 아니야. 한번 불러 봅세.

영감 무슨 영문인지 알 수 없으나 하라는 대로 해 보지.『할맘!
　　　　　　　　　　　　　　　　　　　　　　『」: 해학적 과장과 대구

악공 너무 짧아 못쓰겠습네!

영감 할마암.

악공 그것은 길어서 못쓰겠습네.』

영감 그러면 어떻게 부르란 말인가?

악공 전라도 제주 망막골에 산다니 시나위청으로 불러 봅소.』
　　　　　　관객의 흥을 돋우기 위해 노래를 부르도록 요구함.

[B]

영감 (시나위청으로) 절절 절시구 저저리 절절 절시구, 얼시구 절시구 지화자 절시
구, 우리 할맘 어디를 갔나. 채석강 명월야에 이적선을 따라갔나, 적벽강 추야
월에 소동파 따라갔나, 우리 할맘 찾으려고 일원산(一元山)·이강경(二江景)·삼
　　　　　미얄이 부른 노래 가사를 그대로 활용 → 극적 흥미 유발
부여(三扶餘)·사법성(四法聖), 강산 천 리를 다 다녀도 우리 할맘 보고지고, <u>칠</u>
년대한(七年大旱) 가뭄 날에 빗발같이 보고지고, 구 년 홍수(九年洪水) 대홍수
　　중국 은나라 탕왕 때 7년 동안 계속된 큰 가뭄
에 햇발같이 보고지고,❶우리 할맘 만나 보면 눈도 대고 코도 대고 입도 대고 건
　　미얄을 만나고 싶은 영감의 간절한 마음이 담겨 있음.
드러지게 놀겠구만, 어델 가고 날 찾을 줄 모르는가? (굿거리 곡으로 춤을 추면
　　　　　　　　　　　　　　　　　멋들어지게 부드럽고 가늘게
서 한쪽으로 가면 미얄이 다음과 같이 부르며 등장한다.)　　　　▶ 미얄을 부르는 영감
　　장면 전환이 자유로움.

어휘·어구 풀이

❶ **칠년대한 가뭄 날에~햇발같이 보고지고** '칠년대한'과 '구 년 홍수'처럼 숫자가 나오는 극단적 상황을 제시하여 미얄을 보고 싶어 하는 영감의 간절한 마음을 드러내고 있다. 또한 대구적 표현으로 운율의 효과도 얻고 있다.

교과서 날개 질문

이 작품에서 유사한 대사 구조를 반복함으로써 얻고자 한 효과는 무엇일까?

| 예시 답안 | 미얄과 영감이 각각 악공과 대화하는 장면에서 유사한 구조가 반복된다. 이는 구비 전승을 유리하게 하고, 극적 흥미를 유발하여 연극적 효과를 높이고자 한 것이다.

---

12. 이 작품에 대한 설명으로 적절하지 않은 것은?

① 조선 후기의 사회상이 반영되어 있다.
② 해설자가 직접 등장하여 사건의 의미를 설명한다.
③ 춤과 노래가 어우러져 흥겨운 분위기를 연출한다.
④ 복장과 소도구를 이용하여 인물의 처지와 특성을 드러낸다.
⑤ 등장인물과의 대화를 통해 극의 진행을 돕는 인물이 존재한다.

서술형

13. [A]는 이전에 미얄과 악공이 했던 대화의 장면과 거의 유사하다. 이렇게 유사한 장면을 반복하여 얻을 수 있는 효과를 두 가지 서술하시오.

14. [B]에 대한 감상으로 적절하지 않은 것은?

① 고사(古事)를 인용하여 할멈 찾기의 어려움을 토로하고 있다.
② 비유적 표현을 통해 할멈에 대한 절절한 그리움을 드러내고 있다.
③ 구체적 지명을 사용하여 할멈과의 아름다웠던 추억을 묘사하고 있다.
④ 미래의 상황을 가정하여 할멈과의 만남에 대한 간절함을 나타내고 있다.
⑤ 극단적 상황에 빗대어 할멈과 떨어져 사는 괴로움을 강조하고 있다.

어휘·어구 풀이

❶ 이태백이 술을~날 찾나? 중국의 고사를 인용한 부분으로, 고사의 주인공은 대개 속세를 버리고 은둔한 사람이다. 「수궁가」의 토끼가 부른 노래를 미얄이 차용한 것은 누군가 자신을 찾는 일이 매우 드물고 신기한 것임을 나타내기 위해서이다.

❷ 아들이 죽었다는~죽게 되자 미얄과 영감이 어렵게 만났음에도 영감의 폭력에 의해 미얄이 죽는 설정을 통해 가부장적 사회에서 여성에게 가해지는 남성의 횡포를 드러내고 있다.

핵심 쏙쏙

◉ '탈춤'과 '현대극'의 차이점

	탈춤	현대극
구성	각 과장이 독립적임. 사건 사이에 유기성 없음.	막과 장, 사건들이 유기적으로 연결됨.
공연 장소	극 중 장소와 공연 장소가 일치함.	극 중 장소와 공연 장소가 꼭 일치하는 것은 아님.
관객과의 관계	관객이 극에 능동적으로 참여함.	관객의 능동적 참여가 불가함.

미얄 『절절 절시구 얼시구 절시구 지화자 좋네. 절절 절시구 거 누가 날 찾나? 날 찾을 사람 없건마는 누가 날 찾나? 이태백(李太白)이 술을 먹자구 날 찾나? 상산사호(商山四皓) 네 노인이 바둑 두자고 날 찾나? ㉠ 수양산(首陽山) 백이숙제(伯夷叔齊) 채미(採薇)하자고 날 찾나?』❶

♪ 판소리 「수궁가」 중 자라가 육지로 올라와 토끼를 찾자 토끼가 나타나 부르는 노래를 차용한 부분

중국 진시황 때에 난리를 피하여 산시성 상산에 들어가서 숨은 네 사람인 동원공, 기리계, 하황공, 녹리 선생을 이름.

영감 (굿거리장단에 춤을 추며 다음과 같이 부르며 미얄 쪽으로 간다.) ㉡ 절절 절시구 얼시구 절시구 지화자 절시구, 할맘 찾을 이 누가 있나 할맘 할맘 내야 내야.

미얄 이게 누구야 우리 영감이 아닌가. 아모리 보아도 우리 영감이 분명하구나. ㉢ 지성이면 감천이라더니 이제야 우리 영감을 찾았구나. (노랫조로) 반갑도다 좋을시구! (춤을 추면서 영감에게 매달린다.)

하늘이 돕고 신령이 도움. 또는 그런 일.

반가움의 마음을 춤과 노래로 표현하고 있음.

영감 여보게 할맘, 우리가 오래간만에 ㉣ 천우신조로 이렇게 반갑게 만났으니 얼싸안고 춤이나 추어 봄세. (노랫조로) 반갑고나 얼러 보세. ▶ 미얄과 영감이 만나 춤을 춤.

[뒷부분 줄거리] 미얄과 영감은 아들 낳는 흉내를 내지만 제대로 안 되고 싸움만 벌인다. 그러다가 서로 지난 사연을 말하는데, 영감은 땜장이로 팔도를 떠돌아다녔다고 하고 미얄은 아들이 산에 나무하러 갔다가 호랑이에게 물려 갔다고 한다. 아들이 죽었다는 말을 들은 영감이 미얄에게 헤어지자고 하면서 싸움이 다시 시작되고, ㉤ 미얄이 영감의 첩인 용산 삼개 덜머리집을 때리면서 싸움은 더욱 격렬해진다. 이 과정에서 미얄이 죽게 되자, 남강노인이 등장하여 미얄을 극락세계로 보내기 위해 무당을 불러 굿을 한다.

학습 문제

학습 활동 응용

15. 윗글의 갈래상 특징으로 적절하지 않은 것은?

① 관객이 공연에 적극적으로 참여할 수 있다.

② 극 중 장소와 공연 장소가 일치하지 않는다.

③ 시간적 배경과 공간적 배경의 전환이 자유롭다.

④ 특별한 무대 장치 없이 개방된 공간에서 공연된다.

⑤ 과장(마당)과 과장의 사건이 유기적으로 연결되지 않는다.

16. 윗글에서 춤과 노래가 하는 역할로 적절한 것은?

① 악귀를 내쫓는다. ② 갈등을 고조시킨다.

③ 인물의 등장을 예고한다. ④ 관객의 심리를 치유한다.

⑤ 흥겨운 분위기를 고조한다.

17. ㉠~㉤에 대한 이해로 적절하지 않은 것은?

① ㉠: 자연에 살고 싶은 미얄의 바람이 나타나 있다.

② ㉡: 미얄을 만난 반가운 마음이 드러나 있다.

③ ㉢: 영감을 만나기 위해 노력했음을 드러내고 있다.

④ ㉣: 영감을 만나기 매우 힘들었음을 나타내고 있다.

⑤ ㉤: 미얄의 죽음이 처첩 간의 갈등과 관련 있음을 알 수 있다.

서술형

18. [뒷부분의 줄거리]를 참조하여 이 작품에서 '영감'을 통해 비판하려는 바를 구체적으로 서술하시오.

• '제7과장 미얄춤'의 등장인물

미얄	부채와 방울을 지니고 다니는 무당으로, 전란 중 남편과 헤어져 그를 찾아다니다 재회하지만 영감의 첩인 덜머리집과 다투다 영감에게 죽임을 당함. 사회와 남성의 횡포로 고통받던 당대 여성을 상징함.
영감	맷돌을 고치는 일을 하는 인물로, 전란으로 헤어진 아내 미얄을 찾아다니다 재회하지만, 미얄이 자신의 첩인 덜머리집을 때리자 화가 나 미얄을 죽임. 여성에게 부당한 폭력을 가하는 ❶□□□□ 남성을 상징함.
덜머리집	영감의 첩으로, 미얄과 영감의 갈등을 심화시키는 역할을 함.

• 「봉산 탈춤」의 해학적 표현

미얄: 우리 영감의 모색은 마모색일세. 악공: 그러면 말 새끼란 말인가?	동음이의어를 사용한 ❷□□□□
미얄: 우리 영감의 모색을 대. 난간이마 주게턱 웅케[우먹]눈에 개발코. 상통은 (갓 바른) 과녁(판) 같고 수염은 다 모즈러진 귀얄 같고 상투는 다 갈아먹은 망 같고 키는 석 자 네 치 되는 영감이올세.	❸□□와 과장을 통한 인물의 희화화
미얄: 영가암. 악공: 거 너무 짧아 못쓰겠습네. 미얄: 여엉가암! 악공: 너무 길어 못쓰겠습네.	해학적 과장과 대구

• 「봉산 탈춤」의 연극적 특징

– 공연 장소와 극 중 장소가 엄격하게 구분되지 않고, 특별한 무대 장치가 없음.

– 배우가 관객과 가까운 거리에 있어 관객이 극에 적극적으로 ❹□□할 수 있음.

– 희극적 과장에 의한 해학적 표현이 빈번하고 동시에 고사(古事)나 한자어를 사용하여 평민뿐 아니라 중인, 양반들도 작품을 향유할 수 있도록 함.

• 춤과 노래, 악공의 역할

춤과 노래	• 등장인물이 굿거리장단에 맞추어 춤을 추며 등장과 퇴장을 함. → 장면의 시작과 끝을 알리고, 관객의 ❺□을 돋우는 역할을 함.
❻□□	• 극의 진행에 필요한 음악을 연주함. • 극의 등장인물과 말을 주고받으며 극에 적극 개입하여 사건을 진행하는 역할을 함.

|정답| ❶ 가부장적 ❷ 언어유희 ❸ 열거 ❹ 개입 ❺ 흥 ❻ 악공

학습 활동

작품 속으로

1. 이 작품에서 골계미가 잘 드러나는 장면을 찾아보고, 각각 어떤 표현법을 사용하고 있는지 말해 보자.

골계미가 잘 드러나는 장면	사용된 표현법
미얄 우리 영감의 모색은 마모색일세. 악공 그러면 말 새끼란 말인가?	동음이의어를 통한 언어유희
미얄 난간이마 주게턱 웅케[우먹]눈에 개발코, 상통은 (갓 바른) 과녁(판) 같고 수염은 다 모즈러진 귀얄 같고 상투는 다 갈아먹은 망 같고 키는 석 자 네 치 되는 영감이올세.	열거와 과장 – 인물의 희화화
미얄 영가암. 악공 거 너무 짧아 못쓰겠네. 미얄 여엉가암! 악공 너무 길어 못쓰겠네.	해학적 과장과 대구

2. (가)는 「봉산 탈춤」의 '제6과장 양반춤'이다. (나)에 나타난 조선 후기의 사회상이 (가)에 어떻게 반영되어 있는지 설명해 보자.

가 말뚝이 (벙거지를 쓰고 채찍을 들었다. 굿거리장단에 맞추어 양반 삼 형제를 인도하여 등장)

양반 삼 형제 (말뚝이 뒤를 따라 굿거리에 맞추어 점잔을
양반의 희화화 ① – 양반 계급의 위선 풍자
피우나 어색하게 춤을 추며 등장. 양반 삼 형제 맏이는 샌님[生員], 둘째는 서방님[書房], 끝은 도련님[道令]이다. 샌님과 서방님은 흰 창옷에 관을 썼다. 도련님은 남색 쾌자에 복건을 썼다. 샌님과 서방님은 언청이며
양반의 희화화 ② – 양반을 신체적 결함이 있는 인물로 묘사
(샌님은 언청이 두 줄, 서방님은 한 줄이다.) 부채와 장
신분을 나타냄(양반의 권위 상징).
죽을 가지고, 도련님은 입이 삐뚤어졌고 부채만 가졌다. 도련님은 일절 대사는 없으며 형들과 동작을 같이
양반의 희화화 ③
하면서 형들의 면상을 부채로 때리며 방정맞게 군다.)
▶ 인물의 등장과 소개

말뚝이 (가운데쯤에 나와서) 쉬이. (음악과 춤 멈춘다.) 양반 나오신다아! 양반이라고 하니까 노론(老論),
양반의 위엄
소론(少論), 호조(戶曹), 병조(兵曹), 옥당(玉堂)을 다 지내고 삼정승(三政丞), 육판서(六判書)를 다 지

낸 퇴로 재상(退老宰相)으로 계신 양반인 줄 아지 마시오. 개잘량이라는 '양' 자에 개다리소반이라는
언어 유희를 통한 해학적 표현–양반은
'반' 자 쓰는 양반이 나오신단 말이오.
동반(문관)과 서반(무관)을 일컫는 신분상의 특권 계층인데 말뚝이는 이를 비천한 뜻을 가진 개가죽과 개다리로 비하시켰음.

양반들 야아, 이놈, 뭐야아!

말뚝이 아, 이 양반들, 어찌 듣는지 모르갔소. 노론, 소론, 호조, 병조, 옥당을 다 지내고 삼정승, 육판서 다 지내고 퇴로 재상으로 계신 이 생원네 삼 형제분이 나오신다고 그리하였소. – 이두현, 『한국의 가면극』
▶ '양반'이 뜻풀이

- **옥당** ① 홍문관(弘文館). ② 홍문관의 부제학, 교리, 수찬 따위를 이르는 말.
- **개잘량** 털이 붙어 있는 채로 무두질하여 다룬 개의 가죽. 흔히 방석처럼 깔고 앉는 데에 씀.
- **개다리소반** 상다리 모양이 개의 다리처럼 휜 막치 소반.

나 임진왜란과 병자호란 이후 경제 여건이 변화하는 가운데 기존의 신분 구조 역시 크게 바뀌었다.『양반은 군
『 』: 조선 후기에 이르러 경제력에 의해 재편된 신분 구조를 형성함.
역을 비롯한 각종 국역이 면제되었기 때문에 부유한 양인들은 호적을 새로 만들거나 족보를 위조하는 등 갖은 방법을 써서 양반으로 행세하려 하였다. 그러나 납속이나 공명첩을 사서 양반이 된 사람들은 품계만 있을 뿐 실제 관직에 임명되는 경우는 거의 없었다.』

- **납속** 조선 시대에, 나라의 재정난 타개와 구호 사업 등을 위하여 곡물을 나라에 바치게 하고 그 대가로 벼슬을 주거나 면역(免役) 또는 면천(免賤)해 주던 일.
- **공명첩** 성명을 적지 않은 백지 임명장.

작품 연구

(가) 작자 미상, 「봉산 탈춤 – 제6과장 양반춤」
- **갈래**: 민속극, 가면극(탈춤) 대본 • **성격**: 풍자적, 해학적, 비판적
- **배경**: 시간적–조선 후기(18세기 무렵), 공간적–황해도 봉산
- **주제**: 양반에 대한 풍자와 조롱
- **특징**: ① 언어유희, 과장, 열거, 대구, 익살 등을 통해 양반 계층을 풍자하고 비판함.
  ② 무대와 객석, 배우와 관객이 엄격히 구분되지 않고 있음.

(나) 조선 후기의 사회상에 관한 글
- **갈래**: 설명문 • **성격**: 객관적, 해설적
- **제재**: 조선 후기의 신분 구조의 변화
- **주제**: 임진왜란과 병자호란 이후의 신분 구조상의 변화

| 예시 답안 | 조선 후기의 사회는 전통적인 신분제가 점차 무너지고 경제력에 의해 재편된 신분 구조를 형성하고 있었다. 이로 인해 경제력을 잃은 양반은 이전과 같은 권세를 누리지 못하게 되었고, 사람들이 양반의 허위에 대해 조롱하고 비판할 수 있는 분위기가 자연스럽게 형성되기 시작한 것이다. 이러한 시대적 상황이 「봉산 탈춤」의 말뚝이가 양반을 조롱하고 희화화하는 모습에 반영되어 있다.

작품 **너머로**

3. 다음은 우리나라의 근대 사실주의 극의 대표작으로 평가받는 작품이다. 읽고, 아래 활동을 해 보자.

> **무대**
>
> 좌편에는 헛간. 우편에는 마당. 마당에는 바깥 행길의 일부분을 경계하는 울타리. 그러나 이 집에서는 울타리 밖 행길에다가 일쑤 소를 매어 둔다. 울타리에는 길로 빠지는 조그만 삽짝문이 있다.
>
> 헛간 좌편 벽에는 방문. 그 앞에 툇마루. 헛간의 후방에는 집 곁으로 통하는 입구. 마당에는 빨간 감이 군데군데 달렸다. / 명랑한 늦은 가을철. [중략]
>
> **국서** 이놈 개똥아! 오늘같이 바쁜 날에 너는 어디를 쏘다니니. 없는 돈에 삯꾼 얻어서 일허는 것을 보구. 그래 사대육신 성헌 놈들이 왜 그렇게 빈둥거리고 노느냐 말이야? 이놈, 성 녀석은 또 어디 갔니?
> _{두 팔, 두 다리, 머리, 몸뚱이라는 의미로, 온몸을 이르는 말} _{말똥이}
>
> **개똥이** (퉁명스럽게) 못 봤수, 나는.
>
> **국서** 에이 죽일 놈들! 자식들 있다는 보람이 어디 있어! 그저 삼신할머니의 잘못이야. 이따위를 자식이라구 점지해 주신 삼신할머니가 아예 미쳤어!
> _{자식들에 대한 못마땅함을 푸념조로 드러냄.}
>
> **개똥이** 아버지, 그렇게 부화만 내지 마시구 내게 노자를 만들어 주. 나같이 배 타고 돌아다니는 놈을 붙들고 농사를 지으라니 될 말이오. 여기서 이냥 놀기만 해두 갑갑해 죽겠는데.
> _{농사를 지을 마음이 없는 개똥이}
>
> **국서** 이놈아, 네가 아무리 뱃놈이기로서니 애비가 바빠서 이러는데 좀 거들어 주었다구 뼉다귀가 뿌러질 게 뭐냐?
>
> **개똥이** … 저 이것 봐요 아버지. 『우리 집 소, 그만 팔아서 나 노자해 주. 네? 나 만주 가서 돈 많이 벌어 가지구 올게. 일천 오백 냥(30원)만 있으면 돼요.』
> _{갈등의 매개체}
> _{『 』: 소를 팔아서 사업 밑천으로 쓰고 싶어 함. 소를 수단적 가치로 여김.}
>
> **국서** 뭐? 소를 팔어? 원, 이 지각없는 자식 놈의 소리 좀 들어 보게. 이놈아, 우리 소는 저래 봬도 딴 데 있는 그런 너절한 소하고는 씨가 다르다. 너두 알지? 우리 집 소의 사촌의 아버지의 큰형님뻘 되는 소가, 그러니까 우리 소의 사촌의 큰아버지뻘 되는 소지, 그 소가 읍내 공진회에 나가서 도 장관 나리 한테서 일등상을 받았어. 정신 채려라! 일등상이야. 그런 내력 있는 소를 함부로 팔어?…… 그 소가 우리 집에서 그저 밭이나 갈고 이웃에 불려가서 품앗
> _{소에 대해 애정과 자부심을 가지고 소중히 함. → 본질적 가치로 여김.}
> _{각종 산물이나 제품들을 한곳에 많이 모아 놓고 품평하고 전시하는 모임.}

> 이나 들고 하니까 그저 이놈이 업수이 여겨서.
>
> **개똥이** 아버지, 요즘 만주만 가면 돈벌이가 참 많대요, 이때가 바로 물땝니다.
>
> **국서** 흥, 이놈아, 건성으로 돈이 사람을 딸는 줄 알아서는 안 돼.『너 따위 배 타러 다니는 놈이 그렇게 대가리에다가 지꾼지 처치를 처바르고 게다가 비단조기까지 잡숫고 그래 가지구두 돈을 벌어?』당최 그런 생각일랑 염두에두 두지 말고 뒷길에 가서 소 마구간이나 치워라. 그리고 성 녀석 만나거든 어서 타작마당으로 오라구 그래. ▶ 소를 둘러싼 국서와 개똥이의 갈등
> _{『 』: 허영기가 있고 정신 상태가 올바르지 않다고 여김.}
>
> – 유치진, 「소」에서

📖 **작품 연구** 유치진, 「소」

- **갈래**: 장막극, 비극, 사실주의 극   • **성격**: 사실적, 현실 고발적
- **배경**: 시간적–1930년대, 공간적–어느 가난한 농촌
- **주제**: 가난에 시달리는 일제 강점기 농촌의 현실
- **특징**: ① 사실주의 계열의 첫 장막극임.
  ② '소'를 둘러싼 가족의 분열과 계층 간의 대립이 몇 차례의 반전을 거치면서 나타남.

---

(1) '국서'와 '개똥이'의 대화를 바탕으로 '소'에 관한 두 사람의 생각이 어떻게 다른지 말해 보고, '소'가 상징하는 바를 생각해 보자.

| 예시 답안 | '국서'는 소를 단순히 농사일을 하는 데에 이용하는 수단으로만 생각하는 것이 아니라, 생명처럼 소중한 존재이자, 자신의 자랑으로 여기고 있다. 자기 소에 대한 자부심은 자신의 자존감을 지킬 수 있는 근간이 된다. 그래서 '국서'는 이 소를 파는 것에 반대 의사를 보인다. 반면에 '개똥이'에게 소는 물질적인 가치 이상의 의미를 지니지 못한다. 그래서 '개똥이'는 이 소를 팔아 만주에 가서 돈벌이를 하고 싶어 한다. 이처럼 국서에게 '소'는 정신적 기둥이며, 개똥이에게 '소'는 돈을 벌 수 있는 수단이다. 따라서 '소'는 평화로운 농촌 공동체의 자산이자 희망을 상징한다. 그러므로 이와 같은 '소'를 일제의 불합리한 소작 제도에 의해 빼앗기게 된다는 것은 국서네로 대표되는 우리 농촌 공동체의 희망이 송두리째 상실됨을 의미한다. 또한 이를 확대하면 일제에게서 지켜 내야 할 민족혼을 상징한다고도 할 수 있다.

(2) 「봉산 탈춤」과 위 작품의 무대 장치를 비교해 보고, 차이점을 말해 보자.

	「봉산 탈춤」	「소」
무대 장치	특별한 무대 장치가 없어서 공연 장소와 극 중 장소가 엄격하게 나뉘지 않는다. 이로 인해 배우가 객석으로 갈 수도 있고, 관객이 무대로 이동할 수도 있다. 따라서 배우와 관객의 거리가 가까워지고 관객이 공연에 적극적으로 참여할 수 있다. 또한 특별한 무대 장치가 없기 때문에 시간적, 공간적 배경의 제약이 없어 다양한 장면을 연출할 수 있다.	작품의 배경이 되는 '국서'의 집이 사실적인 무대 장치로 설치되어 있고, 객석과 분리된 무대 위에서 극이 상연되도록 하고 있다.

02 원고지 이근삼

해제

이 작품은 끊임없이 원고 작업에 시달리는 대학 교수와 그의 가족, 그리고 교수에게 원고를 독촉하는 감독관의 모습을 통해, 방향 감각과 도덕적 판단력을 상실한 채 무의미한 일상을 반복적으로 살아가는 현대인을 풍자하는 희곡이다. 이 작품은 원고지를 덧붙여 만든 교수의 양복이나 교수의 허리에 두른 쇠사슬과 같은 상징적 소도구를 적극 활용하고 있고, 등장인물이 해설자와 같은 역할을 하면서 반어적 성격의 방백을 하고 있다. 또 특별한 사건 전개 없이 극이 전개되며, 동일한 내용의 신문 기사를 활용하여 부조리가 반복되는 모순된 사회를 비판하고 있다. 이처럼 이 작품은 다양한 실험적 성격을 띠고 있다는 점에서 부조리극에 해당한다.

전체 줄거리

장남과 장녀가 등장하여 가족을 소개한다. 그리고 이어 아내는 돈이 없다며 남편인 교수를 추궁하고, 교수는 중압감에 밤 8시를 알리는 괘종 시계 소리에 출근을 하려고 한다. 이처럼 반복적으로 일상을 살아가는 교수에게 감독관이 나타나 번역 원고 쓰기를 재촉하고, 아내는 원고 한 장을 돈으로 환산한다. 교수는 우연히 190칸만 있는 원고지를 발견하고, 환상 속에서 젊은 날의 열정과 희망을 상징하는 천사를 만난다. 하지만 천사는 곧 사라지고 다시 감독관이 나타나 번역 일을 독촉한다. 신문은 어제와 똑같은 사건이 벌어지고 있음을 알리고, 교수는 언제나처럼 기계적으로 번역을 한다.

핵심 정리

(1) 갈래: 희곡(단막극), 부조리극
(2) 성격: 풍자적, 반어적, 상징적
(3) 배경: 현대, 어느 중년 교수의 가정
(4) 제재: 어느 중년 교수와 그 가족의 일상
(5) 주제: 진정한 삶의 가치와 의미를 잃어버린 현대인과 인간 소외의 현실에 대한 풍자
(6) 특징: ① 특별한 사건의 전개나 갈등 없이 극 중 상황이 전개됨.
　　　　② 상징적 의미를 지닌 장치, 분장, 소도구가 쓰이고 있음.
　　　　③ 희극적 과장과 과장된 성격을 띤 대사로 주제를 부각함.
　　　　④ 등장인물에게 해설자의 역할을 부여하여 극 중 상황에 대한 관객의 이해를 도움.
(7) 구성

발단	장남, 장녀, 교수, 교수의 처가 차례로 등장하고, 인물과 집안이 소개됨.
전개	처는 번역을 독려하고, 계속되는 피로로 교수는 이성이 마비된 듯한 착란에 빠짐.
절정	장남과 장녀는 다양한 용도의 돈을 요구하고, 감독관은 교수에게 번역을 독촉함.
하강	천사가 나타나 교수가 잃어버린 옛날의 희망과 정렬을 환기시키지만, 감독관이 다시 나타나 번역을 독촉함.
대단원	교수는 무의미한 일상을 반복하고, 감독관도 번역 독촉을 계속함.

등장인물 <u>중년 교수(본직 번역) / 처 / 장남 / 장녀</u>
특정한 이름 대신에 보통 명사를 사용함.

▶ 등장인물의 소개

극 중 인물. 작품의 해설자 역할

장남 전 이 집 장남입니다. 이쪽 높은 방은 저하고 누이동생이 생활하는 곳입니다. 아버
등장인물이 직접 자신과 배경을 소개하고 있음.
지를 소개하기 전에 행복한 가정을 이룰 수 있는 비결을 말씀 드리겠어요. 아주 간

단합니다. 부모는 자식들에게 맡은 바 책임을 다하면 됩니다. 밥 세끼도 제대로 못
부모의 의무만 강조하고 있음. → 이기적이고 자기중심적인 사고
멕이고, 학비도 제대로 못 주는 부모들이 아들딸이 결혼할 때가 되면 아주 귀찮게

간섭을 한단 말입니다. 우리는 이런 버릇을 버려야 합니다. 우리 집이 비교적 행복

한 것도 우리 부모의 열렬한 책임감 때문입니다. (자기 손목시계를 보며) 지금이 저

녁 일곱 시 반이니 아마 아버지가 곧 돌아오실 겁니다. ㉠<u>아버지는 늘 쾌활한 얼굴</u>
아버지의 실제 모습과 다르게 소개하는 장남
<u>에다 발걸음은 참새처럼 가볍지요.</u>❶
▶ 부모의 의무만 강조하는 장남

생활의 중압감을 드러내는 소재
<u>졸음이 오는 지루한 음악</u>과 더불어 <u>철문 도어가 무겁게 열리며 교수 등장</u>❷. 아래위 양복이
교수의 무기력한 상황을 암시하는 음악   교수가 규격화된 삶에 갇혀 무의미한 일상생활의 노예처럼 살아가는 모습을 상징적으로 표현함.
원고지를 덧붙여 만든 것처럼 이것도 원고지 칸투성이다. 손에는 큼직한 낡은 가방을 들고 있
철문 도어
다. 『허리에 쇠사슬을 두르고 있는데 허리를 돌고 남은 줄이 마루에 줄줄 끌려 다닌다. 쇠사슬
현실의 중압감
이 도어 밖까지 나가 있어 끝이 없다.』도어를 닫고 소파에 힘들게 앉는다. 여전히 쇠사슬을 끌
『 』: 집의 안팎에서 일에서 벗어나지 못하는 교수의 삶을 상징함.
고 다니면서 가방은 자기 옆에 놓고 처음으로 전면을 바라본다. 중년에 퍽 마른 얼굴, 이마에
교수의 모습
는 주름살이 가고 찌푸린 얼굴은 돌 모양 변화가 없다. 잠시 후 피곤하다는 듯이 두 손을 옆으
아무런 감정도 느끼지 못하고 무의미하게 살아가고 있음을 빗댐.
로 뻗치면서 크게 기지개를 한다. '아아' 하고 토하는 <u>큰 하품은 무엇에 두들겨 맞아 죽는 비명</u>
교수의 삶이 비명을 지를 정도로 고되고 힘듦.
<u>같이 비참하게 들려</u> 오히려 관객들을 놀라게 한다. 장녀가 플랫폼에 나타난다.
▶ 현실의 삶에 짓눌려 피곤해하는 교수

어휘·어구 풀이

❶ **전 이 집~참새처럼 가볍지**
요. 장남은 마치 해설자처럼
관객에게 자신과 배경이 되는
장소를 소개하고 있다. 또한 자
식에 대한 부모의 의무를 강조
함으로써 이기적이고 자기중심
적 태도를 드러내는 한편 등장
할 아버지의 모습과는 반대로
설명함으로써 아버지에 대한
무관심을 드러내고 있다. 이런
점으로 볼 때, 장남은 스스로
풍자의 대상이 되는 인물로 볼
수 있다.

❷ **졸음이 오는~교수 등장.** 지
루한 음악은 교수의 무기력한
일상을 암시하고, 철문 도어가
무겁게 열리는 장면은 교수가
느끼는 현실의 중압감을 상징
한다.

핵심 쏙쏙

◉ **등장인물의 호칭**

> 등장인물을 고유 명사가
> 아니라 보통 명사로 명명함.

· 등장인물이 현대인의 전형을
보여 주는 인물임을 드러냄.
· 가족 간의 유대감이 상실되었
음을 드러냄.

학습 문제

📋 정답과 해설 361쪽

1. 윗글에 대한 설명으로 적절하지 <u>않은</u> 것은?

① 인물의 처지에 어울리는 배경 음악이 쓰이고 있다.

② 한 가정의 두 공간을 공간적 배경으로 설정하고 있다.

③ 상징성이 강한 의상이나 소도구를 적극적으로 활용
한다.

④ 인물의 과장된 행동과 대사를 통해 해학성을 높이고
있다.

⑤ 등장인물이 해설자처럼 자신에 관해 관객에게 직접
설명하고 있다.

3. ㉠을 통해 작가가 궁극적으로 나타내려는 것은?

① 사회적 소외 계층이 겪는 어려움

② 부모와 자녀 사이에 존재하는 위계

③ 자녀를 잘 돌봐야 하는 부모의 의무

④ 부모를 걱정하는 자식의 애틋한 마음

⑤ 유대감이 사라진 가족 공동체의 모습

서술형
2. 윗글에서 등장인물의 이름을 고유 명사가 아니라 보통 명사로
명명한 작가의 의도를 두 가지 서술하시오.

서술형
4. 윗글에서 교수가 두른 '쇠사슬'이 상징하는 바를 서술하시오.

어휘·어구 풀이

❶ **플랫폼 방 불이 서서히 꺼진다.** 응접실로 장면이 이동함을 드러낸 것이다.

핵심 쏙쏙

◉ **풍자의 대상인 장녀와 장남**

소개: 아버지가 '쾌활한 얼굴'에 '참새처럼 가벼운' 발걸음을 지니고 '달콤한 하품'을 함.

↓

아버지의 실제 모습: 무기력하며 피곤에 찌든 모습

↓

가족에 대해 무관심한 가족 구성원을 풍자함.

▶ **교과서 날개 질문**

작가의 의도와 관련지어 음악과 소도구의 상징성을 파악해 보자.
| 예시 답안 | 졸음이 오는 지루한 음악은 지친 교수의 무료하고 반복적인 일상의 무의미함을 환기하고, 원고지 무늬로 된 교수의 양복은 규격화된 일상의 틀을 상징하며, 쇠사슬은 가장으로서의 책임감과 현대인을 짓누르는 구속감과 노동의 중압감을 상징한다.

'장남'과 '장녀'의 역할과 두 인물의 성격은 어떤 면에서 유사한지 말해 보자.
| 예시 답안 | 장남과 장녀 모두 해설자 역할을 하고 있으며, 세속적이고 이기적인 성격을 지니고 있다는 점에서 유사하다.

장녀　저의 아버지랍니다. 밖에서 돌아오시면 늘 이렇게 달콤한 하품을 하신답니다.
　_{장남과 같이 해설자 역할을 함.}　　　　　_{비명 같은 아버지의 하품을 달콤하다고 이해함. → 아버지에 대한 무관심}

　　(교수는 머리를 기대고 잠을 자고 있다. 코를 고는데 흡사 고양이 우는 소리다.)

　　인제 어머님이 돌아오셔요. 어머님은 늘 아버지의 건강을 염려하세요.
　　　　　　　　　　　　　_{어머니의 실제 모습과 반대되는 설명}

　　　　　　　　　　　　　　　　　　　　　　　　　　　　　　_{빛이나 색이 바램}
　　적당한 곳에서 처가 나타난다. 과거에는 살도 쪘지만 현재는 몸이 거의 헝클어져 있다. 퇴색
　　　　　　　　　　　　　　　_{교수와 마찬가지로 현실의 삶에 찌들어 있음.}
한 옷을 입고 있다. 『소리를 안 내고 들어와 잠자는 교수의 주머니를 샅샅이 턴다. 돈을 한 주
　　　　　　　　『 : 남편의 건강보다 돈에만 관심이 있는 모습 → 장녀의 말과 다름.
먹 쥐고 이어 교수의 가방을 턴다. 돈 부스러기를 몇 장 찾아내고 그 액수가 적음에 실망을 한
다.』잠시 후 교수를 흔들어 깨운다.

장녀　㉠ 제 말이 맞았지요?

　　_{장남과 장녀가 등퇴장하는 곳}
　　㉯ 플랫폼 방 불이 서서히 꺼진다.❶　　　　　　　　　　　　　▶ 부모에게 무관심한 장녀

처　　여보, 여기서 그냥 주무시면 어떡해요. 옷도 안 갈아입으시고.

교수　깜빡 잠이 들었군.

　　교수 일어선다.

처　　어서 옷을 갈아입으세요.

　　(처는 교수 허리에 칭칭 감긴 철쇄를 풀어헤치고, 소파 뒤의 막대기에 감겨 있는 또 하나의
　　　　　　　　　_{현대인을 짓누르는 사회생활의 구속}　　　　　　　　　　　　_{가장으로서의 책임감}
굵은 줄을 풀어 교수 허리에 다시 감아 준다.)

　　㉡ 옷을 갈아입으시니 한결 시원하시지 않아요?

교수　난 잘 모르겠어.

처　　김 씨 만나 봤어요?

교수　아니, 원체 바빠서.

처　　그렇지만 김 씨 만나는 일이 제일 바쁘지 않아요? 내일까지 내야 하는데 전 어떡해요.
　　　　　　　　　　　　　_{돈을 마련해 오라고 재촉하는 처}

교수　내일 만나, 내일 만나.

학습 문제

5. 윗글의 인물에 대한 설명으로 적절하지 <u>않은</u> 것은?

　① 장녀는 아버지가 처한 상황을 정확히 알지 못한다.
　② 처는 교수와 마찬가지로 현실의 삶에 지친 상태이다.
　③ 교수는 자녀보다는 자신의 일이 더 중요하다고 여겨 몰두한다.
　④ 교수는 과도한 일로 인해 이성이 마비되어 제대로 사고를 하지 못한다.
　⑤ 처는 교수를 돈 버는 기계로 인식하고 착취하는 속물적 인간이다.

학습 활동 응용

6. ㉠과 ㉡에 대한 설명으로 적절한 것은?

　① 가족 공동체를 배려하는 마음을 표출하고 있다.
　② 예상과 반대되는 현실에 대한 절망감이 담겨 있다.
　③ 인물을 희화화하여 관객에게 웃음을 유발하고 있다.
　④ 대상을 관찰한 결과를 전달하여 정보를 주고 있다.
　⑤ 실제와는 다른 인식으로 가족 간의 단절을 드러내고 있다.

서술형

7. ㉯의 연극적 기능을 서술하시오.

처 내일 누구가 누구를 만난단 말이에요? / **교수** 내가 그 이 씨를 만난다니까.

처 이 씨는 또 누구요? / **교수** 당신이 만나라는 출판사 주인 말이야.

처 그 주인이 왜 이 씨예요? 김 씨지. / **교수** 그래, 김 씨랬어.
<u>과도한 업무로 사람을 분간하지 못함.</u>

처 이름도 못 외고 어떻게 해요.

교수 (화를 내며) 김 씨면 어떻고 이 씨면 어때? 박 씨면 또 어때?[1] 아닌 게 아니라 누가 누군지 분간을 못 하겠어. 누굴 만난다고 찾아가다가 보면 영 딴 사람한테 가게 된단 말이야. (잠시 사이) 거 애들보고 음악이나 한 곡 틀라고 하시오.
▶ 현실에 억눌려 사람을 구분하지 못하는 교수

처 (<u>순하고 부드러운 목소리로 옆방을 향하여</u>) 애들아, (잠시 후) 애들아, (대답이 없다.
<u>자식을 대하는 처의 태도가 드러남.</u>
여전히 부드럽게) 애들아.

장남 (<u>처의 소리와는 정반대로 호령이나 하듯이</u>[2]) 왜 그래요?
<u>부하나 동물 따위를 지휘하여 명령함. 또는 그 명령</u>

처 가벼운 음악이나 한 곡 틀어라. 아버지가 피곤하시단다. / **장남** 알겠어요!

<u>원통형 레코드 또는 원판형 레코드에 녹음된 음을 재생하는 장치</u>
　　옆방에서 축음기 소리가 난다. 시끄럽고 귀가 아픈 곡이면 어떤 음악이건 상관없다. ㉠판
<u>아버지와 어머니의 요구와는 반대되는 성격의 음악</u>
에 고장이 난 듯 똑같은 곡이 되풀이된다. 처는 무표정한 얼굴, 교수는 시끄럽다는 듯이 손으
로 귀를 막는다. 참다못해 교수는 손을 흔들며 중지하라는 시늉을 한다. 음악이 멎으면 옆방
이 밝아진다. <u>소파에 앉아 무엇을 처먹고 있는 장남과 아무렇게나 앉아 화장을 하고 있는 장</u>
<u>장면의 전환</u>
<u>녀가 보인다.</u>
<u>교수와 대조적인 모습을 보이는 자녀</u>

교수 저런 시끄러운 음악을 무엇 때문에 틀까?

처 왜 시끄러워요? 애들이 제일 좋아하는 곡인데.
<u>남편보다 자녀 편을 듦.</u>

교수 좋건 나쁘건 간에 왜 똑같은 곡을 되풀이하느냐 말이오?

처 당신이 음악을 몰라 그래요. 애들은 좋다고 하던데. / **교수** 그 곡 이름이 뭐지?

처 ㉡「찬란한 인생」이라나요.

교수 「찬란한 인생」이라. 찬란한 인생이 자꾸 되풀이된다는 말이군.

처 그런가 부죠.
▶ 유대감이 사라진 가족

어휘·어구 풀이

❶ 김 씨면 어떻고~또 어때? 출판사 주인을 아는 것이 중요한 것이 아니라 그에게 돈을 받는 것만이 중요하다는 인식을 드러내고 있다.

❷ 처의 소리와는 정반대로 호령이나 하듯이 처는 자식에게 부드러운 태도로 말을 하지만 자식들은 이와 대조적으로 고압적 태도로 말함으로써 전통적 가족 위계의 질서가 무너졌음을 드러내고 있다.

（핵심 쏙쏙）

◉ **음악의 의미**

・시끄럽고 귀가 아픈 곡
・고장이 난 듯 똑같은 곡이 되풀이됨.

↓

무의미한 일상이 반복되고 있는 교수의 처지를 드러냄.

────────────

교과서 날개 질문

'교수'가 처에게 화를 내는 까닭을 말해 보자.

| 예시 답안 | 끊임없는 노동에 지친 교수에게는 일 때문에 만나는 사람들과의 관계가 모두 무의미한 것에 불과하다. 따라서 반복적이고 가치 없는 일상에 지친 자신에게 계속해서 희생과 노동을 강요하는 아내에게 화가 난 것이다.

---

8. 윗글을 통해 알 수 있는 내용이 <u>아닌</u> 것은?

① 교수는 아이들이 튼 음악이 마음에 들지 않는다.
② 처는 자녀의 음악 선곡에 대해 자녀 편을 들고 있다.
③ 처는 부모와 자녀 사이에 지켜야 할 도리를 강조한다.
④ 교수는 자신에게 희생을 강요하는 아내에게 화를 낸다.
⑤ 교수는 출판사 주인이 누구인지 알고 싶어 하지 않는다.

9. 다음은 ㉠의 상징적 의미이다. 빈칸에 알맞은 말을 쓰시오.

| （　　　）이 반복됨을 드러낸다. |

학습 활동 응용

10. ㉡에 대한 설명으로 적절한 것은?

① 교수가 지금까지 살아온 날을 평가한 것이다.
② 교수의 현재 처지를 반어적으로 드러낸 것이다.
③ 교수가 앞으로 맞이할 밝은 미래를 암시한 것이다.
④ 교수의 삶에 대한 가족들의 생각을 나타낸 것이다.
⑤ 교수와 가족들 간의 관계를 역설적으로 표현한 것이다.

핵심 쏙쏙

● 출판사 이름의 의미
'착취사'와 '악마사'라는 출판사 이름은 노동자를 착취하는 기업을 상징한다. 출판사 이름에 이와 같은 상징성을 부여한 이유는 노동자에게 비정한 현실, 거대한 조직 속에서 위축된 개인의 모습을 부각하기 위해서이다.

● 교수의 번역의 의미
교수가 번역하는 작품들은 다양한 성격을 지니고 있다. 이는 교수가 자신의 주관과 신념에 따라 진정한 학문을 하는 것이 아니라, 아내와 자식들의 물질적 욕구를 채우기 위해서 닥치는 대로 기계적으로 번역하고 있음을 의미한다. 물질적인 것에 의해 여지없이 무너지고 있는 정신적 가치의 참담함을 느낄 수 있다.

▶ 교과서 날개 질문

작가는 '삼 년 전 신문'과 '오늘 신문'의 내용을 통해 무엇을 전달하려고 한 것일까?
| 예시 답안 | 비상식적이고 부조리한 사건들이 일상적으로 벌어지는 현실, 삶의 진정성을 의식하지 못하고 단편적이고 파편화된 삶을 살아가는 현대인의 반복적이고 지루한 일상을 전달하고 있다.

교수가 소파 앞에 굴러 있는 신문지를 집어 본다.

교수 (신문을 혼자 읽는다.) 『참 비가 많이 왔군. 강원도 쪽에 눈이 굉장한 모양인데. 또 살인이야, 이번엔 두 살 난 애가 자기 애비를 죽였대. 참, 지프차가 동대문을 들이받아 동대문이 완전히 무너졌군. 지프차는 도망가 버리구. 이것 봐, 내 『개성을 잃은 노동자』라는 번역품이 착취사에서 다시 나왔군. 이 씨가 또 당선됐군. 신경통에 듣는 한약이 새로 나왔는데. 끔찍해라. 남편이 자기 아내한테 또 매 맞았군.』
『 』: 교수가 말도되지 않는 해괴한 사건이 실린 신문을 읽고 있는 장면으로, 이는 인물들이 속한 사회가 매우 비정상적임을 상징적으로 보여 줌.

처가 신문지를 한 장 다시 접는다. 날짜를 보더니

처 당신두 참, 그건 옛날 신문이에요. 오늘 것은 여기 있는데.

교수 (보던 신문 날짜를 읽고) 오라, 삼 년 전 신문을 읽고 있었군. 오늘 신문 이리 주시오. (오늘 신문을 받아 가지고 다시 읽는다.) 『참, 비가 많이 왔군. 강원도 쪽에 눈이 굉장한 모양인데. 또 살인이야, 이번엔 두 살 난 애가 자기 애비를 죽였대. 참, 지프차가 동대문을 들이받아 동대문이 완전히 무너졌군. 지프차는 도망가 버리구. 이것 봐, 내 『개성을 잃은 노동자』라는 번역품이 악마사에서 나왔어. 이 씨가 또 당선됐군. 신경통에 듣는 한약이 새로 나왔는데. 끔찍해라. 남편이 자기 아내한테 또 매 맞았군.』
『 』: 삼 년 전과 다를 바가 없는 기사 내용 → 현대인의 반복적이고 지루한 일상을 드러냄.

처 『참, 세상도 무척 변했군요. 삼 년 전만 해도 그런 일이 없었는데.』 당신 피곤하시죠?
교수가 읽은 기사의 내용에 전혀 맞지 않는 말 ▶ 비정상적인 사회의 모습과 무의미한 일상의 반복

학습 문제

11. 윗글을 공연하기 위한 계획으로 적절한 것은?

① 관객을 극에 적극적으로 동참시키기 위한 방안을 마련해야겠어.

② 무대 배경을 초현실적으로 제작하여 신비한 분위기를 연출하도록 하자.

③ 배우들이 서로 갈등하다 화해하는 장면을 중점적으로 다루어야겠어.

④ 다양한 공간의 변화를 통해 관객이 긴장하며 무대를 보도록 유도해야겠어.

⑤ 배우들은 건조한 표정과 따분한 어투로 무의미한 일상을 보내는 모습을 연기해야겠어.

12. 윗글에 나타나 있는 '신문 기사'가 의미하는 바로 가장 적절한 것은?

① 대화가 단절된 가족들의 실상을 암시한다.

② 사회의 비정상적인 모습을 상징적으로 보여 준다.

③ 교통 법규가 잘 지켜지지 않는 사회의 현실을 풍자한다.

④ 가장으로서 의무에 혼신의 힘을 다해야 하는 교수의 삶을 암시한다.

⑤ 교수의 처가 교수를 억압할 수밖에 없는 집안의 어려운 경제적 상황을 의미한다.

서술형

13. 윗글에 나오는 신문 기사의 내용을 통해 작가가 비판하려는 것을 두 가지 서술하시오.

장녀 (옆방에서 화장을 하며, 장남에게) 얘, 시계가 좀 늦는데 일어선 김에 밥이나 좀

[A]　　쳐라. / 장남, 시계에 밥을 준다.
　　　　_{시계의 태엽을 감으라는 뜻}

처　　여기 좀 계세요. 저 밥을 좀 지을게요.
_{시계에 밥을 주는 행위와 동일한 의미 – 밥을 준다는 의미는 계속해서 노동을 착취하기 위한 것에 불과함.}

교수　괜찮어. 밥 먹었어. / **처**　　어디서요?

교수　여기서 먹었던가? 아니야, 거기서 먹었던 것 같기도 하구.
_{교수가 자신이 밥을 어디서 먹었는지도 헷갈릴 정도로 판단 능력을 상실했음을 드러내고 있음.}

처　　언제요?

교수　오늘 아침에도 먹었구. 점심두……. 글쎄……. 그러다 보니 밥을 먹었는지 분간을
　　　　못 하겠군.
_{반복되는 일상으로 인해 정신을 차리지 못하고 있음.}

처　　지금 하시는 번역은 언제 끝나요?

교수　지금 하는 번역이 몇 가지나 있지?
_{자신이 하는 일이 많아 무슨 일을 하고 있는지도 알지 못함.}

처　　『그러니까 밤낮 원고료를 짤리우지요. 『자존심의 문제』, 『예술에 있어서의 창조성』,
_{『 』: 번역 작품의 종류가 다양함. 돈을 벌기 위해 닥치는 대로 번역하고 있음.}
　　　　『어떤 여자의 고백』, ……이렇게 셋뿐인가요?』

교수　그렇겠지. 아이, 피곤해.
_{무기력하고 힘든 일상}

처　　어떤 것이건 빨리 끝내야지, 어떻게 해요. 집도 수리해야겠구, 축음기도 사야겠구,
_{다양한 이유를 들어 원고를 써 돈을 벌라고 강요함.}
　　　　또 이달에 아버지 생일도 있잖아요.

교수　밤낮 생일을 치르고 있으니 어떻게 된 거요? 어제도 아버지 생일잔치를 했는데.
_{돈의 사용 내역을 모르는 채 기계적으로 돈을 벌고 있음.}

처　　당신두 참! 어제는 당신 아버지 생신이었어요. 이번엔 우리 아버지 생일이구.
_{1953년 2월 15일부터 1962년 6월 9일까지 통용된 화폐 단위}

교수　그저께도 누구 아버지 생일이라고 해서 돈 만 환을 내지 않았소?
_{자신이 번 돈이 어디에 쓰이는지도 알지 못함.}

처　　그건 대식이 동생 사촌의 며느리뻘 되는 여자의 아버지 생일이래서 그랬지요.❶
_{전혀 관련 없는 사람의 생일까지 챙기고 있음. → 가장으로서의 책임감이 커짐.}

교수　그 바로 전날에도 누구 아버지 생일이라고 해서 돈을 냈는데.
_{끝없는 금전 요구에 시달림.}

처　　그건 순자 언니 조카뻘 되는 며느리 시누이의 아버지……
_{누구인지 알 수도 없는 먼 관계의 사람으로 처가 교수에게 끊임없이 금전적 요구를 하기 위해 만들어 낸 사람일 수도 있고, 교수가 불필요한 의무까지 감당하며 힘겹게 살고 있음을 드러내기 위해 제시된 인물일 수도 있음.}
　　　　▶ 가장으로서의 의무를
　　　　　다 해야 하는 교수

어휘·어구 풀이

❶그건 대식이~생일이래서 그랬지요. 자신과 직접적인 상관이 없는 일까지 챙길 정도로 교수가 무거운 현실의 무게를 감당하고 있음을 보여 주는 것일 수도 있고, 처가 교수를 착취하기 위해 아무렇게나 꾸며 낸 거짓말로도 볼 수 있다.

핵심 쏙쏙

◉ 시계의 '밥'과 교수의 '밥'

자녀	처
시계가 제시간에 맞게 작동하도록 밥을 줌.	자녀가 시계에게 밥을 주자 남편에게 밥을 주겠다고 함.

↓

밥을 주며 계속해서 노동력을 착취함을 의미하고 교수가 시계와 같이 기계적으로 노동하고 있는 상황임을 암시함.

교과서 날개 질문

'교수'와 '처'가 주고받는 대사의 특징을 말해 보자.

| 예시 답안 | 처는 교수를 취조하듯이 질문하고 교수는 대답하기 힘들어하는 모습을 보인다. 이는 착취자와 피착취자 사이의 대화에 가깝다. 또한 교수와 처의 대사는 짧고 건조한 대화로 이루어져 있어 진정한 의사소통이 단절된 부부의 관계를 잘 드러낸다.

---

14. 윗글에 나타난 교수와 처의 대화에 대한 설명으로 적절한 것은?

　① 처는 교수를 걱정하는 말을 건네고, 교수는 그런 처에게 고마움을 전달하고 있다.

　② 처는 교수에게 따지듯 질문을 계속 던지고, 교수는 질문에 제대로 된 대답을 하지 못하고 있다.

　③ 처는 평소 남편에게 궁금한 점을 질문하고 있고, 교수는 처가 궁금해하는 것을 명쾌하게 설명하고 있다.

　④ 처는 교수에게 질문을 던져 스스로의 삶을 반성하게 하고, 교수는 대답을 하며 자신의 처지를 깨닫고 있다.

　⑤ 처는 교수에게 일하기를 재촉하는 질문을 하고, 교수는 질문을 무시하고 자신이 하던 일을 계속하고 있다.

15. [A]에 대한 감상으로 가장 적절한 것은?

　① 교수가 시계처럼 기계적으로 노동하고 있음을 상징적으로 표현하고 있군.

　② 정신적 가치보다 물질적 가치를 중시하는 교수의 가치관이 표출되고 있군.

　③ 과거에 집착하여 현실을 직시하지 못하는 현대인의 비극을 표현하고 있군.

　④ 가족 구성원이 각자 자신이 맡은 일에 최선을 다하고 있음을 나타내고 있군.

　⑤ 밥으로 상징된 공동체 문화가 사라진 현대 사회의 비정한 모습을 형상화하고 있군.

어휘·어구 풀이

❶ 전번 모양 철쇄를 졸라맨다.
철쇄를 매는 행위는 집 안과 집 밖에서 교수가 삶의 중압감에 시달리고 있음을 상징적으로 보여 주는 행위이다. 교수가 전번 모양으로 철쇄를 졸라맨다는 것은 사회생활의 중압감에 시달릴 일을 하러 갈 준비, 즉 출근을 준비하고 있음을 의미한다.

핵심 쏙쏙

◉ '철쇄'의 상징성
가장으로서의 책임감, 노동의 중압감, 현실의 구속 등을 상징한다.

◉ 제목인 '원고지'의 의미
'원고지'는 자본주의를 살아가는 교수의 생활 수단이며 사실적 신분 표현인 동시에 일상의 반복되는 틀이다. 이는 한 치의 여유도 없이 정해진 칸으로 짜여 이루어지는 현대인의 기계적인 삶을 의미한다.

교수 됐어, 됐어. (크게 하품을 하며) 아이, 피곤해.
(이때 밖에서 시계가 여덟 시를 친다. 교수는 깜짝 놀라 일어선다.) 여덟 시야! 여덟 시! 늦겠군.
<small>일을 하러 가야 한다는 강박 관념 때문에 / 과도한 업무로 밤낮을 구별하지 못하고 다시 무의미한 일상을 기계적으로 반복하려는 교수</small>

처 어디 가세요?

교수 어디 가긴 어디 가. 나 가는 데 모르시오? 옷 갈아입어야지.

전번 모양 ㉠ 철쇄를 졸라맨다. 이어 도어 쪽으로 가서 철문 같은 도어를 열고 밖으로 나간다. 잠시 후, 다시 들어온다.
<small>교수의 집—자유와 개성을 상실한 현대인의 폐쇄적인 공간의 상징</small>

처 왜 또 돌아오세요? 나가기가 바쁘게.

교수 여덟 시를 치기에 아침 여덟 신 줄 알았지. 대학에 강의하러 나간다고 나섰더니 밖이 캄캄하지 않아. 생각해 보니 밤 여덟 시군. (소파에 누우면서) 오늘 밤은 좀 푹 쉬어야겠군.
<small>과중한 업무와 반복되는 일상에 시달려 계속 일을 해야 한다는 강박 관념에 시달림.</small>

처 ㉮ 공부는 안 하세요?

교수 공부?

처 『아, 번역 말이에요.』 『 』: 교수의 원래 일은 연구와 강의이겠지만 처는 부업인 번역을 공부라고 함.
<small>돈 때문에 본업과 부업이 뒤바뀐 교수의 처지를 드러냄.</small>

교수 좀 쉬어야겠어. ▶ 반복되는 일상에 짓눌린 교수

[뒷부분 줄거리] 기계적으로 일상을 반복하며 살아가던 교수에게 감독관이 나타나 번역 원고 쓰기를 독촉하고, 아내는 원고 한 장이 나올 때마다 이를 돈으로 환산한다. 환상 속에서 젊은 날의 희망과 정열을 상징하는 천사를 만난 교수는 자신의 꿈을 찾아 줄 것을 천사에게 갈구하지만 천사는 곧 사라져 버린다. 다시 나타난 감독관이 번역 일을 독촉하자 교수는 또 기계적으로 번역 작업을 해 나간다. 신문은 항상 똑같은 사건이 일어나고 있음을 알리고, 교수는 번역하는 일에, 아내는 자식들에게 용돈을 나누어 주는 일에 쫓기는 가운데 감독관이 번역을 독촉하는 일이 계속된다.
<small>아내의 속물적인 성격이 드러남. / 교수의 자의식이 분열됨. / 교수의 일상이 반복되고 사회는 변하지 않음. / 자식에게 부모로서의 의무만 강요당하는 아내</small>

학습 문제

16. 윗글을 통해 알 수 있는 사실로 적절하지 않은 것은?

① 교수는 가족을 위해 늘 업무에 시달리고 있다.
② 교수는 반복되는 일상에 억압감을 느끼고 있다.
③ 처는 교수가 돈을 많이 벌어 오기를 바라고 있다.
④ 교수는 가장으로서의 책임감을 가지고 있는 사람이다.
⑤ 처와 교수는 서로에게 인간적인 유대감을 가지고 있다.

서술형
17. ㉠이 의미하는 바를 서술하시오.

18. [뒷부분의 줄거리]를 통해 추리할 수 있는 내용으로 가장 적절한 것은?

① 교수의 무의미한 일상은 앞으로도 지속될 것이다.
② 교수가 자신의 본업인 연구와 강의에 충실할 것이다.
③ 교수가 가족 간의 유대감 형성을 위해 노력할 것이다.
④ 교수가 그동안 잃어버렸던 삶의 열정을 되찾을 것이다.
⑤ 교수가 아내와 자녀에게 가장의 권위를 보여 줄 것이다.

서술형
19. ㉮를 통해 처가 교수에게 전달하려는 내용을 구체적으로 서술하시오.

• 부조리극으로서의 이 작품의 특징

극의 구조	극 중 상황이 인과적으로 전개되기보다는, 유사한 에피소드가 반복되며 극이 진행됨.
등장인물의 특징 및 주제	• 교수가 의지와 감정 없이 번역 일을 기계적으로 반복하는 모습을 보임. • 등장인물들이 고유 명사 대신 보통 명사로 지칭됨으로써 ❶□□이 제거됨. • 이기적 욕망과 파편화된 관계로 인해 비인간화된 현대 사회를 살아가는 현대인들의 현실을 ❷□□함.
대사의 성격	무의미한 대사를 반복함.
무대 장치와 소도구	• 원고지 모양의 철문 도어를 사용하여 규격화된 틀 속에 놓인 인물의 중압감을 표현함. • ❸□□□ 무늬의 양복, 허리에 두른 쇠사슬 등의 소도구들이 주제를 상징하는 기능을 함.

• 등장인물의 성격과 호칭

교수	처	장남, 장녀
한때 꿈과 정열을 품었으나 지금은 가장으로서의 책임감에 눌려 정상적인 사고 능력을 상실한 채 기계적으로 일만 하는 무기력한 인물	자식에게는 의무를 강요하고, 남편에게는 착취자의 역할을 하는 이중적 입장의 인물	오로지 물질적 욕망에만 사로잡혀 있는 이기적 인물로, 극 중 ❹□□□의 역할을 함.

⬇

고유 명사가 아닌 사회적 차원의 객관화된 호칭 사용	➡	• 현대인을 대표하는 ❺□□□ 인물임을 드러냄. • 가족 구성원의 유대감 상실과 거리감을 드러냄.

• 소재의 상징성

❻□□□ 무늬로 된 교수의 양복	규격화된 틀에 갇혀 노예처럼 원고 집필만 하는 교수의 처지
교수가 허리에 두른 ❼□□□	가장으로서의 책임감, 노동의 중압감, 현실의 구속
시끄럽게 반복되는 음악인 「찬란한 인생」	겉은 화려해 보이지만 속은 불안 의식에 젖어 있는 현대인의 복잡한 삶(반어적 표현)
삼 년 전 신문과 같은 내용의 오늘 신문	비정상적인 사건이 벌어지는 현대 사회의 모습, 무의미한 일상을 반복하는 현대인의 모습

• 작품의 주제

• 무의미한 일상을 반복적으로 살아가는 교수 • 소통이 이루어지지 않고 유대감이 사라진 가족	➡	❽□□ □□와 소통의 부재가 만연한 현대 사회에 대한 풍자

|정답 | ❶ 개성　❷ 풍자　❸ 원고지　❹ 해설자　❺ 전형적　❻ 원고지　❼ 쇠사슬　❽ 인간 소외

작품 속으로

1. 대사와 행동을 통해 등장인물들을 이해해 보자.

(1) 극 중 인물들의 대사와 행동을 고려하여 등장인물들의 성격을 파악해 보자.

교수	삶의 무게에 눌려 정상적인 사고력을 상실한 채 기계적으로 번역만 하는 무기력한 인물이다.
처	자식들에게는 의무를 강요당하면서 남편에게는 착취자의 역할을 하는 이중적인 성격의 인물이다.
장남, 장녀	이기적이고 물질적인 욕망에 사로잡혀 있는 인물들이다.

(2) 극의 전개와 관련하여 '장남'과 '장녀'가 어떤 역할을 하고 있는지 설명해 보자.

| 예시 답안 | '장남'과 '장녀'는 등장인물이면서도 다른 인물을 관객에게 소개하거나 사태에 관한 논평을 시도하는 등 마치 해설자와 같은 역할을 하고 있다.

2. 다음 대사가 나오는 부분을 찾아보고, 이 대사들이 실제 연극 공연에서 관객에게 어떤 느낌을 줄지 추측해 보자.

- (장녀가 관객에게) "제 말이 맞았지요?"
- (처가 교수에게) "옷을 갈아입으시니 한결 시원하시지 않아요?"
- (처가 교수에게) "참, 세상도 무척 변했군요. 삼 년 전만 해도 그런 일이 없었는데."

| 예시 답안 | 실제 벌어지는 일들과 반대되는 진술을 통해 상황적 반어가 발생하고, 이로 인해 관객이 등장인물이나 극 중 상황에 관해 비판적 인식을 갖게 될 것이다.

3. 다음 음향을 사용하여 얻을 수 있는 효과를 생각해 보자.

교수가 등장할 때 흐르는, 졸음이 오는 지루한 음악	기계처럼 반복되는 일상의 무의미함과 교수가 느끼는 피로감을 효과적으로 부각해 준다.
장남이 옆방에서 튼, 「찬란한 인생」이라는 제목의 음악	• 장남과 장녀는 좋아하는데 아버지인 교수는 시끄럽게만 느끼는 음악이므로, 소통이 단절되어 있고 공감이 불가능한 가족의 상황을 상징적으로 보여 준다. • 무의미하게 하루하루를 살아가는 교수의 삶과 반대되는 제목을 통해 교수의 처지를 반어적으로 드러내고 풍자한다.

4. 다음 자료를 바탕으로, 이 작품의 특징을 정리해 보자.

제2차 세계 대전 이후 유럽에서 유행한 '부조리극'은 기승전결 식의 플롯 개념을 버리고, 장면의 기계적 반복, 현실과 환상이 중첩되는 시적인 이미지 등을 활용하는 극 구조를 보여 준다. 등장인물은 인간적 의지와 감정을 가진 개성적인 인물이 아니라 꼭두각시 같은 기계적인 모습으로 그려진다. 또한, 그 대사는 의미가 휘발된 상투적인 어구의 남발과 극도의 압축 및 생략으로 특성화되어 있다. 이러한 인간상을 통해 현대인의 비인간화된 현실을 풍자한다. 아울러 무대 장치와 소도구는 극도로 간소화되어 하나의 시적 상징으로 기능한다.

– 임준서, 「반연극의 주제와 형식」에서

극의 구조	기승전결이 있는 인과적 전개가 아니라, 유사한 에피소드가 기계적으로 반복되며 극이 진행된다.
등장인물의 특징 및 주제	• '교수'가 의지와 감정 없이 번역 일을 기계적으로 반복하는 모습으로 그려진다. • 등장인물들이 고유 명사 대신 보통 명사로 지칭됨으로써 개성이 제거된다. • 이기적 욕망과 파편화된 관계로 인해 비인간화된 현대 사회를 살아가는 현대인들의 현실을 풍자한다.
대사의 성격	대개의 대사가 별 의미 없이 주고받는 대화로 설정되어 있다.
무대 장치와 소도구	• 원고지 칸투성이의 철문 도어로 무대를 꾸밈으로써 규격화된 틀 속에 놓인 인물의 중압감을 표현하였다. • 원고지 무늬의 양복, 허리에 두른 쇠사슬 등 간소화된 소도구들이 주제를 상징하는 기능을 한다.

보충 자료 대사와 행동의 모순

이근삼의 「원고지」는 실험적인 요소를 적극 도입하여 현대인의 무의미한 일상생활과 부조리한 상황을 비판적으로 제시한 작품으로, 우리 극문학의 새로운 가능성을 보여 준 작품이다. 실험적인 요소 중 눈에 띄는 것이 대사와 행동의 모순이다. 예를 들면, 장남이 "아버지는 늘 쾌활한 얼굴에다 발걸음은 새처럼 가볍지요."라고 아버지를 소개하지만 이와 달리 실제로 등장하는 아버지는 허리에 사슬을 두른 채 지친 모습을 하고 있는 것이 그것이다. 이러한 대사와 행동의 모순은 정상적인 표현으로는 전달하기 힘든 현대인이 처한 부조리한 상황을 충격적이고도 효과적으로 전달해 준다.

5. 다음 시나리오를 「원고지」와 비교하며 읽고, 구체적인 부분을 예로 들어 연극과는 다른 영화의 매체적 특성을 설명해 보자. ① 다림을 만나고 싶지만 만날 수 없는 정원의 처지를 상징적으로 드러냄. ② 다림의 모습을 볼 수 있도록 하는 소통의 역할을 함. ③ 다림을 직접 만나 이야기할 수 없게 하는 단절의 역할을 함.

S# 108. 찻집(낮)

거리가 보이는 찻집. 정원, 창가에 앉아 창밖을 내다보고 있다. 유리창에 반사된 정원의 얼굴. 얼굴 너머로 멀리 분주하게 일하고 있는 다림이 보인다.

정원, 손가락을 가만히 유리창에 갖다 대 본다. 다림이 움직이는 대로 따라 움직이는 손가락.
다림에 대한 정원의 애틋한 사랑과 그리움이 형상화됨.

S# 109. 암실

현상액 속에 인화지를 넣는 정원.

서서히 사진의 형체가 드러나면서 다림의 얼굴이 보인다. 전에 정원이 찍어 준 다림의 증명사진이다.
다림에 대한 기억을 간직하고자 하는 정원의 마음이 반영된 소재
현상액 속에서 웃고 있는 다림의 얼굴.

▶ 다림의 사진을 인화하는 정원

S# 110. 정원 집 마당(낮)

잎새가 다 떨어지고 가지만 남은 화초들이 화분에 담겨 마당에 놓여 있다.
극 중의 암담한 분위기를 형성화함.

카메라가 마루로 천천히 이동하면 정원이 바가지를 앞에 놓고 만년필을 만지고 있다. 만년필의 촉을 빼고 안을 분해하자 말라붙은 잉크가 덩어리져 있다. 잉크가 말라붙은 심을 물이 담긴 바가지에 넣자 투명한 물에 잉크가 풀어진다.

S# 111. 사진관(낮)

정원은 테이블 위에 편지지를 놓고 편지를 쓰고 있다. 다 쓴 편지를 곱게 접어 봉투에 넣는 정원.

S# 112. 슈퍼마켓 앞(해 질 녘)

파라솔 의자에 나란히 앉아 있는 철구와 정원. 지나가는 사람들을 본다.

철구 그 주차 단속원 아가씨 너 입원하고 안 보이더라.
그만뒀대?
다림

정원 …… 야, 벌써 가을이 다 갔네.

정원은 길가의 앙상한 가지들을 바라본다.

S# 113. 사진관(밤)

정원은 선반 위에 있는 박스와 앨범을 꺼낸다. 자신이 학생 때 찍은 사진들 몇 장이 나온다. 몇 장을 보다가 박스를 밀어 넣고 앨범을 펼친다. 한 장 한 장 앨범을 넘기면서 미소를 짓는다.
과거의 추억을 떠올림.

앨범을 넘기면서 정원의 미소는 점점 사라지고 눈시울이 뜨거워진다. 눈물을 글썽거리는 정원. 한 장의 사진이 앨범에 붙어 있다. 자신이 찍어 준 다림의 증명사진이다.
다림과의 사랑을 이루지 못하고 죽음을 준비해야 하는 아픔

정원, 앨범을 덮고 다림이 보낸 편지와 함께 다시 박스 속에 집어넣는다. 굳게 밀봉되는 박스.
죽음을 앞두고 자신의 추억을 정리함.

S# 114. 촬영실(밤)

정원, 벽에 걸린 손님용 양복을 입는다. 거울 앞에서 넥타이를 매는 정원.

카메라 앞에 놓인 의자 위에 앉는다. 정원, 다시 일어나 카메라를 보고 자신의 위치를 확인하고는 자리에 앉는다. 플래시가 터진다. 한 번, 두 번, 세 번, 활짝 웃는 정원의 얼굴이 화면에 가득 찬다.
마음의 평온을 찾고 죽음을 담담히 수용함.

그 사진은 그대로 정원의 영정 사진으로 디졸브된다. 활짝 웃고 있는 정원의 영정 앞에는 향불이 연기를 피워 올리고 있다.

암전.

▶ 정원은 지나온 삶을 정리하고 죽음을 맞이함.
– 허진호 외, 「8월의 크리스마스」에서

■ **디졸브(Dissolve)** 한 화면이 사라짐과 동시에 다른 화면이 점차로 나타나는 장면 전환 기법.

📖 **작품 연구** 허진호 외, 「8월의 크리스마스」

• **갈래:** 시나리오
• **성격:** 애상적, 서정적
• **배경:** 시간적–1990년대, 공간적–서울 변두리의 사진관
• **제재:** 남녀 간의 사랑과 이별
• **주제:** 정원과 다림의 안타깝고 순수한 사랑
• **특징:** ① 대사 없이 진행되는 장면이 많음.
　　　 ② 시한부 인생이라는 소재를 통해 사랑과 죽음의 의미에 관한 성찰을 유도함.

| **예시 답안** | 이 시나리오를 통해 알 수 있듯이 영화는 연극과 다르게 잦은 장면 전환이 가능하다. 또한 카메라로 촬영하고 영상을 편집하면서 다양한 기법을 활용할 수 있기 때문에, S# 110의 만년필 심이나 바가지 안의 물, S# 109와 S# 113의 증명사진, S# 114의 정원 얼굴 등을 관객에게 확대해서 보여 줄 수가 있으며, S# 114에서 정원의 사진이 서서히 영정 사진으로 바뀌는 디졸브 효과도 구현할 수 있다. 그러나 연극에서는 이러한 기법의 활용이 어렵다.

[4] 교술 갈래의 흐름

이 단원에서는 교술 갈래의 대표적인 작품을 감상하면서 교술 갈래가 어떻게 전개되고 구현되었는지 파악할 수 있도록 한다. 또한 교술 갈래의 작품에 반영된 시대 상황을 이해할 수 있도록 한다.

교술 갈래란 무엇인가

교술(敎述)은 본래 대상의 의미를 알려 주면서 주장을 펼치는 서술 방식을 말한다. 문
<u>교술의 개념</u>
학의 기본 갈래는 전통적으로 서정·서사·극으로 나누었는데 교훈적·성찰적 성격이 강
<u>교술 갈래를 세운 이유</u>
한 문학은 이들 중 어느 것에도 넣기 어려웠다. 이에 따로 교술 갈래를 세우게 되었다. 교
술 갈래는 다른 갈래에 비해 형식과 표현이 자유롭고 다양하며, 인간의 삶과 관련된 다
<u>교술 갈래의 형식적, 주제적 특성</u>
양한 경험을 대상으로 하므로 그 주제도 매우 다양하다는 특성이 있다.
▶ 교술 갈래의 개념과 특성

한국 문학에서 교술 갈래는 어떻게 전개되어 왔을까

가전

가전(假傳)은 실존 인물의 생애를 기록하는 전(傳)의 형식을 빌려 동식물이나 다른 사
물의 행적 혹은 공과를 서술한 문학 양식이다. 주인공의 행적과 공과를 통해 인간이 지
<u>가전의 개념</u>
켜야 할 도리를 제시했다는 점에서 교술성이, 생애와 행적이 이야기 형식으로 짜여 있다
<u>가전의 교술적 특성</u>   <u>가전의 서사적 특성</u>
는 점에서 서사성이 드러난다. 이 양식은 조선 후기까지 지속되었다. ▶ 가전의 개념과 특성

경기체가

경기체가는 작품의 중간에 삽입된 '경(景) 긔 엇더ᄒ니잇고'에서 따온 갈래의 이름으로,
<u>경기체가 명명의 이유</u>
구체적 사물을 나열하면서 감탄을 직접 노출하는 흐름을 지닌 교술적인 시가이다. 고려
<u>경기체가의 특성</u>
고종 때의 「한림별곡」을 최초의 경기체가 작품으로 보며, 조선 시대에도 간헐적이나마 꾸
준히 창작되었다.
▶ 경기체가의 명명 이유와 특성

악장

악장은 궁중에서 나라의 공식적 행사에 쓰이던 노래 가사로, 훈민정음의 실용적 쓰임
<u>악장의 개념</u>   <u>악장 창작의 목적</u>
새를 실험하기 위해 제작된 갈래이다. 새 왕조의 번영을 송축한 「용비어천가」와 석가의 공덕
을 노래한 「월인천강지곡」 등이 대표적이며, 조선 전기에만 나타난 독특한 문학 갈래이다.
<u>악장이 창작된 시기</u>
▶ 악장의 개념과 창작 목적

가사

가사는 고려 말기에서 조선 초기에 걸쳐 발생하였다. 4음보 연속체로 된 율문(律文)으
<u>경기체가의 형식</u>
로, 한 음보를 이루는 음절의 수는 대체로 3·4음절이고 행수에는 제한이 없다.
▶ 가사의 형식적 특징
조선 전기의 가사는 정극인의 「상춘곡」, 송순의 「면앙정가」 등 강호의 생활을 노래한 작
<u>조선 전기 가사의 주된 주제 ①</u>
품이 주를 이루었다. 가사는 무한정 길어질 수 있다는 형식적 특징을 기반으로 여행·유

사람들은 자신의 경험이나 생각을 다른 사람에게 이야기하기도 하고, 누리 소통망(SNS)을 통해 공유하기도 한다. 이렇게 사람들이 자신의 경험이나 생각을 말과 글로 표현하고 공유하는 까닭은 무엇일까?

| 예시 답안 | 요즘 사람들은 블로그나 누리 소통망(SNS), 대중적 산문집이나 에세이 등을 통해 자신의 경험이나 생각을 다른 이들과 공유한다. 이는 옛날 사람들이 수필이나 일기 등을 만들어 낸 이유와 마찬가지로 자신의 경험과 깨달음을 성찰하여 글로 남기고, 다른 사람들과 공유함으로써 사유의 폭을 넓히기 위해서라고 볼 수 있다.

≫ 사람들은 자신의 경험이나 생각을 표현하고 다른 사람들과 공유하고 싶어 한다. 우리 문학에서 이처럼 작가의 경험이나 생각을 비교적 직접적으로 드러내는 갈래에는 어떤 것들이 있을까?

배·정치적 진퇴 등 사대부들의 경험과 소회를 서정적으로 읊은 작품도 다수 창작되었다.

<u>조선 전기 가사의 주된 주제 ②</u>
정철의 「사미인곡」, 「속미인곡」, 「관동별곡」 등이 이 시기에 나온 가사 문학의 걸작이다.

▶ 조선 전기 가사의 주제와 대표작

조선 후기의 가사는 <u>교술성이 짙어지거나 서사성이 강해졌다.</u> 김인겸의 「일동장유가」와
<u>조선 후기 가사의 특성</u>
김진형의 「북천가」는 교술성이 짙고, 갑산 민중의 고통을 노래한 「갑민가」나 몇 차례에 걸
친 개가(改嫁)의 사연을 담고 있는 「덴동어미 화전가」는 서사성이 강하다. 이 시기의 가
사는 <u>사대부가와 서민층의 여성들이 가사의 창작과 향유에 다수 참여하면서</u> 조선 전기
<u>조선 후기 가사의 작가층</u>
가사와는 다른 면모를 보여 준다.

▶ 조선 후기 가사의 특성과 작가층

고전 수필

고전 수필은 <u>한문 수필과 한글 수필로 나눌 수 있다.</u>
<u>창작 언어를 기준으로</u>
한문 수필은 <u>고려에서 조선 말에 이르는 시기에 한문으로 창작된 모든 수필류를 말하</u>
<u>고전 수필의 개념</u>
는 것으로, <u>서(序), 설(說), 기(記), 녹(錄), 화(話), 담(談), 필(筆) 등의 문장이 이에 해당하</u>
<u>고전 수필의 종류</u>
는데, 그 양이 상당히 많다.

▶ 고전 수필의 개념과 종류

한글 수필은 훈민정음 창제 이후 창작되었다. <u>주로 여성들이 쓴 기행문이나 일기문 형</u>
<u>식의 한글 수필이 많이 등장하였다.</u> 이러한 한글 수필은 <u>궁정 수필, 기행 수필, 의인체</u>
<u>한글 수필의 대표 유형</u>
<u>수필로 나뉘는데,</u> 혜경궁 홍씨의 「한중록」, 의유당의 「의유당관북유람일기」, 작자 미상의
<u>한글 수필의 종류</u>
「규중칠우쟁론기」 등이 대표적인 작품이다.
<u>한글 수필의 대표작</u>

▶ 한글 수필의 종류와 대표작

근현대 수필

근대 수필은 처음에는 기행 수필로 출발하여 <u>수상(隨想)</u> 수필과 병행하다가, 1930년대
<u>그때그때 떠오른 생각이나 느낌을 자유롭게 적은 수필</u>
에 와서야 산문 문학의 한 갈래로서 본격적인 수필로 자리를 잡는다. 이 시기의 수필은
<u>주로 고전 수필의 성격을 계승하는 한편, 서구 수필의 개성적인 시각을 수용하였다.</u>
<u>근대 수필의 특성</u>
1950년대 이후에는 <u>이전보다 제재가 다양해졌고, 다양한 형식이 시도되었다.</u> 또한 수필
<u>현대 수필의 특성</u>
작가의 수도 늘어나고 발표 무대가 확대되어 수필 문학의 위상이 높아졌다.

▶ 근현대 수필의 특성

✓ 바로 확인 문제

1 교술 갈래는 대상의 □□을/를 알려 주면서 □□을/를 펼치는 서술 방식을 이른다.

2 가전은 동식물이나 다른 사물의 행적·공과를 서술하여 인간의 도리를 제시했다는 점에서 □□□을/를, 생애와 행적이 이야기 형식으로 짜여져 있다는 점에서 □□□을/를 띤다.

3 한글 수필은 □□□□ 창제 이후에 창작되었다.

4 다음 설명이 맞으면 ○, 틀리면 X를 하시오.
　(1) 가전은 실존 인물의 삶을 다룬다.　　　　　　　　　　　　(○, ×)
　(2) 경기체가는 고려 시대에 최초로 창작되었다.　　　　　　　　(○, ×)
　(3) 조선 전기 시대에는 주로 교술성과 서사성이 강한 가사 작품이 창작되었다.　(○, ×)

| 정답 | 1. 의미, 주장　2. 교술성, 서사성　3. 훈민정음　4. (1) ×　(2) ○　(3) ×

◉ 교술 갈래의 개념과 특성

개념	대상의 의미를 알려 주면서 주장을 펼치는 서술 방식
특성	교훈적, 성찰적 성격이 강한 문학 갈래. 형식, 표현, 주제가 비교적 자유롭고 다양함.

◉ 교술 갈래의 전개 양상

가전	실존 인물의 생애를 기록하는 전(傳)의 형식을 빌려 동식물이나 다른 사물의 행적 혹은 공과를 서술한 문학 양식
경기체가	구체적 사물을 나열하면서 감탄을 직접 노출하는 흐름을 지닌 교술적인 시가
악장	궁중에서 나라의 공식적인 행사에 쓰이던 노래 가사로, 훈민정음의 실용적 쓰임새를 실험하기 위해 제작된 갈래임.
가사	• 4음보 연속체로 된 율문으로, 한 음보를 이루는 음절의 수는 대체로 3·4음절이고 행수에는 제한이 없음. • 조선 전기: 사대부의 강호의 생활, 여행·유배·정치적 진퇴 등 사대부들의 경험과 소회를 서정적으로 노래함. • 조선 후기에는 교술성이 짙어지거나 서사성이 강해짐.
고전 수필	• 한문 수필: 고려에서 조선 말에 이르는 시기에 한문으로 창작된 모든 수필류 • 한글 수필: 훈민정음 창제 이후 창작된 것으로, 주로 여성들이 쓴 기행문이나 일기문 형식의 수필이 많이 등장하였음.
근현대 수필	• 1930년대에는 주로 고전 수필의 성격을 계승하는 한편, 서구 수필의 개성적인 시각을 수용하였음. • 1950년대 이후에는 제재가 보다 다양해졌고, 다양한 형식이 시도됨.

01 관상가와의 대화 이규보

• 교술 문학 갈래의 전개와 구현 양상 ㆍ문학과 시대 상황

해제

흔히 우리는 겉으로 보이는 모습, 눈에 보이는 현상을 곧 사실로 받아들이고, 그것을 지식 혹은 정보라는 이름으로 기억한다. 그러나 진정한 가치는 현상의 이면에 존재하는 숨겨진 의미에서 발견되는 경우가 더 많다. 사람들은 이러한 삶의 이치를 개념적으로는 이해하지만 실제 삶에는 적용하지 못하고 당장의 결과나 이해관계에만 집착한다. 이 작품은 이렇게 겉으로 드러난 모습만 보고 선입견을 가지고 대상을 대하는 것은 그 대상의 본모습을 알기 어렵게 하므로 대상의 진면목을 보기 위해서 선입견과 편견을 버리고 대상의 이면에 감추어진 진리를 분별하고 헤아리는 지혜가 필요함을 일깨우고 있다. 보통 고전 수필은 무겁고 딱딱하다는 편견을 갖고 있지만, 이 작품을 통해서도 알 수 있듯이 우리의 일상과 친숙한 내용을 담은 작품들도 많다. 이 작품을 읽는 이유가 관상가의 관상 내용에 있는 것이 아니라, 관상가의 대상을 바라보는 참신하고 독특한 시선에 있음을 알 수 있도록 한다. 대상의 이면을 볼 줄 아는 눈이야말로 대상을 제대로 파악하는 능력이기 때문이다.

핵심 정리

(1) 갈래: 고전 수필

(2) 성격: 교훈적, 성찰적

(3) 주제: 편견을 버리고 유연한 시각으로 대상을 바라보아야 함.

(4) 특징: ① 이상한 관상가와의 대화를 통해 깨닫게 된 교훈을 전달함.

　　　　② 상식에서 벗어난 관상가의 관상 내용을 통해 독자의 관심을 유도함.

　　　　③ 전해 들은 말과 직접 들은 말을 제시하여 새로 알게 된 사실을 부각함.

(5) 구성

기	관상에 관련된 책을 읽지 않고, 관상 보는 규칙을 따르지 않고 독특한 방식으로 관상을 보는 '이상한 관상가'가 출현함.
승	이상한 관상가가 관상을 본 내용을 들음. → 부귀한 사람, 빈천한 사람, 장님, 민첩한 사람, 아름다운 여인, 인자하고 너그럽다고 평가되는 사람, 잔혹하다고 평가되는 사람에게 현재와 반대되는 삶을 살 것이라고 예언함.
전	이상한 관상가를 직접 찾아가 사람들에게 반대되는 예언을 한 이유를 물음. → 이상한 관상가는 관상을 본 사람들이 현재의 삶의 방식과 생각을 유지하고 살아가면 현재와 반대되는 삶을 살 것이기 때문에 그와 같은 예언을 한 것이라고 밝힘.
결	대상의 이면을 보지 못하고 눈에 보이는 현상만 보고 대상을 판단하는 우를 범하지 말아야겠다는 깨달음을 얻음.

어디에서 왔는지 알 수 없는 관상가가 있었다. 그는 관상에 관련된 책을 읽지 않고 관
<u>사람의 얼굴을 보고 그의 운명, 성격, 수명 따위를 판단하는 일을 직업으로 하는 사람</u>　　<u>사람들이 그를 이상한 관상가라고 한 이유</u>
상 보는 규칙을 따르지 않은 채 이상한 기술로 관상을 보았기 때문에 사람들은 그를 '이
상한 관상가'라 불렀다. 그래서 고위 관리부터 남녀노소까지 모두 다투어 초빙하고 분주
　　　　　　　　　　　　　　　　　　　　　　　　　<u>예를 갖추어 불러 맞아들임.</u>
하게 달려가 관상을 보지 않는 사람이 없었다. ❶그가 보는 관상은 다음과 같다.
　　　　　　　　　　　　　　　　　　　　　　　　▶ 이상한 관상가에 대한 소개

부귀하면서 살지고 기름기 흐르는 사람을 보고서는 다음과 같이 말하였다.

"당신의 모습이 몹시 야위겠으니, 당신처럼 천한 사람도 없을 것이오.❷"
　　　　　<u>관상 내용 ①</u>
빈천하면서 아프고 파리한 사람을 보고서는 다음과 같이 말하였다.

"당신의 모습이 살찌겠으니, 당신처럼 귀한 사람도 드물 것이오."
　　　　　<u>관상 내용 ②</u>
장님을 보고서는 다음과 같이 말하였다.

"눈이 밝겠소."
<u>관상 내용 ③</u>
민첩하여 잘 달리는 자를 보고서는 다음과 같이 말하였다.

"절뚝거리며 제대로 걸을 수도 없겠소."
　　　<u>관상 내용 ④</u>
아름다운 여인을 보고서는 다음과 같이 말하였다.

"아름답기도 하고 추하기도 할 것이오."
　　　　<u>관상 내용 ⑤</u>
세상 사람들이 너그럽고 인자하다고 하는 사람을 보고서는 다음과 같이 말하였다.

"많은 사람을 아프게 할 사람이군요."
　　　　<u>관상 내용 ⑥</u>
당시 사람들이 잔혹하기 이를 데 없다고 하는 사람을 보고서는 다음과 같이 말하였다.

"많은 사람의 마음을 기쁘게 할 사람이군요."　　　　▶ 관상가가 이상하게 관상을 본 사례
　　　　<u>관상 내용 ⑦</u>
그가 관상을 보는 것이 모두 이와 같았다. 재앙이나 복이 생겨나는 까닭을 말할 수 없
　　　　　　　　　　　　　　　<u>예언의 근거를 밝히지 않음.</u>
을 뿐만 아니라 상대방의 얼굴과 행동거지를 살피는 것이 모두 반대였다. 그래서 대중들
　　　　　　　<u>현재 모습이나 행동과 반대되는 삶을 살 것이라는 예언</u>
은 사기꾼이라 시끄럽게 떠들며 그를 잡아다 심문하여 그의 거짓말을 취조하려 하였다.
　　　<u>상식이나 통념에서 벗어난 관상을 보기 때문에</u>　　　▶ 이상한 관상가에 대한 사람들의 평가

어휘·어구 풀이

❶그래서 고위 관리부터~사람
이 없었다. 대부분의 사람들
이 자신의 앞날에 대해 관심
이 크다는 점을 알려 준다.

❷"당신의 모습이~없을 것이
오." 부귀하고 살진 사람에
게 천한 사람이 될 것이며, 몹
시 야위겠다고 한 것은 현재
의 모습과 처지와 정반대되는
삶을 살게 될 것이라고 예언
하는 말이다.

핵심 쏙쏙

● 관상가가 이상하게 관상을 본
사례

대상	관상을 본 내용
부귀한 이	야위고, 천한 사람이 될 것임.
빈천한 이	살찌고, 귀한 사람이 될 것임.
장님	눈이 밝을 것임.
민첩한 이	제대로 걸을 수도 없을 것임.
아름다운 여인	아름답기도 하고 추하기도 할 것임.
너그럽고 인자하다고 하는 사람	많은 사람을 아프게 할 것임.
잔혹하다고 하는 사람	많은 사람을 기쁘게 할 것임.

학습 문제

정답과 해설 362쪽

1. 윗글의 내용과 일치하는 것은?

① 사람들은 이상한 관상가가 많은 공부를 했으리라고 짐작했다.

② 사람들은 이상한 관상가가 등장하자 되도록 그 관상가를 멀리하려고 했다.

③ 글쓴이는 관상가가 이상하게 관상을 본 데는 특별한 이유가 있으리라 짐작했다.

④ 이상한 관상가는 관상을 보러 찾아온 사람들에게 그들의 미래의 삶에 대해 말했다.

⑤ 이상한 관상가라고 부른 것은 그가 얼굴이 아니라 책을 보고 관상을 보았기 때문이다.

2. 윗글 전체에 대한 설명으로 적절한 것은?

① 상징적 소재를 사용하여 주제를 암시하고 있다.

② 자문자답의 방식으로 작가의 깨달음을 전달하고 있다.

③ 글쓴이가 직·간접적으로 체험한 내용을 제시하고 있다.

④ 인물 간의 갈등을 중심으로 극적 긴장감을 조성하고 있다.

⑤ 대상에 대한 인상과 감상을 중심으로 사건을 전개하고 있다.

서술형

3. '이상한 관상가'가 관상을 본 내용을 대중이 신뢰하지 못한 이유를 두 가지 서술하시오.

핵심 쏙쏙

● 관상가가 이상하게 관상을 본 이유

대상	관상 내용의 이유
부귀한 이	교만하고 오만해질 것임.
빈천한 이	겸손하고, 반성할 것임.
장님	탐욕을 멀리할 것임.
민첩한 이	대중을 능멸할 것임.
아름다운 여인	사람에 따라 미의 가치가 다름.
너그럽고 인자하다고 하는 사람	죽으면 사람들이 슬퍼할 것임.
잔혹하다고 하는 사람	죽으면 사람들이 기뻐할 것임.

내가 홀로 그들을 말리며 말하였다. / "말이라는 것은 처음에는 거슬리나 뒤에는 이치에
〔 」: 말속에 담긴 의미를 파악하는 것이 중요하다는 것을 밝히고 있음.
맞는 것도 있고, 겉으로는 천박하나 안으로는 심원한 것도 있네.』저 사람 또한 눈이 있는
헤아리기 어려울 만큼 깊음.
데, 어찌 살진 자, 마른 자, 장님을 알지 못한 채 살진 자더러 마르겠다 하고 장님더러 눈
상식이나 통념에서 벗어난 관상을 보는 이유가 있을 것이라 짐작함.
이 밝겠다고 하였겠는가? 이 사람은 반드시 기이한 관상가임에 틀림없을 것이오."
관상가가 이상하게 관상을 본 이유가 반드시 있을 것이라는 생각을 드러냄.

이에 ㉠ 나는 목욕하고 양치하고 의복을 단정하게 한 뒤 관상가가 묵고 있는 곳으로 갔
다. 옆에 있는 사람을 물러나게 하고는 물었다.　　　　　　　　　　　　▶ 이상한 관상가를 찾아간 '나'

"그대가 아무개의 관상을 보고서 이러이러하다고 한 것은 어째서요?"
관상가가 이상하게 관상을 본 이유를 물음.
관상가가 대답하였다.
〔 」: 부귀한 사람의 관상을 앞에서와 같이 본 이유
"부귀하면 교만하고 오만한 마음이 불어나게 되고, 죄가 가득 차면 하늘이 반드시 뒤집
부귀한 사람이 지을 수 있는 잘못
어 놓을 것입니다. 쭉정이도 먹지 못하게 되는 시기가 있을 것이기에 '여위겠다.'라고
부귀한 사람의 미래
하였고, 우매하여 어리석은 필부가 될 것이기에 '당신의 족속은 천하게 될 것이오.'라
고 하였습니다.』빈천하면 뜻을 낮추고 자신의 몸가짐을 겸손하게 하여 두려워하며 반
빈천한 사람의 특성
성하는 뜻이 있습니다. ㉡ 막힘이 지극하면 반드시 펴지게 되는 법이니, 고기를 먹을
조짐이 이미 이르렀기에 '살찌겠다.'라고 하였고, 만 섬의 곡식과 열 대의 수레를 모는
빈천한 사람의 미래
귀함이 있을 것이기에 '당신의 족속은 귀하게 될 것이오.'라고 하였습니다.』
〔 」: 빈천한 사람의 관상을 앞에서와 같이 본 이유
『요염한 자태와 아름다운 얼굴을 엿보아 만지게 하고, 진기하고 좋은 물건을 보고서
〔 」: 장님의 관상을 앞에서와 같이 본 이유
그것을 탐하게 하며, 사람을 의혹되게 하고 사람을 왜곡되게 하는 것은 눈입니다.

㉢ 이 때문에 뜻밖의 치욕을 당하게 된다면 눈이 밝지 않은 사람이 아니겠습니까? 오
욕심이 없고 마음이 깨끗하여
직 장님만이 담박하여 탐내지도 않고 만지지 않아 온몸에서 치욕을 멀리하는 것이
장님의 특성
㉣ 현각자(賢覺者)보다 뛰어나기에 '눈이 밝다.'라고 하였습니다.』민첩하면 용기를 숭
업신여기어 깔봄.　　　　　　　　　　　　　　　　　　　　　　〔 」: 민첩한 자의 관상을 앞에서와 같이 본 이유
상하고 용기가 있으면 대중을 능멸하여 끝내 자객이 되거나 간악한 우두머리가 됩니
민첩한 자의 특성
다. 이렇게 되면 정위(廷尉)가 체포하고 ㉤ 옥졸이 가두어서 발에는 족쇄를 차고 목에
중국 진(秦)나라 때부터 형벌을 맡아보던 벼슬
는 칼을 쓰게 되니, 비록 달아나려 한들 가능하겠습니까? 그래서 '절뚝거리며 제대로 걸
민첩한 자의 미래
을 수 없겠다.'라고 하였습니다.』

▶ **교과서 날개 질문**

이 관상가가 관상을 보는 기준은 무엇일까?

| 예시 답안 | 일반적으로 적용되는 고정 관념이나 선입견을 넘어 대상의 진면목을 보고자 하였다. 고정 관념이나 선입견을 경계하며 대상의 이면에 숨겨진 의미를 분별하고 헤아리고자 하였다.

『학습 문제』

4. ㉠~㉤에 대한 이해로 적절하지 **않은** 것은?

① ㉠: 글쓴이가 예의를 갖추고 진지한 자세로 관상가를 찾아갔음을 알 수 있다.

② ㉡: 빈천한 사람도 언젠가는 처지가 바뀔 수 있음을 드러내고 있다.

③ ㉢: 눈이 있는 사람이 결국 장님이 될 것이라고 예언하고 있다.

④ ㉣: 장님이 깨달음을 얻은 자보다 뛰어나다며 예찬하고 있다.

⑤ ㉤: 민첩한 자가 제대로 걸을 수 없는 이유에 해당한다.

5. '이상한 관상가'가 지닌 생각과 거리가 **먼** 것은?

① 죄를 지은 사람은 반드시 하늘의 벌을 받게 된다.

② 눈은 탐욕을 불러일으키거나 사람을 왜곡되게 한다.

③ 민첩한 사람은 용기를 숭상하며 악을 멀리하게 된다.

④ 사람이 부귀하면 교만하고 오만한 마음을 갖게 된다.

⑤ 빈천한 사람은 겸손한 태도를 지녀 귀한 사람이 될 수 있다.

『무릇 색이라는 것은 음탕하고 사치한 사람이 보면 보석처럼 아름답게 여기고, 단정하
고 순박한 사람이 보면 진흙처럼 추하게 여기기 때문에 '아름답기도 하고 추하기도 하다.'
라고 하였습니다.』『이른바 인자한 사람이 죽었을 때에는 수많은 백성들이 그를 사모하여
어머니를 잃은 아이처럼 슬프게 울기 때문에 '많은 사람을 아프게 할 사람이다.'라고 하였
습니다.』『잔혹한 사람이 죽으면 거리마다 노래를 부르고 양고기와 술을 먹으며 축하하면
서 연신 웃느라 입을 닫지 못하는 사람도 있고, 손이 아프도록 손뼉을 치는 사람도 있기
에 '많은 사람을 기쁘게 할 사람이다.'라고 하였습니다.』"

▶ 관상가가 이상하게 관상을 본 이유

내가 깜짝 놀라 일어나면서 말하였다.

"과연 내 말이 맞았군. 이 사람은 참으로 기이한 관상가로다. 그의 말은 좌우명으로 삼
고, 법으로 삼을 만하다. 어찌 얼굴과 형상에 따라 귀한 상을 말할 때는 『몸에 거북이의
무늬가 있으니 높은 벼슬을 하겠고, 이마가 무소의 뿔처럼 뛰어나왔으니 임금의 아내
가 될 상'이라 하고, 나쁜 상을 말할 때는 '벌의 눈과 승냥이의 목소리를 가졌으니 흉악
한 상'이라 하여, 잘못을 고치지 않고 틀에 박힌 것만을 따르면서 스스로 거룩한 체, 신
령스러운 체하는 관상가이겠는가?"

물러나와 그의 대답을 적는다.

▶ 관상가의 말을 듣고 깨달음을 얻은 '나'

핵심 쏙쏙

● 이상한 관상가와 다른 관상가
와의 차이점

이상한 관상가
눈에 보이지 않는 이면의 것을
근거로 그 사람의 앞날을 예언함.

⇕

다른 관상가
눈에 보이는 것을 근거로 그
사람의 앞날을 예언함.

● 이 작품의 진리관
이 작품에서는 눈에 보이는 것과
항상 반대로 말하는 이상한 관상
가를 소재로 하여 진리라는 것은
단순한 지식의 총합이 아니라 자
기 성숙에 이르는 과정임을 보여
주고 있다. 진정한 진리는 기존
의 가치관과 사물관에 의문을 품
고 현상 너머의 세계까지 바라볼
수 있는 개성의 눈을 획득하는
것임을 말하고 있는 것이다.

교과서 날개 질문 ◀

'나'는 관상가를 통해 무엇을 느
꼈을지 생각해 보자.

| 예시 답안 | '나'는 우리가 바라보
는 대상의 모습이나 삶을 보이는
대로 단순화하고 단정 짓는 것이
그 대상의 면모를 얼마나 왜곡하
는 것인지 깨달았을 것이다.

6. '이상한 관상가'의 말하기에 대한 설명으로 가장 적절한 것
은?

① 관상 대상의 현재 모습이 지속될 것이라는 전제를 바
탕으로 미래를 예측하고 있다.

② 관상 대상과 묻고 답하는 방식을 사용하여 그 스스로
운명을 개척하도록 하고 있다.

③ 관상 대상에 관해 수집한 정보를 바탕으로 그의 미래
를 매우 구체적으로 알려 주고 있다.

④ 관상 대상이 언제든지 노력하면 자신의 운명을 바꿀
것이라고 직설적으로 충고하고 있다.

⑤ 관상 대상의 현재 모습에 관해 언급한 관상 관련 책
을 근거로 그 사람의 운명을 점치고 있다.

7. 윗글의 내용과 일치하지 않는 것은?

① 관상가는 죽은 후에 받는 세간의 평가는 의미가 없다
고 주장했다.

② 관상가는 색이란 보는 이에 따라 상반되게 평가할 수
있다고 여겼다.

③ 글쓴이는 이상한 관상가가 스스로 거룩한 체하는 관
상가는 아니라고 판단했다.

④ 글쓴이는 이상한 관상가가 틀에 박힌 것만 따르지 않
는 점을 높이 평가하였다.

⑤ 글쓴이는 몸에 거북이 무늬가 있으니 높은 벼슬을 할
것이라는 관상은 제대로 본 관상이 아니라고 생각했다.

서술형 학습 활동 응용

8. 글쓴이가 '이상한 관상가'와의 대화를 통해 깨달은 바를 서술
하시오.

· 작품의 짜임

기		승		전		결
이상한 관상가의 출현	➡	이상한 관상가는 사람들의 관상을 세간의 평가와 ❶□□로 봄.	➡	'나'는 이상한 관상가를 찾아가 사람들의 관상을 앞에서와 같이 본 이유를 물음.	➡	관상가의 말에 감탄하고 깨달음을 얻음.

· '이상한 관상가'가 관상을 본 내용

대상	관상을 보고 한 말	그 이유
부귀한 이	야윌 것이고, 천한 사람이 될 것임.	부귀하면 ❷□□하고 오만한 마음이 불어나 죄가 가득 차게 되고 하늘이 벌을 줄 것이므로
빈천한 이	살이 찌고, 귀한 사람이 될 것임.	빈천하면 두려워하며 반성하게 되므로 이에 막혔던 것이 펴지게 되므로
장님	눈이 밝을 것임.	사람을 탐욕으로 ❸□□되게 만드는 눈이 없어 탐내고 만지지 않아 치욕을 멀리하는 것이 현각자보다 뛰어나므로
민첩한 이	절뚝거리며 제대로 걸을 수 없을 것임.	민첩하면 끝내 자객이 되거나 간악한 우두머리가 되어 발에 족쇄를 차고 목에 칼을 쓰게 될 것이므로
아름다운 여인	아름답기도 하고 추하기도 할 것임.	아름다움에 대한 기준은 사람마다 달라서 보는 사람에 따라 다른 평가를 할 것이므로
너그럽고 인자하다고 하는 사람	많은 사람을 아프게 할 것임.	인자한 사람이 죽으면 수많은 사람이 마음 아파하기 때문에
잔혹하다고 하는 사람	많은 사람의 마음을 기쁘게 할 것임.	잔혹한 사람이 죽으면 많은 이들이 기뻐하기 때문에

· 관상가에 대한 평가

뭇 사람들		글쓴이
관상가를 사기꾼으로 평가함. → 상투적인 관점으로 평가	⬌	관상가를 특이한 안목을 지닌 인물로 평가함. → ❹□□적인 관점으로 평가

· 관상가의 태도를 통한 글쓴이의 깨달음

관상가의 관점과 태도	• 사람의 현재 얼굴보다는 그 사람의 미래를 내다보고 관상을 봄. • 눈에 보이는 대로만 판단하면 미래의 모습을 잘못 예측할 수 있으므로 대상의 이면에 숨겨진 의미를 찾아야 한다고 말함.
글쓴이의 깨달음	눈에 보이는 것과 반대로 이야기하는 이상한 관상가를 통해 ❺□□에서 벗어난 유연하고 열린 사고의 필요성을 깨우치고 있음.

|정답| ❶ 반대　❷ 교만　❸ 왜곡　❹ 독창　❺ 편견

학습 활동

작품 속으로

1. 이 작품을 감상하고, 아래의 활동을 통해 주제를 파악해 보자.

(1) '이상한 관상가'가 관상을 보고 한 말과 그와 같이 말한 이유를 정리해 보자.

대상	관상을 보고 한 말	그 이유
부귀하면서 살지고 기름기 흐르는 사람	"당신의 모습이 몹시 야위겠으니, 당신처럼 천한 사람도 없을 것이오."	누구나 상황에 따라 가난해져서 굶주릴 수 있고 어리석은 사람이 될 수 있기 때문이다.
빈천하면서 아프고 파리한 사람	"당신의 모습이 살찌겠으니, 당신처럼 귀한 사람도 드물 것이오."	빈천한 사람은 겸손하며 반성하는 뜻이 있다. 그래서 자신의 잘못을 시정하므로 이를 바탕으로 많은 부를 얻을 수 있고 귀하게 될 수 있기 때문이다.
장님	"눈이 밝겠소."	사람을 의혹되게 하거나 왜곡되게 하는 것은 눈인데 장님은 앞을 볼 수 없으므로 탐내지 않고 치욕을 멀리하므로 오히려 현명하여 눈이 밝다고 할 수 있다.
민첩하여 잘 달리는 자	"절뚝거리며 제대로 걸을 수도 없겠소."	자신의 민첩한 재주만 믿고 마음대로 행동하다가 그 재주를 경계하는 사람으로 인해 오히려 그 능력을 잃을 수도 있기 때문이다.
아름다운 여인	"아름답기도 하고 추하기도 할 것이오."	아름다움에 대한 기준은 사람마다 달라서 사람에 따라 다른 평가를 할 것이기 때문이다.
세상 사람들이 너그럽고 인자하다고 하는 사람	"많은 사람을 아프게 할 사람이군요."	인자한 사람이 죽으면 수많은 사람들이 마음 아파하기 때문이다.
당시 사람들이 잔혹하다고 하는 사람	"많은 사람의 마음을 기쁘게 할 사람이군요."	잔혹한 사람의 죽음은 많은 이들의 기쁨이 되기 때문이다.

(2) (1)의 활동을 바탕으로 위 작품의 주제를 말해 보자.

| 예시 답안 | 편견을 버리고 유연한 시각으로 발상을 전환하여 대상을 바라보아야 한다.

(3) 위 작품의 '이상한 관상가'가 여러분의 관상을 보았다면, 여러분에게 어떤 말을 해 주었을지 생각해 보고, 그렇게 생각한 까닭을 발표해 보자.

| 예시 답안 | 나는 평소에 나의 미래에 대해 매우 부정적이고 비관적인 편인데, 만약 '이상한 관상가'가 나를 본다면 아마 "당신의 앞날에는 항상 긍정적인 일만 가득할 것입니다."라고 말할 것 같다. 이상한 관상가가 관상을 보는 근거에 따르면 내가 늘 부정적이고 비관적인 생각을 하니 미래에 대한 준비를 더 철저히 하게 되고 그런 노력 때문에 긍정적인 성과를 올릴 수 있다고 볼 것이기 때문이다.

작품 너머로

2. 다음은 조선 후기의 문인 의유당 남씨가 쓴 한글 기행문 「동명일기」이다. 「관상가와의 대화」와 「동명일기」 모두 교술 갈래에 속한다는 점을 참고하여, 두 작품의 공통점과 차이점을 말해 보자.

> "동이 트느냐?" / 물으니, 아직 멀기로 연하여 대답하고, 물 치는 소리 천지진동(天地震動)하여 한풍(寒風) 찬 바람 끼치기 더욱 심하고, 좌우 시인이 고개를 기울여 입을 가슴에 박고 추워하더니, 매우 이윽한 후, 『동편의 성수가 드물어지며, 월색(月色)이 차차 엷어지며 홍색(紅色)이 분명하니, 소리하여 시원함을 부르고 가마 밖에 나서니 좌우 비복(婢僕)과 기생들이 옹위(擁衛)하여 보기를 좌우에서 부축하며 지키고 보호하여 졸이더니, 이윽고 날이 밝으며 붉은 기운이 동편에 길게 뻗쳤으니, 진홍대단 여러 필(疋)을 물 위에 펼친 듯, 만경창파(萬頃蒼波)가 일시(一時)에 붉어져 하늘에 자욱 만 이랑의 푸른 물결이라는 뜻으로 한없이 넓고 넓은 바다를 이르는 말 하고, 노(怒)하는 물결 소리 더욱 장(壯)하며, 홍전 같은 물빛이 황홀하여 수색(水色)이 조요(照耀)하니, 차마 끔찍하더라.』
> 『♪동이 트는 모습 묘사
> 붉은빛이 더욱 붉어지니, 마주 선 사람의 낯과 옷이 다 붉더라. 물이 굽이져 올려치니, 밤에 물 치는 굽이는 옥같이 희더니, 즉금(即今) 물굽이는 붉기가 홍옥 같아 하바로 지금의 때 바닷물이 굽이지어 흐르는 곳 늘에 닿았으니, 장관(壯觀)을 이를 것이 없더라. [후략]
> ▶ 바다에서 동트는 모습
> – 의유당 남씨, 「동명일기」에서

- 끼치기 밀려들기. ■시인(侍人) 주위에 모시고 시중드는 사람.
- 성수(星宿) 모든 별자리의 별들이.
- 진홍대단(眞紅大緞) 중국에서 나는 비단의 하나.
- 홍전(紅氈) 붉은색의 모직물.
- 끔찍하더라 놀랍고 대단하더라.
- 홍옥(紅玉) 붉은빛을 띤 단단한 보석.

🚩 **작품 연구** 의유당 남씨, 「동명일기」

- **갈래:** 고전 수필, 기행문
- **성격:** 묘사적, 사실적, 주관적
- **주제:** 귀경대에서 본 일출의 장관
- **특징:** ① 순수한 우리말을 사용하여 해돋이를 사실적으로 묘사함.
  ② 섬세한 관찰과 필치가 돋보이는 한글 수필임.

| 예시 답안 | 두 작품은 모두 교술 갈래에 속한다. 그래서 작가 개인의 주관적 경험을 중심 내용으로 삼고 있다. 그러나 표현 방식에는 차이가 나타난다. 「관상가와의 대화」는 관념적 언어와 직접적 표현을, 「동명일기」는 구체적 언어와 비유적 표현을 주로 사용하였다. 한편 두 작품은 모두 시간의 흐름에 따라 내용을 전개하고 있는데 「관상가와의 대화」는 대화를 중심으로, 「동명일기」는 대화보다는 대상에 대한 묘사를 중심으로 서술한다는 점에서 차이를 보인다.

02 젊은 아버지의 추억 성석제

해제

이 작품은 자만심에 빠져 있던 자신을 아버지가 지혜롭게 일깨워 준 일화를 소개함으로써 삶에 대한 깨달음을 전달하고 있다. 아버지가 글쓴이를 일깨우는 데 사용한 방법은 깨달아야 할 사람이 스스로 깨달음을 얻게 하는 것으로, 아버지의 이러한 지혜로운 대처 덕분에 글쓴이는 자만심 가득했던 자신의 태도를 돌아볼 수 있었다. 이처럼 이 작품은 친숙한 소재와 경험으로부터 삶에 대한 보편적인 깨달음을 이끌어 내었다는 특징을 가지고 있다. 또한 자기중심적인 세계관에 사로잡혀 있던 청소년기의 경험을 제재로 삼아 많은 독자들의 공감을 유도하면서도 웃음을 유발하고 있다. 한자를 활용한 새로운 어구의 생성, 부연 설명을 통한 재미 유발, 동음이의어에 의한 언어유희 등의 표현 방법을 통해 신선한 웃음을 유발하며, 실감 나는 사투리를 사용함으로써 실제감과 생동감을 살리고 있다.

전체 줄거리

기억 속의 아버지는 늘 알맞은 경륜에 자신감 있는 행동을 하는 중년인데, '나'가 아버지를 그렇게 기억하게 된 이유는 열세 살 직전의 겨울에 겪었던 일 때문이다. 당시 '나'는 또래에 비해서는 조숙한 편으로 집안뿐 아니라 집 밖에서도 큰 칭찬을 받았다. 그러던 어느 날 '나'는 어머니께 술집에 계신 아버지를 모시고 집으로 오라는 지시를 받는다. 아버지를 기다려 집으로 돌아오는 길, 아버지는 '나'를 자전거의 뒷자리에 앉히고 인적이 드문 신작로를 달리고 있었다. '나'는 아버지에게 학교에 가지 않고 혼자 공부하겠다는 뜻을 밝힌다. 아버지는 조금 더 생각하라며 자전거 위에 '나'를 남겨 두고 신작로 아래로 내려가신다. '나'는 세차게 불어오는 바람에 자전거가 쓰러질까 두려워하며 아버지를 간절하게 기다린다. 아버지는 올라와 '나'에게 혼자 있을 때 어떤 생각을 했는지 묻는다. '나'는 아버지의 가르침을 통해 세상을 혼자서 살 수 없다는 깨달음을 얻게 된다.

핵심 정리

(1) 갈래: 현대 수필

(2) 성격: 고백적, 회고적, 성찰적

(3) 제재: 어린 시절 아버지와의 대화

(4) 주제: 자만심 가득했던 청소년기에 자신을 일깨워 준 아버지의 지혜와 자신에 대한 성찰

(5) 특징: ① 글쓴이의 개성과 삶의 경험이 진솔하게 드러나고 있음.

② 어른이 된 현재의 시점에서 과거의 일을 회상하여 서술하고 있음.

③ 괄호 속에 사건과 관련하여 보충 설명하는 내용을 구체적으로 제시함.

(6) 구성

처음	환갑이 넘어 돌아가신 아버지는 '나'에게 언제나 중년으로만 기억되고 있음.
중간 1	아버지와 함께 자전거를 타고 집으로 돌아오던 '나'는 학교를 그만두고 싶다고 고백함.
중간 2	아버지가 '나'를 자전거 위에 두고 사라지자 '나'는 두려움을 떨게 됨.
끝	아버지의 가르침을 통해 세상을 혼자 살 수는 없다는 깨달음을 얻게 됨.

내 기억 속에 있는 아버지는 늘 중년이다. 아버지는 환갑의 나이에 돌아가셨는데도 지금
<u>아버지의 마지막 모습이 아니라 '나'에게 깨달음을 주셨던 중년의 모습이 떠오름.</u>
도 나는 아버지, 하면 반사적으로 중년의 아버지를 생각한다. 중년을 나이로 환산하면 서
른 살에서 쉰 살 정도일까. <u>연부역강(年富力强)</u>, 사나이로서는 알맞은 경륜에 자신감 있는
<u>나이가 젊고 기력이 왕성함.</u> <u>일정한 포부를 가지고 일을 조직적으로 계획함. 또는 그 계획이나 포부</u>
행동이 조화를 이루는 황금기다. 그렇지만 <u>내가 아버지를 중년으로만 기억하게 된 데는 이
<u>아버지를 중년으로 기억하게 된 특별한 사건이 있음을 밝힘으로써, 뒤에 이어질 사건에 대해 독자의 궁금증을 유발하는 역할을 함.</u>
유가 있다.</u>
　　　　　　　　　　　　　　　　　　　　　　　　　　　　▶ '나'에게는 늘 중년으로 기억되는 아버지

열세 살이 되기 직전의 겨울, 나는 전형적인 사춘기적 증상과 맞부딪쳤다. 굳이 이름을
<u>앞뒤 아무런 생각도 없이 함부로 잘난 체함. 망자존대.</u>
붙인다면 '주제 파악 불량에서 기인하는 자존망대형(自尊妄大型) 조발성(早發性) 천재 증
<u>자신을 근거 없이 큰 존재로 인식하는 유형으로, 그것이 일찍 발현된 천재가 앓는 증상</u>
후군❶' 하겠는데, 그 증상은 먼저 학교에 가기 싫어하는 것으로 나타난다. 나는 일단 그 증
<u>아버지에게 학교를 그만두겠다는 말을 하게 된 계기</u>
상에 관해 아버지와 대화를 나눠 보기로 했다. 내가 아버지의 아들인 이상, 아버지도 나와
<u>아버지도 같은 이유로 고민하였을 것이라고 생각함.</u>
같은 나이에 나와 같은 문제로 고민했을 게 아닌가. 천재는 유전이니까.
　　　　　　　　　　　　　　　　　　　▶ 청소년기의 전형적인 사춘기적 증상을 보였던 '나'
㉮ 『나는 평소에 비해 숙제를 충실히 했고 어둡기 전에 집으로 들어왔으며 모든 식구들에
<u>『 』: 아버지와 대화할 기회를 마련하기 위해 계획적으로 행동한 '나'</u>
게 경어를 사용했다. 그래서 "쟤가 요즈음 웬일이야."라는 찬사가 우리 집 지붕을 뚫고 하
늘에 이르렀다가 다시 땅으로 떨어져 아버지의 귀에 들어가기를 기다렸다』㉠ (이 원리는 라
디오에서 배운 것임). 드디어 때가 무르익었다고 판단이 될 즈음, 아버지와 독대할 기회를
　　　　　　　　　　　　　　　　　　　　　　　<u>어떤 일을 의논하려고 단둘이 만나는 일</u>
맞았다. 식구들과 함께 밤에 읍내 성당에 갔다가 ㉡ (이런 일은 일 년에 몇 번 있을까 말까 했
　　　　　　　　　　　　　　　　　　　　　　　<u>앞의 사건이 지닌 의의를 밝힘.</u>
다.) 술집에 있는 아버지와 함께 집으로 오라는 어머니 지시를 받은 것이다(이런 일은 평생
　　　　　　　　　　　　　　　　　　　　<u>큰 술잔으로 마시는 술인 대폿술을 파는 집. 원래는 '대폿집'으로 표기</u>
한 번뿐이었다.). 포연처럼 연기가 자욱하나 대포(大砲)는 없는 대포(大匏)집에 가 보니 아
　　　　　　　　　　　　　　　　　　　<u>동음이의어를 활용한 언어유희</u>
버지는 친구분들과 함께 가운데 연탄을 넣을 수 있게 만든 동그란 식탁을 둘러싸고 박격포
와 자주포와 곡사포의 차이점, 잦은 정전과 월남전, 지역 출신의 역사적인 인물의 공과에
대해 엄숙하면서도 치열한 논쟁을 벌이고 있었다.　　　　　　▶ 술집에 계신 아버지를 찾아간 '나'
<u>약주를 나누면서 하는 이야기를 과장되게 표현함.</u>

어휘·어구 풀이
❶ '주제 파악 불량에서~천재
증후군' 글쓴이가 만든 신조
어로, 주제 파악도 하지 못하
면서 유치하게 스스로 천재라
고 여겨 자존감만 지나치게
높았던 자신의 어린 시절을
평가한 것이다.

💡 핵심 쏙쏙

◎ 표현상 특징
• 한자어를 사용하여 재치 있게
새로운 말을 만들어 냄.
• 괄호 속에 사건에 대해 부연 설
명하는 내용을 제시함.
• 언어유희를 통해 독자의 웃음
을 유발함.

교과서 날개 질문 ◀

'나'는 왜 숙제를 평소보다 충실
히 하고 모든 식구들에게 경어를
사용했을까?
| 예시 답안 | '자존망대형 조발성
천재 증후군'을 앓고 있던 '나'는
성숙하게 변화한 자신의 모습을
가족들에게 보여 줌으로써 학교에
가지 않고 혼자 공부하겠다는 자
신의 의도가 수용되기를 바랐기
때문이다.

학습 문제
　　　　　　　　　　　　　　　　　　　　　　　　　　📘 정답과 해설 363쪽

1. 윗글에 대한 설명으로 적절한 것은?

① 글쓴이의 과거 체험을 솔직한 어조로 서술하고 있다.
② 감각적인 단어를 통해 애상적 분위기를 조성하고 있다.
③ 대상에 대한 논리적 분석을 통해 주제를 드러내고 있다.
④ 배경을 상세히 묘사하여 앞으로 벌어질 사건을 암시하
　고 있다.
⑤ 비교를 통해 대상에 대한 통념이 잘못되었음을 지적하
　고 있다.

3. 윗글을 통해 알 수 있는 내용이 <u>아닌</u> 것은?

① 중년의 아버지는 평소 글쓴이와 둘이만 앉아 대화하는
　것을 즐겼다.
② 청소년기의 글쓴이는 가족과 함께 읍내에 있는 성당에
　간 적이 있었다.
③ 글쓴이는 아버지를 기억할 때, 노년이 아니라 중년의 모
　습으로 기억한다.
④ 청소년기의 글쓴이는 스스로 천재라고 인식해 학교를
　다니지 않으려 했다.
⑤ 청소년기의 글쓴이는 가족들에게 이전과는 다른 성숙한
　모습을 보이려 했다.

서술형
4. ㉠과 ㉡을 통해 알 수 있는, 윗글에 쓰인 괄호의 기능을 서술하
시오.

서술형
2. 글쓴이가 ㉮와 같은 행동을 한 이유를 서술하시오.

❶ 차라리 자연과 라디오를~좋
겠다고 생각합니다. 자신이
남보다 높은 수준에 올라있다
고 자부하는 모습이 나타나
있다.

핵심 쏙쏙

◉ 아버지에게 밝힌 '나'의 고민

주장: 학교를 다니고 싶지 않다.

↓

이유: 배울 것도 없고, 급우들
이 유치해서 사귀고 싶은 마음
이 없어서

↓

향후 계획: 자연과 라디오를 스
승 삼아 '나'의 수준에 맞는 진
학 준비를 하겠다.

▶ 교과서 날개 질문

아버지는 왜 말없이 페달만 밟으
셨을까?

| 예시 답안 | 아버지는 필요 이상
으로 자존감이 높은 아들에게 어
떠한 방식으로 아들의 현재 상황
을 깨닫게 할 것인지 고민하고 있
었기 때문이다. 스스로를 평가하
기 시작한 아들이 대견하면서도
한편으로는 걱정스러웠기 때문에
최대한 상처를 덜 입히면서 아들
을 설득하는 방법에 대해 고민하
고 있었을 것이다.

나는 연기로 눈물을 쏟으며 한동안 서 있다가 "아부지요, 어머니가 약주 조금만 더 드
시고 빨리 오시랍니다." 하고 말씀드렸다. 『그러자 아버지의 친구분이 "아이가 어쩌면 이
렇게 의젓한가!" 하고 별것도 아닌 일을 가지고 열광적으로 칭찬을 하며 내게 친구처럼
술잔까지 내밀었다. 아이라도 어른이 주는 술은 마셔도 괜찮으며 어른 앞에서 술을 배워
야 한다면서.』 나는 할 일이 있었기 때문에 경솔하게 그 잔을 받을 수가 없었다. 이미 막걸
리 심부름을 하면서 조금씩 훔쳐 먹는 술에 중독이 된 지경인지라 새삼 술에 대해 배울
것도 없었다.

이윽고 아버지는 친구분들과 인사를 나누고 자리에서 일어났다. 친구분들은 가까운 데
에 살았지만 우리 집은 십 리에서 조금 모자라는 거리에 위치하고 있었다. 겨울인데다 밤
길이었던 고로 쉬운 길은 아니었다.

아버지는 휘파람으로 애마(愛馬)를 불러, 아니다, 술집 바깥에 세워 두었던 자전거에
타고 나를 뒷자리에 앉게 하셨다. 그러곤 휘파람을 불며 페달을 밟기 시작했다. 떨어지지
않으려면 아버지의 점퍼 주머니에 손을 넣고 등에 기대야 했다. 그 등은 알맞게 따뜻했고
어느 때보다 넓고 관대하게 느껴졌다.

인적이 드문 신작로에 들어선 나는 조심스럽게 "아부지!" 하고 불렀다. / "왜?"

"드릴 말씀이 있습니다. 사나이 대 사나이로서."

아버지는 그날 마신 술로 기분이 좋았다.

"싸나아이? 어디 한번 해 보니라."

"㉠ 저 학교에 안 가면 안 되겠습니까? 배울 것도 없는 것 같고 애들도 너무 유치해서
사귈 마음이 나지 않습니다. 차라리 자연과 라디오를 스승 삼고 주경야독으로 제 수준
에 맞는 진학 준비를 하는 것이 좋겠다고 생각합니다.❶ 어떻게 생각하시는지요?"

㉡ 아버지는 한동안 말이 없이 씨익씨익, 하고 페달만 밟으셨다.

학습 문제

5. 청소년기의 글쓴이에 대한 설명으로 적절한 것은?

① 어른들이 어떻게 보는가는 신경쓰지 않았다.

② 어른에게 술을 배우는 것이 잘못되었다고 여겼다.

③ 어른들이 자신을 어른처럼 대하는 것에 화를 냈다.

④ 아버지가 자전거를 타고 다니는 것을 부끄러워했다.

⑤ 자신이 또래의 다른 아이들보다 성숙하다고 판단했다.

서술형

6. 글쓴이가 ㉠과 같은 주장을 한 이유를 서술하시오.

7. ㉡에서 아버지가 했을 생각을 〈보기〉에서 골라 바르게 묶은
것은?

ㄱ. 아들이 자신의 앞날에 대해 고민하고 있다니 대견스
럽군.

ㄴ. 아들에게 제대로 된 교육을 시키려면 어떤 학교에
보내야 할까?

ㄷ. 아들이 가장으로서의 아버지의 능력을 무시하다니
매우 부끄럽군.

ㄹ. 아들이 상처받지 않고 자신의 잘못된 생각을 깨닫게
해 줄 수 있는 방법은 무엇일까?

① ㄱ, ㄴ ② ㄱ, ㄹ ③ ㄴ, ㄷ ④ ㄴ, ㄹ ⑤ ㄷ, ㄹ

나는 얼씨구, 내 말이 먹혀드는구나 싶어 주마가편(走馬加鞭) 격으로 말을 쏟아 냈다.
아버지의 대답이 없는 것을 동의의 표시로 인식함.　　달리는 말에 채찍질한다는 뜻으로, 잘하는 사람을 더욱 장려함을 이르는 말

"실은 제 정신 수준은 보통 사람의 서른 살에 도달했다고 판단한 지 어언 두 달이 넘었
'자존망대형 조발성 천재 증후군'의 증상

습니다. 어쩌면 대학도 갈 필요가 없는지도 모르겠습니다. 비싼 학비를 안 대 주셔도

되니 이 얼마나 좋은 일이겠습니까?"　　▶ 학교를 그만두고 싶다고 아버지를 설득하는 '나'

아버지는 자전거를 세우고는 거의 표준말에 가까운 억양과 어휘로 말했다.
아버지의 진지한 태도

"고맙다, 내 걱정까지 해 주다니. 그렇지만 조금 더 생각을 해 보아라. 시간을 줄 테니."
아들이 스스로 자신의 문제를 깨닫도록 시간을 줌.

그러고는 『달빛 비치는 서산을 넘어 불어오는 바람 속에 자전거를 세워 두고는 신작로
『 』: 아버지의 의도− '나'가 스스로 자신의 부족함을 알고, 세상이 만만치 않음을 깨닫게 하기 위한 행동

아래 냇가로 내려갔다.』나는 아버지가 오줌을 누러 가시나 보다, 생각하고는 자전거 위에
'나'의 추측

앉은 채로 기다리고 있었다.

그런데 아버지는 한참이나 지났는데도 오시지 않았다.　　▶ '나'를 홀로 두고 사라진 아버지

『세차게 불어오는 바람에 자전거는 금방이라도 쓰러질 것 같았다. ㉠ 그렇지만 자칫 잘
『 』: 위태로운 상황에 두려움을 느낌.

못 내리다가는 자전거와 함께 신작로 아래로 굴러떨어질 것 같아 이러지도 저러지도 못

한 채 떨면서 기다리고 있을 수밖에 없었다.』아버지가 앉았던 안장을 움켜쥐고 내가 하느
자신의 존재가 보잘것없음을 깨닫게 됨.

님을 서너 번은 족히 불렀을 때 비로소 아버지가 올라왔다.

㉡ "달밤에 신작로 위에서 자전거 타고 혼자 있으니까 세상이 다 니 아래로 보이더냐?"❶

아버지는 자전거를 끌면서 말씀하셨다.

그 물음에는 천재인 나도 대답할 말을 쉽게 찾을 수 없었다.　　▶ '나'의 자만심을 일깨워 주신 아버지

그때 아버지의 나이가 사십 대 초입이었다.

나는 내 아이가 내게 그렇게 말해 온다면 어떻게 할까 생각해 본다. 준비되지 않은 채
아버지와 자신을 비교해 봄.　　감동하여 충심으로 탄복함.

몸과 마음만 들뜬 아이를 마음으로 감복시킬 생각을 하지 못하고 어떻게든 세상의 틀에
지금의 '나'가 자식을 키우는 방식

우겨 넣으려는 한, 내 중년은 아버지의 중년에 비할 수 없이 유치하다.
아버지에 대한 그리움과 자신에 대한 반성　　▶ 아버지의 중년과 '나'의 중년을 비교해 보고 자신을 성찰하는 '나'

어휘·어구 풀이

❶"달밤에 신작로〜아래로 보이더냐?" 아버지는 남들보다 조금 성숙하다고 세상을 혼자서 살 수 있을 거라 생각했던 '나'의 문제를 지적하고 있다.

핵심 쏙쏙

◉ 아버지와 '나'가 자식을 키우는 방법

아버지
어리석은 생각을 한 '나'를 스스로 잘못을 깨우칠 수 있도록 함.

⇕

'나'
미성숙한 아이를 어떻게든 세상의 틀에 우겨 넣으려 함.

교과서 날개 질문

글쓴이가 '천재인 나도 대답할 말을 쉽게 찾을 수 없었다.'라고 말한 까닭은 무엇일까?

| 예시 답안 | 언덕 위 자전거 위에서 두려워하고 겁을 내는 '나'에게 아버지는 드높여진 자존감이 실은 별다른 실체가 없는 것임을 알려 주고, '나'가 스스로 자신의 부족함을 느끼고 세상이 만만치 않음을 깨닫도록 훈계를 한다. '나'는 혼자서 모든 것을 알고 행동할 수 있다고 생각했던 것이 자만에 가득 찬 행동이었음을 깨닫고 아버지의 날카로운 지적에 대꾸를 할 수 없었던 것이다.

---

8. 윗글의 서술 방식에 대한 설명으로 가장 적절한 것은?

① 가설을 설정하고 다양한 검증 방법으로 진실을 파악하고 있다.

② 추억한 상황과 현재의 상황을 대비하여 자신에 대해 성찰하고 있다.

③ 시간의 흐름에 따라 동일한 사건이 다르게 평가됨을 드러내고 있다.

④ 대립되는 성격의 두 사건을 분석하여 바람직한 삶의 방향을 제시하고 있다.

⑤ 과거 사건의 여러 면모를 보여 주어 독자 스스로 삶의 진리를 깨닫게 하고 있다.

9. ㉠의 '나'의 상황과 관련 있는 한자 성어로 가장 적절한 것은?

① 절치부심(切齒腐心)　　② 진퇴양난(進退兩難)

③ 좌정관천(坐井觀天)　　④ 이심전심(以心傳心)

⑤ 오십보백보(五十步百步)

서술형　학습 활동 응용

10. ㉡을 통해 아버지가 '나'에게 궁극적으로 전달하려는 것을 서술하시오.

• 글쓴이의 경험과 깨달음

| '나'가 아버지에게 앞으로 학교를 가지 않고 혼자 공부하겠다고 함. | ➡ | 아버지는 좀 더 생각해 보자며 자전거에 '나'를 남겨 두고 사라짐. | ➡ | '나'는 세차게 불어오는 바람에 자전거가 쓰러질까 두려워하며 아버지를 기다림. | ➡ | 아버지가 '나'에게 혼자 자전거를 타고 있을 때 어떤 기분이었는지 물음. |

⬇

'나'는 아버지와의 대화를 통해 세상에 아직 배워야 할 것이 많고, 혼자서 세상을 살아갈 수 없다는 점을 깨달음.

• 표현상 특징

❶□□□를 활용하여 재치 있게 새로운 말을 만들어 냄.	➡	자존망대형(自尊妄大型) 조발성(早發性) 천재 증후군
❷□□ 속의 부연 설명을 통해 사건의 의미를 밝힘.	➡	식구들과 함께 밤에 읍내 성당에 갔다가(이런 일은 일 년에 몇 번 있을까 말까 했다.) 술집에 있는 아버지와 함께 집으로 오라는 어머니 지시를 받은 것이다(이런 일은 평생 한 번뿐이었다.).
동음이의어를 사용한 ❸□□□□로 재미를 줌.	➡	대포(大砲)는 없는 대포(大匏)집
사투리를 사용하여 사실성과 ❹□□□을 부여함.	➡	"아부지요, 어머니가 약주 조금만 더 드시고 빨리 오시랍니다."

• 글쓴이가 중년의 아버지를 기억하게 된 까닭

| 준비되지 않은 채 몸과 마음만 들뜬 아이를 마음으로 감복시킬 생각을 하지 못하고 어떻게든 세상의 틀에 우겨 넣으려 한 자신의 중년은 아버지의 중년에 비할 수 없이 유치하다고 생각하였기 때문 | ➡ | 아버지처럼 자식을 마음으로부터 감복시킬 수 있는 태도를 가지지 못한 글쓴이 자신에 대한 반성과 ❺□□ |

|정답 | ❶ 한자어 ❷ 괄호 ❸ 언어유희 ❹ 현장감 ❺ 성찰

학습 활동

작품 속으로

1. '나'의 '자존망대형 조발성 천재 증후군'으로 인해 벌어진 주요 사건을 정리해 보고, 이 작품의 주제를 생각해 보자.

자존망대형 조발성 천재 증후군으로 인해 벌어진 주요 사건
'나'는 아버지에게 앞으로 학교에 가지 않고 혼자 공부하겠다고 말함.
아버지는 시간을 갖고 생각해 보라고 한 뒤 자전거 위에 '나'를 홀로 세워 두고 신작로 아래 냇가로 내려감.
'나'는 세차게 불어오는 바람에 자전거가 쓰러질까 봐 두려움에 떨며 아버지를 기다리게 됨.
아버지는 "달밤에 신작로 위에서 자전거 타고 혼자 있으니까 세상이 다 니 아래로 보이더냐?"라고 말함.

작품의 주제	자만심에 빠진 '나'의 부족함을 깨닫게 해 준 아버지의 지혜와 '나'의 성찰

2. 아버지가 '나'에게 가르침을 준 방식을 정리해 보고, 이러한 방식을 취한 의도를 추측해 보자.

가르침을 준 방식	의도
아버지는 어두운 밤에 일부러 '나'를 홀로 남겨 두고 꽤 오랜 시간 사라졌다가 다시 나타났다. 그리고 두려움에 떨고 있던 '나'에게 혼자 있었던 시간이 만족스러웠냐고 묻는다.	말로 설명하거나 훈계하지 않고 직접 체험하게 함으로써 스스로 깨달음에 이르게 한다.

작품 너머로

3. 다음은 이태준의 수필 「바다」의 일부이다. 읽고, 아래 활동을 해 보자.

| 제시문 생략 |

> **작품 연구**   이태준, 「바다」
>
> • 갈래: 경수필
> • 성격: 체험적, 비유적, 묘사적
> • 주제: 바다의 웅장함과 역동성이 주는 감동
> • 특징: ① 가정을 통한 상상, 단어가 주는 어감 분석 등을 통해 대상에 대한 주관적 감정을 드러냄.
>   ② 과거의 일을 회상하여 서술함.

(1) 위 작품에서 '바다'에 관한 독특한 상상력이 드러나는 부분을 찾아보고, 그렇게 생각한 까닭을 말해 보자.

'바다'에 관한 독특한 상상력이 드러나는 부분	그와 같이 생각한 이유
조선말 '바다'가 제일이라 하였다.	'바'와 '다'가 모두 경탄음인 '아!'이기 때문에, '바다'라고 부르면 경탄음이 이어져 크고 둥글고 넓게 울리는 느낌이 난다.
지구(地球)가 아니라 수구(水球)라야 더 적절한 명칭일 것 같다.	지구의를 놓고 보면 육지보다는 수면이 훨씬 더 많은데 사람들이 육지에 살아서 지구라고 한 것 같다. 사람이 어족이었다면 물론 수구였을 것이요, 육지는 그저 무인도에 불과했을 것이다.

(2) 「젊은 아버지의 추억」과 「바다」에는 모두 소년이 등장한다. 호기심 어린 대상에 대한 두 소년의 반응을 비교하여 말해 보자.

| 예시 답안 | 경험해 보지 못한 세상에 대한 기대감을 보인다는 점에서는 두 작품에서의 소년의 반응이 유사하지만, 「젊은 아버지의 추억」 속 '나'는 그 세상을 가 보기 전부터 매우 잘 알고 있다고 착각하는 반면, 「바다」의 '나'는 어서 빨리 그 세상을 만나고 싶다는 설렘을 드러내며 상상의 나래를 펼친다.

(3) 유년 시절의, 처음 접한 새로운 대상에 대한 기억을 떠올려 보고, 그 당시 느꼈던 점을 자신의 블로그나 누리 소통망에 올려 보자.

| 예시 답안 | 내가 초등학교에 다니던 시절의 이야기이다. 주변에 외국인이 많지 않아 그들을 접해 본 일이 없었던 나는 우연히 외국인과 마주치면 그들이 나한테 길이라도 물어볼까 봐 멀리서부터 도망을 가곤 했다. 그러던 어느 날, 내가 짝사랑하던 우리 반 여자아이와 함께 하교할 때, 길을 묻는 외국인과 마주치게 되었다. 순간 나는 얼굴이 벌겋게 달아오르면서, 여자아이 앞에서 제대로 대답을 할 수 없을지도 모른다는 생각에 눈앞이 캄캄해졌다. 하지만 나는 이내 정신을 차렸고, 우리 학교가 어딘지 묻는 그에게 차분하게 대답할 수 있었다. 그는 우리 학교로 부임한 원어민 선생님이었고, 나는 그에게 영어를 배우면서 부족했던 영어 실력을 부끄럽지 않게 성장시킬 수 있었다. 이 일을 계기로 나는 처음 접하는 사람이나 대상을 두려워할 필요가 없다는 것을 깨닫게 되었다.

4 한국 문학의 흐름

[1] 서정 갈래의 흐름

01 「제망매가」~05 「어느 날 고궁을 나오면서」 서정 갈래의 대표적 작품들을 감상하고 형식이나 표현에 나타나는 특징을 살펴보았다. 「제망매가」를 통해 향가의 시상 전개 과정 및 비유적 표현을 이해하였고, 「청산별곡」을 통해 후렴구의 기능과 소재의 역할을 공부하였다. 「어부사시사」를 통해서는 평시조의 기본적인 형식은 물론 ❶□□□ 등과 같이 평시조의 형식을 능동적으로 변형하여 향유한 사례를 확인하였다.

한편 이들 작품을 통해 서정 갈래가 시대적 흐름을 어떻게 반영했는지도 살펴보았다. 일제 강점기에 쓰인 「쉽게 씌어진 시」와 1960년대를 배경으로 하는 「어느 날 고궁을 나오면서」는 작품이 시대의 어떠한 ❷□□□를 문제 삼고 있는지, 그리고 그것을 어떻게 작품 속에 형상화했는지 탐구하였다.

|정답| ❶ 연시조 ❷ 부조리

[2] 서사 갈래의 흐름

01 「김현감호」~04 「난쟁이가 쏘아 올린 작은 공」 서사 갈래의 대표적 작품들을 감상하고 서사 전개 양상에 나타나는 특징을 살펴보았다. 「김현감호」를 통해 설화의 서사 전개 양상과 등장인물의 성격을 파악하였고, 「구운몽」을 통해 고전 소설의 주제적 특징과 ❶□□ 구조와 같은 서사 구조를 공부하였다.

한편 이들 작품이 시대의 문제를 어떻게 담고자 했는지도 주목하였다. 「너와 나만의 시간」의 경우 ❷□□ □□으로 인한 상처를, 「난쟁이가 쏘아 올린 작은 공」의 경우 ❸□□□ 시대로 인해 소외된 이들의 문제를 어떻게 담아냈는지 살펴보았다.

|정답| ❶ 환몽 ❷ 한국 전쟁 ❸ 산업화

[3] 극 갈래의 흐름

01 「봉산 탈춤」~02 「원고지」 극 갈래의 대표적 작품들을 읽고 공연을 위해 사용한 다양한 서사 구현 방식을 알아보았다. 「봉산 탈춤」을 통해 전통 연희의 공연 양상과 ❶□□ 사회에 관한 풍자적 인식을 확인하였고, 「원고지」를 통해 현대극의 공연 양상과 현대인에 대한 ❷□□를 살펴보았다.

|정답| ❶ 양반 ❷ 풍자

[4] 교술 갈래의 흐름

01 「관상가와의 대화」~02 「젊은 아버지의 추억」 교술 갈래에 속하는 작품들을 감상하고, 주제를 부각하기 위한 작품마다의 글쓰기 방법이 무엇인지 확인하였다. 「관상가와의 대화」에서는 ❶□□를 통해 주제를 부각하는 고전 수필의 특징을 배웠고, 「젊은 아버지의 추억」에서는 직접 경험을 통해 ❷□□□으로 나아가게 하는 현대 수필의 특징을 확인하였다.

|정답| ❶ 대화 ❷ 깨달음

핵심 질문 되돌아보기

• 한국 문학의 흐름을 살펴봄으로써, 문학 작품의 갈래별 전개와 구현 양상을 살필 수 있는 안목을 길러 보았다.

• 우리는 한국 문학을 시대를 고려하여 감상함으로써 문학과 역사의 상호 영향 관계를 알 수 있다.

창의·융합

소설 「82년생 김지영」과 가장 잘 어울리는 '환상의 짝꿍'을 찾아 주려고 합니다. 이 소설과 가장 잘 어울리는 짝꿍을 선정해 주세요.

1 소설

김려령, 「완득이」

이 작품의 주인공 완득이는 현재 고등학생으로, 난쟁이인 아버지와 베트남 출신 이주 여성인 어머니 사이에서 태어났다. 아버지의 장애와 혼혈이라는 출신이 완득이에게 불우한 현실일 수 있지만, 완득이는 이를 슬퍼하기보다는 유쾌하게 인정하고 자신의 꿈을 키워 간다.

불평등한 사회 현실과 부딪치며 살아가는 '완득이'. '82년생 김지영'도 활짝 웃을 수 있는 사회가 되기를 바라며 추천하는 환상의 짝꿍!

작품 연구 김려령, 「완득이」

- **갈래**: 장편 소설, 성장 소설
- **성격**: 사회적, 교훈적
- **배경**: 현대 도시 변두리 동네
- **제재**: 경쟁의 논리가 뿌리내린 한국 사회를 힘겹게 살아가는 비주류 가족의 삶
- **주제**: 완득이의 정신적 성장과 사랑
- **특징**: ① 다문화 사회의 현실적 문제를 다룸.
  ② 어두운 사회 문제를 10대의 시선에서 비교적 밝게 묘사함.

2 수필

헬레나 노르베리 호지, 「오래된 미래」

헬레나 노르베리 호지의 '라다크'에서의 경험이 담긴 글이다. 서부 히말라야 고원의 외딴 지역에 살면서도 열악한 환경을 지혜롭게 활용하여 평화롭고 건강한 공동체를 유지해 온 라다크. 그러나 서구식 개발이 진행되면서 오히려 불행의 소용돌이로 빠져든다. 이에 저자는 새로운 문명보다 전통의 가치가 미래의 희망이라고 말한다.

문명의 진보가 사회 인식의 진보로 이어지지 않는 현실에서 서로를 보듬으며 살아가는 공동체의 가치를 제시하는 「오래된 미래」는 「82년생 김지영」과 가장 잘 어울리는 환상의 짝꿍!

작품 연구 헬레나 노르베리 호지, 「오래된 미래」

- **갈래**: 수필
- **성격**: 비판적, 희망적, 경험적
- **제재**: 라다크
- **주제**: 라다크에서 배우는 인류가 지녀야 할 자세
- **특징**: ① 글쓴이의 경험을 토대로 교훈을 전달함.
  ② 현대 사회를 다방면에서 비판하고 진정한 미래의 가치를 언급함.

3 노래

우리가 하나가 될 때 변화를 일으킬 수 있다는 것을 깨달아요. / 우리는 세계, 우리는 어린이, / 우리는 밝은 날을 만들어야 합니다. / 그러니 이제 베푸는 일을 시작합시다. / 우리는 선택했습니다. / 우리는 인생을 구원하고 있습니다. / 너와 나, 우리는 더 좋은 시절을 만들 수 있습니다.

– 마이클 잭슨, 라이어널 리치 작사 작곡, 「위 아 더 월드(We Are The World)」

더는 차별받는 사람이 없는 사회, 밝은 세상을 만들기 위한 노력을 제시하는 노래 「위 아 더 월드(We Are The World)」는 「82년생 김지영」과 환상의 짝꿍!

작품 연구 마이클 잭슨, 라이어널 리치, 「위 아 더 월드」

- **갈래**: 대중가요
- **성격**: 희망적
- **제재**: 차별받고 소외받는 사람들
- **주제**: 인류에 더 이상 차별받고 소외받는 사람들이 있어서는 안 된다는 신념
- **특징**: ① 아프리카 난민 구호 활동을 위해 만든 노래임.
  ② 사회의 화려한 면을 선호하는 대중가요가 사회의 어둡고 안타까운 장면에 주목함.

1. 여러분이 뽑은 '환상의 짝꿍'은 무엇인가요? 그 까닭을 말해 보세요.

| 예시 답안 | 마이클 잭슨, 라이어널 리치의 「위 아 더 월드」 차별로 고통받는 사람들의 현실을 이야기하는 것을 넘어서, 그러한 차별이 없는 밝은 사회를 만들기 위해 노력하자는 희망적인 노래가, 불평등의 문제를 이야기하고 있는 「82년생 김지영」과 잘 어울린다. 노래와 같이 「82년생 김지영」 씨의 삶도 차별 없는 희망찬 삶이 되었으면 한다.

2. 여러분도 「82년생 김지영」과 '환상의 짝꿍'이 될 만한 후보를 추천해 보세요.

| 예시 답안 | 자이언티의 「양화대교」. 이 노래는 도시를 살아가는 사람들의 녹록치 않은 삶을 절실하게 표현하였다. 보통 사람들의 힘겹고 소외된 일상에 주목했다는 점에서 「82년생 김지영」과 환상의 짝꿍이 아닐까?

[01~04] 다음 글을 읽고 물음에 답하시오.

가 생사(生死) 길은　　　　　　生死路隱
　　예 있으매 머뭇거리고　　　此矣有阿米次肹伊遣
　　나는 간다는 말도　　　　　吾隱去內如辭叱都
　　못다 이르고 어찌 갑니까.　毛如云遣去內尼叱古
　　어느 가을 이른 바람에　　於內秋察早隱風未
　　이에 저에 떨어질 잎처럼　此矣彼矣浮良落尸葉如
　　한 가지에 나고　　　　　　一等隱枝良出古
　　가는 곳 모르온저.　　　　去奴隱處毛冬乎丁
　　아아, 미타찰(彌陀刹)에서 만날 나　阿也彌陀刹良逢乎吾
　　도(道) 닦아 기다리겠노라.　道修良待是古如

나 살어리 살어리랏다 청산(靑山)애 살어리랏다.
　　㉠ 멀위랑 ᄃᆞ래랑 먹고 청산(靑山)애 살어리랏다.
　　얄리얄리 얄랑셩 얄라리 얄라　　　　〈1연〉

　　우러라 우러라 새여 자고 니러 우러라 새여.
　　널라와 시름 한 나도 자고 니러 우니로라.
　　얄리얄리 얄라셩 얄라리 얄라　　　　〈2연〉

　　㉡ 가던 새 가던 새 본다 믈 아래 가던 새 본다.
　　㉢ 잉 무든 장글란 가지고 믈 아래 가던 새 본다.
　　얄리얄리 얄라셩 얄라리 얄라　　　　〈3연〉

　　이링공 뎌링공 ᄒᆞ야 나즈란 디내와손뎌.
　　오리도 가리도 업슨 바므란 ᄯᅩ 엇디 호리라.
　　얄리얄리 얄라셩 얄라리 얄라　　　　〈4연〉

　　어듸라 더디던 돌코 누리라 마치던 돌코.
　　믜리도 괴리도 업시 마자셔 우니노라.
　　얄리얄리 얄라셩 얄라리 얄라　　　　〈5연〉

　　㉣ 살어리 살어리랏다 바ᄅᆞ래 살어리랏다.
　　ᄂᆞ 무자기 구조개랑 먹고 ㉤ 바ᄅᆞ래 살어리랏다.
　　얄리얄리 얄라셩 얄라리 얄라　　　　〈6연〉

　　가다가 가다가 드로라 에졍지 가다가 드로라.
　　사스미 짒대예 올아셔 ᄒᆡ금(奚琴)을 혀거를 드로라.
　　얄리얄리 얄라셩 얄라리 얄라　　　　〈7연〉

　　가다니 ᄇᆡ브른 도긔 설진 강수를 비조라.
　　조롱곳 누로기 ᄆᆡ와 잡ᄉᆞ와니 내 엇디 ᄒᆞ리잇고.
　　얄리얄리 얄라셩 얄라리 얄라　　　　〈8연〉

수능형

01 ⑦와 ④의 공통점으로 적절한 것은?
① 경건한 어조로 시적 긴장감을 높이고 있다.
② 시어의 반복을 통해 화자의 정서를 강조하고 있다.
③ 색채의 대비를 통해 대상의 특성을 보여 주고 있다.
④ 영탄적 표현으로 화자의 심정을 직접 드러내고 있다.
⑤ 대상에 인격을 부여하여 시적 의미를 강화하고 있다.

02 ⑦, ④에 드러난 화자의 정서로 적절한 것은?
① ⑦ : 삶의 허무를 자연에 의지해 극복하고자 한다.
② ⑦ : 절대적 고독과 외로움에서 벗어나지 못하고 있다.
③ ⑦ : 고통스러운 현실을 초월적 자세로 이겨 내고자 한다.
④ ④ : 미래에 대한 화자의 낙관적 전망이 드러나 있다.
⑤ ④ : 대상에 대한 새로운 인식과 깨달음이 드러나 있다.

학습 활동 응용

03 ㉠~㉤에 대한 이해로 적절하지 **않은** 것은?
① ㉠ : '청산'에서 먹는 소박한 음식을 가리키며, 〈6연〉의 'ᄂᆞ 무자기 구조개'에 대응되는 시구이다.
② ㉡ : '갈던 사래밭'으로 해석하면 속세에 대한 미련을, '가던 새'로 해석하면 속세를 떠난 홀가분한 심정을 표현한 것으로 볼 수 있다.
③ ㉢ : '이끼 묻은 쟁기' 혹은 '날이 무딘 병기', '이끼 묻은 은장도' 등으로 다양한 해석이 가능하다.
④ ㉣ : 〈1연〉의 첫 번째 구와 대응되어, 이 노래를 '청산 노래'와 '바다 노래'로 나누어 볼 수 있는 근거가 된다.
⑤ ㉤ : '바ᄅᆞᆯ'은 '청산'의 의미와 같은 '이상향' 또는 현실의 도피처라고 볼 수 있다.

서술형

04 〈보기〉의 ⓐ와 같은 역할을 하는 시어를 ④에서 찾고, 그 이유를 〈조건〉에 맞게 서술하시오.

| 보기 |
꿈에나 님을 볼려 잠 일울가 누엇드니
식벽 달 지식도록 자규성(子規聲)을 어이ᄒᆞ리
두어라 단장춘심(斷腸春心)은 ⓐ 너나 ᄂᆞ나 달으리.
　　　　　　　　　　　　　　　　－ 호석균

| 조건 |
1. 화자와 대상과의 관계에 주목하여 설명할 것.
2. '몇 연의 무엇이다. 그 이유는~때문이다.'의 형식을 갖추어 서술할 것.

[05~08] 다음 글을 읽고 물음에 답하시오.

가

춘사(春詞) 1

압개예 안개 것고 뒫뫼희 히 비췬다
　비 떠라 비 떠라
밤믈은 거의 디고 ㉠ 낟믈이 미러 온다
　지국총(至匊悤) 지국총(至匊悤) 어사와(於思臥)
ⓐ **강촌(江村)** ㉡ 온갓 고지 먼 빗치 더옥 됴타

하사(夏詞) 2

㉢ 년닙희 밥 싸 두고 반찬으란 쟝만 마라
　닫 드러라 닫 드러라
청약립(靑蒻笠)은 써 잇노라 녹사의(綠蓑衣) 가져오냐
　지국총(至匊悤) 지국총(至匊悤) 어사와(於思臥)
무심(無心)혼 백구(白鷗)는 내 좃는가 제 좃는가

추사(秋詞) 9

㉣ 옷 우희 서리 오딕 치운 줄을 모롤로다
　닫 디여라 닫 디여라
됴션(釣船)이 좁다 ㅎ나 **부세(浮世)**과 엇더ㅎ니
　지국총(至匊悤) 지국총(至匊悤) 어사와(於思臥)
닉일도 이리 ㅎ고 모뤼도 이리 ㅎ쟈

동사(冬詞) 10

어와 져므러 간다 연식(宴息)이 맏당토다
　비 븟텨라 비 븟텨라
ㄱ는 눈 쁘린 길 블근 곳 훗더딘 딕 흥치며 거러가셔
　지국총(至匊悤) 지국총(至匊悤) 어사와(於思臥)
㉤ **셜월(雪月)**이 **셔봉(西峯)**의 넘도록 **숑창(松窓)**을 비겨 잇쟈

나 살어리 살어리랏다 ⓑ **바르래** 살어리랏다.
ㄴㅁ자기 구조개랑 먹고 바르래 살어리랏다.
얄리얄리 얄라셩 얄라리 얄라

가다가 가다가 드로라 에졍지 가다가 드로라.
사스미 짒대예 올아셔 히금(奚琴)을 혀거를 드로라.
얄리얄리 얄라셩 얄라리 얄라

가다니 빅브른 도긔 설진 강수를 비조라.
조롱곳 누로기 미와 잡스와니 내 엇디 ㅎ리잇고.
얄리얄리 얄라셩 얄라리 얄라

05 **가**와 **나**의 공통점으로 적절한 것은?

① 기존 평시조의 율격을 변형시킨 사설시조이다.
② 4음보의 율격을 통해 리듬감을 실현하고 있다.
③ '기 – 승 – 전 – 결'의 구조로 시상이 전개되고 있다.
④ 'a – a – b – a'의 구조가 반복되는 민요조의 노래이다.
⑤ 연 구분이 되어 있고, 후렴구가 규칙적으로 나타난다.

수능형

06 **가**의 ⓐ와 **나**의 ⓑ에 대한 해석으로 적절한 것은?

① ⓐ와 달리 ⓑ는 화자가 추구하고자 하는 공간이다.
② ⓐ와 달리 ⓑ는 현실 세계와 대립되는 탈속의 공간이다.
③ ⓑ와 달리 ⓐ는 화자가 풍류를 즐기고 있는 공간이다.
④ ⓐ와 ⓑ 모두 자연의 아름다움이 드러나는 공간이다.
⑤ ⓐ와 ⓑ 모두 계절에 따른 삶의 방식이 드러나는 공간이다.

수능형

07 **가**와 〈보기〉를 비교 감상한 내용으로 적절하지 <u>않은</u> 것은?

| 보기 |

구버는 천심녹수(千尋綠水) 도라보니 만첩청산(萬疊靑山)
십장(十丈) 홍진(紅塵)이 언매나 가렸난고
강호(江湖)에 월백(月白)하거든 더옥 무심(無心)하여라.
　　　　　　　　　　　　　　　 – 이현보, 「어부가」

▪ 천심녹수(千尋綠水) 천 길이나 되는 푸른 물.
▪ 만첩청산(萬疊靑山) 겹겹이 둘러싸인 푸른 산.

① **가**에서는 '강촌 – 부세'로, 〈보기〉에서는 '강호 – 홍진'으로 자연과 속세의 대비가 뚜렷이 드러나 있다.
② **가**의 '무심'과 〈보기〉의 '무심'은 모두 화자가 추구하는 내면세계를 드러낸 표현이다.
③ **가**의 '닉일도 이리 ㅎ고 모뤼도 이리 ㅎ쟈'와 〈보기〉의 '십장 홍진이 언매나 가렸난고'에 현재 삶에 대한 만족감이 드러나 있다.
④ **가**의 'ㄱ는 눈 쁘린 길'과 〈보기〉의 '강호에 월백하거든'은 자연의 풍경을 감각적으로 표현한 것이다.
⑤ **가**의 '셔봉'과 '숑창', 〈보기〉의 '천심녹수'와 '만첩청산'은 모두 속세와의 단절감을 강조하는 시어이다.

학습 활동 응용

08 **가**의 ㉠~㉤ 중, 계절감이 드러난 표현이 <u>아닌</u> 것은?

① ㉠　　　② ㉡　　　③ ㉢　　　④ ㉣　　　⑤ ㉤

가 살어리 살어리랏다 **청산(靑山)**애 살어리랏다.
　멀위랑 드래랑 먹고 청산(靑山)애 살어리랏다.
　얄리얄리 얄랑셩 얄라리 얄라

　우러라 우러라 ⓐ **새**여 자고 니러 우러라 새여.
　널라와 시름 한 나도 자고 니러 우니로라.
　얄리얄리 얄라셩 얄라리 얄라

　가던 새 가던 새 본다 **믈 아래 가던 새 본다.**
　잉 무든 장글란 가지고 믈 아래 가던 새 본다.
　얄리얄리 얄라셩 얄라리 얄라

나 생사(生死) 길은　　　　　　生死路隱
　예 있으매 머뭇거리고　　　　　此矣有阿米次肣伊遣
　나는 간다는 말도　　　　　　吾隱去內如辭叱都
　못다 이르고 어찌 갑니까.　　毛如云遣去內尼叱古
　┌ 어느 가을 이른 바람에　　於內秋察早隱風未
　│ 이에 저에 떨어질 잎처럼　此矣彼矣浮良落尸葉如
[A]│ 한 가지에 나고　　　　　一等隱枝良出古
　└ 가는 곳 모르온저.　　　去奴隱處毛冬乎丁
　아아, 미타찰(彌陀利)에서 만날 나　阿也彌陀利良逢乎吾
　도(道) 닦아 기다리겠노라.　　道修良待是古如

다　　　하사(夏詞) 2
　┌ 년닙희 밥 싸 두고 반찬으란 쟝만 마라
　│　　닫 드러라 닫 드러라
[B]│ 청약립(靑篛笠)은 써 잇노라 녹사의(綠簑衣) 가져오냐
　│　　지국총(至匊悤) 지국총(至匊悤) 어사와(於思臥)
　└ 무심(無心)흔 ⓑ 백구(白鷗)는 내 좃는가 제 좃는가

　　　　동사(多詞) 10
　어와 져므러 간다 연식(宴息)이 맏당토다
　　　빈 븟텨라 빈 븟텨라
　フ는 눈 쁘린 길 블근 곳 훗더딘 딕 홍치며 거러가셔
　　　지국총(至匊悤) 지국총(至匊悤) 어사와(於思臥)
　셜월(雪月)이 셔봉(西峯)의 넘도록 송창(松窓)을 비겨 잇쟈

09 **가**와 〈보기〉를 비교하여 감상한 것으로 적절한 것은?

| 보기 |
　십 년을 경영ᄒ여 **초려삼간(草廬三間)** 지여 내니
　나 혼 간 둘 혼 간에 **청풍(淸風)** 혼 간 맛져 두고
　강산(江山)은 들일 뒤 업스니 둘러 두고 보리라.　- 송순

① **가**의 '청산'과 〈보기〉의 '강산'은 모두 화자가 오랫동안
　꿈꿔 왔던 이상적 삶을 이룰 수 있는 곳이야.
② **가**의 '멀위랑 드래'와 〈보기〉의 '초려삼간'은 화자의 안분
　지족(安分知足)의 삶을 보여 주는 것이야.
③ **가** 2연의 '새'와 〈보기〉의 '청풍'에는 화자의 감정이 이입
　되어 있어.
④ **가**의 '믈'과 〈보기〉의 '강산'의 강(江)은 모두 화자에게 시
　련과 고통을 주는 공간이야.
⑤ **가**의 '믈 아래 가던 새 본다'와 〈보기〉의 '강산은 들일 뒤
　업스니'에서 화자의 회한(悔恨)이 느껴져.

[수능형]
10 **가**의 ⓐ와 **다**의 ⓑ에 대한 이해로 가장 적절한 것은?
① ⓐ는 화자가 긍정적으로 인식하는 반면, ⓑ는 부정적으
　로 인식한다.
② ⓐ는 화자에게 그리움의 대상인 반면, ⓑ는 화자가 잊고
　자 하는 대상이다.
③ ⓐ와 ⓑ 모두 화자로 하여금 세속의 삶을 환기하게 만든다.
④ ⓐ와 ⓑ 모두 화자가 동류의식을 느끼고 있는 대상이다.
⑤ ⓐ와 ⓑ 모두 화자에게 그리움과 원망의 양면적 감정을
　불러일으킨다.

11 [A]와 [B]에 나타난 공통된 표현 효과로 적절한 것은?
① 문답 형식을 통해 친밀감을 드러내고 있다.
② 비유적 표현을 통해 주제를 강조하고 있다.
③ 감각적 이미지를 통해 정서를 구체화하고 있다.
④ 의성어를 사용하여 역동적인 분위기를 표현하고 있다.
⑤ 대구의 반복을 통해 안정적인 운율감을 조성하고 있다.

12 **다**와 〈보기〉의 공통점으로 적절하지 않은 것은?

| 보기 |
　강호(江湖)에 겨월이 드니 눈 기픠 자히 남다
　삿갓 빗기 쓰고 누역으로 오슬 삼아
　이 몸이 칩지 아니ᄒ옴도 역군은(亦君恩)이샷다.
　*누역 도롱이.　　　　　　　　　- 맹사성, 「강호사시가」

① 계절감이 뚜렷하게 드러남.
② 안빈낙도(安貧樂道)의 삶을 추구함.
③ 유유자적(悠悠自適)한 태도가 드러남.
④ 아름다운 강호(江湖)의 풍경을 묘사함.
⑤ 어느 순간에도 임금의 은혜를 잊지 않음.

[13~16] 다음 글을 읽고 물음에 답하시오.

㉮ 창밖에 밤비가 속살거려 / 육첩방은 남의 나라,

시인이란 슬픈 천명인 줄 알면서도 / 한 줄 시를 적어 볼까,

땀내와 사랑내 포근히 품긴 / 보내 주신 학비 봉투를 받아

대학 노—트를 끼고 / 늙은 교수의 강의 들으러 간다.

생각해 보면 어린 때 동무를 / 하나, 둘, 죄다 잃어버리고

㉠나는 무얼 바라 / ㉡나는 다만, 홀로 침전하는 것일까?

인생은 살기 어렵다는데
시가 이렇게 쉽게 씌어지는 것은 / 부끄러운 일이다.

육첩방은 남의 나라. / 창밖에 밤비가 속살거리는데,

등불을 밝혀 어둠을 조금 내몰고,
ⓐ시대처럼 올 아침을 기다리는 ㉢최후의 나,

㉣나는 ㉤나에게 작은 손을 내밀어
눈물과 위안으로 잡는 최초의 악수.

㉯ 지금도 내가 반항하고 있는 것은 이 스펀지 만들기와
거즈 접고 있는 일과 조금도 다름없다
개의 울음소리를 듣고 그 비명에 지고
머리에 피도 안 마른 애놈의 투정에 진다
떨어지는 은행나무 잎도 내가 밟고 가는 가시밭

아무래도 나는 비켜서 있다 절정 위에는 서 있지
않고 암만해도 조금쯤 옆으로 비켜서 있다
그리고 조금쯤 옆에 서 있는 것이 조금쯤
비겁한 것이라고 알고 있다!

그러니까 이렇게 옹졸하게 반항한다
이발쟁이에게 / 땅 주인에게는 못하고 이발쟁이에게
구청 직원에게는 못하고 동회 직원에게도 못하고
야경꾼에게 20원 때문에 10원 때문에 1원 때문에
우습지 않으냐 1원 때문에

---

13 ㉮와 ㉯에 공통적으로 나타난 화자의 정서는?
① 과거를 회상하며 상실감을 드러내고 있다.
② 미래에 대한 희망으로 현실을 극복하고자 한다.
③ 절망에 빠진 자신에 대한 연민을 드러내고 있다.
④ 무기력하게 살아가는 자신을 부끄러워하고 있다.
⑤ 사소한 것에만 분노하는 옹졸함을 반성하고 있다.

학습 활동 응용
14 ㉮와 〈보기〉를 비교하여 감상한 내용으로 적절한 것은?

| 보기 |

아주 오랜 세월이 흐른 뒤에
힘없는 책갈피는 이 종이를 떨어뜨리리
그때 내 마음은 너무나 많은 공장을 세웠으니
어리석게도 그토록 기록할 것이 많았구나
구름 밑을 천천히 쏘다니는 개처럼
지칠 줄 모르고 공중에서 머뭇거렸구나
나 가진 것 탄식밖에 없어
저녁 거리마다 물끄러미 청춘을 세워 두고
살아온 날들을 신기하게 세어 보았으니 [하략]
　　　　　　　　　　　　　－ 기형도, 「질투는 나의 힘」

① 〈보기〉와 달리 ㉮에는 자기 성찰이 드러나 있다.
② ㉮와 달리 〈보기〉에는 화자 자신의 심정이 직접적으로 드러나 있다.
③ ㉮와 달리 〈보기〉는 미래의 시점을 상정하여 시상을 전개하고 있다.
④ ㉮와 달리 〈보기〉는 의문형 어미를 통해 화자의 고뇌를 표현하고 있다.
⑤ 〈보기〉와 달리 ㉮는 비유적 표현을 통해 화자의 심정을 표현하고 있다.

---

15 ㉮를 〈보기〉에 근거하여 감상할 때, ㉠~㉤을 분류한 것으로 적절한 것은?

| 보기 |

이 작품은 '현실적 자아'와 '내면적 자아'의 갈등과 화해의 과정을 통해 시상을 전개하고 있다.

	현실적 자아	내면적 자아
①	㉠, ㉡	㉢, ㉣, ㉤
②	㉠, ㉡, ㉤	㉢, ㉣
③	㉠, ㉢	㉡, ㉣, ㉤
④	㉡, ㉢	㉠, ㉣, ㉤
⑤	㉢, ㉣	㉠, ㉡, ㉤

서술형
16 ⓐ의 의미를 〈조건〉에 맞게 서술하시오.

| 조건 |

1. '시대처럼'의 의미를 반드시 넣어 서술할 것.
2. 일제 강점기의 현실과 관련하여 쓸 것.

왜 나는 조그마한 일에만 분개하는가
저 왕궁 대신에 왕궁의 음탕 대신에
50원짜리 갈비가 기름 덩어리만 나왔다고 분개하고
옹졸하게 분개하고 설렁탕집 **돼지 같은 주인 년**한테 욕을
하고 / 옹졸하게 욕을 하고

한번 정정당당하게 / 붙잡혀 간 소설가를 위해서
언론의 자유를 요구하고 월남 파병에 반대하는
자유를 이행하지 못하고
20원을 받으러 세 번씩 네 번씩
찾아오는 야경꾼들만 증오하고 있는가

옹졸한 나의 전통은 유구하고 이제 내 앞에 정서(情緒)로
가로놓여 있다
이를테면 이런 일이 있었다
부산에 포로수용소의 **제14야전병원에 있을 때**
정보원이 너스들과 스펀지를 만들고 거즈를
개키고 있는 나를 보고 포로 경찰이 되지 않는다고
남자가 뭐 이런 일을 하고 있느냐고 놀린 일이 있었다
너스들 옆에서

지금도 내가 반항하고 있는 것은 이 스펀지 만들기와
거즈 접고 있는 일과 조금도 다름없다
개의 울음소리를 듣고 그 비명에 지고
머리에 피도 안 마른 애놈의 투정에 진다
ⓐ <u>떨어지는 은행나무 잎도 내가 밟고 가는 가시밭</u>

아무래도 나는 비켜서 있다 절정 위에는 서 있지
않고 암만해도 조금쯤 옆으로 비켜서 있다
그리고 조금쯤 옆에 서 있는 것이 조금쯤
비겁한 것이라고 알고 있다!

그러니까 이렇게 옹졸하게 반항한다
이발쟁이에게 / 땅 주인에게는 못하고 이발쟁이에게
구청 직원에게는 못하고 동회 직원에게도 못하고
야경꾼에게 **20원 때문에 10원 때문에 1원 때문에**
우습지 않으냐 1원 때문에

모래야 **나는 얼마큼 작으냐**
바람아 먼지야 풀아 나는 얼마큼 작으냐
정말 얼마큼 작으냐……

---

17 위 시에 대한 설명으로 적절한 것은?

① 반어적 표현으로 자조적 심정을 표현하고 있다.
② 색채 이미지를 통해 순결한 정신을 드러내고 있다.
③ 독백적 어조로 화자 자신의 내면을 고백하고 있다.
④ 자연물을 통해 미래에 대한 소망을 나타내고 있다.
⑤ 하강 이미지를 통해 화자의 나약한 면을 강조하고 있다.

〔서술형〕〔학습 활동 응용〕

18 〈보기〉에 근거하여 위 시를 감상한 내용으로 적절하지 **않은** 것은?

┌─│ 보기 │
│   김수영의 시는 소시민적이고 속물적인 자신의 모습을 정
│ 직하게 드러낸다는 특징을 갖고 있다. 이 정직함은 자신과
│ 세계를 바로 응시할 수 있게 하고 자기비판을 가능하게 해
│ 준다. 시어와 일상어의 구분이 사라지고 비속어까지 동원
│ 하는 시어 구사를 통해 시인은 세상의 허위와 부조리에 정
│ 직하게 맞서고 있는 것이다.
└─

① '왜 나는 조그마한 일에만 분개하는가'는 자신과 세계를
바로 응시하기 위한 자기비판의 표현이로군.
② '돼지 같은 주인 년'이나 '머리에 피도 안 마른 애놈' 같은
비속어를 쓴 것은 자신의 속물적인 모습을 정직하게 드
러내기 위한 방법이로군.
③ '제14야전병원에 있을 때'의 일을 인용한 것은 세상의 허
위와 부조리에 맞서는 모습을 보여 주기 위한 것이로군.
④ '20원 때문에 10원 때문에 1원 때문에' 같은 일상어를 이용
한 표현은 소시민적인 모습을 보여 주기 위한 의도로군.
⑤ '나는 얼마큼 작으냐'를 반복적으로 사용한 것은 지속적
인 자기비판에 대한 표현이로군.

〔수능형〕

19 ⓐ에 드러난 화자의 정서와 유사한 것은?

① 수천만 황인족의 얼굴 같은 너의 / 노오란 우산깃 아래
서 있으면 / 희망 또한 불타는 형상으로 우리 가슴에 적
힐 것이다.   – 곽재구, 「은행나무」
② 금잔화도 인가도 보이지 않는 밤이 되면 / 폭포는 곧은
소리를 내며 떨어진다 / 곧은 소리는 소리이다 / 곧은 소
리는 곧은 / 소리를 부른다.   – 김수영, 「폭포」
③ 피부의 바깥에 스미는 어둠 / 낯설은 거리의 아우성 소리 /
까닭도 없이 눈물겹구나.   – 김광균, 「와사등」
④ 그 열렬한 고독 가운데 / 옷자락을 나부끼고 호올로 서면 /
운명처럼 '나'와 대면케 될지니.   – 유치환, 「생명의 서」
⑤ 죽는 날까지 하늘을 우러러 / 한 점 부끄럼이 없기를 /
잎새에 이는 바람에도 / 나는 괴로워했다. – 윤동주, 「서시」

[20~22] 다음 글을 읽고 물음에 답하시오.

가 신라 풍속에 매년 2월이 되면 초여드렛날부터 보름날까지 서울의 남녀들이 서로 다투어 흥륜사(興輪寺)의 전탑(殿塔)을 도는 것으로 복회(福會)를 삼았다.

원성왕(元聖王) 때 낭군(郎君) 김현(金現)이란 사람이 밤이 깊도록 홀로 돌면서 쉬지 않았다. 한 처녀가 염불하면서 따라 돌다가 서로 감정이 통하여 눈길을 주었다. 탑돌이를 끝내자 으슥한 곳으로 가서 정을 통하였다.

나 처녀는 낭을 데려다 구석진 곳에 숨겨 두었다. 조금 뒤에 세 마리의 범이 으르렁거리면서 와서 사람의 말로 말하기를, "집 안에 비린내가 나니 요기하기 좋겠구나."라고 하였다. ㉠늙은 할미는 처녀와 함께 꾸짖어 말하기를, "너희들의 코가 어떻게 되었구나. 무슨 미친 소리냐?"라고 하였다.

이때 ㉡하늘에서 외치는 소리가 있어 "너희들이 즐겨 생명을 해침이 너무도 많으니, 마땅히 한 놈을 죽여서 악행을 징계하겠다."라고 하였다. 세 짐승이 그것을 듣고 모두 근심하는 기색이었다. 처녀가 말하기를, "세 오빠가 만일 멀리 피해 가서 스스로 징계하겠다면 제가 대신해서 그 벌을 받겠습니다."라고 하였다. ㉢이에 모두 기뻐하며 머리를 숙이고 꼬리를 떨어뜨리고 달아나 버렸다.

다 김현이 말하기를, "사람과 사람의 사귐은 인륜의 도리이지만 다른 유와 사귀는 것은 대개 정상이 아닙니다. 이미 조용히 만난 것은 진실로 천행이라고 할 것인데, 어찌 ㉣차마 배필의 죽음을 팔아서 일생의 벼슬을 요행으로 바랄 수 있겠소?"라고 하였다. 처녀가 말하기를, "낭군은 그런 말 마십시오. 지금 제가 일찍 죽는 것은 대개 천명(天命)이며, 또한 저의 소원이요, 낭군의 경사요, 우리 일족의 복이요, 나라 사람들의 기쁨입니다. 한 번 죽어서 다섯 가지 이로움이 갖춰지니 어떻게 그것을 어기겠습니까? 다만 저를 위하여 절을 짓고 불경을 강하여 좋은 과보[勝報]를 얻도록 도와주시면 낭군의 은혜는 더없이 클 것입니다."라고 하였다.

라 ㉤이에, 김현이 찼던 칼을 뽑아 스스로 목을 찔러 쓰러지니 곧 범이었다. 김현이 숲에서 나와 소리쳐 말하기를, "지금 이 범을 쉽게 잡았다."라고 하였다. 그 사정은 누설하지 않고 다만 그의 말대로 상한 사람들을 치료하니 그 상처가 모두 나았다. 지금도 세간에서는 그 방법을 쓰고 있다.

김현은 등용된 뒤 서천(西川) 가에 절을 세워 호원사(虎願寺)라고 하고 항상 『범망경(梵網經)』을 강설하여 범의 저승길을 인도하고, 또한 범이 제 몸을 죽여서 자기를 성공하게 만든 은혜에 보답하였다.

20 윗글에 대한 설명으로 가장 적절한 것은?

① 인과 관계를 바탕으로 하여 사건이 전개되고 있다.
② 여성보다 남성의 적극적 행동이 주요 내용을 차지한다.
③ 고난에 처한 인물을 도와주는 초월적 존재가 등장한다.
④ 주인공의 성격 변화를 통해 교훈적 주제를 전달하고 있다.
⑤ 주인공의 행동에 대해 서술자가 개입하여 논평하고 있다.

수능형
21 ㉠~㉤에서의 인물에 대한 평가로 적절하지 않은 것은?

① ㉠ 늙은 할미: '임기응변(臨機應變)'으로 김현이 위험에서 벗어나도록 도와주는군.
② ㉡ 하늘: 호랑이 한 마리를 본보기로 죽여서, '일벌백계(一罰百戒)'하려는 생각이로군.
③ ㉢ 세 마리의 범: 동생이 대신 벌을 받겠다는데 기뻐하다니, '후안무치(厚顔無恥)'한 짐승들이로군.
④ ㉣ 김현: 배필의 죽음으로 얻은 벼슬은 원하지 않는다는 말에서 '면종복배(面從腹背)'형 인물임을 알 수 있군.
⑤ ㉤ 호랑이 처녀: 타인의 이로움을 위해 스스로 목숨을 끊는 '살신성인(殺身成仁)'의 정신을 보여 주었군.

서술형
22 <보기>를 바탕으로 김현이 등용된 이유를 <조건>에 맞게 서술하시오.

| 보기 |

이 일의 처음과 끝을 자세히 살펴보건대, 호랑이 처녀는 절(탑)을 돌 때 김현의 마음을 움직였고, 하늘이 외쳐서 악을 징계하려고 하자 이를 자신이 감당하기로 했으며, 신령한 처방을 전하여 사람을 구하고 절을 세우고 불계를 가르치게 했다. 이것은 다만 짐승의 본성이 어질어서 그런 것이 아니고, 대개 부처님이 사물에 감응하는 방법이 여러 방면이었으므로, 김현이 탑돌이에 정성을 다한 것을 보고 감동하여 몰래 이로움으로 보답하고자 했을 뿐이다.
– 강인구 외, 『역주 삼국유사 4』에서

| 조건 |
1. <보기> 내용을 인용하여 서술할 것.
2. '김현이 ~ 때문이다.'의 형식으로 서술할 것.

가 **[앞부분 줄거리]** 중국 당나라 때, 서역으로부터 불교를 전하러 온 육관 대사는 남악 형산 연화봉에서 법당을 짓고 불법을 베푼다. 이때 동정호의 용왕도 법회에 참석하니, 육관 대사는 성진을 용왕에게 보내어 사례한다. 용왕의 후한 대접을 받고 돌아오던 성진은 형산의 위 부인이 육관 대사의 법회에 참석하게 했던 팔선녀와 석교에서 마주치게 된다. ㉠팔선녀를 만난 후 속세의 삶을 상상하며 불도에 회의를 느낀 성진은 팔선녀와 더불어 인간 세계로 추방된다. ㉡성진은 인간 세상에서 양 처사의 아들 양소유로 태어나고, 팔선녀는 각기 진채봉, 계섬월, 적경홍, 정경패, 가춘운, 이소화, 심요연, 백능파로 태어난다. 양소유는 팔선녀와 차례로 결연을 맺어 두 부인, 여섯 낭자와 함께 화평하고 즐거이 지내는 한편, 입신양명하여 부귀공명을 이룬다. 그러나 생일을 맞아 종남산 취미궁에 올라가 처첩들과 가무를 즐기던 양소유는 역대 영웅들의 황폐한 무덤을 보고 문득 인생의 무상함을 느끼고 비회에 잠긴다.

"소유는 본디 하남의 베옷을 입은 미천한 선비로, 성천자의 은혜를 입어 벼슬이 장상에 이르렀으며 낭자들과의 은정이 백 년이 하루 같으니, 만일 모두 전생 숙연으로 모였다가 인연이 다하여 각각 돌아감은 천지에 떳떳한 일이라. [중략]
내가 벼슬에서 물러난 후로부터 밤에 잠이 들면 꿈속에서 매양 포단 위에 참선하는 모습을 보니 이는 필연 불가와의 인연이 있는 것이라. 내가 장차 장자방이 적송자(赤松子)를 따른 것을 본받아 집을 버리고 스승을 구하여 남해를 건너 관세음보살을 찾고, 오대(五臺)에 올라 문수보살께 예를 하여 불생불멸의 도를 얻어 진세 고락을 벗고자 하되, ㉢그대들과 반평생을 해로하다가 갑자기 이별하려 하니 슬픈 마음이 자연스레 곡조에 나타난 것이오."

나 승상이 몹시 기뻐하며 말하기를,
"우리 아홉 사람의 뜻이 같으니 쾌사라. 과인은 내일 떠날 것이니, 오늘은 모든 낭자와 더불어 취하도록 술을 마시리라."
모든 낭자들이 말하기를,
"첩들이 각각 한 잔씩 받들어 상공을 전송하오리다."
잔을 씻어 다시 부으려 하는데, 홀연 막대 던지는 소리가 났다. 모든 사람들이 의아히 여기며 생각하기를, '어떤 사람이 올라오는가?' 하였다. 한 호승(胡僧)이 눈썹이 길고 눈이 맑고 얼굴이 괴이하였다. 엄연히 좌상에 이르러 승상에게 예를 하며 말하기를, / "산야 사람이 대승상을 뵈옵니다."
태사가 이인인 줄 알고 황망히 답례하기를,
"사부는 어느 곳으로부터 오셨나이까?"

다 "사부는 어찌하면 소유로 하여금 춘몽을 깨게 하실 수 있나이까?" / 노승이 이르기를, / "이는 어렵지 않도다."

하고 **[A]** 손에 잡고 있던 석장을 들어 돌난간을 두어 번 두드렸다. 갑자기 네 골짜기에서 구름이 일어나 누대 위를 뒤덮어 지척을 분변하지 못하였다. 승상이 정신이 아득하여 마치 취몽 가운데에 있는 듯하여 한참만에 소리를 질러 말하기를,
"사부는 어찌하여 정도(正道)로 소유를 인도하지 아니하고 환술로써 희롱하시나이까?"

㉣승상이 말을 마치지 못하여 구름이 걷히는데 노승은 간 곳이 없고 좌우를 돌아보니 팔 낭자도 간 곳이 없었다. 승상이 매우 놀라 어찌할 바를 모르는 중에 높은 대와 많은 집들이 한순간에 없어지고 자기의 몸은 작은 암자의 포단 위에 앉았는데, 향로에 불은 이미 사라지고 지는 달이 창가에 비치고 있었다. / 자신의 몸을 보니 백팔 염주가 걸려 있고 머리를 손으로 만져 보니 갓 깎은 머리털이 가칠가칠하였으니 완연히 소화상의 몸이요 전혀 대승상의 위의가 아니니, 정신이 황홀하여 오랜 후에야 비로소 제 몸이 연화 도량의 성진(性眞) 행자(行者)임을 깨달았다.

라 대사가 큰 소리로 묻기를,
"성진아, 인간 부귀를 겪어 보니 과연 어떠하더냐?"
성진이 머리를 조아리고 눈물을 흘리며 하는 말이,
"성진이 이미 깨달았나이다. 제자가 불초하여 생각을 그릇되게 하여 죄를 지었으니 마땅히 인간 세상에서 윤회하는 벌을 받아야 하거늘, 사부께서 자비하시어 하룻밤 꿈으로 제자의 마음을 깨닫게 하시니, 사부의 은혜는 천만 겁이 지나도 갚기 어렵나이다." / 대사가 말하기를,
"네가 흥을 타고 갔다가 흥이 다하여 돌아왔으니 내가 무슨 간여할 바가 있겠느냐? 또 네가 말하기를, '인간 세상에 윤회한 것을 꿈을 꾸었다.'라고 하니, 이는 꿈과 세상을 다르다고 하는 것이니, 네가 아직도 꿈을 깨지 못하였도다. 옛 말에 '장주(莊周)가 꿈에서 나비가 되었다가 다시 나비가 장주가 되었다.'라고 하니, 어느 것이 거짓 것이고, 어느 것이 참된 것인지 분변하지 못하나니, 이제 성진과 소유에 있어 어느 것이 참이며 어느 것이 꿈이냐?"
성진이 이에 대답하기를,
"㉤제자 성진은 아득하여 꿈과 참을 분별하지 못하겠사오니, 사부는 설법(說法)을 베풀어 제자로 하여금 깨닫게 하소서."

23 **[A]의 서사적 기능으로 가장 적절한 것은?**
① 극적 전환이 이루어질 것임을 암시한다.
② 현재에서 과거로의 시간의 역행을 알린다.
③ 주인공이 위험에 처하게 될 것을 암시한다.
④ 인물 간의 갈등을 해소할 실마리를 제공한다.
⑤ 현실에서 꿈의 세계로 들어갈 것을 예고한다.

24 윗글에서 알 수 있는 내용으로 적절하지 <u>않은</u> 것은?

① 소유는 노승에게 춘몽을 깰 수 있도록 도와 달라고 요청했다.

② 육관 대사는 성진의 꿈을 깨우기 위해 호승(胡僧)으로 나타났다.

③ 성진은 꿈에서 깨어난 후에야 비로소 인간 부귀의 덧없음을 느꼈다.

④ 출가하기로 결심한 승상은 모든 낭자들과 이별을 아쉬워하며 술을 마셨다.

⑤ 꿈에서 깨어난 성진은 '백팔 염주'와 '갓 깎은 머리털'로 자신이 행자의 신분임을 알았다.

수능형

25 〈보기〉를 참고하여 ㉠~㉤을 감상한 내용으로 적절하지 <u>않은</u> 것은?

| 보기 |

이 작품은 주인공 성진의 세 차례의 '회의와 부정'을 순차적으로 제시하여 주제에 접근하는 방식을 취하고 있다.

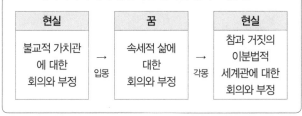

현실		꿈		현실
불교적 가치관에 대한 회의와 부정	→ 입몽	속세적 삶에 대한 회의와 부정	→ 각몽	참과 거짓의 이분법적 세계관에 대한 회의와 부정

① ㉠은 첫 번째 회의와 부정을 겪는 성진의 모습이다.

② ㉡은 성진이 막 꿈속으로 들어가기 시작한 장면이다.

③ ㉢은 속세적 삶에 회의와 부정을 느끼게 된 핵심 내용이다.

④ ㉣은 두 번째 회의와 부정을 거치고 난 후의 각몽 과정이다.

⑤ ㉤은 세 번째 회의와 부정을 겪는 과정이다.

26 윗글을 바탕으로 하여, 아래의 빈칸에 들어갈 내용을 쓰시오.

육관 대사의 불제자인 '성진(性眞)'의 이름은 진정으로 깨달은 자라는 뜻을 갖고 있다. 성진이 꿈속에서 양소유로 태어나게 되는데, 여기에서 '소유(少遊)'라는 이름은 '(　　　)'라는 뜻을 담고 있다.

학습 활동 응용

27 윗글과 〈보기〉를 비교한 내용으로 적절하지 <u>않은</u> 것은?

| 보기 |

[앞부분 줄거리] 본디 천상 세계의 선관이었던 문창성은 낙성연에 참가하였다가 선녀들과 수작한 죄로 인간 세상에 양창곡으로 다시 태어난다. 천상에 함께 있었던 다섯 선녀도 인간 세상에 윤 소저, 황 소저, 강남홍, 벽성선, 일지련으로 다시 태어나 양창곡과 인연을 맺는다. 양창곡은 벼슬을 하고 공을 세워 연왕에 오른다. 그 뒤 부친 양현, 모친 허 부인, 다섯 아내, 자식들과 영화로운 삶을 살게 된다. 어느 날 강남홍에게 웬 보살이 나타나 인간 세상의 즐거움이 어떠하냐고 묻고 그를 백옥루로 데려간다.

"이곳은 웬 곳이며, 저 사람들은 웬 신선입니까?"
보살이 미소를 지으며 말했다.
"이곳은 백옥루(白玉樓)고, 저 신선은 문창성(文昌星)입니다. 그 옆에 누워 있는 사람들은 상제를 모시는 옥녀[帝傍玉女], 천요성(天妖星), 홍란성(紅鸞星), 제천선녀(諸天仙女), 도화선(桃花仙)입니다. 홍란성은 바로 그대의 전신(前身)이지요." [중략]
강남홍이 말했다.
"그렇다면 저도 천상의 별이라는 것인데, 이미 이곳에 왔으니 다시 인간 세상으로 돌아가고 싶지 않습니다."
그러자 보살이 웃으며 말했다.
"하늘이 정한 인연은 인간의 힘으로는 미칠 수 없는 것이오. 그대는 인간 세상에서의 잠깐 동안의 인연을 마치지 못했습니다. 얼른 돌아갔다가 40년 뒤에 다시 와서 옥황상제께 조회를 하고 천상의 즐거움을 누리도록 하시오."
강남홍이 물었다. / "보살은 누구십니까?"
보살이 웃으며 말했다. / "빈도(貧道)는 남해(南海) 수월암(水月庵)의 관세음보살(觀世音菩薩)이오. 부처님의 명을 받들어 그대를 안내하여 이곳에 온 것입니다."
보살이 이야기를 마치고 석장을 들어 공중에 던지자 갑자기 오색 무지개가 일어나는 것이었다. 홀연 천둥이 한 번 치면서 깜짝 놀라 깨어나니 한바탕 꿈이었다. 취봉루 책상 앞에 예전처럼 누워 있는 것이었다.　　　　－ 남영로, 「옥루몽」

① 두 작품 모두 입몽과 각몽으로 구성되는 환몽 구조를 취한다.

② 두 작품의 남자 주인공은 모두 인간 세상에서 부귀영화를 누린다.

③ 두 작품의 인물 모두 인간 세상에서 생애를 마쳐야 현실로 돌아올 수 있다.

④ 윗글의 소유는 '노승'이 누구인지, 〈보기〉의 강남홍은 '보살'이 누구인지 궁금해 한다.

⑤ 윗글의 성진은 '노승'에 의해, 〈보기〉의 강남홍은 '보살'에 의해 꿈에서 현실 세계로 인도된다.

[28~30] 다음 글을 읽고 물음에 답하시오.

가 **[앞부분 줄거리]** 전쟁 중, 인적이 없는 깊은 산속에 낙오된 주 대위, 현 중위, 김 일등병은 무작정 남쪽으로 이동한다. 현 중위는 부상을 당하여 이동에 방해가 되는 주 대위에게 스스로 목숨을 끊어 다른 사람의 짐을 덜어 달라고 은연중에 압박하지만 주 대위는 이를 외면한다. 결국 현 중위는 밤에 두 사람을 버리고 몰래 떠나고, 김 일등병이 혼자서 주 대위를 업고 이동한다.

김 일등병도 군복 바지와 군화마저 벗어 버렸다. 맨발로 산길을 걷기가 힘들다는 걸 모르는 바 아니었다. 하지만 우선 신발이 천근만근 무겁게 여겨져 견딜 수가 없는 것이었다.

나 주 대위는 지금 자기는 각각으로 죽어 가고 있다고 느꼈다. 이상스레 맑은 정신으로 그게 느껴졌다. 그러다가 그는 드디어 지금까지 피해 오던 어떤 상념과 정면으로 부딪쳤다. 그것은 권총을 사용해야 한다는 생각이었다. 아무래도 죽을 자기가 진작 자결을 했던들 모든 문제는 해결됐을 게 아닌가. 첫째, 현 중위가 밤길을 서두르다가 벼랑에 떨어져 죽지 않았을는지 모른다. 아무튼 이제라도 자결을 해 버려야 한다. 그러면 아무리 지친 김 일등병이라 하더라도 혼잣몸이니 어떻게든 아군 진지까지 도달할 가망이 전혀 없는 것도 아니다.

그는 김 일등병을 향해, / "풋소리 나는 방향은 동남쪽이다. 바로 우리가 누워 있는 발 쪽 벼랑을 왼쪽으루 돌아 내려가면 된다!" ⓐ 말했다. 그리고 무거운 손을 움직여 허리에서 권총을 슬그머니 빼었다.

다 개 짖는 소리라는 말에 김 일등병은 ⓑ 머리 쪽으로 무릎걸음을 쳐 나갔다. 개 짖는 소리가 들린다면 그리 멀지 않은 곳에 인가가 있음에 틀림없었다.

"그 등성이를 넘어가면 된다!" / 그러나 김 일등병의 귀에는 여전히 아무것도 들리지 않았다. 그는 누웠던 자리로 도로 뒷걸음질을 쳤다.

주 대위는 김 일등병에게 무엇인가 주고 싶었다. 그리고 그것을 자기 자신도 받고 싶었다.

김 일등병이 ⓒ ,

[A]
"내일쯤은 까마귀 떼가 더 많이 몰려들겠지. 눈알이 붙어 있는 것두 오늘 밤뿐야." / 이 말이 채 끝나기도 전에 갑자기 권총 소리가 그의 귓전을 때렸다.

깜짝 놀라 돌아다보니 어둠 속에 주 대위가 권총을 이리 겨눈 채 목 속에 잠긴 음성치고는 또렷하게,

"날 업어!" / 하는 것이다.

김 일등병은 ⓓ 하라는 대로 일어나 등을 돌려 대는 수밖에 없었다.

"자, 걸어라!" / 김 일등병은 자기 오른쪽 귀 뒤에 권총 끝이 와 닿음을 느꼈다.

라 그저 그 자리에 주저앉고 싶은 생각뿐이었다. 그렇건만 쉬어 갈 수도 없는 노릇이었다. 귀 뒤에 와 닿은 권총 끝이 더 세게 밀고 있는 것이었다. / 아무것도 뵈는 게 없었다. 어떻게 걸음을 떼어 놓고 있는지조차 깨닫지 못하고 있었다. 그러는데 저쪽 어둠 속에 자리 잡은 초가집 같은 검은 그림자와 그 앞에 서 있는 사람의 그림자, 그리고 거기서 짖고 있는 개의 모양이 몽롱해진 눈에 어렴풋이 들어왔다고 느낀 순간과 동시에 귀 뒤에 와 밀고 있던 권총 끝이 ⓔ 업힌 주 대위 몸뚱이가 무겁게 탁 내려앉음을 느꼈다.

[서술형] [학습 활동 응용]

28 〈보기〉를 참고하여, 전후 문학으로서의 이 작품의 의의를 〈조건〉에 맞게 서술하시오.

| 보기 |
　　전쟁 문학에서는 전쟁이라는 극한 상황 속에서 나타나는 인간의 행위와 그로 인한 실존적 고민, 이념의 차이가 어떻게 전쟁에서 구체적으로 반영되는가, 거대한 세력 간의 구조적 마찰의 결과로 일어나는 전쟁이라는 사건과 그것을 수행하는 한 개인의 삶의 의미와의 상관성, 전쟁 속에서 인간은 어떠한 변화를 겪는가 등이 다루어진다.

| 조건 |
1. 일반적인 전쟁 문학과 다른 점을 언급할 것.
2. 작품의 주제의식과 관련하여 서술할 것.

[수능형]

29 [A]에 대한 감상으로 가장 적절한 것은?

① 김 일등병은 주 대위의 '감언이설(甘言利說)'에 속아 등을 돌려 댔군.

② 주 대위는 '궁여지책(窮餘之策)'으로 김 일등병에게 권총을 겨누었겠군.

③ 김 일등병에게 권총을 겨누다니, 주 대위는 '권모술수(權謀術數)'에 능한 사람이야.

④ 김 일등병은 주 대위의 '교언영색(巧言令色)'한 태도에 어쩔 수 없이 명령에 따르는군.

⑤ 자기가 살기 위해 김 일등병에게 함부로 하다니, 주 대위는 '방약무인(傍若無人)'한 사람이로군.

30 사건 전개로 볼 때, ⓐ~ⓔ에 들어갈 말로 적절하지 <u>않은</u> 것은?

① ⓐ: 있는 힘을 다해 명령조로

② ⓑ: 지친 몸을 벌떡 일으켜

③ ⓒ: 드러누우며 혼잣소리로

④ ⓓ: 주 대위의 의도를 알아채고

⑤ ⓔ: 별안간 물러나면서

[31~33] 다음 글을 읽고 물음에 답하시오.

㉮ 우리의 생활은 전쟁과 같았다. 우리는 그 전쟁에서 날마다 지기만 했다. 그런데도 어머니는 모든 것을 잘 참았다. ⊙그러나 그날 아침 일만은 참기 어려웠던 것 같다.

"통장이 이걸 가져왔어요."

내가 말했다. 어머니는 조각 마루 끝에 앉아 아침 식사를 하고 있었다. / "그게 뭐냐?" / "철거 계고장예요."

"기어코 왔구나!" / 어머니가 말했다.

"ⓛ그러니까 집을 헐라는 거지? 우리가 꼭 받아야 할 것 중의 하나가 이제 나온 셈이구나!"

어머니는 식사를 중단했다. 나는 어머니의 밥상을 내려다보았다. 보리밥에 까만 된장, 그리고 시든 고추 두어 개와 졸인 감자.

㉯ 동네 사람들이 골목으로 나와 뭐라고 소리치고 있었다. 통장은 그들 사이를 비집고 나와 방죽 쪽으로 걸음을 옮겼다. 어머니는 식사를 끝내지 않은 밥상을 들고 부엌으로 들어갔다. 어머니는 두 무릎을 곧추세우고 앉았다. 그리고, ⓒ손을 들어 부엌 바닥을 한 번 치고 가슴을 한 번 쳤다. 나는 동사무소로 갔다. ⓔ행복동 주민들이 잔뜩 몰려들어 자기의 의견들을 큰 소리로 말하고 있었다. 들을 사람은 두셋밖에 안 되는데 수십 명이 거의 동시에 떠들어 대고 있었다. 쓸데없는 짓이었다. 떠든다고 해결될 문제는 아니었다.

나는 게시판에 적혀 있는 공고문을 읽었다. 거기에는 아파트 입주 절차와 아파트 입주를 포기할 경우 탈 수 있는 이주 보조금 액수 등이 적혀 있었다.

㉰ 어머니는 대문 기둥에 붙어 있는 알루미늄 표찰을 떼기 위해 식칼로 못을 뽑고 있었다. 내가 식칼을 받아 반대쪽 못을 뽑았다. 영호는 어머니와 내가 하는 일이 못마땅한 모양이었다. 그러나 ⓜ마음에 드는 일이 우리에게 일어나 주기를 바랄 수는 없는 일이었다. 어머니는 무허가 건물 번호가 새겨진 알루미늄 표찰을 빨리 떼어 간직하지 않으면 나중에 ⓐ괴로운 일이 생길 것이라는 것을 알고 있었다.

어머니는 손바닥에 놓인 표찰을 말없이 들여다보았다. 영희가 이번에는 어머니의 손을 잡아끌었다.

"너희들이 놀게 되지만 않았어도 난 별걱정을 안 했을 거다." / 어머니가 말했다.

"스무 날 안에 무슨 뾰족한 수가 생기겠니. 이제 하나하나 정리를 해야지."

㉱ [중략 부분 줄거리] 아파트에 입주할 돈이 없는 동네 사람들은 입주권을 팔아 동네를 떠나기 시작한다.

나는 아버지가 놓고 나간 책을 읽고 있었다. 그것은 『일만 년 후의 세계』라는 책이었다. 영희는 온종일 팬지꽃 앞에 앉아 줄 끊어진 기타를 쳤다. '최후의 시장'에서 사 온 기타였다. 내가 방송통신고교의 강의를 받기 위해 라디오를 사러 갈 때 영희가 따라왔다. 쓸 만한 라디오가 있었다. 그런데, 영희가 먼지 속에 놓인 기타를 들어 퉁겨 보는 것이었다. 영희는 고개를 약간 숙이고 기타를 쳤다. 긴 머리에 반쯤 가려진 옆 얼굴이 아주 예뻤다. 영희가 치는 기타 소리는 영희에게 아주 잘 어울렸다. 나는 먼저 골랐던 라디오를 살 수 없었다.

31 윗글의 서술상 특징으로 적절한 것은?

① 의식의 흐름에 따라 과거와 현재가 혼재되어 나타나고 있다.

② 장면의 빈번한 전환을 통해 상황의 긴박함을 강조하고 있다.

③ 서술자의 시각을 통해 비관적 현실 인식을 드러내고 있다.

④ 하나의 사건을 두고 인물에 따라 달라지는 해석을 제시하고 있다.

⑤ 호흡이 긴 문체로 인물이 처한 비극적 상황을 자세히 묘사하고 있다.

수능형
32 ⊙~ⓜ을 '가족에게 닥친 문제'와 관련해 이해한 내용으로 적절하지 않은 것은?

① ⊙: '그날 아침'에 가족에게 아주 심각한 문제가 벌어졌음을 알려 주고 있다.

② ⓛ: '나'의 가족에게 닥친 문제점이 무엇인지 구체적으로 드러내고 있다.

③ ⓒ: 문제 상황에 대한 어머니의 답답하고 막막한 심정이 행동으로 구체화되어 나타나 있다.

④ ⓔ: '나'의 가족에게 닥친 문제가 행복동 주민 대부분의 문제라는 것을 알 수 있다.

⑤ ⓜ: 어머니의 태도와 달리 문제를 현실적으로 바라보는 '나'의 심리가 드러나 있다.

33 ⓐ의 문맥적 의미로 가장 적절한 것은?

① 동사무소 직원과 행복동 주민과의 대립

② 이주 보조금도 받지 못하는 최악의 상황

③ 아파트 입주 여부에 대한 '나'와 영호와의 갈등

④ 입주권을 둘러싸고 아버지가 괴로움을 겪을 일

⑤ 입주권을 받은 후 아파트 입주까지의 복잡한 절차

가 **미얄** (한 손에 부채 들고 한 손에 방울을 들었으며, 굿거리장단에 춤을 추면서 등장하여 악공 앞에 와서 울고 있다.) 아이고 아이고 아이고! [중략]

악공 할맘 본고향은 어데와?

미얄 본고향은 전라도 제주 망막골일세.

악공 그러면 영감은 어찌 잃었습나?

미얄 우리 고향에 난리가 나서, 목숨을 구하려고 서로 도망을 하였더니 그 후로 아즉까지 종적을 알 수 없습네.

악공 그러면 영감의 모색을 댑세.

[A]
> **미얄** 우리 영감의 모색은 마모색일세.
>
> **악공** 그러면 말 새끼란 말인가?
>
> **미얄** 아니, 소모색일세.
>
> **악공** 그러면 소 새끼란 말인가?
>
> **미얄** 아니, 마모색도 아니고 소모색도 아니올세. 영감의 모색을 알아서 무엇해. 아모리 바로 댄들 여기서 무슨 소용 있나.
>
> **악공** 모색을 자세히 대면 찾을 수 있을는지 모르지.
>
> **미얄** (소리 조로) 우리 영감의 모색을 대. 난간이마 주게턱 웅케[우먹]눈에 개발코. 상통은 (갓 바른) 과녁(판) 같고 수염은 다 모즈러진 귀얄 같고 상투는 다 갈아먹은 망 같고 키는 석 자 네 치 되는 영감이올세.

나 **악공** 할맘은 어찌 잃었습나?

영감 우리 고향에 난리가 나서 목숨을 구하려고 이리저리 동서 사방으로 도망을 하였는데, 그 후로 통 소식이 없네.

악공 본고향은 어디메와?

영감 전라도 제주 망막골이올세.

악공 그러면 할맘의 모색을 댑세.

영감 우리 할맘의 모색은 하도 흉해서 댈 수가 없네.

악공 그래도 한번 대 봅세.

영감 여기서 모색을 댄들 무엇하겠나?

악공 세상일이란 그런 것이 아니야, 모색을 대면 찾을 수 있을는지 모르지.

영감 그럼 바로 대지. 난간이마에 주게턱, 웅케눈에 개발코[빈대코], 머리칼은 다 모즈러진 빗자루 같고, 상통은 깨진 (먹푸른) 바가지 같고, 한 손엔 부채 들고 또 한 손엔 방울 들고 키는 석 자 세 치 되는 할맘이올세.

악공 옳지, 그 할맘이로군. 바로 등 너머 굿하러 갔습네.

---

34 윗글에 대한 설명으로 적절하지 않은 것은?

① 공연 장소와 극 중 장면이 분리되어 있다.

② 다양한 표현법으로 흥겨운 분위기를 조성한다.

③ 재담과 춤, 노래가 함께 어우러져서 극이 완성된다.

④ 서민의 언어를 구사하여 당시 생활상을 반영하고 있다.

⑤ 악공은 미얄과 영감의 대사를 이끌어 내는 역할을 한다.

학습 활동 응용

35 다음은 가와 나를 비교하여 감상한 내용이다. 적절하지 않은 것은?

> 은지: 봐봐, 가하고 나하고 거의 같은 구조야.
>
> 민지: 맞아. 악공이 미얄과 영감을 상대로 같은 질문을 순서만 조금 바꿔서 하고 있어. ···········①
>
> 은지: 그래. 유사한 대사 구조가 반복되어 나오니까 극적 효과가 높아지는 것 같아. ··········②
>
> 민지: 응. 아까 나왔던 말이 또 나오니까, 관객들의 흥미도 유발하고, 극에 집중하게 하는 효과도 있을 것 같아. ····③
>
> 은지: 게다가 관객들이 극 중 인물과 대화하는 장면도 있어서, 관객과 하나가 되는 공연이 될 것 같아. ·······④
>
> 은지: 그리고 비슷한 구조의 말이 반복되면, 구비 전승에도 유리하겠지. ···············⑤

학습 활동 응용

36 [A]와 〈보기〉에서 공통적으로 드러난 웃음 유발 방식으로 적절한 것은?

| 보기 |

말뚝이: (가운데쯤에 나와서) 쉬이. (음악과 춤 멈춘다.) 양반 나오신다아! 양반이라고 하니까 노론(老論), 소론(少論), 호조(戶曹), 병조(兵曹), 옥당(玉堂)을 다 지내고 삼정승(三政丞), 육판서(六判書)를 다 지낸 퇴로 재상(退老宰相)으로 계신 양반인 줄 아지 마시오. 개잘량이라는 '양' 자에 개다리소반이라는 '반' 자 쓰는 양반이 나오신단 말이오.

양반들: 야아, 이놈, 뭐야아!

말뚝이: 아, 이 양반들, 어찌 듣는지 모르갔소. 노론, 소론, 호조, 병조, 옥당을 다 지내고 삼정승, 육판서 다 지내고 퇴로 재상으로 계신 이 생원네 삼 형제분이 나오신다고 그리하였소.

① 사물에 빗댄 과장된 표현과 열거

② 인물의 외양 묘사를 통한 희화화

③ 한자의 뜻풀이를 통한 인물 소개

④ 소리의 유사성을 이용한 언어유희

⑤ 의성어와 의태어를 활용한 생동감

가 **장남** 전 이 집 장남입니다. 이쪽 높은 방은 저하고 누이 동생이 생활하는 곳입니다. 아버지를 소개하기 전에 행복한 가정을 이룰 수 있는 비결을 말씀 드리겠어요. 아주 간단합니다. 부모는 자식들에게 맡은 바 책임을 다하면 됩니다. 밥 세끼도 제대로 못 멕이고, 학비도 제대로 못 주는 부모들이 아들딸이 결혼할 때가 되면 아주 귀찮게 간섭을 한단 말입니다. 우리는 이런 버릇을 버려야 합니다. 우리 집이 비교적 행복한 것도 우리 부모의 열렬한 책임감 때문입니다. (자기 손목시계를 보며) 지금이 저녁 일곱 시 반이니 아마 아버지가 곧 돌아오실 겁니다. 아버지는 늘 쾌활한 얼굴에다 발걸음은 참새처럼 가볍지요.

졸음이 오는 지루한 음악과 더불어 철문 도어가 무겁게 열리며 교수 등장. 아래위 양복이 원고지를 덧붙여 만든 것처럼 이것도 ⊙ 원고지 칸투성이다. 손에는 큼직한 낡은 가방을 들고 있다. 허리에 쇠사슬을 두르고 있는데 허리를 돌고 남은 줄이 마루에 줄줄 끌려 다닌다. 쇠사슬이 도어 밖까지 나가 있어 끝이 없다. 도어를 닫고 소파에 힘들게 앉는다. 여전히 쇠사슬을 끌고 다니면서 가방은 자기 옆에 놓고 처음으로 전면을 바라본다.

나 옆방에서 축음기 소리가 난다. 시끄럽고 귀가 아픈 곡이면 어떤 음악이건 상관없다. 판에 고장이 난 듯 똑같은 곡이 되풀이된다. 처는 무표정한 얼굴, 교수는 시끄럽다는 듯이 손으로 귀를 막는다. 참다못해 교수는 손을 흔들며 중지하라는 시늉을 한다. 음악이 멎으면 옆방이 밝아진다. 소파에 앉아 무엇을 처먹고 있는 장남과 아무렇게나 앉아 화장을 하고 있는 장녀가 보인다.

교수 저런 시끄러운 음악을 무엇 때문에 틀까?

처 왜 시끄러워요? 애들이 제일 좋아하는 곡인데.

교수 좋건 나쁘건 간에 왜 똑같은 곡을 되풀이하느냐 말이오?

처 당신이 음악을 몰라 그래요. 애들은 좋다고 하던데.

교수 그 곡 이름이 뭐지? / **처** 「찬란한 인생」이라나요.

다 **처** ⓛ 지금 하시는 번역은 언제 끝나요?

교수 지금 하는 번역이 몇 가지나 있지?

처 그러니까 밤낮 원고료를 짤리우지요. 『자존심의 문제』, 『예술에 있어서의 창조성』, 『어떤 여자의 고백』, …… 이렇게 셋뿐인가요?

교수 그렇겠지. 아이, 피곤해.

처 어떤 것이건 빨리 끝내야지, 어떻게 해요. 집도 수리해야겠구, 축음기도 사야겠구, 또 이달에 아버지 생일도 있잖아요.

---

37 윗글에 대한 설명으로 적절하지 **않은** 것은?

① 뚜렷한 음향 효과 없이 극 중 상황만 제시된다.
② 특별한 사건이나 갈등 관계가 드러나지 않는다.
③ 반어적 성격의 대사로 풍자성을 강조하고 있다.
④ 인물의 이름을 쓰지 않고 보통 명사로 제시한다.
⑤ 비현실적인 무대 장치와 소도구로 상징성을 높였다.

38 윗글의 인물에 대한 설명으로 적절하지 **않은** 것은?

① 장남: 극 중 등장인물이자 해설자의 역할을 한다.
② 장남: 부모의 책임을 당연시 여기고 자기중심적이다.
③ 처: 교수에게 가장으로서의 의무를 강조한다.
④ 처: 진정한 의사소통을 위해 가족 간 중재 역할을 한다.
⑤ 교수: 중압감에 억눌려 반복된 일상을 살아가고 있다.

서술형 학습 활동 응용
39 〈보기〉를 참고하여, ⊙이 상징하는 바와 풍자하는 바를 〈조건〉에 맞게 서술하시오.

| 보기 |

'부조리극'의 등장인물은 인간적 의지와 감정을 가진 개성적인 인물이 아니라 꼭두각시 같은 기계적인 모습으로 그려진다. 또한, 그 대사는 상투적인 어구의 남발과 극도의 압축 및 생략으로 특성화되어 있다. 이러한 인간상을 통해 현대인의 비인간화된 현실을 풍자한다.

| 조건 |

교수의 직업과 관련한 내용 및 현대인의 특성과 관련지은 내용으로 구성할 것.

40 ⓛ의 대사에 담긴 의도로 적절한 것은?

① 원고료를 하루라도 빨리 받기 위해서
② 지친 번역 작업에서 잠시 쉬게 해 주려고
③ 원고료를 받지 못하는 남편이 안쓰러워서
④ 번역 일 말고 다른 돈벌이 수단을 찾게 하려고
⑤ 먼저 번역해야 할 원고가 있다는 것을 알리려고

(가) 어디에서 왔는지 알 수 없는 관상가가 있었다. 그는 관상에 관련된 책을 읽지 않고 관상 보는 규칙을 따르지 않은 채 이상한 기술로 관상을 보았기 때문에 사람들은 그를 ㉠'이상한 관상가'라 불렀다. 그래서 고위 관리부터 남녀노소까지 모두 다투어 초빙하고 분주하게 달려가 관상을 보지 않는 사람이 없었다. 그가 보는 관상은 다음과 같다.

부귀하면서 살지고 기름기 흐르는 사람을 보고서는 다음과 같이 말하였다.

"당신의 모습이 몹시 야위겠으니, 당신처럼 천한 사람도 없을 것이오."

빈천하면서 아프고 파리한 사람을 보고서는 다음과 같이 말하였다.

"당신의 모습이 살찌겠으니, 당신처럼 귀한 사람도 드물 것이오."

(나) "그대가 아무개의 관상을 보고서 이러이러하다고 한 것은 어째서요?"

관상가가 대답하였다.

"부귀하면 교만하고 오만한 마음이 불어나게 되고, 죄가 가득 차면 하늘이 반드시 뒤집어 놓을 것입니다. 쭉정이도 먹지 못하게 되는 시기가 있을 것이기에 '여위겠다.'라고 하였고, 우매하여 어리석은 필부가 될 것이기에 '당신의 족속은 천하게 될 것이오.'라고 하였습니다. 빈천하면 뜻을 낮추고 자신의 몸가짐을 겸손하게 하여 두려워하며 반성하는 뜻이 있습니다. 막힘이 지극하면 반드시 펴지게 되는 법이니, 고기를 먹을 조짐이 이미 이르렀기에 '살찌겠다.'라고 하였고, 만 섬의 곡식과 열 대의 수레를 모는 귀함이 있을 것이기에 '당신의 족속은 귀하게 될 것이오.'라고 하였습니다.

(다) 내가 깜짝 놀라 일어나면서 말하였다.

"과연 내 말이 맞았군. 이 사람은 참으로 ㉡기이한 관상가로다. 그의 말은 좌우명으로 삼고, 법으로 삼을 만하다. 어찌 얼굴과 형상에 따라 귀한 상을 말할 때는 '몸에 거북이의 무늬가 있으니 높은 벼슬을 하겠고, 이마가 무소의 뿔처럼 튀어나왔으니 임금의 아내가 될 상'이라 하고, 나쁜 상을 말할 때는 '벌의 눈과 승냥이의 목소리를 가졌으니 흉악한 상'이라 하여, 잘못을 고치지 않고 틀에 박힌 것만을 따르면서 스스로 거룩한 체, 신령스러운 체 하는 관상가이겠는가?"

물러 나와 그의 대답을 적는다.

41 윗글에 대한 설명으로 가장 적절한 것은?

① 액자식 소설로, '나'와 '관상가'와의 대화 내용이 삽입되어 있다.

② 서술자 '나'가 다른 사람으로부터 전해 들은 이야기를 전달하고 있다.

③ 서술자 '나'는 '관상가'의 입장에서 그의 생각을 독자에게 전달하고 있다.

④ 서술자는 작품 밖에서 '관상가'와 '나'의 대화 장면을 독자에게 전달하고 있다.

⑤ 자신이 경험한 일을 기록한 것으로, 이 글의 서술자 '나'는 글쓴이와 일치한다.

수능형
42 ㉠과 ㉡에 대한 설명으로 적절하지 <u>않은</u> 것은?

① ㉠은 '나'를 제외한 보통 사람들이 생각하는 관상가에 대한 인상이다.

② ㉠은 관상가가 일반적인 규칙을 따르지 않기 때문에 불린 말이다.

③ ㉡은 글쓴이가 관상가를 직접 만나 보고 난 후 내린 평가이다.

④ ㉡보다 ㉠에 부르는 사람의 긍정적 평가가 담겨 있다.

⑤ ㉠과 ㉡ 모두 통념과는 다른 관상 방식에서 비롯된 말이다.

학습 활동 응용
43 윗글과 〈보기〉를 비교한 것으로 적절한 것은?

| 보기 |

홍색이 거룩하여 붉은 기운이 하늘을 뛰놀더니, 이랑이 소리를 높이 하여 나를 불러, / "저기 물 밑을 보라."

외치거늘, 급히 눈을 들어 보니, 물 밑 홍운(紅雲)을 헤치고 큰 실오라기 같은 줄이 붉기가 더욱 기이(奇異)하며, 기운이 진홍(眞紅) 같은 것이 차차 나와 손바닥 넓이 같은 것이 그믐밤에 보는 숯불 빛 같더라. 차차 나오더니, 그 위로 작은 회오리밤 같은 것이 붉기가 호박(琥珀) 구슬 같고, 맑고 통랑하기는 호박도곤 더 곱더라.

－의유당 남씨, 「동명일기」

① 윗글은 객관적인 시선으로, 〈보기〉는 주관적인 생각으로 대상을 바라보고 있다.

② 윗글은 구체적 언어로, 〈보기〉는 관념적 언어로 대상과의 관계를 설명하고 있다.

③ 윗글은 시간적 배경을 통해, 〈보기〉는 공간적 배경을 통해 현실성을 강조하고 있다.

④ 윗글은 특정 인물을 중심으로, 〈보기〉는 풍경에 대한 묘사 중심으로 글을 전개하고 있다.

⑤ 윗글은 사례를 열거하여, 〈보기〉는 질문의 형식을 이용하여 대상의 특성을 보여 주고 있다.

가 내 기억 속에 있는 아버지는 늘 중년이다. 아버지는 환갑의 나이에 돌아가셨는데도 지금도 나는 아버지, 하면 반사적으로 중년의 아버지를 생각한다. 중년을 나이로 환산하면 서른 살에서 쉰 살 정도일까. 연부역강(年富力强), 사나이로서는 알맞은 경륜에 자신감 있는 행동이 조화를 이루는 황금기다. 그렇지만 내가 아버지를 중년으로만 기억하게 된 데는 이유가 있다.

열세 살이 되기 직전의 겨울, 나는 전형적인 사춘기적 증상과 맞부닥쳤다. 굳이 이름을 붙인다면 '주제 파악 불량에서 기인하는 자존망대형(自尊妄大型) 조발성(早發性) 천재 증후군'이라 하겠는데, 그 증상은 먼저 학교에 가기 싫어하는 것으로 나타난다. 나는 일단 그 증상에 관해 아버지와 대화를 나눠 보기로 했다.

나 인적이 드문 신작로에 들어선 나는 조심스럽게 "아부지!" 하고 불렀다.

"왜?" / "드릴 말씀이 있습니다. 사나이 대 사나이로서."

아버지는 그날 마신 술로 기분이 좋았다.

"싸나아이? 어디 한번 해 보니라."

"저 학교에 안 가면 안 되겠습니까? 배울 것도 없는 것 같고 애들도 너무 유치해서 사귈 마음이 나지 않습니다. 차라리 자연과 라디오를 스승 삼고 주경야독으로 제 수준에 맞는 진학 준비를 하는 것이 좋겠다고 생각합니다. 어떻게 생각하시는지요?" / ㉠아버지는 한동안 말이 없이 씨익씨익, 하고 페달만 밟으셨다.

다 "고맙다, 내 걱정까지 해 주다니. 그렇지만 조금 더 생각을 해 보아라. 시간을 줄 테니."

그러고는 달빛 비치는 서산을 넘어 불어오는 바람 속에 자전거를 세워 두고는 신작로 아래 냇가로 내려갔다. 나는 ㉡아버지가 오줌을 누러 가시나 보다, 생각하고는 자전거 위에 앉은 채로 기다리고 있었다.

그런데 ㉢아버지는 한참이나 지났는데도 오시지 않았다.

세차게 불어오는 바람에 자전거는 금방이라도 쓰러질 것 같았다. 그렇지만 자칫 잘못 내리다가는 자전거와 함께 신작로 아래로 굴러떨어질 것 같아 이러지도 저러지도 못한 채 떨면서 기다리고 있을 수밖에 없었다. 아버지가 앉았던 안장을 움켜쥐고 ㉣내가 하느님을 서너 번은 족히 불렀을 때 비로소 아버지가 올라왔다.

㉤"달밤에 신작로 위에서 자전거 타고 혼자 있으니까 세상이 다 니 아래로 보이더냐?"

아버지는 자전거를 끌면서 말씀하셨다.

---

44 윗글과 〈보기〉에 대한 설명으로 적절하지 **않은** 것은?

| 보기 |

요즈음도 추운 밤이면
곁에서 잠든 아이들 이불깃을 덮어 주며
늘 그런 추억으로 마음이 아프고
나를 품어 주던 그 가슴이 이제는 한 줌 뼛가루로 삭아
붉은 흙에 자취 없이 뒤섞여 있음을 생각하면
옛날처럼 나는 다시 아버지 곁에 눕고 싶습니다.

그런데 어머님,
오늘은 영하(零下)의 한강교를 지나면서 문득
나를 품에 안고 추위를 막아 주던
예닐곱 살 적 그 겨울밤의 아버지가
이승의 물로 화신(化身)해 있음을 보았습니다.
품 안에 부드럽고 여린 물살은 무사히 흘러
바다로 가라고.
꽝꽝 얼어붙은 잔등으로 혹한을 막으며
하얗게 얼음으로 엎드려 있던 아버지
아버지, 아버지…….

– 이수익, 「결빙의 아버지」

① 윗글과 〈보기〉의 '나'는 모두 돌아가신 아버지를 그리워한다.

② 윗글과 〈보기〉의 '나'는 모두 겨울밤에 아버지와 같이 있었던 장면을 떠올리고 있다.

③ 〈보기〉의 '나'에 비해 윗글의 '나'는 좀 더 성장한 이후에 아버지와의 일을 추억하고 있다.

④ 윗글의 '나'는 〈보기〉의 '나'와 달리 아버지를 나이와 관련한 특정 시기의 아버지로 기억하고 있다.

⑤ 윗글과 〈보기〉의 '나' 모두 추위와 바람을 막아 주시던 아버지의 사랑을 다시 느끼고 싶어 한다.

45 ㉠~㉤에 대한 독자의 반응으로 적절하지 **않은** 것은?

① ㉠: 아버지는 아들의 예상치 못했던 말에 몹시 화가 나서 페달을 세차게 밟으셨군.

② ㉡: 아들은 아버지가 자신을 홀로 남겨 둔 의도를 아직 모르고 있군.

③ ㉢: 아들이 스스로에 대해 생각해 볼 기회가 되라고 아버지가 일부러 시간을 끌고 계시는군.

④ ㉣: 자신이 몹시 위태로운 상황에 처했다는 것을 '하느님을 부르는 행위'로 표현했군.

⑤ ㉤: 직접 말로 훈계하는 대신 스스로 깨우치게 한 아버지의 지혜가 느껴지는군.

고등학교
문학
정답과 해설

1 문학의 본질과 가치

[1] 문학의 본질

01 그 복숭아나무 곁으로　p. 10

1. ⑤　**2.** ⑤　**3.** ③　**4.** 화자는 복숭아나무가 사람이 앉지 못할 그늘을 가졌다고 여겨 거리를 둔다. 시간이 지나 복숭아나무를 멀리서 보며 그의 진정한 모습을 이해한 화자는 그와 교감하고 화해하게 된다.

1. 이 시에는 유사한 구절이 대응되는 대구의 방법이 쓰이고 있지 않다.
오답 풀이 ① 시간의 흐름에 따라 복숭아나무를 바라보는 화자의 인식이 변하고 있다.
② 관찰을 통해 깨달은 내용을 독백적 어조로 진솔하게 밝히고 있다.
③ '그'라는 지시어를 반복 사용하여 특정 복숭아나무에 초점을 모으고 있다.
④ '가만히 ~ 소리를'에는 도치법이 쓰였는데, 이를 통해 시상을 마무리하며 시적 여운을 주고 있다.

2. '사람이 앉지 못할 그늘'은 화자가 대상을 이해하기 전 편견으로 인해 복숭아나무를 가까이하지 않았을 때 화자가 부정적으로 인식했던 공간이다. '그 복숭아나무 그늘'은 화자가 복숭아나무와 교감을 나누는 곳으로, 화자가 긍정적으로 인식하는 공간이다.

3. '수천의 빛깔'은 화자가 새롭게 발견한 복숭아나무의 진정한 모습으로, 선입견에서 벗어나 판단한 타자의 모습을 의미한다.

4. 화자는 복숭아나무가 사람이 앉지 못할 그늘을 가졌다고 여겨 멀리로만 지나치며 거리를 둔다. 그러나 시간이 지나고 복숭아나무가 지닌 여러 겹의 마음을 읽게 되면서 그 그늘에 앉아 저녁이 오는 소리를 들으며 그를 이해하고 교감하게 된다.

서술형 평가 기준

화자의 행위를 근거로 화자의 태도 변화를 모두 제시한 경우	상
화자의 행위를 근거로 밝히지 않고 화자의 태도 변화만 제시한 경우	중
화자의 특정 태도만 제시할 뿐, 태도의 변화는 제시하지 못한 경우	하

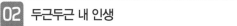

02 두근두근 내 인생　p. 14

1. ②　**2.** 탄생에 대한 두려움(걱정)과 설렘(기대감)을 동시에 지니고 있다.　**3.** ④　**4.** ⑤　**5.** ②　**6.** ②　**7.** ①　**8.** ②　**9.** '나'는 한동안 글쓰기를 주저하다 본격적으로 글을 쓰려 하고 있다.　**10.** ⑤　**11.** ②　**12.** 아버지와 하나 되는 느낌(아버지의 사랑)을 느끼기 위해서이다.　**13.** ①　**14.** ④

1. 1인칭 주인공인 '나'가 자신이 어머니의 뱃속에 있을 때의 상황을 상상하여 서술하고 있다.

2. '나'는 어머니의 뱃속에서 탄생으로 인한 두려움(걱정)과 설렘(기대감)을 동시에 느끼고 있다.

서술형 평가 기준

탄생으로 인한 두려움(걱정)과 설렘(기대감)을 모두 서술한 경우	상
원인은 제시하지 않고 두 가지 정서만 서술한 경우	중
원인도 제시하지 않고 한 가지 정서만 서술한 경우	하

3. '나'가 어머니의 심장 소리를 듣고 두려움과 기대감을 지녔음을 서술하고 있지만, 그 소리에 '나'에 대한 어머니의 미안한 마음이 담겨 있는지는 확인할 수 없다.
오답 풀이 ① 어머니의 심장 소리를 '비트(bit)'와 '비트(beat)'라고 했는데, 전자는 간단한 정보를 담고 있다는 것을, 후자는 리듬감이 느껴짐을 표현한 것이다.
② '나'는 어머니의 심장 소리를 신체를 키우라는 명령어로 인식했다.
③ '나'로 하여금 '춤추고 싶은 기분도 들'도록 흥겨움을 느끼게도 했다.
⑤ '나'는 어머니의 심장 소리를 듣고 호기심에 '떨림'의 실체를 파악하려고 했고, 두려움에 순록처럼 도망치고 싶었다.

4. '나'는 서하에게 쓰는 글을 잘 쓰려고 하지만 잘 쓰려고 노력한 티가 나서는 안 된다고 생각하기 때문에 쉽게 답신을 쓰지 못하고 있다. 이로 볼 때 '나'는 서하에게 자신이 글을 잘 쓰기 위해 고민했다는 사실을 알게 하고 싶지는 않다는 것을 알 수 있다.
오답 풀이 ① '연애를 글로 배워서 그런가?'를 통해 '나'가 이제까지 제대로 된 실제의 연애를 해 보지 않았음을 알 수 있다.
② '나'는 자신이 쓴 글에 서하가 자족해 돌아서 버리게는 하고 싶지 않았다. 답신을 계기로 계속해서 서하와 연락을 하고 싶었던 것이다.
③ '나'는 가장 평범한 소년이 되어 평범한 고민을 하고 있는 자신을 낯설고 불편해했다. 이는 스스로를 평범한 소년

으로 여기고 있지 않음을 드러낸 것이다.

④ '나'는 서하에게 쓰려는 답신이 마음에 들지 않아 답신 쓰기를 미루고 있다.

5. 답신이 서하에게 때 이른 만족감을 주기보다는 반향을 일으켜 서하가 자신에게 쏠려오기를 바라고 있다(ㄴ). 또 '나'는 서하에게 만족의 임계점을 넘어 감탄을 불러일으키는 답신을 쓰고 싶어 한다(ㄹ).

6. '나'는 서하에게 글쓰기를 뽐내는 것을 '수컷들 깃털 자랑하듯 구애하는 모양새'로 여기고 있다. 글쓰기를 자기 자랑의 수단으로 삼는 것을 부끄러워하는 것이다.

7. '나'는 자신의 내면에 담긴 다양한 욕망들을 빼고 답신을 쓴다면 자신의 본모습을 설명할 수 없을 것이라 여기고 있다.

8. '적막'은 소리가 없는 상태인데, '적막'이 '쩌렁쩌렁'하다고 하였다. 이는 겉으로는 이치에 맞지 않지만 그 안에 진리나 진실을 담고 있는 역설적 표현이 쓰인 경우이다. '산에서도 오히려 산을 그리며'는 논리적으로 모순되는 상황이지만 이를 통해 산에 대한 강한 사랑을 역설적으로 표현하고 있다.

오답 풀이 ①은 직유법, ③은 의인법, ④는 설의법, ⑤는 은유법이 쓰인 시구이다.

9. '나'는 어떻게 글을 시작해야 할지 몰라 고민하다 허공에 '이 서하'라는 이름을 쓰자 풍향계가 돌아가는 소리가 들리기 시작한다. 이는 '나'가 한동안 글쓰기를 주저하는 상황이었으나 이제 본격적으로 써야 할 편지의 문장이 불현듯 떠올라 '나'가 글을 쓰기 시작했음을 의미하는 것이다.

서술형 평가 기준

태도가 변하기 전과 후를 모두 서술한 경우	상
태도가 변한 후의 상황만 서술한 경우	중
태도 변화에 대한 서술 없이 그와 관련한 상황만 서술한 경우	하

10. '나'는 병으로 '깃털처럼 가벼운' 상태임에도 '나'를 안은 아버지는 휘청대고 힘에 부쳐 손을 떨었다. 이는 병든 자식을 안고 있는 아버지의 안타깝고 무거운 심리를 역설적으로 표현한 것이다.

11. '서로의 파동'은 '나'의 심장 박동과 아버지의 심장 박동을 의미한다. 둘이 그 박동 안에 머물렀다는 것은 마음으로부터 서로에 대해 깊이 이해하고, 서로를 사랑하고 있음을 표현한 것이다.

12. 상대와 완전히 교감하기 위해서는 더 가까워져야 한다. 따라서 아버지를 안은 팔에 힘을 준 것은 아버지와 하나 되는 느낌(아버지의 사랑)을 갖기 위한 행동임을 알 수 있다.

서술형 평가 기준

아버지와 하나 되는 느낌(아버지의 사랑)을 느끼기 위해서라는 내용을 서술한 경우	상
'아버지 때문에'처럼 이유에 '나'의 감정이 드러나지 않은 경우	하

13. 이 작품은 1인칭 서술자인 '나'가 자신의 이야기를 독자에게 전달하는 1인칭 주인공 시점의 소설이다.

14. 어머니가 자신의 임신을 숨기려 한 것은 '나'에게 미안했기 때문이므로, '나'를 위해 임신했다고는 볼 수 없다.

[2] 문학의 가치

01 흰 바람벽이 있어　　　　p. 24

1. ③　2. ⑤　3. '화자의 상념 – 어머니와 옛 여인에 대한 연상 – 화자의 자기 성찰'로 화자의 의식의 흐름에 따라 시상이 전개되고 있다.　4. ⑤　5. ⑤　6. 세 사람은 모두 외롭고 쓸쓸하지만 자신만의 시 세계를 구축했던 시인들로, 화자는 자신도 이들과 같은 삶을 살겠다는 의지를 드러내고 있다.

1. 외로운 화자의 방과 사랑하는 사람이 살고 있는 따뜻한 분위기의 집이 대비되지만 이를 통해 그리움의 정서를 드러낼 뿐, 이상향에 대한 동경을 드러내지는 않는다.

오답 풀이 ① '감주', '대굿국' 등 향토적 정감을 불러일으키는 소재가 쓰이고 있다.
② 어머니와 사랑하는 사람을 떠올리고 있는데, 이들은 모두 화자가 그리워하는 대상이다.
④ 현재형 시제를 사용하여 화자가 현재 생각하고 느끼는 것들을 진솔하게 드러내고 있다.
⑤ '시퍼러둥둥하니 추운 날'은 촉각을 시각화한 공감각적 심상에 해당한다.

2. 화자는 절대자인 '하늘'이 가난과 외로움 같은 부정적인 것과 넘치는 사랑과 같은 긍정적인 것을 모두 주었다고 여기고 있다.

오답 풀이 ① 화자는 '좁다란 방'에서 '외로운 생각'에 해매이고 있다.
② 화자는 추운 날 배추를 씻고 있는 어머니를 떠올리며 안타까워하고 있다.
③ 화자는 신이 자신에게 부여한 운명을 긍정적으로 수용하려 하고 있다.

④ 화자는 사랑하는 사람이 지아비와 아이들과 함께 단란하게 살 것이라고 여기고 있다.

3. 이 시는 '화자의 상념 – 어머니와 옛 여인에 대한 연상 – 화자의 자기 성찰'의 화자의 의식의 흐름에 따라 시상이 전개되고 있다.

서술형 평가 기준

화자의 의식의 세부 사항들을 언급하며 의식의 흐름에 따른 시상 전개임을 서술한 경우	상
화자의 의식의 세부 사항들은 언급하지 않고, 의식의 흐름에 따른 시상 전개임만 서술한 경우	중
화자의 의식의 세부 사항들만 언급하고, 의식의 흐름에 의한 시상 전개임은 서술하지 않은 경우	하

4. '나즈막한 집'은 작고 초라한 집을 의미하나, 화자가 외롭고 쓸쓸함을 느끼는 좁은 방과는 달리 따뜻한 가족의 정을 느낄 수 있는 공간이다.

5. '흰 바람벽'은 화자의 현재 모습과 그리움의 대상을 비춤(②)으로써 화자의 부정적 처지를 환기하는 기능을 한다(④). 또한 화자의 내면 의식을 비추는 매개체(①)로 화자가 자신의 운명을 수용하고 자신의 처지를 극복하려는 의지를 드러내는 기능을 한다(③). 그러나 '흰 바람벽'에 화자가 꿈꾸는 밝은 미래의 모습은 나타나지 않는다.

6. 세 인물들은 모두 외롭지만 고결하게 살았던 시인들로 화자가 동일시하는 대상이다. 화자는 이들을 제시함으로써 자신도 그와 같이 살 것임을 드러내고 있다.

서술형 평가 기준

세 인물의 공통점을 밝히고, 이를 바탕으로 화자가 말하고자 하는 바를 서술한 경우	상
세 인물의 공통점은 밝히지 않고, 화자가 말하고자 하는 바만 서술한 경우	중
세 인물의 공통점만 간단히 서술한 경우	하

> **보충 자료** 이 작품에 나오는 인물들
> • 프랑시스 잠(Jammes, Francis, 1868~1938): 프랑스 상징파의 후기를 장식한 신고전파 시인. 자연에 파묻혀 자연의 풍물을 종교적 애정을 가지고 평명(平明)한 가락으로 노래함.
> • 도연명(陶淵明, 365~427): 중국의 대표적 시인. 기교를 부리지 않고, 평담(平淡)한 시풍으로 그 이름이 높아짐.
> • 라이너 마리아 릴케(Rilke, Rainer Maria, 1875~1926) 독일의 시인. 초기에는 인상주의의 영향을 강하게 받았지만, 만년에는 두드러질 정도로 명상적·신비적 시풍을 보임.

---

02 비 오는 날이면 가리봉동에 가야 한다. p. 29

1. ⑤ **2.** ① **3.** ⑤ **4.** ② **5.** ② **6.** •이기적 입장: 고용인과 피고용인인 '그'와 '임 씨'와의 관계가 나이로 인해 무시될 수 있기 때문에 •이타적 입장: 임 씨가 자신보다 나이 어린 사람에게 고용된 것을 알면 비참한 마음이 들까 걱정이 되어서 **7.** 임 씨는 열심히 일했으므로 마땅히 공사비를 높여 부르는 것이 당연하다는 마음과 임 씨가 공사비를 높여 부를까 걱정하는 마음 사이에서 갈등하고 있다. **8.** ㄱ, ㄴ, ㄹ **9.** '그'와 '그'의 아내가 임 씨에 대한 오해를 풀고 부끄러움을 느끼게 하는 기능을 한다. **10.** 가난하지만 마음만은 넉넉하고 여유롭다. **11.** ② **12.** ③ **13.** ⑤ **14.** ③ **15.** 비 오는 날은 일을 할 수 없는 날이기 때문에 연탄값을 떼먹고 도망간 사장을 찾아가기 위해서 **16.** ③ **17.** 가난한 소시민과 도시 빈민의 진솔한 삶의 모습을 사실적으로 구현할 수 있기 때문이다.

1. 이 작품은 작품 밖의 서술자, 곧 3인칭 서술자가 인물의 행동뿐 아니라 심리까지 전지적 관점에서 서술하고 있다.

2. '그'의 아내는 가난한 임 씨에게 연민을 보이지 않았다. 오히려 임 씨가 일을 제대로 하지 못할 것이라 의심하기까지 하였다.
오답 풀이 ② 임 씨는 일감에 한 치의 틈도 없이 밀착되어 날렵하게 움직이고 있었다.
③ '그'는 공이가 박힌 임 씨의 손을 보며 그의 손은 특별한 데가 있다고 감탄하고 있다.
④ '그'는 밤늦게까지 임 씨를 도와 공사를 해야 했고, '그'의 아내는 임 씨를 오해했다는 심리적 부담감을 지녀야 했다.
⑤ '그'의 아내는 임 씨가 보여 주기 위해 일부러 그러는 줄 알고 오해하였다.

3. '그'와 '그'의 아내는 임 씨가 견적보다 높은 공사비를 청구할까 봐 걱정하고 있으며, 임 씨가 머리를 굴려 공사비를 올릴 구실을 찾고 있다고 오해하고 있다.

4. 노모는 성실하고 열정적으로 일을 했다며 임 씨의 노고를 칭찬한다. 이처럼 노모는 임 씨의 성실한 성격을 직접 드러내는 서사적 역할을 하고 있다.

5. ⓑ에는 힘들게 살아가는 임 씨의 처지에 대한 '그'의 안타까운 마음이 담겨 있을 뿐, 임 씨에게 좋은 일이 있을 것이라는 예상이 담겨 있지 않다.
오답 풀이 ① 임 씨는 '그'의 노모가 말을 할 때 공손하게 무릎을 꿇고 듣고 있었다.
③ 지갑을 열었다 닫았다 하는 아내의 행위에는 임 씨가 혹시 공사비를 높게 부를까 봐 걱정하는 마음이 담겨 있다.
④ '그'는 거짓으로 임 씨와 동갑이라고 했는데, 임 씨와의

나이 차이가 한 살밖에 나지 않아 큰 거짓말을 하지 않는 것이라 생각하여 다행이라고 여겼다.
⑤ '그'는 임 씨가 자신과 동갑임에도 성공한 삶을 살고 있다고 칭찬하자 무안해하고 있다.

6. ㉮와 같이 말함으로써 고용인과 피고용인 간의 관계를 유지하고, 임 씨의 자존심도 지킬 수 있다고 생각했기 때문이다.

서술형 평가 기준

이기적 입장과 이타적 입장을 모두 구체적으로 서술한 경우	상
이기적 입장과 이타적 입장 중 한 가지만 구체적으로 서술한 경우	중
'임 씨를 배려하기 위해서'처럼 막연하게 서술한 경우	하

7. '그'는 임 씨가 열심히 일한 대가를 받아야 한다는 입장과 임 씨가 공사비를 올릴까 봐 속물적으로 고민하는 자신의 모습 사이에서 갈등하고 있다.

서술형 평가 기준

임 씨의 처지를 이해하려는 마음과 자신의 이익을 걱정하는 마음이 충돌함을 밝힌 경우	상
임 씨가 제시할 공사비로 인해 걱정하고 있음만 밝힌 경우	중
긴장감 때문이라고만 밝힌 경우	하

8. '그'는 임 씨가 공사비를 높여 부를까 걱정했는데, 오히려 임 씨가 추가 공사도 서비스라고 하자 깜짝 놀랐을 것이다. 또한 임 씨를 오해했던 자신의 속물적인 태도에 부끄러움을, 가난한 그의 배려에 어이없음을 느꼈을 것이다.

9. '그'와 '그'의 아내가 임 씨에 대한 오해를 풀고 그들의 속물 근성으로 인해 부끄러움을 느끼게 하는 기능을 한다.

10. 임 씨는 가난한 형편임에도 불구하고 타인을 배려할 줄 아는 넉넉하고 여유로운 성품을 가지고 있다.

서술형 평가 기준

임 씨의 상황과 성품을 모두 언급한 경우	상
임 씨의 상황은 언급하지 않고 성품만 언급한 경우	하

11. [A]에서 임 씨는 '그'가 물욕이 없다며 걱정하고 있다. 물질이 중요함을 인식하고 있는 것이다. 이로 볼 때 임 씨가 물질보다 정신을 더 중시하는 것은 아님을 알 수 있다.
오답 풀이 ①, ⑤ 임 씨는 '그'와 아내가 영악하게 공사비를 깎으려 했던 것도 모르고, 그들이 순진하게 공사비를 그대로 주려 했다며 걱정하고 있다.
③ 임 씨는 다른 집에서는 노임 한 푼이라도 더 깎으려 한다며 세상 인심이 각박하다고 언급하고 있다.
④ '그'와 아내가 공사를 비를 깎으려 한 반면에, 임 씨는 공사비를 높이지 않으려는 대비된 태도를 보이고 있다.

12. 김 반장이 가게의 외상값부터 갚아줄 것을 요구하는 것으로 보아 그가 절대로 손해를 보지 않는 약삭빠른 성격임을 알 수 있다.

13. 임 씨가 '가리봉동'과 '곰국'에 대해 언급하자, '그'는 '가리봉동에 가면 곰국이 나와요?'라며 두 말의 연관성을 묻고 있다. 그러자 임 씨는 이에 얽힌 사연을 밝히고 있다. 이처럼 ㉠은 임 씨의 숨겨진 사연을 이끌어 내는 서사적 기능을 한다.

14. 연탄값을 주지 않고 도망간 쉐타 공장 사장이 오히려 연탄값을 받으러 온 임 씨에게 화를 내고 있다. 따라서 이 상황은 잘못한 사람이 아무 잘못 없는 사람을 나무람을 이르는 말인 '적반하장(賊反荷杖, 도둑이 도리어 매를 듦)'으로 표현할 수 있다.
오답 풀이 ① 감탄고토(甘呑苦吐): 달면 삼키고 쓰면 뱉는다는 뜻으로, 자신의 비위에 따라서 사리의 옳고 그름을 판단함을 이르는 말.
② 좌충우돌(左衝右突): 아무에게나 또는 아무 일에나 함부로 맞닥뜨림.
④ 파죽지세(破竹之勢): 대를 쪼개는 기세라는 뜻으로, 적을 거침없이 물리치고 쳐들어가는 기세를 이르는 말.
⑤ 허장성세(虛張聲勢): 실속은 없으면서 큰소리치거나 허세를 부림.

15. 공사 일을 하는 임 씨는 비 오는 날은 일을 할 수가 없으므로, 가리봉동에 가서 스웨터 공장 사장에게 떼인 연탄 값을 받아오려는 것이다.

서술형 평가 기준

'비 오는 날'의 의미와 '가리봉동에 가려는 이유'를 모두 제시한 경우	상
'비 오는 날'의 의미는 제시하지 않고 '가리봉동에 가려는 이유'만 구체적으로 제시한 이유	중
'비 오는 날'의 의미는 제시하지 않고 '가리봉동에 가려는 이유'를 막연하게 제시한 이유	하

16. ㉮는 부자가 가난한 이를 착취하여 부를 축적하는 부조리한 세태를 드러내기는 하지만 이를 직설적으로 제시할 뿐, 반어적으로 제시하지는 않는다.
오답 풀이 ① '가리봉동'이라는 구체적 지명을 제시해 사실성을 높이고 있다.
② '말요', '맨션아파트'를 반복하여 말하고자 하는 바를 강조하고 있다.
④ '지하실 방'과 '맨션아파트'를 대비하여 빈익빈 부익부의 사회 모순을 드러내고 있다.
⑤ 보증금 백오십만 원에 월세 삼만 원짜리 지하실 방에 여섯 식구가 사는 도시 빈민층의 삶을 구체적으로 보여 주고 있다.

17. 〈보기〉는 원미동의 성격을 설명한 글이다. 작가는 이러한 공간적 배경이 가난한 소시민과 도시 빈민의 삶의 모습을 진솔하게 그려낼 수 있다고 생각했기 때문에 이 작품의 배경을 원미동으로 설정한 것이다.

대단원 시험 예상 문제
pp. 52~57

1. ④ **2.** ② **3.** ⑤ **4.** ㉮는 상대방을 선입견에 의해 피상적으로 판단하지 말고 내면의 진정한 모습을 발견할 줄 알아야 한다는 점을 전달하고 있고, ㉯는 공동체적 삶을 살 때에는 공동체 일원끼리는 서로 일정한 거리를 유지해야 함을 전달하고 있다. **5.** ④ **6.** ① **7.** ⑤ **8.** ⑤ **9.** ② **10.** ④ **11.** ③ **12.** ㉠은 이서하가 '나'의 삶에 의미 있는 존재가 되었음을 의미하고, ㉡은 자식에 대한 아버지의 사랑을 의미한다. **13.** ④ **14.** ⑤ **15.** ③ **16.** 시적 화자는 첫 번째 글자들을 통해서는 자신의 삶을 숙명으로 여기고 받아들이려는 삶의 태도를 보이고, 두 번째 글자들을 통해서는 자기 운명을 수용하고 자긍심을 느끼면서 고단한 삶 속에서도 고결함을 잃지 않겠다고 다짐을 보이고 있다. **17.** ② **18.** ③ **19.** ⑤ **20.** 당한 쪽은 '그'와 '그'의 아내로, 열정적으로 일한 임 씨로 인해 '그'는 밤늦게까지 일을 해야 했고, '그'의 아내는 임 씨에 대한 심적 부담을 져야 했다. **21.** ④ **22.** ⑤ **23.** ① **24.** 임 씨는 비가 와서 일을 할 수 없는 날이면 떼인 연탄값을 받기 위해 쉐타 공장 사장이 있는 가리봉동에 간다. 이를 통해 작가는 가난한 도시 빈민의 삶을 드러내고 악덕 자본가의 만행을 비판하고 있다.

1. ㉮는 경어체를 사용하여 청자에게 깨달은 바를 전달하고 있지만, ㉯는 경어체를 사용하지 않고 있다.
오답 풀이 ① ㉮에는 '그'가 반복 사용되어 화자가 관찰한 '복숭아나무'에 주목하고 있다.
② ㉮의 '가만히 들었습니다 저녁이 오는 소리를'은 일반적 어순을 바꾸는 도치법이 쓰인 표현이다.
③ ㉯에는 '나무와 나무가 모여', '간격과 간격이 모여' 등 유사한 형태의 시구가 쓰이고 있다.

⑤ ㉮와 ㉯ 모두 시간의 흐름에 따라 대상에 대해 인식한 바의 변화를 나타내고 있다. ㉯는 시간의 흐름과 공간의 변화에 따른 인식의 변화가 모두 드러난다.

2. '흰꽃과 분홍꽃 사이에 수천의 빛깔'은 화자가 복숭아나무를 피상적으로 보았을 때는 발견하지 못했던, 대상의 진정한 모습에 해당한다.
오답 풀이 ① '사람이 앉지 못할 그늘을 가졌을 거라'는 생각은 화자의 지레짐작으로, 화자는 이러한 편견 때문에 복숭아나무를 멀리하였다.
③ '여러 겹의 마음을 읽'는 것은 복숭아나무의 참모습을 인식하고 복숭아나무를 이해하는 것을 의미한다.
④ '어깨와 어깨를 대고 숲을 이루는 줄 알았'다는 것은 과거에 화자가 지녔던 생각에 해당한다.
⑤ '간격과 간격이 모여 울울창창 숲을 이룬'다는 것은 산불로 나무가 타 버린 숲에 들어간 화자가 알게 된 사실로 이를 통해 화자는 구성원이 모여 이루는 공동체 또한 이처럼 구성원 간의 적절한 간격이 필요하다는 깨달음을 얻게 된다.

3. ㉮의 2연에 나오는 '복숭아나무 그늘'은 깨달음을 얻은 화자가 '복숭아나무'와 공감을 나누는 공간이다. ㉯의 '숲'은 나무들 사이의 간격과 간격이 모여 숲을 이룬다는 깨달음을 얻은 공간이다.

4. ㉮의 작가는 선입견과 편견으로 타인을 판단하지 말고 대상이 지닌 참모습을 발견해야 바람직한 인간관계를 이룰 수 있음을 전달하고 있다. ㉯의 작가는 사람과 사람 사이에는 필요한 간격이 있어야 바람직한 인간관계를 이룰 수 있음을 전달하고 있다.

5. 이 글은 1인칭 서술자인 '나'가 어머니의 뱃속에 있었던 과거 자신의 모습을 상상하여 진술하고 있다.

6. '쿵'은 어머니의 심장 박동 소리이고, '짝'은 '나'의 심장 박동 소리로, '쿵 짝짝'의 반복은 어머니와 '나'의 심장 박동 소리가 조화를 이루고 있음을 표현한 것이다.

7. 어머니의 심장 소리를 '비트'에 빗대고 있는데(은유법), 이는 어머니의 심장 소리가 '나'를 자라게 하는 정보를 전달하고 있음을 표현한 것이다.

오답 풀이 ① ㉯에는 자연물에 마치 사람처럼 인격을 부여한 의인법이 쓰이지 않았다.

② ㉯에는 의문형 문장으로 의미를 강조하는 설의적 표현이 쓰이지 않았다.

③ 어머니의 심장을 달에 빗대고 있지만(직유법), 이를 통해 '나'와 어머니의 심리적 거리감이 아니라 친밀감을 드러내려 하였다.

④ '방울방울'이라는 음성 상징어가 쓰이기는 했지만 이를 통해 형상화하려는 것은 어머니의 심장 박동 소리이다.

보충 자료 음성 상징어

음의 성질이나 높낮이 또는 강약에 따라, 다른 단어와 구별되는 어감이나 뜻을 나타내는 말, 대표적으로 의성어와 의태어가 있다.
• 의성어: 사람이나 사물의 소리를 흉내 낸 말.
  예 짤랑짤랑
• 의태어 사람이나 사물의 모양이나 움직임을 나타낸 말.
  예 으쓱으쓱

8. '삐라'는 어머니의 심장 박동 소리에 담긴 정보가 '나'가 자신의 신체를 키우도록 선동하고 있음을 표현한 것이다.

9. '쩌렁쩌렁 적막이 울려 퍼졌다.', '병든 아이만큼 무거운 존재'는 역설적 표현으로, 이를 통해 사랑에 빠진 '나'의 심리와 자식을 떠나보내는 아버지의 심리와 처지를 부각하고 있다.

10. ㉯에서 아버지는 병세가 악화된 아들을 보며 안타까움에 꼭 안고만 있다. 아들도 그런 약한 모습의 아버지를 꼭 안아 주고 있다.

11. '조용한 기척'은 '나'에게 소리 없이 다가온 이서하를 의미하는 것으로, '세상에서 가장 멀리 가는 동그라미'는 이서하가 '나'에게 매우 의미 있는 존재가 되었음을 표현한 것이다.

12. ㉠은 '이서하'를 발음하자 가슴속에 조용한 기척이 일었다는 것으로 보아, 이서하라는 존재가 '나'에게 의미 있고 존재감 있는 대상이 되었음을 의미하고, ㉡은 죽음을 앞둔 '나'를 안은 아버지의 품속에서 들은 아버지의 심장 박동으로 아버지의 깊은 사랑을 의미한다.

서술형 평가 기준

㉠과 ㉡의 함축적 의미를 모두 구체적으로 서술한 경우	상
㉠과 ㉡의 함축적 의미를 한 가지만 구체적으로 서술한 경우	중
㉠과 ㉡의 함축적 의미를 한 가지만 막연하게 서술한 경우	하

13. 이 시에는 처음과 마지막이 유사한 구조로 이루어져 안정감을 주는 수미 상관 구조가 쓰이지 않았다.

오답 풀이 ① '감주', '대굿국'과 같은 토속어를 사용하고 있다.
② 마지막 부분에 동물과 시인의 이름을 나열하고 있다.
③ 시각적, 공감각적 이미지를 사용해 쓸쓸하고 외롭고 그리운 심정을 드러내고 있다.
⑤ 현재형 문장을 사용하여 현재 화자의 처지와 정서를 진솔하게 나타내고 있다.

14. '결'에 제시된 자연물들과 시인들은 화자가 동일시하고 싶은 대상으로 대조적인 상황에 있는 대상이 아니다.

15. '대굿국을 끓여 놓고 저녁을 먹는' 모습은 화자가 상상한 사랑하는 사람의 행복한 모습으로, 외로운 처지의 화자의 모습과 대비를 이루고 있다.

16. 첫 번째 글자들은 화자가 인식한 자신의 운명을 나타내며, 여기에는 자신의 삶을 숙명으로 여기고 받아들이려는 삶의 태도가 보이고 있다. 두 번째 글자들은 여리고 순한 속성을 지닌 자연물들과 외롭지만 고결한 삶을 살았던 시인들 즉 화자가 동일시하려는 대상들을 통해 가난하지만 정신적 고결함을 잃지 않으려는 화자의 태도가 드러나고 있다.

서술형 평가 기준

첫 번째 글자들에 나타난 내면 의식과 두 번째 글자들에서 나타난 내면 의식을 모두 파악하여 변화를 서술한 경우	상
각각의 글자들에 나타난 내면 의식은 파악하였으나 구체적으로 서술하지 못한 경우	중
첫 번째 글자들에 나타난 내면 의식과 두 번째 글자들에 나타난 내면 의식 중 한 가지만 파악한 경우	하

17. 이 글은 '저 열 손가락에 ~ 솟아오르기도 했다', '한 살 정도만 ~ 몹시 다행스러웠다.'처럼 '그'의 내면에 초점을 맞추어 서술하고 있다.

18. 아내는 '그'가 임 씨와 동갑인 토끼띠라고 거짓말을 하자기가 막히다는 표정을 짓는다. 이로 볼 때 아내는 이미 '그'가 토끼띠가 아님을 알고 있었을 것으로 추측할 수 있다.

19. 아내가 "돈 드려야지요. 그런데……."라고 뒷말을 잇지 못하고 '그'의 얼굴을 쳐다본다. 이 행위에는 임 씨에게 줄 돈을 깎고 싶은데 말하기 곤란하니 '그'가 나서서 이 문제를 해결해 달라는 마음이 담겨 있는 것으로 '그'가 줄 돈을 깎을까 봐 걱정하고 있는 것은 아니다.

20. '그'와 '그'의 아내는 임 씨가 밤늦게까지 성실하게 일하는 것을 보느라 '그'는 육체적으로, '그'의 아내는 정신적으로 고통을 느꼈기 때문이다

당한 쪽이 부부이고, '그'와 아내가 당한 내용을 자세히 서술한 경우	상
당한 쪽이 누구인지 밝히지 않고, '그'와 아내가 당한 내용을 서술한 경우	중
당한 쪽이 누구인지만 밝힌 경우	하

21. 이 글에서는 임 씨와 '그', 그리고 김 반장과의 대화를 통해 임 씨의 숨겨진 사연이 드러나고 있다.

오답 풀이 ① 이 글은 개인과 개인 간의 갈등, 한 개인의 내적 갈등만 제시되어 있다.
② 한 인물의 심리나 생각을 떠오르는 대로 자유롭게 서술하는 방식을 취하고 있지는 않다.
③ 장면의 전환이 집에서 슈퍼로 한 번만 전환되고, 또 장면 전환으로 긴장감이 고조되지도 않는다.
⑤ 이 사건을 현실에 있을법한 공간을 배경으로 삼아 사실성을 높이고 있다.

22. '그'는 임 씨가 원망하고 있는 사장을 머릿속에 떠올리고 있다. 이는 '그'가 임 씨의 처지에 깊이 공감하고 있음을 드러낸 것이다.

23. '십팔만 원'은 임 씨가 처음 견적서에 적은 금액으로, 임 씨가 제시한 공사비가 적다고 생각하고 다시 올려 말하기를 바라서 언급한 금액이다.

오답 풀이 ② '발발이 새끼'는 남의 일에 끼어들기 좋아하는 김 반장의 속성을 닮은 존재이다.
③ '곰국'은 임 씨가 가난한 형편이라 아이들에게 곰국 한번 못 먹인 처지임을 드러낸 말로 임 씨가 부자가 되어 먹으려는 음식이 아니다.
④ 쉐타 공장은 사장이 도망가기 전에 운영했던 공장이다.
⑤ '마누라 목걸이'는 사장이 부도를 메우기 위해 판 것으로, 임 씨에게 돈을 갚기 위해 판 물건은 아니다.

24. 작가는 임 씨가 비가 오는 날에 가리봉동에 가야 하는 이유를 통해 가난한 도시 빈민의 삶을 드러내고 악덕 자본가의 만행을 비판함으로써 세속적이고 탐욕스러운 현대인들의 반성을 촉구하는 한편 타인에 대한 이해와 존중이 필요하다는 주제 의식을 형상화하고 있다.

㉮의 이유를 구체적으로 밝히고, 이를 통해 작가가 전달하는 바를 모두 제시한 경우	상
㉮의 이유와 ㉮를 통해 작가가 전달하는 바를 모두 제시했지만, ㉮의 이유를 구체적으로 밝히지 않은 경우	중
㉮의 이유만 구체적으로 밝힌 경우	하

② 문학의 소통

[1] 문학 작품의 구조와 맥락

01 산도화   p. 62

1. ③   **2.** ④   **3.** ⑤

1. 이 시는 구강산 속에 존재하는 아름다운 자연의 풍경과 평화로운 분위기 묘사를 중심으로 시상을 전개하고 있다. 감정을 절제한 압축적 표현을 구사하고 있는 작품으로 정서의 표출은 나타나 있지 않다. 따라서 선경 후정의 시상 전개를 통해 정서를 표출하고 있다는 설명은 적절하지 않다.

오답 풀이 ① 이 시는 '산', '산도화', '송이', '사슴'에서 'ㅅ' 음운을 반복하여 운율감을 부여하고 있다.
② '보랏빛 석산', '옥 같은 물에' 등에서 색채 이미지를 활용하여 '신비로움', '맑고 깨끗함, 순수함' 등의 대상의 특징을 부각하고 있다.
④ '구강산' 등 원경의 소재에서 '산도화', '암사슴' 등 근경의 소재로 시선을 이동하며 시상을 전개하고 있다.
⑤ 수식이 없는 간결하고 압축적인 표현을 사용하고 있다.

2. ㉡ 역시 화자가 현재 관찰하고 있는 대상으로, 화자의 과거 경험을 연상시키는 소재로 보기 어렵다.

오답 풀이 ① ㉠은 현실 속에 존재하지 않는 가상의 산으로 '보랏빛'과 연결되어 신비로운 분위기를 형성한다.
② ㉡은 도연명(陶淵明)의 '도화원기(桃花源記)'에 나오는 선경의 세계인 '무릉도원'과 관련된 소재로 '구강산'의 신비로운 분위기를 구체화한다.
③ ㉢은 '옥 같은 물'에 '발을 씻는' 자연 친화적인 행위를 보여 줌으로써 자연과 합일된 모습을 보여 주고 있다.
⑤ ㉣은 발을 씻는 모습을 보여 줌으로써 동적인 이미지를 드러내고 있다.

3. 흐르는 물에 발을 씻는 '사슴'은 생동하는 생명의 이미지인 것은 맞으나 차가운 이미지는 아니다.

보충 자료 **암사슴의 이미지**

3연과 4연에서는 따스한 봄날 눈이 녹아서 흐르는 시내에 암사슴이 발을 씻는 풍경이 묘사된다. 이는 정적이 흐르는 가운데 발을 씻고 있는 암사슴의 생동하는 생명의 자태를 자아내면서 정중동의 동양적 세계관을 형상화하는 데 기여하고 있다.

1. ④　2. ④　3. ③　4. 흥보 마누라는 자신의 가난을 자신의 사나운 팔자 때문이라고 생각하고 있다.　5. ①　6. ⑤　7. ②
8. ① 피를 흘리며 들어온 아들로 인한 안타까움 ② 자식을 놀림감의 대상으로 삼은 아이들에 대한 원망　9. ⑤　10. ⑤
11. 흥보: 매사에 신중하고 소심함. 흥보 마누라: 대담하고 적극적임.　12. ⑤　13. 그동안 밥 때문에 쌓인 한이 많아서
14. ⑤　15. ⑤　16. ⑤　17. ⑤　18. ・그동안 자신을 멀리했던 밥에 대한 원망 ・밥과 함께할 수 있다는 반가움(기쁨)

1. 주어진 장면은 흥보 마누라가 자신의 가난을 한탄하며 가난타령을 부르고 있을 때 흥보 아들이 들어와 수모를 당하게 된 사연을 말하는 장면으로, 공간 이동이 나타나거나 갈등의 양상이 전환되지 않는다.
　오답 풀이　① '원수녀르 가난이야.', '몹쓸 년의 팔자로다.' 등과 같은 비속어와 '팔월 추석 가절', '신세 자탄' 등과 같은 한자어가 뒤섞여 쓰이고 있다.
　② 창과 아니리가 반복되면서 운문체와 산문체가 혼합되어 사용되고 있다.
　③ '이놈의 냄새가 코 난간을 무너내는데' 등과 같이 가난으로 인해 고통스러운 상황을 해학적으로 드러내고 있다.
　⑤ '아니리' – '창'(진양조) – '아니리'가 교차되면서 서사를 진행하며 '긴장 – 이완' 구조를 보이고 있다.

2. 주어진 장면에서는 흥보가 미어지는 마음을 달랠 길 없어 어디론가 밖으로 나가버렸다는 내용만 있을 뿐, 자신이 져야 할 가장의 책임을 아내에게 전가했다는 내용은 나타나지 않는다.

3. [A]에 대상의 특징을 드러내기 위한 세밀한 묘사는 나타나고 있지 않다.
　오답 풀이　① '가난이야, 가난이야. 원수녀르 가난이야.'에서 AABA의 구조가 활용되고 있다.
　② '어떤 사람 팔자 좋아 부귀영화로 잘 사는데, 이년의 팔자는 어이하여 이 지경이 웬일이냐.'에서 상황의 대비를 통해 흥보 마누라의 처지가 부각되고 있다.
　④ '원수녀르 가난이야.', '몹쓸 년의 팔자로다.' 등에서 민중적인 정서가 드러나는 비속어가 사용되고 있다.
　⑤ '이년의 팔자는 어이하여 이 지경이 웬일이냐.' 등에서 의문을 제기하는 방식을 활용하여 신세 한탄의 의미를 강조하였다.

4. '가난타령'에서 '복이라 하는 것은 어이하면 잘 타는고.', '이년의 팔자는 어이하여 이 지경이 웬일이냐.' 등의 내용으로 볼 때, 흥보 마누라는 자신의 가난을 자신의 사나운 팔자 탓으로 보고 있음을 알 수 있다.

5. 밖에 나갔다가 집으로 돌아온 흥보는 울고 있는 아내에게 울지 말라고 하며 박을 탈 것을 제안하고 있다. 그러나 이 장면에서 울고 있는 아들을 나무라는 흥보의 모습은 나타나 있지 않다.

6. '흥보'는 허기를 면하고 목숨을 보전하기 위해 박을 타야겠다고 생각한 것이지, 아내를 위로하기 위해 박을 타려는 것은 아니다.
　오답 풀이　① '부인이 울어서 우리 집안 식구가 배가 부를 지경이면, 권속대로 늘어앉어, 한평생허고라도 울어 보지마는'을 통해 흥보는 아내의 울음이 아무 실속이 없다고 생각했음을 알 수 있다.
　② '동네 사람들이 보면 어찌 흥볼 울음을 운단 말이오?'를 통해 흥보는 동네 사람들이 흥볼 짓은 하지 않는 게 좋다고 생각했음을 알 수 있다.
　③ '바가지는 부잣집에 팔다가 목숨 보명해 살아갑시다.'를 통해 흥보는 바가지를 부잣집에 내어 팔면 도움이 되겠다고 생각했음을 알 수 있다.
　④ '박이나 타서 박속은 끓여 먹고'를 통해 흥보는 박을 타면 박속으로 허기를 면할 수는 있겠다고 생각했음을 알 수 있다.

7. '아니리'는 판소리에서 해설에 해당하는 부분으로, 흥보 마누라가 우는 장면을 담은 중모리 장단이 끝나고 나온 아니리는 분위기를 차분하게 전환하고 긴장을 이완하는 역할을 한다.

8. ㉠는 밖에 나갔다가 동네 아이들에게 수모를 당하고 피를 흘리며 들어온 아들을 본 '흥보 마누라'의 심정이 담긴 말로, 피를 흘리며 들어온 아들로 인한 안타까움과 자식을 놀림의 대상으로 삼은 아이들에 대한 원망이 담겨 있다. '쯔쯔쯔쯔. 무엇하러 나갔더냐?'에서는 아들에 대한 안타까움을, '천하 몹쓸 애들이지.'에서는 아이들에 대한 원망을 느낄 수 있다.

9. ⑪은 박에서 나온 쌀과 돈을 보며 좋아하는 흥보의 태도로 볼 수 있다. 그러나 이것을 새로 획득한 위세를 뽐내는 인물의 태도로 보는 것은 적절하지 않다.

오답 풀이 ① ㉠의 '몹쓸 놈의 팔자로구나.'를 통해 자신의 가난을 기구한 팔자 탓으로 생각하는 흥보의 심리를 엿볼 수 있다.

② ㉡의 '밥 한 통만 나오너라.'를 통해 밥에 대한 흥보의 소망이 무엇보다도 간절함을 알 수 있다.

③ ㉢의 '박속일랑 끓여 먹고, 바가지는 부잣집에 가 팔아다가를 통해 박을 통해 얻을 수 있는 것에 대한 인물의 기대감을 알 수 있다.

④ ㉣에서 박속 대신 궤짝만 있는 것을 보고 '허, 복 없는 놈은 계란에도 유골이라더니'라고 한탄하는 흥보를 통해 기대한 것을 얻지 못한 흥보의 실망감을 엿볼 수 있다.

10. 장단 중에 가장 빠르며, 내용의 전개에 긴박감과 긴장감을 주는 장단은 휘모리 장단이다. 이를 통해 빠르게 박 타는 장면을 긴박감 있게 드러내고 있다.

11. "열어 봤다가 좋은 것이 들었으면 몰라도, 만일 궂은 것이 들었으면 어쩔 것인가?"에서 흥보의 신중하면서도 소심한 성격을 엿볼 수 있다. 반면에 "영감, 우리가 시방 이 팔자보다 더 궂게야 되겠소? 근개 그냥 한번 열어 버리시오."에서 흥보 마누라의 대담하고 적극적인 성격을 짐작할 수 있다.

서술형 평가 기준

문제가 요구하는 두 가지 내용을 모두 정확하게 서술한 경우	상
문제가 요구하는 두 가지 내용을 모두 언급하였으나 서술이 어색한 경우	중
문제가 요구하는 두 가지 내용 중 하나만 언급한 경우	하

12. 주어진 장면에서는 유사한 소재가 나열되고 있지 않으며, 과거 상황을 환기하고 있지도 않다.

오답 풀이 ① '쌀과 돈을 떨어 붓고 닫쳐 놨다 열고 보면, 도로 하나 가득하고' 등과 같은 비현실적 요소를 통해 흥미를 더하고 있다.

② '흥보가 좋아라고, 흥보가 좋아라고' 등과 같이 동일한 구절을 반복하여 의미를 강조하고 있다.

③ '총 철환 박히듯 꽉 박혀 가지고, 당장 벌거지 콧속 파먹듯 저 속에서 밥을 파먹고 나오는 것이었다' 등과 같은 비유적 표현을 사용하여 해학성을 높이고 있다.

④ '흥보 밥타령'의 자식들이 밥을 먹는 장면을 극대화하여 전달 효과를 높이고 있다.

13. 가난으로 인해 그토록 바라던 밥이었으나 밥을 보자 화부터 난 이유는 흥보가 그동안 밥 때문에 쌓인 한이 많았음을 보여 주는 것이다.

서술형 평가 기준

문제가 요구하는 내용을 정확하게 서술한 경우	상
문제가 요구하는 내용을 담고 있으나 서술이 어색한 경우	중
문제가 요구하는 내용과 일치하지는 않지만 유사한 내용을 담고 있는 경우	하

14. '흥보 밥타령'은 자신이 맞이한 상황에 대한 흥보의 흥겨운 감정을 적극적으로 드러내는 장면으로 되어 있다. 따라서 이러한 변화에 대해 미심쩍어하는 흥보의 심리가 드러나 있다고 보기는 어렵다.

15. 이 글은 '밥'에 대한 흥보의 주관적인 정서와 인식이 나타나는 장면이다. 따라서 대상에 대한 객관적인 진술을 통해 대상의 특성을 부각한다는 설명은 적절하지 않다.

오답 풀이 ① '자진모리'는 '휘모리' 다음으로 빠른 장단이다.

② 흥보의 목소리를 통해 밥에 대한 흥보의 이중적인 심리가 전달되고 있다.

③ '아찔아찔', '벌렁벌렁' 등 다양한 음성 상징어가 사용되어 구체성을 부여하고 있다.

④ '밥'에 대한 '흥보'의 태도가 부정적인 것에서 긍정적인 것으로 변화되고 있다.

16. 이 글은 판소리 대본이다. 판소리는 근원 설화를 바탕으로 하여 형성되었으며, 적층성과 유동성이 강하다. 판소리는 창, 아니리, 발림의 세 요소로 구성되어 있고, 조선 후기 서민의 생활상이 잘 반영되어 있다. 그러나 우연한 사건 전개가 나타나는 등 긴밀한 인과 구조에 의해 서사가 전개된다고 보기는 어렵다.

17. ㉠은 부잣집에서는 먹다 남은 밥을 짐승들에게 먹이고 그것도 남아 쉬네 썩네 하는 상황인데 정작 자신은 굶으며 지내야 했던 상황을 한탄하고 있는 것이다. 따라서 이것은 사람을 가축보다도 못하게 여기는 각박한 인심과 세태를 풍자한 것이라고 할 수 있다.

18. 흥보가 '밥'을 처음 대했을 때는 그동안 자신을 멀리했던 밥에 대한 원망을 쏟아 내었으나, 간절히 원했던 만큼 금방 태도를 바꾸어 밥과 함께할 수 있다는 데 대한 반가운 마음을 드러내고 있다.

서술형 평가 기준

문제가 요구하는 두 가지 내용을 모두 정확하게 서술한 경우	상
문제가 요구하는 두 가지 내용을 모두 언급하였으나 서술이 어색한 경우	중
문제가 요구하는 두 가지 내용 중 하나만 언급한 경우	하

1. ⑤　**2.** ④　**3.** ⑤　**4.** 구보의 시각에서 부부가 역사의식 없이 개인적 행복이나 추구하는 안일하고 이기적인 인간형으로 보였기 때문에　**5.** ④　**6.** ②　**7.** 내용의 전환을 알려주는 기능을 함으로써 독자의 주의를 환기하는 기능을 한다.　**8.** ①　**9.** 행복　**10.** ④　**11.** 여자와 시선이 마주치는 것이 겁이 나서, 우유부단하고 소심한 성격　**12.** ⑤　**13.** ①　**14.** 도회의 항구　**15.** ⑤　**16.** 도회의 소설가　**17.** ④　**18.** 몽타주 기법　**19.** ④　**20.** '자네'가 가식적인 호칭이라고 생각하기 때문에　**21.** ①　**22.** ⑤　**23.** ⑤　**24.** ②　**25.** ⑤　**26.** 서술자는 구보의 내면 심리를 전지적으로 서술하고 있는 반면, 나머지 등장인물들은 구보의 시선을 통해 서술되고 있다.

서술형 평가 기준

〈보기〉를 바탕으로 적절한 내용을 추론한 경우	상
〈보기〉를 바탕으로 추론한 내용이 포함되어 있으나 서술이 어색한 경우	중
적절한 이유로 볼 수 있으나 추론한 내용이 〈보기〉와의 관련성이 적을 경우	하

1. 이 작품은 주인공 구보의 내면세계를 '의식의 흐름 기법'을 사용하여 특별한 인과 관계 없이 전개하고 있으므로, 인물의 의식이 흘러가는 방향으로 이야기가 전개되었다고 볼 수 있다.

2. ⓔ '강도의 안경'은 신체적 결함을 고쳐야 하는 의사 역시 신체적 결함을 안고 있는 아이러니한 상황을 보여 주고 있다. 이것은 부조리한 당시의 시대적 상황을 우회적으로 풍자한 것으로 볼 수 있다. 따라서 이것이 구보에게 열등감을 갖도록 했다는 설명은 적절하지 않다.
　오답 풀이 ① 구보가 갑자기 나타난 사내와 마주칠 것 같은 착각을 느낀 것은 구보의 나쁜 시력 때문에 일어난 일이다.
　② '이십사 도의 안경'은 구보의 근시를 도와 주기는 하였으나 무수한 맹점을 근본적으로 제거하는 데에는 도움을 주지 못했다.
　③ '시력 검사표는 그저 그 우울한 '안과 재래(眼科再來)'의 책상 서랍 속에 들어 있을지도 모른다.'라고 한 것으로 보아, 구보는 시력 검사표와 관련하여 우울한 감정을 느끼고 있음을 알 수 있다.
　⑤ '무수한 맹점'은 갑자기 쇠약해진 시력의 원인이라고 할 수 있다. 따라서 구보의 신체적 결함을 보여 주는 것이라고 할 수 있다.

3. '그는 저 혼자 그곳에 남아 있는 것에, 외로움과 애달픔을 맛본다.'라고 했으므로, 사람들과 다른 자신의 모습에 대해 자부심을 느끼고 있다는 설명은 적절하지 않다.

4. '화신 상회'는 당시에 아무나 출입할 수 없던 서양식 고급 백화점으로 식민지 조선의 현실과 괴리된 곳이었다. 그런데 그곳을 아무렇지도 않게 행복한 웃음을 지으며 드나드는 젊은 부부의 모습을 지켜보면서, 그들을 역사 의식 없이 개인적인 행복이나 추구하는 안일하고 이기적인 인간으로 생각했다고 볼 수 있다.

5. 고현학적(考現學的) 창작 기법이란 현대인의 일상생활의 세세한 풍속을 조사·기록하여 탐구하고 창작하는 기법이라고 했다. 따라서 이곳저곳을 돌아다니기 위한 구보의 '한 손의 단장'과 관찰한 내용을 기록하기 위한 '또 한 손의 공책'은 〈보기〉의 내용을 뒷받침할 수 있는 소재라고 할 수 있다.

6. '이 동대문행 차를 어디까지 타고 가야 할 것인가를, 대체 어느 곳에 행복은 자기를 기다리고 있을 것인가를 생각해 본다.'로 보아, 구보는 애초에 목적지를 갖고 있지 않으며, 전차를 탄 후에도 내려야 할 역을 정하지 못하고 있음을 알 수 있다.
　오답 풀이 ① 구보는 자신의 자리를 어떤 여인에게 양보한 것이 아니라, 그보다 바로 한 걸음 먼저 차에 오른 젊은 여인에게 점령당했다고 생각하였다.
　③ 교외에는 고독이 준비되어 있었고, 요사이, 구보는 그러한 고독을 두려워하여 교외를 즐기지 않는다고 했다. 따라서 구보가 자주 교외를 찾지 못하는 것을 안타까워했다는 설명은 적절하지 않다.
　④ 구보는 뉴스에 게시되지 않고 있는 축구와 야구 소식에 대해 언급하였을 뿐, 구보가 세상 소식에 관심을 잃은 것은 아니다.
　⑤ 구보는 자신이 지닌 동전들 속에서 특별한 의미를 찾지 못했다.

7. 이 소설은 단락의 첫 어절을 소제목으로 독립시켜 별도의 행으로 구성하고 활자에 변화를 줌으로써 독자로 하여금 내용이 전환되었음을 알도록 하고, 다음에 이어질 내용에 더욱 주목하게 하는 효과가 있다.

8. '고독조차 그곳에는, 준비되어 있었다. 요사이, 구보는 고독을 두려워한다.'로 보아, 구보가 요사이 교외를 즐기지 않는 이유는 고독을 피하고 싶었기 때문이라고 할 수 있다.

9. '설혹 그것이 무슨 의미를 가지고 있었다 하더라도, 그것은 적어도 '행복'은 아니었을 게다.'로 보아, 구보가 자신의 삶에서 찾고자 한 것은 '행복'이라는 것을 알 수 있다.

10. 이 소설은 서술자와 초점자가 분리되어 있다. 서술은 작품 밖의 서술자에 의해 서술되고 있으나, 구보로 초점화되어 있어 구보가 바라본 관점에서 사건이 서술된다.

11. 구보는 여자와 시선이 마주칠까 겁(怯)하여, 얼토당토않은 곳을 보았다고 했다. 따라서 구보가 ⓐ와 같이 행동한 이유는 여자와 시선이 마주치는 것이 겁이 나서이며, 이를 통해 그의 성격이 우유부단하고 소심함을 알 수 있다.

서술형 평가 기준	
문제가 요구하는 두 가지 내용을 모두 정확하게 서술한 경우	상
문제가 요구하는 두 가지 내용을 모두 언급하였으나 서술이 어색한 경우	중
문제가 요구하는 두 가지 내용 중 하나만 언급한 경우	하

12. 구보의 어머니 역시 구보에 대해 실망하고 주변머리 없다고 책할지도 모른다고 했다. 그러나 누가 아들을 졸(拙)하다고 말한다면, 어머니는 아들의 평판이 나빠지는 것을 원치 않기에 ⓜ과 같이 변명해 줄 것이라는 것이다. 따라서 어머니가 세상 사람들과는 달리 아들을 긍정적으로 평가하고 있는 것이 아님을 알 수 있다.

오답 풀이 ① ⓝ은 차장이 한 말을 그대로 옮긴 것이므로, 직접 인용 부호를 사용할 수 있는 부분이다.
② 구보가 행선지를 묻는 차장에게 아무런 사인도 하지 않은 것은, 그가 아직도 자신의 행선지를 정하지 못했음을 보여 주는 것이다.
③ 구보가 대학병원에 있는 벗을 찾아가 좀 다른 세상을 구경하는 것이 어떨지 생각해 보는 것은, 구보가 무료한 일상에서 벗어나고 싶어 한다는 것을 보여 주는 것이라고 할 수 있다.
④ 선을 보았던 여자와 만난 사실에 반색을 하고 그와 관련된 사연을 자꾸 캐어 물을 것이라는 것은 어머니가 구보의 결혼에 관해 관심이 많다는 것을 보여 주는 것이다.

13. 구보는 한 개의 기쁨을 찾아 남대문을 찾았으나, 그곳에서 맥없이 앉아 있는 지게꾼들만 보았다고 했다. 따라서 ㉮에서 새로운 경험을 하며 기쁨을 맛보았다는 설명은 적절하지 않다.

오답 풀이 ② 구보는 남대문 주변에 웅숭그리고 앉아 있는 지게꾼들의 모습을 보고 맥없다고 느꼈다.
③ 구보는 경성역에 있는 그 누구에게서도 인간 본래의 온정을 찾을 수 없다고 했다.
④ 도회의 소설가는 모름지기 이 도회의 항구와 친해야 한다는 직업의식을 가지고 있다.
⑤ 구보는 기쁨을 찾아 남대문을 찾아 갔으나 지게꾼들의 맥없는 모습을 보고 실망한다. 또한 구보는 군중 속에서 고독을 피할 수 있을 것이라는 기대감을 갖고 경성역에 가지만 오히려 그곳에서 고독을 느꼈다고 했다.

14. 수많은 사람들이 오고 가는 곳으로 기차가 드나드는 경성역을 '도회의 항구'로 표현하고 있다.

15. ⓜ은 서로에 대한 믿음을 잃은 사람들을 보며 느낀 구보의 감정을 나타낸다. 딱하고 가여웠다는 것은 인간미를 잃은 사람들에 대한 연민과 안타까움을 드러낸 것이다. 따라서 세상을 따뜻한 눈으로 바라볼 수 있게 되었다는 것은 적절하지 않다.

오답 풀이 ① 구보는 고독을 느끼고 군중들이 있는 곳으로 가고 싶다고 했으므로, 고독에서 벗어나고 싶은 구보의 마음을 엿볼 수 있다.
② 인생이 있을 것이라는 것은 '경성역'에 수많은 사람들이 모인다는 것이다.
③ 옆의 사람들에게 말 한마디 건네지 않는 것은 인간 본래의 온정을 잃은 사람들의 모습이라고 할 수 있다.
④ 자신의 짐을 모르는 사람에게 부탁하는 일이 없다는 것은 사람들 사이에 불신감이 만연해 있음을 보여 주는 것이다.

16. '도회의 소설가는 모름지기 이 도회의 항구와 친해야 한다.'로 보아 구보가 경성역을 찾은 이유 중의 하나는 소설가로서의 직업의식 때문임을 짐작할 수 있다. 이것과 관련하여 구보는 자신을 '도회의 소설가'라고 했다.

17. 구보는 병에 걸린 듯 보이는 사람들을 유심히 관찰하며 내심 그들의 병을 진단하고 있다. ⓓ는 자리를 옮긴 장소에서도 병자가 있었다는 것이지 구보가 그들을 불쾌한 감정으로 바라본 것임을 보여 주는 것은 아니다.

오답 풀이 ① ⓐ는 구보가 노파의 외양만 보고 상상해 본 내용이다.
② ⓑ는 오랜 풍상 속에서 표정마저 굳어버린 모습을 묘사한 것이다.
③ ⓒ는 노파와 거리를 두고 앉고 싶어 하는 시골 신사의 이기적인 속내를 알아차린 구보의 비판적인 심리를 보여 준다.
④ ⓔ는 구보가 '이 조그만 사건'에 흥미를 느끼고 난 뒤에 한 행동이므로, 이 사건을 의미 있게 받아들이고 있음을 알 수 있다.

18. 따로따로 촬영된 화면을 효과적으로 떼어 붙여서 하나의 새로운 장면이나 내용을 만드는, 영화나 사진의 편집 구성의 한 방법을 '몽타주'라고 한다. [A]는 별개인 것처럼 보이는 몇 개의 장면을 나열하여 '시골 신사'에 대한 새로운 정보를 주고 있으므로 몽타주와 유사한 기법으로 볼 수 있다.

19. 구보는 창작을 위해 벗의 광산에 가 보고 싶다 생각을 한 것이지, 자신이 황금광 시대에 동참해 보고 싶다는 생각을 한 것은 아니다. 오히려 그는 황금광 열기를 부정적인 시선으로 보고 있다.

20. '구보는 친하지 않은 사람에게 '자네' 소리를 들으면 언제든 불쾌하였다.'로 보아, 구보는 '자네'라는 호칭을 친하지 않지만 친한 척 부르는 가식적인 호칭으로 받아들이고 있

음을 알 수 있다.

21. 구보가 악수를 청하는 친구의 손을 단장 든 손으로 엉성하게 잡은 것은 그와의 만남이 별로 달갑지 않았음을 보여 주는 행동이라고 할 수 있다.

22. 황금광에 대한 열기로 빠져 들었던 1930년대를 '황금광 시대'라고 표현하고 있다. '금시계'는 우연히 만난 '사내'가 꺼내 보인 것으로 거들먹거리는 '사내'의 재력을 암시하는 소재이지, 황금광 시대와 관련된 것은 아니다.

23. 이 소설은 '구보'라는 한 소설가의 눈에 비친 일제 시대 경성의 모습을 담고 있다.

24. '어느 틈엔가 이런 자도 연애를 하는 시대가 왔나.'는 구보가 직접 한 말이 아니라, 구보의 속마음을 나타낸 것이다. 따라서 직접 인용 부호를 사용하기에 적절하지 않다.

25. 문맥상 '그러한 것'은 사람들이 취하는 음료로 그들의 성격, 교양, 취미를 어느 정도까지 알 수 있을 것인가와 관련된 연구이다. 따라서 ⓕ의 문맥적 의미로 가장 적절한 것은 사람들이 선호하는 음료와 개인 성향과의 관계라고 할 수 있다.

26. 이 소설은 작품 밖의 서술자가 구보의 시선에서 관찰하고 인식한 내용을 독자에게 중계하듯이 서술하고 있다. 따라서 서술자는 구보의 내면 심리를 전지적으로 서술하고 있는 반면, 나머지 등장인물들은 구보의 시선을 통해 서술되었다고 할 수 있다.

서술형 평가 기준

서술자와 초점자를 구분하여 시점에 나타난 특징을 모두 정확하게 서술한 경우	상
서술자와 초점자는 구분하였으나 시점에 나타난 특징을 서술하지 못한 경우	중
서술자와 초점자를 구분하지 못하고 시점상 특징도 서술하지 못한 경우	하

[2] 문학 작품의 수용과 생산

01 즐거운 편지

p. 89

1. ⑤ **2.** ③ **3.** 사소함, 기다림

1. '내가 그대를 사랑하는 까닭'은 '내 나의 사랑을 한없이 잇닿은 그 기다림으로 바꾸어 버린 데 있었다.'고 했으므로, '내

기다림의 자세'는 '한없이 잇닿은'과 연결되어 있으며, 그것이 '그대'를 진실로 사랑할 수 있는 까닭으로 작용한다고 볼 수 있다.

오답 풀이 ① '사소한 일'은 늘 반복되면서도 변하지 않는 것이다. '항상'과 '오랫동안'은 '사소함'과 연결되는 속성을 가진 시어로서, 변하지 않는 사랑을 표현한 것이므로 사소함과 대비된다는 설명은 적절하지 않다.

② '그대가 앉아 있는 배경'은 '내' 사랑이 존재하는 곳으로, '그대'가 인식하지 못하지만 늘 '그대' 곁에 있을 것임을 보여 주는 것이다.

③ '그대'가 '괴로움'을 느낄 때 '그대를 불러보리라'라고 했으므로, '그대'가 느끼는 '괴로움'이 '그대를 불러보리라'에서 비롯된 것이라는 설명은 적절하지 않다.

④ '그칠 것을 믿는다'는 '그대'를 향한 마음도 영원할 수 없다는 것을 인정하고 수용하는 것이라고 할 수 있다. 따라서 그대를 향한 마음이 영원히 변치 않을 것이라는 믿음이 투영된 것이라는 설명은 적절하지 않다.

2. 이 시에서 두 연은 서로 병렬적 성격을 지니고 있으며, 동일한 시구의 반복은 나타나지 않는다. 따라서 동일한 시구를 반복하여 두 연이 인과적으로 연결되어 있다는 설명은 적절하지 않다.

오답 풀이 ① '그 사소함으로 그대를 불러보리라.'와 같은 반어적 표현을 사용하여 사랑의 가치를 부각하고 있다.

② '진실로 진실로'와 같이 동일한 시어를 반복하여 사랑의 진정성을 강조하고 있다.

④ 자신의 사랑을 눈이 퍼붓고 그치고 꽃이 피어나고 낙엽이 떨어지는 자연 현상에 빗대어 자신의 사랑이 지닌 속성을 구체화하고 있다.

⑤ 연의 구분만 있고 행의 구분이 없는 시상 전개를 통해 산문체의 어조가 만들어지고 있다.

3. 이 시의 화자는 자신의 사랑이 지닌 진실함과 영원성을 1연에서는 '사소함'으로, 2연에서는 '기다림'이라는 시어에 담아 표현하였다.

보충 자료 **반어(反語, irony)**

반어는 표현 효과를 높이기 위해 실제와 반대로 이야기하는 표현 방식이다.

> 먼 훗날 당신이 찾으시면
> 그 때에 내 말이 잊었노라
>
> — 김소월, 「먼 훗날」에서

먼 훗날 당신이 찾으시면 '잊었노라'하고 대답한다는 것이나, 사실 지금 잊지 못하고 있다는 말을 이렇게 표현한 것이다.

1. ④　2. ⑤　3. 기차는 다가오며 하늘을 향해 우렁찬 울음을 울었다.. 기차는 헐떡이는 숨을 들이마시며 마침내 역전 안에 정차했다.　4. ⑤　5. ④　6. 수사슴, 사자상, 전사상 / 아프리카의 자연과 삶을 표현한 공예품으로 사실적이고 정교하게 만들어졌다.　7. ⑤　8. ④　9. 승객: 여행의 즐거움을 더해 주는 행위, 원주민: 생계를 위한 절박한 행위　10. ④　11. ③　12. ②　13. ③　14. ①　15. 사자상의 정신적, 예술적 가치를 알아보지 못하고, 흥정의 대상, 화폐와 교환 가능한 '물건'이라고 생각한다.　16. ⑤　17. 사자상의 예술적 가치는 눈여겨보지 않고 싼 가격에 산 것만을 기뻐하는 남편의 모습에 화가 났기 때문이다.　18. ③　19. 남편의 사자상 거래는 생계가 급박한 생산자의 입장을 이용해 소비자에게 일방적으로 유리하게 이루어진 거래라는 점에서 공정 무역으로 보기 어렵다.　20. 분노, 안타까움

1. **가**는 이 소설의 구성 단계상 발단에 해당하는 장면으로, 배경 묘사를 통해 시간적 배경과 공간적 배경을 구체적으로 제시하고 있다.

2. '원주민 상인들이 물건 팔 준비를 하느라 한바탕 소란이 일었다.'는 것으로 보아, 이들의 생계가 걸린 중요한 일을 하고 있음을 알 수 있다. 따라서 원주민들이 가난하면서도 느긋하고 평화로운 모습을 보여 주었다는 설명은 적절하지 않다.

3. '기차는 다가오며 하늘을 향해 우렁찬 울음을 울었다.'와 '기차는 헐떡이는 숨을 들이마시며 마침내 역전 안에 정차했다.'는 모두 무정물을 유정물에 빗대어 대상의 특징을 생동감 있게 표현한 것이다.

4. **나**는 기차의 승객들에게 물건을 팔기 위해 분주해진 기차역의 분위기가 잘 묘사되고 있다. 따라서 이 글을 시나리오로 각색할 때에도 이러한 분위기가 잘 전달되도록 할 필요가 있다.
오답 풀이 ① 주어진 장면에는 기차 안 승객들에게 물건을 팔기 위해 모여든 원주민들의 모습이 나타나 있을 뿐, 저녁 노을에 물든 기차역과 주변 풍경은 제시되어 있지 않다.
② 기차의 승객들과 원주민들 사이에 갈등은 나타나 있지 않다.
③ 승객들에게 구걸하는 아이들의 복잡한 내면 심리는 나타나 있지 않다.
④ 사자상이 지닌 아름다움에 대해 여자와 남편은 의견의 일치를 보이고 있다.

5. 여자는 사자상을 사고 싶은 생각이 들어 반가움을 표현했

을 뿐, 사자상을 파는 상인에게 오만한 태도를 취하고 있는 것은 아니다.

6. 원주민들이 팔고 있는 물건들은 수사슴, 사자상, 전사상 등이며, 이것들은 사실적이고 정교하며 강인한 인상을 주고 있다.

서술형 평가 기준

문제가 요구하는 두 가지 내용을 모두 정확하게 서술한 경우	상
문제가 요구하는 두 가지 내용 중 공통점만 서술한 경우	중
문제가 요구하는 두 가지 내용 중 팔고 있는 물건들만 언급한 경우	하

7. 남편이 못 믿겠다는 표정을 지으며 "삼 실링 육 펜스라!"라고 말한 것은, 생각보다 가격이 비쌌기 때문이다. 따라서 가격으로 흥정할 수 없는 물건이라는 남편의 생각을 엿볼 수 있다는 설명은 적절하지 않다.
오답 풀이 ① ㉠은 승객과 원주민들이 돈과 조각상들을 교환하고 있는 모습을 묘사한 것이다.
② ㉡은 생존을 위해 치열하게 살고 있는 기차 밖 사람들의 모습과 대비된 여유롭고 풍족한 기차 안의 상황을 보여 준다.
③ ㉢은 남아도는 흔한 초콜릿을 기차 밖의 개들에게 던지는 모습을 통해 풍요롭게 여행을 즐기는 백인들의 상황을 드러내고 있다.
④ ㉣은 가격 흥정에 성공하지 못한 여자가 구입을 포기하며 한 말이다.

8. 여자는 '삼 실링 육 펜스'라는 가격이 자신들이 사기에는 비싸다는 생각이 들지만, 그렇다고 가격을 깎기 위해 흥정하고 싶은 마음도 없는 것이다. 이것은 원주민들의 혼과 정성이 담긴 물건을 두고 흥정하고 싶지는 않았기 때문이다.

9. 승객과 원주민들 사이에서 이루어지고 있는 거래는 각자의 입장에서 다른 의미를 갖는다. 즉, 승객의 입장에서는 이것이 여행의 즐거움을 더해 주는 행위에 불과한 것이지만, 원주민의 입장에서는 생계를 위한 절박한 행위라고 할 수 있다.

서술형 평가 기준

문제가 요구하는 내용을 승객과 원주민의 입장에서 모두 정확하게 서술한 경우	상
문제가 요구하는 내용을 승객과 원주민의 입장에서 모두 언급하였으나 표현이 어색한 경우	중
문제가 요구하는 내용을 승객과 원주민의 입장 중 하나만 언급한 경우	하

10. 이 소설은 작품 밖의 서술자가 사건을 서술하고 있다. 그런데 여자의 내면 심리는 직접 서술되고 있는 반면, 다른

인물의 내면 심리는 서술하지 않고 있다. 따라서 작품 밖의 서술자가 특정 인물의 시각에서 인물의 내면 위주로 서술한다고 볼 수 있다.

11. ⓐ는 백인 여자가 지난 몇 주 간의 휴가에서 체험한 찬란한 아프리카의 문화를 의미하고, ⓑ는 준비되지 않은 상태에서 밀려들어오는 서구 문명의 힘에 혼을 잃고 방황하며 가난하고 힘겨운 삶을 사는 아프리카의 현실을 의미한다.

12. ㉫는 원주민들의 다급함을 이용해 헐값에 사자상을 산 남편에 대한 비판 의식과, 그러한 삶을 살 수밖에 없는 원주민들에 대한 안타까움을 드러내고 있다. 따라서 이 글을 읽은 독자의 반응으로 가장 잘 어울리는 것은 ②이다.

13. 기차가 멈추어 서 있는 동안 물건을 팔지 못한 원주민들은 기차가 움직이자 다급한 마음에 기차를 따라 달리며 마지막 흥정을 시도해 보는 것이다. 따라서 이러한 모습에는 어떻게든 물건을 팔아 생계를 해결해야 한다는 절박함이 담겨 있다고 할 수 있다.

14. ㉬는 헐값에 사자상을 사 온 남편과 그러한 남편의 행동에 분노하는 여자가 대화를 나누는 장면으로, 두 사람 사이의 갈등이 드러나고 있는 장면이다.

15. ⓐ는 남편이 사자상을 싸게 샀음을 자랑삼아 말하는 부분으로, 사자상의 가치를 생각하기보다는 단지 물건을 싸게 사는 데만 관심이 있었음을 알 수 있다.

16. '여자는 마치 조각품을 보호하려는 것처럼 맹렬하게 말했다.'로 보아, ㉣은 남편의 태도에 화를 내고 있는 여자의 목소리라고 할 수 있다. 따라서 '(남편을 안쓰러워하며 조용한 목소리로)'는 ㉣에 어울리는 지시문으로 보기 어렵다.

17. 여자의 얼굴에 분노의 빛이 역력하게 된 것은 원주민들이 만든 사자상의 예술적 가치에는 관심을 보이지 않고, 원주민들의 다급한 사정을 이용해 싼 가격으로 사자상을 사게 된 것을 기뻐하고 있는 남편의 모습에 화가 났기 때문이다.

서술형 평가 기준

문제가 요구하는 이유를 정확하게 서술한 경우	상
문제가 요구하는 이유를 언급하였으나 문장 표현이 어색한 경우	중
문제가 요구하는 이유 중 일부 요소만 언급한 경우	하

18. 이 작품은 아프리카인들의 비참한 현실을 고발하고, 아프리카인들에 대한 서양인들의 자기중심적 사고에 반성을 촉구하기 위해 쓴 것이라고 할 수 있다. 또한 사자상의 정신적 가치는 고려하지 않고 물질적인 가치로만 평가하려는 남편을 통해 물질적 가치로만 대상을 판단하려는 가치관을 비판하고 있다. 그러나 '아프리카인들의 전통문화에 대한

열정'이 주제 그 자체는 아니다.

19. 개발 도상국 생산자의 경제적 자립과 지속 가능한 발전을 위해 생산자에게 더 유리한 무역 조건을 제공해야 한다는 공정 무역의 관점에서 보았을 때, '남편'의 사자상 거래는 급박한 생산자의 입장을 이용해 소비자에게 일방적으로 유리하게 이루어진 거래라는 점에서 비판의 대상이 될 수 있다.

서술형 평가 기준

문제가 요구하는 내용을 모두 정확하게 서술한 경우	상
문제가 요구하는 내용을 언급하였으나 표현이 어색한 경우	중
대상에 대한 비판은 언급하였으나 그 이유가 충분하게 서술되지 않은 경우	하

20. '일 실링 육 펜스라!'가 반복적으로 표현되고 있는데 이는 여자의 분노와 안타까움을 강조하기 위한 것이다.

---

03 허생전 p. 105

1. ① **2.** ⑤ **3.** ⑤ **4.** "당신은 평생 과거(科擧)를 보지 않으니, 글을 읽어 무엇합니까?", "밤낮으로 글을 읽더니 기껏 '어떻게 하겠소?' 소리만 배웠단 말씀이오?" **5.** ② **6.** ⑤ **7.** 허생의 비범한 인물됨을 알아본 변 씨는 허생의 능력을 믿고 그를 시험해 보고자 거금을 빌려 준 것이다. **8.** ③ **9.** 임금이 낮은 신분의 와룡 선생 같은 이를 찾아가 삼고초려하는 것은 당시의 예법에 어긋나는 것이었기 때문이다. **10.** ③ **11.** ④ **12.** 지배 세력이 주장하는 친명배청의 사상이 얼마나 허구적인 것인지를 드러내고자 한 것이다. **13.** ③ **14.** ⑤ **15.** ⑤ **16.** 목적을 이루기 위해 체면을 버린 인물들이다.

1. ㉮는 허생의 처가 가장의 책임을 멀리하고 책만 읽는 허생을 책망하면서 두 사람 사이의 갈등이 심화되고 있는 장면이다. 따라서 인물 간의 대화를 통해 갈등의 양상이 드러난다고 볼 수 있다.

2. 허생과 허생의 처의 대화를 통해 허생은 학문을 개인의 학문적 성취를 위한 것으로 여기고 있음을, 허생의 처는 학문을 출세의 방편으로 여기고 있음을 알 수 있다.

3. 허생의 처는 허생에게 실속 없는 독서만 하지 말고 무슨 일이라도 해서 돈을 벌어 오라고 책망하고 있다. 따라서 장인바치 일을 장사보다 더 낮게 여기고 있다는 설명은 글의 내용과 일치하지 않는다.

4. 실속 없는 학문에 대한 비판은 허생의 처에 의해 이루어지고 있는데, 그가 한 말 중에서 "당신은 평생 과거(科擧)를

보지 않으니, 글을 읽어 무엇합니까?", "밤낮으로 글을 읽더니 기껏 '어떻게 하겠소?' 소리만 배웠단 말씀이오?" 등을 통해 그러한 비판 의식을 엿볼 수 있다.

5. 변 씨는 허생의 말투와 행동거지를 통해 허생이 큰 일을 할 사람이라고 판단되어 돈을 내어 준 것이지 경솔해서 그런 것은 아니다.

6. '후안무치'는 뻔뻔스럽고 부끄러움이 없는 모습으로, 남에게 무엇을 빌리러 오는 사람들의 일반적인 특징을 나타낸 말로 보기 어렵다.
   오답 풀이 ① '허장성세(虛張聲勢)'는 '실속은 없으면서 큰소리치거나 허세를 부림.'의 뜻으로, '으레 자기 뜻을 대단히 선전하고'와 통하는 태도로 볼 수 있다.
   ② '자화자찬(自畵自讚)'은 '자기가 그린 그림을 스스로 칭찬한다는 뜻으로, 자기가 한 일을 스스로 자랑함.'의 뜻이다. '신용을 자랑하면서도'와 통하는 태도로 볼 수 있다.
   ③ '교언영색(巧言令色)'은 '남의 환심을 사려고 아첨하는 교묘한 말과 보기 좋게 꾸미는 얼굴빛.'의 뜻으로, '비굴한 빛이 얼굴에 나타나고'와 통하는 태도로 볼 수 있다.
   ④ '중언부언(重言復言)'은 '이미 한 말을 자꾸 되풀이함.'의 뜻으로, '말을 중언부언하게 마련이다.'와 통한다.

7. '변 씨'가 '허생'에게 돈 만 냥을 이름도 묻지 않고 내어 준 까닭은 '변 씨'가 허생의 인물됨을 간파하고 그가 재물 없이도 만족할 사람임을 알아보았기 때문이다. 또한 허생이 일 만 냥으로 하고자 하는 일을 통해 그의 재주를 시험해 보고 싶은 마음도 있었기 때문이다.

   서술형 평가 기준

문제가 요구하는 두 가지 이유를 모두 정확하게 서술한 경우	상
문제가 요구하는 두 가지 이유를 모두 언급하였으나 서술이 어색한 경우	중
문제가 요구하는 두 가지 이유 중 하나만 언급한 경우	하

8. 매점매석은 허생이 유일하게 실험해 본 방법으로 이러한 방법을 통해 경제적 이윤을 보려는 상인들이 많았다는 설명은 적절하지 않다.
   오답 풀이 ① 제사에 쓸 과일값과 상투를 틀기 위한 망건값이 열 배까지 뛰어 오른 것을 통해 제사와 겉치레가 중요한 시대였음을 알 수 있다.
   ② 안성은 각 지방에서 올라오는 물건들이 모이는 삼남의 길목이라고 했다.
   ④ 허생이 제주도에 건너가서 말총을 죄다 사들이자 망건값이 열 배로 뛰어오른 것은 제주도에서 올라온 말총이 망건의 재료로 사용되었기 때문이다.
   ⑤ 허생이 실험한 돈 만 냥으로 상품의 가격이 열 배나 뛰어 오르게 할 수 있을 정도로 경제 구조가 취약했음을 알 수 있다.

9. 이완 대장이 허생의 제안을 받아들이지 못한 이유는 임금이 낮은 신분의 와룡 선생 같은 이를 찾아가 삼고초려하는 것은 당시의 예법에 어긋나는 것이었기 때문이다. 이완 대장은 당시의 사대부 계층을 대표하는 인물로 실리보다 명분을 중시하는 태도를 보인다.

   서술형 평가 기준

문제가 요구하는 이유를 추론하여 정확하게 서술한 경우	상
문제가 요구하는 이유를 언급하였으나 서술이 어색한 경우	하

10. 허생은 자신이 축적한 부로 이상국 건설의 시험을 마치고 빈민을 구제하는 등, 재물에 연연하지 않는 모습을 보이고 있으므로 허생을 재물에 대한 욕망을 지닌 인물로 보는 것은 적절하지 않다.

11. 적극적인 외교를 주문한 것은 맞지만 당나라와 원나라의 패망을 교훈으로 삼아야 한다는 언급은 하지 않았다.
    오답 풀이 ① 허생은 명나라 장졸들이 조선은 옛 은혜가 있다고 하여 조선에 망명해 와 정처 없이 떠도는 명나라 자손들이 많은데 이들을 우대해야 한다고 했다.
    ② 허생은 기득권을 가진 지배 계층인 훈척과 권귀의 집을 빼앗아서 떠도는 명나라 자제들에게 나누어 주라고 했다.
    ③ 허생은 천하에 대의를 외치려면 먼저 천하의 호걸들과 접촉하여 결탁하지 않고는 안 되고, 남의 나라를 치려면 먼저 첩자를 보내지 않고는 성공할 수 없는 법이라고 하면서, 청나라를 이기려면 먼저 청나라 호걸들과 결탁하여야 한다고 했다.
    ⑤ 국중의 자제들을 가려 뽑아 머리를 깎고 되놈의 옷을 입혀서, 청나라와 결탁하여야 한다고 했다.

12. 작가는 허생의 제안을 통해 당시의 지배 세력이 주장하는 친명배청의 사상이 얼마나 허구적인 것인지를 드러내고 있다. 즉, 친명을 주장하면서도 망명한 명나라 자제들을 돌볼 수 없다고 하며, 청나라를 배척해야 한다고 하면서도 청나라를 이길 방책을 수용하지 못하는 지배 세력의 태도를 문제 삼은 것이다.

    서술형 평가 기준

문제가 요구하는 친명배청과 관련된 내용을 모두 정확하게 서술한 경우	상
문제가 요구하는 친명배청과 관련된 내용 중 하나만 언급한 경우	중
친명배청과 관련된 내용은 언급하였으나 허구성과 관련된 내용을 서술하지 못한 경우	하

13. ⓒ은 앞에 한 제안이 받아들여지지 않자 그보다는 받아들이기 쉬운 제안임을 밝힌 것이다. 거짓으로 이 대장을 시험해 보려는 허생의 의도는 나타나 있지 않다.

14. 이완 대장은 허생의 제안을 듣고 "사대부들이 모두 조심스럽게 예법(禮法)을 지키는데, 누가 변발(辮髮)을 하고 호복(胡服)을 입으려 하겠습니까?"라고 말한다. 허생은 '대체 무엇을 가지고 예법이라 한단 말인가?'라며 문제를 제기한다. 따라서 허생은 낡은 예법에만 매달려 필요한 것을 받아들이지 못하는 당시의 지배 세력을 비판했다고 볼 수 있다.

15. 허생의 행적이 묘연하다는 식으로 이야기의 결말을 지은 것은 신비함을 부각하여 허생의 이인(異人)다운 풍모에 어울리는 설화적인 결말이라고 할 수 있다.

16. 번오기와 무령왕은 자신이 목표하는 것을 이루기 위해 체면을 버리고 실천한 인물들이다.

---

[3] 문학의 확장

01 남한산성   p. 116

> **1.** ④ **2.** ④ **3.** 성에서 나와 항복하고 예를 갖추어 청나라 군대를 맞이하라. **4.** ② **5.** ③ **6.** 성안이 점점 피폐해지는 현재와 같은 상황에서는 적과 싸울 수 없기 때문에 싸움의 길을 열기 위해 먼저 화친으로 지켜야 한다. **7.** ② **8.** ④ **9.** 명분, 실리 **10.** ② **11.** ⑤ **12.** 최명길은 묘당의 공론이 일의 형세를 알리는 목소리를 무시하고 대의를 중시하는 말만 한다고 여기고 있다. 그에 반해 김상헌은 조정의 공론은 뜻이 뚜렷하고 근본이 굳은 대의를 담고 있다고 여기고 있다. **13.** ④ **14.** ④ **15.** ③ **16.** ⑤

1. 임금에게 온 용골대의 문서는 왕의 항전 의지를 강화하는 것이 아니라 오히려 항복에 대한 왕의 갈등을 심화하는 기능을 한다.

[오답 풀이] ① 왕의 항복을 요구하는 문서를 왕 앞에서 읽게 되자 성안 신하들의 긴장감이 고조된다.
② 문서가 성안에 갇혀 있는 조선의 왕을 조롱하는 내용으로 되어 있어서, 문서는 어려운 상황에 처해 조롱당하는 왕의 처지를 부각한다.
③ 문서를 두고 고민하는 왕과 신하들의 모습을 통해 적과 싸울 수도 물러설 수도 없는 조선의 위태로운 상황을 단적으로 보여 준다.
⑤ 문서에는 청의 요구 사항이 구체적으로 담겨 있어 조선에 대한 청의 요구 사항이 무엇인지를 알 수 있다.

2. 승지가 마저 읽기를 머뭇거린 것은 용골대가 보낸 문서의 내용이 너무 무례하여 임금 앞에서 읽는 것이 민망했기 때문이다. 따라서 승지가 문서의 의미를 미처 헤아리지 못하

고 있다는 설명은 적절하지 않다.

3. 문서를 통해 알 수 있는 용골대의 요구 사항을 한 문장으로 정리하면, 임금이 성에서 나와 항복하고 예를 갖추어 청나라 군대를 맞이하라는 것이다.

서술형 평가 기준

문제가 요구하는 내용을 모두 정확하게 서술한 경우	상
문제가 요구하는 내용을 모두 언급하였으나 서술이 어색한 경우	중
문제가 요구하는 내용 중 일부 내용만 언급한 경우	하

4. 주어진 장면은 화친을 주장하는 최명길과 항전을 주장하는 김상헌의 대립적 입장이 두 사람의 대화를 통해 드러나는 장면이다. 인물 간의 대화를 통해 긴장감이 고조되고 있다.

5. '글을 닦아서 응답할 일은 아니로되 신들을 성 밖으로 내보내 말길을 트게 하소서.'로 보아, 최명길은 신하를 적에게 보내 화친의 길을 열어야 한다는 생각을 하고 있음을 알 수 있다.

6. 최명길이 "예판의 말은 말로써 옳으나 그 헤아림이 얕사옵니다."라고 한 것은, 성안이 점점 피폐해지는 현재와 같은 상황에서는 적과 싸울 수 없다고 판단했기 때문이다. 최명길은 내실이 없으면 싸울 수 없다고 주장하고 있는데, 이는 먼저 화친으로 내실을 기해야 싸움의 길 또한 열린다는 것이다.

서술형 평가 기준

주장의 근거와 주장의 구체적 의미를 모두 정확하게 서술한 경우	상
문제가 요구하는 주장의 구체적 의미를 언급하였으나 근거를 정확히 밝히지 못한 경우	중
문제가 요구하는 내용 중 일부 요소만 언급한 경우	하

7. "전하, 죽음은 가볍지 않사옵니다. 만백성과 더불어 죽음을 각오하지 마소서. 죽음으로써 삶을 지탱하지는 못할 것이옵니다."라는 최명길의 말을 통해 볼 때, 최명길은 죽음이 어떠한 상황에서도 결코 가벼울 수 없다는 생각을 갖고 있음을 알 수 있다.

8. 김상헌은 적과 싸우는 것이 일의 근본이자 처음이어야 하고 화친은 일의 끝이어야 하며, 지킴은 전을 통해 얻을 수 있는 실리라고 말하고 있다. 따라서 수를 얻으면 전이 화를 이끌어 낼 수 있다는 것은 김상헌의 생각과 거리가 멀다.

9. ㉡은 김상헌의 의견에 대해 최명길이 비판한 내용이다. 최명길은 김상헌이 명분만을 중시하여 실리를 버리려 한다고

생각하고 있다.

10. 김상헌은 상대방의 의견을 비판하고 있을 뿐 상대방의 의견을 자신에게 유리하게 활용하고 있지는 않다.

오답 풀이 ① 최명길은 '장마가 지면 물이 한 골로 모이듯'과 같은 비유적인 표현을 사용하여 대상의 속성을 설명하고 있다.

③ 최명길은 '상헌은 우뚝하고 신은 비루하며, 상헌은 충직하고 신은 불민한 줄 아오나'와 같이 김상헌을 치켜세워 주면서 자신의 뜻을 관철하려 하고 있다.

④ 김상헌은 '묘당의 말들이 그동안 화친을 배척해 온 것은 말이 쏠린 것이 아니옵고 ~ 대의를 향해 공론이 아름답게 모인 것이옵니다.'라고 하며 최명길의 주장을 반박하면서 자신의 주장을 펼치고 있다.

⑤ 최명길과 김상헌은 모두 임금을 설득하고자 하는 의도를 갖고 있다.

11. ㉠에는 나라가 위급한 상황에서도 서로의 입장만 앞세워 싸우기만 하는 신하들의 모습을 보면서 어떤 결정도 내리지 못하고 괴로워하는 마음이 담겨 있다고 볼 수 있다.

12. 최명길은 묘당의 말들은 이른바 대의로 쏠려서 사세를 돌보지 않으니, 대의를 말하는 목소리는 크고 사세를 살피는 목소리는 조심스럽다고 했다. 반면, 김상헌은 묘당의 말들이 그동안 화친을 배척해 온 것은 말이 쏠린 것이 아니라 강토를 보전하고 군부를 지키려는 대의를 향해 공론이 아름답게 모인 것이라고 했다. 따라서 최명길은 묘당의 공론이 일의 형세를 알리는 목소리를 무시하고 대의를 중시하는 말만 한다고 여기고 있음을 알 수 있다. 그에 반해 김상헌은 조정의 공론은 뜻이 뚜렷하고 근본이 굳은 아름다운 대의를 담고 있다고 여기고 있음을 알 수 있다.

서술형 평가 기준

문제가 요구하는 두 가지 입장과 비교한 내용을 모두 정확하게 서술한 경우	상
문제가 요구하는 내용은 모두 포함되어 있으나 일부의 내용이 어색한 경우	중
문제가 요구하는 두 가지 입장만 언급한 경우	하

13. 최명길은 임금이 신하들의 의견을 귀담아듣지 않는 것을 안타깝게 여기고 있지는 않다. 오히려 중론에 따르지 말고 성단을 결행해 줄 것을 간청하고 있다.

14. ㉣은 묘당(의정부)과 비국(비변사)이 모두 세상 물정을 제대로 모르는 유학자의 무리들로 이루어져 있음을 비판한 것이다. 따라서 묘당과 비국의 의견을 따라야 한다는 주장을 담고 있다는 설명은 적절하지 않다.

오답 풀이 ① ㉠에서는 '총소리'와 같은 청각적 심상을 통해 성첩 주변을 휘감는 전쟁의 위기감이 드러나고 있다.

② ㉡은 질문의 방식을 통해 입을 다물고 있는 영상에게 왕이 책망하듯 의견을 물은 것이다.

③ ㉢은 사태의 위급함에도 책임을 피하기 위해 너무 안일하게 대응하고 있는 영상의 태도를 부정적으로 평가한 것이다.

⑤ ㉤은 중론에 흔들리지 말고 왕이 결단을 내려 줄 것을 촉구한 것이다.

15. ㉮ ~ ㉯는 최명길과 김상헌의 의견 대립이 지속되는 가운데 결단을 내리지 못하는 임금의 모습까지 겹쳐지면서 갈등이 점점 고조되는 장면이다.

16. [A]는 달빛이 비치는 눈 쌓인 성 주변의 쓸쓸한 밤 풍경과 추운 겨울의 계절감을 통해 작품의 시공간적 배경과 춥고 황량한 현장의 분위기를 생생하게 전달한다. 또한 이러한 풍경을 바라보고 있는 임금의 모습을 통해 임금의 복잡한 심경도 엿볼 수 있다. 그러나 임금이 어떤 결단을 내리게 하는 기능을 하는 것은 아니기 때문에 [A]가 결단을 내리는 계기가 되었다는 설명은 적절하지 않다.

---

02 총, 꽃, 시   p. 126

1. ②   **2.** ④   **3.** 일반적으로 총은 강함을, 꽃은 약함을 상징하므로 약한 것이 강한 것을 이길 수 있다는 말은 논리적으로 받아들이기 어렵기 때문이다.   **4.** ④   **5.** ①   **6.** 채송화   **7.** ⑤
8. 다양한 매체이면서 서로 관련이 있는 다양한 소재들을 활용하여 주제를 효과적으로 전달하고 있다.   **9.** ④   **10.** ②
11. ①

1. 이 글에서는 유추의 방식이 사용되지 않았을 뿐 아니라 글쓴이가 자신의 삶을 성찰한 내용도 나타나 있지 않다.

오답 풀이 ① 프랑스에서 실제 있었던 테러 사건을 소재로 활용하고 있다.

③ 글쓴이가 관찰한 테러 관련 사건을 사실적으로 전달한 후에 자신의 의견을 덧붙이고 있다.

④ 도입부에 간결한 문체를 통해 프랑스에서 일어난 사건을 요약적으로 전달하고 있다.

⑤ 직접 인용의 방식으로 아빠 앙겔과 아들 브랑동 사이의 대화를 전달하고 있다.

2. 브랑동은 어린아이이기 때문에 현실의 문제를 걱정과 두려움 속에서 받아들이고 있으나, 아빠의 이야기를 듣고 안심을 하게 된다. 따라서 브랑동이 현실의 문제를 논리적으로 이해하고 받아들이고 있다는 설명은 적절하지 않다.

3. 글쓴이가 ㉠과 같이 말한 이유는 일반적으로 강함을 상징하는 총이 약함을 상징하는 꽃에 진다는 말을 논리적으로 이해하고 받아들이기가 쉽지 않기 때문이다. 따라서 꽃이 총을 이긴다는 말에는 논리적인 비약이 존재한다고 말한 것이다.

서술형 평가 기준

문제가 요구하는 이유를 정확하게 서술한 경우	상
문제가 요구하는 이유를 언급하였으나 서술이 어색한 경우	중
문제가 요구하는 이유의 일부 내용만 담고 있는 경우	하

4. 시의 맥락상 '할머니의 노여움'은 할머니가 전쟁에 대해 가진 한과 반감이라고 할 수 있다. 할머니의 희망을 반어적으로 표현했다는 설명은 적절하지 않다.

5. 글쓴이는 '정말 이 야만의 시대에 꽃이 과연 총을 이길 수 있는가.'라는 질문을 던지고 인용된 시에서 그 답을 찾고자 한다. 따라서 '총은 꽃을 이기지 못할 것이다.'가 글쓴이의 깨달음으로 가장 잘 어울린다고 할 수 있다.

6. 전쟁은 사람들에게서 희망과 사랑과 내일에 대한 소망을 모두 빼앗아가 버렸지만 인용된 시의 할머니는 따뜻한 마음을 가지고 희망을 버리지 않는다. 그러한 할머니의 마음이 채송화의 꽃씨를 받는 행동으로 나타나고 있으며 전쟁의 비정함, 야만스러움과 대조점에 놓여 있다.

7. '그 작은 꽃씨를 털으시리라.'는 할머니가 포기할 수 없는 희망과 사랑을 상징한다고 볼 수 있다. 따라서 이것을 할머니의 노여움과 관련된 시구로 보는 것은 적절하지 않다.

8. 이 글은 영상, 시, 동요 등 '꽃'과 관련이 있는 여러 매체의 다양한 소재들을 활용하여 하나의 주제를 효과적으로 전달하고 있다.

서술형 평가 기준

문제가 요구하는 표현 요소를 정확하게 서술한 경우	상
문제가 요구하는 표현 요소를 언급하였으나 서술이 어색한 경우	중
문제가 요구하는 표현 요소를 정확하게 서술하지 못한 경우	하

9. 글쓴이가 '아빠와 할머니가 키웠던 채송화가 '나' 아니었을까'라고 한 것은, 아빠와 할머니가 키운 채송화가 자식에 대한 사랑 때문이라고 믿고 있기 때문이다.

10. ⓑ는 중증 장애를 앓고 있는 카투니스트가 그린 「병사와 꽃 3」이라는 작품을 보고 상상한 장면이다. 이 작품은 전장의 폐허 속에서 꽃을 나누는 어린아이의 모습을 담은 카툰

으로 '총'을 이기는 '꽃'이라는 주제를 강하게 전달한다. 그러나 이것이 작가의 자전적 이야기를 담고 있는 것은 아니다.

11. '총'이 우리 사회의 거친 남성, 어른의 폭력, 주류의 횡포, 지배 언어 등을 상징한다면, '꽃'이나 '시'는 비록 약해 보이지만 더 강한 힘과 생명력을 지닌 것들로, 여성, 아이, 장애, 변방의 언어 등을 상징한다고 볼 수 있다.

---

03 만화 토지	p. 134

1. ⑤　**2.** ⑤　**3.** 싫대두, 싫어! 아버지가 싫단 말야., 아버진 싫다는데두, 고훔! 고훔! 하고.　**4.** ③　**5.** ⑤　**6.** ②　**7.** ④　**8.** 딸의 문안 인사가 반가우면서도 한편으로는 어색해하고 있다.

1. 주어진 장면에서는 서희의 대사와 행동 묘사를 통해 서희의 아버지에 대한 불편한 심리를 드러내고 있다.

2. 서희는 아버지에게 문안 인사를 하는 것보다 두만네 집 강아지를 더 보러 가고 싶다고 했다. 그러나 강아지를 보고 온 사실을 마님이 알까 봐 두려워하고 있다는 것은 아니다.
오답 풀이 ① '봉순아, 어서 애기씨 뫼시고 사랑에 가거라.'를 통해 봉순이가 서희를 모셔야 하는 입장임을 알 수 있다.
② '아버진 싫다는데두 고훔! 고훔! 하고.'를 통해 아버지는 자주 기침을 하는 병을 앓고 있음을 알 수 있다.
③ '마님께서 말씀하십니다. 나리께 문안드리라고.'를 통해 마님은 서희가 아버지에게 문안을 드리도록 했음을 알 수 있다.
④ '싫대두!, 싫어! 아버지가 싫단 말야.'를 통해 서희는 아버지에 대해 부정적인 감정을 갖고 있음을 알 수 있다.

3. '싫대두, 싫어! 아버지가 싫단 말야.', '아버진 싫다는데두, 고훔. 고훔! 하고.'에는 아버지에 대한 서희의 부정적인 감정이 직접적으로 드러나 있다.

4. 무뚝뚝한 표정으로 아무 말도 않고 있는 아버지의 모습으로 보아, 아버지가 문안을 온 서희에게 친근감을 표현하고 있다는 반응은 적절하지 않다.

5.

 몸 주변 선이 활용되었으나, 이것은 서희의 어색하고 주뼛거리는 모습을 표현하고자 한 것이지 역동적인 움직임을 드러낸 것은 아니다.

오답 풀이 ① 아버지가 기거하는 사랑 주변과 방 안의 배경 묘사를 통해 공간의 특성을 드러내고 있다.

② '콜록, 콜록, 콜록'이라는 음성 상징어를 활용하여 기침병을 앓고 있는 인물의 특성을 부각하고 있다.

③ 댓돌 위에 놓인 아버지와 서희의 신발을 통해 두 사람만 있는 어색한 방안의 분위기를 상상하도록 하고 있다.

④ 서희와 아버지의 표정 묘사를 통해 인물의 내면 심리가 드러나도록 하고 있다.

6. 서희는 두렵고 긴장감이 가득한 표정을 하고 있다. 그러나 불만으로 일그러진 표정을 하고 있다는 설명은 맥락상 어울리지 않는다.

오답 풀이

① 	서희는 그 말이 귀에 닿지도 않았던 것처럼 붉은 치마를 활짝 펴면서 나붓이 절을 한다.
③ 	가엾을 만큼 여위고 창백한 그의 손이 책갈피를 누르면서 눈은 글자를 더듬어 내려간다.
④ 	일단 방에 들어온 뒤에는 나가도 좋다는 말이 떨어지지 않는 이상 서희는 일어설 수 없다.
⑤	이따금 책장 넘기는 소리가 났다.

7. 주어진 장면에서는 인물의 모습이 사실적으로 그려져 있으므로 인물의 모습을 비현실적인 모습으로 묘사한다는 설명은 적절하지 않다.

8. 딸의 문안 인사가 반가우면서도 한편으로는 어색해하고 있는 최치수의 모습을 통해 그의 이중적인 심리를 느낄 수 있다.

서술형 평가 기준

문제가 요구하는 인물의 이중적인 심리를 정확하게 서술한 경우	상
문제가 요구하는 인물의 이중적인 심리를 언급하였으나 서술이 어색한 경우	중
문제가 요구하는 인물의 이중적인 심리 중 일부만 포함되어 있는 경우	하

대단원 시험 예상 문제　　　pp. 144~153

1. ①　**2.** ③　**3.** ⑤　**4.** 암사슴　**5.** ②　**6.** ③　**7.** 흥보는 박 속에서 먹을 것이 나오기를 간절히 바랐으나, 자신의 기대와 달리 박이 비어 있는 것을 보고 자신의 박복한 팔자를 탓하며 실망하고 있다.　**8.** ①　**9.** ②　**10.** ④　**11.** 이 소설은 인식의 주체와 서술의 주체가 나뉘어져 있다. 이 작품의 서술의 주체(서술자)는 작품 밖의 3인칭 서술자이고 사건을 인식하는 주체(초점자)는 '구보'로, 구보의 관점에서 관찰한 사건을 서술자가 서술하는 형식으로 전개되고 있다.　**12.** ④　**13.** ③　**14.** 이 조그만 사건에 문득, 흥미를 느끼고, 그리고 그의 '대학노트'를 펴 들었다., 구보는 일찍이 창작을 위해 그의 벗의 광산에 가 보고 싶다 생각하였다.　**15.** ⑤　**16.** ⑤　**17.** ⑤　**18.** 일상적이고 사소한 일인 것 같으나 위대한 일인 자연의 섭리처럼 자신의 사랑 또한 그러하다고 표현함으로써 자신이 지닌 사랑의 특별함을 강조하고 있기 때문이다.　**19.** ⑤　**20.** ④　**21.** ①　**22.** '여자'는 사자상을 일 실링 육 펜스라는 싼 가격에 사 온 남편에게 몹시 화가 나 있다. 사자상이 지닌 가치를 존중하지 않고 원주민의 다급한 상황을 이용하여 터무니없이 싼 가격에 물건을 사 온 남편이 미웠기 때문이다.　**23.** ②　**24.** ①　**25.** ①　**26.** ㉮의 '처'와 비교할 때, ㉯의 '처'는 "그렇다면 차라리 저와 절연하시지요."라고 말할 정도로 자신의 주관이 뚜렷하고 당시의 관습에 얽매이지 않으며 매우 적극적인 인물이다.　**27.** ③　**28.** ③　**29.** ·이상적임. · 실리보다 명분을 중시함.　**30.** ⑤　**31.** ②　**32.** 위기에 처한 나라의 상황 때문에 걱정으로 가득한 임금의 내면　**33.** ①　**34.** ②　**35.** ·의미: 작은 것이 큰 것을 고치고, 부드러운 것이 강한 것을 이긴다는 것이다. ·이유: '꽃'은 비록 연약해 보이지만 그 부드러움 속에 담긴 평화와 희망의 힘으로 인해 '총'이 '꽃'을 이길 수 없기 때문이다.　**36.** ④　**37.** ②

1. ㉮에서는 '산', '송이', '사슴' 등의 시어를 반복하였고, ㉯에서는 '산'을 반복하여 전달하고자 하는 시적 의미를 강조하였다.

오답 풀이 ② ㉯에 해당하는 설명이다.

③ ㉮에 해당하는 설명이다.

④ ㉮에는 '봄눈', '산도화'와 같은 계절감이 드러나는 시어가 나타나 있지만, ㉯에는 나타나 있지 않다.

⑤ ㉮, ㉯ 모두 해당되지 않는다.

2. ㉮에는 의성어나 의태어와 같은 음성 상징어는 사용되지 않았다.

오답 풀이 ① '보랏빛 석산', '산도화' 등의 소재를 활용하여 시적 공간의 탈속성(속세를 벗어난 이상 세계의 공간적 성격)을 드러내고 있다.

② '보랏빛', '송이 버는데', '옥 같은 물' 등 선명한 시각적인 이미지를 통해 한 폭의 동양화를 보는 것과 같은 인상을 주고 있다.

④ 원경에 해당하는 '산'에서 근경에 해당하는 '암사슴'으로 시선의 이동에 따라 시상이 전개되고 있다.

⑤ 각 연마다 3행을 배열하여 형식적인 규칙성을 부여하고 있다.

3. '부활의산', '영생하는산', '회생의산', '종교적인산' 등은 고난의 역사적 상처를 딛고 생명력을 회복하는 이 산의 강인한 생명력을 강조하기 위한 것이지, 종교적인 신성성을 강조한 것이라고 보기 어렵다.

오답 풀이 ① '절망', '분노'는 비극적인 역사적 사건과 관련된 민중적 정서를 표현한 것이라고 할 수 있다.

② '넉넉하게'는 상처 입은 자들을 감싸 안고 치유해 주는 '무등'의 민중적인 포용력을 함축하는 시어이다.

③ 시가 전체적으로 산 모양을 하고 있는 것은 '무등산'의 모양과 밀접한 관련이 있다.

④ 이 작품이 전통적인 서정시의 연과 행의 배열 형식을 따르지 않은 것은 이 작품이 갖는 실험성을 드러낸 것이라고 할 수 있다.

4. '봄눈 녹아 흐르는 옥 같은 물'에 '발을 씻는' 것이 '암사슴'이라고 했으므로, 봄눈이 녹아 옥같이 맑은 물이 흐르고, 그 차고 담담함 속에 생동하는 생명의 자태는 '암사슴'이라고 할 수 있다.

5. 🔵의 '휘모리'는 판소리 장단 중 가장 빠른 장단으로 긴장감과 기대감을 조성하고 있으므로 슬픈 가락과 조응하고 있다는 설명은 적절하지 않다.

오답 풀이 ① '우리가 이 박을 타서 박속일랑 끓여 먹고, 바가지는 부잣집에 가 팔아다가 목숨 보명허여 볼거나.' 등으로 미루어 볼 때, 🔵에는 박을 타서 배고픔이라도 면하기를 바라는 인물의 간절한 정서가 담겨 있다고 볼 수 있다.

③ 🔵의 '진양조'는 판소리 장단 중 가장 느린 장단이고 🔵의 '휘모리'는 판소리 장단 중 가장 빠른 장단이므로 갑자기 음률이 크게 바뀐다고 볼 수 있다.

④ '아니리'는 지속되던 청중의 긴장을 완화시키고 창자가 호흡을 조정할 수 있도록 한다고 했으므로, 🔵에서 🔵로 이어지며 고조된 긴장감이 🔵에 이르러 이완되는 효과가 나타난다고 볼 수 있다.

⑤ 🔵는 아니리로, 대화 형식을 활용하여 이야기를 전개하다가 박을 탄 후의 사건의 전개를 요약적으로 서술하고 있다.

6. '어떤 놈이 박속은 쏵 긁어다 먹고, 아 여, 남의 조상궤 훔쳐다 넣어 놨구나'로 보아, 홍보는 궤짝이 아니라 비어 있는 박을 보고 누가 박속을 가로챈 것이라고 생각하고 있다.

오답 풀이 ① "톱 소리를 내가 맞자 해도 배가 고파서 못 맞겠소."를 통해, 홍보 마누라는 허기에 지쳐 박을 타는 것

도 힘들어하고 있음을 알 수 있다.

② '어떤 사람 팔자 좋아 일대 영화 부귀헌데, 이놈의 팔자는 어이하여 박을 타서 먹고 사느냐.'를 통해, 홍보는 다른 사람과 비교하며 자신의 가난한 처지를 한탄하고 있음을 알 수 있다.

④ '우리가 이 박을 타서 박속일랑 끓여 먹고, 바가지는 부잣집에 가 팔아다가 목숨 보명허여 볼거나.'를 통해, 홍보는 박을 타서 당장의 허기도 면하고 푼돈이라도 벌 수 있을 것이라는 기대를 하고 있음을 알 수 있다.

⑤ '우리가 시방 이 팔자보다 더 궂게야 되겠소?'를 통해, 홍보 마누라는 어떠한 상황이 오더라도 현재의 상황보다 더 악화될 것이 없을 것이라고 믿고 있음을 알 수 있다.

7. ㉠으로 보아, 홍부는 박속에서 먹을 것이 나오기를 간절히 바랐음을 알 수 있다. 그러나 자신의 기대와 달리 박이 비어 있는 것을 보고 자신의 박복한 팔자를 탓하고 있음을 ㉡을 통해 알 수 있다.

8. 이 작품은 주인공 '구보'가 서울의 거리를 배회하면서 보고 듣고 생각한 내용을 의식의 흐름 기법에 따라 쓴 작품이다. '경성역' 등 구체적인 지명을 제시하여 사실감을 주고 있으며(ㄱ), '구보는 고독을 느끼고, 사람들 있는 곳으로, 약동하는 무리들이 있는 곳으로, 가고 싶다 생각한다.'와 같이 쉼표를 자주 사용하여 호흡을 조절하고 있다(ㄴ). 그러나 장면을 빈번하게 전환하고 있지는 않으며, 서술자는 '구보'의 내면까지 서술하고 있어서 관찰자의 입장에서 객관적으로 서술했다고 보기는 어렵다.

9. '~ 찾아가는지 모른다.', '~ 있을 게다.' 등 추측의 표현을 통해 '구보'가 '노파'와 '중년의 시골 신사'에 대해 상상한 내용을 전달하고 있다.

10. '구보'가 '경성역'에서 본 사람들의 모습은 타인을 믿지 못하고, 인간 본래의 온정을 찾을 수 없으며, 타인의 일에는 무관심하다. 그래서 '구보'는 '오히려 고독은 그곳에 있었다.'고 생각한다. 그러나 삶의 의미를 찾지 못해 무기력한 모습 등은 나타나 있지 않아 '구보'가 평가한 내용이라고 보기 어렵다.

11. 이 작품에서 서술의 주체(서술자)는 작품 밖의 3인칭 서술자이다. 그러나 사건을 인식하는 주체(초점자)는 '구보'로 구보의 관점에서 관찰한 사건을 서술자가 서술하는 형식으로 전개되고 있다.

12. 이 글과 〈보기〉는 모두 인과적 구성에 의해서가 아니라 주인공인 '구보'와 '나'의 의식이 흘러가는 방향으로 사건이 전개되는 특징을 보이고 있다.

13. '벗의 광산'은 구보가 창작을 위해 가 보고 싶다고 생각한 곳이었지, 자신이 황금광에 대한 유혹을 느꼈기 때문은 아

니다. 구보는 사회에 불어 닥친 황금광 열풍을 냉소적 시각으로 보고 있다.

14. '구보'는 소설가로서 일상 속에서 벌어지는 작은 일에도 흥미를 느끼고 그것을 자신의 노트에 기록해 둔다. 이는 고현학적 창작 기법과 관련이 깊다. 또한 창작을 위해 여러 경험을 해 보고 싶어 하는 모습을 보인다.

15. '진실로 진실로 내가 그대를 사랑하는 까닭은 내 나의 사랑을 한없이 잇닿은 그 기다림으로 바꾸어 버린 데 있었다.'를 통해, ㉮의 화자는 사랑을 한없는 기다림으로 승화시켜 진실한 사랑을 지키고자 함을 알 수 있다.

16. '햇솜 같은 마음을 다 퍼부어 준 다음에야 / 마침내 피워 낸 저 황홀 보아라'는 사랑 때문에 받을 상처를 두려워하지 말고 비록 그것이 상처가 될지라도 자신의 마음을 다 퍼부어 준 다음에야 비로소 황홀한 사랑을 얻을 수 있는 것임을 말해 준다. 따라서 이것은 가장 아름다운 사랑은 상처 위에서 피어나는 것이라는 생각을 가진 영수의 입장에서 공감할 만한 시구라고 할 수 있다.

17. '눈이 퍼붓기 시작'한 '골짜기'는 순환하는 계절 속에서 겨울을 맞이한 것을 의미하고, '한 번 덴 자리'에 난 '상처'는 '햇솜 같은 마음을 다 퍼부어 준' 그 자리, 즉 사랑의 상처를 의미한다. 따라서 이것들을 '혹독했던 겨울이 남긴 흔적'과 연결하여 '봄'의 도래에 대한 간절한 바람으로 해석하는 것은 적절하지 않다.

18. '해가 지고 바람이 부는 일'과 같은 자연 현상은 일상적으로 반복되기에 별것 아닌 것처럼 보이지만 실상은 무엇보다 소중한 일이며 결코 변하지 않는 진리이다. 그러므로 자신의 사랑이 무엇보다 소중하며 변하지 않을 것임을 '사소한 일'이라는 반어적 표현을 통해 나타내고 있다고 볼 수 있다.

19. 이 글에서는 '여자'와 그녀의 남편 사이의 갈등이 중심 사건을 이루고 있는데, 갈등의 원인은 '사자상'에 대한 두 사람의 관점 차이 때문이라고 할 수 있다. '여자'는 사자상이 정교한 예술품이자 아프리카의 전통과 정신이 깃든 소중한 것으로 흥정의 대상이 될 수 없는 것이라고 생각한다. 하지만 그녀의 남편은 사자상을 물질적 가치로 환산될 수 있는 것으로 생각하기 때문에 사자상을 두고 가격을 흥정한 것이다.

20. 공정한 가격에 거래하고, 생산자를 배려해야 한다는 공정 무역의 관점에서 보았을 때, 원주민들의 급박한 상황을 이용해 물건값을 흥정하고 아주 싼 가격에 사자상을 구입한 남편의 행위는 공정한 거래로 보기 어렵다는 비판을 받을 수 있다.

21. ㉠에서는 역설적 표현이 사용되지 않고 있다.

> **보충 자료** 역설(逆說, paradox)
>
> 모순된 표현 속에서 사실 이상의 진실을 담고 있는 표현 방식.
> – 밤에 홀로 유리를 닦는 것은 / 외로운 황홀한 심사이어니(정지용, 「유리창」에서)
> – 나는 아직 기다리고 있을 테요 / 찬란한 슬픔의 봄을(김영랑, 「모란이 피기까지는」에서)
> – 괴로웠던 사나이 / 행복한 예수 그리스도에게처럼(윤동주, 「십자가」에서)
> – 이것은 소리 없는 아우성(유치환, 「깃발」에서)

22. '여자'는 사자상을 일 실링 육 펜스라는 싼 가격에 사 온 남편에게 몹시 화가 나 있다. 사자상이 지닌 가치를 존중하지 않고 원주민의 다급한 상황을 이용하여 터무니없이 싼 가격에 물건을 사 온 남편이 미웠기 때문이다.

23. ㉮와 ㉯ 모두 '허생'과 그의 처 사이의 대화를 통해 두 사람 사이의 갈등이 드러나고 있다. '허생'은 독서에 매진하며 경제적으로 무능력한 모습을 보이고 있는데, 그의 처가 이러한 그의 모습을 비판하고 있기 때문이다.

24. 허생의 처는 허생이 글만 읽을 뿐 가장으로서 가족의 생계를 돌보지 않음을 질책하고 있다.

25. '견강부회'는 사리에 맞지 않은 말을 자신에게 유리하도록 억지로 끌어다 대는 것을 말한다. 따라서 저 편리한 대로 그럴 듯한 말을 잘도 갖다 붙이는 허생의 태도를 비판하는 말로 쓸 수 있다.
오답 풀이 ② 중언부언(重言復言): 한 말을 자꾸 되풀이함.
③ 이실직고(以實直告): 사실 그대로 고함.
④ 침소봉대(針小棒大): 바늘만 한 것을 몽둥이만 하다고 한다는 뜻으로, 작은 일을 크게 불리어 떠벌린다는 의미.
⑤ 경거망동(輕擧妄動): 경솔하여 생각 없이 망령되게 행동함.

26. ㉯는 ㉮ 작품을 패러디한 소설로, ㉯의 허생의 '처'는 "그렇다면 차라리 저와 절연하시지요."라고 말할 정도로 ㉮의 허생의 '처'보다 주체적이며 의식이 깨어 있는 인물로 형상화되었다.

27. 이 글에서는 청과의 전과 화를 두고 김상헌과 최명길의 의견이 대립하는 상황이 사건의 중심을 이루고 있다.

28. ㉢은 화친을 주장하는 '최명길'이 한 말로, 오히려 임금이 화친을 해야 하는 구체적인 이유에 해당한다.

오답 풀이 ① 성첩에서 들리는 총소리는 적군과 교전을 하는 소리로 전쟁 상황의 위기감을 조성한다고 할 수 있다.
② 적과 대치하고 있는 급박한 상황에서도 자신의 의견을 밝히지 않는 영상의 태도가 태평연월이라고 한 것은, 자신의 직책을 핑계로 논쟁에 끼어들지 않으려는 그의 비겁함과 안일함을 비판하기 위한 것이라고 할 수 있다.
④ '의분하는 창의의 무리'는 불의를 보고 일어난 분노로 무장한 의병을 일컫는 말이므로, 여기에는 왕을 돕기 위해 일어설 의병들에 대한 믿음과 기대감이 깔려 있다고 볼 수 있다.
⑤ 임금이 두 신하의 의견 대립을 보고 소리를 지르며 한 말이라는 점에서, 결론 없는 싸움이 계속되는 상황에 대한 임금의 불편한 심기가 드러나 있다고 볼 수 있다.

29. 김상헌은 조선과 조정의 어려운 현실적 상황을 먼저 고려하기보다 당위와 명분을 앞세워 청과의 전을 주장하고 있다. 따라서 화친을 주장한 최명길에 비해 이상적이며 실리보다 명분을 중시한다고 볼 수 있다.

30. '명길의 말은 의도 아니고 이도 아니옵니다. 명길은 울면서 노래하고 웃으면서 곡하려는 자이옵니다.'라고 한 데서 알 수 있듯이 김상헌은 명길의 말이 전혀 이치에 맞지 않음을 주장하며 화친을 반대하고 있다.

31. 임금이 소리를 지른 것은 최명길을 꾸짖기 위한 것이 아니라 두 신하의 다툼을 그만두게 하기 위한 것이다.

32. 화친할 것인지 전쟁을 할 것인지를 갈등하는 임금의 눈에 비친 한겨울 남한산성의 맑고 파란 밤하늘 풍경은 걱정과 시름으로 가득한 임금의 내면을 상징적으로 드러내고 있다.

33. 이 글은 사진, 카툰 등 다양한 매체의 사례들을 연결하여 '총'이 '꽃'을 이길 수 없다는 주제 의식을 전달하고 있다.

34. 꽃, 여성, 아이, 시 등은 모두 작고 부드럽지만 강한 것을 이기는 것들로 '꽃'이 지닌 상징성과 통하는 것들이라고 할 수 있다. 그러나 '총'은 이것들과 대비되는 것이라고 할 수 있다.

35. '총'이 '꽃'을 이기지 못한다는 것은, 작은 것이 큰 것을 고치고, 부드러운 것이 강한 것을 이긴다는 의미이다. '꽃'은 비록 연약해 보이지만 그 부드러움 속에 담긴 평화와 희망의 힘으로 인해 '총'이 '꽃'을 이길 수 없기 때문이다.

36. ④는 서희가 봉순이와 함께 아버지의 방 앞에 서 있는 장면으로, 주어진 글 앞에 있어야 할 장면에 해당한다.

37. 만화는 정지된 화면을 통해 이야기를 전달해야 하는 매체의 특성 때문에 소설을 만화로 재구성할 때에는 상당히 많은 내용이 생략될 수밖에 없다. 따라서 누락되는 내용이 생기지 않도록 해야 한다는 고려 사항은 적절하지 않다.

3 한국 문학의 성격

[1] 한국 문학의 개념과 범위

01 어미 말과 새끼 말   p. 158

1. ⑤ **2.** 대국 천자의 명령으로, 똑같이 생긴 말 두 마리 중에서 어미 말과 새끼 말을 구별해 내어야 하는 상황에 처해 있다.
3. ④ **4.** ⑤ **5.** ⑤ **6.** ① **7.** 이 이야기는 자식을 향한 부모의 사랑과 헌신이라는 본질적이고 보편적인 주제 의식을 다룸으로써 사람들의 공감을 이끌어 내어 오랜 기간 동안 사람들의 입에서 입으로 전승되어질 수 있었다.

1. 이 글은 실제 말하듯이 전달하는 구어체를 사용하여 독자로 하여금 생동감을 느끼게 하고 있다.

2. 원 정승은 대국의 천자가 보내온 똑같이 생긴 두 마리 말 중에서 어미 말과 새끼 말을 골라내야 하는 문제 상황에 처해 있다.

3. 이 글은 구비 설화로 흥미 위주의 이야기인 민담에 해당한다. 구비 설화는 입에서 입으로 전달되는 과정에서 첨삭이 일어나는 여러 사람의 공동작으로, 누가 창작했는지 정확하게 알 수 없다.
오답 풀이 ① 입에서 입으로 구전되던 구비 문학이다.
② 민담에는 보편적이고 평범한 민중들의 삶과 바람, 정서가 반영되어 있다.
③ 구비 문학은 문자로 기록되기 이전부터 존재하던 문학이다.
⑤ 민담은 재미와 교훈을 주기 위해 흥미 위주로 꾸며 낸 이야기이다.

4. 이 글은 대국 천자가 낸 어려운 문제를 원 정승의 어린 아들이 지혜를 통해 해결하는 구조를 가지고 있다.
오답 풀이 ① '문제 – 해결'의 구조를 가지고 있지만, 그 구조가 반복적으로 나타나지는 않는다.
② 환상적인 요소를 통해 재미를 주고 있는 부분은 나타나 있지 않다.
③ 민담은 실제 역사적 사실을 바탕으로 한 것이 아니라 흥미 위주로 꾸며 낸 이야기이다.
④ 이 글은 평범한 인물들의 이야기인 민담으로 영웅적 인물의 신성성이 드러나지 않는다. 영웅적 인물의 신성성이 드러나는 것은 구비 설화 중 신화에 해당한다.

5. 원 정승의 어린 아들은 지혜를 발휘해 말의 모성애를 통해 어미 말과 새끼 말을 구별했다. 아버지에 대한 사랑으로 문제를 해결했다고 보기는 어렵다.

6. 이 이야기는 설화 중 민담으로, 문자로 기록되지 않고 오랜 기간 동안 입에서 입으로 구전되다가 우리 문자로 추후 채록되었다. 따라서 '우리 문자로 창작되어 기록된 서사 문학의 시작'이라는 설명은 적절하지 않다.

7. 이 이야기는 어미 말의 새끼를 향한 사랑과 헌신을 담아내어 자식을 향한 부모의 마음이라는 보편적 주제를 잘 드러내고 있다. 이러한 주제 의식은 사람들의 공감을 잘 이끌어 낼 수 있으므로 오랜 기간 입에서 입으로 전해내려 올 수 있었던 것이다.

서술형 평가 기준

이 이야기의 주제 의식과 관련 지어 전승되었음을 바르게 서술한 경우	상
이 이야기의 주제 의식과 관련지어 전승되었음을 서술하지 못한 경우	하

---

02 송인 p.164

1. ⑤　**2.** 화자의 정서를 심화시키는 기능을 한다.　**3.** ④
4. 이별의 한

---

1. 이 시에서 화자가 임과 이별한 슬픔을 드러내고 있지만, 임과의 재회를 소망하는 모습은 드러나지 않는다.

2. 이 시의 '풀빛'과 〈보기〉의 '풀빛'은 모두 그 푸르름으로 인해 화자의 슬픔의 정서를 강조하는 기능을 한다.

3. 3구는 '다함이 없는 대동강 물'이라는 서경이 드러나고 있다. 따라서 서정을 통해 화자의 정서를 드러내는 시적 묘미가 느껴진다는 설명은 적절하지 않다.
　오답 풀이　① 1구에서는 '풀빛이 고운데'를 통해 시각적 심상이 드러나고 있다.
② 2구에서는 남포에서 임을 보내며 슬퍼하는 화자의 모습이 드러나고 있다.
③ 1구에서는 비 개인 봄날의 풍경이, 2구에서는 남포에서 임과 이별하는 화자의 슬픔의 정서가 드러나 있다. 소생하는 싱그러운 자연의 모습과 이별로 인한 화자의 슬픈 감정을 대비시켜 이별의 정한을 효과적으로 드러내고 있다.
⑤ 3구와 4구에서 대동강 물이 마르지 않는 이유가 해마다 이별의 눈물이 계속 첨가되기 때문이라는 기발한 착상을 통해 화자의 슬픔의 크기를 극대화하여 드러내고 있다.

4. 이 작품에서 '물'은 이별의 한을 나타낸다. '비[雨]', '강[江]', '물[水]', '물결[波]' 등의 물의 이미지는 '눈물[淚]'의 이미지와 결합하여 '한(恨)'으로 충만된 이별의 정서를 고조시키고 있다.

---

[2] 한국 문학의 전통과 특질

01 사미인곡 p.168

1. ③　**2.** ①　**3.** ⑤　**4.** ②　**5.** ③　**6.** ②　**7.** 하계　**8.** 연지분(臙脂粉)　**9.** ④　**10.** ⑤　**11.** ④　**12.** ⑤　**13.** ④　**14.** 첫째, 임금을 그리워하는 자신의 마음을, 사랑하는 사람에게서 버림받은 여성의 마음에 빗대어 노래함으로써 독자들의 공감을 얻을 수 있다. 둘째, 여성 화자의 목소리를 빌려 표현함으로써 자신의 애틋한 마음을 보다 절실하게 전달할 수 있다.　**15.** ②　**16.** ④　**17.** ④　**18.** ①　**19.** ②　**20.** ④　**21.** 봄 – 미화(매화), 여름 – 옷, 가을 – 청광(청광), 겨울 – 양춘(양춘)　**22.** ①　**23.** ①　**24.** ②　**25.** ④　**26.** ③　**27.** [A]는 단일한 여성 화자의 독백 형식을 취하는 데 반해, 〈보기〉는 두 화자의 대화 형식으로 되어 있다.

---

1. 이 글의 갈래는 가사로, 가사는 고려 말엽 이후에 발생하였다. 조선 전기에는 사대부 중심의 가사가 주를 이루었으며, 조선 후기에는 여성과 평민에 이르기까지 다양한 작가층이 형성되었다.
　오답 풀이　①, ⑤ '가사'는 기본적으로 노래로 부르는 갈래이다. 그리고 시조의 운율을 이용하고 있어, 3·4(4·4)조의 음수율과 4음보의 율격이 나타난다.
④ 우리의 노래 문학은 그 형식이 유연한데, 가사 역시 형식이 고정되어 있지 않아서, 기본적인 운율을 지키는 가운데 분량이 거의 무제한적으로 길어지는 것이 특징이다. 「사미인곡」은, 4음보를 1행으로 보았을 때 총 63행으로 이루어져 있다.

2. 「사미인곡」은 우리말의 아름다움을 잘 구사한 작품이며(ㄱ), 임금을 향한 변함없는 충성심을 표현한 '충신연군지사(忠臣戀君之辭)'에 해당한다(ㄴ).

3. '늙거야 므스 일로 외오 두고 그리는고'로 보아, 화자는 늙은 후에 임과 헤어졌지만, 무슨 일(므스 일)로 버림받았는지는 알지 못하고 있다.
　오답 풀이　① 임과 이별하고 지금 있는 곳으로 올 때에 빗은 머리가 헝클어진 지 3년이라고 했으므로, 이별한 지 3년 되었다고 볼 수 있다.

② 2행의 '흔싱 연분(緣分)이며 하늘 모를 일이런가.'에서 '흔싱 연분(緣分)'은 '천생연분'이라는 의미로, 임과의 인연은 하늘이 정해 준 것이라고 하여 임과의 숙명적 인연을 강조하고 있다.

③ 3~4행에서 화자는 임이 자신을 사랑하던 과거를 회상하며 그때를 그리워하고 있다.

④ '염냥(炎凉)이 째롤 아라~하도 할샤'에서 화자는 임이 불러 주지 않아 이별한 상태로 세월이 덧없이 흘러가고 있는 것에 대해 안타까워하고 있다.

4. 〈보기〉에서 설명하는 적강(謫降) 화소와 연관된 어휘, 천상계와 대립되는 세계인 지상계를 일컬은 '하계(下界)'이다.

5. 이 글의 서사 부분에는 이별의 한과 그리움 때문에 눈물로 세월을 보내는 화자의 심정이 나타나 있다. 이러한 화자의 정서와 가장 유사한 것은 꿈에서조차 헤어진 임을 그리워하며 이별을 슬퍼하는 정서를 노래한 ③이다.

오답 풀이 ① 소인에 대한 훈계 및 스스로의 결백 주장
② 충신을 향한 처세(處世)에 대한 회유
④ 효심(孝心), 돌아가신 부모님에 대한 그리움
⑤ 삶의 근심과 고달픔에서 오는 답답한 심정을 해소하기를 소망함.

6. ㉠에서 한평생 함께 살아갈 인연이며 하늘이 아는 일이라고 하였으므로 이와 관계 깊은 한자 성어는 하늘이 정해 준 인연이라는 의미인 천생연분(天生緣分)이다.

오답 풀이 ① 백년해로(百年偕老): 부부가 되어 한평생을 사이좋게 지내고 즐겁게 함께 늙음.
③ 부부유별(夫婦有別): 오륜(五倫)의 하나. 남편과 아내 사이의 도리는 서로 침범하지 않음에 있음을 이른다.
④ 백년가약(百年佳約): 젊은 남녀가 부부가 되어 평생을 같이 지낼 것을 굳게 다짐하는 아름다운 언약
⑤ 지피지기(知彼知己): 적의 사정과 나의 사정을 자세히 앎.

7. 임금이 계신 궁궐을 달나라의 궁전인 '광한뎐'으로, '나'가 있는 전남 창평을 인간 세상인 '하계'로 표현하고 있다.

8. '연지분'은 볼연지와 분을 아울러 이르는 말로, 이 글의 화자가 여성임을 알게 해 준다.

9. 전체 구성상 '본사'의 일부에 해당하는 이 대목은 봄에서 여름으로 계절이 바뀌면서 시상이 전개되고 있다.

10. 본사 ②의 '하원(夏怨)'에서 화자는 임에게 옷을 보내고자 하는데, 이웃은 화자가 직접 '오색선을 풀어내고 금자로 재어서' 지은 것이다.

11. ㉯는 작가가 은연중에 자신의 재능을 드러내고 있는 자화자찬의 상황이다. 이와 반대되는 뜻의 속담은 ④이다.

12. '날인가 반기실가.'에서는 임금이 자신의 충성심을 과연 알아줄 것인가에 대한 의구심을 표현하고 있지, 임금에 대한 원망과 불만을 드러낸 것이 아니다.

13. '산'은 '구롬(구름)'과 마찬가지로 화자와 임 사이를 가로막는 장애물로 임금의 총명을 흐리는 간신을 상징한다.

14. 이 작품은 여성의 목소리를 빌려 임금을 연모하는 마음을 더욱 절실하게 효과적으로 전달하고 있다.

서술형 평가 기준

여성의 목소리를 빌려 표현함으로써 얻고 있는 효과 두 가지를 모두 적절하게 서술한 경우	상
여성의 목소리를 빌려 표현함으로써 얻고 있는 효과 두 가지 중 한 가지만 적절하게 서술한 경우	중
여성의 목소리를 빌려 표현함으로써 얻고 있는 효과에 대해 서술하였으나 내용이 미흡한 경우	하

15. 임을 그리워하고 임이 곁에 없어 외로워하는 화자의 정서가 드러나 있을 뿐 임을 원망하는 화자의 정서는 나타나 있지 않다.

16. '본사 ③'의 계절별 대표적 소재는 '청광'이며 이를 임 계신 봉황루로 보내고자 한 것은 임금이 베푸는 선정이 심산궁곡까지 널리 미치기를 바라는 화자의 충정이 드러난 것이다.

17. '절치부심'은 '몹시 분하여 이를 갈며 속을 썩임.'의 뜻을 나타낸다. 화자가 분노를 느끼고 있는 상황은 아니다.

오답 풀이 ① 독수공방(獨守空房): 아내가 남편 없이 혼자 지냄. → '앙금(鴦衾)도 츠도 출샤'에 독수공방하는 외로움이 나타나 있다.
②, ③ 오매불망(寤寐不忘): 자나 깨나 잊지 못함, 전전반측(輾轉反側): 누워서 몸을 이리저리 뒤척이며 잠을 이루지 못함. → 잠자리에 누워서도 임을 잊지 못해 잠을 설치는 모습이 '이 밤은 언제 샐고.'에 나타나 있다.
⑤ 학수고대(鶴首苦待): 학의 목처럼 목을 길게 빼고 간절히 기다림. → 화자는 임을 만날 수 있기를 고대하고 있다.

18. 〈보기〉에서는 동짓달의 긴 '밤'이라는 시간을, 이 글에서는 '양춘'을 주관적으로 변용하여 나타내고 있다.

보충 자료 황진이, 「동지(冬至)ㅅ 돌 기나긴 밤을~」
• 갈래: 고시조, 평시조, 단시조
• 성격: 감상적, 낭만적, 연정적
• 제재: 밤
• 주제: 임을 기다리는 애틋한 마음
• 특징
  ① 추상적인 개념을 구체적인 사물로 형상화함.
  ② 음성 상징어를 통해 우리말의 묘미를 적절하게 살림.

19. 화자는 '동산(東山)의 둘'과 '북극(北極)의 별'을 '님이신가' 하고 반긴다. 이로 보아, ⓒ은 '동산(東山)의 둘'과 함께 '임(임금)'의 의미를 함축한다고 볼 수 있다.

20. ㉮에서는 온 세상에 눈이 내려 인적이 끊어지고 날아가는 새들의 움직임도 없다고 표현하고 있다. 이러한 상황은 외롭고 고요하며 적막한 분위기를 느끼게 한다.

21. 이 작품의 본사에는 계절별로 임에게 전하고 싶은 소재가 제시되어 있는데 이를 통해 임에 대한 그리움과 충성심, 소망 등을 드러내고 있다.

22. 이 글이 속한 갈래는 '가사'이다. 가사는 시조와 마찬가지로 고려 시대 때 등장하였고, 조선 시대에 와서 크게 발전하였다. 궁중 속악의 가사로 쓰인 갈래는 '속요'이다.

23. 이 작품의 화자는 속만 태우며 앉아서 임을 기다리는 소극적인 모습을 보이고 있다.

24. 〈보기〉를 고려할 때, 이 작품에 나오는 '님'은 단순히 사랑하는 임이 아니라 '임금(선조)'을 가리킨다. ②는 술잔을 들고 산의 모습을 바라보는 기쁨이 반가운 임을 만난 기쁨보다 더하다고 노래하고 있는데, 이때의 '님'은 '임금'으로 볼 수 없다.

[오답 풀이] ① 작가인 왕방연이 금부도사로서 단종을 영월에 유배시키고 돌아오면서 지은 시조로, 유배된 임금에 대한 안타까운 마음을 표현하고 있다. 따라서 이때의 '님'은 '임금(단종)'을 뜻한다.
③ 임금에 대한 충성을 노래한 절의가로,' 님'이 '임금'을 뜻한다는 것을 알 수 있다.
④ 이방원의 '하여가'에 대한 답가로, 고려 왕에 대한 충정을 노래한 시조이므로 '님'은 '임금'을 뜻한다.
⑤ 임금이 옥당('홍문관'의 별칭)에 국화를 하사하며 시를 지으라고 하여 지은 시조로 알려져 있다. '풍상(바람과 서리)'은 시련을, '황국화'는 절개와 지조를, '도리(복숭아꽃과 오얏꽃)'는 쉽게 변절하는 신하를 각각 상징한다.

25. 이 글의 화자는 사대부 규중 여인의 어조로 임에 대한 그리움을 안으로 삭이며 임에 대한 변함없는 사랑을 드러내고 있다.

26. 이 글의 작가인 송강 정철은 남성이지만 여성 화자를 설정하여 여성 화자의 목소리를 빌려서 임을 그리워하는 마음을 표현하고 있다.

27. 「사미인곡」은 화자의 독백체이지만 「속미인곡」은 화자와 보조적 인물의 대화체로 되어 있다. 「속미인곡」의 화자는 모두 작가의 분신으로, 임금을 향한 작가의 충성심을 효과적으로 드러내기 위해 설정한 인물이다.

---

02 태평천하   p. 182

1. ②   **2.** ⑤   **3.** 앞으로 전개될 사건의 내용을 암시하는 역할을 한다.   **4.** ④   **5.** • 표면적 이유: 손자들이 호강할 수 있기 때문이다. • 이면적 이유: 손자들을 통해 집안의 지위를 보장받고 자신의 부를 안정적으로 유지할 수 있기 때문이다.   **6.** ③   **7.** ②   **8.** ③   **9.** 편집자적 논평을 통해 윤 직원을 조롱하고 있다.   **10.** ⑤   **11.** ④   **12.** 자손에 의해 윤 직원 집안이 몰락할 것임을 암시하고 있다.   **13.** ②   **14.** ②   **15.** ⑤   **16.** '태평천하'에 쓰인 반어적 표현은 돈과 권력으로 식민지 사회에 순응하고 협조하여 안정된 생활을 누리는 인물들에 대한 풍자와 비판을 극대화하는 효과를 가진다.   **17.** ④   **18.** 윤 직원 집안의 몰락을 암시하고 있다.   **19.** ③

1. 윤 직원은 자신에게 불리한 현실에 격분하여 개인의 이익을 위해 투쟁한 인물이다.

2. 긍정적인 인물로 종학이 등장하기는 하지만 종학과 부정적인 인물인 윤 직원의 대조가 두드러지게 드러나지는 않는다. 부정적인 인물인 윤 직원에 초점을 맞추어 풍자하고 있다.

3. 이 글은 각 장마다 소제목을 사용하여 앞으로 벌어지게 될 사건의 내용을 암시하고 있다. 이 장에서도 외부의 적이 아닌 진시황의 아들인 호해에 의해 진나라가 망하게 된 것처럼, 윤 직원이 가장 아끼는 둘째 손자 종학에 의해 집안이 몰락하게 될 것임을 암시하고 있다.

4. 윤 직원 영감은 종수를 동생 종학이와 비교함으로써 종수가 정신을 차리고 분발할 것을 촉구하고 있다. 따라서 종수와 종학이 모두에게 전폭적인 신뢰를 보내고 있다는 것은 적절하지 않다.

5. 표면적으로는 손자의 호강을 원한다고 하지만 실제로는 자신의 부를 안정적으로 유지하기 위한 것이다.

6. ⓒ는 종수를 의미하고 나머지는 종학을 의미한다.

7. 윤 직원은 아들의 방문에 대해 '해가 서쪽으서 뜨겄구나?'라고 말하고, '멋허러 오냐? 돈 달라러 오지?'라며 아들 윤 주사에 대해 부정적인 심사를 표현하고 있다.
　오답 풀이　① 전보의 내용은 종학의 피검과 관련된 것이다.
③ 창식이의 아버지에 대한 태도는 드러나지 않는다.
④ 창식이는 평소에 아버지를 잘 방문하지 않는데 동경에서 온 전보 때문에 억지로 아버지를 찾아온 것이다.
⑤ 식구들은 예를 갖추어 윤 주사에게 인사를 하고 있으므로 달가워하지 않고 있다고 보기는 어렵다.

8. '전보'는 종학이의 피검 사실을 알리고 사건 전개에 극적 반전을 가져온다. 또한 사상범으로 전면에 등장시키기 곤란한 종학의 행적을 간접적으로 제시하기도 하지만 윤 직원 영감이나 종학 등 인물에 대한 서술자의 시각을 전달하는 기능을 하고 있는 것은 아니다.

9. 인물들에 대한 서술자의 평가를 드러내어 논평하면서 등장인물인 윤 직원을 조롱하고 있다.

　서술형 평가 기준

서술상의 특징과 그 기능을 바르게 서술한 경우	상
서술상의 특징은 바르게 서술했지만, 기능을 바르게 서술하지 못했을 경우	중
서술상의 기능은 바르게 서술했지만, 특징을 바르게 서술하지 못했을 경우	하

10. 윤 직원은 종학이가 사회주의를 한다는 것에 대해 부랑당패가 침노하던 때보다 더 분하고 무서워하고 있다.
　오답 풀이　① 윤 주사는 아들 종학의 피검 소식에 별다른 반응을 보이지 않고 있다.
② 윤 직원은 윤 주사네 서사 민 서방이 번역한 내용을 커다랗게 읽고 있다.
③ 윤 직원은 사회주의가 자신과 같은 지주 계층에게 불리하다는 것을 알고 자신의 재산을 지키지 못할까 봐 분노하고 있다.
④ 윤 직원은 종학의 신상을 걱정하기보다는 자신의 재산에 문제가 생길 것을 걱정하고 있다.

11. 반어적인 의도의 표현은 **㉮**의 '이미 반세기 전, 그리고 그것은 당시의 나한테 불리한 세상에 대한 격분된 저주요, 겸하여 웅장한 투쟁의 선언이었습니다.'에서 겉으로 추켜세우는 것 같지만 속으로는 윤 직원을 조롱하려는 의도로 사용되고 있다. **㉯**~**㉺**에서는 드러나지 않고 있다.

12. 진나라 진시황의 이야기를 통해 자손에 의해 윤 직원 집안이 몰락할 것임을 드러내고 있다.

　서술형 평가 기준

'윤 직원 집안의 몰락을 암시한다.'와 '자손'에 의한 것임을 모두 바르게 서술한 경우	상
'윤 직원 집안의 몰락을 암시한다.'는 서술했지만, '자손'에 의한 것임은 서술하지 않은 경우	중
'자손'에 의한 것임만 서술하고 '집안의 몰락을 암시한다.'는 서술하지 않은 경우	하

13. 윤 직원은 믿었던 손자 종학에게 배신감과 분노를 느끼고 있으므로, 믿었던 사람에게 배신당하는 경우를 이르는 말인 ②가 적절하다.
　오답 풀이　① 뜻하지 아니하던 기회를 만나 자기가 하려하던 일을 이룬다는 말이다.
③ 이웃끼리 서로 친하게 지내다 보면 먼 곳에 있는 일가보다 더 친하게 되어 서로 도우며 살게 된다는 것을 이르는 말이다.
④ 자기가 남에게 말이나 행동을 좋게 하여야 남도 자기에게 좋게 한다는 말이다.
⑤ 위급한 때를 당하면 무엇이나 닥치는 대로 잡고 늘어지게 됨을 이르는 말이다.

14. 윤 직원은 사회주의를 부랑당패로 인식하는 등 비판적이고 부정적인 태도를 보이고 있다.

15. ⑤는 화적 떼에 의해 아버지 윤용규가 죽던 구한말의 시절에 대한 윤 직원의 평가이다.

16. 일제 강점기를 '태평천하'라고 인식하는 윤 직원의 잘못된 현실 인식이 드러나는 부분으로 이를 통해 식민 체제에 순응하고 협조하여 안정된 생활을 누리는 윤 직원 같은 인물들을 비판·풍자하는 효과를 가진다.

　서술형 평가 기준

'반어적 표현'이라는 표현 방법과 '풍자, 비판'이라는 표현 효과를 바르게 서술한 경우	상
'반어적 표현'과 '풍자, 비판' 중 하나만 바르게 서술한 경우	중
'반어적 표현'과 '풍자, 비판'을 바르게 서술하지 못한 경우	하

17. 윤 직원은 우리 민족이 일본의 지배를 받고 있는 상황을 긍정적으로 보고, 일본을 자신의 재산을 지켜주는 고마운 존재로 생각할 만큼 역사의식이 결여되어 있다. 식민 체제에 순응하여 철저히 자신의 이익만을 추구하는 인물이다. 이러한 부정적 인물의 그릇된 현실 인식을 보여 줌으로써 식민 체제에 순응하고 협조하여 안정된 개인의 생활을 추구한 친일 계층을 비판하고 있다.

18. '장수의 주검'이라는 비유적 표현을 통해 윤 직원의 집안이 몰락할 것임을 암시하고 있다.

서술형 평가 기준

'집안의 몰락'이라는 의미와 '암시한다'는 기능을 모두 제시한 경우	상
의미와 기능 중 하나만 제시한 경우	하

19. [A]에서는 '착착 깎어 죽일 놈'과 같은 비속어와 '핀지, 지녁' 등의 방언을 사용하여 사실감을 살리면서 인물을 희화화하고 있다.

[3] 한국 문학의 양상과 발전

| 01 | 정선 아리랑   p. 193

1. ④   **2.** ③   **3.** 대조되는 소재를 사용하여, 화자의 그리움을 드러내고 있다.   **4.** ④

1. 정선 아리랑은 4음보의 율격을 가지고 있다.

2. ⓒ '해당화'는 화자에게 한과 애상감의 정서를 유발하는 객관적 상관물이다.

오답 풀이 ① ㉠은 예전의 정선의 모습으로 현재와 대비되어 부정적 현실을 부각하는 기능을 한다.

② ㉡은 겹겹이 화자를 둘러싸서 척박하고 고립된 환경을 만들어 화자를 답답하게 만들고 있다.

④ ㉣은 전통적으로 한과 애상감의 정서를 유발하는 소재이다.

⑤ ㉤은 아우라지 건너편으로 임이 있는 공간이다. 따라서 화자가 가고자 하는 공간으로 볼 수 있다.

3. 떨어지는 동박은 낙엽이라도 쌓이지만 화자는 그렇지 못하여 혼자 있는 화자와 대조된다. 이러한 표현을 통해 임을 그리워하는 화자의 간절한 마음을 표현하고 있다.

서술형 평가 기준

대조의 방법과 그리움의 정서가 모두 제시되어 있는 경우	상
대조의 방법과 그리움의 정서 중 하나만 제시한 경우	하

4. 「정선 아리랑」은 정선 지역의 특성이나 향토색, 지역민의 정서나 삶의 모습을 반영하여 지역 문학으로서의 특성과 한국 문학의 고유성을 드러내고 있다. 하지만 정선 지역의 특산물은 나타나 있지 않다.

대단원 시험 예상 문제   pp. 199~203

01. ⑤   **02.** ③   **03.** 부모의 자식에 대한 사랑과 헌신   **04.** ②
05. ②   **06.** ③   **07.** 설의적 표현을 사용하여 강물이 결코 마르지 않을 것이라는 의미를 전달하고 있다.   **08.** ①   **09.** ⑤
10. ①   **11.** ④   **12.** ③   **13.** ⑤   **14.** ④   **15.** ③   **16.** ③
17. ②   **18.** ①   **19.** ⑤   **20.** 사건 전개에 극적 반전을 가져온다.

01. 전기적이란 것은 기이하여 세상에 전할 만한 것을 뜻하는데 이 글에서는 그런 요소를 찾아볼 수 없다.

오답 풀이 ① 말하는 듯한 입말체로 되어 있어 구어적인 성격을 지닌다.

② 꾸며 낸 이야기로 허구적 성격을 지닌다.

③ 이야기 구조를 가지고 있으므로 서사적 성격을 지닌다.

④ 문제를 지혜로 극복한다는 점과 부모의 자식에 대한 사랑과 헌신을 주제로 한다는 점에서 교훈적 성격을 지닌다.

02. ⓒ은 원 정승의 지혜를 통해 위기를 극복하려는 임금의 의도로, 원 정승을 시험에 들게 하려는 의도는 아니다. 따라서 ③은 적절하지 않다.

03. 새끼 말에게 귀한 콩을 골라 양보하는 어미 말의 모습을 통해 '부모의 자식에 대한 사랑과 헌신'이라는 보편적인 주제 의식을 전달하고 있다.

서술형 평가 기준

부모의 자식에 대한 사랑과 헌신을 제시하여 주제 의식을 바르게 서술한 경우	상
주제 의식을 바르게 서술하지 못한 경우	하

04. (B)에서는 최고운이 밀봉된 함 속의 존재를 보지 않고도 알아내므로 신이한 능력을 보이고 있다고 할 수 있지만 (A)에서는 어린 아들이 말들이 여물을 먹는 모습을 보고 인간과 동물의 보편적인 행동 양식과 정서를 활용해 문제를 해결한 것이므로 신이한 능력보다는 삶의 지혜가 드러나고 있다고 보아야 한다.

05. 기승전결의 구조를 통해 시상을 전개하는 것은 ㉮이다. 기승전결 구조에서 제1구(起)는 상을 일으키고, 제2구(承)는 1구의 뜻을 이어받고, 제3구(轉)는 뜻을 전환하며, 제4구(結)는 이를 종합하여 묶는다.

오답 풀이 ① ㉮는 '슬픈 노래 부르네.', ㉯는 '두견새는 왜 우나'에서 청각적 심상이 드러나며 이를 통해 애상감을 표현하고 있다.

③ ㉮에서는 1구와 2구에서 자연사와 인간사가 대조를 이루고, ㉯에서는 4연에서 떨어진 동박과 화자의 처지가 대

조를 이루어 화자의 정서를 강화하고 있다.

④ **가**에서는 '남포, 대동강', **나**에서는 '정선'이라는 구체적 지명을 바탕으로 화자의 정서를 드러내고 있다.

⑤ **가**는 이별 눈물 때문에 대동강이 마르지 않는다는 과장적 표현을 통해 자신의 슬픔을 표현하였고, **나**에서는 '임 그리워서 나는 못 살겠네'(4연)라고 직설적 화법을 통해 자신의 마음을 표현하고 있다.

06. **가**와 **나**에는 공통적으로 이별의 정한이 드러나고 있으나 ⓒ은 봄밤의 애상감과 우수에 잠겨 잠을 이루지 못하는 심경을 드러내고 있다.

07. 설의적 표현을 사용하여 결코 강이 마르지 않는다는 내용을 강조하여 드러내고 있다.

서술형 평가 기준

설의적 표현(설의법)과 문맥적 의미를 모두 서술한 경우	상
문맥적 의미는 서술했지만, 설의적 표현을 서술하지 못한 경우	중
설의적 표현은 서술했지만 문맥적 의미를 서술하지 못한 경우	하

08. 〈보기〉에 나타난 정선의 지역적 특성과 지역민의 삶의 모습을 바탕으로 볼 때 ⓒ에는 정선 사람들의 삶의 애환, 힘든 삶으로 인한 한의 정서가 담겨 있다고 볼 수 있다.

09. 기록 문학을 표기 방식에 따라 한문 문학과 국문 문학으로 나누는 것이다. **나**는 구비 문학으로 기록 문학이 아니므로 분류가 적절하지 않다.

10. 이 글은 「사미인곡」의 본사(本詞)로, '봄 → 여름 → 가을 → 겨울'의 각 계절의 변화에 따라 시상을 전개하면서 연군의 정을 노래하고 있다.

11. **라**에서 천지가 눈으로 덮여 있는 가운데 사람은 물론이고 날짐승의 자취도 끊어져 있다고 하였으므로 눈이 내린 들판을 여인이 걸어가는 모습을 떠올리는 것은 적절하지 않다.

오답 풀이 ① '하원(夏怨)'에 원앙새 무늬가 있는 비단을 베어 놓고 오색실을 풀어내어, 금으로 만든 자로 재어서 임의 옷을 만드는 모습이 제시되어 있다.
③ 긴 겨울밤이 언제 샐 것이냐며 잠을 이루지 못하는 상황이 마지막 부분에 제시되어 있다.
⑤ '동원(冬怨)'의 '일모수듁(日暮脩竹)의 혬가림도 하도 할샤.'에서 상상할 수 있는 장면이다. 이것은 '저물녘 대나무에 기대어 서니 생각이 많기도 많구나.'로 풀이할 수 있다.

12. 중간중간에 한자어가 들어 있긴 하지만, 고사(유래가 있는 옛날의 일 또는 그런 일을 표현한 어구)를 활용한 대목은 찾을 수 없다.

오답 풀이 ① 이 작품은 임(임금)에 대한 그리움과 충정을

여인의 목소리를 빌려 표현함으로써 그리움의 정서를 담고 있다.

② 이 작품은 여인의 목소리를 빌려 표현함으로써 애절하고 절절한 공감을 불러일으키고 있다.

④ 이 작품뿐만 아니라 시조와 가사는 대체로 1음보를 이루는 음절 수가 3자 또는 4자로 되어 있어, 3·4조 또는 4·4조의 음수율을 갖는다.

⑤ '동풍, 미화', '녹음', '서리', '빅셜'과 같이 각각 봄, 여름, 가을, 겨울의 계절감을 나타내는 시어들을 잘 활용하고 있다.

13. ⓔ은 '심산궁곡(깊은 산골짜기)'을 대낮같이 만들어 달라.', 즉 '선정(善政)을 베풀어 달라.'는 요청으로, 임금에게 하는 진술 형태로 되어 있다.

14. 이 작품의 대상인 '임'은 '임금'을 가리키는 것으로 하늘의 '달'과 '별'이 임을 상징하고 있다.

오답 풀이 ⓐ 동풍: 봄바람. 봄의 계절감을 드러낸다.
ⓒ 공작: 공작을 그린 병풍. '공작' 병풍으로 바꾸어 두르는 것은 고독으로부터 탈피하기 위한 것이다.
ⓔ 빅셜: 흰 눈. 겨울의 계절감을 드러낸다.

15. '음애예 이온 플'은 백성을 의미하는 것으로, '음애(陰崖)예 이온 플을 다 살와 내여스라(그늘진 낭떠러지에 있는 시든 플을 다 살려내고 싶구나.).'는 관찰사로서의 선치애민(善治愛民)의 정신을 비유적으로 나타낸 표현이다. 어렵게 사는 백성들에게 임금의 선정이 닿기를 바라는 마음이 드러나 있다. **다**의 '심산궁곡(深山窮谷) 졈낫ᄀᆞ티 밍그쇼셔'와 의미가 유사하다.

보충 자료 정철, 「관동별곡」
• 갈래: 기행 가사, 양반 가사, 정격 가사
• 성격: 낭만적, 서정적, 풍류적, 도교적
• 사상: 유교적 충의 사상, 도교적 신선 사상, 애민 사상
• 문체: 가사체, 운문체, 화려체
• 제재: 금강산과 관동 지방 유람
• 주제: 금강산과 관동 지방의 절경 유람과 연군·애민 정신
• 해제: 정철이 금강산과 관동 팔경을 유람하고 쓴 기행 가사로, 우리말의 유려한 구사와 자연과 인생에 관한 통찰이 돋보이는 작품이다. 작가의 공인으로서의 책임감, 인간 본연의 풍류 욕구, 윤리 의식 등이 드러나고 있다.

16. 〈보기〉의 「님의 침묵」에는 '아아 님은 갔지마는 나는 님을 보내지 아니하였습니다.'와 같은 역설적 표현이 사용되었지만 「사미인곡」에는 역설적 표현이 사용되지 않았다.

17. 윤 직원은 일제 강점기를 '태평천하'라고 인식하는 반민족적이고 그릇된 역사 인식을 보여 준다. 이것은 개인의 이익

만을 추구하는 이기적인 마음에서 비롯한 것이므로 낭만적 현실 인식과는 관련이 없다.

18. 윤 직원은 아버지 윤용규의 죽음을 겪고 허무함과 좌절감을 느끼기보다는 분노에 차 세상을 저주하고 있다.

오답 풀이 ② 전과 다르게 종학이 돈을 헤프게 쓴다는 표현을 통해 종학이 이전과 다른 행보를 보이고 있음을 짐작할 수 있다.

③ 구두쇠인 윤 직원이 오백 원을 달라는 편지에 두말 않고 보내 주었다는 것을 통해 그만큼 그가 종학을 믿고 있음을 알 수 있다.

④ 종학이 사회주의 운동을 하다 피검되면서 종학을 경찰서장으로 만들겠다던 윤 직원의 계획이 좌절됨은 물론이고 윤 직원 집안이 몰락하게 된다.

⑤ 비속한 표현을 사용하여 종학에 대한 배신감과 분노가 크다는 것을 표현하고 있다.

19. 「태평천하」는 경어체를 사용하여 서술자와 독자 간의 거리를 좁히고 있으나 「우리 동네 황 씨」에는 이러한 서술상의 특징이 보이지 않는다.

오답 풀이 두 작품 모두 부정적 인물인 윤 직원 영감과 황 선주의 비도덕성을 희화화함으로써 해학성을 유발하고(②) 서술자가 인물에 대해 부정적 시선을 드러내며(①) 방언을 통해 유머를 발생시키고 있다(③). 이러한 풍자는 한국 문학의 전통적 특질(④) 중 하나로, 「태평천하」, 「우리 동네 황 씨」와 같은 작품들에 의해 현대 문학에서도 이어져 내려오고 있다.

보충 자료 이문구, 「우리 동네 황 씨」를 통해 드러내고자 했던 문제의식

황 씨는 마을에서 손꼽히는 부자로서 자신의 재산을 지키는 데에는 철저한 인물이다. 그는 농촌인 '우리 동네'에서 고리대금업을 하면서 돈을 버는데, 같은 동네 사람이라고 해서 조금이라도 봐주는 법 없이 빡빡하게 굴곤 한다. 황 씨에게 마을 사람들은 돈을 벌 수 있는 수단으로밖에 보이지 않는 것이다. 작가는 이러한 황 씨를 통해 자본주의와 도시 문명의 유입으로 와해된 농촌 공동체의 현실을 보여 주면서 개인주의적 성향으로 물든 현대인들을 비판하고자 하는 의도를 드러내고 있다.

20. '전보'는 믿었던 종학의 피검 소식을 알려 윤 직원의 기대를 무산시키고, 집안을 몰락하게 하는 등 극전 반전을 가져오는 소재가 된다.

보충 자료 극적 반전

극을 보는 것처럼 큰 긴장이나 감동을 불러일으키며 일의 형세가 뒤바뀌는 것을 의미한다.

4 한국 문학의 흐름

[1] 서정 갈래의 흐름

01 제망매가   p. 209

1. ⑤   **2.** ①   **3.** ⑤   **4.** '아야'와 '어즈버'는 모두 감탄사로서, 시상을 집약하여 마무리하는 역할을 한다.

1. 이 작품은 향가로 '정형 시가'인 것은 맞으나, 4음보의 율격이 드러나지는 않는다.

오답 풀이 ① '기 – 서 – 결'의 3단 구성으로 이루어져 있다.
② '어느 가을 이른 바람', '떨어질 잎', '한 가지' 등의 비유적 표현을 통해 화자의 정서를 감각적으로 형상화하고 있다.
③, ④ 이 작품은 신라 시대에 창작된 10구체 향가로 향찰 표기로 기록되어 있다.

2. ㉠은 죽은 누이가 화자에게 전했으면 하고 생각한 말이다. '나는 간다는 말도 / 못다 이르고 어찌 갑니까.'는 갑작스럽게 죽음을 맞아 '나는 간다'라는 작별 인사도 제대로 못 나누고 헤어졌다는 안타까운 심정의 표현이다.

오답 풀이 ② ㉡은 누이에게 일찍 찾아온 운명(이른 죽음)을 의미한다.
③ ㉢은 '떨어질'은 '죽음'을, '잎'은 '누이'를 의미하므로 '떨어질 잎'은 '죽은 누이'이며 이는 인간의 죽음을 자연의 섭리에 비유하여 표현한 것이다.
④ '한 가지'는 '같은 부모'를 비유한 말이므로, ㉣은 화자와 누이가 혈육 관계임을 보여 주는 것이다.
⑤ '미타찰'에서 만날 날까지 기다리겠다고 했으므로, 화자는 누이와 '미타찰(극락세계)'에서 반드시 다시 만날 것이라고 믿고 있는 것이다.

3. '도 닦아 기다리겠노라.'라는 말에서 화자가 종교의 힘으로 누이의 죽음으로 인한 슬픔을 극복하고자 함을 알 수 있다.

4. 10구체 향가의 낙구 첫 어절은 감탄사로, 이후 시조의 종장 첫 구로 이어지며 둘 다 시상을 집약·마무리하는 역할을 한다.

서술형 평가 기준

'감탄사'와 '시상의 집약 또는 마무리'의 의미를 모두 넣어 적절하게 서술한 경우	상
'시상의 집약 또는 마무리'의 의미만으로 서술한 경우	중
'감탄사'라는 말만 서술한 경우	하

작품 연구　신흠, 「혓가래 기나 쟈르나」

- 갈래: 평시조
- 성격: 자연 친화적, 풍류적
- 주제: 자연에서 안분지족하는 삶
- 현대어 풀이:

서까래 기나 짧으나 기둥이 기우나 트나,

초가집이 작다고 웃지 마라

아아, 온 산에 가득한 달이 다 내 것인가 하노라.

---

8. '돌'은 화자를 울게 하는 것을 비유한 소재로, 피할 수 없는 불행한 운명을 의미한다.

서술형 평가 기준

'비극적 운명'의 의미를 넣어 적절하게 서술한 경우	상
'비극적'이라는 의미를 서술하지 않고, '운명'만으로 설명한 경우	중
'운명'이라는 단어만 쓴 경우	하

---

02 청산별곡　p. 213

1. ③ 2. ④ 3. ⑤ 4. '믈 아래' 5. ① 6. ③ 7. ① 8. '돌'은 화자가 어쩔 수 없이 만나게 되는 '인간의 비극적 운명(불행한 운명. 비극적인 삶)'을 상징한다.

1. 고려 속요는 고려 시대 때의 노래로 창작 당시에는 구전되다가, 조선 시대 한글 창제 이후에 한글로 기록되었다.

2. 화자가 괴로운 현실(속세)에서 견디지 못해 어쩔 수 없이 새로운 곳을 찾아 떠나고자 하는 것으로 보아 '청산'은 현실 도피의 공간이다.

3. 이끼 묻은 쟁기를 가지고 이전에 살던 삶의 공간인 '갈던 밭'을 본다는 것은 이 시를 삶의 터전을 빼앗기고 떠도는 유랑민의 비애를 나타낸 것으로 해석하는 것이다. 따라서 이 시의 화자를 삶의 터전을 잃고 떠도는 유랑민으로 해석할 수 있다.

4. 화자는 현실에서 도피하여 '청산'에 머물고 있지만 이와 대조적인 공간으로 자신이 떠나온 공간인 '믈 아래'를 바라보며 미련을 버리지 못하는 모습을 보이고 있다.

5. 「청산별곡」은 고도의 상징, 대구법, 시구의 반복 등을 통해 삶의 고뇌와 비애를 형상화하고 있는데, 과장법은 사용되지 않았다.

6. 「청산별곡」의 후렴구는 내용상 특별한 의미는 없으며 밝고 경쾌한 분위기로, 삶의 고뇌와 비애를 노래한 이 작품의 주제와는 거리가 멀다. 따라서 후렴구가 주제를 집약적으로 드러내는 기능을 한다는 것은 적절하지 않다.

7. ㉠은 '미워할 사람도 사랑할 사람도 없이 (돌에) 맞아서 울며 지낸다'는 뜻으로 인간의 불행한 운명에 대한 체념적 정서가 드러난다. 이는 미워하던 사람을 용서하고 사랑하려는 심정이나 정서와는 다짐과는 거리가 멀다.

---

03 어부사시사　p. 218

1. ⑤ 2. ② 3. ③ 4. ① 5. ㉠은 '배 띄워라 배 띄워라'라는 뜻으로 이러한 여음구는 이 시조에서 배의 출항부터 귀항까지의 과정을 순서대로 보여 주면서 작품을 유기적으로 연결하는 기능을 한다. 6. ② 7. ① 8. ① 9. 대구법, '내일도 이렇게 하고, 모레도 이렇게 하자'는 뜻으로 현재의 삶에 대한 만족감을 드러낸 표현이다.

1. 아름다운 자연 풍경을 묘사하고 자연을 즐기며 살아가는 여유와 흥취를 노래하고 있을 뿐, 이에서 '교훈'을 찾고 있지는 않다.

　오답 풀이 ① 〈춘사 1〉의 '강촌(江村)'은 이 작품의 공간적 배경이다.

② 〈하사 2〉의 '녀님희 밥 싸 두고 반찬으란 쟝만 마라'에 소박한 삶의 모습과 이에 대한 만족감이 표현되어 있다.

③ 〈춘사 1〉 전체와 〈하사 2〉의 '무심혼 백구는 내 좃는가 제 좃는가'는 시각적 이미지가 두드러지는 부분이다.

④ 〈하사 2〉의 '내 좃는가'에 화자 '나'가 직접 드러나 있으며 물아일체된 삶의 즐거움을 표현하고 있다.

2. '강촌 온갓 고지(강촌 온갖 꽃이)'(ㄷ)에 봄의 계절감이, '녹사의(도롱이, 비옷)'(ㄹ)에 여름의 계절감이 각각 드러나 있다.

3. '대구법'은 유사하거나 동일한 문장 구조를 짝을 맞추어 늘어놓는 표현법이다. ③에는 유사한 문장 구조의 짝이 나타나 있지 않다.

　오답 풀이 ① 압개예 안개 것고 / 뒫뫼희 히 비췬다

② 밤믈은 거의 디고 / 낟믈이 미러 온다

④ 녀님희 밥 싸 두고 / 반찬으란 쟝만 마라

⑤ 청약립(青篛笠)은 써 잇노라 / 녹사의(綠蓑衣) 가져오냐

4. '각주구검(刻舟求劍)'은 초나라 사람이 배에서 칼을 물속에 떨어뜨리고 그 위치를 뱃전에 표시하였다가 나중에 배가

움직인 것을 생각하지 않고 칼을 찾았다는 데서 유래한 말로, 미련하고 융통성 없음을 일컫는 말이다. 이 시조의 내용과는 맞지 않는다.

오답 풀이 ② '단표누항(簞瓢陋巷)'은 '누항에서 먹는 한 그릇의 밥과 한 바가지의 물'이라는 뜻으로, 선비의 청빈한 생활을 이르는 말이다. 〈하사 2〉의 '년닙희 ~ 쟝만 마라'와 어울린다.

③ '물아일체(物我一體)'는 인간과 자연의 만물이 하나가 되는 경지를 이르는 말로, 〈하사 2〉의 '무심흔 백구는 내 좃는가 제 좃는가'와 어울린다.

④ '안빈낙도(安貧樂道)'는 가난 속에서도 편한 마음으로 도를 즐긴다는 뜻으로 〈하사 2〉의 정서와 어울린다.

⑤ '유유자적(悠悠自適)'은 속세를 떠나 아무 속박 없이 자유롭고 마음 편히 사는 것을 일컫는 말로, 이 시조 전체의 정서와 어울린다.

5. ㉠은 '배 띄워라 배 띄워라'라는 뜻으로 이 시조의 초장과 중장 사이에 규칙적으로 나타나는 여음구의 하나이다. 이 시조에서는 이러한 여음구를 통해 배를 띄우는 것부터 시작해서 배를 정박시키기까지의 과정을 순서대로 보여 줌으로써 작품의 내용이 유기적으로 연결되고 있다.

서술형 평가 기준

㉠의 의미, '출항부터 귀항까지의 과정을 순서대로 보여 줌.', '작품을 유기적으로 연결하는 기능'의 세 가지 요소를 모두 다 적절히 서술한 경우	상
두 가지 요소만을 서술한 경우	중
한 가지 요소만을 서술한 경우	하

6. 이 작품은 시조로, '옷 우희 / 서리 오디 / 치운 줄을 / 모롤로다'와 같이 4음보의 율격으로 이루어져 있다.

오답 풀이 ① 〈추사 9〉의 '서리', '치운 줄을', 〈동사 10〉의 'ᄀᆞᄂᆞ 눈', '셜월'에 가을과 겨울의 계절감이 각각 드러나 있다.

③ 〈동사 10〉의 'ᄀᆞᄂᆞ 눈 쁘린 길 ~ 숑창(松窓)을 비겨 잇쟈' 등에서 계절에 따른 어촌의 풍경을 시각적으로 묘사하고 있다.

④ 노 젓는 소리와 노를 저으면서 외치는 소리('쩌그덩', '어여차')를 나타내는 의성어를 사용하여 현장감을 드러내고 있다.

⑤ 〈동사 10〉의 '어와 져므러 간다 연식(宴息)이 맏당토다' 등에서 영탄적 표현으로 자연에서 느끼는 여유와 흥취를 표현하고 있다.

⑤ 〈추사 9〉의 '됴션(釣船)이 좁다 ᄒᆞ나 부셰(浮世)과 얻더 ᄒᆞ니'에서 설의적 표현으로 현재 삶에 대한 만족감과 자부심을 강조하여 표현하고 있다.

7. ㉠은 '덧없는 세상', 즉 속세를 이르는 말이다. 〈보기〉의 '홍

진(紅塵)' 역시 '붉은 티끌'이라는 뜻으로 속된 세상을 가리키는 말이다.

8. 「어부사시사」에는 속세에 대한 미련이 전혀 드러나 있지 않다. 그러나 〈보기〉의 '어주에 누어신들 니즌 스치 이시랴'는, 어부의 삶 속에서도 늘 '북궐(임금이 계신 곳, 속세)'의 일을 잊지 않았다는 화자의 정서가 드러나 있다.

오답 풀이 ② '됴션(釣船)'과 '어주(魚舟)'는 모두 화자가 타고 있는 낚싯배를 의미한다.

③ '부셰(浮世)'와 '북궐(北闕)'은 모두 화자가 떠나온 속세를 의미한다.

④ 「어부사시사」에서는 중장과 종장 사이에 '지국총(至匊悤) 지국총(至匊悤) 어사와(於思臥)'라는 후렴구를 넣어 작품에 통일성을 부여하고 있다.

⑤ 「어부사시사」는 '뇌일도 이리 ᄒᆞ고 모릐도 이리 ᄒᆞ쟈', '숑창(松窓)을 비겨 잇쟈'와 같이 청유형 어미를 통해, 〈보기〉는 '니즌 스치 이시랴', '제세현(濟世賢)이 업스랴'와 같이 의문형 어미를 통해 화자의 정서를 강조하고 있다.

9. ㉡에는 비슷한 문장 구조를 짝지어 표현한 대구법이 쓰였으며 지속적으로 이러한 생활을 하고 싶다는 말로 현재 삶에 대한 만족감을 표현하고 있다.

서술형 평가 기준

대구법, '현재의 삶에 대한 만족감'의 두 가지 요소를 모두 다 넣어 적절하게 서술한 경우	상
두 가지 요소 중, 한 가지만 적절하게 설명된 경우	중
한 가지 요소만으로 서술한 경우	하

📖 **작품 연구**　이현보, 「어부가」

- **갈래**: 연시조(전5수)
- **성격**: 풍류적, 자연 친화적
- **주제**: 자연을 벗하는 어부의 한정(閑情)
- **시대**: 조선 전기
- **현대어 풀이**:
  장안(서울)을 돌아보니 경복궁이 천 리로다.
  고깃배에 누워 있은들 (나랏일을) 잊을 새가 있으랴.
  두어라, 나의 걱정이 아니다. 세상을 건져 낼 위인이 없겠느냐.

---

04 쉽게 씌어진 시　p. 223

1. ① 2. ⑤ 3. ④ 4. 부모님의 고생과 자식에 대한 포근한 사랑이 담겼다는 뜻이다. 5. ② 6. ② 7. ① 8. 현실적 자아와 내면적 자아의 갈등이 화해를 통해 해소되었음을 의미한다.

1. 색채의 대비가 드러난 부분은 이 시에서 찾아볼 수 없다.
오답 풀이 ② '밤비가 속살거려'는 자연물(밤비)을 이용해 시적 상황(한밤중, 비 내리는 고요한 상황)을 드러낸 부분이다.

③ '하나, 둘,'에서 쉼표를 의도적으로 사용하여 호흡을 조절하고 있다. 이러한 표현은 마치 실제 숫자를 세고 있는 것과 같은 효과를 준다.

④ '나는 무얼 바라~침전하는 것일까?'에서 의문의 형식으로 자아 성찰 과정을 드러내고 있다.

⑤ '밤비'에 시간적 배경이, '육첩방은 남의 나라'에 공간적 배경이 드러나 있다.

2. 시인은 현실에 참여해서 싸우는 사람이 아니라 언어를 다루는 사람으로, 현실 문제에 직접 참여하지 못하고 시로서밖에 말하지 못하는 소극적 삶으로 인해 괴롭기 때문에 슬픈 천명이라 한 것이다.

3. '늙은 교수의 강의'는 화자가 처한 현 시대 상황과는 거리가 먼 지식을 가리킨다. 따라서 여기에서 미래의 희망을 찾는다는 것은 적절하지 않다.

4. 땀은 노동과 수고의 의미이다. 땀내와 사랑내가 품겼다는 것은 학비를 보내 주신 부모님의 고생과 사랑이 담겨 있다는 의미이다.

서술형 평가 기준

'부모님의 고생', '자식에 대한 사랑' – 두 가지 요소를 모두 다 넣어 적절하게 서술한 경우	상
두 가지 중, 한 가지는 적절하지만 나머지 하나가 미흡하게 설명된 경우	중
한 가지 요소만으로 서술한 경우	하

5. '창밖'은 단순히 화자가 있는 육첩방의 창문 밖이라는 뜻으로 밤비가 내리고 있는 공간을 가리킬 뿐, 이상적 세계를 의미하는 것은 아니다.

6. ㉠은 1연과 같은 내용인데 행을 바꾸어 다른 분위기를 연출한다. 1연이 암담한 현실을 인식하는 그저 침울한 분위기였다면, ㉠은 자신의 처지를 재인식하고 각성하면서 부정적 현실의 극복 가능성을 확인하는 과정으로 볼 수 있다.

7. ㉡은 '등불을 밝혀 어둠을 내모는' 삶을 살면서 광복의 그날(희망찬 미래)을 기다리는 '나'이다. 따라서 여기에서 '나'는 내면적 자아이며, ㉡은 부끄럽지 않는 '나'로 살아가겠다는 각오를 드러낸 표현이다.

8. ㉢은 갈등하던 현실적 자아와 내면적 자아의 화해를 의미한다.

서술형 평가 기준

단어 4개를 모두 이용하고, '현실적 자아와 내면적 자아', '갈등 해소'의 내용으로 적절하게 서술한 경우	상
단어 3개만 이용하여 서술한 경우	중
단어 2개로만 서술한 경우	하

05 어느 날 고궁을 나오면서 p. 228

1. ② **2.** ① **3.** ③ **4.** ⓑ, ⓔ, ⓕ **5.** ② **6.** ④ **7.** ④
8. 자연물 가운데에서도 사소하고 작은 것을 지칭하는 시어들을 사용하여 한없이 왜소하고 보잘것없어 보이는 자신에 대한 자조적 심정을 강조하고 있다.

1. '돼지 같은 주인 년'과 같은 비속어의 사용은 화자 자신의 속된 모습을 드러내기 위한 장치이다. 화자는 '부당한 권력 집단'을 비판하지 못하고 '설렁탕집 주인'이나, '야경꾼들'을 증오할 뿐이다.
오답 풀이 ① 1연에서 '옹졸하게' '분개하고', '욕을 하고'를 반복적으로 사용한 것은 자조적 심정을 강조하기 위한 표현이다.

③ 중요하고 본질적인 일에는 저항하지 못하고 비본질적인 일에만 분개하는 자신을 반성하고 성찰함으로서 주제 의식을 드러내고 있다.

④ '50원짜리', '20원', '설렁탕', '거즈' 등의 일상어를 사용하여 자신이 경험한 일을 고백하고 있다.

⑤ 설렁탕집 주인한테 욕하는 것, 야경꾼을 증오하는 것과 같은 사소한 일과, 붙잡혀 간 소설가를 위해 언론의 자유를 요구하고 월남 파병에 반대하는 일과 같은 중요하고 본질적인 일을 대조하며, 정작 분노해야 할 일에는 침묵하고 사소한 일에만 분개하는 자신의 소시민적이고 옹졸한 모습을 제시하고 있다.

2. '견문발검(見蚊拔劍)'은 모기를 보고 칼을 뺀다는 뜻으로, 사소한 일에 크게 성내어 덤빔을 이르는 말이다. 따라서 사소한 일에만 분개하는 [A]의 상황에 어울린다.
오답 풀이 ② '교각살우(矯角殺牛)'는 소의 뿔을 바로잡으려다 소를 죽인다는 뜻으로, 작은 것을 고치려다 일을 그르침을 이르는 말이다.

③ '용두사미(龍頭蛇尾)'는 시작은 그럴듯하나, 끝이 흐지부지함을 이르는 말이다.

④ '불문곡직(不問曲直)'은 옳고 그름을 따지지 않고 마구 함부로 하는 행동을 이르는 말이다.

⑤ '호가호위(狐假虎威)'는 여우가 호랑이의 위세를 빌린다는 뜻으로, 남의 권세를 빌려 위세를 부리는 행동을 이르는 말이다.

3. 이 시에서 비속어는 다른 사람을 비판하기 위해 쓴 것이 아니라, 화자 자신의 속되고 비겁한 모습을 강조하기 위한 것이다.

4. 1연의 '조그마한 일'은 비본질적이고, 중요하지 않은 사소한 일을 말한다. ⓑ, ⓔ, ⓕ가 여기에 해당한다.

5. '비겁한 것이라고 알고 있다!'나 '옹졸하게 반항한다', '나는 얼마큼 작으냐' 등에서 옹졸하고 비겁한 자신을 부끄러워하는 마음이 드러나 있다.

6. ㉠은 중요하고 본질적인 일(절정 위에 서 있는 것)의 중심에 서지 못하고 옹졸하게 살아가는 자신의 행동을 표현한 말이다.

7. [A]에서는 화자가 자신을 성찰하고 반성하며 자조적인 태도를 보이고 있으나 의지적 자세를 보이고 있지는 않다.

오답 풀이 ① '얼마큼 작으냐'가 반복되고 있다.
② '나는'으로 화자를 작품 표면에 드러내고 있다.
③ '나는 '얼마나 작으냐'는 물음의 형식을 통해 부끄러운 화자 자신을 성찰하는 말이다.
⑤ 시의 마지막 구절에 말줄임표를 사용하여 반성과 자조 의식의 지속성을 표현하고 있다.

8. 모래, 바람, 먼지, 풀과 같은 작은 것들에게 자신의 작음을 묻는 형식을 통해 자신이 왜소하고 보잘것없게 느껴짐을 자조적으로 표현하며 강조하고 있다.

서술형 평가 기준

'작은 것을 지칭', '왜소한 자신에 대한 자조적 심정' 두 가지 요소를 모두 다 넣어 적절하게 서술한 경우	상
'왜소한 자신에 대한 자조적 심정'만으로 설명한 경우	중
자조적 심정을 서술하였으나, 설명이 미흡할 경우	하

보충 자료 **김수영, 「어느 날 고궁을 나오면서」**

'왜 나는 조그만 일에만 분개하는가'라는 시적 진술에서 드러나듯이 4.19 혁명으로 한층 부풀었던 자유와 사랑과 양심에의 희망이 5.16으로 일순간 물거품이 된 상황에서 김수영은 소시민으로서 살아가는 일만이 가능한 자신의 처지를 조롱함으로써 한때 그가 소리 높여 외쳤던 자유, 사랑, 혁명이 좌절된 현실을 우회적으로 비판하고 있다.

② 서사 갈래의 흐름

01 김현감호 p.235

1. ② **2.** ⑤ **3.** ② **4.** ① **5.** '살신성인'의 희생정신을 갖고 있는 인물이다. **6.** ③ **7.** ⑤ **8.** 범이 처녀로 변하여 **9.** ③ **10.** ④

1. 김현이 탑돌이를 할 때, '한 처녀'를 만나 정을 통하였다고만 하였다. 따라서 김현은 처녀가 호랑이인 줄 몰랐던 것이다.

오답 풀이 ① 다 의 '너희들이 즐겨 생명을 해침이 너무도 많으니'에서 확인할 수 있다.
③ 나 의 '김현이 그를 따라가니, 처녀는 사양하고 거절했지만'에서 처녀는 김현이 자신을 따라오는 것을 원치 않았다는 것을 알 수 있다.
④ 가 의 '신라 풍속에 매년 2월이 되면 ~ 복회(福會)를 삼았다.'에서 알 수 있다.
⑤ 다 에서 하늘만이 호랑이를 벌줄 수 있고 호랑이가 하늘만을 무서워하는 것으로 그려진 데에서 당대인들이 호랑이를 두려운 존재로 여겼음을 알 수 있다.

2. 호랑이 처녀의 세 오빠들은 하늘의 벌을 대신 받겠다는 동생에게 고마워하거나 동생을 가여워하기는커녕, 오히려 모두 기뻐했다. 따라서 이러한 세 오빠들에게는 '비정하고 염치없는 짐승'이라는 평가가 적절하다.

3. 마 에서 처녀는 '지금 제가 일찍 죽는 것은 ~ 우리 일족의 복'이라고 하며 자신의 희생은 호랑이 일족의 죄를 대신 씻는 것이라고 생각했다. 따라서 세 오빠들을 원망하는 마음을 가졌다고 볼 수 없다.

4. 하늘이 세 오빠의 악행을 미워하여, '한 놈을 죽여서 악행을 징계하겠다'고 하자 이에 호랑이 처녀는 자신이 대신 죽어 일족의 죄를 씻는 동시에, 자신을 배필로 삼아 준 김현에게 보은하고자 계획을 세우게 된다.

5. 호랑이 처녀는 '살신성인'의 희생정신을 갖고 있는 인물이다.

서술형 평가 기준

'살신성인'의 한자성어를 써서 적절하게 서술한 경우	상
한자성어를 쓰지 못하고, 희생정신이라는 내용으로만 서술한 경우	하

6. 호랑이 처녀는 '다만 저를 위하여 절을 짓고 불경을 강하여 좋은 과보를 얻도록 도와주시면'이라고 했다. 따라서 처녀가 절을 지어 불경을 강하겠다는 것이 아니라, 김현에게 절을 지어 달라고 부탁한 것이다.

7. '흥륜사의 간장을 바르고 그 절의 나발 소리를 들으면' 상처

가 낫는다는 것을 '신성성'이 드러난 것이라고 보기 어렵다. 이 부분은 '신화적 요소'가 아니라 구체적인 증거물이 존재한다는 점에서 전설적 요소가 드러났다고 보는 것이 더 적절하다.

8. '범이 처녀로 변하여'에서 변신형 설화임이 드러난다.

9. 김현은 벼슬 얻기를 소망하여 정성껏 탑돌이를 하였고 그것을 계기로 하여 호랑이 처녀의 희생에 의해 벼슬을 얻었다. 하지만 호랑이 처녀의 죽음을 팔아서까지 벼슬을 얻고 싶지 않다고 한 김현의 말로 미루어 볼 때, '벼슬을 얻기 위해 노력하는 김현의 모습'은 작품 전체의 내용에 비추어 볼 때 적절하지 않으며, 이를 통해 현실을 비판하고 있지도 않다.

10. 김현이 차마 자신을 찌르지 못할 것을 안 호랑이 처녀가 김현의 죄책감을 덜어 주기 위해 스스로 목숨을 끊은 것이다.

---

02 구운몽
p. 242

1. ① **2.** ② **3.** ③ **4.** ③ **5.** ③ **6.** ② **7.** ③ **8.** 화려했던 삶이 사라지고 난 후의 허무함(무상감)이 드러나 있다. **9.** ③ **10.** ④ **11.** ④ **12.** ③ **13.** ③ **14.** 성진이 속세의 부귀영화가 덧없다는 것을 깨닫도록 하는 장치이다. **15.** ⑤ **16.** '구'는 인물과 관련된 것으로, 성진과 팔선녀를 합친 9명을 지칭한다. '운'은 주제와 관련하여 속세의 삶이 구름과 같이 허무함을 뜻한다. '몽'은 작품의 구성과 관련하여 '꿈'을 통한 깨달음의 구조로 이루어짐을 뜻한다.

1. **가**와 **나**는 성진과 팔선녀의 대화를 중심으로 사건이 전개되고 있다.

오답 풀이 ⑤ 이 작품은 전지적 작가 시점을 취하고 있으므로, 서술자는 작품 밖에 있다.

2. [A]에서 성진은 '빈승은 연화 도량 육관 대사의 제자로 ~ 돌아오는 길이옵니다.'라고 하며, 자신이 석교를 지나가야 하는 상황을 설명하였다. 또 '부디 잠시 발걸음을 옮겨 주시면 길을 빌리고자 합니다.'라며 팔선녀에게 자신의 요구를 들어주기를 정중히 부탁하였다.

3. 이 작품은 '현실 – 꿈 – 현실'의 환몽 구조로 이루어져 있다. 그런데 일반적인 생각과는 다르게, 성진이 육관 대사의 제자로 있는 현실이 '신선계'이고, 양소유로 태어난 '꿈'이 인간계로 설정되어 있다. 따라서 ③은 반대로 진술된 것이다.

4. 성진이 생각하는 '대장부의 일'은 공맹의 글을 읽고, 임금을 섬겨 장수와 정승이 되며, 옥궐에 조회하고, 공명을 후세에

드리우는 것이다. 이는 입신양명하여 이름을 널리 알리는 것을 중시하는 유교적 세계관에 충실한 삶이다.

오답 풀이 ① 성진은 늦게 온 이유를 묻는 스승에게 '용왕이 심히 후하게 대접하고 ~ 차마 떨치고 일어나지 못하였습니다.'라며, 팔선녀와 만난 일을 숨기고 거짓을 고하였다.
② 성진은 팔선녀의 아름다움에 마음을 빼앗긴 것이다.
④ 성진은 부귀공명을 이루는 삶을 동경하게 되어 적막한 불도의 길에 회의를 느끼게 된 것이다.
⑤ 양소유는 온갖 부귀공명을 다 이룬 후, 역대 영웅들의 황폐한 무덤을 보고는 문득 인생무상을 느꼈다.

5. 소유는 '그대들과 반평생을 해로하다가 갑자기 이별하려 하니 슬픈 마음이 자연스레 곡조에 나타난 것이오.'라고 하며, 여러 낭자들과의 이별을 아쉬워하고 있다.

오답 풀이 ① '전생 숙연으로 모였다가 인연이 다하여 각각 돌아감은 천지에 떳떳한 일이라.'에서 확인할 수 있다.
② '내가 벼슬에서 물러난 후로부터 밤에 잠이 들면 ~ 이는 필연 불가와의 인연이 있는 것이라.'에서 확인할 수 있다.
④ 소유는 '내가 생각하니 천하에 유도(儒道), 선도(仙道), 불도(佛道)가 가장 높으니'라고 하였다.
⑤ 소유가 '우리가 돌아간 백 년 후에 ~ 승상의 부귀풍류와 여러 낭자의 옥용화태는 이제 어디 갔느냐? 하리니'라고 말한 것에서 확인할 수 있다.

6. '동상이몽(同床異夢)'은 같은 자리에서 자면서 다른 꿈을 꾼다는 뜻으로, 겉으로는 같이 행동하면서도 속으로는 각각 딴 생각을 함을 이르는 말이다.

오답 풀이 ①, ③, ④, ⑤ '꿈과 같이 헛된 부귀영화'나 '한바탕 허무한 봄꿈' 등의 뜻으로 모두 헛된 영화나 덧없음을 이를 때 쓰는 한자성어이다.

7. '포단 위에 참선하는 모습'은 성진이 불도를 닦는 모습이고, '집을 버리고 스승을 구함.'은 불생불멸의 도를 얻기 위해 출가하는 것이다. 따라서 이 둘은 '불도 수행'이라는 유사점이 있다.

8. 〈보기〉는 고려의 충신인 원천석의 시조로, 고려의 국운이 다하여 가는 시절에 옛 고려의 수도인 개성 일대를 돌아보며, 지난날을 회고하고 세월의 무상함을 슬퍼한 시조이다. [A]와 제시된 시조 모두에 화려했던 삶이 사라지고 난 후의 허무함(무상감)이 드러나 있다.

서술형 평가 기준

'화려했던 삶이 사라졌다', '허무함(인생무상), 무상감이 드러났다'의 두 가지 요소를 모두 다 넣어 적절하게 서술한 경우	상
두 가지 요소 중, 한 가지만으로 서술한 경우	중
한 가지로만 서술했고, 설명이 미흡한 경우	하

• **갈래**: 평시조 ・ **성격**: 회고적
• **주제**: 고려 왕조의 회고와 무상감
• **현대어 풀이**: 흥망이 모두 운수가 정해져 있으니 만월대도 풀숲으로 덮였도다
　　　　　　　오백 년을 이어오던 와업이 목동의 피리 소리로만 남았으니
　　　　　　　석양에 지나는 길손이 눈물겨워 하노라.

---

9. **⑪**의 '모든 낭자들이 ~ 이 말을 듣고 자연히 감동하여', '상 공께서 부귀 번화를 ~ 제도해 주소서.'에서 모든 낭자들이 승상의 마음을 이해하고 있다는 것을 알 수 있다.

10. ㉣은 양소유를 가리키고 나머지는 모두 성진의 꿈속 양소 유에게 나타난 육관 대사를 지칭한다.

11. **⑷**는 노승(육관 대사)이 석장을 두드려 소유의 꿈을 깨우는 장면이다. 승상은 갑자기 일어난 구름이 걷히고 난 후 자신이 작은 암자의 포단 위에 앉아 있음을 알게 된다. 이는 소유가 성진으로 돌아온 것이므로, 꿈에서 현실로 가는 각몽의 단계인 ⓓ에 해당한다.

12. 행자로 돌아왔음을 안 성진은 '이는 필연 사부가 나의 생각이 그릇됨을 알고 ~ 다 허무한 일임을 알게 한 것이로다.'라고 하며 스승의 의도에 감사함을 느낀다. 따라서 실망한 것이 아니다.

오답 풀이 ① '언제 사부와 함께 십 년을 상종하였으리오?'라는 소유의 말에서 알 수 있다.
② 승상이 성진으로 돌아왔을 때는 '향로에 불은 이미 사라지고 지는 달이 창가에 비치고' 있는, 밤이 거의 다 끝나갈 무렵이었다.
④ 꿈에서 깬 성진은 '인간 세상에 환도하여 양가의 아들이 되었다. 그리고 장원 급제를 하여 ~ 여섯 낭자로 더불어 즐기던 것이 다 하룻밤의 꿈이로다.'라고 생각하였으므로 자신이 양소유로서 살았던 것을 기억하고 있음을 알 수 있다.
⑤ '필연 사부가 나의 생각이 그릇됨을 알고 나로 하여금 그런 꿈을 꾸게 하시어'라는 성진의 말에서 확인할 수 있다.

13. 대사는 성진에게 '이는 꿈과 세상을 다르다고 하는 것이니, 네가 아직도 꿈을 깨지 못하였도다.'라고 하며, 아직 진정한 깨달음에 이르지 못하였다고 말하고 있다.

오답 풀이 ① '사부께서 자비하시어 ~ 사부의 은혜는 천만 겁이 지나도 갚기 어렵나이다.'라고 성진이 말하였다.
② '죄를 지었으니 마땅히 인간 세상에서 윤회하는 벌을 받아야 하거늘, ~ 하룻밤 꿈으로 제자의 마음을 깨닫게 하시니'에서 확인할 수 있다.
④ 대사는 '네가 흥을 타고 갔다가 흥이 다하여 돌아왔으니 내가 무슨 간여할 바가 있겠느냐?'라고 하며 성진이 인간 세계를 염원하는 내적인 바람에 의해 인간계로 간 것이라고 말하고 있다.

⑤ '제자 성진은 아득하여 꿈과 참을 분별하지 못하겠사오니 ~ 깨닫게 하소서.'에서 확인할 수 있다.

14. 성진은 육관 대사로 인해 '하룻밤 꿈'을 꿈으로써 인간 부귀의 허무함을 깨닫고 불도에 정진하고자 하는 마음을 지니게 된다.

서술형 평가 기준

'속세의 부귀영화가 덧없다', '깨닫도록 하는 장치(기능, 역할)'의 두 가지 요소를 모두 다 넣어 적절하게 서술한 경우	상
두 가지 요소 중, 한 가지만으로 서술한 경우	중
한 가지로만 서술했고, 설명이 미흡한 경우	하

15. ㉠은 '장주지몽'의 내용으로 참과 꿈을 구별할 수 없다는 것이다. 이것을 대사가 인용한 이유는 양소유로서의 삶을 꿈(거짓)이라고 하고, 성진의 삶을 참이라고 하는 성진을 깨닫게 하기 위해서이다. 곧 궁극적으로 이 둘을 구분하는 것은 무의미하다는, 상대주의적 가치관을 가르치려고 한 것이다.

16. '구운몽'에서 '구'는 작품에 등장하는 주된 인물의 수를, '운'은 덧없음이라는 작품의 주제를, '몽'은 환몽 소설로서의 작품의 구조를 드러내고 있다.

서술형 평가 기준

'인물 – 9명', '주제 – 허무함', '구성 – 꿈을 통한 깨달음'의 세 가지 요소를 모두 다 넣어 적절하게 서술한 경우	상
세 가지 요소 중, 두 가지로만 서술한 경우	중
세 가지 요소 중, 한 가지만 서술한 경우	하

---

03 너와 나만의 시간 　　　　　p. 252

1. ② **2.** ③ **3.** ④ **4.** 죽음에 대한 두려움을 떨치기 위한 것이다. 또한 현 중위의 시신이나마 지켜 주고 싶은 마음 때문이다. **5.** ① **6.** ⑤ **7.** ③ **8.** 더 이상 다른 사람의 짐이 되지 말고 스스로 목숨을 끊어야 한다는 생각이다. **9.** ① **10.** ② **11.** ⑤ **12.** 주 대위가 '권총 소리'를 이용한 이유는 삶에 대한 희망을 버리려는 김 일등병을 억지로라도 일으켜 세우기 위해서이다. **13.** ④ **14.** ③ **15.** ④ **16.** ④ **17.** 이 글에서 '권총'은 김 일등병이 끝까지 포기하지 않고 인가까지 갈 수 있도록 이끄는 역할을 한다. / 김 일등병이 희망을 포기하지 않게 하는 역할을 한다. **18.** ④ **19.** ③

1. 이 작품의 제목 '너와 나만의 시간'은 계급의 위계나 외부

세계로부터 단절된 극한의 상황에 놓인 '너와 나', 실존적 개체들만의 시간이라는 뜻이다. 따라서 '개개인 본연의 모습이 드러나는 시간(②)'이라고 할 수 있다.

2. 이 소설은 작품 밖 서술자가 인물들의 심리와 행동을 독자에게 전달하는 방식인 전지적 작가 시점에 의해 서술되고 있다.
[오답 풀이] ① 이 소설의 서술자는 작품 밖에만 위치해 있다.
② 1인칭 주인공 시점에 대한 설명이다.
④ 1인칭 관찰자 시점에 대한 설명이다.
⑤ 3인칭 관찰자 시점에 대한 설명이다.

3. '까마귀 한 마리가 펄럭 하고 날아'오르는 장면은 현 중위의 죽음을 암시한다. 또한 '까마귀 두세 마리가 앉아 무엇인가 열심히 쪼고' 있는데 그것은 현 중위의 시체였다. 날아갈 기미를 보이다가도 다시 쪼기를 계속하는 까마귀로 인해 시체 얼굴에는 이미 검은 구멍이 나 있다. 이를 통해 볼 때 까마귀는 죽음의 불길함과 전쟁의 비극성, 참혹함을 강조하는 역할을 한다고 볼 수 있다.

4. 현 중위의 시체를 먹는 까마귀를 쫓는 것은 더 이상 시체를 훼손하지 못하도록 하고 싶은 마음에서이고, 자신이 현 중위처럼 죽어 그러한 처지에 놓이게 될지도 모른다는 공포심을 떨치고 싶은 마음에서이다.

서술형 평가 기준

두 가지 측면을 모두 적절하게 서술한 경우	상
두 가지 측면을 서술했지만, 한 가지의 설명이 미흡할 경우	중
한 가지 측면만 서술한 경우	하

5. ㉠은 현 중위의 시신을 본 주 대위의 착잡하고 복잡한 심정이 반영되어 있는 행동이다. 현 중위의 바람대로 자신이 자결을 했더라면 현 중위는 살았을지도 모른다는 생각(⑤), 자신과 김 일등병을 버리고 간 현 중위지만 혼자의 몸이라면 혹시 아군의 진지를 찾아갔을 수도 있으리라는 희망이 있었는데(④) 결국 허망하게 죽어 버렸다는 슬픔, 살려고 먼저 떠난 사람이 오히려 먼저 죽음을 맞이했다는 생각(②), 우리도 곧 현 중위처럼 비참하게 죽어 가리라는 생각(③) 등이 복잡하게 얽혀 있는 것이다.

6. ㉤은 자신이 점점 죽어 가고 있다고 느낀 주 대위가 자결을 결심하면서, 김 일등병이라도 풋소리가 나는 방향을 찾아가게 하려고 있는 힘을 다해 명령을 하는 장면이다. 따라서 삶을 포기하지 않겠다고 다짐하는 것이 아니다.

7. ⓐ는 풋소리가 난다는 주 대위의 말에 김 일등병이 희망을 갖고 기대감에 귀를 기울이는 장면이다. 그러나 풋소리가 너무 멀다는 것을 알고, 곧 ⓑ의 행동을 한다. 이것은 아무리 아군의 포라 해도 그 먼 거리를 부상당한 주 대위와 같

이 가기엔 불가능하다고 판단한 후 실망감에서 나온 행동이다.

8. 주 대위는 자신이 점점 죽어 가고 있다고 느끼며, 더 이상 다른 사람의 짐이 되지 말고 스스로 목숨을 끊어야 한다는 생각을 하게 된다.

서술형 평가 기준

'스스로 목숨을 끊어야 한다는 생각'의 의미로 적절하게 서술한 경우	상
위 내용으로 서술했으나, 설명이 미흡한 경우	하

9. ⓐ는 아군의 풋소리나 너무 멀리서 들리는 소리이다. ⓑ는 인가가 가까이 있다는 것을 의미하므로 두 인물에게 생존의 희망을 알리는 소리이다. 따라서 주 대위는 ⓐ보다 ⓑ에 기대감을 갖고 있다.

10. ⓒ는 등성이를 넘어가면 '개 짖는 소리'가 들리는 인가가 있다는 주 대위의 말을 믿지 못하는 김 일등병의 행동이다. 김 일등병은 자신의 귀로 직접 그 소리를 들을 수 없었기 때문에(ㄹ), 주 대위의 말에 확신이 서지 않았던 것이다(ㄱ).

11. ⓓ는 삶을 포기하려는 김 일등병을 위해, 주 대위가 주고 싶은 '삶에 대한 희망'이다. 따라서 〈보기〉「상한 영혼을 위하여」의 ㉣과 같은 의미로 볼 수 있다. ㉣은 '등불'과 함께 '희망'을 상징한다.

12. 주 대위는 김 일등병에게 무엇인가 주고 자신도 그것을 받고 싶었다고 하였다. 그것은 삶에 대한 희망이다. 주 대위가 체념하는 상황에서 권총을 쏜 것은 김 일등병이 긴장하게 하고 살기 위해 움직이게 하기 위해서이다.

서술형 평가 기준

'김 일등병을 일으켜 세우기 위해서'와 '김 일등병이 삶에 대한 희망을 버리려 한다.'는 내용을 모두 넣어서 적절하게 서술한 경우	상
'김 일등병을 일으켜 세우기 위한' 것이라는 내용은 넣었지만, 김 일등병의 심리는 서술하지 못한 경우	중
위 내용으로 서술했지만, 내용이 부족하거나 명확한 서술이 아닐 경우	하

13. 이 소설은 작가 특유의 단문 위주의 간결한 문장과 치밀한 묘사, 감각적 서술이 돋보이는 작품이다.

14. 김 일등병은 주 대위의 의도를 모른 채, 권총을 겨누며 명령하는 주 대위의 말을 따를 수밖에 없었다. 그러나 그에게 배신감을 느낀 것은 아니다.
[오답 풀이] ① 김 일등병은 주 대위의 명령 그대로 행동하고 있다.

② "좀 서!", '잠시 귀를 기울이고 나서', "잠깐만." 등에서 주 대위가 방향을 잃지 않기 위해 신중하게 지시하고 있다는 것을 알 수 있다.

④ 주 대위는 짧고, 강하고, 단호하게 명령하고 있다.

⑤ 김 일등병 자신의 귀로는 '개 짖는 소리'를 전혀 듣지 못한 채, 주 대위의 명령에 따르는 상황에서 김 일등병은 '죽음을 앞두고 허깨비 소리를 듣고 그러는 게 아닐까', '하필 마지막에 이러다가 죽을 필요는 무언가' 하는 생각에 이제까지 느끼지 못했던 주 대위에 대한 원망이 복받쳐 오르고 있다.

15. 주 대위는 김 일등병을 앞세우고, 컴컴한 나무숲에 들어가서도 단호하고 신중하게 명령한다. 이는 극한의 상황에서 '본질적인 생의 의지'를 발현한 것이다(ㄱ). 또한 부상당한 주 대위를 혼자 업고서 힘겹게 이동하는 김 일등병에게서 '따뜻한 인간애'를 느낄 수 있다(ㄴ).

16. 주 대위는 강인한 생의 의지를 지니고 있으며, 자신을 위해 희생해 준 김 일등병을 살리기 위한 노력을 마지막 순간까지 했던 인물이다.

17. 이 작품에서 '권총'은 겉으로 보기에는 주 대위가 김 일등병을 위협하는 수단이지만 주 대위가 김 일등병을 삶으로 이끌기 위해 사용한 것으로 절망감을 느끼고 포기하려 했던 김 일등병을 인가까지 가게 하는 역할을 한다.

서술형 평가 기준

'김 일등병이' '희망을 포기하지 않도록(인가까지 가도록)', '이끄는 역할'의 세 가지 요소를 모두 넣어 적절하게 서술한 경우	상
두 가지 요소만 넣어 서술한 경우	중
한 가지만으로 서술한 경우	하

18. [B]는 죽을힘을 다하여 김 일등병을 이끈 주 대위가 목적지가 보이자, 정신을 잃는 장면이다. 이는 강인한 의지와 책임감, 인간애를 지닌 주 대위의 성격을 부각하는 극적 장면이다.

19. ㉠은 주 대위가 생각했던 목적지인 인가가 보이기 시작하는 장면으로, 희망이 구체적으로 형상화된 것이다. 따라서 인가에 도착했음을 확연히 느낀(①) 주 대위는 종착지에 도착했다고 생각한 순간 안도하고 쓰러진 것이다(④, ⑤). 또 이제까지 개 짖는 소리가 들린다는 주 대위의 말을 믿지 못했던 김 일등병도 주 대위가 옳았음을 알았을 것이다(②).

---

04 난쟁이가 쏘아 올린 작은 공 p. 262

1. ④ **2.** ② **3.** 아무리 노력해도 가난한 생활에서 벗어나지 못하는 현실 속에서 끊임없이 좌절했다는 의미이다. **4.** ③ **5.** '철거 계고장'을 소설 속에 직접 삽입하여 작품에 현실성과 사실성을 부여한다. **6.** ② **7.** 반어법. 난쟁이 가족의 현실과 반대되는 명명법으로, 그들의 비참한 삶이 더욱 강조되는 효과를 거둔다. **8.** ⑤ **9.** ③ **10.** ④ **11.** ③ **12.** 가장 공평해야 할 법이 약자가 아닌 강자의 편에 선 부조리한 사회 현실이 드러나 있다. **13.** ⑤ **14.** ⑤ **15.** ② **16.** ② **17.** ④ **18.** ② **19.** "얘들아!"

1. 이 소설은 소외된 계층의 경제적 불평등과 이로 인한 사회 문제를 고발하고 있는 작품으로 '세대 간의 갈등 문제'와는 관련이 없다.

2. ⓑ는 아버지에 대한 사람들의 편견이 잘못된 것이라 '나'의 절실한 생각을 담은 말이다. 그들이 옳지 않고 자신의 생각이 맞다는 것이 '다섯 식구의 목숨'이 포함되어 있을 만큼의 진실임을 강조한 것이다. 따라서 '목숨을 걸 정도의 각오'로 편견에 맞서겠다는 의지의 표현이라는 설명은 적절하지 않다.

3. 하루하루 힘겹게 살아가는 전쟁과 같은 생활 속에서 매번 졌다는 것은 애쓰며 살아가지만 궁핍한 생활에서 벗어나기 어려워 매번 좌절했음을 의미한다.

서술형 평가 기준

'아무리 노력해도 가난에서 벗어나지 못했다', '현실 속에서 끊임없이 좌절했다.'는 의미를 모두 넣어 서술한 경우	상
위 내용 중, 한 가지만 넣어서 서술한 경우	중
가난한 생활에 대한 내용만 언급한 경우	하

4. ㉠의 '공장의 높은 굴뚝'은 자본주의 산업화의 상징(④)이며, ㉡은 가난한 난쟁이 가족의 삶을 보여 준다(⑤). 따라서 ㉠의 '높은(고도로 성장한)'은 ㉡의 '좁은(궁핍한, 가난한, 소외된)'과 상반된 의미 관계를 이룬다. 또한 좁은 마당을 덮는 '그림자'는 난쟁이 가족을 억압하는 산업화·도시화의 폐해나 난쟁이 가족(소외된 자들)에게 닥친 폭력적 현실이라 볼 수 있다. 따라서 ㉠에 따라 ㉡이 억압받는 구조(②)인 것이다. 그런데 ㉠의 ㉡에 대한 일방적인 억압이므로 서로 영향을 주고받는다고 볼 수 없다.

5. 자진 철거를 하라는 '철거 계고장'을 소설 속에 직접 삽입하여, 독자들이 직접 철거 계고장의 내용과 모습을 볼 수 있도록 함으로써 독자들로 하여금 실제감을 느끼게 하고 작품에 현실성과 사실성을 부여하고 있다.

6. [A]는 동사무소로 몰려가 떠들어 봐야 아무 소용이 없다는 '나'의 시각이 나타나 있다. 따라서 아무런 힘도 없는 행복동 주민들이 동사무소 직원들을 비롯한 공권력에 대항하는 모습에 어울리는 말은 달걀로 돌을 친다는 뜻으로, 아주 약한 것으로 강한 것에 대항하려는 어리석음을 비유적으로 이르는 말인 '이란투석(以卵投石)'이다.

오답 풀이 ① '자중지란(自中之亂)'은 같은 편끼리 하는 싸움이라는 뜻이다. 행복동 주민들끼리의 싸움이 아니므로 [A]에 어울리지 않는다.

③ '결자해지(結者解之)'는 맺은 사람이 풀어야 한다는 뜻으로 자기가 저지른 일은 자기가 해결해야 함을 이르는 말이다.

④ '표리부동(表裏不同)'은 겉과 속이 다른 사람을 일컫는 말이다. [A]에서 동사무소 직원들이 표리부동한 행동을 했다고 볼 수는 없다.

⑤ '순망치한(脣亡齒寒)'은 입술이 없으면 이가 시리다는 뜻으로 가까운 사람이 망하면 다른 사람도 영향을 입음을 의미한다. 동사무소 직원과 주민들 간의 관계라고 볼 수 없다.

7. 난쟁이 가족이 사는 곳은 빈민촌이다. 그곳은 낙원이나 행복과는 거리가 먼 곳이다. 이러한 마을의 이름을 낙원구 행복동이라고 명명하는 반어법을 통해 난쟁이 가족의 비참한 삶이 더욱 부각되고 있다.

8. '검정색 승용차'는 주민들에게서 입주권을 구입하기 위해 온 거간꾼의 차이다. 따라서 '못 가진 자'의 편이라고 볼 수 없다.

9. 이 글에서 아버지는 거간꾼들과 행복동 주민들이 얽힌 아수라장 속에서 '책을 읽는' 행위를 한다. 이와 같이 절박한 상황 속에서 의외의 행동을 하는 아버지는 어려운 상황을 회피하는 소극적인 성격으로 볼 수 있다.

10. 어머니의 '스무 날 안에 무슨 뾰족한 수가 생기겠니. 이제 하나하나 정리를 해야지.'라는 말에서 어머니는 어쩔 수 없는 현실을 받아들이고, 앞으로 살 길을 모색하고 있다는 것을 알 수 있다.

오답 풀이 ① 영희의 '우린 못 떠나. 갈 곳이 없어. 그렇지 큰오빠?'라는 말에서 영희는 돈이 없어서, 아파트에 입주할 수 없는 가족의 처지를 인지하고 있음을 확인할 수 있다.

② 어머니의 표찰 떼는 일을 돕고 있는 것은 '나(영수)'이다.

③ 아버지는 '얘긴 그걸로 끝난 거다.'라며 현실을 받아들이지 않고 거부하는 영호의 말에 수긍하지 않는다. 그렇다고 해서, 상반된 의견을 갖고 있는 어머니와 영호 사이에서 중재하는 역할을 하는 것은 아니다.

⑤ '나'는 집을 헐러 오는 놈은 가만히 두지 않겠다는 영호의 말에 "그만둬."라며 단호하게 포기하라고 말하고 있다.

11. ⓐ '아파트'와 ⓓ '돈'이 강자들의 것이라면, ⓑ '우리 집(난쟁이 가족의 집)'과 ⓒ '아버지의 부대(아버지가 막노동할 때 쓰는 물건을 모아놓은 포대)'와 ⓔ '팬지꽃(어린 영희의 순수한 마음을 상징함.)'은 약자들의 것이다.

12. 법은 어떤 힘보다도 강력한 힘을 발휘하는데 그것이 강자의 편에 서 있음으로써 약자를 보호하기는커녕 더욱더 힘들게 하는 부조리한 사회 현실을 보여 주고 있다.

13. '영수'의 주관적인 시선과 입장에서 서술된 '1인칭 주인공 시점'으로 사건이 전개되고 있다. 따라서 특정 인물인 영수의 가치관과 생각이 드러나 있다(①). 또한 서술자는 등장인물인 '나'로, 작품 속에 있으므로 ⑤는 틀린 진술이다.

14. 지섭은 밝고 깨끗한 주택가 삼층집의 가정 교사이다. 아버지와 말이 잘 통하며, '이 땅에서 우리가 기대할 것은 이제 없다'고 말한 것에서 '가진 자'의 입장을 대변하는 인물이 아님을 알 수 있다.

15. '나'는 방송통신고교의 강의를 받기 위한 라디오를 사러 갔다가 영희가 기타를 만지는 것을 보고, 먼저 봐 두었던 '쓸 만한 라디오'를 포기하고 영희의 기타를 사 주고, 좀 더 싼 라디오로 바꾼다. 이는 동생을 생각하는 오빠의 마음이 드러난 행동이다.

16. '나'는 아버지가 놓고 나간 책을 읽고 있었고, 그 책을 빌려준 지섭이 아버지에게 했던 말을 떠올린다. 이 내용만으로 '나'가 그 책을 못마땅한 표정을 지으며 읽었다고 판단할

수 없다.

17. '죽은 땅'은 희망이 없는 현실을 뜻하는 것이므로, 이상적 세계인 '달나라'와 대립된 공간이다. 또한 ⓑ는 ⓐ를 지향하는 상징적인 행위이다.

오답 풀이 ① ⓐ는 비현실적이고 이상적인 공간이다. 따라서 실질적으로 도달할 수 있는 공간이 아니다.

② '나'가 아버지를 찾을 때, 하늘을 쳐다본 것은 굴뚝 같은 높은 곳에 아버지가 있을 것이라고 생각했기 때문이지, 비현실적 공간인 달나라에 가 있을 것이라고 판단한 것은 아니다.

③ ⓑ는 비극적 현실 속에서 희망을 찾으려는 아버지의 몸부림이지 누구에게 희망을 전달하는 행동은 아니다.

⑤ ⓑ는 비현실적이고 상징적인 행위이므로 달나라에 도달할 수 있는 실질적인 방법이라는 말은 적절하지 않다.

18. 지섭이 아버지에게 한 '평생 동안 아무 일도 안 하셨습니까?', '나쁜 짓을 하신 적은 없습니까? 법을 어긴 적 없으세요?' 등의 질문은 그렇게 바르고 성실하게 살았음에도 불구하고 가난하게 살 수밖에 없는 사회 구조적 모순을 비판하기 위한 말이다. 따라서 지섭은 사회적 불평등을 '개인의 문제'가 아닌 '사회 구조적 문제'에 의한 것이라고 생각하고 그 점을 강조하고 있는 것이다.

19. "애들아!"는 아버지를 찾아보라고 아이들을 부르는 어머니의 다급한 음성으로 서술자인 '나'가 지섭과 아버지의 대화를 회상하고 있는 과거의 장면에서, 아버지가 두고 가신 책을 읽고 있던 현재의 장면으로 급격한 전환을 이루게 하는 효과가 있다.

[3] 극 갈래

01 봉산 탈춤   p. 272

1. ③ 2. 부채, 방울 3. ③ 4. 극에서 악기를 연주하는 동시에, 극 중 인물과 대화하면서 사건을 이끌어 가고 있다. 5. ⑤
6. ④ 7. 인물의 성격을 극단적으로 표현함으로써 극에 대한 관객의 몰입과 이해를 돕는다. 배우의 익명성을 보장함으로써 자유롭게 사회 지도층을 비판할 수 있게 한다. 8. ① 9. 악공의 음악을 일제히 멈추게 하고, 이를 통해 이어질 등장인물의 말에 관객이 집중하게 한다. 10. ⑤ 11. ② 12. ②
13. 구비 전승을 쉽게 할 수 있도록 하고, 극적 흥미를 높일 수 있다. 14. ③ 15. ② 16. ⑤ 17. ① 18. 미얄의 억울한 죽음을 통해 여성에 대한 가부장적 남성의 횡포를 비판하고 있다.

1. 미얄은 전라도 제주가 고향인 무당으로 난리 중에 헤어진 영감을 찾아 떠돌아다니고 있다. 이 글에는 영감에 대한 미얄의 원망이 나타나 있지 않다.

2. 부채와 방울은 무당이 굿을 할 때 사용하는 도구로, 미얄이 무당임을 드러내는 소재이다.

3. [A]에는 동음이의어(유사한 음의 단어)를 활용한 언어유희의 표현이 쓰이고 있다. 그런데 "문 들어온다, 바람 닫아라. 물 마른다, 목 들여와라."는 동음이의어가 아니라 잘못된 어순을 활용하여 독자의 웃음을 유발하고 있다.

오답 풀이 ① 서방(書房)과 서방(西方)의 동음이의어를 활용한 언어유희가 나타나 있다.

② 사대부(士大夫)와 사대부(四大夫)의 동음이의어를 활용한 언어유희가 나타나 있다.

④ 운봉 영장의 갈비(사람의 갈비뼈)와 갈비(소갈비)의 동음이의어를 활용한 언어유희가 나타나 있다.

⑤ '이(李) 도령'과 '이(二) 도령'의 동음이의어를 활용한 언어유희가 나타나 있다.

4. 악공의 기본적인 역할은 연주이다. 탈춤에서 악공은 이에 그치지 않고 미얄과 영감의 대화 상대가 되어 사건의 진행을 돕는 역할을 하고 있다.

서술형 평가 기준

악기를 연주하는 한편, 극 중 인물과 대화하며 사건을 이끌어 가는 역할도 하고 있다고 밝힌 경우	상
극 중 인물과 대화하며 사건을 이끌어 가고 있다고만 밝힌 경우	중
악기를 연주하고 있다고만 밝힌 경우	하

5. 이 작품의 등장인물들의 대사에는 어려운 한자어와 고사성어가 많이 포함되어 있는데 이를 통해 이 작품의 향유 계층이 평민뿐 아니라 중인과 양반 계층까지 걸쳐 있음을 알 수 있다.

오답 풀이 ① 악공은 미얄에게 엉뚱한 요구를 하여 관객의 웃음을 유도하고 있다.

② 미얄은 일원산, 이강경, 삼부여 등 숫자로 운을 맞추는 언어유희를 하고 있다.

③ 미얄은 남편의 외모를 과장되게 표현함으로써 희화화하고 있다.

④ 미얄은 소부, 허유, 이적선, 소동파 등에 얽힌 고사를 활용하여 영감에 대한 그리움을 표출하고 있다.

6. '제갈공명'을 부하로 얻기 위해 몇 번을 찾아간 '유현덕'은 영감을 간절하게 찾아다닌 미얄 자신을 빗댄 것이다.

7. 탈은 역할을 맡은 사람의 정체를 감추어 연기에 집중할 수 있도록 하고, 어떤 역할을 연기하는지 배역을 보여 주는 역

할을 한다. 또한 탈의 모양을 통해 대상을 비판을 하기도 한다.

서술형 평가 기준

관객의 몰입과 이해를 돕고, 자유롭게 사회 지도층을 비판할 수 있게 한다는 점을 그 이유와 함께 서술한 경우	상
관객의 몰입과 이해를 돕고, 자유롭게 사회 지도층을 비판할 수 있게 한다는 점만 서술한 경우	중
두 가지 기능 중 한 가지만 서술한 경우	하

8. 미얄과 영감은 헤어진 상대를 찾기 위해 노력하였는데, 그 모습이 매우 유사하다. 이 글에는 미얄과 영감의 성격이 대조적으로 제시되지는 않는다.

오답 풀이 ② '세상이란 ~ 모르지'를 통해 영감이 미얄과 만날 것임을 암시하고 있다.

③ 영감은 미얄의 외양을 과장하여 묘사함으로써 희화화하고 있다.

④ 영감은 악공에게 자신이 어떻게 이 자리까지 오게 되었는지 요약하여 설명하고 있다.

⑤ 영감과 악공의 대화 내용은 이전에 이루어졌던 미얄과 악공의 대화 내용과 매우 유사하다.

9. '쉬이이'는 탈춤에서 악공들의 연주를 그치게 하고, 주의를 집중시키기 위한 소리이다.

서술형 평가 기준

음악을 멈추게 하여, 이어질 등장인물의 말에 관객이 집중하게 하는 기능을 하고 있다고 서술한 경우	상
이어질 등장인물의 말에 집중하는 기능이 있다고만 서술한 경우	중
음악을 멈추게 하는 기능이 있다고만 경우	하

10. ⓔ에서는 미얄의 모습을 말해 보아야 만날 가능성이 낮다는 점을 밝히고 있다. 따라서 영감이 언젠가 미얄을 만날 수 있으리라 확신하고 있다고 볼 수 없다.

11. 이 글에서 등장인물이 추는 '춤'은 새로운 인물의 등장과 퇴장을 알린다. 즉 장면의 시작과 끝을 관객에게 알리는 기능을 한다.

12. 이 작품은 등장인물의 대사와 행동을 통해 사건이 전개될 뿐, 해설자가 직접 등장하지는 않는다.

오답 풀이 ① 이 작품은 전란으로 인해 헤어지게 된 미얄과 영감의 이야기에서 보듯이 조선 후기의 사회상이 반영되어 있다.

③ 이 작품은 춤과 노래로 관객의 흥을 돋우고 재미를 주는 탈춤이다.

④ 영감의 복장과 미얄의 소도구를 통해 인물의 처지와 특성을 짐작하게 한다.

⑤ 악공이 등장하여 등장인물들과 대화를 함으로써 극의 진행을 돕고 있다.

13. 「봉산 탈춤」은 미얄이 등장해 악공과 대화를 주고받고, 바로 이어 영감이 등장해 악공과 대화를 주고받는다. 이렇듯 단락의 반복에 의해 대사를 구성하고 있는데 이는 구전을 쉽게 하고, 관객이 대사에 집중할 수 있게 하는 효과를 가진다.

서술형 평가 기준

구비 전승을 쉽게 할 수 있고, 극적 흥미를 유발한다고 서술한 경우	상
두 가지 효과 중 한 가지만 구체적으로 서술한 경우	중
두 가지 효과 중 한 가지만 막연하게 서술한 경우	하

14. '원산', '강경', '부여' 등 구체적인 지명이 나오는데, 이 지명은 영감이 할멈을 찾기 위해 돌아다닌 지역일 뿐 할멈과의 추억이 서린 장소가 아니다.

오답 풀이 ① 이적선, 소동파의 고사를 활용하여 할멈을 찾기 어려웠음을 드러내고 있다.

② 가뭄 가운데의 '빗발'과 홍수 가운데의 '햇발'에 빗대어 할멈에 대한 간절한 그리움을 토로하고 있다.

④ 미래에 할멈을 만나면 눈도 대고 코도 대고 입도 대고 건드러지게 놀겠다고 말하고 있다.

⑤ '칠년대한 가뭄 날'과 '구 년 홍수 대홍수'와 같은 극단적 상황에 빗대어 할멈과 떨어져 사는 괴로움을 표현하고 있다.

15. 이 글은 전통극 중 탈춤으로, 서양 연극과 달리 배우들이 공연하는 장소가 곧 사건이 발생하는 극 중 장소가 된다는 특징이 있다.

16. 가면극에서 춤과 노래는 새로운 인물의 등장을 알리고 장면의 시작과 끝을 알리는 기능, 관객의 흥을 돋우는 기능을 한다. 이 부분에서 춤과 노래는 흥겨운 분위기를 고조시킴으로써 관객의 흥을 돋우는 역할을 하고 있다.

17. 수양산 백이숙제는 세상을 등진 사람으로 그들이 세상 사람인 미얄을 찾을 리 없다. 따라서 ㉠은 누군가 미얄 자신을 찾는 것이 매우 뜻밖의 상황임을 드러내는 것으로 자연에 살고 싶음을 드러낸 것이 아니다.

18. 영감의 폭력에 의해 미얄이 죽는 설정을 통해 가부장적 남성의 횡포를 드러내고 이를 비판하고 있다.

서술형 평가 기준

미얄의 죽음을 통해 가부장적 남성의 횡포를 비판하였음을 밝힌 경우	상
가부장적 남성의 횡포를 비판하였다고만 밝힌 경우	중
가부장적 사회 분위기를 비판했다고만 밝힌 경우	하

1. ④   2. 인물들이 현대인의 전형임을 보여 주며, 가족 간의 유대감이 상실되었음을 드러내고 있다.   3. ⑤   4. 가족에 대한 무거운 책임감, 교수를 구속하는 현실의 압박을 상징한다.   5. ③   6. ⑤   7. 한 장면이 끝나고 새로운 공간으로 이동함을 알리는 기능을 한다.   8. ③   9. 무의미한 일상   10. ②   11. ⑤   12. ②   13. 비정상적인 사건이 벌어지는 현대 사회의 모습과 무의미한 일상을 반복하는 현대인의 모습을 비판하려 하였다.   14. ②   15. ①   16. ⑤   17. 현대인을 구속하는 현실적 억압   18. ①   19. 빨리 번역을 해서 돈을 벌어라.

1. 인물들이 엉뚱한 말을 하기도 하고 과장된 행동을 하기도 하는데 이는 해학성을 높이기 위한 것이 아니라 대상에 대한 비판 의식을 강조하기 위한 것이다.

   오답 풀이 ① 인물의 처지에 어울리는 배경 음악이 쓰이고 있다.

   ② 자녀의 방과 응접실을 공간적 배경으로 설정하고 있다.

   ③ 원고지가 그려진 양복이나 쇠사슬 등 상징성이 강한 소재가 많이 쓰였다.

   ⑤ 장남이 등장하여 자신에 대해 관객에게 직접 설명하고 있다.

2. 이 작품은 다른 작품과 달리 인물들의 호칭을 고유 명사로서의 이름 없이 보통 명사로 지칭하는 것은 인물들이 개성을 가진 특수한 개인이 아닌 현대인의 전형을 보여 주는 인물임을 나타내기 위한 것으로 볼 수 있다. 또한 이 호칭은 사회적으로 객관화된 호칭으로 정상적인 가족 관계를 이루지 못하여 가족 간의 거리감이 느껴지는, 가족 간의 유대감이 상실된 모습을 보여 주고 있다.

   서술형 평가 기준

등장인물이 현대인의 전형임을 보여 주고, 가족 간의 유대감이 상실된 상황을 보여 주기 위함이라고 밝힌 경우	상
두 가지 의도 중 한 가지만 구체적으로 서술한 경우	중
두 가지 의도 중 한 가지만 막연하게 서술한 경우	하

3. ㉠은 이후 등장하는 아버지의 모습과는 정반대되는 내용으로, 장남이 아버지의 처지를 잘 모르고 있음이 드러난다. 작가는 이를 통해 가족 공동체의 유대감이 상실되었음을 나타내려 하였다.

4. '쇠사슬'은 희극적 과장과 풍자의 수법으로, 규격화된 틀에 갇혀서 무의미한 일상생활의 노예처럼 살아가고 있는 모습을 상징적으로 표현하기 위한 의도적인 과장의 표현 방법으로 현실의 압박을 상징한다.

   서술형 평가 기준

가족에 대한 무거운 책임감, 교수를 구속하는 현실의 압박임을 서술한 경우	상
두 가지 상징성 중 한 가지만 서술한 경우	중
책임감, 압박감 등 간단하게 한 가지만 서술한 경우	하

5. 교수가 자신의 일이 자녀보다 중요하다고 여기는 것은 아니다. 교수는 가족을 위해 정상적인 사고를 하지 못할 정도로 지나치게 많은 일을 하지만 가족들은 교수의 힘든 상황을 모르거나 무시한 채 교수에게 가장으로서의 무거운 짐만 지게 한다.

6. 장녀는 어머니가 아버지의 건강을 걱정한다고 말했지만 실제로 어머니는 건강보다 돈을 더 중시했다. 그럼에도 장녀는 자신의 말이 맞다고 하고 있다. 처는 남편에게 굵은 줄을 교수 허리에 감아 주고도 옷을 갈아입으니 한결 시원하지 않느냐고 묻고 있다. 이는 모두 실제 상황과는 다른 인식을 보이는 것으로, 이를 통해 가족 간의 유대감이 상실되었음을 드러내고 있다.

7. 이 글은 응접실과 플랫폼의 공간을 설정해 놓고 조명을 통해 장면을 전환한다.

   서술형 평가 기준

한 장면이 끝나고 새로운 공간으로의 이동을 알리는 기능이 있다고 밝힌 경우	상
새로운 공간으로의 이동을 알리는 기능이 있다고만 밝힌 경우	중
한 장면이 끝난 것을 알리는 기능이 있다고만 밝힌 경우	하

8. 처는 남편에게는 돈을 벌어오라고 강요하면서도 자녀에게는 순하고 부드럽게 대한다. 이 글에서는 처가 부모와 자녀 사이에 지켜야 할 도리가 있다고 생각하고 있음이 드러나지 않는다.

9. 장남이 교수의 바람과는 다르게 튼 시끄러운 음악이 반복되는 것은 소통의 단절과 무의미한 일상의 반복을 상징한다.

10. 배경 음악으로 쓰이는 「찬란한 인생」은 무의미하게 하루하루를 살아가는 교수의 처지를 반어적으로 표현한 것이다.

11. 이 작품의 인물들은 모두 무의미하고 건조한 일상을 살아가는 이들로 배우들은 이런 인물들의 특성이 잘 드러나도록 연기해야 한다.

    오답 풀이 ① 이 작품은 관객과 객석이 완전히 분리된다.

    ② 이 작품은 현대인의 일상을 보여 주고 있으므로 배경도 현대 가정의 모습을 사실적으로 보여 주어야 한다.

    ③ 이 작품에는 등장인물 간의 갈등이 두드러지게 나타나지 않는다.

④ 이 작품의 배경은 자녀의 방과 응접실로 한정되어 있다.

12. 말도 되지 않는 엉뚱하고 해괴한 사건의 기사는 사회의 비현실적이고 비정상적인 모습을 보여 주고 있다.

13. 신문 기사의 말도 되지 않는 해괴한 사건들을 통해 인물들이 속한 사회가 매우 비정상적인 사회라는 점, 삼 년 전 신문과 오늘 신문 기사의 내용이 같음을 통해 현대인의 반복적이고 지루한 일상임을 보여 주고 있다.

서술형 평가 기준

비정상적 사건이 벌어지는 현대 사회와 반복되는 무의미한 일상을 살아가는 현대인의 모습을 비판하기 위한 것임을 서술한 경우	상
현대 사회 비판과 현대인의 모습 비판 중 한 가지만 구체적으로 서술한 경우	중
현대 사회와 현대인의 모습을 비판하고 있다고만 밝힌 경우	하

14. 처는 교수에게 따지듯이 언제 밥을 먹고 언제 일을 할 것인지 묻고 있고, 교수는 이 질문에 제대로 된 답을 하지 못한다. 이를 통해 교수에게 끊임없이 요구만 하는 처와 정신을 차리지 못하고 살고 있는 교수의 처지를 드러내고 있다.

15. 자녀들은 시계가 제대로 돌아가지 않자 밥을 준다. 그러자 곧바로 처는 지쳐 일을 하지 못하는 교수에게 밥을 지어 주겠다고 한다. 이를 통해 밥을 주며 계속해서 노동력을 착취하려 한다는 것과 교수가 시계와 같은 기계처럼 노동하고 있음을 드러내고 있다.

16. 처와 교수는 진정한 소통이 이루어지지 않는 관계로, 서로에게 인간적인 유대감을 가지고 있지 않다.

17. 교수는 가장으로서의 책임감과 노동의 중압감, 현실의 구속감을 느끼고 있으므로 '철쇄'는 '현대인을 구속하는 현실적 억압'의 의미를 지닌다고 볼 수 있다.

18. [뒷부분의 줄거리]를 보면 교수가 잠시 젊은 시절의 열정을 되찾으려는 시도를 하지만 결국 일상으로 돌아와 번역 일에 쫓기게 된다. 이를 통해 교수의 무의미한 일상이 앞으로도 지속될 것임을 짐작할 수 있다.

19. '공부'는 '부업'을 의미하는 것으로 번역하는 일을 말한다. 따라서 '처'는 일을 왜 일을 하여 돈을 벌지 않느냐는 의도로 말한 것으로 볼 수 있다.

서술형 평가 기준

빨리 번역을 해서 돈을 벌라는 의미임을 서술한 경우	상
돈을 벌라는 의미라고만 서술한 경우	중
열심히 일하라는 의미라고만 서술한 경우	하

[4] 교술 갈래

01 관상가와의 대화   p. 293

1. ④   **2.** ③   **3.** 관상을 보고 예언을 한 근거를 제시하지 않았고, 현재의 모습이나 처지와 반대되는 예언을 했기 때문이다. **4.** ③   **5.** ③   **6.** ①   **7.** ①   **8.** 눈에 보이는 현상만으로 대상을 판단하려 하지 말고, 유연하고 열린 마음으로 세상을 보아야 한다.

1. 이상한 관상가는 현재의 모습이나 행동과 반대되는 삶을 살 것이라는 예언을 한다.

2. 이 글은 글쓴이가 전해 들은 이상한 관상가가 관상을 본 내용과 글쓴이가 직접 찾아가 이상한 관상가와 나눈 대화를 서술하고 있다.

3. 이상한 관상쟁이는 관상을 보고 예언한 내용의 근거를 말하지 않았고, 상대방의 얼굴과 행동거지를 살피는 것이 현재 모습이나 행동과 반대였기 때문이다.

서술형 평가 기준

관상을 보고 예언한 근거를 제시하지 않았고, 현재의 모습이나 처지와 반대되는 예언을 했기 때문임을 모두 제시한 경우	상
예언의 근거를 제시하지 않은 것과 엉뚱한 예언을 한 것 중 한 가지만 제시한 경우	중
두 이유 중 한 가지만 제시했고, 내용이 구체적이지 않은 경우	하

4. '눈이 밝지 않은 사람'이란 눈 때문에 탐욕스러워지고 세상과 사람을 바라보지 못하는 사람을 이르는 것일 뿐, 눈이 있는 사람이 장님이 될 것이라고 예언한 것은 아니다.

5. 관상가는 민첩한 사람은 용기를 숭상하는데, 그것으로 인해 대중을 능멸하여 자객이 되거나 간악한 우두머리가 될 것이라고 예언했다.

오답 풀이 ① 부귀한 사람의 관상을 보며 죄 지은 사람은 하늘이 반드시 뒤집어 놓을 것이라고 하였다.
② 장님의 관상을 앞에서와 같이 본 이유를 밝히며 물건을 보고 탐하게 되고, 사람을 왜곡하게 되는 것이 눈 때문이라고 하였다.
④ 부귀하면 교만하고 오만한 마음이 불어나게 된다고 하였다.
⑤ 빈천하면 겸손하게 되고, 그렇게 되면 살찌고 귀함이 있을 것이라고 하였다.

6. 이상한 관상가는 관상 대상의 현재 특성이 일정 시간 지속

된다면, 그 사람의 미래가 현재의 모습과 정반대로 나타나게 될 것이라고 예언하고 있다.

7. 관상가는 인자한 사람과 잔혹한 사람이 죽을 때 세상 사람들이 어떤 반응을 보일지 예언하고 있다. 따라서 관상가는 죽은 후에 받는 세간의 평가도 중시한다고 할 수 있다.

8. 글쓴이는 이상한 관상가를 통해 선입견을 가지고 대상을 대하는 것이 아닌, 편견과 선입견을 버리고 대상의 이면에 감추어진 진리를 분별하고 헤아리는 지혜가 필요함을 깨닫고 있다.

서술형 평가 기준

눈에 보이는 현상만으로 대상을 판단하려 하지 말고, 유연하고 열린 마음으로 세상을 보아야 한다는 점을 밝힌 경우	상
유연하고 열린 마음으로 세상을 보아야 한다는 점만 밝힌 경우	중
눈에 보이는 현상만으로 대상을 판단하지 말라고만 밝힌 경우	하

---

02 **젊은 아버지의 추억**   p. 299

1. ①   2. 성숙한 모습을 보여 줌으로써 집안 식구들에게 학교에 가지 않겠다는 생각을 관철시키기 위해서이다.   3. ①   4. 앞서 언급한 내용의 배경이나 의의를 구체적으로 밝히는 기능을 하고 있다.   5. ⑤   6. 학교에서 배울 것도 없고, 친구들이 유치해 사귈 마음이 없기 때문에   7. ②   8. ②   9. ②   10. '나'가 혼자서는 아무것도 할 수 없음을 느끼고, 세상이 만만치 않음을 깨닫게 하기 위해서이다.

1. 이 글은 글쓴이가 아버지와 얽힌 사건과 그 사건이 현재의 자신에게 주는 의미를 솔직한 어조로 서술하고 있다.

2. 아버지와 독대할 기회를 마련하여 계획적으로 준비한 '나'는 이러한 행동을 통해 자신의 주장에 설득력을 가져 주장을 관철시키려고 한 것이다.

서술형 평가 기준

성숙한 모습을 보이려 한다는 점, 이를 통해 학교에 가지 않으려는 바람을 이루려 한다는 점을 모두 서술한 경우	상
학교에 가지 않으려는 바람을 이루려 한다는 점만 서술한 경우	중
성숙한 모습을 보이려 한다는 점만 서술한 경우	하

---

3. 중년의 아버지와 글쓴이가 독대하기를 즐겼다는 내용은 이 글에 언급되어 있지 않다.

오답 풀이 ② 글쓴이가 아버지와의 독대 기회를 얻게 된 것은 가족과 함께 읍내 성당에 갔다 올 때였다.
③ 글쓴이는 아버지를 기억할 때, 환갑의 나이에 돌아가신 아버지보다 중년의 아버지를 떠올렸다.
④ 청소년기의 글쓴이는 스스로를 천재로 인식했고, 수준에 맞지 않는 학교를 다니지 않으려 했다.
⑤ 청소년기의 글쓴이는 가족들에게 이전과 달리 경어를 쓰고, 집에 일찍 들어왔다.

4. ㉠에서는 원리를 배운 관련 배경을, ㉡에서는 식구들과 함께 읍내 성당에 간 사건이 지닌 의의를 밝힌 것이다.

서술형 평가 기준

앞서 언급한 내용의 배경이나 의의를 구체적으로 밝히는 기능을 하고 있음을 모두 밝힌 경우	상
앞서 언급한 내용의 배경이나 의의 중 한 가지에 관해서만 밝힌 경우	중
앞의 내용을 보충 설명하고 있다고만 밝힌 경우	하

5. 청소년기의 글쓴이는 자신이 어른들에게 술을 배우지 않아도 될 정도로 술 마시기에 익숙하고, 학교를 다니지 않아도 될 정도로 또래에 비해 성숙하다고 여기고 있었다.

6. '나'는 학교에서 배울 것도 없고, 애들도 유치해서 사귈 마음이 나지 않으므로 차라리 주경야독으로 진학 준비를 하는 것이 좋겠다고 생각하고 있다.

서술형 평가 기준

학교에서 배울 것이 없고, 친구들이 유치해서 사귈 마음이 나지 않는다고 서술한 경우	상
두 가지 이유 중 한 가지만 구체적으로 서술한 경우	중
두 가지 이유 중 한 가지만 막연하게 서술한 경우	하

7. 아버지가 학교를 그만두겠다는 아들의 말에 한동안 말이 없었던 것은, 아들이 스스로를 평가하기 시작한 것에 대한 대견함을 느끼는(ㄱ) 한편, 최대한 상처를 덜 입히면서 아들을 설득하는 방법에 대해 고민(ㄹ)하고 있었기 때문이라고 짐작된다.

8. 중년의 아버지와 글쓴이가 겪은 일(추억)과 현재 글쓴이의 상황을 대비하여 자신이 중년의 아버지처럼 행동하지 못함을 성찰하고 있다.

9. 글쓴이는 위기 상황에서 이러지도 저러지도 못하고 있다. 이런 상황과 관련 있는 한자 성어는 '진퇴양난'이다.

오답 풀이 ① 절치부심(切齒腐心): 몹시 분하여 이를 갈며 속을 썩임.

③ 좌정관천(坐井觀天): 우물 속에 앉아서 하늘을 본다는 뜻으로, 사람의 견문(見聞)이 매우 좁음을 이르는 말

④ 이심전심(以心傳心): 마음과 마음으로 서로 뜻이 통함.

⑤ 오십보백보(五十步百步): 조금 낫고 못한 정도의 차이는 있으나 본질적으로는 차이가 없음을 이르는 말

10. 아버지는 남들보다 더 성숙하다고 세상을 혼자 살 수 있을 거라고 생각한 '나'의 문제를 지적하기 위해 '나'가 혼자서는 아무것도 할 수 없다는 것을 느끼게 하고, 세상이 만만치 않음을 깨닫게 하고 있다.

서술형 평가 기준

'나'가 혼자서는 아무것도 할 수 없음을 느끼고, 세상이 만만치 않음을 깨닫게 하기 위해서라고 서술한 경우	상
'나'가 혼자서는 아무것도 할 수 없음을 느끼게 하거나, 세상이 만만치 않음을 깨닫게 하기 위해서라고 서술한 경우	중
'나'의 부족함을 느끼게 하기 위해서라고만 서술한 경우	하

대단원 시험 예상 문제 pp. 306~319

1. ④ **2.** ③ **3.** ② **4.** 2연의 '새'이다. 그 이유는 〈보기〉의 화자가 ⓐ에게 동병상련을 느끼는 것처럼, 2연의 화자 역시 '새'가 시름으로 울고 있다고 생각하여 동병상련을 느끼고 있기 때문이다. **5.** ⑤ **6.** ③ **7.** ⑤ **8.** ① **9.** ② **10.** ④ **11.** ③ **12.** ⑤ **13.** ④ **14.** ③ **15.** ② **16.** ⓐ는 반드시 올 조국 광복을 뜻한다. **17.** ③ **18.** ③ **19.** ⑤ **20.** ① **21.** ④ **22.** 김현이 벼슬을 받은 것은 결국 탑돌이에 정성을 다하여 부처님이 감동했기 때문이다. **23.** ① **24.** ③ **25.** ③ **26.** 잠시(하룻밤의 시간) 동안 인간 세상에서 노닌다. **27.** ③ **28.** 이 작품은 일반적인 전후 문학이 다루는 이념의 대립보다는 인간의 생존 의지와 실존적 고민에 초점이 맞추어져 있다. 한국 전쟁이라는 특수한 상황과 그 속에서 피어나는 인간애를 그렸다는 점에서 의의가 있다. **29.** ② **30.** ④ **31.** ③ **32.** ⑤ **33.** ② **34.** ① **35.** ④ **36.** ④ **37.** ① **38.** ④ **39.** '원고지'는 번역에 얽매여 규격화된 일상 속에서 기계적으로 살아가는 교수의 삶을 상징한다. 이는 개성을 상실한 채 비인간화된 현대인의 모습을 풍자하는 것이다. **40.** ① **41.** ⑤ **42.** ④ **43.** ④ **44.** ⑤ **45.** ①

1. 가의 '~ 어찌 갑니까', '가는 곳 모르온저', '기다리겠노라', 나의 '~ 살어리랏다', '~ 우니로라', '쪼 엇디 호리라' 등이 영탄적 표현으로 화자의 심정이 직접 드러난 부분이다.

오답 풀이 ① 가를 경건한 어조로 볼 수도 있으나, '시적 긴장감'을 높인 것은 아니다.

② 시어의 반복은 나에만 드러난다.

③ 색채의 대비는 가와 나 어디에도 드러나 있지 않다.

⑤ 가에는 대상에 인격을 부여하는 의인법이 사용되지 않았다.

2. 가의 화자는 누이를 잃은 고통스러운 현실을 구도의 자세('도 닦아 기다리겠노라')로 극복하고자 하는 의지를 보여 주고 있다. 여기서 '미타찰에서 만날 날까지 도를 닦겠다.'는 것은 이승의 고통을 종교의 힘으로 극복하고자 하는 초월적 자세라 할 수 있다.

3. 「청산별곡」 3연의 '가던 새'는 두 가지로 해석 가능하다. '(들 아래로) 날아가던 새'와 '갈던 사래'가 그것인데, 두 가지 모두 '화자의 속세에 대한 미련'을 드러낸 것으로 볼 수 있다. 화자가 속세(들 아래)로 날아가는 새를 우두커니 바라본다는 것과, 속세에 두고 온 경작하던 '사래(논밭)'를 바라보는 것 모두, 떠나온 곳을 생각하는 행동이기 때문이다.

4. ⓐ는 자규(두견새)로 화자에게 동병상련의 감정을 느끼게 하는 대상이다. 나에서 이러한 역할을 하는 것은 화자처럼 시름으로 우는 '새'이다.

서술형 평가 기준

〈조건〉에 맞게 바르게 서술한 경우	상
2연의 '새'는 찾아 썼지만, 그 이유를 충분히 설명하지 못한 경우	중
1. 2연의 '새'만 찾아 쓴 경우 2. 이유를 썼으나, 조건에 맞는 형식을 갖추지 못한 경우	하

5. 가는 '연시조'로 연 구분이 되어 있으며, 나는 '고려 속요'로 분연체 시가이다. 가에는 '지국총 지국총 어사와'라는, 나에는 '얄리얄리 얄라셩 얄라리 얄라'라는 후렴구가 규칙적으로 나타난다.

오답 풀이 ① 가는 연시조, 나는 고려 속요이다.

② 가에만 4음보의 율격이 드러난다. 나는 3음보의 율격으로 이루어져 있다.

③ 나는 시간의 흐름에 따른 구성이 아닌 '기승전결' 4단 구성 또는 '청산-바다'의 대칭적 2단 구성으로 이루어져 있다.

④ 'a-a-b-a' 구조는 나에만 드러난다.

6. ⓐ는 화자가 아름다운 자연을 즐기고 있는 현장이므로, '풍류를 즐기는 공간'이라고 할 수 있다. 그러나 ⓑ는 속세에서 고통스러워하던 화자가 어쩔 수 없이 찾은 도피의 공간으로 풍류를 즐기는 공간이 아니다.

오답 풀이 ① ⓐ와 ⓑ 모두 화자가 추구하는 공간이다.

② ⓐ와 ⓑ 모두 현실 세계(속세)와 대립되는 공간이다.

④ ⓐ에만 자연의 아름다움이 드러난다.
⑤ ⓐ에만 계절의 변화에 따른 삶의 모습이 드러난다.

7. 〈보기〉의 '천심녹수'와 '만첩청산'은 깊은 자연을 지칭하는 것으로, 속세와 아주 멀리 떨어져 있음을 강조하는 표현이다. 그러나 **가** 〈동사 10〉의 '셔봉'과 '숑창'은 단순히 자연의 아름다운 풍경을 묘사하는 데 쓰이고 있다.

오답 풀이 ① **가** 의 '부셰'와 〈보기〉의 '홍진'은 모두 속세를 뜻하는 말이다.
② '무심(無心)'은 욕심이 없다는 뜻으로, 화자가 추구하는 무욕의 삶을 지칭하는 말이다.
③ **가** 의 '너일도 이리 ᄒ고 모뢰도 이리 ᄒ쟈'는 현재의 삶이 만족스러워 앞으로도 계속 이렇게 살고 싶다는 뜻이다. 〈보기〉의 '십장 홍진이 언매나 가렷ᄂ고'는 '속세가 얼마나 많이 가렸는가'라는 뜻으로, '이곳이 속세에서 얼마나 멀리 떨어져 있는 곳인가'라는 감탄의 표현이다. 따라서 이것 역시 화자의 만족감을 드러낸 것이라 할 수 있다.
④ **가** 의 'ᄀᆞᄂᆞ 눈 ᄲᅵ린 길'과 〈보기〉의 '강호에 월백하거든'은 모두 시각적으로 자연의 풍경을 묘사한 것이다.

8. ㉡ '온갖 고지(온갖 꽃이)'에는 봄, ㉢ '년닙(연잎)'에는 여름, ㉣ '서리'에는 가을, ㉤ '셜월(눈 위에 비친 달빛, 눈 내리는 밤의 달)'에는 겨울의 계절감이 드러난다.

9. **가** 의 '멀위랑 ᄃᆞ래'와 〈보기〉의 '초려삼간(세 칸의 작은 초가집)'은 화자가 소박하게 살아가는 모습을 나타낸 것이므로, 모두 안분지족(安分知足)의 삶을 보여 주는 것이라 할 수 있다.

오답 풀이 ① **가** 의 '청산'은 꿈꿔 왔던 이상적 삶을 이룰 수 있는 곳이라기보다는 속세의 어려움을 벗어나 살고자 하는 곳, 도피처라 할 수 있다.
③ **가** 2연의 '새'는 감정 이입의 대상이지만, 〈보기〉의 '청풍'은 '나'와 한데 어우러져 물아일체(物我一體)의 경지에 오르는 자연을 뜻하는 것으로 감정 이입의 대상이 아니다.
④ **가** 의 '믈'은 속세를 의미하므로 시련을 준 공간으로 볼 수 있지만, 〈보기〉의 '강산'의 '강(江)'은 화자가 몰입하여 풍류를 즐기는 공간인 자연을 의미하는 것이므로 시련의 공간이 아니다.
⑤ **가** 의 '믈 아래 가던 새 본다'에는 화자의 속세에 대한 미련이 드러나 있지만, 〈보기〉의 '강산은 들일 듸 업스니'는 '강산'은 들일 데가 없으니 방에 친 병풍처럼 둘러 두고 보겠다는 시적 화자의 호방한 기상과 풍류가 나타난 것으로 회한의 정서와는 거리가 멀다.

10. **가** 2연의 '새'는 화자가 자신과 같이 시름이 많아 운다고 느끼는 대상이다. 화자의 감정을 이입하여 자신과 같은 처지라고 느끼는 것이다. **다** 의 '백구(흰 갈매기)'는 깨끗한 자연을 대표하는 것으로서, 화자의 물아일체(物我一體)적 삶을 보여 주는 시어이다. 따라서 ⓐ와 ⓑ 모두 화자가 친밀

감, 즉 동류의식(동질감, 친구라고 느끼는 감정)을 느끼는 대상이다.

11. **나** [A]의 '이른 바람', '이에 저에 떨어질 잎'과 **다** [B]의 '무심한 백구는 내 좃는가 제 좃는가'에 감각적 이미지(시각)가 드러나 있으며, 이것으로 화자의 정서를 구체화하고 있다.

오답 풀이 ① [A]와 [B] 모두 해당되지 않는다.
② [A]에만 해당된다.
④, ⑤ [B]에만 해당된다.

12. '군은(임금의 은혜)'에 감사하는 내용은 〈보기〉에만 있다.

오답 풀이 ① **다** 에는 여름과 겨울, 〈보기〉에는 겨울의 계절감이 드러나 있다.
② **다** 의 '년닙희 ~ 쟝만 마라'와 '청약립', '녹사의'에, 〈보기〉의 '삿갓 빗기 ~ 오슬 삼아'에 안빈낙도(安貧樂道)의 삶의 자세가 드러나 있다.
③ 두 작품 모두에 자연에서의 '유유자적'한 삶의 모습이 그려져 있다.
④ **다** 의 '동사 10'과 〈보기〉의 초장에 눈이 온 겨울 풍경이 묘사되어 있다.

> **작품 연구** 맹사성, 「강호사시가」
>
> • **갈래:** 연시조(전4수)
> • **성격:** 풍류적, 낭만적
> • **주제:** 강호에서 한가한 생활을 즐기며 임금의 은혜에 감사함.
> • **시대:** 조선 전기
> • **현대어 풀이:**
>   강호에 겨울이 찾아오니 눈의 깊이가 한 자가 넘는다.
>   삿갓을 비스듬히 쓰고 도롱이를 둘러 덧옷을 삼으니
>   이 몸이 춥지 않게 지내는 것도 임금의 은덕이시도다.
> • **해제:** 자연 속에서 안분지족하는 은사(隱士)의 유유자적한 삶을 다룬 우리나라 최초의 연시조이다.

13. **가** 의 화자는 어려운 민족의 현실 속에서 현실에 안주하는 삶을 사는 무기력한 자신의 모습을, **나** 의 화자는 '절정 위에' 서는 삶이 아닌 비겁하고 옹졸하게 살아가는 무기력한 자신의 모습을 반성하고 있다.

14. 〈보기〉는 미래의 시점('아주 오랜 세월이 흐른 뒤에')에서 현재를 과거처럼 회상하는 방식으로 삶에 대한 반성과 성찰을 드러내고 있다. **가** 는 현재의 삶을 지금의 시점에서 성찰하는 방식으로 시상이 전개된다.

오답 풀이 ① 두 작품의 화자 모두 자기 성찰을 하고 있다.
② **가** 의 ' ~ 부끄러운 일이다', 〈보기〉의 '나 가진 것 탄식밖에 없어' 등에서 두 작품 모두 화자가 자신의 심정을 직접적으로 드러냈다는 것을 확인할 수 있다.

④ **⑦**의 '~ 적어 볼까', '~ 것일까?'는 의문형 어미로 고뇌를 드러낸 표현이다.

⑤ 〈보기〉에서도 '쏘다니는 개처럼'과 같이 비유적 표현이 나타나 있다.

15. **⑦**의 6연은 무기력하게 살아가는 자신의 모습을 드러낸 표현이므로, ㉠과 ㉡은 '현실적 자아'이다. 또한 마지막 연은 '시대처럼 올 아침을 기다리는' 삶을 살기로 한 '나'(내면적 자아)가 부끄럽게 살던 '나'(현실적 자아)에게 화해의 손을 내미는 것이므로, ㉣은 '내면적 자아'이며, ㉤은 '현실적 자아'이다.

16. 아침은 일제 강점기 현실과 관련하여 볼 때 조국 광복을 뜻하며 그것이 시대처럼 온다는 것은 시대가 바뀌듯이 반드시 온다는 의미이다.

서술형 평가 기준

〈조건〉에 맞게 바르게 서술한 경우	상
1. '시대처럼'의 의미인 '반드시'라는 표현을 쓰지 않고 '조국 광복'만 언급한 경우 2. '시대처럼'의 의미는 썼으나, 일제 강점기와 관련하여 '광복'이라는 표현 대신, '희망, 미래'라고 쓴 경우	중
'시대처럼'의 의미도 쓰지 않고, 일제 강점기와 관련하여 '광복'이라는 표현 대신, '희망, 미래'라고 쓴 경우	하

17. 「어느 날 고궁을 나오면서」의 화자는 중요하고 본질적인 문제에는 대항하지 못하고 사소한 문제에만 분개하며 살아가는 자신을 반성하고 있다. 독백적 어조를 통해 자신의 내면을 솔직하게 고백하고 있는 것이다.

18. '제14야전병원에 있을 때'의 일을 인용한 것은 과거로부터 계속되어 온 자신의 옹졸한 삶을 보여 주기 위한 것이다.

19. ⓐ는 사소한 일에도 견디기 힘든 고통스러움을 표현한 것으로, 부끄러운 삶을 살아가는 극도의 괴로움을 표현한 말이다. 이는 ⑤의 '잎새에 이는 바람에도 / 나는 괴로워했다'와 유사하다. '떨어지는 은행나무 잎'은 ⑤의 '잎새에 이는 바람'과, '내가 밟고 가는 가시밭'은 '나는 괴로워했다'와 같은 의미로 이해할 수 있다.

📌 **작품 연구** 윤동주, 「서시」

• **갈래**: 자유시, 서정시
• **성격**: 성찰적, 고백적, 의지적, 상징적
• **주제**: 순수한 삶에 대한 간절한 소망과 의지
• **해제**: 「서시」는 시집의 첫 장을 장식하는 첫 번째 시라는 의미이다. 이 시에서는 현실에 안주하며 살아가는 화자 자신의 삶에 대한 부끄러움과 순결한 삶에 대한 소망을 노래하고 있다.

---

20. 「김현감호」는 설화임에도 불구하고, 인과 법칙에 따른 소설적 구조가 나타난다. 호랑이 처녀가 김현의 정성스러운 탑돌이에 감동하여 부부의 연을 맺었고, 호랑이 처녀가 부부가 되어 준 김현에게 보은하기 위해 스스로 죽음을 택한 것이 인과 관계의 구조에 의한 것이다.

21. '면종복배(面從腹背)'는 겉으로 복종하는 척하면서 속으로는 배반할 마음을 가진다는 뜻이다. ㉣에서 김현은 배필이 희생하겠다는 것을 진정으로 말리고 있으므로, 김현을 '면종복배'형 인물이라고 할 수 없다.

오답 풀이 ① '임기응변(臨機應變)'은 뜻밖의 일을 재빨리 알맞게 처리한다는 뜻으로 ㉠의 상황에 맞는 말이다.

② '일벌백계(一罰百戒)'는 한 사람이나 한 가지 일을 엄하게 벌주어 여러 사람을 경계한다는 뜻으로, '마땅히 한 놈을 죽여서 악행을 징계하겠다.'는 말에 어울린다.

③ '후안무치(厚顔無恥)'는 뻔뻔스러워 부끄러움을 모른다는 뜻이므로, 동생이 대신 죽겠다는데 오히려 기뻐한 오빠 호랑이들에게 어울리는 말이다.

⑤ '살신성인(殺身成仁)'은 몸을 죽여 인(仁)을 이룬다는 뜻으로, 자신의 죽음으로 세상에 이로움을 가져오게 하겠다는 호랑이 처녀의 행동과 말에 어울리는 표현이다.

22. 〈보기〉의 끝부분에서 부처님이 호랑이를 통하여 이로움으로 보답했음을 말하고 있다. 이를 바탕으로 김현이 벼슬을 받게 된 이유를 알 수 있다.

서술형 평가 기준

〈조건〉에 맞게 바르게 서술한 경우	상
'부처님이 감동했다'는 내용은 썼지만, '탑돌이'에 정성을 다했다'는 설명이 빠진 경우	중
벼슬을 받은 내용은 썼으나, 이유에 대한 명확한 설명을 하지 못한 경우	하

23. [A]는 노승이 석장을 두드려 갑자기 구름이 덮이는 장면으로, 고전 소설의 전기(傳奇)성이 드러난 부분이다. 이는 성진이 꿈에서 현실로 되돌아가기 위한 설정으로, 소유가 성진으로 돌아갈 것을 알려 주는 것이다. 따라서 [A]의 서사적 기능은 꿈에서 현실로의 극적 전환을 암시하는 것이다.

24. [앞부분 줄거리]의 '생일을 맞아 종남산 취미궁에 올라가 ~ 양소유는 역대 영웅들의 황폐한 무덤을 보고 문득 인생의 무상함을 느끼고 비회에 잠긴다.'는 내용으로 볼 때, 성진은 이미 꿈속 양소유의 삶 속에서 '인간 부귀의 덧없음(무상함)'을 깨달은 것을 알 수 있다.

25. 소유가 불멸의 도를 얻기 위해 출가를 결심하였기 때문에 모든 낭자들과 이별하게 된 것이므로, 이것을 '속세적 삶에 대한 회의와 부정'이라고 할 수 없다.

'속세적 삶에 대한 회의와 부정'이 드러난 곳은 모든 부귀영화를 다 누린 소유가 '인간 세상의 부귀공명은 덧없는 것'이라고 느끼고 비회에 잠긴 부분이다.

26. '소(少)'는 '얼마간, 조금'의 뜻, '유(遊)'는 '놀다'의 뜻이므로 '잠시(하룻밤의 시간) 동안 인간 세상에서 노닌다.'라는 의미를 담고 있다고 할 수 있다.

서술형 평가 기준

'잠시', '인간 세상', '노닌다'의 의미를 모두 포함하여 쓴 경우	상
위 세 가지 요소 중, 두 가지만 썼을 경우	중
위 세 가지 요소 중, 한 가지만 썼을 경우	하

27. 남영로의 「옥루몽」은 몽자류 소설로 「구운몽」과 매우 유사한 구조를 갖고 있지만, 전형적인 환몽 구조를 갖춘 「구운몽」과는 다소 차이가 있다. 「옥루몽」의 주인공들은 각몽 후에 곧바로 현실 세계로 가는 것이 아니라, 속세에서 생을 마감한 후에야 천상계로 간다는 점이 「구운몽」의 구조와 다르다. 「구운몽」에서는 '그대들과 반평생을 해로하다가 갑자기 이별하려 하니'라는 소유의 말에서 인간 세상에서 생애를 다 마치지 않고 현실 세계로 돌아간다는 것을 알 수 있다. 반면, 「옥루몽」에서는 '그대는 인간 세상에서의 잠깐 동안의 인연을 마치지 못했습니다. 얼른 돌아갔다가 40년 뒤에 다시 와서 옥황상제께 조회를 하고 천상의 즐거움을 누리도록 하시오.'라는 구절에서 인간 세상에서의 생애가 다하지 않았을 경우 천상계에서 다시 인간 세계로 돌아간다는 것을 알 수 있다.

28. 이념의 대립을 그리는 대부분의 전후 소설과는 달리 이 작품은 전쟁을 배경으로 인간 실존에 대한 고민과 인간애를 주제로 하고 있다.

서술형 평가 기준

〈조건〉에 맞게 두 가지 요소를 모두 넣어서 적절하게 서술한 경우	상
〈조건〉 중 한 가지 내용은 적절하게 서술하였으나, 나머지 하나가 미흡한 경우	중
두 가지 요소를 섞어서 모호하게 서술한 경우	하

29. '궁여지책(窮餘之策)'은 궁한 나머지 생각다 못해 짜낸 계책이라는 뜻으로, 김 일등병이 삶을 거의 포기해 가고 있을 때, 김 일등병을 억지로 일으켜 세우기 위해 어쩔 수 없이 권총을 사용한 주 대위의 행동에 어울리는 말이다.

오답 풀이 ① '감언이설(甘言利說)'은 '귀가 솔깃하도록 남의 비위를 맞추거나 이로운 조건으로 꾀는 말'이라는 뜻으로, 주 대위가 "날 업어!"라고 한 명령과는 어울리지 않는다.

③ '권모술수(權謀術數)'는 '목적을 위해 남을 교묘하게 속이는 모략'이라는 뜻이다. 주 대위가 권총을 겨눈 것은 김 일등병을 살리기 위한 것이므로, 주 대위를 권모술수에 능한 사람이라고 할 수 없다.

④ '교언영색(巧言令色)'은 남의 환심을 사기 위해 교묘히 꾸미는 말과 표정이라는 뜻으로, 주 대위의 행동과는 맞지 않는 말이다.

⑤ '방약무인(傍若無人)'은 주위에 다른 사람이 있다는 것을 의식하지 않고 제멋대로 행동하는 사람을 일컫는 말이다. 주 대위의 의도로 볼 때, 김 일등병을 대하는 태도를 '방약무인'하다고 할 수는 없다.

30. 김 일등병은 [A]에서 주 대위의 행동의 의도를 전혀 눈치채지 못하고 있다. 따라서 ㉣에 들어갈 말로 적절한 것은 '무슨 영문인지 몰라 하면서도'이다.

31. 이 글은 1인칭 주인공 시점을 취하고 있으며, '나'는 난쟁이 가족의 장남인 '영수'이다. 이 글은 영수의 시각을 통해 현실적 상황에 대한 비관적 인식을 드러내고 있다.

32. 이 글의 난쟁이 가족에게 지금 시급하게 닥친 문제는 '오늘 아침'에 '철거 계고장'을 받은 일이다. 어머니는 이것을 받고는 '알루미늄 표찰'을 떼어 간직하며 어쩔 수 없는 상황에서 현실적으로 살아갈 길을 모색한다. 장남인 '나' 역시 어머니를 도와 표찰 떼는 일을 한다. 따라서 ㉤은 어머니의 생각과 같은 '나'의 심리를 보여 주는 말이므로, '어머니의 태도와 달리'라는 서술은 적절하지 않다. 어머니와 '나'와는 다른 태도를 보이는 인물은 동생 '영호'이다.

33. ⓐ는 표찰을 간직하지 않았을 때 가족이 겪을지 모르는 곤란한 상황을 뜻한다. 알루미늄 표찰에는 '무허가 건물 번호'가 새겨져 있으므로, 이것은 나중에 이주 보조금을 받을 때 반드시 필요한 물건이다. 따라서 이것이 없을 경우, 최악의 상황에서 이주 보조금마저 받지 못할 처지에 놓일 수도 있다.

34. 우리의 전통극인 가면극 「봉산 탈춤」은 무대와 객석, 배우와 관객이 엄격히 구분되어 있지 않다. 따라서 공연 장소와 극 중 장면이 분리되어 있지 않고 특별한 무대 장치 없이 극이 진행된다.

오답 풀이 ② 대구, 열거, 과장, 언어유희 등 다양한 표현법으로 웃음을 유발한다.

③ 탈춤은 재담마다 한데 어울려 추는 춤과 노래가 같이 어우러져 흥겨운 분위기를 만든다.

④ 가와 나에는 '소 새끼', '상통', '개발코' 등 서민의 언어가 거침없이 쓰였다. 참고로 탈춤에는 한자어와 고사성어도 많이 쓰여, 양반의 언어와 서민의 언어가 같이 쓰이는 언어의 양면성이 나타난다.

⑤ 악공은 극 중 개입이 빈번하며 극에서 중요한 역할을 한다. 가와 나의 장면에서는 미얄과 영감에게 말을 건네어 그들의 대사를 이끌어 내는 역할을 하고 있다.

35. 가와 나 모두에 관객이 극 중 인물과 대화하는 장면은 나오지 않는다.

36. 〈보기〉의 '개잘량'이라는 '양' 자에, 개다리소반이라는 '반' 자에, [A]의 '마모색 – 말 새끼, 소모색 – 소 새끼'에 소리(발음)의 유사성을 이용한 언어유희가 쓰였다.

오답 풀이 ① 사물에 빗댄 과장된 표현은 [A]에만 나타난다. '상통은 과녁 같고', '수염은 ~ 귀얄 같고', '상투는 ~ 망 같고' 등이 그것이다. 〈보기〉에는 열거는 있으나, '사물에 빗댄 표현'은 없다.
② 인물의 외양 묘사는 [A]에만 있다.
③ 한자의 뜻풀이는 [A]에는 없다.
⑤ 의성어와 의태어는 [A]와 〈보기〉 모두에 나타나 있지 않다.

37. '졸음이 오는 지루한 음악', '시끄럽고 귀가 아픈 곡' 등의 음향이 주제를 드러내는 데 중요한 요소로 작용한다.

38. '처'는 교수가 '저런 시끄러운 음악을 무엇 때문에 틀까?'라고 할 때 '애들이 제일 좋아하는 곡'이라고 대답하는 등, 가족 간 중재 역할을 하고 있기는 하나, 그것이 '진정한 의사소통'을 위한 것이라고 볼 수는 없다.

39. '원고지'는 규격화된 일상을 상징한다. 이는 개성을 상실한 채 일상의 반복된 틀 속에 살아가는 현대인의 기계적인 삶을 풍자하고 있는 것이다.

서술형 평가 기준

〈조건〉에 맞게 두 가지 요소를 모두 넣어서 서술한 경우	상
〈조건〉 중, 한 가지 내용은 적절하게 서술하였으나, 나머지 하나가 미흡한 경우	중
두 가지 요소를 섞어서 모호하게 서술했을 경우	하

40. '처'는 교수를 일하는 기계로 취급한다. 처는 교수에게 끊임없이 돈을 요구하는데, ㉡도 마찬가지의 의도에서 한 말이다. '처'의 '어떤 것이건 빨리 끝내야지, 어떻게 해요. 집도 수리해야겠구, 축음기도 사야겠구 ~'의 대사로 짐작할 수 있다.

41. 이 글은 교술 갈래 중 하나인 '수필'로서, 글쓴이와 서술자가 일치한다. 수필은 글쓴이 자신의 경험과 깨달음, 삶에 대한 통찰을 붓 가는 대로 자유롭게 쓴 글을 말한다.

42. '기이한 관상가'는 '나'가 느낀 관상가에 대한 평가이고, '이상한 관상가'는 보통 사람들이 부르는 말이다. '나'는 그를

만나고 나서, '그의 말은 좌우명으로 삼고, 법으로 삼을 만하다.'라고 했으므로, ㉠보다 ㉡에 긍정적인 평가가 담겨 있다.

오답 풀이 ①, ② 가의 첫 문단에서 확인할 수 있다. 관상에 관한 책도 읽지 않고, 관상 보는 규칙도 따르지 않기 때문에 사람들이 '이상한 관상가'라고 부른다고 하였다.
③ 다에서 확인할 수 있다. '나'는 관상가를 직접 만나고 나서 '과연 내 말이 맞았군.' 하면서 그에게 '참으로 기이한 관상가'라고 하였다.
⑤ '통념'은 일반적으로 널리 통하는 생각이란 말이다. '이상한'이나 '기이한' 모두, 이 관상가가 일반적인 방법과는 다른 방식으로 관상을 보기 때문에 붙은 수식어이다.

43. 이 글은 특정 인물인 '관상가'를 중심으로, 〈보기〉는 일출 장면에 대한 묘사 중심으로 글을 전개하고 있다.

44. 이 글의 '아버지'는 '나'를 깨우치기 위해 오히려 바람 부는 신작로 위에 아들을 혼자 두었다. 따라서 '추위와 바람을 막아 주시던 아버지'는 〈보기〉에만 해당하는 말이다.

오답 풀이 ① 이 글의 가에 '아버지는 환갑의 나이에 돌아가셨는데도'와 〈보기〉의 '이제는 한 줌 뼛가루로 삭아'에서 아버지가 모두 돌아가셨음을 확인할 수 있으며, 이 글과 〈보기〉의 '나'는 돌아가신 아버지를 떠올리고 있다.
② 이 글 가의 '열세 살이 되기 직전의 겨울'과 다의 '달밤에 신작로 위에서'라는 말을 종합해 보면, 신작로에서 아버지와 있었던 일은 '겨울밤'에 일어난 일이었음을 알 수 있다. 또한 〈보기〉에서는 '나를 품에 안고 추위를 ~ 겨울밤의 아버지'에서 겨울밤에 아버지와 함께 있던 장면을 회상한다는 것을 알 수 있다.
③ 이 글은 '열세 살이 되기 직전의 겨울'에 있었던 일을, 〈보기〉는 '예닐곱 살 적'에 있었던 일을 추억하고 있다.
④ 이 글의 '나'는 아버지를 특히 '중년의 아버지'로 기억하고 있다.

📖 **작품 연구** 이수익, 「결빙의 아버지」

- **갈래:** 자유시, 서정시
- **성격:** 고백적, 회상적, 애상적, 감각적
- **제재:** 아버지
- **주제:** 아버지에 대한 애틋한 그리움
- **특징:** ① 시간의 변화가 시상 전개에 큰 영향을 미침.
　　　　② 어머니에게 말하듯이 표현하여 고백적 성격을 드러냄.
　　　　③ 감각적 이미지를 사용하여 대조적인 이미지들을 표현함.

---

45. ㉠은 예상치 못했던 아들의 말에 화가 난 것을 표현한 것이 아니라, 아들의 말에 '어떻게 대응하면 좋을까' 하고 고민 중인 아버지의 행동이다.